7·9급 공무원 시험대비 **개정판**

# 박문각 공무원

## 기 본 서

**행정학**

**고득점을 위한 필독서**

완벽한 '이해'와 전략적 '정리'

빠짐없는 '내용 구성'과 '심화학습'

최신 출제경향 완벽 대비

이명훈 편저

동영상 강의 www.pmg.co.kr

# 이명훈 하이패스 행정학 #2

PREFACE

# 이 책의 머리말

**2025년 대비 「이명훈 하이패스 행정학」은**

첫째, 공공가치론에 해당하는 무어(Moore)의 공공가치창출론 및 공공가치회계와 보즈만(Bozeman)의 공공가치실패론, 최근에 주목받고 있는 리더십이론인 켈리(Kelley)의 팔로워십과 리더 -구성원 교환이론, 웜슬리(Wamsley), 굿셀(Goodsell) 등이 공동선언한 블랙스버그 선언(Blacksburg Manifesto), 테일러(Thaler)의 넛지방식의 정책설계, 호프스테드(Hofstede)의 문화유형론, 피터슨(Peterson)의 도시한계론 등 최근 중시되고 있는 이론들을 이해하기 쉽게 정리하여 소개하거나 기존에 소개된 이론의 부족한 내용을 보완했습니다.

둘째, 신뢰의 유형, 블록체인, 공공기관의 지배구조(주주 자본주의 모델과 이해관계자 자본주의 모델), 다양성 관리, 액션러닝(action learning), 적극행정징계면제제도, 재정준칙, 통합재정, 의무지출과 재량지출 등 최근 강조되고 있는 제도 장치들의 내용을 보완하고 윤석열 정부의 정부조직 개편의 내용을 반영하였습니다.

셋째, 최근 제·개정된 「전자정부법」과 「지능정보화 기본법」, 「공직자윤리법」과 「공직자의 이해충돌 방지법」, 「정부조직법」, 「국가공무원법」 및 「지방공무원법」, 「공무원의 노동조합 설립 및 운영 등에 관한 법률」 및 「공무원직장협의회의 설립·운영에 관한 법률」, 「국가재정법」 및 「지방재정법」, 「지방자치법」과 「지방자치분권 및 지역균형발전에 관한 특별법」, 「비영리민간단체 지원법」 등의 법령들을 자세히 분석하고 정리하였습니다.

넷째, 2024년 7월 이전에 치러진 공무원 행정학 문제까지 교재에 반영하였으며, 최근 출간되거나 개정된 전문서적과 최근 발표된 행정학 논문들을 참조하여 출제가능성 높은 행정학의 핵심주제들을 이해하기 쉽게 정리하였습니다.

## 「이명훈 하이패스 행정학」을 출간하며

공무원 시험과목 개편으로 9급 공무원 시험에서 행정학이 필수과목으로 전환되었고, 7급 공무원 시험에서는 행정학이 합격의 당락(當落)을 가르는 핵심과목이 되었습니다.

공무원 시험과목 개편 이후 행정학은 과거보다 난도(難度) 높은 심화된 내용이 보다 많이 출제되고 있습니다. 이제는 과거처럼 '기출지문의 단순 암기식 학습'으로는 경쟁력을 갖추기 어렵고, 합격을 보장할 수 없습니다. '이해 중심의 심도 있는 학습'만이 합격을 보장해 줄 수 있을 것입니다.

「이명훈 하이패스 행정학」은 이 책을 보는 수험생들의 노력이 합격으로 귀결될 수 있도록 학습효과를 극대화하기 위해 '이해'와 '정리'에 초점을 두고 단편적인 암기가 아닌 '이해 중심의 행정학'을, 얄팍한 지식이 아닌 '깊이 있는 행정학'을, 산만한 지식이 아닌 '전략적 정리가 이루어지는 행정학'을 지향하며 개정 작업을 수행하였습니다.

**이를 위해 「이명훈 하이패스 행정학」은 날개 부분을 다음 세 가지 내용으로 구성하였습니다.**

첫째, 낯설고 어려운 용어를 자세히 설명하여 학습에 도움이 되도록 하였습니다. 날개에 달린 용어 설명을 활용하여 교재를 학습할 경우 이해하기 쉽고 재미있는 행정학이 될 것입니다.

둘째, 본문 내용에 추가하여 심화학습 내용을 정리하였습니다. 날개에 달린 심화학습 내용은 보다 난도 높은 시험을 준비하는 7급 수험생들과 보다 자세한 학습을 원하는 9급 수험생들을 위한 것입니다. 학습의 양을 줄이고 싶은 수험생들의 입장에서는 날개에 있는 심화학습 내용을 제외하고 본문의 내용만 제대로 학습하면 충분히 고득점이 가능할 것입니다.

셋째, 중요한 기출지문을 O, X문제화하여 본문 내용을 학습함과 동시에 관련 문제를 풀어볼 수 있도록 하였습니다. 수록된 기출지문은 자신이 학습한 내용 중 중요한 부분이 무엇인지, 학습한 내용을 제대로 이해했는지를 알 수 있도록 해주는 한편, 객관식 문제 풀이에 적응력을 높여 이 책을 보는 수험생들을 고득점으로 인도할 것입니다. 객관식 행정학은 내용을 이해하는 것뿐만 아니라 문제에 대한 적응력이 너무나 중요하기 때문입니다.

# 이 책의 머리말

이 책은 심도 있는 연구 끝에 만들어진 연구서가 아니라 행정학의 여러 이론들과 연구 성과들을 수험에 맞게 정리한 수험서입니다. 이로 인해 많은 연구자들의 논의를 차용했음을 밝히며 감사의 말씀을 전합니다.

또한 저자의 능력 부족으로 계속 늦어지는 교재 작업에도 많은 관심과 지지를 보여 주신 박문각 출판의 김현실 이사님 이하 박문각 출판의 가족들과 교재작업 중 성심성의껏 교정 및 제작 작업을 도와주신 이수연 주임님께 감사를 전합니다. 이 분들의 사랑과 애정으로 이 책은 탄생하였습니다.

무엇보다도 책과 씨름하면서 함께 해주지 못한 나에게 기다림의 미덕뿐만 아니라 오히려 늘 사랑으로 용기를 북돋아 주었던 아내와 나의 삶의 원천인 승아와 유승에게 진심 어린 미안함과 함께 깊은 감사를 전합니다.

마지막으로 이 책을 보는 모든 이들에게 학업적 성취와 합격의 영광이 있기를 기원합니다.

2024년 7월

이명훈

# 이 책의 특징

## 1. 논리적 체계를 갖춘 교재

행정학은 그 역사가 짧긴 하지만 논리적 체계를 갖춘 학문입니다. 이러한 체계를 무시하고 각각의 내용을 무조건 암기하려고 하면 그 내용의 방대함으로 인하여 질리고 짜증나는 과목으로 전락할 수밖에 없을 뿐만 아니라, 시험에서 좋은 성적을 얻기도 어렵습니다. 따라서 행정학은 우선 전체를 보고 전체적인 체계하에서 특정 주제(하위체제)의 위치를 파악한 다음 그 주제의 주요 내용을 정리하는 학습이 필요합니다. 이 책은 행정학의 전체적인 체계를 설정하고 큰 체제 하에서 각각의 세부적인 주제들을 세밀히 정리하여 학습효과의 극대화를 추구했습니다.

## 2. 이해 중심의 교재

행정학은 사회과학의 성격을 띠고 있어 동일한 내용을 다른 단어와 문장으로 얼마든지 표현이 가능합니다. 따라서 단순히 특정 주제의 내용을 암기하고 있다고 해서 좋은 점수를 획득하기는 어렵기 때문에 각각의 특정 주제에 대한 명확한 이해가 선행되어야 합니다. 이 책은 행정학의 각종 논의를 수험생들의 이해에 초점을 맞춰 정리했습니다.

## 3. 최신 이론이 명확히 정리된 교재

행정학은 관료를 육성하기 위한 학문입니다. 특히 관료에게 필요한 지식은 지금 현재 행정 현실에서 직면하고 있는 문제가 무엇인지, 그리고 이를 해결하기 위한 방안은 무엇인지를 찾아내는 문제해결능력입니다. 따라서 기출문제를 분석해 보면 많은 문제들이 과거의 행정학적 논의보다는 현대의 행정학적 논의(신공공관리론, 뉴거버넌스론, 신제도주의적 접근, 전자정부론, 성과관리론, 사회적 자본론 등)에 집중되어 있습니다. 이 책은 최근 행정학의 중심적 논의들을 심도 있고 이해하기 쉽게 명확히 정리했습니다.

## 4. 중요 기출문제가 수록된 교재

행정학은 각 주제에 대하여 강약 있는 학습이 필요합니다. 여타 과목처럼 행정학도 각 주제를 평면적으로 동일한 비중을 두어 학습하는 것은 결코 바람직하지 않습니다. 이 책은 어디에 강약을 두어 학습해야 할지를 알려주는 내비게이션(navigation)으로 중요 기출지문을 O, X문제화하여 수록하였습니다.

# 공무원 행정학 **단번에 정복하기**

이해가 되어야 암기도 된다!

### 1. 체계적 학습: 숲을 보고 나무를 보자!

행정학은 그 역사가 짧은 학문이지만 논리적인 체계를 지닌 학문입니다. 이러한 체계를 무시하고 각각의 주제의 내용을 무조건 암기하려고 하면 그 내용의 방대함으로 인하여 질리고 짜증나는 과목으로 전락할 수밖에 없습니다. 우선 전체를 보고 전체적인 체계하에서 특정 주제의 위치를 파악한 다음 그 주제의 주요 내용을 정리하는 학습이 필요합니다. 이를 위해서는 한 권의 책을 심혈을 기울여 빠르게 여러 번 반복하여 학습하는 것이 좋습니다.

### 2. 이해 중심 학습: 이해가 중요하다!

행정학은 사회과학의 성격을 띠고 있어 동일한 내용을 다른 단어나 문장으로 얼마든지 표현이 가능합니다. 따라서 단순히 특정 주제의 내용을 암기하고 있다고 해서 좋은 점수를 획득하기 어려우며, 특정 주제에 대한 명확한 이해가 선행되어야 합니다. 그리고 이해가 되어야 암기도 됩니다. 이해가 되지 않았는데도 무조건 암기하려 한다면 시험에서 결코 좋은 점수를 얻기 힘듭니다.

### 3. 비교 중심 학습: 비교 개념을 파악하라!

행정학은 특정 주제를 학습할 때 이와 관련된 비교 개념을 함께 학습하는 것이 무엇보다도 중요합니다. 대부분의 기출문제가 비교를 통해 출제되기 때문입니다. 예컨대 정치행정이원론은 정치행정일원론과 비교하여 출제되고, 신공공관료제는 관료제나 거버넌스론과 비교되어 출제됩니다. 따라서 비교 중심으로 학습하는 것이 필요하며, 이렇게 학습할 때 학습의 내용도 명확해지고 고득점도 가능해집니다.

## 4. 살아 있는 학습: 행정학의 구체적인 내용과 관련 사회문제를 접목시키면서 학습하라!

행정학의 주요 연구 초점은 정부 입장에서 특정 사회문제를 어떻게 해결할 것인가에 대한 진지한 고민입니다. 따라서 모든 행정학 이론은 대부분 그 이론이 전개된 사회의 시대적 상황과 직접적으로 관련이 있습니다. 즉, 시대마다 사회문제는 변화하고 행정학은 변화된 사회문제에 대응하여 정부의 대응방안 및 해결책을 제시합니다. 공무원 또는 공무원 준비생들에게 행정학이 중요한 이유가 바로 여기에 있습니다. 이와 관련하여 행정학을 효율적으로 공부하는 방법은 특정 행정이론과 시대적 상황을 연계한 학습 및 현실 사회문제와 최근 중시되는 행정학의 주요 이슈를 연계시켜 보는 것입니다. 이러한 학습방법이 행정학을 보다 잘 이해하게 함으로써 고득점으로 연결시켜 줍니다.

## 5. 문제 중심 학습: 문제풀이, 특히 기출문제 풀이는 반드시 거쳐야 할 과정이다!

객관식 시험을 준비하는 데 있어 가장 중요한 것은 반드시 스스로 객관식 문제를 풀어봐야 한다는 점입니다. 특정 교재의 내용을 학습하는 데 지나친 시간을 할애하는 것보다는 자신의 공부 시간 중 60%는 내용의 학습에, 40%는 문제풀이에 투자해야 합니다. 이렇게 학습해야 하는 이유는 방대한 행정학의 내용 중 어느 부분을 중점적으로 학습해야 하는지 알 수 있을 뿐더러 시험장에서의 실수를 최소한으로 막아줄 수 있기 때문입니다. 특히 기출문제는 실제 시험이 어떻게 출제되는가를 알려주는 매우 중요한 정보이므로, 반드시 스스로 풀어보고 어떤 부분이 부족한지를 살펴 그 부분에 집중 투자하는 학습전략이 필요합니다.

CONTENTS

# 이 책의 차례

2권

## 제4편 조직론

## 제5편 인사행정론

### 제1장 인사행정의 기초



### 제2장 인적자원의 전략적 관리



### 제3장 공무원의 사기와 권리

# 이 책의 차례

## 제6편 재무행정론

### 제1장 재무행정론의 기초



### 제2장 예산이론과 예산제도의 변화



### 제3장 예산과정론



### 제4장 최근의 재정개혁



## 제7편 지방행정론

### 제1장 지방행정의 기초

이명훈 하이패스 행정학

합격까지 박문각

PART

# 04

# 조직론

CHAPTER 01

# 조직론의 기초

## 제 1 절 조직의 의의와 유형

### 01 조직의 의의

#### 1. 조직의 개념

조직이란 공동의 목적을 달성하기 위해 의도적으로 구조화된 활동체계를 갖춘 인간의 집합체로 환경과 끊임없이 상호작용하는 사회적 실체이다.

#### 2. 조직의 형성배경과 구성요소

(1) 형성배경 – 협력을 위한 장치

조직은 공동목표를 달성하기 위해 사람들이 서로 협력하는 과정에서 각 사람에게 역할과 기능을 할당한 일사분란한 활동체계이다.

(2) 구성요소

① **인간의 집합체**: 조직은 사회적 실체를 형성하는 인간들의 집합체로, 한 사람이 아닌 다수가 모여 어떤 특징을 가질 때 조직이 된다. 따라서 공장이나 건물 그 자체는 조직이 아니다.

② **공동목표**: 조직은 공동의 목표를 용이하게 달성하기 위해 의도적으로 형성된 사회적 단위이다. 따라서 목표 없는 조직이란 존재하지 않는다.

③ **의도적으로 구조화된 활동체계**: 조직은 공동목표를 달성하기 위해 의도적으로 필요한 기능단위로 내부를 구성하고, 구성원들의 역할·지위·권한 등을 구조화한 활동체계이다. 따라서 단순한 사람들의 집합(우발적인 군중)은 조직이 아니다.

④ **경계 및 환경과 상호작용**: 조직은 외부와 구분되는 경계를 가진 실체이며, 경계를 기준으로 외부환경과 상호작용한다. 즉, 조직은 환경으로부터 영향(투입)을 받아 활동체계를 지속적으로 재구조화하고 전환하는 과정을 거쳐 경계 밖의 환경에 무엇인가를 산출하는 개방체제로서 특징을 지닌다.

## 02 조직의 유형

### 1. 블라우와 스콧(Blau & Scott)의 유형 – 조직의 주요 수혜자에 따른 분류

| 조직 유형 | 주요 수혜자 | 내 용 | 예 |
|---|---|---|---|
| 호혜적 조직(상호조직) | 조직구성원 | • 시간이 지날수록 집권화되는 조직(Michels의 과두제의 철칙)<br>• 조직원의 참여와 통제를 위한 민주적 절차가 중시되는 조직 | 정당 · 노동조합 · 종교단체 등 |
| 기업조직 | 조직 소유자 | 경쟁적 상황에서 능률의 극대화가 중시되는 조직 | 사기업 · 생산조직 등 |
| 봉사조직 | 고객 집단 | • 고객에 대한 전문적 봉사를 강조하는 조직<br>• 고객의 요구와 행정적 절차 간의 마찰이 심한 조직 | 병원 · 학교 · 사회복지기관 등 |
| 공익조직 | 일반 국민 | 국민의 참여와 통제를 위한 민주적 절차가 중시되는 조직 | 행정기관 · 경찰 · 군대 등 |

### 2. 파슨스(Parsons)의 유형 – 조직의 사회적 기능에 따른 분류

| 조직 유형 | 사회적 기능 | 내 용 | 예 |
|---|---|---|---|
| 경제적 조직 | 적응기능 | 환경에 대한 적응기능 수행 | 회사 · 공기업 등 |
| 정치적 조직 | 목표달성기능 | 사회체제의 목표수립 및 집행기능 수행 | 행정기관 · 정당 등 |
| 통합조직 | 통합기능 | 사회구성원을 통제하고 갈등을 조정하는 기능 수행 | 사법기관 · 경찰 · 정신병원 등 |
| 형상유지 조직(교육조직) | 체제유지기능 | 한 세대로부터 다음 세대로 문화를 전수하고 교육하는 사회화 기능 수행 | 학교 · 종교단체 · 가정 등 |

### 3. 에치오니(Etzioni)의 유형 – 권력과 복종의 유형에 따른 분류

| 조직의 종류 | 권 력 | 복 종 | 예 |
|---|---|---|---|
| 강제적 조직 | 강요적 권력 | 소외적(굴종적) 복종 | 강제수용소 · 교도소 등 |
| 공리적 조직 | 공리적 권력 | 계산적(타산적) 복종 | 사기업체 등 |
| 규범적 조직 | 규범적 권력 | 도의적(규범적) 복종 | 종교단체 · 대학교 등 |

### 4. 콕스(Cox, Jr.)의 유형 – 조직문화에 따른 분류

| 조직 유형 | 내 용 |
|---|---|
| 획일적 조직 | 문화적 다양성이 인정되지 않고 강력한 단일의 문화가 지배하는 조직 |
| 다원적 조직 | 문화적 다양성이 인정되어 다른 문화를 가진 구성원들을 포용하지만, 구성원 간 문화적 갈등수준이 높은 조직 |
| 다문화적 조직 | 문화적 다양성이 인정되어 다른 문화를 가진 구성원들을 포용하며, 구성원 간 문화적 갈등 수준이 낮은 조직 |

**O·X 문제**

1. 블라우(Blau)와 스콧(Scott)은 기능을 중심으로 조직의 유형을 분류하였다. ( )
2. 파슨스(Parsons)는 조직유형을 강압적 조직, 공리적 조직, 규범적 조직으로 구분하였다. ( )
3. 블라우(Blau)와 스콧(Scott)의 조직 유형 중 국민일반을 수혜자로 하는 조직이며 국민에 의한 외재적 통제가 가능하도록 민주적 장치를 발전시키는 것을 가장 중시하는 조직은 봉사조직이다. ( )
4. 파슨스(Parsons)는 경찰조직을 사회통합기능을 수행하는 통합조직으로 분류한다. ( )

**심화학습**

**카츠와 칸(Katz & Kahn)의 유형 – 조직의 사회적 기능에 따른 분류**

| 조직 | 기능 | 내용 | 예 |
|---|---|---|---|
| 적응조직 | 적응기능 | 새로운 지식을 개발하여 환경에 적응하는 조직 | 대학 · 연구기관 등 |
| 경제적 조직 | 목표달성 기능 | 조직원의 협력을 통해 조직목표를 달성하는 조직 | 공기업 · 회사 등 |
| 정치적 조직 | 통합기능 | 사람 및 자원의 조정을 통해 조직의 통합을 달성하는 조직 | 행정기관 · 정당 · 노조 등 |
| 형상유지 조직 | 형상유지 기능 | 한 세대에서 다음 세대로 문화를 교육하는 조직 | 학교 · 종교단체 · 가정 등 |

**심화학습**

**카츠와 칸과 파슨스의 유형 비교**

| 기능 | 카츠&칸 | 파슨스 |
|---|---|---|
| 적응기능 | 적응조직 | 경제적 조직 |
| 목표달성 기능 | 경제적 조직 | 정치적 조직 |
| 통합기능 | 정치적 조직 | 통합조직 |
| 형상유지 기능 | 체제유지 조직 | 체제유지 조직 |

O·X 정답 1. × 2. × 3. × 4. ○

PART · 04

## 제 2 절 조직의 목표와 효과성

### 01 조직의 목표

#### 1. 의 의

(1) 개 념

조직목표란 조직이 실현하고자 하는 바람직한 미래 상태로 조직의 존재이유이다. 조직목표는 조직구조에 목표와 수단의 연쇄의 모습으로 체계적으로 반영된다. 즉, 상위조직은 상위목표(목표)를, 하위조직은 하위목표(수단)를 추구한다.

(2) 기 능

① 조직의 존재와 활동을 사회적으로 정당화하는 근거가 된다.
② 미래의 바람직한 상태를 밝혀 조직활동의 방향 및 조직원들의 행동기준을 제공한다.
③ 조직의 구조와 과정을 설계하는 준거가 된다.
④ 조직의 효과성 및 성과평가의 기준이 된다.
⑤ 내부 조직 간에 갈등이 발생한 경우 이를 조정하는 기능을 수행한다.
⑥ 조직구성원들에게 일체감을 느끼게 하고 동기를 유발한다.

(3) 유 형

① 공식성에 따른 분류
㉠ **공식목표**: 법령과 직제에 의해 규정된 목표
㉡ **운영목표**: 공식목표를 추진하는 과정에서 추구하는 비공식목표

② 기능에 따른 분류(Etzioni)
㉠ **질서목표**: 사회의 질서유지를 위하여 추구되는 목표
㉡ **경제목표**: 재화를 생산·분배하기 위한 목표
㉢ **문화목표**: 문화적(상징적) 가치를 창조·유지하기 위한 목표

(4) 조직목표의 모호성

① 의의: 조직목표가 분명하지 않아 조직원이 조직목표를 여러 가지 의미로 받아들이고 해석하는 것(조직목표에 대한 경쟁적 해석가능성)을 말한다.

② 조직목표 모호성의 차원
㉠ **사명 이해 모호성**: 조직원이 조직의 사명을 이해하고 의사소통하는 과정에서 자신들의 업무가 무엇인지를 각자 다르게 이해하는 것을 말한다.
㉡ **지시적 모호성**: 조직의 사명을 구체적인 행동지침으로 전환하는 과정에서 발생하는 다양하고 경쟁적인 해석의 정도를 말한다.
㉢ **평가적 모호성**: 조직의 사명을 얼마나 달성했는지를 평가하는 과정에서 발생하는 다양하고 경쟁적인 해석의 정도를 말한다.
㉣ **우선순위 모호성**: 다수의 조직목표 중 우선순위를 결정하는 과정에서 발생하는 다양하고 경쟁적인 해석의 정도를 말한다.

---

**심화학습**

조직목표의 특징
① 조직의 공식목표와 실제로 추구하는 목표는 다를 수 있다.
② 조직에는 복수의 상충되는 목표가 존재한다.
③ 조직목표는 여러 가지 원인에 의해 변화한다.

**O·X 문제**

1. 조직목표는 조직이 존재하는 정당성의 근거가 될 수는 없다. ( )
2. 조직목표는 조직의 구조와 과정을 설계하는 준거를 제공하고 성과를 평가하는 기준이 되기도 한다. ( )
3. 조직구성원들이 목표로 인해 일체감을 느끼기 때문에 조직목표는 구성원들의 동기를 유발해준다. ( )
4. 조직목표는 미래의 바람직한 상태를 밝혀 조직활동의 방향을 제시한다. ( )
5. 조직의 운영상 목표는 공식목표를 추진하는 과정에서 추구하는 목표로, 비공식적 목표다. ( )

**심화학습**

페로우(Perrow)의 목표유형 – 준거집단에 따른 분류

| 목표 | 내용 | 준거집단 |
|---|---|---|
| 사회적 목표 | 사회의 요구에 부응하는 목표 | 사회 전체 |
| 산출 목표 | 고객의 요구에 부응하는 목표 | 고객 |
| 체제 목표 | 조직의 유지·생존·적응을 위한 목표 | 최고 관리자 |
| 생산 목표 | 투자자의 기대에 부응하는 목표 | 투자자 |
| 파생적 목표 | 조직이 본래 추구하던 목표 이외의 조직의 존재나 활동으로부터 파생되는 목표 | |

O·X 정답 1. × 2. ○ 3. ○ 4. ○ 5. ○

③ **정부 조직목표의 모호성**: 목표의 모호성은 정부와 기업 모두에서 발견되지만, 정부가 더 추상적인 목표(공익 등)를 추구한다는 점에서 목표의 모호성이 더 크게 발생한다.

(5) 조직목표와 개인목표

① 의의: 조직은 조직 자체의 목표를 지니며, 조직원은 자신의 개인적인 목표를 지닌다. 조직이 성공하기 위해서는 조직목표와 개인목표의 조화가 필요하다.

② 조직목표와 개인목표의 조화를 위한 모형

㉠ **교환모형**: 개인목표와 조직목표가 상충한다고 전제하고 조직은 개인목표 달성에 도움이 되는 유인을 제공하고, 개인은 그에 대한 대가로 조직목표 달성에 기여하는 행동을 보임으로써 양자가 상호 교환을 통해 조화를 꾀하는 모형이다(과학적 관리론, 인간관계론).

㉡ **교화(사회화)모형**: 개인에 대한 감화 및 교육과정을 통해 개인이 조직목표 달성에 기여하는 행동을 가치 있는 것으로 인식하도록 유도하는 모형이다.

㉢ **수용모형**: 조직이 목표를 설정하고 입안함에 있어서 개인목표를 고려하고 이를 수용하는 모형이다.

㉣ **통합모형**: 교화와 수용 과정을 통해 개인목표와 조직목표의 통합을 유도하는 모형이다.

## 2. 조직목표의 변동

(1) 의 의

조직목표는 조직 내·외의 다양한 주체들에 의한 역동적인 상호작용 과정을 거쳐 형성되고 변동되는 가변적인 현상이다.

(2) 유 형

① 목표의 전환(goal displacement: 목표의 대치, 동조과잉)

㉠ 의의: 조직이 추구하는 종국적 목표가 다른 목표나 수단으로 뒤바뀌는 현상, 종국적 가치와 수단적 가치의 우선순위가 뒤바뀌는 현상, 행정의 궁극적 목표인 공익보다 수단적 목표인 법규를 중시하는 현상을 말한다.

㉡ 연구학자: 목표의 전환 현상에 대한 연구는 미첼스(Michels)의 '과두제의 철칙'에서부터 시작되었으며, 머튼(Merton)과 골드너(Gouldner)는 관료제의 병리현상으로 동조과잉을 지적한 바 있다.

㉢ 발생원인

ⓐ **과두제의 철칙(소수간부의 권력과 지위 강화 현상)**: 조직의 최고관리자나 소수의 간부가 일단 권력을 장악한 후에는 조직의 목표를 자신의 권력이나 지위를 강화하기 위한 목표로 전환한다.

ⓑ **규칙과 절차에 대한 집착(동조과잉)**: 법규나 절차에 지나치게 집착하면 그 자체가 목표가 되어 형식주의나 동조과잉 현상이 초래된다.

ⓒ **목표의 무형성과 과다 측정(유형적 목표 추구)**: 상위목표의 추상성·무형성으로 인해 관료들이 측정 가능한 유형적 하위목표에 치중하는 경우 목표의 전환이 야기된다.

심화학습

**정부 조직목표의 모호성**

정부조직은 다양한 가치를 추구하는 과정에서 충돌하는 다양한 가치 간에 조화를 위해서, 또는 합법적 행정과 합목적적 행정의 조화를 위해서 의도적으로 목표의 모호성을 추구하기도 한다.

심화학습

**조직목표와 개인목표의 관계**

| 관계 | 내용 | 조직 역할 |
|---|---|---|
| 대립 관계 | 개인이 조직목표 달성을 지속적으로 방해하는 관계 | 퇴출 또는 개인의 목표 수정 유도 |
| 중립 관계 | 개인이 조직목표 달성에 기여하지도 않고 방해하지도 않는 관계 | 조직원이 목표달성에 관심을 갖도록 유도(사회화) |
| 양립 관계 | 개인목표 달성을 통해 조직목표가 달성되는 관계 | 가장 바람직한 관계 |
| 동일 관계 | 개인목표와 조직목표가 일치하는 관계로 단기적으로는 조직목표 달성에 기여하나, 장기적으로는 지나친 조직몰입으로 심리적 탈진과 피로가 발생하여 조직이탈 | |

PART · 04

O·X 문제

1. 목표의 대치(displacement)는 조직목표 달성이 어려울 때 기존 목표를 새로운 목표로 전환하는 것이다. ( )

2. 목표의 대치(displacement)란 조직의 목표 추구가 왜곡되는 현상으로, 조직이 정당하게 추구하는 종국적 목표가 다른 목표나 수단과 뒤바뀌는 것을 말한다. ( )

3. 미첼스(Michels)의 '과두제의 철칙(iron law of oligarchy)' 현상에 가장 부합하는 조직목표 변동 유형은 목표대치이다. ( )

4. 목표의 전환은 목표의 무형성과 관련된다. ( )

5. 동조과잉은 규칙이나 절차의 엄수에 대한 강조로 야기된다. ( )

O·X 정답 1. × 2. ○ 3. ○ 4. ○ 5. ○

ⓓ **조직의 내부성 및 할거주의**: 조직 내부의 문제나 자신이 소속된 부서의 목표만을 중시하고 전체목표나 조직외부의 환경변화를 과소평가하는 경우 목표의 전환이 야기된다.

② **목표의 승계**: 조직의 목표가 이미 달성되었거나 아예 달성이 불가능한 경우 조직이 새로운 목표를 추구하는 현상을 말한다. 특히, 행정조직의 경우 종결메커니즘의 결여와 관료들의 동태적 보수주의 성향으로 목표의 승계가 빈번하게 야기된다.

③ **목표의 다원화(목표의 질적 변동)**: 조직이 종래의 목표에 새로운 목표를 추가하는 것을 말한다. 기존의 목표에 질적으로 다른 목표가 추가된다는 점에서 목표의 질적 변동이라고도 한다(예 월드컵의 목표를 16강 진출에다 남북단일팀의 구성으로 한민족 단합을 추가하는 것).

④ **목표의 확대(목표의 양적 변동)**: 조직이 종래의 목표범위를 확대하는 것을 말한다. 기존목표를 확장한다는 점에서 목표의 양적 변동이라고도 한다(예 월드컵의 목표를 16강에서 4강으로 바꾸는 것).

⑤ **목표의 비중변동**: 목표 간 우선순위나 비중이 변동하는 것을 말한다. 목표의 비중변동은 조직 내의 집단 간 세력변동, 정책의 변화, 환경의 압력에 의해서 나타날 수 있다.

### (3) 환경에 의한 목표의 변동 – 톰슨과 멕에윈(Thompson & McEwen)

① **의의**: 톰슨과 멕에윈은 조직목표의 형성 및 변동 원인을 조직과 환경과의 교호작용에서 찾는다.

② **환경과 목표의 변동**

㉠ **경쟁**: 둘 이상의 조직이 제3의 조직으로부터 지지를 얻기 위한 활동을 말한다. 경쟁이 발생하는 경우 제3의 조직은 경쟁하는 조직들의 목표를 부분적으로 통제할 수 있으며, 경쟁하는 조직들은 서로의 목표에 간접적으로 영향을 미친다.

㉡ **교섭(협상)**: 둘 이상의 조직이 양보와 획득 과정을 통해 협상하는 것을 말한다. 교섭에 참여하는 조직들은 서로의 목표를 직접적으로 제약하여 목표의 변동을 가져온다.

㉢ **흡수(포섭, 적응적 흡수, 호선: co-optation)**: 조직에 위협을 줄 수 있는 외부 세력을 오히려 조직의 의사결정기구에 참여시키는 것을 말한다. 적응적 흡수의 경우 조직의 목표는 흡수된 환경적 세력에 의해 변동될 수 있다.

㉣ **연합**: 둘 이상의 조직이 공동목표를 추구하기 위해 하나의 조직처럼 행동하는 것을 말한다. 연합의 경우 조직의 목표는 연합에 참여하는 다른 조직과의 공동목표에 의해 변동될 수 있다.

**O·X 문제**

1. 목표의 승계(succession)는 본래 조직목표 달성이 불가능할 때 기존 목표의 범위를 확장하는 것이다. ( )
2. 미국의 소아마비 재단이 20년간의 활동 끝에 소아마비 예방백신 개발로 목표가 달성되자, 관절염과 불구아 출생의 예방 및 치료라는 새로운 목표를 채택하였다. 이러한 현상을 목표의 다원화라고 한다. ( )
3. 목표의 다원화(multiplication)는 조직목표 달성이 어려울 때 기존 목표에 새로운 목표를 추가하는 것이다. ( )
4. 목표의 확대(expansion)는 본래 조직목표를 달성하였을 때, 새로운 목표를 발견하여 선택하는 것이다. ( )

**심화학습**

셀즈닉의 적응적 흡수

| | |
|---|---|
| 연구 | 미국의 '테네시 강 개발 계획(TVA)에 대한 연구'에서 TVA에 외부의 저항적 압력단체 대표들을 참여시킨 사례를 연구하였다. |
| 결론 | 외부의 반대세력들이 의사결정에 참여함으로써 저항은 상당히 줄어들었지만, 그들로 인해 TVA의 목표 및 행동이 부분적으로 수정되었음을 밝혀내었다. |

O·X 정답 1. × 2. × 3. ○ 4. ×

## 02 효과성평가모형

### 1. 의 의

조직의 효과성은 '조직이 의도한 목표를 달성한 정도'를 의미하며, 주로 결과(outcome)로 파악된다. 그런데 조직의 효과성 개념은 모호하고 복잡해서 단 하나의 평가기준만으로 이해하기 곤란하다. 이에 효과성 측정에 대한 다양한 논의가 이루어지고 있다.

### 2. 효과성평가모형

(1) 목표모형(목표달성모형)

① 의의: 조직의 목표달성도를 평가기준으로 삼는 모형이다.

② 평가: 이 모형은 목표달성도가 측정 가능하다는 것을 전제로 하나 실제 측정이 곤란한 경우가 많으며, 조직이 다양한 목표를 추구하는 경우 또는 비공식적 목표가 존재하는 경우 어떤 목표에 우선순위를 두고 평가해야 하는지에 대한 판단이 곤란하다.

(2) 체제모형

① 의의: 조직을 하나의 체제로 보고 체제의 기능적 요건(AGIL)을 수행하는 능력을 평가기준으로 삼는 모형이다. 즉, 체제의 환경변화에 대한 적응력, 환경과의 균형 유지 및 생존능력, 하위 구성요소들을 통합하는 능력, 생산물이나 서비스를 환경에 산출하는 능력 등을 통해 효과성을 평가한다.

② 체제자원모형: 체제모형 중 하나인 체제자원모형은 체제의 순환과정 중 '투입'에 초점을 두고, 조직이 환경으로부터 필요한 자원을 탐색하고 획득·활용하는 능력을 평가기준으로 삼는다. 이 모형은 조직의 목표달성보다 달성수단인 자원을 통해 효과성을 평가한다.

(3) 이해관계자모형(참여자이익모형)

① 의의: 조직이 내·외부의 이해관계자들(고객, 경쟁자, 공급자, 정치인, 이익집단 등)의 욕구를 만족시키는 것을 평가기준으로 삼는 모형이다.

② 과정: 이해관계자 목록을 작성해 이해관계자를 파악하고 이들의 욕구를 정리한 다음, 이해관계자의 우선순위를 정하고, 선정된 이해관계자의 만족도를 조사해 조직의 효과성을 평가한다.

(4) 경합가치모형(경쟁적 가치 접근법) – 퀸과 로보그(Quinn & Rohrbauch)

① 의의: 조직은 상충되고 갈등하는 다양한 가치(민주성, 효율성, 합법성, 형평성 등)를 동시에 추구한다고 보고, 여러 가지 가치를 하나의 모형에 종합해 상충되는 가치들의 통합적 분석틀을 제공하는 모형이다(다중차원적 접근방법). 경합가치모형은 조직의 효과성이 평가자의 주관적 가치에 의존한다는 것을 전제로 한다.

② 모 형

㉠ 기준: 경합가치모형은 '융통성과 통제', '조직(조직 외부)과 구성원(조직 내부)', '목표와 수단'을 조직의 효과성 측정기준으로 활용하여 4가지 모형을 도출하였다.

**O·X 문제**

1. 체제접근법(체제자원모형)은 목표나 산출보다는 목표달성을 위해 필요로 하는 수단에 초점을 둔다. ( )

**O·X 문제**

2. 경쟁적 가치 접근법은 조직의 효과성이 평가자의 가치에 의존한다는 주장이다. ( )

3. 퀸과 로보그의 경쟁가치모형의 조직효과성 측정기준에는 '유연성–통제', '조직–구성원', '목표–수단'의 세 가지 차원이 있다. ( )

O·X 정답 1. ○ 2. ○ 3. ○

O·X 문제

1. 경쟁가치모형에서 합리적 목표모형은 조직구조에서 통제를 강조하고 조직 그 자체보다는 조직 내 인간을 강조하는 모형이다. ( )

2. 경쟁가치모형에 의하면 조직의 외부에 초점을 두고 통제를 강조하는 경우 성장 및 자원 확보를 목표로 하게 된다. ( )

3. 경쟁가치모형에 의하면 조직의 내부에 초점을 두고 통제를 강조하는 경우 안정성 및 균형을 목표로 하게 된다. ( )

4. 내부과정모형의 목표가치는 인적자원 개발이며, 그 수단으로서 조직구성원의 응집성, 사기 및 훈련 등이 강조된다. ( )

5. 경합가치모형은 조직이 성장·발전함에 따라 조직의 성과평가 기준들이 변화할 수 있다고 보았다. ( )

6. 조직의 창업 단계에 적합한 조직효과성 모형은 개방체제모형이다. ( )

O·X 정답 1. × 2. × 3. ○ 4. × 5. ○ 6. ○

㉡ 모 형

| 구 분 | 외 부 | 내 부 |
|---|---|---|
| 융통성 | 개방체제모형<br>• 목표: 성장 및 자원 확보<br>• 수단: 유연성, 외적 평가 | 인간관계모형<br>• 목표: 인적자원의 개발<br>• 수단: 구성원의 응집력, 사기 |
| 통 제 | 합리목표모형<br>• 목표: 생산성, 효율성, 이윤<br>• 수단: 합리적 기획, 목표 설정 | 내부과정모형<br>• 목표: 안정성과 균형<br>• 수단: 정보관리, 의사전달 |

㉢ 적 용

ⓐ **전제**: 경합가치모형은 조직의 성장주기에 따라 4가지의 경합적 가치가 성장 또는 쇠퇴한다고 보고, 조직의 성장주기에 따른 평가기준을 제시하였다.

ⓑ **적용**: 이 모형에 의하면 창업 단계는 개방체제모형, 집단공동체 단계는 인간관계모형, 공식화 단계는 내부과정모형과 합리목표모형, 구조의 정교화 단계는 개방체제모형이 성장하며, 이 기준에 따라 평가되어야 한다.

# 제 3 절 조직이론의 전개

## 01 조직이론의 의의

### 1. 개 념

조직이론이란 조직에 대한 일종의 사고방식으로, 조직을 바라보고 분석하는 방법이다. 조직이론은 조직을 과학적으로 설명하고 처방하기 위한 체계화된 지식을 제공한다.

### 2. 분 류

(1) 기원에 따른 분류

① **조직구조론**: 조직의 탄생·변화·구조를 설명하는 조직사회학에 기반을 두고, 조직구조의 설계로 발전한 조직이론이다.

② **조직행태론**: 조직인의 행태를 설명하는 조직심리학에 기반을 두고, 조직인이 조직목표에 몰입할 수 있도록 하는 다양한 처방이론으로 발전한 조직이론이다.

(2) 연구목적에 따른 분류

① **서술적 이론**: 조직을 정확하게 파악하여 기록하고 설명하는 이론으로 '조직이 실제 어떤 모습인가'의 문제를 다룬다.

② **규범적 이론**: 조직의 바람직한 미래 상태를 위한 처방을 제시하는 이론으로 '조직이 어떻게 해야 하는가'의 문제를 다룬다.

(3) 분석단위에 따른 분류

① **미시적 조직이론**: 조직 내의 개인이나 소집단의 행동을 연구하는 이론이다. 개인 수준으로는 조직인의 학습·지각·성격·태도·동기요인 등을, 집단 수준으로는 리더십·권력·갈등관리·의사전달·의사결정 등을 다룬다.

② **거시적 조직이론**: 조직 자체의 내·외부적 행동을 연구하는 이론이다. 조직수준에서 조직목표와 효과성·조직구조·조직환경·조직문화·조직의 변화와 발전 등을 다룬다.

(4) 환경과의 상호작용에 따른 분류

① **폐쇄체제**: 조직과 환경과의 관계를 고려하지 않는 이론이다. 고전적 조직이론과 신고전적 조직이론이 이에 해당한다.

② **개방체제**: 조직과 환경과의 상호작용을 강조하는 이론이다. 현대적 조직이론이 이에 해당한다.

## 02 조직이론의 변천

### 1. 왈도(D. Waldo)의 분류

(1) 이론의 전개

① **고전적 조직이론**: 과학적 관리론을 배경으로 성립된 기계적 조직관으로, 정행이원론과 행정관리론의 입장에서 행정을 규명하는 전통적 조직이론이다.

② **신고전적 조직이론**: 고전적 조직이론에 대한 반발로 등장한 인간 중심의 연구로 인간관계론, 후기인간관계론, 환경유관론 등이 이에 속한다.

③ **현대적 조직이론**: 개인을 자아실현인 또는 다양한 욕구와 변이성을 지닌 복잡인으로 보고, 조직에서의 변화와 갈등의 순기능을 인정하고 조직발전(OD)을 중시하며, 조직을 환경과 상호작용하는 동태적·유기체적 개방체제로 인식하는 최근의 조직이론이다.

(2) 이론 간 비교

| 구 분 | 고전적 조직이론 | 신고전적 조직이론 | 현대적 조직이론 |
|---|---|---|---|
| 중심변수 | 구조 | 인간 | 환경 |
| 추구하는 가치 | 기계적 능률성 | 사회적 능률성 | 가치의 다원화(효율성·민주성·사회적 적실성 등) |
| 인간관 | • 합리적 경제인<br>• X이론적 인간관 | • 사회인<br>• Y이론적 인간관 | • 자아실현인 또는 복잡인<br>• 쇄신적 가치관 중시 |
| 조직관 | • 공식적·합리적 구조를 중시<br>• 정치행정이원론 | • 비경제적 요인과 비공식적 집단 중시<br>• 참여지향적 관리 중시 | • 동태적·유기적 구조<br>• 상황적응적 접근<br>• 조직발전(OD) 및 종합적 행정개혁 중시 |
| 환경관 | 폐쇄체제 | 폐쇄체제 | 개방체제 |
| 관련 이론 | • 과학적 관리론<br>• 일반관리론<br>• 행정관리학파(원리주의)<br>• 관료제론 | • 인간관계론<br>• 후기인간관계론<br>• 행정행태론<br>• 환경유관론 | • 거시조직이론(구조적 상황론, 조직경제학, 조직군 생태론, 자원의존모형 등)<br>• 탈관료제모형 |
| 연구 방법 | • 원리적 접근<br>• 형식적 과학성 | • 경험적 접근<br>• 경험적 과학성 | • 복합적 접근<br>• 종합과학적 성격 |

심화학습

**환경유관론**
환경에 관심을 가지나 여전히 조직 내부의 문제에 연구의 초점을 두고 있어 개방체제모형이라기보다는 폐쇄적 모형에 가깝다.

O·X 문제

1. 고전적 조직이론은 전문화와 분업을 통하여 조직의 효과적 운영과 생산성 극대화를 추구한다. ( )
2. 고전적 조직이론은 공·사행정이원론에 입각하고 있다. ( )
3. 고전적 조직이론은 조직 내 기계적 능률을 중시하고, 조직 속의 인간을 합리적 경제인으로 간주한다. ( )
4. 신고전적 조직이론은 고전적 조직이론이 전제한 합리적 경제인에 대한 반발로 등장하였다. ( )
5. 신고전적 조직이론은 인간의 조직 내 사회적 관계와 더불어 조직과 환경의 관계를 중점적으로 다루었다. ( )
6. 현대적 조직이론은 동태적이고 유기체적인 조직을 상정하며 조직발전(OD)을 중시해 왔다. ( )

O·X 정답 1. ○ 2. × 3. ○ 4. ○ 5. × 6. ○

**O·X 문제**

1. 스콧(Scott)은 조직이론이 폐쇄·자연적 이론 ⇨ 폐쇄·합리적 이론 ⇨ 개방·자연적 이론 ⇨ 개방·합리적 이론 순서대로 발달하였다고 보았다. ( )

## 2. 스콧(W. Scott)의 분류

(1) 의 의

스콧은 조직이론을 ① 조직이 환경적 요소를 고려하는지 여부(폐쇄와 개방)와 ② 인간과 조직을 합리적 존재로 인식하는지, 자연적 존재로 인식하는지 여부(합리와 자연)를 기준으로 4가지로 분류한다.

(2) 조직이론의 분류

| 특 징 \ 이 론 | 폐쇄 – 합리적 조직이론 | 폐쇄 – 자연적 조직이론 | 개방 – 합리적 조직이론 | 개방 – 자연적 조직이론 |
|---|---|---|---|---|
| 조직관 | 공식적 구조 | 비공식적 구조 | 이론적 결핍 | 조직의 능동성 · 개방성 · 민주성 강조 |
| 인간관 | 합리적 경제인 | 사회인 | 인간에 대한 연구가 미흡 | 비공식성 · 비합리성 |
| 환경관 | 폐쇄체제 | 폐쇄체제 | 환경에 대한 조직의 종속변수성 강조 | 자기조직화 강조(조직의 능동성 강조) |
| 가 치 | 능률성 | 조직 내 민주성 | – | 조직의 생존 중시 |
| 연구경향 | 형식적 과학성 | 실증적 과학성 | – | 무질서한 조직을 그대로 서술 |
| 이 론 | 과학적 관리론, 관료제론, 원리주의 | 인간관계론, 환경유관론, 행태론 등 | 체제이론, 상황적응이론, 조직경제학 | 거시조직이론, 혼돈이론(자기조직화 이론) 등 |

## 3. 모건(G. Morgan)의 조직은유론

(1) 의 의

모건은 조직을 이해하는데 은유(이미지)가 효과적으로 활용될 수 있다고 보고 조직을 8가지 이미지로 표현하였다. 스콧(Scott)의 분류가 조직을 역사적으로 바라보는 종단면적 분석이라면, 모건은 은유라는 방법을 통해 조직을 횡단면적으로 이해하였다.

(2) 조직의 8가지 이미지(조직을 바라보는 시각)

| 이미지 | 내 용 |
|---|---|
| 기계장치 | 조직은 표준화된 절차에 따라 톱니바퀴처럼 움직이는 기계와 같은 존재(예 관료제론, 과학적관리론, 원리주의 등) |
| 유기체 | 조직은 출생 · 성숙 · 소멸의 주기를 지닌 생명체로 생존을 위해 환경 적응력이 중시되는 존재 |
| 두 뇌 | 조직은 인간의 뇌처럼 각 부서가 서로 연결되어 정보를 주고받는 정보처리기관과 같은 존재(예 학습조직) |
| 가치(문화) | 조직은 전통, 신념, 역사, 공통의 비전을 중시하는 가치지향적 존재 |
| 정치적 존재 | 조직은 개별이익을 추구하는 구성원들 간에 경쟁 · 갈등 및 타협이 이루어지는 존재 |
| 심리적 감옥 | 조직은 공식적 규칙과 암묵적인 규율을 통해 구성원들을 심리적으로 제약하는 존재 |
| 흐름의 변화 | 조직은 리더나 구성원들의 성향에 따라 다양한 변화가 소용돌이치는 존재 |
| 지배도구 | 조직은 지배계층이 피지배계층을 조정하고 착취하는 존재 |

O·X 정답 1. ×

CHAPTER 02

# 조직의 구조

## 제 1 절 조직구조의 기초

### 01 조직구조의 의의와 구성요소

#### 1. 조직구조의 의의

(1) 개 념

조직구조란 조직이 일정한 기능을 수행하기 위해 확립한 역할과 행위의 구조화된 체계이다. 조직구조는 ① 구성요소인 지위 · 역할 · 권력과 권한, ② 기본변수인 복잡성 · 공식성 · 집권성, ③ 상황변수인 규모 · 기술 · 환경, ④ 조직문화인 조직의 분위기 · 구성원의 가치관과 신념 등을 고려하여 설계된다.

(2) 조직구조의 역할

① 조직 내 개인 간 또는 하위기구 간 권한 및 역할 배분의 기준이 된다.
② 조직 내 구성원들의 통제 권한 및 업무상 갈등 조정 권한을 지정한다.
③ 의사전달과 의사결정의 통로가 된다.

#### 2. 조직구조의 구성요소와 구조화의 기준

(1) 구성요소(기본단위) – 조직구조 형성의 기초요소

① **지위**: 조직 체제 속에서 개인이 점하는 위치의 상대적 가치를 말한다. 지위는 특정 조직에서 계층적 서열 · 등급 · 순위를 나타내며, 지위의 차이가 보수와 편익 및 권한과 책임의 차등을 가져오는 근거가 된다.

② **역할**: 어떤 지위를 차지하는 사람이 해야 할 것으로 기대되는 행위나 행동의 범주를 말한다. 특정 역할은 조직구조의 구성단위로 다른 역할들과 구분되며, 이들과 함께 전체적인 조직구조를 형성한다.

③ **권력과 권한**: 개인 또는 조직 단위의 행태를 좌우할 수 있는 능력을 권력이라 하며, 권력 중 정당화 · 합법화된 권력을 권한이라 한다. 권력과 권한은 역할과 지위의 효력을 뒷받침해주는 수단이다.

④ **규범**: 조직원이 마땅히 따르고 지켜야 할 행동의 보편화된 기준을 말한다. 규범은 역할 · 지위 · 권력의 실체와 상호관계를 당위적으로 규정해 주는 기능을 한다.

**심화학습**

역할과 관련된 개념

| | |
|---|---|
| 역할 기대 | 역할담당자가 어떻게 행동해야 하는가에 관한 개념 |
| 역할 행태 | 역할담당자가 실제로 어떻게 행동하는가에 관한 개념 |
| 역할 갈등 | 역할기대와 역할행태와의 괴리 |
| 역할 모호성 | 역할담당자가 자신의 역할을 명확하게 인식하지 못하는 것 |
| 역할 과다 | 업무에 대한 기대와 요구가 역할담당자의 능력을 벗어나는 것 |

(2) 구조화(부성화 · 부서화)의 기준 – 조직구조 설계의 방식

① **기능부서화**: 유사한 기능을 기준으로 부서를 편재하는 방식(기능구조)

② **사업부서화**: 산출물을 기준으로 부서를 편재하는 방식(사업구조)

③ **혼합부서화**: 기능부서와 사업부서의 결합으로 부서를 편재하는 방식(매트릭스구조)

④ **지역부서화**: 지역별로 부서를 편재하는 방식

## 02 조직구조의 기본변수와 상황변수

### 1. 조직구조의 기본변수

조직구조의 기본변수는 조직구조의 구성요소(기본단위)를 통해 설계된 조직구조의 특성을 말한다. 기본변수에는 복잡성 · 공식성 · 집권성이 있다.

(1) 복잡성(complexity)

① **의의**: 한 조직을 구성하는 기구의 분화의 정도를 말한다. 복잡성은 수직 · 수평 · 공간적 복잡성으로 구분된다.

② 내 용

㉠ **수직적 복잡성(수직적 분화 – 계층화)**: 직무의 책임도와 난이도에 따른 계층화의 정도를 말한다.

㉡ **수평적 복잡성(수평적 분화 – 전문화)**: 조직 내 기구의 횡적 분화의 정도를 말한다. 과업의 세분화나 전문화와 동의어로 활용된다.

㉢ **공간적 복잡성(공간적 분산)**: 조직을 구성하는 시설이나 기구가 지역적 · 장소적으로 분산되어 있는 정도를 말한다.

③ 특 징

㉠ 복잡성이 높을수록 구성원이 동일한 업무를 반복적으로 수행하게 되어 준기계화되고 사기가 저하되며, 갈등이 증가한다. 이로 인해 조직몰입도가 낮아진다.

㉡ 복잡성이 높을수록 통솔범위는 좁아진다.

㉢ 복잡성이 높을수록 유지관리조직의 규모가 커짐에 따라 행정농도가 높아진다.

**핵심정리 | 행정농도**(조직농도)

1. **전통적 견해**
   참모조직을 전체공무원 수로 나눈 비율
2. **현대적 견해**
   유지관리업무에 종사하는 구성원(간접인력: 참모조직과 관리직)의 수를 전체공무원의 수로 나눈 비율

**O·X 문제**

1. 복잡성은 조직이 얼마나 나누어지고 흩어져 있는가의 분화 정도를 말하며, 수직적 · 수평적 · 공간적 분화로 세분화할 수 있다. ( )
2. 참모의 비율이 클수록, 비관리직 비율이 작을수록 행정농도는 높다고 본다. ( )
3. 수평적 전문화 수준이 높을수록 업무는 단순해진다. ( )

**심화학습**

행정농도와 전문성

| | |
|---|---|
| 전통적 견해 | 행정농도를 참모조직(전문가로 구성)만으로 인식하기 때문에 행정농도가 높을 경우 조직의 전문성이 높다고 할 수 있다. |
| 현대적 견해 | 행정농도를 참모조직(전문가로 구성)과 관리직(일반행정가로 구성)으로 인식하기 때문에 행정농도가 높을 경우라도 반드시 전문성이 높다고 할 수 없다. |

O·X 정답 1. ○ 2. ○ 3. ○

### (2) 공식성(formalization)

① 의의: 조직원의 지위・역할・권한이 성문화(문서화)되어 있고, 업무수행에 관한 규칙과 절차가 표준화・정형화되어 있는 정도를 말한다.

② 특징: 조직의 규모가 클수록, 단순하고 반복적인 직무일수록, 안정적인 환경일수록, 집권화된 조직일수록, 외부로부터 감시와 통제가 많을수록 공식성의 정도가 높아진다.

③ 장・단점

| 장 점 | 단 점 |
|---|---|
| • 시간과 노력이 절감되며, 신속하고 효율적인 업무 수행 가능<br>• 불확실성을 감소시켜 행동의 예측과 통제 증진 및 불필요한 혼란 방지<br>• 대외관계의 일관성과 안정성을 유지하며, 공정하고 공평한 과업 수행<br>• 일상적인 업무의 대폭적인 하부위임 가능<br>• 관리자의 직접적인 감독 필요성 감소<br>• 통제가 용이하여 구성원의 변이성 감소 | • 유동적 상황에서 탄력적 대응성 저하<br>• 구성원의 자율과 재량이 제약되어 인간소외 현상(비인간화) 야기<br>• 과다한 문서 생산(redtape, 번문욕례) 야기<br>• 규칙과 절차 중시로 동조과잉 야기<br>• 상사와 부하 간의 비민주적・비인간적 의존관계 형성<br>• 조직변동 곤란(과업변동률 저하) |

### (3) 집권성(centralization)

① 의의: 조직 내의 의사결정권한의 위치에 대한 것으로 의사결정권한이 상위계층에게 집중되어 있는 정도를 말한다. 집권성은 권한위임의 정도로 측정된다.

② 집권화의 촉진요인

| 구분 | 내용 |
|---|---|
| 구성원 측면 | • 상급관리층이 강력한 리더십을 갖고 있는 경우<br>• 하위층의 능력이나 자질이 부족한 경우 |
| 업무내용 측면 | • 조직의 여러 하위부서 간에 통일성이 요구되는 업무<br>• 중요한 업무 및 비용이 많이 드는 업무<br>• 부서 간, 개인 간 횡적 조정이 곤란한 업무<br>• 조직의 활동이나 관리의 획일성 및 통일성이 요구되는 업무<br>• 신속한 정책결정이 필요한 업무<br>• 특정 활동의 전문화가 필요할 때<br>• 조직이 내적 통제력을 확보하고자 할 때<br>• 규칙과 절차의 합리성 또는 효과성에 대한 신뢰가 존재할 때<br>• 규모의 경제를 실현하고자 할 때<br>• 행정기능의 중첩과 혼란 방지, 조직 내 분열 억제, 갈등의 신속한 해결 등 |
| 조직 측면 | • 조직의 규모가 작고 조직의 역사가 짧을 때(신설조직)<br>• 집중투자를 위해서 조직이 동원・배분하는 자원규모가 팽창할 경우 |
| 환경 측면 | • 교통・통신의 발달로 의사결정에 필요한 정보가 집중될 때<br>• 조직이 위기나 난국에 처해 있을 때<br>• 개혁이나 쇄신 및 변화가 필요할 때 |

**심화학습**

**공식성과 표준화**

① 공식성과 표준화는 동일한 의미로 사용되는 것이 일반적이나 구분하는 견해도 있다.

② 구분하는 견해는 공식성은 과업의 수행・절차・방법・결과 등에 대한 기준을 사전에 정해 놓은 정도로 보며, 표준화는 사업부품(투입의 표준화), 작업과정 및 절차(과정의 표준화), 산출물의 품질 수준(산출의 표준화) 등의 유형을 통일시켜 놓은 정도로 본다.

**O·X 문제**

1. 공식화는 업무수행 방식이나 절차가 표준화되어 있는 정도를 의미하며 직무기술서, 내부규칙, 보고체계 등의 명문화 정도를 측정할 수 있다. ( )

2. 일반적으로 단순하고 반복적 직무일수록, 조직의 규모가 클수록 그리고 안정적인 조직환경일수록 공식화가 높아진다. ( )

3. 공식화의 정도가 높을수록 조직적 응력은 떨어진다. ( )

4. 공식화의 수준이 높을수록 조직구성원들의 재량이 증가한다. ( )

**O·X 문제**

5. 집권화는 자원 배분을 포함한 의사결정권한이 조직의 상・하 직위 간에 어떻게 분배되어 있는가를 의미한다. ( )

6. 집권화는 규모의 경제를 향상하고 간접비용을 줄일 수 있다. ( )

7. 기술과 환경변화의 격동성 증가는 행정조직의 집권화를 촉진하는 조건이다. ( )

8. 집권화는 조직의 규모가 작고 신설조직일 때 유리하다. ( )

9. 규칙적 절차의 합리성 또는 효과성에 대한 신뢰의 증가는 집권화를 촉진한다. ( )

10. 집권화의 장점으로는 전문적 기술의 활용가능성 향상과 경비절감을 들 수 있다. ( )

11. 집권화는 행정기능의 중복과 혼란을 회피할 수 있고 분열을 억제할 수 있다. ( )

**O·X 정답** 1. ○ 2. ○ 3. ○ 4. × 5. ○ 6. ○ 7. × 8. ○ 9. ○ 10. ○ 11. ○

③ 분권화의 촉진요인

| 구분 | 내용 |
|---|---|
| 구성원 측면 | • 최고관리층이 민주적 리더십을 가지고 있을 때<br>• 부하의 능력이나 자질이 우수하거나 능력 향상을 도모하고자 할 때<br>• 조직구성원의 자발성과 창의성을 북돋우고자 할 때<br>• 하위계층에 훈련의 기회를 제공하고자 할 때<br>• 정보기술이 발달해 지식공유가 원활하고 구성원의 전문성이 높을 때<br>• 조직 내 관리자의 육성 및 동기유발을 하고자 할 때 |
| 업무내용 측면 | • 행정업무의 내용이 전문적일 때<br>• 예산이 적게 드는 사업일 때<br>• 하위조직의 실정에 적합한 관리를 하고자 할 때<br>• 최고관리자가 세부적·일상적인 업무에서 벗어나 장기계획에 관심을 둘 때 |
| 조직 측면 | • 대규모 조직이거나 조직의 역사가 길 때(기성조직)<br>• 조직이 성장하여 다루어야 할 문제가 많아질 때<br>• 업무 수행 장소가 넓어져 조정하기가 곤란할 때<br>• 조직이 기술수준의 고도화에 대응하고자 할 때 |
| 환경 측면 | • 환경이 불확실하여 격동적인 환경에 신속하게 대응하고자 할 때<br>• 고객에게 신속하고 상황적응적인 서비스를 제공하고자 할 때<br>• 지역의 특수성이나 시기의 적절성을 고려해야 할 때 |

## 2. 조직구조의 상황변수

조직구조의 상황변수란 조직구조의 기본변수에 영향을 미치는 요소들을 말한다. 여기에는 규모, 환경, 기술, 전략, 역사 등이 있다.

### (1) 규모와 조직구조

① 의의: 규모는 보통 조직원의 수로 평가되나, 그 밖에 물적 수용능력, 투입자원 또는 산출자원 등도 포함된다.

② 특 징

㉠ 규모가 커지면 통솔범위의 한계로 분화가 촉진되어 복잡성도 커지다가 일정 정도가 지나면 체감한다.

㉡ 규모가 커질수록 공식성(비정의성)이 강화되어 구성원의 비인간화, 사기 저하, 조직몰입도 저하, 응집도 저하 등의 역기능을 초래한다.

㉢ 규모가 커지면 조직의 의사결정권한이 위임되어 분권화되는 경향이 있다.

㉣ 규모가 커지면 유지관리부문이 많아져 행정농도가 높아진다.

㉤ 규모가 커지면 경직성이 높아져 조직이 보수화되고 쇄신성이 저하된다.

### (2) 환경과 조직구조

① 의의: 환경이란 조직의 경계 밖에 있으면서 조직의 목표달성에 영향을 미치는 모든 요소를 말한다.

② 조직구조에 영향을 주는 환경요소 – 환경의 불확실성

㉠ 의의: 환경의 불확실성은 '환경의 변화를 예측하기 어려운 정도'를 말하며, 환경의 복잡성과 불안정성(역동성)에 의해 좌우된다.

㉡ 환경의 복잡성: 단순성과 대비되는 개념으로 환경요소의 수(다양성)와 상이성·이질성 및 상호의존성의 정도를 말한다.

㉢ 환경의 불안정성: 안정성과 대비되는 개념으로 환경요소의 변화의 정도(역동성·동태성·격동성의 정도)를 말한다.

**O·X 문제**

1. 신속한 행정이 요구되는 경우에는 분권화된다. ( )
2. 교통통신기술이 급속하게 발달하고 있을 때 분권화가 촉진된다. ( )
3. 분권화는 조직의 내적 통제력을 확보할 수 있으며, 환경변화에 신속하게 대응할 수 있다. ( )
4. 하위조직단위 간 횡적조정이 어려워 이를 조정해야 하는 경우 분권화의 필요성이 커진다. ( )

**O·X 문제**

5. 조직의 규모가 클수록 복잡성이 낮아진다. ( )
6. 조직의 규모가 작을수록 대체로 구성원의 사기는 낮다. ( )
7. 조직의 규모가 커질수록 대체로 조직의 쇄신성이 높아진다. ( )
8. 조직의 규모가 클수록 조직 내 구성원의 응집력이 강해진다. ( )
9. 조직규모가 감소하면 공식화와 분권화가 모두 낮아진다. ( )

**O·X 문제**

10. 낮은 불확실성의 조직환경은 환경이 복잡하고 변화가 안정적인 경우이다. ( )
11. 높은 불확실성의 조직환경은 집권적 조직구조가 적합하다. ( )

O·X 정답 1. ○ 2. × 3. × 4. × 5. × 6. × 7. × 8. × 9. ○ 10. × 11. ×

③ 환경의 불확실성과 조직구조(Daft)

| 구 분 | | 환경의 복잡성 | |
|---|---|---|---|
| | | 단 순 | 복 잡 |
| 환경의 변화 | 안 정 | 낮은 불확실성(기계적 구조) | 중저 불확실성✢(기계적 구조) |
| | 불안정 | 중고 불확실성✢(유기적 구조) | 높은 불확실성(유기적 구조) |

④ 특 징

㉠ 불확실한 환경에서는 환경의 복잡성은 높지만, 이에 대응하기 위한 조직구조의 복잡성은 낮아진다.

㉡ 불확실한 환경에서는 조직의 상황적응적 대응이 강조되어 공식성과 집권성이 낮아진다.

㉢ 불확실성이 낮을수록 공식화되고 집권화된 기계적 구조가 적합하고, 불확실성이 높을수록 참여적이고 분권적인 유기적 구조가 적합하다.

(3) 기술과 조직구조

① 의의: 기술이란 조직에 대한 투입을 산출로 전환하는 데 사용되는 지식과 방법을 말한다.

② 특 징

㉠ 일상적인 기술일수록 분화의 필요성이 낮아 복잡성은 낮아진다.

㉡ 일상적인 기술일수록 표준화가 용이하여 공식성은 높아진다.

㉢ 일상적인 기술일수록 통제가 용이하여 집권성은 높아진다.

㉣ 대체로 일상적 기술일수록 기계적 구조가, 비일상적 기술일수록 유기적 구조가 적합하다.

(4) 전략과 조직구조

① 의의: 전략이란 조직목표 달성을 위한 환경과의 상호작용 계획을 말한다.

② 유 형

㉠ 방어적·소극적(저비용) 전략: 내부지향적이고 안정성 위주의 전략을 말한다(비용절감 전략 등).

㉡ 공격적·적극적(차별화) 전략: 외부지향적이고 모험을 취하는 전략을 말한다(혁신적인 산출물 개발).

③ 특징: 저비용 전략은 기계적 구조(복잡성, 공식성, 집권성이 높은 조직)가, 차별화 전략은 유기적 구조(복잡성, 공식성, 집권성이 낮은 조직)가 적합하다.

(5) 상황변수와 기본변수 간의 관계

| 구 분 | 복잡성 | 공식화 | 집권화 |
|---|---|---|---|
| 규모가 클 때 | + | + | − |
| 비일상적 기술일 때 | + | − | − |
| 불확실한 환경일 때 | − | − | − |

✢ 환경의 불확실성
① 중저 불확실성: 다소 낮은 불확실성
② 중고 불확실성: 다소 높은 불확실성

PART · 04

O·X 문제

1. 비일상적인 기술을 사용하는 조직일수록 복잡성은 높은 반면, 공식화의 정도는 낮아진다. ( )

2. 일상적 기술일수록 분화의 필요성이 높아져서 조직의 복잡성이 높아질 것이다. ( )

3. 비일상적 기술일수록 공식화는 낮아지고, 분권화는 높아진다. ( )

O·X 문제

4. 조직이 방어적 전략을 추구할수록 공식화와 분권화 정도가 모두 높은 조직구조가 적합하다. ( )

5. 조직의 규모가 커짐에 따라 조직의 분권화가 촉진될 것이다. ( )

6. 공식화와 규모는 비례적 관계이다. ( )

7. 규모가 증가할수록, 비일상적 기술일수록 조직의 복잡성은 높아지고, 집권성은 낮아진다. ( )

O·X 정답 1. ○ 2. × 3. ○ 4. × 5. ○ 6. ○ 7. ○

## 03 기술과 조직구조에 대한 이론적 논의

### 1. 우드워드(Woodward)의 기술유형론

(1) 의 의

우드워드는 '기술적 복잡성'을 기준으로 기술을 분류하고 이에 따른 조직구조의 특징을 밝혔다. 여기에서 '기술적 복잡성'이란 생산과정이 통제되고 그 결과가 예측 가능한 정도로, 기계가 인간을 대신해 주는 기술일수록 복잡한 기술이다.

(2) 유 형

① **소량(단위)생산체제**: 특정 고객의 필요를 충족시키기 위해 개별 주문에 따라 소수의 상품을 생산하는 체제(예 맞춤양복기술, 선박, 비행기 등 주문생산)

② **대량생산체제**: 표준화된 제품을 대량으로 생산하며, 부품의 표준화 정도는 높지만 최종생산물은 고객에 따라 조금씩 달라지는 체제(예 자동차 조립 생산)

③ **연속생산체제**: 일정 과정을 거치면서 성질이 다른 제품을 연속적으로 생산하는 체제(예 정밀화학공장)

(3) 기술과 조직구조

우드워드는 소량생산체제 ⇨ 대량생산체제 ⇨ 연속생산체제로 갈수록 기술적 복잡성이 증대하며, 대량생산체제는 관료제와 같은 기계적 구조가 효과적이지만, 소량생산체제와 연속생산체제는 유기적 구조가 효과적이라고 주장하였다.

### 2. 톰슨(Thompson)의 기술유형론

(1) 의 의

톰슨은 업무처리과정에서 일어나는 조직 간, 개인 간 상호의존성을 기준으로 기술을 연속적 기술(길게 연계된 기술), 중개적 기술, 집약적 기술로 분류하고 이에 따른 조직구조의 특징을 밝혔다.

(2) 유 형

| 기술유형 | 연속적 기술<br>(길게 연계된 기술) | 중개적 기술 | 집약적 기술 |
|---|---|---|---|
| 의 의 | 표준화된 상품을 반복적으로 대량생산할 때 사용되는 기술 | 고객들을 연결하는 기술 | 다양한 기술이 개별적인 고객의 성격과 상태에 따라 다르게 배합되는 기술 |
| 상호의존성 | 순차적 · 연속적 | 집합적 | 교호적 |
| 갈 등 | 중간 | 낮음. | 높음. |
| 조정난이도 | 중간 | 가장 용이 | 가장 곤란 |
| 조정방법 | 계획(일정표) | 표준화(루틴화) | 상호조정(쌍방향적 의사전달) |
| 생산비용 | 중간 | 낮음. | 높음. |
| 복잡성 | 중간 | 낮음. | 높음. |
| 공식성 | 중간 | 높음. | 낮음. |
| 예 | 대량생산 조립라인 등 | 은행, 직업소개소 등 | 종합병원, 연구실험실 등 |

**O·X 문제**

1. 우드워드(Woodward)의 견해에 따르면 대량생산기술을 사용하는 조직에는 기계적 구조가, 단위·소량생산과 연속공정생산기술을 가진 조직에는 유기적 구조가 효과적이다. ( )

**O·X 문제**

2. 톰슨은 업무처리과정에서 일어나는 조직 간·개인 간 상호의존도를 기준으로 기술을 분류하고, 종합병원처럼 집약기술이 필요한 조직은 수직적 조정이 중요하다고 주장하였다. ( )
3. 길게 연결된 기술을 사용하는 경우 표준화가 가능하고, 순차적 의존관계를 지니게 된다. ( )
4. 집약적 기술을 사용하는 부서의 의존관계는 교호적 상호작용이다. ( )
5. 교호적 상호의존성은 주로 중개형 기술을 활용하는 조직에서 나타나는데 부서들이 과업을 독자적으로 수행하기 때문에 단위작업간의 조정 필요성이 크지 않다. ( )
6. 중개형 기술은 집합적 상호의존성을 지니며 규칙, 표준화를 조정수단으로 한다. ( )

O·X 정답 1. ○ 2. × 3. ○ 4. ○ 5. × 6. ○

## 3. 페로우(Perrow)의 기술유형론

### (1) 의 의

페로우는 분석 가능성(업무처리가 표준화된 절차에 의해 수행되는 정도)과 과제의 다양성(예외적 사건의 정도)에 따라 기술을 일상적 기술, 비일상적 기술, 공학적 기술, 장인기술로 분류하고 이에 따른 조직구조의 유형을 밝혔다.

### (2) 기술유형별 조직구조

① **일상적 기술**: 분석 가능한 탐색과 소수의 예외가 결합된 기술로 직무수행은 단순하고 문제해결은 용이하며, 높은 수준의 집권성과 공식성을 지닌 기계적 구조가 적합하다.

② **비일상적 기술**: 분석 불가능한 탐색과 다수의 예외가 결합된 기술로 직무수행은 복잡하고 문제해결은 곤란하며, 낮은 수준의 집권성과 공식성을 지닌 유기적인 조직구조가 적합하다.

③ **공학적 기술**: 분석 가능한 탐색과 다수의 예외가 결합된 기술로 직무수행은 복잡하지만 문제해결은 용이하며, 중간수준의 공식성과 집권성을 지닌 다소 기계적인 조직구조가 적합하다.

④ **장인기술(기예적 기술)**: 분석 불가능한 탐색과 소수의 예외가 결합된 기술로 직무수행은 단순하지만 문제해결은 곤란하며, 중간수준의 집권성과 공식성을 지닌 다소 유기적인 조직구조가 적합하다.

### (3) 기술유형별 주요 특징

| 구 분 | | 과제 다양성 | | | | | |
|---|---|---|---|---|---|---|---|
| | | 낮음(소수의 예외) | | | 높음(다수의 예외) | | |
| 분석가능성 | 낮음(분석불가능) | 장인기술(craft): 고급유리그릇 생산 | | | 비일상적 기술(non-routine): 핵추진장치 | | |
| | | 조직구조 | 정보기술 | 조직구성원 | 조직구조 | 정보기술 | 조직구성원 |
| | | • 대체로 유기적<br>• 중간의 공식화<br>• 중간의 집권화<br>• 중간의 통솔범위 | • 소량의 풍성한 정보<br>• 하이터치<br>• 개인적 관찰<br>• 면접회의 | • 작업 경험<br>• 수평적, 구두에 의한 의사소통(언어)<br>• 하급관리층의 재량과 권력이 큼. | • 유기적 구조<br>• 낮은 공식화<br>• 낮은 집권화<br>• 적은 통솔범위 | • 다량의 풍성한 정보<br>• 하이테크 및 하이터치<br>• 면접회의, MIS, DSS | • 수평적 의사소통<br>• 회의훈련 및 경험<br>• 하급 및 중간관리층의 재량과 권력이 큼. |
| | 높음(분석가능) | 일상적 기술(routine): 표준화된 제품 생산 | | | 공학기술(engineering): 자동차엔진 생산 | | |
| | | 조직구조 | 정보기술 | 조직구성원 | 조직구조 | 정보기술 | 조직구성원 |
| | | • 기계적 구조<br>• 높은 공식화<br>• 높은 집권화<br>• 넓은 통솔범위 | • 소량의 분명한 계량적 정보<br>• 보고서, 규정집, 계획표<br>• TPS | • 적은 훈련 및 경험<br>• 수직적, 문서에 의한 의사소통<br>• 하급 및 중간관리층의 재량과 권력이 작음. | • 대체로 기계적<br>• 중간의 공식화<br>• 중간의 집권화<br>• 중간의 통솔범위 | • 다량의 계량적 정보<br>• 하이테크<br>• 데이터베이스, MIS, DSS | • 공식 훈련<br>• 문서 및 구두에 의한 의사소통<br>• 중간관리층의 재량과 권력이 큼. |

**O·X 문제**

1. 과제의 다양성이란 과제가 수행되는 과정에서 발생하는 예외적 사건의 빈도를 말한다. ( )
2. 페로(C. Perrow)의 기술유형 중 과업의 다양성과 문제의 분석가능성이 모두 높은 경우에 해당하는 기술은 비일상적 기술이다. ( )
3. 장인적 기술을 사용하는 부서의 경우 과제의 다양성은 높고 문제의 분석가능성은 낮아 문제 해결이 어렵다. ( )
4. 일상기술은 과업의 다양성이 높고 성공적인 방법을 발견하는 탐색절차가 복잡하여 통제·규격화된 조직구조가 필요하다. ( )
5. 페로(C. Perrow)에 의하면 기예적 기술은 대체로 유기적 조직구조와 부합한다. ( )
6. 페로(C. Perrow)에 의하면 비정형화된 기술은 부하들에 대한 상사의 통솔범위를 넓힐 수 밖에 없을 것이다. ( )
7. 일상적 기술일수록 복잡성이 높고, 비일상적 기술일수록 복잡성이 낮다. ( )

O·X 정답 1. ○ 2. × 3. × 4. × 5. ○ 6. × 7. ×

PART · 04

# 제 2 절 조직구조의 설계

## 01 조직구조 설계의 원리

### 1. 의 의

(1) 개 념

조직의 원리란 복잡한 조직을 합리적으로 구조화하고 능률적으로 관리하기 위해 적용되는 일반원칙을 말한다. 조직의 원리는 과학적 관리론에 영향을 받은 페이욜(Fayol), 귤릭(Gulick)과 어윅(Urwick), 무니(Mooney) 등 고전적 조직이론(행정관리학파)에 의해 제시되었다.

(2) 평 가

조직의 원리는 사이먼(Simon)을 중심으로 하는 행태론적 접근으로부터 "엄밀한 경험적 검증을 거치지 않은 격언이나 미신에 불과하다."는 비판을 받았다. 그러나 현대에 와서도 여전히 조직을 설계하고 변화시킬 때 중요한 기준으로 활용되고 있다.

**O·X 문제**

1. 사이먼(Simon)은 조직의 원리가 경험적 검증을 거치지 않은 격언에 불과하다고 비판하였다. ( )

### 2. 주요 원리

(1) 계층제의 원리(principle of hierarchy)

① **의의**: 조직 내의 직무를 권한과 책임의 정도에 따라 등급화하고 상하 조직단위 간 지휘·명령·복종 관계를 확립하는 것을 말한다. 즉, 계층제는 권한과 책임의 수직적 분업관계이며, 중앙행정기관의 경우 직원·과장·국장·장관 등으로 구성된다.

② **필요성 – 통솔범위의 한계**: 계층제가 형성되는 원인은 통솔범위의 한계 때문이다. 최고관리자는 모든 구성원과 사무를 직접 통솔하거나 처리할 수 없기 때문에 불가피하게 계층을 만들어 권한과 책임을 위임하게 되는데, 이러한 '권한과 책임의 위임관계'의 연쇄적 구조가 계층제이다.

③ 계층제 원리의 하위 운영원리

㉠ **일치의 원리**: 계층별로 정해진 권한과 책임은 일치되어야 한다. 즉, 상관은 권한을 위임할 때 그에 따른 책임까지 위임해야 한다.

㉡ **명령통일의 원리**: 부하는 자신에게 권한과 책임을 위임한 한 사람의 상관으로부터만 명령을 받아야 한다.

㉢ **명령계통의 원리**: 상관의 명령과 지시 및 부하의 보고는 반드시 각 계층을 차례로 거쳐서 이루어져야 한다.

㉣ **구성원 동일체의 원칙**: 계층제에서 조직원은 최종적으로 상관의 명령과 지시에 따라 움직이므로 하나의 통일된 동일체로 기능한다.

④ 특 징

㉠ **계층의 수**: 조직의 대규모화, 전문화, 업무의 다양화, 구성원 수의 증가는 계층의 수와 정비례 관계에 있다.

㉡ **계층제와 분업**: 계층제는 업무의 권한과 책임에 따른 수직적 분업과 관련된다.

㉢ **계층제와 통솔범위**: 통솔범위가 넓어지면 계층의 수는 적어지고, 통솔범위가 좁아지면 계층의 수는 많아진다(역관계).

**O·X 문제**

2. 계층제의 원리는 조직 내의 권한과 책임 및 의무의 정도가 상하의 계층에 따라 달라지도록 조직을 설계하는 것이다. ( )
3. 통솔범위의 한계로 인하여 계층제가 발생한다. ( )
4. 명령계통의 원리는 상위계층의 지시와 명령 및 하위계층의 보고가 각 계층을 차례로 거쳐서 이루어져야 한다는 것이다. ( )
5. 조직의 규모와 전문화가 확대될수록 조직의 계층도 증가된다. ( )
6. 계층제는 주로 막료조직을 중심으로 형성된다. ( )
7. 통솔범위가 넓은 조직은 일반적으로 고층구조를 갖는다. ( )
8. 통솔범위를 좁게 잡으면 계층의 수가 늘어난다. ( )

O·X 정답 1. ○ 2. ○ 3. ○ 4. ○ 5. ○ 6. × 7. × 8. ○

㉣ **계층제와 계선 · 참모**: 계층제는 계선조직을 중심으로 형성되며, 참모조직은 계층제 형태를 띠지 않는다.

㉤ **계층수준과 업무**: 계층수준이 높을수록 비정형적인 업무를, 낮을수록 정형적인 업무를 담당한다.

⑤ 순기능과 역기능

| 순기능 | 역기능 |
|---|---|
| • 지시 · 명령 · 권한위임 · 의사소통의 통로<br>• 갈등과 분쟁을 조정하는 내부통제수단<br>• 조직의 질서와 통일성 및 안정성 유지 수단<br>• 조직의 일체감을 확보할 수 있는 장치<br>• 신속하고 능률적인 업무 수행<br>• 행정업무를 적정 배분하는 통로<br>• 권한과 책임의 한계 설정 기준<br>• 구성원의 승진경로 | • 계층의 수가 많을 경우 의사전달 왜곡<br>• 기관장의 독재화 및 조직의 경직성 초래<br>• 비합리적 인간지배 수단으로 동태적 인간관계 및 구성원의 창의성 저해<br>• 환경변화에 신축적 대응 곤란<br>• 피터의 원리(Peter's Principle) 야기<br>• 부처할거주의 초래<br>• 현대적 인간관(자아실현인, 복잡인)과 부조화 |

✎ 계층제는 의사전달의 통로임과 동시에 계층의 수가 많아질 경우 의사전달의 저해 요소가 된다.
✎ 계층제는 분업의 일종(수직적 분업)임과 동시에 조정을 위한 수단이 된다.
✎ 계층제는 지시 · 명령의 통로임과 동시에 권한위임 및 업무배분의 통로가 된다.

**핵심정리 | 계층제의 병리현상에 대한 구체적 고찰**

1. **피터(Peter)의 원리 – 관료를 무능화시키는 승진제도**
   (1) **의의**: 계층제의 조직원들은 무능력한 수준까지 승진한다는 관료제의 병리 현상을 말한다. 이 원리에 의하면 각 계층에서 유능한 자가 승진하고 나면 무능한 자만 남아 모든 계층이 무능력자로 채워지게 된다.
   (2) **원인**: 계층제와 신분보장으로 인해 발생하며, 계급제에서 많이 나타난다.
   (3) **극복방안**: 모든 구성원을 한 단계씩 강등하면 해결 가능하다.
2. **부처할거주의**
   (1) **의의**: 자신이 속한 부서나 종적인 서열만을 중시함으로써 횡적 관계를 형성하는 타 부서에 대해 협조하지 않는 배타적인 관료제 병리현상을 말한다.
   (2) **원인**: 업무를 성질별로 구분하는 분업(전문화)과 종적 서열관계만을 중시하는 계층제로 인해 발생한다.
   (3) **조직구조와 할거주의**: 계층제의 하위층은 기능별 분업으로 인한 할거주의 현상이 나타나며, 상위층은 단일의 의사결정중추에 의해 할거주의에 의한 분쟁의 조정이 이루어진다.

(2) 분업(전문화)의 원리(principle of division of work)

① 의의: 업무를 종류와 성질별로 구분하여 조직원에게 가급적 한 가지 주된 업무만 분담시킴으로써 조직의 능률성을 제고하고자 하는 원리이다. 분업의 원리는 '전문화의 원리'라고도 하는데 이는 분업과 동시에 담당 업무의 전문화가 이루어지기 때문이다. 또한 무니(Mooney)는 이를 '기능의 원리'라 하였다.

② **필요성**: 한 사람이 습득할 수 있는 지식과 기술의 횡적 범위에는 한계가 있을 뿐만 아니라, 특정 업무를 한 사람이 지속할 경우 전문성을 제고하여 행정의 능률성을 증진할 수 있기 때문이다.

③ 유 형

㉠ **수직적 분업과 수평적 분업**: 수평적 분업은 분업화(전문화)를, 수직적 분업은 계층제를 의미한다. 분업의 원리는 수평적 분업과 관련된다.

**O·X 문제**

1. 계층제는 조직 내 권한이 위임되는 통로로 작용하며, 행정책임의 한계를 분명히 하는 준거가 된다. ( )
2. 계층제는 하위 계층 간 갈등과 분쟁을 조정하여 조직의 통일성과 안정성 유지에 기여한다. ( )
3. 계층제는 부처할거주의가 발생하여 동일 계층의 부서 간 조정이 어려워질 수 있다. ( )
4. 계층 수가 증가하게 되면 의사전달의 왜곡이 일어날 가능성이 커진다. ( )
5. 계층제는 원만한 인간관계의 형성에 지장을 줄 수 있다. ( )

**O·X 문제**

6. 피터(Peter)의 원리는 "조직의 직원들은 자신들의 무능력 수준까지 승진하는 경향이 있다."는 내용이다. ( )

O·X 정답 | 1. ○ 2. ○ 3. ○ 4. ○ 5. ○ 6. ○

ⓛ **일의 전문화와 사람의 전문화**: 일의 전문화란 업무를 세분화하여 반복적·기계적 업무로 단순화하는 것을, 사람의 전문화란 교육·훈련 등을 통해 전문가를 양성하는 것을 의미한다. 분업의 원리는 일의 전문화와 관련된다.

ⓒ **상향적 분업과 하향적 분업**: 상향적 분업은 작업현장 중심의 분업체제(과학적 관리론)를, 하향적 분업은 최고관리층의 기능을 중심으로 한 분업체제를 의미한다(행정관리학파의 POSDCoRB).

④ 수평적·수직적 전문화와 과제의 성격

| 구 분 | | 수평적 전문화 | |
|---|---|---|---|
| | | 높 음 | 낮 음 |
| 수직적 전문화 | 높 음 | 비숙련업무 | 일선관리업무 |
| | 낮 음 | 전문가적 업무 | 고위관리업무 |

**수평적 전문화**: 과업의 세분화의 정도

**수직적 전문화**: 과업수행방법이나 결과에 대해 책임을 지는 정도

⑤ 순기능과 역기능

| 순기능 | 역기능 |
|---|---|
| • 업무를 익히는 데 걸리는 시간을 단축함으로써 능률성 증진<br>• 반복적 업무 수행으로 전문성 증진<br>• 인간 능력의 기계적 활용 및 조직의 합리적 편성<br>• 특정 분야의 전문가 양성에 유리<br>• 작업전환에 드는 시간 단축 | • 단순 업무의 반복으로 인간의 준기계화 초래(인간소외 현상 야기, 인간의 자율성·창조성 저해)<br>• 조정과 통합을 저해하여 조정의 필요성 증가<br>• 훈련된 무능(전문적 무능) 야기<br>• 부처할거주의 야기<br>• 업무량의 변동이 심한 유동적 환경에 부적합 |

**훈련된 무능**: 구성원들이 한 가지 지식이나 기술에 관해 훈련받고 기존 규칙을 준수하도록 길들여져 다른 대안을 생각하지 못할 뿐만 아니라 조직 전체에 대한 조망이 곤란해지는 현상

(3) 통솔범위의 원리(principle of span of control)

① **의의**: 한 사람의 상관 또는 감독자가 자신의 주의력과 능력에 비추어 직접 효과적으로 통솔할 수 있는 부하의 수 또는 조직단위의 수에 대한 원리이다.

② **필요성**: 통솔범위는 부성화(부처편성)의 기준이 된다. 이는 부처편성을 위해 유사한 하위 기능들을 관할하는 상위기구를 만들 때 몇 개의 하위 기능을 묶어 하나의 상위기구가 관할하도록 할 것인가에 대한 판단기준이 통솔범위이기 때문이다.

③ 통솔범위의 확장 요인

㉠ **시간적 요인**: 신설조직보다는 안정된 기성조직일 경우

ⓛ **공간적 요인**: 부서가 동일장소에 집중되어 있는 경우

ⓒ **직무의 성질**: 단순하고 반복적이며 표준화된 동질적 업무를 다루는 경우

㉣ **의사전달기술의 발달**: 통신기술 등 의사전달기술이 발달한 경우

㉤ **감독자의 신임도**: 감독자가 부하에게 신임을 받고 있는 경우

㉥ **부하의 능력**: 부하들이 유능하고 잘 훈련된 경우

㉦ **계층제의 수**: 계층의 수가 적을 경우(계층제와 역관계)

㉧ **조직구조와의 관계**: 구성원의 자율성이 강조되는 유기적 조직의 경우

**O·X 문제**

1. 전문화(분업)의 원리는 업무를 종류와 성질별로 구분하여 구성원에게 가급적 한 가지의 주된 업무를 분담시켜 조직의 능률을 향상시키려는 것이나 업무수행에 대한 흥미상실과 비인간화라는 역기능을 가지고 있다. ( )

2. 분업의 원리에 따라 조직 전체의 업무를 종류와 성질별로 나누어 조직구성원이 가급적 한 가지의 주된 업무만을 전담하게 하면, 부서 간 의사소통과 조정의 필요성이 없어진다. ( )

3. 전문화는 수평적 차원에서 직무의 범위를 결정한다. ( )

4. 지나친 전문화는 조직구성원을 기계화하고 비인간화시키며, 조직구성원 간의 조정을 어렵게 하는 단점이 있다. ( )

5. 분업은 업무량의 변동이 심하거나 원자재의 공급이 불안정한 경우에 더 잘 유지된다. ( )

6. 전문가적 직무는 수평적 전문화와 수직적 전문화가 모두 높은 경우에 효과적이다. ( )

7. 비숙련 직무일수록 수평적·수직적 전문화가 낮다. ( )

**O·X 문제**

8. 통솔범위란 한 사람의 상관 또는 감독자가 효과적으로 통솔할 수 있는 부하 또는 조직단위의 수를 말하며, 감독자의 능력, 업무의 난이도, 돌발 상황의 발생가능성 등 다양한 요소를 고려하여 정해진다. ( )

9. 통솔범위의 원리란 한 명의 상관이 감독하는 부하의 수는 상관의 통제능력 범위 내로 한정해야 한다는 원리를 말한다. ( )

10. 엄격한 명령계통에 따라 상명하복의 관계 유지를 위해서는 통솔범위를 넓게 설정한다. ( )

O·X 정답 1. ○ 2. × 3. ○ 4. ○ 5. × 6. × 7. × 8. ○ 9. ○ 10. ×

④ 비판: 과거 통솔범위와 관련된 다양한 연구가 있었으나 모든 상황에 적합한 통솔범위는 도출되지 않았으며, 상황에 따라 다양한 요소를 고려해 통솔범위가 정해진다. 이에 사이먼은 통솔범위를 마술적인 수에 불과하다고 하였다.

(4) 명령통일의 원리(principle of the unity of command)

① 의의: 조직원은 누구나 자신에게 권한과 책임을 위임해 준 한 사람의 상관으로부터만 명령을 받고 보고를 해야 한다는 원리이다. 즉, 조직원은 두 사람의 상관을 섬겨서는 안 된다는 것을 의미한다.

② 순기능과 역기능

| 순기능 | 역기능 |
| --- | --- |
| • 책임의 소재 명확화<br>• 조직 내 혼란 방지<br>• 의사전달의 효용성 확보<br>• 업무의 신속성과 능률성 확보<br>• 계선기관의 통제권 확보 | • 조직 간 횡적 조정 곤란<br>• 막료기능의 무력화 야기 |

③ 비판: 테일러는 명령통일의 원리를 수정한 '기능적 십장제'(복수의 상관으로부터 명령을 받도록 하는 장치)를 제시하였으며, 사이먼은 명령통일의 원리를 신화에 불과하다고 비판하였다. 또한 오늘날 많은 조직에서는 '예외의 원리'(일부 계층을 건너뛸 수 있게 하자는 원리)를 조직의 원리로 받아들이고 있으며, 명령통일의 원리와 상충되는 매트릭스 구조도 활성화되고 있다.

(5) 조정의 원리(principle of coordination)

① 의의: 조직이 수행하는 공동목표를 효율적으로 달성하기 위해 구성원들이 행동 통일을 기하도록 집단적 노력을 질서정연하게 결합하고 배열하는 원리(세부적으로 분화된 조직의 활동을 통합하는 원리)를 말한다. 무니는 조정의 원리를 '다른 조직 원리를 내포하며, 조직의 목표달성과 직결되는 제1의 원리'라 하였다.

② 조정기제(Daft) – 분화된 조직을 연결하는 방법

㉠ 수직연결기제

ⓐ 의의: 상위계층의 관리자가 하위계층의 관리자를 통제하고 하위계층 간 활동을 조정하는 것을 말한다.

ⓑ 연결기제: i) 기존의 계층제를 활용하거나 상위의 새로운 조정 계층을 신설하는 방법(계층제, 계층직위의 추가), ii) 통제와 조정에 필요한 사항에 대한 규칙과 상위 계획을 마련하여 조정하는 방법(규칙과 계획), iii) 수직정보시스템(정기보고, 문서화된 정보, 정보통신시스템)을 통해 조정하는 방법 등이 있다.

㉡ 수평연결기제

ⓐ 의의: 동일한 계층의 부서 간 조정과 의사소통방법을 말한다.

ⓑ 연결기제: i) 정보시스템을 활용하는 방법(부서 간 정보공유시스템), ii) 다른 부서와 직접 연결을 위해 연락담당자를 지정하는 방법(직접접촉), iii) 태스크포스(임시사업단)를 활용하는 방법, iv) 조정과 연락 업무만을 담당하는 통합관리자(전임 통합자, 프로젝트 매니저, 브랜드 관리자)를 두는 방법, v) 프로젝트 팀을 활용하는 방법, vi) 위원회나 회의 등을 활용하는 방법이 있다.

**O·X 문제**

1. 명령통일의 원리란 여러 상관이 지시한 명령이 서로 다를 경우 내용이 통일될 때까지 명령을 따르지 않아야 한다는 원리이다. ( )
2. 매트릭스 조직은 명령통일의 원리를 위반한 것이다. ( )

**심화학습**

**리커트(Likert)의 연결핀모형**

| | |
| --- | --- |
| 의의 | 계층적 조직에서 참여적 관리를 실현하는 방법으로 구성원들의 연결핀 기능을 강조하였다. |
| 연결핀 기능 | 감독자는 자신이 직접 관리하는 부하 집단의 의사결정에 참여하면서, 동시에 상위조직의 일원으로서 상위조직의 의사결정에 참여한다. 이 때 감독자가 상하의 조직을 연결하여 원활한 의사소통 역할을 수행하는 것을 연결핀 기능이라 한다. |

**O·X 문제**

3. 무니(Mooney)는 전문화의 원리를 조직관리의 제1원리로 제시한다. ( )
4. 조정의 원리란 권한 배분의 구조를 통해 분화된 활동들을 통합해야 한다는 원리이다. ( )
5. 수직적 연결은 상위계층의 관리자가 하위계층의 관리자를 통제하고 하위계층 간 활동을 조정하는 것을 목적으로 한다. ( )
6. 계층제, 임시작업단, 규칙과 계획 등은 수직적 연결기제이다. ( )
7. 수직적 연결방법으로는 임시적으로 조직 내의 인적·물적 자원을 결합하는 프로젝트 팀(project team)의 설치 등이 있다. ( )
8. 수평적 연결방법으로는 다수 부서 간의 긴밀한 연결과 조정을 위한 태스크포스(task force)의 설치 등이 있다. ( )

O·X 정답 1. × 2. ○ 3. × 4. ○ 5. ○ 6. × 7. × 8. ○

PART · 04

✣ 부문화
분업으로 세분화된 활동을 조직 전체 수준에서 집단별로 결합시키는 과정

(6) 부성화의 원리(부처편성의 원리)

① 의의: 조직목표를 합리적으로 달성하기 위한 조직편성의 기준을 밝히고자 하는 원리이다. 이 원리는 조직의 부문화✣와 관련된 것으로 중앙행정기관(부·처·청) 및 하부조직(실·국·과)을 편성하는 기준으로 활용된다.

② 기 준

| 기 준 | 의 의 | 장 점 | 단 점 |
|---|---|---|---|
| 목적·기능별 | 목표나 기능에 따른 조직 편성(가장 일반적인 분류기준) | • 정부활동 이해 용이<br>• 정부업무 중복 방지<br>• 책임의 명확화 | • 과정과 절차 경시로 전문화 곤란<br>• 국민의 정부접촉 곤란<br>• 부처할거주의 초래 |
| 과정·절차별 | 동일한 과정·절차·수단에 따른 조직 편성(통계청, 조달청, 국세청, 법제처 등) | • 행정의 전문화 촉진<br>• 노동절감적 기술 활용을 통한 경비절약<br>• 직업공무원제 확립 유리<br>• 최신 기술의 최대한 활용 | • 전문화된 무능 야기<br>• 목표보다는 수단을 중시하여 목표의 전환 야기<br>• 부서 간 조정 곤란 |
| 대상·고객별 | 동일 수혜자 또는 동일 대상물에 따른 조직 편성(고객별: 여성가족부 등, 대상별: 문화재청 등) | • 업무의 조정 용이<br>• 국민의 정부접촉 용이<br>• 행정 통제 용이<br>• 행정절차의 간소화 | • 기관들 간 업무 중복으로 인한 대립<br>• 고객집단이나 이익집단의 부당한 영향 야기<br>• 마일(Mile)의 법칙 야기 |
| 지역·장소별 | 행정활동이 수행되는 장소에 따른 조직 편성(지방 세무서, 지방 병무청 등) | • 지역적 특성 및 지역주민의 의사에 부합한 행정<br>• 분권화에 의한 신속한 업무처리 | • 통일적인 정책수립 곤란<br>• 지역주민의 이익에만 치중<br>• 지역 간 관할구역 획정 곤란 |

**마일(Mile)의 법칙**: 공무원이 자신이 속한 조직·지위·신분만을 대변하는 현상(예 고용노동부는 노동자의 이익만을, 여성가족부는 여성의 이익만을 대변하는 현상)

**O·X 문제**

1. 부서편성의 원리는 조직편성의 기준을 제시하며, 그 기준은 목적, 성과, 자원 및 환경의 네 가지이다. ( )
2. '마일(Mile)의 법칙'은 공무원의 입장 및 태도는 그의 직위에 의존한다는 것을 의미한다. ( )

### 핵심정리 | 분업의 원리와 조정의 원리

**1. 의 의**

조직은 분화와 통합(조정)이 동시에 요구되며, 다양한 조직구조의 원리 역시 분업에 관한 원리(수평적 분업)와 조정에 관한 원리(수직적 분업)로 구성되어 있다.

**2. 분업에 관한 원리와 조정에 관한 원리**

| 분업에 관한 원리 | 조정에 관한 원리 |
|---|---|
| ① **분업의 원리**<br>② **부처편성(부성화)의 원리**<br>③ **동질성의 원리**: 부처편성의 원리 중의 하나로 각 조직단위가 같은 조직의 활동으로만 구성되어야 한다는 원리<br>④ **참모조직의 원리**: 계선과 참모를 구분하고 일반 계층제의 명령계통으로부터 참모를 분리해야 한다는 원리<br>⑤ **기능명시의 원리**: 분화된 모든 기능은 명문으로 규정되어야 한다는 원리 | ① **조정의 원리**<br>② **계층제(계서제)의 원리**<br>③ **통솔범위의 원리**<br>④ **명령통일의 원리**<br>⑤ **명령계통의 원리**<br>⑥ **목표의 원리**: 조직 내의 모든 활동은 조직의 목표에 직·간접으로 기여해야 한다는 원리<br>⑦ **집권화의 원리**: 권한구조를 집권화하여 능률을 높여야 한다는 원리<br>⑧ **권한과 책임 일치의 원리** |

**O·X 문제**

3. 계층제의 원리는 분업에 관한 원리에 속한다. ( )
4. 부성화(部省化)의 원리는 조정에 관한 원리에 해당한다. ( )
5. 계선과 참모를 구분하는 것은 분업의 한 형태로 볼 수 있다. ( )

O·X 정답 1. × 2. ○ 3. × 4. × 5. ○

## 02 공식조직과 비공식조직

### 1. 의 의

공식조직이란 조직목표 달성을 위해 법령 등에 의해 공식적으로 업무와 역할을 할당하고 권한과 책임을 부여한 조직을, 비공식조직이란 구성원 상호 간의 접촉이나 친근관계로 형성된 구조가 명확하지 않은 조직을 말한다.

### 2. 비 교

| 공식조직 | 비공식조직 |
|---|---|
| • 조직의 공식적 목표에 근거하여 인위적·계획적으로 형성되고 소멸됨.<br>• 능률의 논리에 따른 목표<br>• 외면적·가시적인 조직<br>• 합법성·합리성 강조<br>• 전체적 질서 추구<br>• 수직적 계층관계<br>• 합리적 경제인관의 가정<br>• 과학적 관리론에서 강조 | • 개인의 욕구나 희망에 근거하여 자연적으로 형성되고 소멸됨.<br>• 감정의 논리(구성원의 욕구)에 따른 목표<br>• 내면적·비가시적 조직<br>• 감정·비합리성 강조<br>• 부분적 질서 추구<br>• 수평적 대등관계<br>• 사회인관의 가정<br>• 인간관계론에서 강조 |

### 3. 비공식조직

(1) 특 징

① **공식조직 내에 존재**: 공식조직 내에 존재하는 부분적 질서이다.

② **타율성**: 공식조직으로부터 끊임없이 영향을 받는 타율성을 지니며, 그 존폐 역시 공식조직의 통제에 달려있다.

③ **소규모성**: 소규모라는 점에서 소집단과 유사하지만, 공식적인 소집단(위원회, 이사회, 참모집단)도 존재한다는 점에서 소집단과 구별된다.

④ **동태성·변칙성**: 공식조직에 비해 훨씬 동태적이고 변칙적이다.

⑤ **사회적 통제**: 특유의 행동규범을 확립하여 사회적 통제 기능을 수행한다.

⑥ **높은 응집성**: 구성원들은 강한 응집성을 보인다.

⑦ **감정의 논리**: 구성원들의 욕구 충족을 위한 감정의 논리가 지배한다.

⑧ **특유한 신분체제 존재**: 구성원들은 수평적 대등관계이나, 비공식조직 내에도 특유의 신분체계나 지위체계가 존재한다.

(2) 기 능

| 순기능 | 역기능 |
|---|---|
| • 구성원들의 행동기준을 확립하여 공식조직의 목표달성에 기여<br>• 지식과 경험의 공유를 통한 지도자나 공식조직의 능력 보완<br>• 공식조직의 경직성 완화<br>• 공식적 의사소통망의 보완<br>• 구성원의 불평과 불만을 해소시켜주어 구성원의 심리적 욕구를 충족하고 사기 증진<br>• 구성원의 귀속감·심리적 안정감 충족 | • 비공식조직 간 파벌 조성으로 갈등과 분열의 조장(공식조직의 응집력을 약화시키는 작용)<br>• 개인적 불안을 비공식적 조직의 불안으로 확대시켜 공식조직에 악영향<br>• 비생산적 규범(norm) 형성 가능성(호손 실험)<br>• 정실행위의 만연 가능성<br>• 관리자의 소외 및 공식적 권위의 약화<br>• 근거 없는 소문 등 비공식적 의사소통의 역기능 초래 |

**심화학습**

집단과 효과성

| | |
|---|---|
| 동질적 집단이 효과적인 경우 | ① 과업이 단순할 때<br>② 과업이 연속적일 때<br>③ 구성원들의 협조가 필요할 때<br>④ 신속성이 요구될 때 |
| 이질적 집단이 효과적인 경우 | ① 과업이 복잡할 때<br>② 과업이 집합적일 때<br>③ 구성원들의 창조성이 요구될 때<br>④ 신속성이 별로 필요하지 않을 때 |



**O·X 문제**

1. 비공식적 조직은 어디까지나 공식적 조직 내에서 발생하는 조직을 말한다. ( )
2. 비공식조직은 형성과정에서 조직의 공식적 구조 및 기능은 영향을 주지 않는다. ( )
3. 비공식조직은 각 구성원이 지켜야 할 행동규범을 확립하여 사회적 통제의 기능을 수행한다. ( )

O·X 정답 1. ○ 2. × 3. ○

## 03 계선기관과 막료기관

### 1. 계선기관과 막료기관의 의의

(1) 계선기관 – 「정부조직법」상 보조기관

상하 명령복종관계를 가진 수직적 · 계층적 구조를 형성하는 기관을 말한다. 계선기관은 정책을 결정하고 법령을 집행하며, 국민과 직접 접촉하고 국민에게 봉사하는 기관이다(장 · 차관 – 실 · 국장 – 과장 – 직원).

(2) 막료기관 – 「정부조직법」상 보좌기관

계선기관이 원활한 기능을 수행할 수 있도록 지원 · 보조 · 촉진함으로써 조직의 목표달성에 간접적으로 공헌하는 기관을 말한다. 막료기관은 자문 · 권고 · 협의 · 정보수집과 판단 · 기획 · 통제 · 인사 · 회계 · 법무 · 공보 · 조달 · 조사 · 연구 등의 기능을 수행한다(차관보✣, 담당관✣ 등).

✣ 차관보와 담당관

| | |
|---|---|
| 차관보 | 장관이 특히 지시하는 사항에 관하여 전문적 지식과 경험을 활용하여 정책의 입안 · 기획 · 조사 · 연구 등을 통하여 장관과 차관을 직접 보좌하는 기관(차관보 밑에는 하부조직을 둘 수 없음) |
| 담당관 | 기관장이나 보조기관을 보좌함으로써 행정기관의 목적달성에 공헌하는 기관(실정법상 정책관 · 기획관 · 담당관 등) |

(3) 막료의 유형

① **보조형 막료**: 현존 조직을 유지 · 관리 · 보조하는 기관으로 계선기관에 서비스를 제공하는 기관을 말한다(인사, 예산, 조달, 통계 등의 기능 수행).

② **자문형 막료**: 좁은 의미의 참모기관으로 기획 · 조사 · 자문 · 연구 등의 기능을 담당하는 기관을 말한다.

**핵심정리 | 정부조직 차원에서 계선기관과 막료기관**

고용노동부, 농림축산식품부, 문화체육관광부 등 국민과의 관계에서 직접적으로 업무를 수행하는 기관을 계선기관이라 한다면, 인사혁신처, 법제처, 통계청, 조달청 등은 다른 부서에 대한 지원업무를 담당한다는 점에서 막료기관이다. 그러나 최근에는 기획재정부 등과 같이 막료기능(예산 지원)과 계선기능(재정정책 수립)을 모두 수행하는 기관이 증가하고 있다.

### 2. 비 교

| 계선기관(보조기관) | 막료기관(보좌기관) |
|---|---|
| 계층제적 성격(장관 · 차관 · 국장 · 과장 등) | 비계층제적 성격(차관보, 담당관 등) |
| 수직적 명령복종관계 | 수평적 대등한 관계 |
| 조직목표 달성에 직접적 기여 | 조직목표 달성에 간접적 기여 |
| 조직의 안정성 확보에 기여 | 조직의 신축성 · 동태성 확보에 기여 |
| 명령권 · 집행권 행사 | 명령권 · 집행권 없음. |
| 권한과 책임 명확 | 최종적인 책임을 지지 않음. |
| 현실적 · 실제적 성향 | 이상적 · 개혁적 성향 |
| 일반행정가 주축 | 전문행정가 주축 |

**O·X 문제**

1. 계선은 부하에게 업무를 지시하고, 참모는 정보제공, 자료분석, 기획 등의 전문지식을 제공한다. ( )
2. 조직구조의 형성과정에서는 국무조정실, 법제처 등과 같은 계선조직의 구성이 중요하다. ( )
3. 보좌기관이 보조기관보다는 더 현실적이고 보수적인 속성을 가질 가능성이 높다. ( )
4. 계선기관은 조직의 안정성을 확보해 주지만, 참모기관은 조직의 신축성과 동태성을 확보해 준다. ( )

O·X 정답 1. ○ 2. × 3. × 4. ○

### 3. 장 · 단점

| 구 분 | 계선기관 | 막료기관 |
|---|---|---|
| 장 점 | • 권한과 책임의 명확화로 능률적이고 안정적인 업무수행<br>• 신속한 결정으로 시간과 경비 절약<br>• 적은 운영 비용<br>• 강력한 통솔력 행사<br>• 소규모 조직에 적합 | • 기관장의 통솔범위 확대(기관장의 인격 확장)<br>• 계선기관의 결함 보완<br>• 전문적 지식과 경험에 의한 합리적 · 창의적 결정가능성 증대<br>• 계선기관 간의 업무 조정 촉진<br>• 상황변화에 따른 신축적 대응<br>• 대규모 조직에 적합 |
| 단 점 | • 최고관리자의 업무부담 과중<br>• 최고관리자의 독단적 결정 초래<br>• 상황변화에 대한 신축성 결여<br>• 계선기관의 업무량 증대<br>• 조정기제 미확보로 인한 할거주의 | • 계선기관과의 대립 · 충돌가능성<br>• 결정의 지연가능성<br>• 참모기관에 소요되는 경비의 과다<br>• 막료의 계선권한 침해가능성<br>• 중앙집권화의 경향 촉진<br>• 계선과 참모 간 책임 전가 |

### 4. 계선과 막료의 갈등 및 관계 변천

(1) 갈등의 원인

① **지식 · 지위 · 행태 · 수입의 차이**: 막료는 계선에 비해 일반적으로 교육 수준 · 사회적 지위 · 보수가 높다. 또한 막료는 개인적 · 발전적 · 비판적 성향이 강하나, 계선은 실무적 · 보수적 성향을 지니고 경력은 많으나 전문지식은 부족하다.

② **심리적 갈등**: 계선은 막료가 기관장에게 미치고 있다고 생각되는 영향력을 시기하며, 막료가 자신들의 지위를 위태롭게 하지 않을지 위기감을 느낀다.

③ **기본적인 성향**: 막료는 개혁지향적 · 현상타파적 성향을 지니는 데 반해 계선은 개혁저항적 · 현상유지적 성향을 지닌다.

④ **업무성질에 대한 인식 부족**: 막료는 계선에 대해 근시안적 · 권위적 · 비협조적이라고 비판하며, 계선은 막료가 좁은 시야의 전문가적 의견에 집착하며 계선의 권한을 침해하고 책임도 지지 않는다고 비판한다.

⑤ **권한 침해**: 행정의 복잡화 · 전문화의 심화로 막료기관이 확대되고 계선의 권한을 위협 · 침해하는 경우가 빈번해지고 있다.

(2) 계선과 막료의 관계 변천

① **관계 변천**: 과거에는 계선기관은 명령 · 결정 · 집행을, 참모기관은 조언 · 권고 · 지원 기능을 수행하는 것으로 인식되었다. 그러나 현대에서는 양자 간의 엄격한 분리는 존재하지 않으며, 양 기능은 서로 보완적인 상호의존관계에 있다고 인식된다.

② **관계 변천의 이유**

㉠ 막료도 자신의 전문분야에 대해 결정 · 명령 · 집행권을 행사하는 경우가 많다.

㉡ 계선이나 막료의 이중적 지위를 가지는 직위나 부서가 존재한다.

㉢ 행정의 전문화 및 조직의 동태화에 따라 반드시 계선이 중추적 기관, 막료는 보조적 기관이라고 단정하기 어렵다.

㉣ 현대 행정에서 계선은 막료 중심의 의사결정을 형식적으로 완성시켜주는 데 불과한 경우가 많다.

**O·X 문제**

1. 계선조직의 장점으로는 권한과 책임의 한계가 명확한 점, 조직의 안정성 확보, 높은 전문성의 확보로 인한 업무수행의 능률성 향상 등이 있다. ( )

2. 참모기관(막료기관)은 계선의 통솔범위를 확대시켜준다. ( )

3. 참모조직의 단점으로는 조직 내의 불화의 가능성, 계선과 참모 간 책임 전가의 우려, 의사전달의 경로가 혼선을 빚을 가능성 등이 있다. ( )

PART · 04

**심화학습**

**계선과 막료의 갈등해결방안**

① 각종 법령을 통한 명확한 역할분담
② 각종 비공식적 및 공식적 회의를 통한 상호 간의 접촉 증대
③ 공동교육훈련, 인사교류를 통해서 상호 간 입장을 이해할 수 있는 기회 제공
④ 기관장이 양자가 협조할 수 있는 분위기 조성

O·X 정답 1. × 2. ○ 3. ○

# 제 3 절 환경과 조직

## 01 환경의 분류 및 환경에 대한 전략

### 1. 환경의 분류

(1) 스콧(Scott)의 일반환경과 업무환경

① **일반환경**: 조직의 존립 토대가 되는 사회의 일반적인 조건들로 모든 조직에 간접적으로 영향을 미치는 넓은 범위의 환경을 말한다(예 경제적 환경, 정치적 환경, 사회문화적 환경, 기술적 환경, 자원환경 등).

② **업무환경(과업환경, 특정환경)**: 조직이 목표설정과 목표달성에 관한 의사결정을 내릴 때 직·간접적으로 영향을 미치는 환경을 말한다(예 자원제공자, 고객, 시장과 자원에서의 경쟁자, 통제집단 등).

(2) 카츠(Katz)와 칸(Kahn)의 환경 구분

① **안정성과 격동성(역동성)**: 환경 변화의 범위와 정도에 관한 개념이다. 안정된 환경이란 변화가 없는 환경을, 격동적 환경이란 예측이 어려운 변화를 겪고 있는 환경을 말한다.

② **동질성과 이질성**: 환경요소의 다양성에 관한 개념이다. 동질적 환경이란 조직에 호혜적인 환경을, 이질적 환경이란 조직에 적대적인 환경을 말한다.

③ **집약성(군집성)과 무작위성**: 환경요소의 조직화에 관한 개념이다. 집약적 환경이란 환경요소들이 일정한 방식으로 결합되어 있는 환경을, 무작위적 환경이란 환경요소들이 결합되어 있지 않는 무질서한 환경을 말한다.

④ **궁핍성과 풍족성**: 환경에 존재하는 자원의 풍족함의 정도에 관한 개념이다. 풍족한 환경이란 조직이 필요로 하는 자원이 환경에 풍부하게 널려있는 경우를, 궁핍한 환경이란 필요한 자원이 희소하여 환경에서 충분히 확보할 수 없는 경우를 말한다.

**심화학습**

워런(Warren)의 특정환경

| | |
|---|---|
| 통합적 구조 | 단일의 중추를 정점으로 계층구조관계를 형성하는 경우(예 군청을 정점으로 하는 읍·면·동사무소) |
| 연방적 구조 | 공동목표달성을 위해 별도의 공식조직을 두는 경우(예 정부부처 간 관계를 조정해 주는 국무회의) |
| 연합적 구조 | 특정 목적달성을 위해 상호 협력하는 경우 |
| 사회적 선택 | 부처 간 상호 심각한 이해대립이 있는 경우 |

**심화학습**

알드리치(Aldrich)의 환경구분(7가지 국면)

① 안정성과 불안정성
② 동질성과 이질성
③ 집중성과 분산성
④ 환경적 역량
⑤ 영역에 대한 합의
⑥ 격동성과 평온성
⑦ 조직에 의한 변동유발가능성과 변동유발불가능성 등

### 2. 환경의 단계적 변화모형 – 에머리와 트리스트(Emery & Trist)

(1) 제1단계: 정적 – 임의적 환경, 평온 – 무작위 환경

① **환경**: 가장 단순하고 고전적인 환경으로 환경의 변화가 상당히 느리게 진행되고(정적), 환경의 구성요소가 무작위적으로 분포되어 있어 구성요소들의 상호관련성이 매우 낮은 환경(임의적)이다(예 아메바가 처해 있는 환경, 태아가 처해 있는 환경, 유목민이 처해 있는 환경, 완전경쟁시장 등).

② **전략**: 환경의 영향이 간접적이고 분산적이기 때문에 조직의 활동에 위협적이지 않아 조직은 환경에 구애받지 않고 유익한 환경요소만을 골라 임의적으로 계획을 수행해 나갈 수 있다. 따라서 조직은 장기적인 전략이 불필요하다.

③ **조직**: 조직은 환경에 대한 고려가 없으며, 소규모적이고 단순한 구조를 갖는 경향이 있다.

(2) 제2단계: 정적 – 집약적 환경, 평온 – 집합적 환경

① 환경: 환경 변화의 속도는 느리지만 조직에게 유리한 환경요소와 위협적인 환경요소들이 일정한 방식으로 무리를 지어 집합적으로 존재하는 환경이다(예 계절의 지배를 받는 식물의 환경, 유아의 환경, 농업·광업 등 1차 산업의 환경, 원자재 공급업체와 제품거래업체들이 강력한 연합을 구성한 경우, 불완전경쟁시장 등).

② 전략: 조직은 환경에 적응하기 위해 환경정보를 수집하고 장기적인 안목으로 전략적인 계획을 세우고 집행할 필요가 있다.

③ 조직: 조직 규모가 커지고 위계질서가 형성되며, 중앙집권적 통제 경향을 보인다.

(3) 제3단계: 교란 – 반응적 환경

① 환경: 비슷한 목표를 추구하는 경쟁조직들이 여러 개 존재하는 환경으로, 자신의 환경과 다른 조직의 환경에 영향을 가할 만큼 충분히 큰 경쟁업체가 나타나 환경 내에 있는 다른 조직에 영향력을 행사하기도 하며, 몇 개의 대규모 조직이 산업을 지배하기도 한다(예 유아기를 벗어난 사람들의 환경, 소수 독과점적 상태에서의 환경, 특정산업의 몇몇 조직들이 제품 가격을 선도하는 경우 등).

② 전략: 조직은 소수의 대규모 기업과 상호작용하면서 경쟁해야 하므로 다른 조직들의 행위에 즉각적으로 반응하면서 조직이 속해 있는 산업을 선도할 수 있는 일련의 전략과 전술을 지속적으로 개발해야 한다.

③ 조직: 조직의 생존을 위해 신축적인 조직활동과 유연한 조직구조가 요구되기 때문에 분권화되는 경향이 있다.

(4) 제4단계: 격동의 장

① 환경: 조직과 환경 간 고도의 상호작용으로 조직의 예측 및 통제능력을 앞질러 환경이 급격하게 변화하는 매우 복잡하고 격변하는 '소용돌이의 장' 상태의 환경이다(예 오늘날의 급변하는 현대조직의 환경, 신행정론의 환경에 대한 인식).

② 전략: 환경의 변화가 극적이고 예측이 불가능하기 때문에 전략에 앞서 환경이 변화된다는 점에서 계획이나 전략이 큰 의미를 갖지 못한다.

③ 조직: 조직은 생존을 위해 신제품이나 새로운 서비스를 계속 개발해야 하며, 정부·고객·공급자 등 외부 관계자와 관계를 계속 재평가해야 한다. 이때 조직은 행렬조직(매트릭스 조직), 에드호크라시 등의 탈관료제가 활용된다.

### 3. 환경에 대한 조직의 전략 – 스콧(Scott)

(1) 의 의

스콧은 환경에 대한 조직의 전략을 환경의 영향을 최소화하려는 대내적·소극적 전략(완충전략)과 환경과의 관계를 재편하려는 대외적·적극적 전략(연결전략)으로 구분하여 제시하였다.

(2) 완충전략: 환경의 영향을 최소화하려는 대내적·소극적 전략

① 분류: 환경의 요구가 조직과정에 투입되기 전에 미리 사전 심의하여 중요성이나 시급성을 파악·분류하고, 그 요구를 처리할 적합한 부서를 결정하거나 신설하는 전략(예 에너지 위기에 대응하여 동력자원부를 신설하는 경우)

PART · 04

심화학습

기타 환경에 대한 전략

| | | |
|---|---|---|
| 셀즈닉 | 적응적 흡수 | 환경에 대한 적극적 대응 |
| | 적응적 변화 | 환경에 대한 소극적 대응(환경에의 적응을 위해 조직 내부의 구조·인간·기술 등의 변화 추구) |
| 마일과 스노우 | 방어형 전략 | 경쟁자들이 자신의 영역에 들어오지 못하도록 경계하는 소극적·폐쇄적 전략 |
| | 탐색형 전략 | 새로운 제품과 시장기회를 찾는 공격적·변화지향적 전략 |
| | 분석형 전략 | 방어형과 탐색형의 장점을 모두 살려 안정과 변화를 동시에 추구하는 전략 |
| | 반응형 전략 | 환경에 대한 조직의 반응이 부적절하고 성과도 낮은 소극적·수동적인 낙오형의 전략(비일관적이고 불안정한 전략) |
| 벤슨 | ① 협조전략<br>② 방해전략<br>③ 조정전략<br>④ 권위전략 | |

② **비축**: 환경에 대응하기 위해 필요한 자원과 산출물을 비축하는 전략

③ **형평화**: 투입요인이나 산출요인의 심한 변이를 축소하기 위하여 조직이 환경에 접근하여 공급자를 동기화하거나 고객의 수요를 고취시키고 여러 집단의 상충되는 요구를 균형화하는 다소 적극적인 전략(예 비수기 할인판매, 할당전략)

④ **예측**: 수요나 공급의 변화를 사전에 예측하여 대비하는 전략

⑤ **성장**: 조직의 규모와 기술을 확장하여 조직의 산출물을 다양화하거나 기술적 핵심을 강화하는 전략(가장 일반적인 전략)

(3) **연결전략**: 환경과의 관계를 재편·통제하려는 대외적·적극적 전략

① **권위주의**: 중심조직이 지배적인 위치를 차지하여 외부조직이 필요로 하는 정보나 자원을 통제하는 전략

② **계약**: 두 조직 간에 공식·비공식적으로 자원교환을 협상하여 합의하는 전략

③ **합병**: 여러 조직이 자원을 통합하고 연대하여 공동으로 환경에 대응하는 전략

④ **경쟁**: 타 조직과의 경쟁을 통하여 능력이나 서비스의 질을 개선하려는 전략

⑤ **흡수**: 중심조직이 조직의 안정과 존속을 위하여 다른 조직을 통합하는 전략

⑥ **로비**: 다른 조직에 접촉하여 조직이 필요로 하는 것을 얻어내는 전략

⑦ **광고**: 조직을 환경에 알림으로써 환경이 조직에 대해 우호적인 태도를 갖도록 하는 전략

## 02 환경과 조직에 대한 이론(거시조직론)

### 1. 의 의

고전적 조직이론은 환경과 조직과의 상호작용을 고려하지 않았으나(폐쇄체제론), 현대적 조직이론은 조직과 환경과의 상호작용을 연구의 중심 변수로 삼고 있다(개방체제론). 현대적 조직이론의 초기적 입장은 '구조적 상황론'이 지배적이었으나, 이후 이를 비판하고 다양한 이론이 제시되고 있다.

### 2. 거시조직이론의 분류

(1) 분류 기준

① **결정론과 임의론**: 결정론은 조직의 행동은 환경의 제약에 의해 결정된다고 보며(실증주의), 임의론은 조직이 환경을 적극적으로 형성해 나간다고 본다(해석론).

② **개별 조직과 조직군**: 개별 조직 관점은 개별단위 조직을, 조직군 관점은 유사한 기능이나 구조를 지닌 조직들의 집합체를 연구대상으로 한다.

(2) 분류 – 환경인식과 행동적 정향에 따른 분류

| 행동적 정향 / 분석수준 | 환경결정론 | | 환경형성론(자유의지론, 임의론) |
|---|---|---|---|
| | 환경결정론 | 수동적 적응론 | |
| 미시적(개별 조직) 수준 | 관료제이론 | 상황적응이론 | 전략적 선택이론, 자원의존모형 |
| 거시적(조직군) 수준 | 조직경제학, 조직군 생태학 | 제도화이론 | 조직 간 관계이론, 공동체 생태학 |

심화학습

환경결정론(광의)

| | |
|---|---|
| 환경결정론(협의) | 환경의 구조적 제약에 의해 조직의 생존 등이 결정된다고 보는 시각 |
| 수동적 적응론 | 환경에 조직이 수동적으로 반응해야 한다고 보는 시각 |

### 3. 환경결정론적 시각

#### (1) 구조적 상황론(상황적응이론)

① 의의: 모든 상황에 적용할 수 있는 유일 최선의 조직구조나 관리방법은 존재하지 않으며, 상황조건이 다르면 효과적인 조직구조나 관리방법도 달라진다고 보고 상황에 적합한 효과적인 조직구조나 관리방법을 찾아내고자 하는 이론이다(적합성 가설).

② 주요 이론

㉠ **로렌스와 로쉬(Lawrence & Lorsch), 민츠버그(Mintzberg)**: 상황변수와 조직구조 간에 적합도가 높아야만 조직의 효과성이 제고된다고 보았다.

㉡ **번스와 스토커(Burns & Stalker)**: 안정적인 환경에서는 기계적 구조가, 불안정적인 환경에서는 유기적 구조가 적합하다고 주장하였다.

㉢ **우드워드(Woodward), 페로우(Perrow), 톰슨(Thompson)**: 기술의 유형에 따라 조직구조의 설계가 달라져야 한다고 보았다.

③ 특 징

㉠ **보편적 원리 부존재**: 모든 상황에 적용 가능한 유일 최선의 방법을 강조하는 테일러(Taylor)의 과학적 관리론, 베버(Weber)의 관료제론, 원리주의 등을 비판하고 모든 상황에 적합한 최선의 보편적 원리는 존재하지 않는다고 보았다. 즉, 상황에 따른 조직설계와 관리방식의 융통성을 강조하였다(상대주의 관점).

㉡ **상황에 따른 조직 관리**: 기존의 X이론, Y이론과 같은 극단론을 피하고, 어떤 조직이든 각각의 상황에 따라 서로 다른 관리방식을 취해야 한다고 보았다.

㉢ **중범위이론**: 연구대상이 될 독립변수를 한정하고 복잡한 상황적 조건을 유형화하여 중범위라는 제한된 수준 내의 일반성과 규칙성을 발견하고자 하였다.

㉣ **실증적·과학적 분석**: 실증적인 자료수집과 과학적 분석에 근거한 경험적 조직이론으로 중범위 수준에서 객관적인 법칙을 정립하고자 하였다.

㉤ **환경결정론(수동적 적응론)**: 상황(환경)에 따른 조직구조와 관리를 강조하는 환경결정론의 시각으로, 관리자가 상황변수를 인지하고 상황변수에 맞게 조직구조나 관리방법을 설계해야 한다고 보는 수동적 적응론에 해당한다.

㉥ **분석단위**: 개별 조직을 분석단위로 한다.

④ **평가**: 상황에 따른 효과적인 조직구조 및 관리방법을 제시하였으나, 조직 관리자의 적극적 역할을 고려하지 못한다는 비판을 받는다.

#### (2) 조직군 생태론(개체군 생태학)

① 의의: 조직이 환경에 적응할 수 있다고 보는 구조적 상황론을 비판하고 조직을 외부환경의 선택에 따라 좌우되는 피동적 존재로 보아, 조직의 존속 및 소멸의 원인을 환경에 대한 조직의 적합도에서 찾는 극단적인 환경결정론적 관점의 조직이론이다.

**O·X 문제**

1. 상황적응적 접근방법은 체제이론의 거시적 관점에 따라 모든 상황에 적합한 유일최선의 관리방법을 모색한다. ( )
2. 상황론은 조직구조를 상황요인으로 강조하면서 이러한 상황에 적합한 조직의 기술과 전략 등을 처방한다. ( )
3. 구조적 상황이론(상황적응론)에서는 조직이 처해 있는 상황이 다르면 효과적인 조직설계 및 관리방법도 달라져야 한다고 주장한다. ( )
4. 상황론적 조직이론은 독립변수를 한정하고 상황적 조건들을 유형화해 중범위라는 제한된 수준 내의 일반성과 규칙성을 발견하려고 한다. ( )
5. 상황적응적 접근방법은 연구대상이 될 변수를 한정하고 복잡한 상황적 조건들을 유형화함으로써 거대이론보다 분석의 틀을 단순화한다. ( )
6. 구조적 상황이론은 환경에 적응하는 조직의 구조 설계를 강조한다. ( )
7. 상황적응이론(구조적 상황이론)은 개체군 생태학이론보다 미시적이지 않다. ( )

**O·X 문제**

8. 조직군 생태론은 조직을 외부 환경의 선택에 따라 좌우되는 피동적인 존재로 보고, 조직의 발전이나 소멸의 원인을 환경에 대한 조직 적합도에서 찾는다. ( )

O·X 정답 | 1. × 2. × 3. ○ 4. ○ 5. ○ 6. ○ 7. × 8. ○

PART · 04

**O·X 문제**

1. 조직군 생태론은 조직이 환경에 적응해 나갈 능력이 없음을 인정하고 환경이 조직을 선택한다는 점을 강조하는 이론이다. ( )
2. 조직군 생태론은 조직군을 분석단위로 하며, 개별 조직은 외부 환경의 선택에 좌우되는 수동적인 존재로 본다. ( )
3. 조직군 생태학이론에서 조직군의 변화를 이끄는 변이는 우연적 변화(돌연변이)로 한정되며, 계획적이고 의도적인 변화는 배제한다. ( )

✢ **환경적소**
조직의 생존이 허용되는 공간 또는 환경의 수용능력

**O·X 문제**

4. 조직군 생태론에 의하면 조직은 자체적인 관성(inertia)으로 인해 변하기가 쉽지 않다. ( )
5. 조직군 생태학은 여러 조직들의 집합체인 조직군에 초점을 두고 희소한 자원을 공유하기 위하여 다른 조직군과 공동체를 구성하고 협력적 네트워크를 구축한다고 주장한다. ( )
6. 조직군 생태론은 횡단적 조직분석을 통하여 조직의 동형화를 주로 연구한다. ( )

**O·X 문제**

7. 제도적 동형화론은 조직의 장이 생성되어 구조화되면, 내부 조직뿐만 아니라 새로 진입하려는 조직들도 유사해지는 경향을 나타낸다고 본다. ( )

O·X 정답 1. ○ 2. ○ 3. × 4. ○ 5. × 6. × 7. ○

② 특 징

㉠ **환경의 절대성 강조**: 조직은 환경의 절대적인 영향하에 있으며 조직의 번성과 쇠퇴는 조직 스스로의 힘이 아니라 외부 환경의 특성과 선택에 좌우된다고 본다. 즉, 조직이 환경에 적응하는 것이 아니라 환경이 조직을 선택하며, 환경의 변화에 부적합한 조직은 도태된다고 주장한다.

㉡ **조직의 생존 – 자연도태 · 적자생존**: 생물학의 자연도태나 적자생존의 법칙을 조직연구에 적용하여 환경적소와 조직구조 간에 1 : 1의 인과관계를 인정하는 동일성의 원칙(이질동상, 유질동상)을 강조한다. 즉, 환경과 동일성을 지닌 조직은 환경의 선택을 받아 환경적소✢로 편입되어 적자생존하나, 그렇지 못한 조직은 환경의 선택을 받지 못해 자연도태된다고 본다.

㉢ **조직의 환경에의 적응과정**: 조직형태의 변화는 불연속적이고 단계적이며, 변화가 발생하면 환경과의 적합 수준에 따라 환경의 선택을 받아 환경적소로 편입되어 보존되거나 도태되어 사라지게 된다. 즉, 조직은 변이(우연적/계획적 변화) ⇨ 선택(환경의 선택에 따라 환경적소로 편입 또는 도태) ⇨ 보존(환경에 의해 선택된 조직의 유지 및 제도화)의 과정을 거친다.

㉣ **조직의 특징 – 구조적 타성**: 조직은 내적 요인(매몰비용, 정보부족, 조직의 역사 등)과 외부환경의 제약으로 구조적 타성과 관성에 빠지기 쉬우며, 조직이 구조적 타성에 빠지게 되면 환경에 적응하지 못해 도태된다고 본다(조직의 적응무능력).

㉤ **분석단위**: 조직군을 분석단위로 한다.

③ **평가**: 종단면적 분석(시간 차원의 분석)을 통해 자연적 환경(경쟁조직)과 조직 간의 동질성 유지를 잘 설명할 수 있고, 우연에 의한 조직의 변화를 설명하기 용이하다. 그러나 조직 관리자를 주어진 환경에 무기력한 존재로 보고 있다는 비판을 받는다.

(3) 제도화이론

① **의의**: 여러 조직에서 사용되고 있는 구조와 관리방법들은 경쟁의 결과물이거나 과업을 수행하는 데 효율적이기 때문이 아니라 그 조직들이 처한 사회문화적 환경에 부합되도록 동형화 현상에 의해 설계된 것으로 보는 이론이다.

② **배경**: 제도화이론은 사회학적 신제도주의에 기반을 두고 있으며, 조직을 합리적 · 효율적 도구로 보았던 베버(Weber)의 관료제론에 대한 이론적 의구심에서 출발하였다.

③ **특징 – 동형화 현상**: 조직은 사회적 정당성을 획득하기 위하여 유사한 환경에 처한 이웃 조직들의 사회문화적 행동과 구조를 모방함으로써 결과적으로 유사한 조직구조가 전파된다.

④ 다른 이론과 비교

㉠ **구조적 상황론과 비교**: 구조적 상황론은 상황요인이 조직에 미치는 영향을 중시하는 반면, 제도화이론은 사회문화적 환경이 조직에 미치는 영향을 중시한다.

㉡ **조직군 생태학과 비교**: 조직군 생태학은 종단면적 분석을 통해 자연적 환경과 조직 간의 동질성 유지를 중시한다면, 제도화이론은 횡단면적 분석(공간 차원의 분석)을 통해 사회문화적 환경과 조직 간의 동질성 유지를 중시한다.

### (4) 조직경제학 – 신제도주의 경제학

① 의의 : 조직경제학은 신제도주의 경제학 관점을 조직에 적용한 것으로 주인-대리인이론과 거래비용이론의 두 가지 큰 흐름으로 구성되어 있다.

② 조직경제학의 특징

㉠ 미시경제학적 가정의 완화(제한된 합리성) : 인간을 이기적 존재로 인식하는 미시경제학적 가정을 수용하면서도 인간의 인지능력상의 한계, 정보의 비대칭성으로 인한 합의의 감시 및 강제의 어려움을 인정한다.

㉡ 분석단위 – 거래 : 거래 당사자들은 정보파악에 드는 비용과 대리인의 기회주의적 속성 및 제한된 합리성의 현실 속에서 거래비용의 절감을 선호한다.

㉢ 제도의 발생 및 지속 : 이기적 존재인 개인들이 제도를 만들고 유지하는 데 드는 비용보다 편익이 크다고 합의하는 경우에 제도는 발생하고 지속된다.

③ 주인-대리인이론(Principal Agent Theory)✣

④ 거래비용이론(시장위계이론) – 코즈(Coase), 윌리엄슨(Williamson)

㉠ 의의 : 조직을 분석 단위로 하고, 이들 간에 재화와 서비스를 교환하는 과정에서 발생하는 거래비용을 최소화하기 위한 효율적인 메커니즘을 찾는 이론이다.

㉡ 특징 : 경제학적 분석에 기반하므로 미시적 기법을 활용하는 거시조직이론이다.

㉢ 거래비용의 의미 : 시장기구를 활용할 때 수반되는 모든 비용 또는 경제적 교환(거래)과 연관된 모든 비용을 의미한다(물리학에서의 마찰 개념과 유사).

㉣ 거래비용을 야기하는 요소 : 거래비용은 자산종속성(자산특정성), 거래빈도, 불확실성(탐색비용, 감시·통제비용), 법·제도, 시장의 함수이다.

| 거래비용 = f(자산특정성, 거래빈도, 정보의 불확실성, 법·제도, 시장) |
|---|

ⓐ 자산종속성(자산특정성) : 자산의 성질상 거래 상대방을 쉽게 떠날 수 없어서 이를 억지로 떠나게 하는 경우 손해를 수반하는 정도를 말한다. 자산종속성이 높다는 것은 소수자 교환관계가 나타남을 의미하며, 이 경우 거래 당사자의 기회주의적 행동으로 거래비용이 증가한다.

ⓑ 정보의 비대칭성(정보의 편재) : 정보가 불완전할수록 거래 상대방의 기회주의적 행동에 대한 더 많은 탐색·감시비용이 발생하여 거래비용이 증가한다.

ⓒ 기타 : 거래빈도가 많을수록, 법·제도가 불완비할수록, 시장이 불완전할수록 거래비용이 증가한다.

㉤ 거래비용이론과 조직

ⓐ 시장과 조직은 일련의 거래행위를 완결시키는 상호대체적 수단이다.

ⓑ 거래비용이 조정비용(조직을 선택할 때 발생하는 비용)보다 크다면 거래의 내부화(조직통합, 내부 조직화)가, 그 반대라면 시장 활용이 더 효율적이다.

ⓒ 시장과 조직 중 무엇을 선택할 것인지는 두 방식의 상대적 효율성(비용의 최소화)에 달려 있다.

㉥ 산업사회 – 관료제(위계조직) : 소수자 교환관계와 정보의 편재로 인해 시장실패가 만연한 산업사회에서는 시장에서의 거래비용이 관료제의 조정비용보다 크다. 따라서 대규모의 관료제 조직이 정당화된다(시장위계이론의 결론).

**O·X 문제**

1. 거래비용이론은 대리인이론과 함께 신제도주의 경제학이론에 해당된다. ( )

2. 조직경제학은 주인과 대리인 간 정보비대칭과 기회주의를 완화하기 위한 제도적 유인과 통제방안을 연구한다. ( )

3. 거래비용이론은 인간의 제한적 합리성을 전제로 한다. ( )

✣ 주인-대리인이론
제1편 행정학총론 P.116 참조

PART · 04

**심화학습**

거래비용의 종류

| 구분 | 내용 |
|---|---|
| 사전비용 | 거래조건 합의사항 작성비용, 협상이행을 보장하는 비용, 상품의 품질측정비용, 정보이용비용 등 |
| 사후비용 | 계약조건 이행협력에서 발생하는 부적합조정비용, 이행비용, 감시비용, 사후협상비용, 분쟁조정관련비용, 계약이행보증비용 등 |

**O·X 문제**

4. 거래비용경제학은 미시적인 기법을 활용하는 거시조직이론이다. ( )

5. 거래비용이론은 거시조직이론의 분류상 결정론에 해당하므로, 조직의 행동은 환경에 대한 종속변수라고 본다. ( )

6. 거래비용경제학에서는 자산의 특정성과 정보의 편재성이 거래비용을 증가시키는 요인이라고 본다. ( )

7. 거래비용이론에 의하면 거래에 수반되는 불확실성이 낮고, 거래 대상의 자산 전속성이 낮을수록 거래비용이 커진다. ( )

8. 거래비용이론은 생산보다는 비용에 관심을 가지며 조직을 거래비용 감소를 위한 장치로 파악한다. ( )

O·X 정답 1. ○ 2. ○ 3. ○ 4. ○ 5. ○ 6. ○ 7. × 8. ○

**O·X 문제**

1. 코즈와 윌리엄슨은 거래비용으로 조직에서 계층제가 발생하는 이유를 설명한다. ( )
2. 거래비용이론에 의하면 다수자 교환 관계가 지배적인 상황에서는 기회주의적 행동에 의해 시장이 제 기능을 할 수 없을 가능성이 높다. ( )
3. 거래비용이론에 의하면 기회주의적 행동을 제어하는 데에는 시장이 계층제보다 효율적인 수단이다. ( )
4. 거래비용이론에 따르면 계층제는 정보밀집성의 문제를 극복할 수 있다. ( )
5. 거래비용이론에 따르면 탐색·거래·감시비용 등을 포함하는 거래비용의 절감을 위해 외부화 전략뿐만 아니라 내부화 전략도 가능하다. ( )
6. 거래비용이론에 의하면 조직통합이나 내부 조직화는 조정비용이 거래비용보다 클 때 효과적이다. ( )
7. 거래비용이론은 거래비용이 높아지면 기업 내 위계조직 설립이 줄어든다고 설명한다. ( )
8. 거래비용이론은 공공분야의 민영화, 민간위탁, 계약제 등에 응용되고 있다. ( )
9. 거래비용이론은 자원의존이론의 한 접근법으로, 조직 간 거래비용보다는 조직 내 거래비용에 더 많은 관심을 둔다. ( )

O·X 정답 1. ○ 2. × 3. × 4. ○ 5. ○ 6. × 7. × 8. ○ 9. ×

**핵심정리 | 산업사회에서 위계조직(관료제)이 시장보다 효율적인 근거 – 윌리엄슨의 시장위계이론**

1. **인간의 제한된 합리성의 완화**
   인간은 지식과 정보부족 등으로 제한된 합리성을 지니고 있기 때문에 불확실하고 복잡한 시장보다는 집합적 의사결정의 내부비용을 감소시킬 수 있는 위계조직이 효율적이다.
2. **정보의 편재**(정보의 비대칭성, 정보 밀집성) **및 기회주의적 행동 극복**
   거래 상대방에 대한 정보부족과 이에 기인한 대리인의 기회주의적 행동으로 거래비용이 크게 발생하는 시장보다 이러한 비용이 발생하지 않는 위계조직이 효율적이다.
3. **소수자 교환관계 극복**
   높은 자산 종속성으로 인하여 소수자 교환관계(독과점 형성)가 발생하는 시장보다 소수자 교환관계가 없는 위계조직이 효율적이다.

ⓢ 지식정보화 사회에서 조직 – 민영화·민간위탁
 ⓐ 정보통신기술의 발달로 정보탐색이 용이해지고, 인간의 분석능력이 확대된 지식정보화 사회에서는 시장의 활용으로 발생하는 거래비용이 자원을 조직 내부에 둠으로써 발생하는 조정비용보다 낮아 시장을 활용하는 것이 효율적이다.
 ⓑ 이에 정부영역에서도 공공서비스의 직접공급에서 발생하는 관료제의 조정 비용이 문제점으로 부각되면서 민영화·민간위탁이 활성화되고 있다(시장위계이론의 응용).

ⓞ 거래비용이론의 조직 내부에의 적용 – 윌리엄슨의 M형 조직구조: 윌리엄슨은 조직 내 거래비용을 최소화하기 위해 종전의 U형(Unitary: 단일) 조직에서 M형(Multi-divisionalized: 다차원적) 조직으로 전환할 것을 주장하였다.

**핵심정리 | U형 조직과 M형 조직**

1. **U형 조직**(Unitary Org.)
   (1) **의의**: 유사 활동에 의한 부문화, 즉 기능구조의 모습을 띠고 수직적 권한과 책임을 강조하는 조직을 말한다.
   (2) **평가**: U형 조직은 개별 부서가 부서 내부의 목표만 추구하는 경향이 있어 기능 간 조정과 협력이 곤란하다.
2. **M형 조직**(Multi Org.)
   (1) **의의**: 연관활동에 의한 부문화, 즉 산출물 또는 직무 흐름에 따른 조직구조(사업구조 또는 수평구조)로 수직적·수평적 권한과 책임을 강조하는 조직이다.
   (2) **평가**: M형 조직은 각 부문이 자체의 사업영역 내에서 이익극대화를 위한 합리적인 행동을 추구하므로 기능 간 조정과 협력이 용이하다.

ⓩ 평 가
 ⓐ 거래비용이론은 정부조직에 시장원리를 도입하여 거래비용의 최소화 가능성을 제시하고 공공부문 민간화(민영화·민간위탁)의 이론적 근거를 제공해준다(신공공관리론의 이론적 근거).
 ⓑ 다만, 효율성 및 시장원리만을 강조한 나머지 민주성과 형평성을 고려하지 못하고 있다는 비판을 받는다.

### 4. 환경형성론적 시각

(1) 전략적 선택이론

① **의의**: 상황이 구조를 직접 결정하는 것이 아니라 조직 관리자의 상황판단(조직관리자가 지각한 환경)이 관리자의 전략에 영향을 미치고, 다시 전략이 구조를 결정한다고 보는 이론이다. 이 이론은 구조적 상황론을 비판하고 관리자의 전략적 선택을 강조한다.

② **특 징**

㉠ **환경형성론**: 조직은 관리자의 지각체계를 통해 조직 환경을 인식하므로 동일한 환경에 처한 조직이라도 관리자의 환경에 대한 지각 차이로 인해 상이한 전략적 선택이 이루어진다.

㉡ **관리자의 관심과 전략적 선택**: 관리자는 조직의 효과성에만 관심이 있는 것이 아니며, 설혹 효과성을 제고하고자 할 때에도 구조를 개혁할 것인지, 기술을 혁신할 것인지, 구성원의 직무수행동기를 개선할 것인지는 관리자의 전략적 선택에 의한다(등종국성의 강조).

③ **상황적응이론과의 비교**: 전략적 선택이론은 모든 상황에 적합한 유일최선의 조직화 방법이 없다고 보는 점에서 상황적응이론과 유사하지만, 더 나아가 환경에 적합한 최선의 방법도 없다고 보면서 상황적응이론을 비판하며 관리자의 자율적 선택을 강조한다.

④ **평가**: 환경의 영향을 무시하고 관리자의 자율성을 지나치게 강조한다는 비판을 받는다.

(2) 자원의존이론(Resources Dependence Theory)

① **의의**: 전략적 선택이론의 하나의 관점인 자원의존모형은 어떤 조직도 필요로 하는 모든 자원을 획득할 수 없다는 것을 전제로 최고관리자의 희소자원에 대한 통제 능력이 환경을 조작하고 통제할 수 있다고 본다. 따라서 조직과 환경과의 관계에서 조직의 희소자원을 획득하기 위한 능동적이고 적극적인 대응을 중시한다.

② **특 징**

㉠ **자원에 대한 의존성**: 조직 간 자원 의존성을 관리자가 다루어야 할 여러 가지 상황요인 중 가장 중요한 요인으로 인식하고, 자원 의존성에 근거하여 조직의 적응적 흡수·통합·합병 등과 같은 조직 간 조정을 설명한다.

㉡ **조직의 능동적·주도적 환경관리(환경형성론)**: 자원의존이론은 조직의 환경에의 (자원) 의존성을 인정하고, 조직관리자의 재량적 역할을 통해 이러한 상황적 요인(의존성)을 완화할 수 있음과 동시에 다른 조직들을 통제함으로써 오히려 환경을 개선해 나갈 수 있다고 본다. 따라서 환경에 대한 피동적 대응이 아닌 관리자의 희소자원 통제능력에 의한 능동적·적극적 환경관리를 강조한다.

③ **전략적 선택이론과의 비교**: 전략적 선택이론은 조직의 환경에의 의존성을 고려하지 않을 뿐만 아니라 일반 환경을 중시하나, 자원의존모형은 환경과 조직 간의 의존성을 인정하며 특정 환경을 중심으로 이론을 전개한다.

**O·X 문제**

1. 전략적 선택이론은 조직구조의 변화가 외부환경 변수보다는 조직 내 정책결정자의 상황판단과 전략에 의해 결정된다고 본다. ( )
2. 전략적 선택이론에 의하면 동일한 환경에 처한 조직도 환경에 대한 관리자의 지각 차이로 상이한 선택을 할 수 있다. ( )
3. 전략적 선택이론에 의하면 관리자의 재량적 결정이 환경을 능동적으로 결정한다. ( )
4. 전략적 선택이론은 조직군 생태학 이론보다 자율적인 이론이다. ( )



**O·X 문제**

5. 자원의존이론은 어떤 조직도 필요로 하는 자원을 모두 획득할 수는 없다는 것을 전제로 삼는다. ( )
6. 자원의존이론은 자원을 획득하고 유지할 수 있는 능력을 조직 생존의 핵심요인으로 파악한다. ( )
7. 자원의존이론은 조직군 생태학이론보다 자율적인 이론이다. ( )
8. 자원의존이론에 따르면, 조직은 환경으로부터 필요한 자원을 획득하기 위하여 환경에 피동적으로 순응하여야 한다. ( )
9. 자원의존이론은 조직이 외부자원에 의존적이라 보는 점에서 환경결정론에 해당한다. ( )
10. 자원의존이론은 조직이 주도적, 능동적으로 환경에 대처하며 그 환경을 조직에 유리하도록 관리하려는 존재로 본다. ( )

O·X 정답 1. ○ 2. ○ 3. ○ 4. ○ 5. ○ 6. ○ 7. ○ 8. × 9. × 10. ○

(3) 공동체 생태학이론(Beard & Dess, Oliver)

① 의의: 조직을 생태학적 공동체 속에서 상호의존적인 조직군들의 구성원으로 파악하고, 조직들 간 공동체적 호혜관계(공동전략)를 통한 능동적 환경적응과정을 강조한다. 따라서 이 이론은 다원화된 이익단체들의 결속(합병 · 결합 · 유기적 협력) 등 집단적 행동을 정당화하는 이론이다.

② 조직군 생태학이론과 공동체 생태학이론의 비교

| 비교차원 | 조직군 생태학이론 | 공동체 생태학이론 |
|---|---|---|
| 학문적 바탕 | 개체군 생태학 | 사회생태학, 인간생태학 |
| 조직 간 관계 | 경쟁적 | 호혜적 |
| 관리자 역할 | 무기력 · 상징적 | 전향적 · 상호작용적 |
| 환경의 관점 | 통제 불가능하고, 단순히 주어짐. | 조직공동체에 의해 형성되고 통제 가능 |
| 적응방식 | 환경에 의한 선택 | 공동노력에 의한 능동적 적응 |
| 분석수준 | 개체군<br>(비교적 동질적인 조직들의 집합체) | 공동체<br>(정치적이고 의도적인 조직공동체) |

## 5. 혼돈이론(카오스이론, 복잡성이론, 비선형동학)

(1) 의 의

① 개 념

㉠ 혼돈이론은 예측 · 통제가 아주 어려운 무질서와 혼돈상태로부터 자기조직화(self-organizing)와 공진화(coevolution)⁺의 과정을 통하여 새로운 질서가 자생적으로 발생할 수 있음을 인정하고 이러한 질서를 발견하려는 노력이다.

㉡ 혼돈이론의 발전에 결정적 기여를 한 것은 컴퓨터에 의한 최첨단 정보기술이다. 컴퓨터는 과학자들에게 혼돈의 세계를 들여다 볼 수 있는 수단을 제공하였다.

② 전개: 혼돈이론은 뉴턴(Newton)의 기계론적 패러다임에 입각한 균형이론(선형적 변화, 질서정연함 속의 질서)에 대한 도전으로 자생조직이론이나 복잡성이론과 동일한 맥락(비선형적 변화, 혼돈으로부터의 질서)을 지니고 있다.

(2) 혼돈의 의미

① **결정론적 혼돈**: 혼돈은 예측 · 통제가 아주 어려운 복잡한 현상이며 시간의 흐름에 따라 비선형적으로 변동하는 역동체이다. 그러나 완전한 혼란이 아니라 '한정된 혼란'이며, 완전한 무질서가 아니라 '질서 있는 무질서' 또는 '결정론적 혼돈'이다.

② **초기치 민감성**: 혼돈은 초기조건들의 사소한 변화에도 서로 전혀 다른 방식으로 반응하는 현상이다. 이는 작은 입력에도 불구하고 큰 차이를 가져오는 초기치 민감성을 가져온다.

(3) 연구방법

① **목적**: 혼돈 야기의 조건과 진행경로를 이해하고 혼돈 속의 규칙성을 발견하여 혼돈의 미래를 예측하는 데 목적을 둔다.

② **통합적 · 질적 연구**: 사소한 것처럼 보이는 조건들도 생략하지 않고 복잡한 현상을 있는 그대로 파악하려 한다. 따라서 복잡한 문제를 단순화하려는 계량적 연구를 비판하고 통합적 · 질적 연구를 추구한다.

**O·X 문제**

1. 공동체 생태학이론은 조직의 내적 논리를 강조한다. ( )

⁺ 자기조직화(self-organizing)와 공진화(coevolution)

| | |
|---|---|
| 자기조직화 | 환경에 적응하기 위해 조직 내의 구성요소들이 스스로 구조와 질서를 형성해 나가는 현상 |
| 공진화 | 조직과 환경요소가 서로에게 적응해 가면서 함께 변화하는 현상 |

**심화학습**

**균형이론과 혼돈이론의 비교**

| | |
|---|---|
| 균형이론 | 작은 입력으로 균등하게 작은 효과를 거둘 수 있는 선형적 인과관계가 관심의 대상이며 안정 · 질서 등을 강조한다(질서정연함 속의 질서). |
| 혼돈이론 | 복잡하고 무질서한 세계관을 전제로 작은 입력으로 막대한 효과를 유발할 수 있는 비선형 관계(초기조건에의 민감성)가 관심의 대상이며 순환고리적 상호관계, 시간의 흐름에 더욱 민감한 일시성 등을 강조한다(혼돈으로부터의 질서). |

**O·X 문제**

2. 혼돈이론에서 설명하는 혼돈 속에서 질서를 찾는 과정은 자기조직화와 공진화이다. ( )

3. 혼돈이론은 선형적 변화를 가정하며, 이는 뉴턴의 운동법칙을 계승한 것이다. ( )

O·X 정답 1. × 2. ○ 3. ×

(4) 혼돈조직(혼돈정부)✢

① **대상체제의 복잡성**: 혼돈이론은 조직을 개인과 집단 그리고 환경적 세력들이 교호작용하는 복잡한 체제라고 본다. 즉, 조직에는 질서와 무질서, 안정 추구세력과 불안정 추구세력, 구조화와 비구조화가 공존하며 이러한 상호 역행적 세력들이 혼돈을 야기한다고 본다.

② **발전의 조건 – 혼돈**: 혼돈이론은 혼돈을 조직발전의 촉발제이며 불가결한 조건으로 이해한다. 즉, 혼돈을 회피와 통제의 대상으로 보지 않고 긍정적인 활용의 대상으로 삼는다.

③ **자기조직화 능력**: 혼돈이론은 조직의 자생적 학습능력과 자기조직화 능력을 전제한다. 조직은 혼돈상황에서 자기조직화와 공진화를 통해 체제의 항상성을 유지하면서 새로운 질서를 창출할 수 있다고 본다.

④ **이중순환적 학습 – 부정적 환류와 긍정적 환류**: 혼돈이론에서 조직은 항상성을 유지하려는 균형의 측면(부정적 환류)과 새로운 변화를 추구하려는 무질서의 측면(긍정적 환류)이 통합하면서 존속한다. 따라서 조직은 부정적 환류를 통한 균형과 안정뿐만 아니라 긍정적 환류를 통한 변화의 두 측면이 통합·공존하면서 재창조되고 성장·발전한다.

⑤ **탈관료제적 처방**: 혼돈이론은 창의적 학습과 개혁을 위해 관료제의 통제 중심적 성향과 구조적 경직성을 타파하고, 대신 제한적 무질서를 용인해야 할 뿐 아니라 필요하다면 이를 의식적으로 조성해야 한다고 본다(탈관료제).

**참고** **자기조직화 및 이중순환적 학습**

**1. 자기조직화**

(1) **의의**: 조직이 체제의 항상성(균형)을 유지하면서, 다른 한편으로 새로운 창조(변화)를 하며 스스로 자생적 질서를 창출해 나가는 것을 말한다.

(2) **자기조직화를 위한 방안 – 탈관료제적 처방**

① **가외적 기능의 원칙**: 중복과 중첩을 허용할 것

② **필요다양성의 원칙**: 체제의 내부적 다양성을 갖출 것

③ **최소한의 구체화(표준화)원칙**: 규칙과 규정을 없애고 자율성을 인정할 것

④ **학습을 위한 학습의 원칙**: 이중순환적 학습을 중시할 것

**2. 단일고리학습과 이중순환학습**

(1) **단일고리학습**: 조직의 기본적인 가정·규범·목표는 변화 없이 기존의 규칙과 행동방식을 정교화하고 개선하는 학습이다. 단일고리학습은 기존의 운영규범이나 지식체계에서 오류를 발견하고 수정해 나가는 학습(부정적 환류)으로 체제이론에서 중시하며, 학습효과는 국소적이다.

(2) **이중순환(고리)학습**: 지배적인 가치·규범·전략에 의문을 품고 새로운 가치·규범·전략·행위 방안 등을 도입해 나가는 학습이다. 이중순환적 학습은 근본적인 사고방식의 전환을 가져오는 학습(긍정적 환류)으로 혼돈이론에서 중시되며, 전면적인 학습효과가 나타난다.

(5) 평 가

행정조직이라는 복잡성 체제의 총체적 이해를 촉진할 수 있는 유용한 안목을 제공하지만, 실제 행정관리를 위한 구체적 처방이 미약하다는 비판을 받는다.

✢ **혼돈정부**

자연과학에서 비롯된 혼돈이론, 비선형동학 또는 복잡성이론 등을 정부조직에 적용한 조직형태

**O·X 문제**

1. 혼돈이론에 의하면, 혼돈은 스스로 불규칙하게 변화할 뿐 아니라 미세한 초기조건의 차이가 점차 증폭되어 시간이 얼마간 지나면 완전히 다른 결과를 나타낸다. ( )

2. 혼돈이론(카오스이론)은 결정론적인 비선형적·동태적 체제에서의 불규칙적인 형태에 대한 질적 연구이다. ( )

3. 혼돈이론은 행정조직의 자생적 학습능력과 자기조직화 능력을 전제로 한다. ( )

4. 혼돈이론은 탈관료화의 관점에서 자율적·창의적 개혁을 강조한다. ( )

5. 혼돈이론에서 행정조직은 혼돈상황을 적절히 회피하고 통제할 수 있는 능력이 요구된다. ( )

6. 혼돈이론은 조직이라는 복잡한 체제의 총체적 이해를 도울 수 있다는 장점이 있으나, 복잡한 현상에 대한 통합적 연구를 지향한다는 점에서 현실세계에 적용하기 어렵다는 한계를 보인다. ( )

PART · 04

**O·X 정답** 1. ○ 2. ○ 3. ○ 4. ○ 5. × 6. ○

# 제 4 절 관료제와 탈관료제

## 01 관료제

### 1. 의 의

(1) 구조적 개념 – 베버(Weber)

'구조적 관점'에서 관료제란 관료로 구성된 대규모 조직으로 계층제적 구조를 지니고 대량의 업무를 법령에 따라 처리하는 분업화된 조직구조를 말한다.

(2) 기능적 개념 – 라스키(Laski)

'기능적 관점'에서 관료제란 관료집단이 정치권력의 장악자로서의 지위를 차지하고 있는 정치구조 또는 현대의 거대 정부나 형식주의 · 무사안일주의 · 비밀주의 등 조직의 병폐를 지적하는 개념으로 이해된다.

### 2. 베버(Weber)의 관료제이론

(1) 베버(Weber)의 관료제 유형

① 의의: 베버는 관료제의 유형을 지배의 유형과 관련하여 가산 관료제, 독재 관료제, 근대 관료제로 구분하여 제시하였다.

② 유 형

㉠ **가산 관료제**: 과거부터 존속되어 온 전통이나 지배자 권력의 신성성에 입각한 전통적 지배가 행사되는 조직을 말한다.

㉡ **독재 관료제**: 지도자의 비범한 자질이나 능력에 입각한 카리스마적 지배가 행사되는 조직을 말한다.

㉢ **근대 관료제**: 합리적인 법규에 입각한 합법적 지배가 행사되는 조직을 말한다. 베버는 근대 관료제를 이념형으로 인식하였다.

(2) 근대 관료제의 제시 과정 및 이유

① **제시 과정**: 베버는 독일의 대규모 공공조직들(프러시아 군대 및 관료조직)의 전형적인 특징을 통찰하고 고도의 사유 과정을 통해 이상적인 조직의 조건으로써 근대 관료제를 제시하였다(이념형).

② **제시 이유**: 베버의 근대 관료제는 이상적인 조직의 조건이기 때문에 현실의 조직을 그대로 기술한 현실적 · 사실적 모형이 아니다. 또한 모든 조직이 관료제의 형태를 띠어야 한다고 주장한 것도 아니기 때문에 규범적 선호상태도 아니다. 베버가 근대 관료제를 제안한 이유는 이상적 조직의 조건과 실제 현실에서 존재하는 조직과의 차이를 밝히기 위한 것이었다.

**O·X 문제**

1. 베버는 조직이 바탕으로 삼는 권한의 유형을 전통적 권한, 카리스마적 권한, 법적 · 합리적 권한으로 나누었다. ( )

2. 관료제 성립의 배경은 봉건적 지배체제의 확립이다. ( )

**O·X 문제**

3. 베버의 관료제는 실제 관료제와의 차이점을 밝히기 위하여 이상형을 제안하였다. ( )

O·X 정답 1. ○ 2. × 3. ○

⑶ 근대 관료제의 특징

① 이념형(ideal type): 관료제는 대규모 공공조직들의 가장 특징적인 점만을 추려 이상적인 조직의 조건으로 구성한 가설적이고 추상적인 모형이다.

② 보편성: 관료제적 운영방식은 공공조직뿐만 아니라 기업체 · 정당조직 등 대규모 조직이면 대부분 나타난다는 점에서 보편성을 띤다.

③ 합리성: 관료제는 인간본질의 합리적이고 예측가능하며 질서정연한 측면에 착안한 합리적 · 공식적 모형이다.

⑷ 근대 관료제의 성립요인 및 발달

① 성립요인 – 베버(Weber)가 제시한 여섯 가지 요인

㉠ 화폐경제가 발달하여 관료에게 현물급여가 아닌 화폐급여가 지급되었다.

㉡ 행정사무가 양적으로 증대되어 대규모 조직이 형성되었다.

㉢ 행정사무의 질적 변화로 관료의 역할이 분업화 · 전문화되었다.

㉣ 물적 수단을 집중 관리하는 근대 예산제도가 탄생하였다.

㉤ 신분질서의 타파로 인한 계약관계가 일반화되었다.

㉥ 관료제적 조직이 과거의 전근대적 조직보다 기술적 우위에 있었다.

② 발달: 근대 관료제는 국가주의적 전통이 강한 독일 등의 유럽국가에서 발달하였다. 영 · 미는 자유주의 사상과 무국가주의 사상이 지배함에 따라 초기에는 관료제가 발달하지 못하였다. 합법성보다는 합목적성을 강조하였던 개발도상국 역시 베버의 이념형으로써 관료제는 발달하지 못하였다.

## 3. 근대 관료제의 속성 및 효용

⑴ 근대 관료제의 속성

① 계서제적 구조: 조직의 고위 관료는 법규로부터 많은 권한을 부여받고, 권한의 일부를 하위 관료에게 위임하여 행하기 때문에 조직은 상하 간 피라미드식 계층을 이루며, 직무상 상위계층은 명령하고 하위계층은 복종하는 명령복종 관계가 확립된다.

② 업무영역의 전문성: 법규에 의해 각 직책은 다른 직책의 직무들과 명백히 구별되는 직무와 잘 정의된 권한의 영역을 지닌다(분업적 활동).

③ 법규에 의한 지배: 관료의 권한은 법규에 의해 부여받고, 법규가 부여한 권한 범위 내에서만 행사된다. 관료의 권한은 사람이 아닌 직위에 부여된 것으로 담당자가 교체되어도 동일한 권한이 행사되어 일관성이 유지된다.

④ 문서주의: 조직의 목표 달성에 필요한 절차와 방법이 문서화된 규정으로 존재한다.

⑤ 비정의성(몰주관성, 비개인성, 비사인성): 관료는 증오 · 감정 · 열정의 관계를 떠나 상대방의 지위와 상황 등에 구애받지 않고 법규에 의한 공평무사한 행정을 수행한다.

⑥ 공사(公私) 구분: 관료는 공적 활동에 사적 감정을 연결시키지 않는다.

⑦ 의사결정 권한의 집중: 관료제는 법규에 의해 권한을 부여받은 최고위층이 하위계층에게 권한을 위임하는 방식으로 운영되므로 단일의 의사결정중추에 의한 지배를 전제로 한다(권력관계의 사회화를 통한 권력의 망 형성).

⑧ 고용관계의 자유계약성: 관료의 고용은 정부 측의 자의나 강제가 아닌 자유계약에 의해 이루어진다.

**O·X 문제**

1. 베버의 관료제 이념형(ideal type)은 도덕적 이상을 지닌 관료제의 형태를 말한다. ( )

2. 베버는 공 · 사 행정을 막론하고 모든 조직이 계층제 형태를 띤 관료제 구조라고 본다. ( )

3. 베버에 의하면 관료제는 동양과 서양의 모든 국가들에서 공통으로 발견되는 보편적인 현상이다. ( )

4. 베버의 근대적 관료제 모형은 신생국의 정부관료제를 분석하는 데 적합한 모형이다. ( )

PART · 04

**O·X 문제**

5. 베버의 관료제 이념형은 조직의 목표를 효율적으로 달성하기 위해서 순환근무를 강조한다. ( )

6. 베버는 조직을 사회관계의 특수한 형태로 간주하였으며 조직운영에 필요한 명령을 구성원들이 수행하도록 보장하기 위한 권위의 계층제를 주장했다. ( )

7. 베버가 제시한 이념적인 조직형태인 관료제에서 관료는 직무수행 과정에서 국민의 어려운 사정이나 개별적 여건을 고려하는 자세를 갖는다. ( )

8. 베버의 관료제는 원활한 계층 체계 작동을 위해 구성원은 서로 협력하며, 이를 통해 높은 효율과 성과를 거둘 수 있다. ( )

9. 관료제에서 권한은 사람이 아니라 직위에 부여되는 것이다. ( )

10. 관료제는 엄격한 계층적 통제, 분업, 공사(公私)의 구분, 문서에 의한 업무처리, 화폐에 의한 임금 지불 등의 특성을 지닌 조직운영 방식이다. ( )

O·X 정답 1. × 2. ○ 3. × 4. × 5. × 6. ○ 7. × 8. × 9. ○ 10. ○

⑨ **전문지식과 기술에 의한 충원과 승진**: 조직 내에서의 충원 및 승진은 정치적·가족적·귀족적 요소들을 고려하지 않고 전문적인 자격이나 시험을 통해 이루어진다.

⑩ **전임직 및 고정된 보수와 연금**: 관료의 직무활동은 관료의 전 노동력을 요구하며, 겸직을 허용하지 않는다. 대신 그 대가로 계급과 근무연한에 따라 고정된 보수 및 연금을 받는다.

⑪ **신분보장**: 관료는 경력을 지향하며, 자의적인 해고로부터 보호되고 영속적으로 직책을 유지한다.

(2) 관료제의 효용

① **갈등 조정**: 관료제는 상하 지배복종관계의 계층제적 구조로 이루어져 있어 조직 내의 갈등을 상위계층에 의해 질서 있게 해결해 줄 수 있다.

② **효율성**: 관료제는 복잡한 집단적 과업을 세분화하여 전문인력에게 분담시키기 때문에 조직이 설정한 목표를 효율적으로 수행할 수 있다(관료제의 기술적 우위성).

③ **신속성·정확성**: 관료제는 엄격한 위계질서와 권한에 따른 책임이 확립되어 있기 때문에 안정 속에서 과업을 질서 있고 신속·정확하게 처리할 수 있다.

④ **공평성·보편성**: 관료제는 법규에 의한 공평무사한 업무처리를 지향하기 때문에 정실주의를 배제하고, 법규에 입각한 보편주의(법 앞에 평등)를 추구할 수 있다.

⑤ **합리성·객관성·일관성**: 관료제의 법규에 의한 지배는 행정의 합리성·객관성·일관성을 증진해 줄 수 있다.

⑥ **지속성·안정성**: 관료제는 사람이 아닌 직위에 권한을 부여하며, 법규에 의해 그 권한이 제도화되기 때문에 구성원이 바뀌어도 조직체계가 지속성과 안정성을 지닐 수 있다.

⑦ **기회균등 및 신분보장**: 관료제는 신분차별이 없는 기회균등을 전제로 하며, 신분보장을 통해 고용의 안정을 가져올 수 있다.

## 4. 관료제의 병리 및 관료제에 대한 비판

(1) 관료제의 병리

관료제의 병리 현상은 대규모 조직의 본래적 특성, 국가와 사회의 관계에서 상대적으로 강화되는 행정권, 관료제 구성원들의 자기이익 추구 현상 등에 기인한다.

① **훈련된(전문화된) 무능**: 관료제에서 관료는 특정 분야의 전문성에 입각하여 한 가지 지식과 기술에 대해서만 훈련받고 기존 규칙을 준수하도록 길들여져 타 분야에 대한 이해가 부족하고 새로운 조건에 적응하지 못한다.

② **할거주의·분파주의**: 관료제는 전문성으로 인한 분업구조 등으로 인해 조직원들이 소속된 부서의 이익만을 고려하고 타 부서와 협력하지 않는 편협한 태도를 취하는 경향이 있다.

③ **피터의 원리**: 관료제의 계서제적 구조는 관료를 무능한 수준까지 승진케 하여 관료제를 무능한 자로 가득 채우게 된다.

④ **레드 테이프(red tape)와 형식주의**: 관료제에서는 모든 사무가 일정한 규칙과 절차에 따라 문서로 처리(red tape)된다. 따라서 번거롭고 까다로운 규칙이나 절차를 지나치게 강조하여 국민의 불편을 가중시킨다(형식주의).

⑤ **과잉동조(목표대치)**: 관료제는 조직원들이 조직의 실질적인 목표보다 목표달성 수단으로 제정된 규칙과 법규에 집착하는 행태를 보이는 과잉동조현상을 초래한다. 과잉동조현상은 결국 형식주의로 흘러 조직의 효율성을 저해하는 요인으로 작용하게 된다.

**O·X 문제**

1. 베버의 관료제는 업무에 대한 지식을 가진 전문적인 관료가 업무를 담당하며, 겸직을 허용하지 아니하며 직무에의 전념을 요구한다. ( )

2. 관료제에서 관료는 계급과 근무연한에 따라 정해진 금전적 보수를 받는다. ( )

3. 관료제에서 관료의 봉급은 서열과 근무기간이 아닌 업적에 의해서만 결정되며, 이는 현재 시행 중인 성과급제도와 유사성이 있다. ( )

4. 관료제에서 관료의 채용기준은 전문적·기술적 능력이며, 관료로서의 직업은 잠정적인 것이 아니라 일생 동안 종사하는 항구적인 생애의 직업이다. ( )

**O·X 문제**

5. 훈련된 무능은 관료가 제한된 분야에서 전문성은 있으나 새로운 상황에서 적응력과 업무능력이 떨어지는 현상이다. ( )

6. 국지주의는 한 가지 지식 또는 기술에 대해 훈련받고 기존 규칙을 준수하도록 길들여진 사람이 다른 대안을 생각하지 못하는 것을 의미한다. ( )

7. 관료제의 법규와 절차 준수의 강조는 관료제 내 구성원들의 비정의성(非情誼性)을 저해한다. ( )

8. 비정의성은 관료제의 병리현상이다. ( )

O·X 정답 1. ○ 2. ○ 3. × 4. ○ 5. ○ 6. × 7. × 8. ×

⑥ **변동에의 저항**: 관료제에서 관료는 규칙과 선례에 집착하는 등 보수적·현상유지적 성향을 지녀 변화에 둔감하고 변동과 쇄신에 대하여 저항적인 행태를 보인다.
⑦ **무사안일주의**: 관료제에서 관료는 새로운 일을 하려는 적극성이나 창의성을 발휘하지 못하고 선례만을 따르거나, 상관의 지시에 무조건 영합(상관의 권위에 의존)하여 자리만을 지키려는 소극적인 행태를 보인다.
⑧ **권력구조의 이원화**: 관료제에서 상사는 법규가 부여한 '직위'에 의한 권한을, 부하는 반복적 업무수행에 따른 '전문성'에 의한 권한을 지닌다. 상사가 업무를 지시할 능력은 없으면서 직위에 의한 권한을 행사할 경우 부하의 전문적 능력과 충돌하는 현상이 야기되는데 이를 '권력구조의 이원화'라고 한다.
⑨ **인간적 발전의 저해**: 관료제의 집권적·권위적 통제, 법규우선주의, 비사인적 역할관계 등은 관료들에게 불신과 불안감을 조성하고, 관료들의 사회적 욕구 충족 및 성장과 성숙을 방해하며, 명령이 있어야만 움직이는 피동적 존재로 전락하게 한다.
⑩ **권위주의**: 권한과 능력의 괴리, 상위직일수록 모호해지는 업적평가기준, 법규우선주의 등은 고위관료의 권위주의적인 행태를 유발하고, 자유로운 의사소통을 저해한다.
⑪ **항구화의 경향 및 관료제국주의**: 관료제는 스스로를 항구화하려는 자기보존 및 권한행사의 영역을 계속 확장하려는 관료제국주의 현상을 보인다.

(2) 관료제의 병리모형 – 관료제의 병리에 대한 학자들의 비판

① **머튼(Merton)**: 관료제의 관료에 대한 지나친 통제가 '조직의 경직성'을 초래하며, 관료제의 엄격한 법규 준수가 '동조과잉'을 야기한다고 비판하였다.
② **굴드너(Gouldner)**: 관료제의 법규 중심의 관리가 관료들이 규칙의 범위 내에서 최소한의 행태만을 수행하도록 하는 '무사안일주의'를 초래한다고 비판하였다.
③ **셀즈닉(Selznick)**: 관료제의 권한위임과 전문화가 전체목표보다 하위목표에 집착하게 하여 '조직 하위체제의 분열(할거주의)'을 초래한다고 비판하였다.
④ **배블런(Vablen)**: 한 가지 기술만 훈련받고 법규를 준수하도록 길들여진 관료가 다른 업무에 대해서는 문외한이 되거나 다른 대안을 생각하지 못하는 '훈련된 무능'을 비판하였다.

(3) 시대별 관료제 비판

① **1930년대 사회학자들과 인간관계론**: 관료제의 할거주의(Selznick), 무사안일주의(Gouldner), 조직의 경직화와 동조과잉(Merton), 비공식적·비합리적 측면 경시(인간관계론) 등을 비판하였다.
② **1960년대 발전행정론**: 관료제의 법규 중심의 행정이 신축적 업무처리를 곤란케 하여 발전의 장애요소가 된다고 보고 합법성보다는 합목적성(효과성)을 강조하였다.
③ **1970년대 신행정론**: 관료제의 기계적·정태적 성격이 행정의 환경에 대한 변동대응능력을 저해한다고 비판하고 행정의 환경적응능력을 강조하였다(탈관료제모형 제시).
④ **1980년대 신공공관리론**: 관료제의 법규 중심의 행정이 비효율성을 야기한다고 비판하고 규칙과 법규로부터 관료해방을 주장하였다.
⑤ **1990년대 거버넌스론**: 관료제의 독점성, 계층성, 영속성, 내부규제를 비판하고 대안모형으로 시장모형, 참여모형, 신축모형, 탈내부규제모형 등을 제시하였다(Peters).

**O·X 문제**

1. 동조과잉은 적극적으로 새로운 과업을 찾아서 실행하기보다 현재의 주어진 업무만을 소극적으로 수행하는 것이다. ( )
2. 상관의 계서적 권한과 부하의 전문적 권력이 이원화됨에 따라 발생하는 병폐를 인격의 상실 또는 인간적 발전의 저해라고 한다. ( )
3. 관료제는 동조과잉과 형식주의로 인해 '전문화로 인한 무능' 현상이 발생한다. ( )
4. 제국건설(empire building)은 기술적으로 필요한 정도를 넘어서 법규의 엄격한 적용과 준수가 강요되는 것을 의미하며 목표와 수단의 대치현상을 일으키기도 한다. ( )
5. 셀즈닉(Selznik)에 따르면 최고관리자의 관료에 대한 지나친 통제가 조직의 경직성을 초래하여 관료제의 병리현상이 나타난다. ( )
6. 셀즈닉(Selznik)은 권한의 위임과 전문화가 조직 하위체제 간 이해관계의 지나친 분극을 초래한다고 주장하였다. ( )
7. 굴드너(Gouldner)는 관료들의 무사안일주의적 병리현상을 지적한다. ( )

**심화학습**

기타 학자들의 비판

| | |
|---|---|
| Blau & Thompson | 관료제의 규칙 강조가 개인의 심리와 조직 내 사회적 관계의 불안정성을 초래 |
| Claire | 시민의 자유를 억압할 위험성이 있는 행정통치 초래 |
| Crozier | 관료제의 비개인성은 조직의 경직성을 초래하고 관료제 병리의 악순환 초래 |
| Downs | 관료제의 무리한 세력확장 비판(territorial struggle) |
| Janowitz | 관료제가 민주성을 확보하지 못할 경우 전체주의적 성격을 지님. |
| Eisenstadt | 과잉관료제 현상에 대한 비판 |

O·X 정답 1. × 2. × 3. × 4. × 5. × 6. ○ 7. ○

### 5. 관료제 옹호론

(1) 의 의

관료제 옹호론자들은 관료제의 병리현상이 관료제 내부의 문제에 기인한 것이 아니라, 지배 엘리트의 독재에 의해 관료제가 변질되었기 때문이라고 보고 관료제에 대한 부정적 편견을 극복하고자 하였다.

(2) 내 용

① 카우프만과 페로우(Kaufman & Perrow)

㉠ **민주성과 능률성**: 관료제는 법규에 의해 집행권을 억제하고 책임을 증진시킨다는 점에서 민주적이다. 또한 관료제의 대안조직들이 관료제보다 더 많은 비용을 수반한다는 점에서 관료제는 상대적으로 능률적이다.

㉡ **관료제 기본정신의 생명력**: 관료제의 기본정신인 합리성과 공평한 행정의 정신은 아무리 탈관료제모형이 일어난다고 해도 소멸될 수 없다.

㉢ **조직의 루틴화 경향**: 관료제의 대안조직인 동태적 조직들은 일단 문제를 해결하고 나면 다시 관료제로 되돌아간다.

② **굿셀(Goodsell)**: 관료제에 대한 부정적 시각은 관료제에 대한 이해 부족에서 비롯된 것으로 보고 관료제를 적극 옹호하였다.

③ **블랙스버그 선언**: 신공공관리론이나 탈관료제 등 반관료제적·반직업공무원제적인 정치·사회적 환경에 반발하면서 관료제의 정당성과 행정의 정체성을 주창하였다.

**O·X 문제**

1. 굿셀(Goodsell)모형은 관료제가 전체 국민의 다양한 이익을 충분히 대표하지 못한다고 비판한다. (　)

### 6. 관료제와 민주주의

(1) 논의의 배경

관료제는 민주주의와의 관계에 있어 공헌과 저해라는 양면성을 지니고 있다. 이에 뒤베르제(Duverger)는 관료제는 기술적 합리성을 통한 인간해방의 도구임과 동시에 형식만을 강조하는 경직성으로 인해 인간억압의 도구가 될 수 있음을 지적한 바 있다. 관료제 모형을 제시한 베버(Weber) 역시 관료제와 민주주의의 갈등을 인식하였으나, 양자가 반드시 대립적인 것은 아니라고 보았다.

(2) 조화관계

① **법 앞의 평등**: 관료제는 비정의성이라는 특징을 통해 자의에 의한 개별주의를 배제하고 보편주의를 강조함으로써 법 앞의 평등을 확립한다.

② **공직임용에의 기회균등**: 관료제는 정실에 의한 임용을 배제하고 전문적 지식과 능력에 의해 관료를 임용함으로써 공직임용에의 기회균등을 촉진한다.

③ **민주적 목표의 능률적 달성**: 관료제는 민주적으로 설정된 목표를 능률적으로 달성할 수 있는 합리적인 수단이다.

④ **경제발전 및 국민생활수준 향상**: 관료제는 경제발전에 주도적인 역할을 수행함으로써 국민생활수준을 향상시켜 민주국가 성립에 기여한다.

⑤ **전문적 기술로 의회의 입법활동 보완**: 관료제는 전문지식이 부족한 의회의 입법활동을 보완하여 민주주의에 기여한다.

⑥ **불안정한 정치에 대한 안전판**: 관료제는 정치적 혼란상태에서 불안정한 정치에 대한 안전장치로 기능한다.

**심화학습**

**관료제와 민주주의 조화 방안**

| 구분 | 내용 |
|---|---|
| 린드블럼과 롱 | 린드블럼은 토론과 협상 등 상호조정과정을, 롱은 대표관료제를 제시 |
| 에이츠(Yates) | • **린드블럼과 롱에 대한 비판**: 상호조정은 권력의 불균형으로 소수약자의 이익이 침해된다는 점에서, 대표관료제는 대표들의 공직취임 이후의 재사회화로 인해 목적을 달성하기 어렵다는 점을 비판<br>• **대안**: ① 집권적인 통제와 장기기획능력의 확립, ② 공개적이고 공평한 체제하에서의 이익의 민주적 조정, ③ 상위정부와 일치하는 지역정부수준의 갈등조정기구 및 시민감시기구(지역서비스센터)의 설치 등 |

O·X 정답 1. ×

(3) 갈등관계

① **권력의 집중**: 관료제는 소수에게 권력을 집중시키고 엄격한 명령복종관계를 형성하므로 다수의 지배를 원리로 하는 민주주의와 상충된다.

② **과두제의 철칙**: 관료제의 위계질서 및 명령복종관계는 집단토론을 저지하고 권력을 소수에게 집중시킴으로써 과두제의 철칙을 야기한다.

③ **특권집단화 및 대응성 부족**: 관료제에서 관료들은 특권계층을 형성하여 국민의 요구를 외면하고 국민 위에 군림하려는 모습을 보인다.

④ **책임성 약화**: 관료제는 막강한 정책결정 권한을 행사하면서도 신분보장을 통해 책임은 지지 않는 '보이지 않는 정당(invisible party)'으로 기능한다.

⑤ **민주적 통제 회피**: 관료제는 기술적 전문성을 악용하여 국민과 국회에 의한 민주적 통제를 회피하려는 모습을 지닌다.

관료제와 민주주의의 조화와 상충관계

| 순기능 | 역기능 | |
|---|---|---|
| • 표준화된 행동통제를 통한 조직의 능률성 제고<br>• 고용안정과 공직취임에의 기회 균등<br>• 규칙과 규정을 통한 통일성과 안정성 확보<br>• 경제발전 및 국민생활수준 향상에 기여<br>• 법 앞에 평등과 합리성 추구<br>• 민주적 목표의 능률성 수행<br>• 국회의 입법기능 보완<br>• 불완전한 정치의 안전판 | 대외적 민주주의 | • 관료의 특권집단화<br>• 국민요구에 대한 대응성 부족<br>• 관료정치의 유발<br>• 국정운영에 대한 책임 회피<br>• 공공갈등 조정 수단 부족 |
| | 대내적 민주주의 | • 권한의 집중으로 인한 독단적 결정<br>• 의사소통 왜곡<br>• 지배복종주의<br>• 과두제의 철칙<br>• 비공식조직 존재의 무시 |

## 02 탈관료제론

### 1. 탈관료제모형

(1) 의 의

① **개념**: 탈관료제는 관료제의 병리를 비판하고 새롭게 제시된 미래형 조직구조를 말한다.

② **등장배경**: 탈관료제는 관료제의 비민주성, 비인간성 등을 비판하고 격동적인 환경, 지식·기술의 고도화, 고도의 인적 전문화, 불확실성의 증대 등에 대응할 목적으로 대두되었다.

(2) 탈관료제의 특징

① **낮은 복잡성**: 고정적인 계서제의 존재를 거부하고 비계서제적 구조설계를 처방하며, 조직 내의 높은 경계관념을 타파하고 통합을 지향한다. 그러나 탈관료제는 독립적인 소규모 조직들이 조직별 임무와 사명을 독자적으로 수행해 나가므로 일의 흐름(조직단위)에 따른 수평적 분화의 정도는 높다.

② **낮은 공식성**: 법규·규칙에 의한 계서적 지위중심주의나 권한중심주의를 배척하고, 임무중심주의·능력중심주의를 처방한다.



**O·X 문제**

1. 행정국가에서 관료제가 민주주의에 기여하는 근거로는 임용의 기회균등을 보장하고 법규 앞의 평등을 강조한다는 것 등이 있다. ( )

2. 관료제의 전문화는 민주주의의 다수결원칙과 양립할 수 없다. ( )

3. 관료제는 조직 내 민주주의를 희생시킬 가능성이 있다. ( )

**심화학습**

탈관료제와 수평적 분화

① 탈관료제의 조직 내부는 엄격한 분업을 거부하며 넓은 직무범위를 강조한다는 점에서 직무에 따른 수평적 분화의 정도는 낮다.

② 탈관료제는 독립적인 소규모의 조직단위들이 개별적인 사명과 임무를 수행한다는 점에서 조직단위(일의 흐름)에 따른 수평적 분화의 정도는 높다.

O·X 정답 1. ○ 2. × 3. ○

③ **분권화**: 경직적이고 환경변화에 민첩하지 못한 집권적 구조를 지양하고 분권적 구조를 선호한다.

④ **기타**: ㉠ 기능중심주의가 아닌 임무중심주의와 문제해결중심주의, ㉡ 조직의 생성·변동·소멸이 가변적인 잠정성과 임무와 기구의 유동성, ㉢ 조직과 환경과의 경계관념 타파, ㉣ 분업화와 전문화의 강조가 아닌 집단적 문제해결 강조, ㉤ 환경의 변화에 대한 대응성 및 상황적응성 강조, ㉥ 의사전달의 공개주의, ㉦ 팀워크의 중시, ㉧ 결과중심의 산출 중시, ㉨ 수평적 구조와 자율통제, ㉩ 계선보다 막료가 큰 비중을 차지하는 행정농도가 높은 조직 등의 특징을 지닌다.

## 2. 구체적인 탈관료제모형

### (1) 골렘비에스키(Golembiewski)의 견인이론(pull theory)

① **의의**: 골렘비에스키는 관리이론을 압력이론(관료제)과 견인이론(탈관료제)으로 구별하고, 앞으로의 조직의 구조와 과정은 견인이론의 처방에 따라야 한다고 주장하였다.

② **견인이론에 따른 조직구조**

㉠ **수평적 분화의 기준**: 기능의 동질성이 아닌 일의 흐름에 따른 분화

㉡ **권한의 흐름**: 하향적인 것이 아닌 상·하, 좌·우의 권한관계 형성

㉢ **통솔범위**: 자율규제와 결과 중심의 평가를 통해 통솔범위 확대

㉣ **통제**: 자율통제를 강화하고 외재적 통제와 억압의 최소화

㉤ 변동에 대한 적응 강조

### (2) 베니스(Bennis)의 '적응적·유기적 구조'

베니스는 구조의 잠정성, 문제해결 중심의 구조, 집단에 의한 문제해결, 연결침에 의한 조정, 조직의 유기적 운영 등을 특징으로 하는 '적응적·유기적 구조'를 제시하였다.

### (3) 커크하트(Kirkhart)의 '연합적 이념형'

커크하트는 베니스의 적응적·유기적 구조를 보완하여 조직 간의 자유로운 인력이동, 변화에 대한 적응, 권한체계의 상황적응성, 구조의 잠정성, 조직 내의 상호의존적·협조적 관계, 고객의 참여, 컴퓨터의 활용, 사회적 층화의 억제, 업무처리기술과 사회적 기술 강조 등을 특징으로 하는 '연합적 이념형'을 제시하였다.

### (4) 화이트(O. White, Jr.)의 경계관념을 타파한 '변증법적 조직'

화이트는 고객지향성을 특별히 강조하면서 조직과 고객의 인위적 경계를 거부하고 조직의 경계 안에 고객을 포함시키는 '변증법적 조직'을 제시하였다.

### (5) 테이어(Thayer)의 '계서제 없는 조직'

테이어는 소집단 연합체의 형성, 고객의 참여, 모호하고 유동적인 경계, 협동적 문제해결, 승진개념의 소멸, 보수차등의 철폐, 작업과정의 개편 등을 통해 계서제를 소멸시키고, 그 자리에 집단적 의지형성의 장치를 들여놓아야 한다고 주장하면서 '계서제 없는 조직'을 제시하였다.

**심화학습**

**탈관료제와 행정농도**

① 행정농도의 전통적 개념에 의하면 탈관료제는 막료 중심의 조직이므로 행정농도가 높다.
② 행정농도의 현대적 개념에 의하면 탈관료제는 고객과 접촉하는 현장 중심의 인력구조로 구성되므로 행정농도가 낮다.

**O·X 문제**

1. 탈관료제적 패러다임은 결과의 측정과 평가를 중시한다. ( )
2. 탈관료제는 팀워크 중심의 자발적 참여와 결과지향적 산출을 지향한다. ( )

**O·X 문제**

3. 견인이론은 기능의 동질성과 일의 흐름을 중시한다. ( )
4. 커크하트(Kirkhart)의 연합적 이념형은 컴퓨터의 활용, 사회적 층화의 억제, 고용관계의 안정성·영속성, 권한체제의 상황적응성 등을 반관료제적 처방으로 제시하였다. ( )

**심화학습**

**관료제와 탈관료제의 비교**

| 관료제 | 탈관료제 |
|---|---|
| 고전적 조직 | 현대적 조직 |
| 기계적 | 유기적 |
| 수직적 고층 | 수평적 평면 |
| 폐쇄체제 | 개방체제 |
| 확실한 환경 | 불확실한 환경 |
| 경직성 | 융통성 |
| 통제적 | 자율적 |
| 집권적 | 분권적 |
| 강압 | 견인 |
| 기능구조 | 사업구조 |
| 단일적 조직 | 연합적 조직 |
| 경계 조직 | 탈경계 조직 |
| 분산적 조직 | 프로세스 조직 |
| U형 조직 | M형 조직 |
| 관례적 조직 | 지식 조직 |

O·X 정답 1. ○ 2. ○ 3. × 4. ×

⑹ 린덴(Linden)의 '이음매 없는 조직'

린덴은 공급자 중심의 산업화 사회에서 형성된 편린적이고 분산적인 관료제 조직은 오늘날의 소비자 중심 사회에 부적합하다고 보고, 정부조직을 근본적으로 재설계(PAPR)하여 조직 간 경계가 없고 정보가 자유롭게 유통될 수 있는 '이음매 없는 조직'을 주창하였다.

편린적(분산적) 조직과 이음매 없는 조직의 비교

| 구 분 | 편린적 조직 | 이음매 없는 조직 |
|---|---|---|
| 직 무 | 직무의 범위는 협소하며, 직무수행의 자율성은 낮음. | 직무의 범위는 광범위하며, 직무수행의 자율성은 높음. |
| 평가기준 | 투입 기준 | 성과 및 고객만족 기준 |
| 관 리 | 통제지향 | 분권화지향 |
| 내부구조 | 조직 내부의 필요에 의한 분산적 설계 (기능 중심 조직) | 고객요구의 필요에 의한 통합적 설계 (팀 중심 조직) |
| 산 출 | 생산자 중심의 표준화된 산출물 (소품종 대량생산) | 고객요구 중심의 다양한 산출물 (주문생산의 성격, 다품종 소량생산) |
| 역할 구분 | 명확한 역할 구분 | 역할의 모호성 |
| 서비스 | 시간감각에 둔함. | 신속한 서비스 제공 |

⑺ 케이델(Keidel)의 협동적 조직

케이델은 조직을 자율적 조직(고객 중심의 분권적·민주적 조직), 통제적 조직(수직적이고 집권적인 고전적 조직), 협동적 조직(적응적이고 유기적인 현대적 조직)으로 구분하고 자율적 조직과 협동적 조직을 탈관료제모형으로 보았다.

⑻ 기 타

① 프리드릭슨(Frederickson)의 수정계층체제

② 맥커디(McCurdy)의 후기 관료제 모형

## 3. 탈관료제 조직의 평가

⑴ 장 점

① **환경변화에 대한 대응성 증진**: 실험성·유연성·적응적 유동성·잠정성·기동성의 특징을 지니므로 환경변화에 신속한 대응이 가능하다.

② **조직의 초기 발전단계에 유용**: 생존을 위한 투쟁이 강조되고 선례나 확립된 기준이 없는 조직의 초기 발전단계(낮은 공식성)에 적합하다.

③ **조직의 성과향상**: 다양한 전문지식을 가진 사람(전문가)들의 협력을 통한 문제해결을 강조하므로 조직의 성과향상이 촉진된다.

④ **인적자원의 효율적 활용**: 집단적 문제해결이 강조되므로 상황에 따른 인적자원의 효율적 활용이 촉진된다.

⑤ **비정형적 기술에 적합**: 예외가 많고 탐색 가능성이 낮은 비정형적 기술을 사용하는 조직에 유용하다.

O·X 문제

1. 이음매 없는 행정서비스는 전통적 조직에 비해 조직 내 역할 구분이 비교적 명확하지 않다. ( )

PART·04

O·X 정답 1. ○

(2) 한 계

① **조직의 루틴화 경향(Kaufman & Perrow)**: 탈관료제로 일단 문제를 해결하고 나면 다시 관료제로 돌아가는 조직의 루틴화 현상이 나타난다.

② **구조적 측면**: 낮은 공식화와 임시적인 성격으로 인해 조직의 불안정성이 야기되고, 구성원의 응집성이 약화된다.

③ **구성원 측면**: 비계서적 조정으로 인해 끊임없는 긴장과 갈등이 조성됨으로써 구성원들의 심리적 불안감을 야기한다.

④ **업무수행 측정**: 조정과 통합이 어려워 의사결정이 지연되며, 집단적 문제해결로 인해 책임한계가 불분명하고 무임승차가 야기된다.

## 제 5 절 조직구조 유형의 변화와 미래의 조직

### 01 조직구조 유형의 변화

#### 1. 기계적 구조와 유기적 구조

(1) 기계적 구조

복잡성·공식성·집권성이 높은 조직구조를 말한다. 기계적 구조는 안정적인 환경에 처해 있는 조직이나 반복적이고 정형화된 업무를 다루는 조직에서 효과적이다.

(2) 유기적 구조

단순성·융통성·분권성이 높은 조직구조를 말한다. 유기적 구조는 유동적인 환경에 처해 있는 조직이나 선례가 없는 비정형화된 업무를 다루는 조직에서 효과적이다.

기계적 구조와 유기적 구조

| 구 분 | 기계적 구조 | 유기적 구조 |
|---|---|---|
| 기본변수 | 복잡·공식·집권 | 단순·융통·분권 |
| 장 점 | 예측가능성 | 적응성 |
| 조직 특성 | • 좁고 명확한 직무범위<br>• 표준운영절차(많은 규칙과 규정)<br>• 분명한 책임 관계<br>• 계층제<br>• 낮은 팀워크<br>• 공식적·몰인간적 대면관계<br>• 좁은 통솔범위 | • 넓고 모호한 직무범위<br>• 적은 규칙과 절차<br>• 모호한 책임 관계<br>• 분화된 채널(채널의 분화)<br>• 높은 팀워크<br>• 비공식적·인간적 대면관계<br>• 넓은 통솔범위 |
| 상황 조건 | • 명확한 조직목표와 과제<br>• 분업적 과제<br>• 단순한 과제<br>• 성과측정이 가능<br>• 금전적 동기부여<br>• 권위의 정당성 확보(합법적 권위) | • 모호한 조직목표와 과제<br>• 분업이 어려운 과제<br>• 복합적 과제<br>• 성과측정이 어려움.<br>• 복합적 동기부여<br>• 도전받는 권위(지식에 의한 권위) |
| 조 직 | 관료제, 기능구조 | 탈관료제, 학습조직, 네트워크 조직 |

O·X 문제

1. 기계적 구조는 분화된 채널, 표준운영절차, 분업적 과제, 분명한 책임관계를 특징으로 한다. ( )
2. 유기적 조직구조는 인간적 대면관계와 팀워크를 중시하는 특징을 보인다. ( )
3. 유기적 조직은 지위에 따른 권위보다 전문성에 따른 권위가 중시된다. ( )
4. 유기적인 조직일수록 책임관계가 모호할 가능성이 크다. ( )
5. 유기적 조직은 통솔범위를 좁혀 상관과 부하 간의 긴밀한 관계를 중시한다. ( )
6. 성과측정이 어려운 상황에서는 유기적 조직보다 기계적 조직이 적합하다. ( )

O·X 정답 1. × 2. ○ 3. ○ 4. ○ 5. × 6. ×

## 2. 데프트(Daft)의 조직구조 유형

데프트는 조직구조의 유형을 기능구조, 사업구조, 매트릭스 구조, 수평구조, 네트워크 구조로 구분하고 이들 조직구조는 기계적 구조와 유기적 구조 사이에 위치해 있으며, 기능구조, 사업구조, 매트릭스 구조, 수평구조, 네트워크 구조로 갈수록 유기적 구조에 가깝다고 보았다.

데프트(Daft)의 조직구조 유형

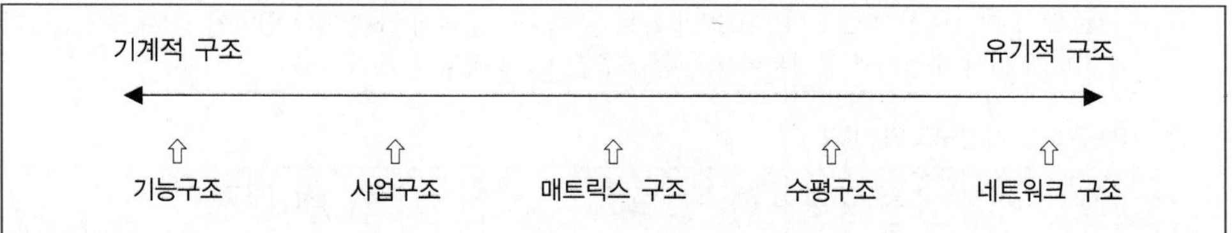


### (1) 기능구조

① 개념: 조직의 업무를 공동기능별로 부서화한 조직구조이다.

② 특징: 기능 간 수평적 조정의 필요가 낮을 때 또는 안정적인 환경에서 통제를 통한 효율성을 지향할 때 효과적인 조직구조로 좁고 전문화된 직무설계의 특징을 지닌다.

③ 장·단점

| 장 점 | 단 점 |
|---|---|
| • 부서가 동일기능의 전문가로 구성되어 있어 전문지식과 기술의 높이를 제고하기 용이<br>• 각 기능부서 내의 구성원 간 응집성이 강하고 부서 내의 조정과 의사소통 용이<br>• 같은 기능 내에서 시설과 자원을 공유할 수 있어 중복과 낭비를 막아 규모의 경제 실현<br>• 각 기능부서의 관리자가 구성원에 대한 감독 용이 | • 부서별로 상이한 기능을 수행하므로 부서 간 조정과 협력 확보 곤란<br>• 의사결정권한의 상위집중화로 최고관리자의 업무 과부하 초래<br>• 전체업무의 성과에 대한 책임 소재 규명 곤란<br>• 기능 전문화에 따라 조직원들에게 반복적·일상적 업무를 요구하게 되어 동기부여 곤란<br>• 전체적인 균형을 갖춘 관리자(일반행정가) 육성 곤란 |

### (2) 사업구조

① 개념: 조직의 업무를 산출물별로 부서화한 조직구조이다.

② 특 징

㉠ 각 사업부서는 한 제품이나 서비스를 제공하는 데 필요한 기능들이 부서 내에 배치된 자체 완결 단위이다.

㉡ 조직이 활동하는 사업별로 부서화한 뒤 각 사업부서 내에는 기능별로 부서화하는 것이 일반적이다.

㉢ 다수의 제품이나 서비스를 공급해야 하는 규모가 큰 조직에 적합하다.

PART · 04

**O·X 문제**

1. 기능구조는 안정적 조직 환경과 일상적 조직기술이 중요하고 부서 간 팀워크가 적게 요구되는 기계적 구조에 가깝다. ( )
2. 기능구조는 유사 기능을 수행하는 조직구성원 간 분업을 통해 중복과 낭비를 예방하고, 전문성 제고가 가능하다. ( )
3. 기능구조에서는 기능적 통합을 통하여 규모의 경제를 제고할 수 있다. ( )
4. 기능별 조직은 기능 간 조정이 용이하므로 환경 변화에 신속하고 유연하게 대처할 수 있다. ( )
5. 기능구조는 부서들 간의 조정과 협력이 요구되는 환경변화에 민감하다. ( )
6. 기능별 조직은 전체 업무의 성과에 대한 책임소재를 규명하는 것이 어렵다. ( )

**O·X 문제**

7. 사업구조의 한 부서는 특정 고객집단에 봉사할 때 필요한 모든 기능적 직위가 부서 내로 배치된 자기완결적 단위이다. ( )
8. 사업부서들은 자율적으로 운영되므로 각 기능의 조정은 부서 내에서 이루어진다. ( )

O·X 정답 1. ○ 2. ○ 3. ○ 4. × 5. × 6. ○ 7. ○ 8. ○

③ 장 · 단점

| 장 점 | 단 점 |
|---|---|
| • 사업부서 내 기능 간 조정이 용이하므로 환경변화에 신축적으로 대응 가능<br>• 산출물 단위로 조직이 운영되기 때문에 고객 만족도 증진에 유리<br>• 성과에 대한 책임소재가 분명해 성과관리체계에 유리<br>• 조직원들이 기능구조보다 더 포괄적인 목표관을 지니게 되어 구성원의 동기부여와 만족감 증진 | • 산출물별 기능의 중복으로 인하여 규모의 경제와 효율성 저해<br>• 기능직위가 부서별로 분산되므로 기술적 전문지식과 기술발전에 불리<br>• 사업구조 내의 조정은 용이하지만 사업부서 간 조정은 곤란<br>• 사업부서 간 경쟁이 심화될 경우 조직 전반적인 목표달성 곤란 |

기능구조와 사업구조의 비교

| 기능구조 | 사업구조 |
|---|---|
| • 안정적인 환경<br>• 일상적인 기술<br>• 수평적 조정의 필요성이 적은 경우<br>• 능률성을 조직내부목표로 하는 조직<br>• 목표달성을 위한 전문지식이 필요한 경우<br>• 수직적 계층제에 의한 통제가 필요한 경우 | • 불확실한 환경<br>• 비일상적인 기술<br>• 기능 간 상호의존성이 높은 경우<br>• 외부지향적 목표(고객지향적인 목표)를 지닌 조직의 경우 |

(3) 매트릭스 구조(Matrix : 행렬조직, 복합조직)

① 개념 : 계서적 특성을 지닌 기능구조(직능 조직)와 수평적 특성을 지닌 사업구조(프로젝트 조직)의 화학적 결합을 시도한 혼합적 · 이원적 구조의 상설조직이다.

② 특 징

㉠ 기능구조 통제권한의 계층은 수직적으로 흐르고, 사업구조 간 조정권한의 계층은 수평적으로 흐르는 이원적 권한체계를 지닌 조직구조이다.

㉡ 조직 환경이 복잡해지면서 기능구조의 기술적 전문성이 요구되는 동시에 사업구조의 신속한 대응성의 필요가 증대되면서 등장한 조직구조이다.

㉢ 조직원은 기능구조와 사업구조의 양 조직에 중복적으로 소속되어 기능적 관리자와 프로젝트 관리자에게 이중명령을 받는다(명령계통의 다원화 ⇨ 명령통일의 원리에 위반).

③ 도입 : 특수대학원, 대형 연구기관, 종합병원 등에서 채택되고 있으며, 정부조직에서는 대사관조직[해외공관에 파견된 각 부처의 주재관(상무관, 농무관)들은 이중적 명령을 받음], 고유사무와 위임사무를 모두 처리하는 지방자치단체 등이 이와 유사하다.

④ 매트릭스 구조가 필요한 상황

㉠ 부서 간 상호의존관계가 존재하고 부서 간 부족한 인력과 자원을 공유해야 할 압력이 존재할 때

㉡ 환경의 불확실성이 커 조직 운영의 신축성과 융통성이 필요할 때

㉢ 핵심적 산출물에 대한 기술 공유의 필요성이 크거나, 새로운 제품개발(산출의 변동)의 압력이 수시로 발생할 때

㉣ 수직적 · 수평적 정보의 유통과 조정의 필요성이 클 때

㉤ 기술적 전문성이 높고 산출의 변동도 빈번해야 한다는 이원적 요구가 발생할 때

**O·X 문제**

1. 사업구조는 성과에 대한 책임성의 소재가 분명해져 성과관리에 유리하다. ( )
2. 사업구조는 특정 산출물별로 운영되기 때문에 고객만족도를 제고할 수 있다. ( )
3. 사업구조는 사업부서 내 조정은 용이하지만 사업부서 간 조정이 곤란할 수 있다. ( )
4. 사업구조는 의사결정의 상위 집중화로 최고관리층의 업무부담이 증가될 수 있다. ( )
5. 사업구조는 산출물별 생산라인의 중복에 의해 규모경제의 실현이 어려워 효율성 손실이 있다. ( )
6. 사업구조는 기능구조보다 환경변화에 신축적이고 대응적일 수 있다. ( )

**O·X 문제**

7. 매트릭스 구조는 기능구조와 사업구조의 물리적 결합을 시도한 구조이다. ( )
8. 매트릭스 조직은 기능 중심의 수직조직과 프로젝트 중심의 수평조직을 결합한 구조로서, 명령통일의 원리에 따라 책임과 권한의 한계가 명확하다. ( )
9. 매트릭스 구조에서 기능부서의 권한은 수평적으로 흐르고, 사업구조의 권한은 수직적으로 흐른다. ( )
10. 매트릭스 조직은 조직 활동을 기능부문으로 전문화하는 동시에 전문화된 부문들을 프로젝트로 통합하기 위한 장치이다. ( )
11. 과학기술과 정보통신기술의 발달은 매트릭스 조직이 필요하게 된 원인 중 하나이다. ( )

O·X 정답 1. ○ 2. ○ 3. ○ 4. × 5. ○ 6. ○ 7. × 8. × 9. × 10. ○ 11. ×

⑤ 장 · 단점

| 장 점 | 단 점 |
|---|---|
| • 인적자원의 공동(이중) 활용을 통한 규모의 경제 실현(economy of scale) 및 효율성 제고<br>• 조직원을 다양한 업무과정에 참여시킴으로써 능력발전 촉진<br>• 조직원의 협동 작업으로 상호이해와 통합 촉진<br>• 각 기능과 사업 간 조정을 촉진하여 할거주의 현상 완화<br>• 조직단위 간 정보 흐름의 활성화로 복잡한 의사결정 용이<br>• 전문적 기술과 제품라인 혁신 동시 충족(분화와 통합의 조화)<br>• 대규모화되어 가는 조직의 구조적 경직화를 막고 융통성 부여<br>• 불안정하고 급변하는 환경에서 한시적이고 새로운 사업수요에 신속한 대응 | • 이중명령으로 조직원들에게 역할모호성과 역할갈등을 야기하여 혼란 · 갈등 · 좌절 등을 초래<br>• 지휘계통의 다원화로 권한과 책임의 한계 불명확, 조직원들의 소속감 결여 및 업무처리에 혼선 야기<br>• 실제 운영과정에서 기능부서 간 할거주의로 조정과 협조 곤란<br>• 권한구조의 다원화로 관리계층 증가<br>• 기능부서 관리자와 사업부서 관리자 간 갈등 발생<br>• 상관의 하급자에 대한 완전한 통제 불가능<br>• 사업구조의 가변성으로 조직관리의 객관성과 예측가능성 저하<br>• 끊임없는 대화와 토론으로 결정의 지연 및 과다한 시간 소모 |

(4) 수평구조와 팀제

① 개 념

㉠ 수평구조는 조직원을 핵심업무과정 중심의 수평적 작업흐름으로 부서화한 조직구조로 전통적인 업무처리방식에 변화를 주는 구조개혁이다.

㉡ 수평구조는 조직편제로 팀제를 채택하고, BPR(업무과정 재설계)를 통해 수직적 계층과 부서 간 경계를 실질적으로 제거한 유기적 구조이다.

② 특 징

㉠ 조직구조가 과업 · 기능 · 지리가 아닌 핵심업무과정(예 신제품 개발 등)에 기반한다.

㉡ 수평구조의 기본단위는 자율팀이다. 자율팀은 필요한 기능들이 부서 내에 배치된 자체 완결 단위로 담당업무에 대한 의사결정권한을 가진다.

㉢ 자율팀의 구성원인 팀원은 학습을 통해 여러 직무를 수행할 수 있게 훈련받아 다기능적 전문인력으로 육성되며, 의사결정에 필요한 기술 · 수단 · 권한이 부여된다.

③ 수평구조의 핵심단위 조직 – 팀제

㉠ 의의: 상호 보완적인 기능을 가진 사람들이 공동의 목표를 달성하기 위해 책임을 공유하고 공동의 접근방법을 사용하는 수평적 조직단위이다.

㉡ 특 징

ⓐ 업무과정에 따라 이질적인 기능을 지닌 전문가로 구성

ⓑ 팀원은 다양한 업무수행이 가능하도록 학습

ⓒ 팀원 간 상호 긴밀한 유대를 통한 공동업무 수행

ⓓ 팀원의 자율통제를 통한 민주적 조직운영

ⓔ 자체완결적 업무수행 및 성과체제 구축

ⓕ 팀원들의 공동책임 및 공동보상

**O·X 문제**

1. 매트릭스 구조는 명령 계통의 다원화로 유연한 인적자원 활용이 어렵다. ( )

2. 매트릭스 조직은 잦은 대면과 회의를 통해 과업조정이 이루어지기 때문에 신속한 결정이 가능하다. ( )

3. 매트릭스 조직은 대규모화되어 가는 조직의 구조적 경직화를 막고 융통성을 부여할 수 있다. ( )

4. 매트릭스 조직의 구성원들은 다양한 경험을 통해 전문기술을 개발하면서, 넓은 시야와 목표관을 가질 수 있다. ( )

5. 매트릭스 구조에서는 각 기능부서를 사업별로 운영함에 따라 성과책임의 소재가 분명해진다. ( )

6. 매트릭스 조직은 조직 내부의 갈등 가능성이 커질 우려가 있다. ( )

7. 매트릭스 조직은 조직관리상의 객관성과 예측가능성을 제고시킬 수 있는 장점이 있다. ( )

8. 매트릭스 조직은 동태적 환경 및 부서 간 상호 의존성이 높은 상황에서 효과적이다. ( )

**O·X 문제**

9. 수평구조는 조직구성원을 핵심업무과정 중심으로 조직하는 방식이다. ( )

10. 수평구조는 수직적 계층과 부서 간 경계를 제거하여 의사소통을 원활하게 만든 구조다. ( )

11. 수평조직은 학습에 뛰어난 조직에 해당한다. ( )

O·X 정답 1. × 2. × 3. ○ 4. ○ 5. × 6. ○ 7. × 8. ○ 9. ○ 10. ○ 11. ○

④ 팀제의 유형 – 데프트(Daft)의 논의를 중심으로

㉠ 태스크포스(Task Force : 임시사업단)

ⓐ 의의 : 특수한 과업 완수를 목표로 기존의 서로 다른 부서에서 사람들을 선발하여 구성한 조직으로, 본래 목적을 달성하면 해체되는 임시조직이다. 일반적으로 태스크포스는 전통적 관료제와 공존한다(예 WTO 무역협상단).

ⓑ 특징 : 태스크포스에 참여하는 각 대표들은 자기 부서의 이해를 대표하고 태스크포스 회의 정보를 각 부서에 전달하는 수평적 조정기제 역할을 수행한다.

㉡ 프로젝트팀(Project Team : 영구사업단)

ⓐ 의의 : 전략적으로 중요하거나 창의성이 요구되는 프로젝트를 진행하기 위하여 여러 부서에서 적합한 사람들을 선발해 구성한 조직이다(예 올림픽조직위원회).

ⓑ 특징 : 프로젝트팀은 관련 부서 간에 장기간 강력한 협동을 요할 때 활용되는 조직으로, 태스크포스에 비해 존속기간이 길고 보다 대규모적인 공식조직이다.

㉢ 태스크포스(Task Force)와 프로젝트팀(Project Team)의 비교

| 구 분 | 태스크포스(Task Force) | 프로젝트팀(Project Team) |
|---|---|---|
| 구 조 | 수평적 조직 | 태스크포스에 비해 수직적 · 계층적 조직 |
| 존속기간 | 임시적 · 단기적 성향<br>(목표달성 후 해체, 상설성이 약함) | 다소 장기적 성향<br>(목표달성 후 존속 경향, 상설성이 강함) |
| 규 모 | 소규모(주로 부문 내에 설치) | 대규모(주로 부문 간에 설치) |
| 법적 근거 | 불필요 | 필요 |
| 소 속 | 소속기관에서 탈퇴하지 않고 일시 차출 | 정규부서에서 이탈하여 전임제로 근무 |
| 성 격 | 인적 성격이 강함. | 물적 · 조직적 성격이 강함. |
| 특 징 | 단시일 내에 과업을 강력히 추진할 때 활용되는 조직 | 부서 간에 장기간 강력한 협동을 요할 때 활용되는 조직 |

⑤ 관료제와 팀제(수평구조)의 비교

| 요 소 | 관료제 | 팀 제 |
|---|---|---|
| 조직구조 | 수직적인 계층조직(직급 중심) | 수평적인 조직(능력 중심) |
| 직무설계 | 단일업무 중심 설계 | 핵심과정 중심 설계 |
| 목 표 | 상부에서 주어짐 | 상호공유 |
| 리 더 | 강하고 명백한 지도자 | 리더십 역할 공유 |
| 리더십 | 일방적이고 하향적인 리더십 | 쌍방향적인 상호교환적인 리더십 |
| 전 달 | 상명하복 · 지시 · 품의 | 상호충고 · 전달 · 토론 |
| 정보흐름 | 폐쇄 · 독점 | 개방 · 공유 |
| 보 상 | 개인주의 · 연공주의 | 팀 중심 보상, 업적 · 능력위주 |
| 평 가 | 상부조직에 대한 기여도로 평가 | 팀이 의도한 목표달성도로 평가 |
| 업무통제 | 관리자가 계획 · 통제 · 개선 | 팀 전체가 계획 · 통제 · 개선 |
| 환 경 | • 변화가 적고 안정적인 환경<br>• 소품종 대량생산체제(공급자 중심)<br>• 효율성이 성장 원동력 | • 변화가 크고 예측이 어려운 환경<br>• 다품종 소량생산체제(고객 중심)<br>• 창의성과 혁신이 성장 원동력 |

심화학습

**프로젝트팀과 태스크포스의 구분**

| | |
|---|---|
| 고전적 시각 | 프로젝트팀을 임시사업단으로, 태스크포스를 영구사업단으로 인식 |
| 데프트와 행정실무 | 프로젝트팀을 영구사업단으로, 태스크포스를 임시사업단으로 인식 |

O·X 문제

1. 태스크포스는 특수한 과업 완수를 목표로 기존의 서로 다른 부서에서 사람들을 선발하여 구성한 팀으로서, 본래 목적을 달성하면 해체되는 임시조직이다. ( )

2. 태스크포스는 관련 부서들을 종적으로 연결시켜 여러 부서가 관련된 현안 문제를 해결하는 데 효과적인 조직 유형이다. ( )

3. 프로젝트팀은 전략적으로 중요하거나 창의성이 요구되는 프로젝트를 진행하기 위하여 여러 부서에서 적합한 사람들을 선발하여 구성한 조직이다. ( )

4. 프로젝트팀은 특별한 임무를 수행하기 위해 일시적으로 구성된 조직 형태이다. ( )

5. Task Force가 Project Team보다 더 장기간에 걸쳐 강력한 협동을 요구할 때 사용되는 수평적 조정기제이다. ( )

6. 전통적 조직에서는 상명하복과 지시가 일반적이지만, 팀제에서는 상호 충고와 토론을 강조한다. ( )

O·X 정답 1. ○ 2. × 3. ○ 4. ○ 5. × 6. ○

⑥ 팀제의 장 · 단점

| 장 점 | 단 점 |
|---|---|
| • 의사결정단계의 축소로 신속한 의사결정이 가능하여 스피드(speed)의 경제 실현<br>• 상황적응적 업무분장과 동태적인 조직운영으로 환경에의 대응능력 제고<br>• 공동업무 수행으로 팀원 간의 상호작용이 원활화되어 파벌주의 타파<br>• 팀에 대한 대폭적인 권한위임으로 팀의 자율성 및 구성원의 창의성 증진<br>• 팀원들은 팀 내 여러 업무를 경험함으로써 다기능적 전문인력화<br>• 성과 · 책임 중심 관리지향으로 권위주의 조직문화와 연공서열 중심의 인사관행 타파<br>• 통솔범위의 확대로 중간관리층을 축소하고 실무인력으로 전환<br>• 팀 간의 경쟁으로 조직의 효율성 증진 | • 명확한 업무분장이 이루어지지 않아 팀원 간 갈등 및 무임승차자 발생<br>• 업무의 가변성으로 조직원의 불안 및 긴장 증폭<br>• 공동업무수행 및 공동평가로 권한과 책임 소재가 불분명하며, 개인 차원의 창의성 저해<br>• 팀은 소규모조직으로 조직 전체가 아닌 팀 차원의 목표를 중시(단기적이고 근시안적 성격)<br>• 자체완결적 구조로 팀 간 협조 미흡<br>• 법정업무가 명확한 경우 적용 곤란<br>• 계급제적 속성이 강한 사회에 적용 곤란(직급중심의 전통적 사고와 괴리)<br>• 중간관리자들의 자리상실로 사기저하 |

(5) 네트워크 구조(network organization)

① **개념**: 각기 높은 독자성을 지닌 조직들 간에 협력적 연계를 통해 구성된 조직을 말한다. 즉, 하나의 조직 내에서 모든 기능을 수행하는 것을 벗어나 핵심기능(기획, 결정 등)만 수행하는 조직을 중심에 놓고 다수의 독립된 조직들을 네트워크를 통해 협력 관계로 묶어 일을 수행하는 조직이다(예 전략적 제휴, 아웃소싱, 컨소시엄). 네트워크 조직은 조직 간에 형성될 수도 있고 조직 내의 집단 간에 형성될 수도 있다.

② 대두배경

㉠ **환경의 유동성**: 유동적인 환경 변화에 대응하기 위한 신축적인 조직구조 형성의 필요성으로 등장하였다.

㉡ **정보통신기술의 발전**: 조직 또는 행위자들 간 다양하고 효율적인 연결수단을 제공하는 정보통신기술의 발전으로 등장하였다.

㉢ **초경쟁사회의 도래**: 초경쟁사회에서 생존하기 위해 경쟁력 있는 조직들이 협력적 네트워크를 형성함으로써 등장하였다.

㉣ **조정비용 증가에 대한 대응**: 대규모 조직들이 조직 내부의 조정 · 관리비용 증가에 대응하는 과정에서 등장하였다.

③ 기본 구성 원리

㉠ **통합지향성 – 수직적 · 수평적 · 공간적 통합**: 네트워크 조직은 상하계층이 뚜렷하지 않으며 모든 계층은 함께 노력하고 조직 전체의 한 부분으로 기능하는 수직적 통합, 이음매 없는 업무수행이 이루어지는 수평적 통합, 지리적 장벽이 존재하지 않는 공간적 통합을 지향하는 통합메커니즘을 지닌 조직이다.

㉡ **집권화와 분권화의 조화**: 네트워크 조직은 각 구성단위 조직들에 대한 의사결정권의 위임수준이 높기 때문에 분권적이며, 공동목표 추구를 위해 의사전달과 정보의 통합관리를 추구하기 때문에 집권적이다.

㉢ **공통된 목적**: 네트워크 조직의 구성단위 조직들은 자신만의 고립적인 활동이 아닌 조직 전체의 공동목표에 합의하고 이를 달성하기 위한 활동을 중시한다.

**O·X 문제**

1. 팀제는 조직의 인력을 신축적으로 운영하고, 실무 차원에서 팀원의 권한을 향상시킨다. ( )
2. 정보화 시대에서 팀제가 '규모의 경제'를 구현한 방식이라면 매트릭스 조직은 '스피드의 경제'를 보장한 방식이다. ( )
3. 팀제는 조직문화 측면에서 관리보다는 협업이 강한 조직에 적합하다. ( )
4. 팀제 조직은 신속한 의사결정과 정보교류에 유리하다. ( )
5. 팀제 구조는 책임 및 권한의 소재가 분명하다는 장점을 지닌다. ( )
6. 팀제는 팀원들의 무임승차를 효과적으로 방지한다. ( )
7. 팀제는 업무결과에 대한 팀원 개개인의 책임이 강조된다. ( )

**O·X 문제**

8. 네트워크 조직은 핵심 기능을 수행하는 소규모의 조직을 중심에 놓고 다수의 협력업체들을 네트워크로 묶어 일을 수행하는 조직으로 협력업체들은 하위조직이 아니며 별도의 독립된 조직들이다. ( )
9. 네트워크 구조는 복수의 조직이 각자의 경계를 넘어 연결고리를 통해 결합 관계를 이루어 환경 변화에 대처한다. ( )
10. 네트워크 구조는 정보통신기술의 확산으로 채택된 새로운 조직구조 접근법이라고 할 수 있다. ( )

O·X 정답 1. ○ 2. × 3. ○ 4. ○ 5. × 6. × 7. × 8. ○ 9. ○ 10. ○

O·X 문제

1. 네트워크 조직은 수평적·공개적 의사전달을 강조하기 때문에 수직적 통합과는 거리가 있다. ( )

2. 네트워크 조직은 조직과 환경의 교호작용이 다원적·분산적이다. ( )

3. 네트워크 구조는 환경변화에 따른 거대한 초기 투자 없이도 신속하게 새로운 제품을 생산할 수 있다. ( )

4. 네트워크 조직은 환경변화에 영향을 받지 않아서 매우 안정적이다. ( )

5. 네트워크 조직은 정보교환을 효율화하여 정보축적과 조직학습을 촉진할 수 있다. ( )

O·X 정답 1. × 2. ○ 3. ○ 4. × 5. ○

㉣ **계층통합 – 수평적·유기적 구조**: 구성단위 조직들의 연결구조는 원칙적으로 수평적이며 유기적이다.

㉤ **독립적인 구성원**: 구성단위 조직들은 업무성취에 관한 과정적 자율성이 확보되어 있어 일정한 독립성이 있다.

㉥ **자발적 연결**: 구성단위 조직들은 상호 간에 자유롭게 연결되어 있어 네트워크에 자유롭게 진입하고 탈퇴한다.

㉦ **다수의 지도자**: 단일의 리더를 전제로 하는 관료제와 달리 네트워크 조직은 역량 있는 여러 명의 지도자를 필요로 한다.

㉧ **비공식적 조정**: 구성단위 조직들 간의 조정은 공식적이기보다는 비공식적으로 이루어지며 책임이 분명하게 배분되어 있지도 않다.

④ 특 징

㉠ 핵심자원만 보유하고 나머지는 다른 조직에 위임하는 공동조직이다.

㉡ 여러 조직이 자원을 공유하는 다원적·자율적·분산적 조직이다.

㉢ 구조와 계층이 타파된 실무자 중심의 언더그라운드 조직이다.

㉣ 상호의존성과 관계를 중심으로 지식을 공유하는 학습조직이다.

㉤ 정보통신에 기반을 두고 지리적 분산의 장애를 극복하는 가상조직이다.

㉥ 구성단위들은 자유롭게 진입하고 탈퇴하는 임시조직(애드호크라시)이다.

㉦ 경계가 존재하지 않는 이음매 없는 조직이다.

㉧ 유연성과 신속성이 강조되는 유기적 조직이다.

㉨ 초기자본이 막대하게 투자되지 않고도 시장에의 진입이 용이한 조직이다.

⑤ 계층제·네트워크 조직·시장의 비교

| 구 분 | 계층제 | 네트워크 조직 | 시 장 |
|---|---|---|---|
| 조직의 형태 | 단일의 중추 조직 | 느슨하게 연결된 군집형 조직 | 다양한 개별 독립조직들의 공존 |
| 분쟁조정수단 | 권위에 입각한 명령 | 신뢰와 협력, 평판 | 경쟁과 갈등 |
| 조직 간의 관계 | 긴밀하게 연결된 결절 | 느슨한 연결과 조정 | 연결되지 않은 결절 |
| 거래비용 | 확실한 환경으로 인해 거래비용이 적게 발생 | 전략적 제휴 등으로 거래비용 감소 | 불확실한 환경으로 인해 거래비용이 크게 발생 |
| 구성원 간 관계 | 안정적·지속적 | 신뢰관계로 비교적 안정적 | 불안정적·일시적 |
| 구조적 유연성 | 경계가 명확하고 구조적 유연성 낮음. | 경계가 유연하고 구조적 유연성 비교적 높음. | 잦은 계약자 변경으로 구조적 유연성 매우 높음. |
| 정보의 공유 | 낮음. | 활발 | 낮음. |
| 생산 활동 | 하나의 조직에서 완결 | 핵심적인 것만 생산하고 나머지는 외주 | 거래와 교환에 의한 부품별 생산 |

⑥ 효 용

㉠ **계층제와 시장의 단점 극복**: 시장보다 안정적이고, 계층제보다 유연하고 탄력적이므로 계층제와 시장의 단점을 모두 극복할 수 있다.

㉡ **환경에의 신축적 대응**: 각 구성단위 조직들의 유연성과 자율성 강화를 통해 경직적인 관료제보다 환경에 신축적으로 대응할 수 있다.

㉢ **환경의 불확실 완화**: 구성단위 조직들은 신뢰를 기반으로 하기 때문에 시장의 불완전한 계약관계보다 환경의 불확실성을 완화할 수 있다.

㉣ **지식의 공유**: 구성단위 조직들 간 호혜성을 기반으로 한 지식공유를 촉진하며, 학습을 통하여 창의성이 증진된다.

㉤ **직무동기와 사기의 증진**: 조직원들은 업무수행과정에서 자율성이 높아 적극적이고 도전적인 과업을 수행하는 과정에서 직무동기와 사기가 증진된다.

㉥ **조직 내부의 감독비용 감소**: 정보통신기술에 의한 조정으로 직접 감독에 필요한 비용과 시간을 절약할 수 있다.

㉦ **시·공간상 제약 극복**: 정보통신망에 의한 연결로 시·공간상의 제약을 완화할 수 있다.

㉧ **조직의 간소화·단순화**: 경쟁력을 갖춘 특정 부문만을 내부화하고 나머지 부분은 외부조직과 공유하므로 조직이 간소화·단순화된다.

⑦ 한 계

㉠ **공동목표 설정 곤란**: 구성단위 조직들은 독립성과 자율성이 보장되므로 각각의 이해관계가 달라 공동목표 및 명확한 권한관계 설정이 곤란하다.

㉡ **관리상 통합성 확보 곤란**: 중앙 권위체가 존재하지 않아 계약관계에 있는 외부기관을 직접 통제하기 어렵고 통합적 조직관리가 곤란하다.

㉢ **서비스의 안정적 공급 곤란**: 특정 구성단위 조직의 예상치 못한 기회주의적 행동(탈퇴 등)이 발생할 경우 서비스의 품질관리 및 안정적 공급이 곤란하다.

㉣ **성과평가가 어려운 경우 적용 곤란**: 연계된 외부기관의 통제가 곤란하므로 과정적 통제가 필요하거나 성과평가가 어려운 경우에 적용하기 곤란하다.

㉤ **감시 및 조정비용 증가**: 구성단위 조직들의 기회주의적 행동을 막기 위한 감시비용 및 조정비용이 증가할 수 있다.

㉥ **조직의 정체성과 응집력 약화**: 각 구성단위 조직들의 독립성과 자율성으로 인해 응집성 있는 조직문화를 형성하기 곤란하며 조직의 정체성이 약하다.

㉦ **낮은 조직몰입**: 구성원들의 응집성이 약해 네트워크 조직에 대한 조직몰입과 충성심을 확보하기 곤란하다.

㉧ **네트워크의 배타성**: 네트워크의 폐쇄성으로 인해 네트워크 외부 조직에 대한 배타성이 야기될 수 있다.

**O·X 문제**

1. 네트워크 조직은 조직의 네트워크화를 통해 환경 변화에 따른 불확실성을 감소시킬 수 있다. ( )
2. 네트워크 조직은 통합과 학습을 통해 경쟁력을 제고할 수 있다. ( )
3. 네트워크 조직은 유연성과 자율성 강화를 통해 창의력을 발휘할 수 있다. ( )
4. 네트워크 조직은 정보통신망에 의하여 조정되므로 직접 감독에 필요한 많은 지원과 관리인력이 불필요하게 된다. ( )
5. 네트워크 조직은 조직 내 갈등을 해결할 수 있는 최고 권위를 통해 조직을 협동적으로 규합하기 용이하다. ( )
6. 네트워크 조직은 외부기관과의 협력이 강화되기 때문에 대리인 문제의 발생가능성이 낮다. ( )
7. 네트워크 조직은 제품 및 서비스의 품질관리와 안정적 공급 확보가 용이하다. ( )
8. 네트워크 조직은 조직의 정체성과 응집력을 강화시킬 수 있다. ( )
9. 네트워크구조는 외부 환경의 불확실성 대처에 효과적이고 조직의 결속력을 확보하기 용이하다. ( )
10. 네트워크 조직은 업무성과 평가가 어려운 경우 효용성이 높은 조직형태이다. ( )

**O·X 정답** 1. ○ 2. ○ 3. ○ 4. ○ 5. × 6. × 7. × 8. × 9. × 10. ×

PART · 04

**심화학습**

**민츠버그의 정부관리모형**

| | |
|---|---|
| 기계 모형 | 집권적 통제에 초점을 둔 모형으로 각종 규칙과 통제기준이 지배하는 기계와 같은 체제(정부는 각종 법령과 규칙, 기준에 의해 중앙통제를 받음) |
| 네트워크 모형 | 기계모형과 반대로 유동적이며 교호작용적 특성을 지닌 모형으로 사업별로 분화된 단위들이 느슨하게 연계된 망으로 구성된 협력적 체제 |
| 가상 모형 | 최소한의 정부가 최선의 정부라는 신념에 따라 최대한의 민간화를 실현하는 모형(정부는 집행업무를 민영화하기 때문에 집행을 담당하는 하위구조가 없으며, 상위구조도 민간에 공공서비스 공급을 주선하는 데 필요한 만큼만 존재) |
| 성과(집행) 통제 모형 | 정부조직을 사업부서들로 분할한 다음, 각 사업부서별로 성과목표를 부여하고 각 사업부서의 관리자들이 성과에 대해 책임을 지도록 하는 모형(정부의 상위구조는 계획 및 통제를, 하위구조는 집행을 수행) |
| 규범적 통제 모형 | 구성원들이 규범적·도덕적 가치와 신념에 의해 통제되며, 구성원들의 자발적인 헌신을 강조하는 모형(제도보다 사람의 정신을 중시하며 가치관과 태도를 기준으로 직원을 선발하고, 사회체제에 헌신하도록 사회화하는 것을 강조) |

**O·X 문제**

1. 민츠버그의 모형에서 전략적 정점을 중시하는 조직구조는 기계적 관료제 구조이다. ( )

2. 민츠버그의 조직성장경로모형에 의하면 지원스태프부문은 기본적인 과업 흐름 내에서 발생하는 조직의 문제에 대해 지원하는 모든 전문가로 구성되어 있다. ( )

3. 민츠버그의 모형에서 핵심운영부문은 조직의 제품이나 서비스를 생산해내는 기본적인 일들이 발생하는 곳이다. ( )

4. 민츠버그의 조직성장경로모형에 의하면 지원참모를 중시하는 조직구조는 애드호크라시이다. ( )

5. 민츠버그의 모형에서 핵심운영부문은 조직을 가장 포괄적인 관점에서 관리한다. ( )

O·X 정답 | 1. × 2. × 3. ○ 4. ○ 5. ×

### 3. 민츠버그(Mintzberg)의 조직 유형 – 조직의 성장경로모형(복수국면접근방법)

(1) 의 의

민츠버그(Mintzberg)에 의하면 조직의 기본구성부문은 전략부문, 핵심운영부문, 중간라인부문, 기술구조부문, 지원스태프부문으로 구성되며, 이 중 어떤 부문을 중시하느냐에 따라 조직구조가 달라진다. 그리고 이러한 조직구조는 상황변수와 적합도가 높아야만 효과성이 제고된다(구조적 상황론의 입장).

(2) 조직의 기본구성부문과 조직구조

① 조직의 기본구성부문

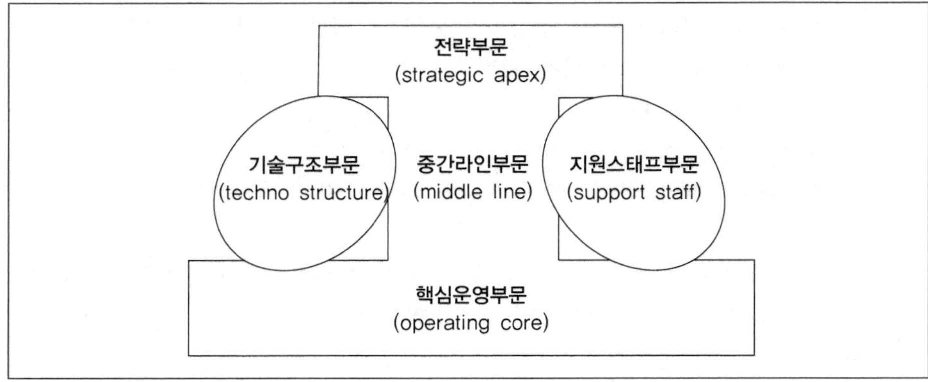


㉠ **전략부문**: 전략을 형성하고 조직을 포괄적으로 관리하며 조직에 관한 전반적인 책임을 지는 부문(최고관리층)

㉡ **핵심운영부문**: 제품이나 서비스의 생산업무에 직접 종사하는 부문(작업계층)

㉢ **중간라인부문**: 전략부문과 핵심운영부문을 연결해 주는 부문(중간관리층)

㉣ **기술구조부문**: 조직 내 업무처리 과정 및 작업의 설계와 변경을 담당하는 부문(기술관료로 구성)

㉤ **지원스태프부문**: 기본적인 과업 흐름 외에 조직에서 발생하는 문제를 다루는 부문(전문가로 구성)

② 조직구조의 설계

| 힘이 강한 부문 | 조직구조 | 조 정 |
|---|---|---|
| 전략부문 | 단순구조 | 최고관리층의 직접감독에 의한 조정 |
| 핵심운영부문 | 전문적 관료제 | 작업 기술의 표준화에 의한 조정 |
| 중간라인부문 | 사업부제(분할구조) | 산출물의 표준화에 의한 조정 |
| 기술구조부문 | 기계적 관료제 | 과업과정(업무)의 표준화에 의한 조정 |
| 지원막료부문 | 애드호크라시 | 전문가들의 상호 적응에 의한 조정 |

### (3) 조직구조의 유형과 특징

| 분 류 | | 단순구조 | 기계적 관료제 | 전문적 관료제 | 사업부제(분할구조) | 애드호크라시(임시구조) |
|---|---|---|---|---|---|---|
| 조정수단 | | 직접감독 | 작업표준화 | 기술표준화 | 산출물표준화 | 상호조정 |
| 핵심부문 | | 최고관리자 | 기술구조 | 핵심운영층 | 중간관리층 | 지원스태프 |
| 상황요인 | 역 사 | 신생조직 | 오래된 조직 | 가변적(다양함) | 오래된 조직 | 신생조직 |
| | 규 모 | 소규모 | 대규모 | 가변적(다양함) | 대규모 | 가변적(다양함) |
| | 기 술 | 단순 | 비교적 단순 | 복잡 | 가변적 | 매우 복잡 |
| | 환 경 | 단순하고 동태적 | 단순하고 안정적 | 복잡하고 안정적 | 단순하고 안정적 | 복잡하고 동태적 |
| | 권 력 | 최고관리자 | 기술관료 | 전문가 | 중간관리층 | 전문가 |
| 구조요인 | 전문화 | 낮음. | 높음. | 높음(수평적). | 중간 | 높음(수평적). |
| | 공식화 | 낮음. | 높음. | 낮음. | 높음. | 낮음. |
| | 통합/조정 필요성 | 낮음. | 낮음. | 높음. | 낮음. | 높음. |
| | 집권/분권 | 집권화 | 제한된 수평적 분권화 | 수평·수직적 분권화 | 제한된 수직적 분권화 | 선택적(선별적) 분권화 |
| | 예 | 신생조직 | 행정부, 교도소 | 대학, 종합병원 | 대기업, 캠퍼스가 여럿인 대학 | 연구소, 우주센터 |

**수평적 분권화**: 스탭(막료)에게 분권
**수직적 분권화**: 부하에게 분권

### (4) 조직구조의 유형별 장·단점

| 유 형 | 장 점 | 단 점 |
|---|---|---|
| 단순구조 | • 조직목표와 책임의 명확성<br>• 높은 융통성과 적은 유지비용 | 권력의 집중으로 권력남용 가능성 |
| 기계적 관료제 | • 중복 방지로 규모의 경제 실현<br>• 구성원들의 전문성 제고<br>• 높은 공식성으로 예측가능성 증진 | • 기능 간 조정 곤란<br>• 구성원들의 훈련된 무능 야기<br>• 높은 공식성으로 경직성 야기 |
| 전문적 관료제 | 전문성을 확보하면서 조직의 능률성 제고 | 전문성에 의한 수평적 분화로 훈련된 무능과 갈등 야기 |
| 사업부제 | • 자체완결적 구조로 기능 간 조정 용이<br>• 성과책임 및 고객만족도 증진 등에 유리 | • 활동과 자원의 중복으로 인한 비효율성<br>• 사업부서 간 조정 곤란 |
| 애드호크라시 | • 환경변화에 대한 신속한 대응<br>• 인적자원의 효율적 활용<br>• 비일상적 기술에 적합 | • 조직의 잠정성·불안정성<br>• 긴장과 갈등으로 조정 곤란<br>• 권한과 책임한계 모호 |

**O·X 문제**

1. 민츠버그의 조직설계유형은 폐쇄체계적 관점에서 조직이 수행하는 기능을 기준으로 유형을 분류하였다. ( )
2. 민츠버그의 단순구조는 집권화되고 유기적인 조직구조로서, 단순하고 동태적인 환경에서 주로 발견된다. ( )
3. 민츠버그의 기계적 관료제는 단순하고 안정적인 환경에 적절한 조직형태로서, 주된 조정방법은 작업과정의 표준화이다. ( )
4. 민츠버그의 기계적 관료제는 전략부문과 핵심운영 중심의 구조이며, 업무와 조직단위의 분화수준이 낮다. ( )
5. 민츠버그에 의하면, 수평·수직적으로 분권화된 조직 형태로서 복잡하고 안정적인 환경에서 적절한 조직구조는 전문적 관료제 구조이다. ( )
6. 민츠버그의 전문적 관료제는 높은 분화, 높은 공식화, 높은 분권화를 특징으로 한다. ( )
7. 민츠버그의 전문적 관료제는 편평하고 분권화된 형태를 띠며, 환경변화에 신속하게 적응하기 어렵다. ( )
8. 민츠버그에 의하면 최고 관리층에서 행사하는 힘은 작업기술의 표준화에 의한 조정을 통해 발휘되며, 이 힘이 강력할 때 조직은 사업부제의 형태가 된다. ( )
9. 민츠버그의 사업부제조직은 표준화를 통한 효율성을 유지하면서 핵심운영에 고도로 훈련받은 전문가를 고용하여 운영되는 조직이다. ( )
10. 민츠버그의 사업부제구조는 중간관리층을 핵심부문으로 하는 대규모 조직에서 나타나는데 관리자 간 영업 영역의 마찰이 일어날 수 있다. ( )
11. 애드호크라시(adhocracy)는 대개 단순하고 안정적인 문제를 해결하기 위해 생성된다. ( )

O·X 정답 1. × 2. ○ 3. ○ 4. × 5. ○ 6. × 7. ○ 8. × 9. × 10. ○ 11. ×

**O·X 문제**

1. 애드호크라시의 대표적인 예로는 매트릭스 조직, 태스크포스, 프로젝트 팀, 네트워크 조직 등을 들 수 있다. ( )

2. 애드호크라시는 전문적 지식과 기술을 가진 동질적 집단으로 조직된다. ( )

3. 애드호크라시는 전문성이 강한 전문인들로 구성되기 때문에 업무의 동질성이 높다. ( )

4. 애드호크라시는 특정 업무를 수행하기 위해 다양한 분야의 전문가가 일시적으로 구성된 후 업무가 끝나면 해체되는 경우가 많다. ( )

5. 애드호크라시는 구조적으로 수평적 분화는 높은 반면 수직적 분화는 낮고, 공식화 및 집권화의 수준이 낮다. ( )

6. 애드호크라시는 의사결정의 속도를 빠르게 하고 유연성을 확보하기 위해서 의사결정권한을 분권화한다. ( )

7. 애드호크라시는 과업의 표준화나 공식화 정도가 상대적으로 낮기 때문에 구성원 간 업무상 갈등이 일어날 우려가 있다. ( )

8. 애드호크라시는 수평적 조직형태를 갖추고 있기 때문에 권한과 책임을 둘러싼 갈등은 발생하지 않는다. ( )

9. 애드호크라시는 변화에 신속하게 대응할 수 있다는 장점으로 인해 최근에는 전통적 관료제 조직모형을 대체할 정도로 많이 활용되고 있다. ( )

**핵심정리 | 애드호크라시**(adhocracy)

1. **의 의**
   (1) **개념**: 비교적 이질적인 전문지식을 지닌 전문요원들이 프로젝트를 중심으로 집단을 구성하여 문제를 해결하는 임시체제(특별임시위원회)로 관료제와 대비되는 개념이다.
   (2) **형성**: 현실에서 애드호크라시는 관료제를 대체하기보다는 관료제와 공존을 전제로 구성되며, 매트릭스 조직, 태스크포스, 프로젝트 팀, 네트워크 조직 등이 이에 속한다.

2. **구조적 특성**
   (1) **낮은 수준의 복잡성**: 일의 흐름에 따른 수평적 분화의 정도는 높지만 수직적 분화의 정도는 낮다. 다만 구성원들은 넓은 직무범위를 지닌다.
   (2) **낮은 수준의 공식성**: 새로운 해결방법으로 일을 처리하기 때문에 규칙과 규정이 거의 없어 공식성의 정도가 낮다.
   (3) **낮은 수준의 집권화**: 지위가 아닌 전문지식에 의한 영향력이 행사되며, 의사결정권이 구성원들에게 분산되어 있어 집권성의 정도가 낮다.

3. **관료제와 애드호크라시의 비교**

| 구 분 | 관료제 | 애드호크라시 |
|---|---|---|
| 복잡성 | 높음. | 낮음. |
| 공식성 | 높음. | 낮음. |
| 집권성 | 높음. | 낮음. |
| 조직환경 | 정태적 · 안정적 환경 | 동태적 · 불확실한 환경 |
| 조직기술 | 일상적 | 비일상적 |
| 조직인 | 경제인 | 복잡인 |
| 조직규모 | 큼. | 작음. |
| 조직생명 | 반영구적 | 일시적 · 잠정적 |

4. **장 · 단점**
   (1) **장점**: 고도의 창의성과 환경적응성이 필요한 상황과 다양한 전문지식이 필요한 업무여서 다수의 전문요원의 협력이 요구되는 상황에 효과적이다.
   (2) **단점**: 다양한 전문요원의 집합이므로 업무처리 과정에서 갈등과 비협조가 발생하며, 집단적 문제해결을 지향하므로 권한과 책임의 한계가 불분명하다.

## 02 미래의 조직

### 1. 학습조직

(1) 의 의

① 개념: 조직의 성장과 발전 또는 문제해결능력을 개선하기 위하여 개방체제와 자아실현적 인간관을 바탕으로 구성원이 새로운 지식을 창출하고 이를 조직 전체에 보급하여 지속적인 학습활동을 전개하는 조직을 말한다. 학습조직은 의사소통과 협력을 통해 조직의 문제해결역량을 향상시키는데 초점이 있다.

② 이론적 기반 – 센지(P. Senge)의 5가지 수련

㉠ 시스템적(체제적) 사고: 학습조직은 조직에 영향을 미치는 사건 · 조직 · 환경 등을 장기적이고 전체적으로 조망하는 시스템적 사고가 중시된다.

**O·X 문제**

10. 학습조직은 개인적 숙련과 공통의 비전을 강조한다. ( )

11. 학습조직은 개인의 전문지식 습득 노력을 통한 자기완성이 필요하다. ( )

O·X 정답 1. ○ 2. × 3. × 4. ○ 5. ○ 6. ○ 7. ○ 8. × 9. × 10. ○ 11. ○

㉡ **전문적 소양(개인적 숙련 · 자기완성)**: 학습하는 개인이 없으면 조직학습도 없으므로 개인이 스스로 지속적으로 자신의 비전과 에너지를 충만하게 북돋고, 현실을 인지하면서 능력과 기술을 습득해 나가야 한다.

㉢ **사고의 틀**: 구성원들은 현실세계를 객관적으로 이해하고 어떤 활동을 할 것인가에 대한 깊은 이해와 형상화를 통해 기존 사고방식을 깨는 과정을 거쳐야 한다.

㉣ **공동의 비전**: 학습조직은 구성원들의 '공동의 갈망'이 자유롭게 분출되도록 하고 이를 조직의 비전에 반영하여 구성원 스스로 조직의 비전에 열의를 갖고 몰입할 수 있도록 해야 한다.

㉤ **팀학습**: 학습조직은 대화를 통해 구성원들이 함께 사고하고 조직의 의미를 자연스럽게 체화하도록 해야 한다.

(2) 특 징

① 구조 및 과정 측면

㉠ **문제해결능력 중시**: 학습조직은 문제해결능력을 중시하며, 이를 위해 창조적인 변화를 촉진할 수 있는 학습을 중시한다.

㉡ **수평적이고 유연한 조직구조**: 학습조직의 기본 구성단위는 팀(프로세스 중심 조직)이다. 학습조직은 구조의 평면화 및 규칙과 절차의 제거를 통한 자기 진화적 학습을 지향하며, 이를 위해 네트워크 조직과 가상조직을 활용한다.

㉢ **학습형 리더십**: 학습조직의 리더는 구성원들이 공유할 수 있는 비전을 창출하며, 조직 제일의 봉사인으로서 조직의 임무와 구성원들의 학습을 지원하는 데 헌신하는 학습형 리더십을 갖춰야 한다.

㉣ **정보인프라 구축**: 학습조직은 정보인프라를 통한 외부조직과의 열린 네트워크 구축 및 구성원 간의 지식공유를 중시한다.

② 구성원 및 문화 측면

㉠ **구성원의 권한 강화**: 학습조직은 구성원들의 권한 강화를 통한 자율적 학습을 중시한다.

㉡ **관계지향성과 집합적 행동**: 학습조직은 구성원들 간의 관계형성 및 집합적 행동을 통한 공동의 문제해결 노력을 강조하며, 집단적 보상(이윤공유적 보상)을 중시한다.

㉢ **강한 조직문화**: 학습조직은 부문보다 전체가 중요하다는 응집성이 강한 조직문화를 형성하여 지식의 공유를 촉진한다.

㉣ **시행착오적 학습**: 학습조직은 조직능력 향상을 위한 지속적인 실험을 중시하는 조직으로 시행착오를 학습의 기회로 삼는다. 따라서 개인성과급이나 신상필벌을 거부한다.

㉤ **유동적 과정**: 학습조직은 구성원 간의 협력과 상호작용을 통해 변화와 발전을 지속적으로 추구하는 장기적이며 유동적인 과정이다.

**O·X 문제**

1. 학습조직은 개방체제와 자아실현적 인간관을 바탕으로 새로운 지식을 창출하고자 한다. ( )
2. 학습조직에서는 조직구성원의 합이 조직이 된다는 점에서, 조직 내 구성원 각자의 개인적 학습을 강조한다. ( )
3. 학습조직은 공동의 갈망이 자유롭게 분출되는 조직이다. ( )
4. 학습조직은 시스템적 사고에 의한 유기적, 체제적 조직관을 바탕으로 한다. ( )
5. 학습조직은 부분보다 전체를 중시하고 경계를 최소화하려는 조직문화가 필요하다. ( )
6. 학습조직 활성화에 리더의 역할이 상대적으로 중요하지 않다. ( )
7. 학습조직은 체계화된 학습이 강조됨에 따라 조직구성원의 권한은 약화된다. ( )
8. 학습조직의 보상체계는 개인별 성과급 위주로 구성되어 있다. ( )
9. 학습조직은 기능보다 업무 프로세스 중심으로 조직을 구조화한다. ( )
10. 학습조직은 관계지향성과 집합적 행동을 장려하며, 학습은 공동참여와 공동생산에 기반을 둔다. ( )
11. 학습조직은 자신과 타인의 경험과 시행착오를 통한 학습활동을 높게 평가한다. ( )

O·X 정답 | 1. ○ 2. × 3. ○ 4. ○ 5. ○ 6. × 7. × 8. × 9. ○ 10. ○ 11. ○

PART · 04

(3) 관료제와 학습조직의 차이(Daft)

| 구 분 | 관료제(기계적 조직) | 학습조직 |
|---|---|---|
| 지 향 | 효율성 지향 | 문제해결력 지향 |
| 구 조 | 기능 중심의 수직구조 | 업무 프로세스 중심의 수평구조 |
| 과 업 | 좁고 분명하게 정의(전문화·분업화)된 과업 | 구성원에게 재량권과 책임이 부여된 과업 |
| 정 보 | 최고관리층에 의한 정보독점 | 구성원 간에 정보공유 |
| 활 동 | 경쟁 중시 | 협력(상호작용) 중시 |
| 문 화 | 위계적이고 경직된 문화 | 지속적 개선과 변화를 강조하는 적응적 문화 |
| 권 력 | 직위에 기반한 권력 | 지식에 기반한 권력 |
| 업무수행 | 자율적 행동 | 집합적 행동 |

## 2. 기타 다양한 미래조직 – 지식정보화 사회의 조직구조

(1) 가상조직(virtual organization)

① 의의: 정보통신기술을 전제로 하는 가상조직은 독립된 각 조직들이 전략적 목적을 달성하기 위해 경쟁력 있는 기술과 자원을 통합하여 조직을 설계하고 정보통신망을 통해 일시적으로 제휴하는 조직이다(올스타팀 구성과 유사).

② 특 징

㉠ 정보통신기술에 기반하여 네트워크와 가상공간을 통해 연계된 조직

㉡ 특정한 조직구조가 존재하지 않는 일시적이고 잠정적 조직

㉢ 속도의 경제를 확보할 수 있는 환경변화에 대응성이 높은 조직

③ 관료제 조직과 비교

| 정체성 | 관료제 | 가상조직 |
|---|---|---|
| 조직구조 | 계층제 – 경계의 물리적 구체화 | 전자네트워크 – 경계의 존재론적 모순 |
| 조직이념 | 모더니즘 – 분화의 논리 | 탈모더니즘 – 총체적 연계성의 논리 |
| 조직성장 | • 선형적 진화과정<br>• 안정적 질서(균형) | • 변혁적 기회과정<br>• 역동적 질서(동요) |
| 조직경쟁력 | 규모의 경제(고도성장기 – 단일성) | 속도의 경제(저성장성숙기 – 기민성) |

(2) 하이퍼텍스트 조직

① 의의: 지식의 창조·축적·활용에 적합하도록 효율성을 지향하는 수직적 계층조직과 창의성을 지향하는 수평적 조직구조를 결합한 조직이다.

② 구 성

㉠ **프로젝트팀 층(지식창조)**: 새로운 지식을 창조하는 일을 하는 층으로 탈관료제 조직인 프로젝트팀이 활용된다.

㉡ **비즈니스 시스템 층(지식활용)**: 창조된 지식을 활용하는 층으로 기존의 관료제적 구조가 활용된다.

㉢ **지식베이스 층(지식기반층)**: 양 층에서 창출된 전혀 다른 성격의 지식이 축적되고 교환되는 장소이다.

**O·X 문제**

1. 가상조직에서도 과거의 관료제와 마찬가지로 조직의 경계개념이 중요하다. ( )

2. 가상조직은 영구적이라기보다는 잠정적이고 임시적 조직으로 볼 수 있다. ( )

O·X 정답 1. × 2. ○

③ 특 징

㉠ 관료제 조직의 효율성과 프로젝트팀의 창의성 결합

㉡ 지식의 저장 창고 및 교환 장소로써 지식기반 층의 설치

㉢ 중간관리자가 중심이 되는 Middle-Up-Down 관리방식

(3) 삼엽조직(클로버형 조직)

직원의 수를 소규모로 유지하면서 산출을 극대화하기 위해 조직을 세 가지 파트(삼엽)로 구분하여 환경에 대응하는 조직이다. 삼엽조직은 제1엽(핵심직원 – 소규모 정규직 노동자), 제2엽(계약직 노동자), 제3엽(임시직 노동자)으로 구성되며, 계층 수가 적은 날씬한 조직으로 불확실한 환경에 대응 능력이 뛰어나다.

(4) 자생조직

인간의 자생성(환경에 적응하여 생존하는 능력)이 반영된 조직으로 혼돈이론의 산물이다. 자생조직은 필수다양성 확보가 핵심이며, 이를 통해 자율성・응집력・개방성・유연성・학습성・가외성 등의 특징을 가지고 환경변화에 대응해 나간다.

(5) 홀로크라시(holacracy)

'전체'를 의미하는 그리스어 holos와 '통치'를 의미하는 cracy를 합성한 단어로 권한이 조직 전체에 걸쳐 넓게 분산되어 있는 조직형태를 말한다.

(6) 후기기업가 조직

신속한 행동, 창의적인 탐색, 더 많은 신축성, 직원과 고객과의 밀접한 관계 등을 강조하는 조직이다. 후기기업가 조직은 행동을 제약하는 경직적인 구조와 절차에 얽매이지 않고 모든 기회를 추구하는 유연하고 신축적인 조직이다. 이 조직은 거대한 규모를 유지하면서도 날렵하게 움직일 수 있는 유연한 구조를 강조한다.

(7) 프로세스 조직(이음매 없는 조직)

리엔지니어링(BPR)에 의하여 프로세스를 근본적으로 재설계하고 절차를 간소화한 이음매 없는 조직을 말한다. 프로세스 조직은 프로세스(업무과정)를 기본단위로 설계되며 분권성은 높고 계층성은 낮아 고객요구에 대한 신속한 대응, 간접인원 축소, 최고품질의 서비스 제공 등의 장점을 지닌다.

(8) 칼리지아 조직(동료조직 : collegial structure)

대학・병원・연구소 등 고도의 기술이나 전문지식을 가진 사람들로 구성된 조직이다. 칼리지아 조직은 구성원들이 최소한의 지침하에서 광범위한 자율권을 향유한다.

(9) 공동(空洞)조직(hollowing organization)

정부가 핵심기능(기획・조정・결정 기능)만을 수행하고, 주변기능(집행기능)은 다른 조직에 위임하여 수행하는 간소화된 조직을 말한다.

**O·X 문제**

1. 삼엽조직은 정규직원을 소규모로 유지하면서도 산출의 극대화를 도모하는 조직이다. ( )

2. 후기기업가 조직은 직원의 수를 소규모로 유지하는 한편, 산출의 극대화가 가능하도록 설계된 조직으로서, 조직구조는 계층 수가 적은 날씬한 조직을 말한다. ( )

3. 정보화 사회에서는 삼엽조직이나 공동화조직이 확대되고 기획 및 조정기능의 위임과 위탁을 통해 업무가 간소화되기도 한다. ( )

**심화학습**

기타 미래조직

| | |
|---|---|
| 애자일(agile) 조직 | 부서 간 경계를 허물고 구성원들이 자율성과 책임성을 가지고 필요에 따라 소규모 팀을 형성하여 협업하는 수평조직 |
| 심포니 오케스트라 조직 | 중간계층 없이 1인의 지휘자 아래서 구성원들의 자율적인 팀워크를 바탕으로 협력적으로 업무를 수행하는 조직 |
| 역피라미드 조직 | 고객을 최상층에 놓고 고객과 접촉하는 일선관료를 최우선시하는 조직 |
| 꽃송이 조직 | 여러 기능팀들이 서로 겹치게 형성된 일종의 교차다기능조직 |
| Link-Pin (연결핀) 조직 | 조직 내에서 수직적・수평적으로 연락을 맺고 있는 자들을 연결하여 조직의 조정능력과 적응력을 높인 조직 |
| 연방 조직 | 중심조직이 중앙전략 기능만을 수행하고 일상적인 집행 업무는 외부의 독립조직에 일임하는 조직(네트워크 조직과 유사) |
| 트리플 아이 조직(3I조직) | 조직의 경쟁력 원천으로서 Intelligence(지능), Information(정보), Idea(아이디어)에 초점을 둔 조직 |
| 홀로그램형 조직 | 전체가 모든 부분들 속에 담겨져 있어 각각의 모든 부분들이 전체를 대변하는 조직 |

O·X 정답 1. ○ 2. × 3. ×

PART · 04

# 제 6 절 한국의 행정조직

## 01 우리나라의 정부조직

### 1. 정부와 정부조직의 의의

(1) 정부의 의의

① 개념: 광의의 정부는 국가통치기구를 의미하며, 입법부 · 사법부 · 행정부의 삼권분립 체제를 이룬다. 협의의 정부는 이 중 행정부만을 의미한다.

② 광의의 정부 구성

| 입법부(국회) | 행정부(정부) | 사법부(법원) |
|---|---|---|
| • 상임위원회<br>• 특별위원회<br>• 국회사무처<br>• 국회도서관<br>• 국회예산정책처 | 중앙행정기관<br>(19부 4처 20청 6위원회) | • 대법원<br>• 고등법원<br>• 지방법원<br>• 특허법원<br>• 가정법원<br>• 행정법원 |

**기타 「헌법」상 독립기구**: 헌법재판소, 선거관리위원회

(2) 정부조직의 의의

① 개념: 정부조직이란 국가 또는 자치단체의 행정사무를 수행하기 위해 설치된 공공조직을 의미한다. 정부조직을 설치하기 위해서는 법적 근거가 필요하다(정부조직법정주의).

② 법적 근거

| 구 분 | 기 관 |
|---|---|
| 헌법기관 | ㉠ 대통령(임기 5년, 중임 불가)<br>㉡ 국무총리(대통령 보좌, 행정 각 부 통할)<br>㉢ 국무회의(주요 국정의 심의 및 조정)<br>㉣ 국무위원(국무회의의 구성원)<br>㉤ 행정 각 부(행정 각 부의 설치 · 조직과 직무범위는 법률로 정함)<br>㉥ 감사원(회계검사와 직무감찰)<br>㉦ 자문위원회(국가원로자문회의, 국가안전보장회의, 민주평화통일자문회의, 국민경제자문회의) |
| 법률기관 | ㉠ 19부 4처 20청(우주항공청, 행정중심복합도시건설청, 새만금개발청을 제외한 19부 4처 17청은 「정부조직법」에 근거를 둠.)<br>㉡ 6위원회(방송통신위원회, 공정거래위원회, 금융위원회, 국민권익위원회, 원자력안전위원회, 개인정보보호위원회)는 각 개별법에 근거를 둠. |
| 대통령령에 의한 직제 | 실 · 국 이상의 보조기관 규정 |
| 총리령 · 부령에 의한 직제 | 실 · 국 아래의 보조기관 규정 |

**심화학습**

「정부조직법」이 아닌 법률에 근거를 두고 있는 청

| 청 | 근거법률 |
|---|---|
| 우주항공청 | 우주항공청의 설치 및 운영에 관한 특별법 |
| 행정중심복합도시건설청 | 신행정수도 후속대책을 위한 연기 · 공주지역 행정중심복합도시 건설을 위한 특별법 |
| 새만금개발청 | 새만금사업 추진 및 지원에 관한 특별법 |

## 2. 정부조직의 구성

### (1) 중앙행정기관(19부 4처 20청 6위원회)

① 의의 : 국가의 행정사무를 담당하기 위하여 설치된 행정기관으로서 그 관할권의 범위가 전국에 미치는 행정기관을 말한다. 다만, 그 관할권의 범위가 전국에 미치더라도 다른 행정기관에 부속하여 이를 지원하는 행정기관은 제외한다.

② 설치와 조직 등

㉠ 중앙행정기관의 설치와 직무범위는 법률로 정한다(정부조직법정주의).

㉡ 중앙행정기관은 「정부조직법」에 따라 설치된 부·처·청과 별도의 개별법에 의해 설치된 6위원회 및 우주항공청, 행정중심복합도시건설청, 새만금개발청으로 한다.

③ 유 형

㉠ 단독제 중앙행정기관(19부 4처 20청)

ⓐ 부(部) : 소관사무의 결정과 집행을 모두 할 수 있는 중앙행정기관이다. 각 부는 부령을 제정할 수 있으며, 각 부의 장(장관)은 국무위원으로 보한다.

ⓑ 처(處) : 각 부의 지원기능을 수행하는 막료부처로 국무총리 소속 중앙행정기관이다. 각 처는 부령제정권이 없으며(총리령을 통해 업무 수행), 처의 장은 차관급 공무원이다. 다만, 예외적으로 대통령경호처는 대통령 소속의 처이다.

ⓒ 청(廳) : 각 부의 집행기능 중 일부를 독립적으로 수행하기 위하여 설치한 중앙행정기관이다. 각 청은 부령제정권이 없으며, 청의 장은 정무직 공무원(차관급 – 예 국세청장 등) 또는 특정직 공무원(예 경찰청장·해양경찰청장·검찰총장 등)이다.

㉡ 합의제 중앙행정기관(6위원회)

ⓐ 대통령 소속 위원회(1) : 방송통신위원회

ⓑ 국무총리 소속 위원회(5) : 금융위원회, 공정거래위원회, 국민권익위원회, 개인정보보호위원회, 원자력안전위원회

ⓒ 독립위원회(1) : 국가인권위원회+(행정부에 소속되지 않는 독립적인 국가기구이므로 중앙행정기관에 포함되지 않음)

### (2) 조직내부기관

① 최고관리층 : 단독제 중앙행정기관의 최고책임자로서 장관·실장(대통령실장, 국무총리실장)·처장·청장 등을 의미한다.

② 하부조직 – 행정기관의 보조기관과 보좌기관

㉠ 보조기관(계선)

ⓐ 개념 : 행정기관의 의사 또는 판단의 결정이나 표시를 보조함으로써 행정기관의 목적달성에 공헌하는 기관을 말한다.

ⓑ 설치 : 중앙행정기관의 보조기관은 차관·차장·실장·국장·과장으로 한다. 중앙행정기관의 최하위의 보조기관은 과장이다.

ⓒ 복수차관제 : 행정각부에 장관 1명과 차관 1명(정무직)을 두되, 기획재정부·과학기술정보통신부·외교부·문화체육관광부·산업통상자원부·보건복지부·국토교통부에는 차관 2명을 둔다(7개 부처).

PART · 04

**O·X 문제**

1. 부는 고유의 행정사무를 수행하기 위한 기능별·대상별 기관으로 행정안전부를 포함하여 16개의 부가 있다. ( )

2. 행정각부의 장은 국무위원이다. ( )

3. 처는 국무총리 소속으로 여러 부의 업무를 총괄하는 계선업무를 수행한다. ( )

4. 특허청, 문화재청, 공정거래위원회는 중앙행정기관의 소속기관이다. ( )

5. 방송통신위원회는 국무총리 직속 합의제 행정기구이다. ( )

+ 국가인권위원회
국가인권위원회는 입법·사법·행정 등 어디에도 소속되지 않고 그 권한에 속하는 업무를 독립하여 수행하는 독립기관이다.

**O·X 문제**

6. 하부기관이란 중앙행정기관에 소속된 기관으로서, 특별지방행정기관과 부속기관을 말한다. ( )

7. 보조기관이란 행정기관이 그 기능을 원활하게 수행할 수 있도록 그 기관장을 보좌함으로써 행정기관의 목적달성에 공헌하는 기관을 말한다. ( )

O·X 정답 1. × 2. ○ 3. × 4. × 5. × 6. × 7. ×

ⓛ 보좌기관(막료)

ⓐ **개념**: 행정기관이 그 기능을 원활하게 수행할 수 있도록 그 기관장이나 보조기관을 보좌함으로써 행정기관의 목적달성에 공헌하는 기관을 말한다.

ⓑ **설치**: 행정 각 부에는 장・차관을 직접 보좌하기 위하여 차관보를 둘 수 있으며, 중앙행정기관에는 그 기관의 장, 차관・차장・실장・국장 밑에 보좌기관(정책관・기획관・담당관 등)을 대통령령으로 정하는 바에 따라 둘 수 있다.

③ **소속기관 — 부속기관과 특별지방행정기관**

㉠ **부속기관**

ⓐ **개념**: 행정권의 직접적인 행사를 임무로 하는 기관에 부속하여 그 기관을 지원하는 행정기관을 말한다.

ⓑ **설치**: 행정기관에는 그 소관사무의 범위에서 필요한 때에는 대통령령으로 정하는 바에 따라 시험연구기관・교육훈련기관・문화기관・의료기관・제조기관 및 자문기관 등을 둘 수 있다.

㉡ **특별지방행정기관**

ⓐ **개념**: 특정한 중앙행정기관에 소속되어, 당해 관할구역 내에서 시행되는 소속 중앙행정기관의 권한에 속하는 행정사무를 관장하는 국가의 지방행정기관을 말한다.

ⓑ **설치**: 중앙행정기관에는 소관사무를 수행하기 위하여 필요한 때에는 특히 법률로 정한 경우를 제외하고는 대통령령으로 정하는 바에 따라 지방행정기관을 둘 수 있다.

④ **합의제 행정기관**

㉠ 행정기관에는 그 소관사무의 일부를 독립하여 수행할 필요가 있는 때에는 법률로 정하는 바에 따라 행정위원회 등 합의제행정기관을 둘 수 있다.

㉡ 행정위원회는 법률로 정하는 바에 의해 행정기능, 규칙을 제정할 수 있는 준입법적 기능, 이의의 결정 등 재결을 행할 수 있는 준사법적 기능을 가질 수 있다.

**O·X 문제**

1. 실, 국, 과는 부처 장관을 보조하는 기관으로 계선 기능을 담당하고, 참모 기능은 차관보, 심의관 또는 담당관 등의 조직에서 담당한다. ( )
2. 부속기관이란 행정권의 직접적인 행사를 임무로 하는 기관에 부속하여 그 기관을 지원하는 행정기관을 말한다. ( )
3. 시험연구기관・교육훈련기관・문화기관・의료기관・제조기관 및 자문기관은 부속기관이다. ( )
4. 특별지방행정기관은 중앙행정기관의 일선기관으로서 기능을 담당하고 있다. ( )
5. 특별지방행정기관의 사례로는 서울지방국세청, 중부지방고용노동청이 있다. ( )

O·X 정답 1. ○ 2. ○ 3. ○ 4. ○ 5. ○

### (3) 정부조직도 – 19부 4처 20청 6위원회

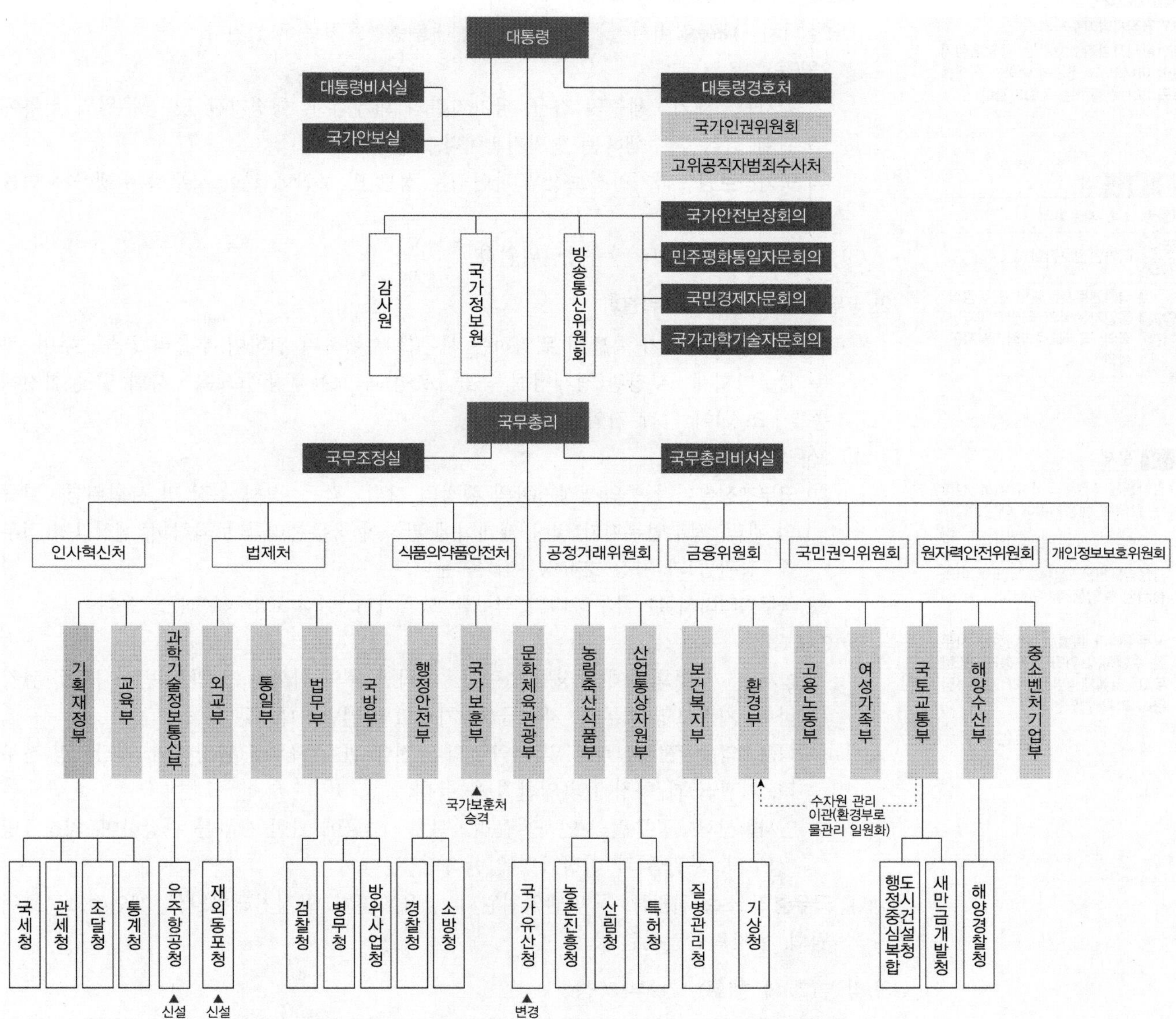

### 3. 정부조직의 구체적 고찰

(1) 대통령 – 2실 1처 2원 1위원회

① 2실 1처: 대통령비서실, 국가안보실과 대통령경호처로 구성된다.

② 2원(院)

㉠ 감사원: 세입・세출의 결산, 국가기관의 회계검사, 행정기관 및 공무원의 직무에 관한 감찰을 수행하는 헌법기관이다.

㉡ 국가정보원: 국가안전보장에 관련되는 정보 및 보안에 관한 사무를 수행하는 법률기관이다.

③ 대통령 소속 위원회: 방송통신위원회

(2) 국무총리 – 2실 3처 5위원회

① 부총리: 국무총리가 특별히 위임하는 사무를 수행하기 위하여 부총리 2명을 두며, 부총리는 기획재정부장관(경제정책 총괄・조정)과 교육부장관(교육・사회 및 문화정책 총괄・조정)이 각각 겸임한다.

② 2실

㉠ 국무조정실: 각 중앙행정기관의 행정의 지휘・감독, 정책 조정 및 사회위험・갈등의 관리, 정부업무평가 및 규제개혁에 관하여 국무총리를 보좌하며, 실장 1명(정무직, 장관급)과 차장 2명(정무직)을 둔다.

㉡ 국무총리비서실: 국무총리의 직무를 보좌하며, 실장 1명(정무직)을 둔다.

③ 3처(處)

㉠ 법제처: 국무회의에 상정될 법령안・조약안 등의 심사와 그 밖의 법제사무를 관장하며, 처장 1명(정무직, 차관급)과 차장 1명(일반직)을 둔다.

㉡ 식품의약품안전처: 식품 및 의약품의 안전에 관한 사무를 관장하며, 처장 1명(정무직, 차관급)과 차장 1명(일반직)을 둔다.

㉢ 인사혁신처: 공무원의 인사・윤리・복무・연금에 관한 사무를 관장하며, 처장 1명(정무직, 차관급)과 차장 1명(일반직)을 둔다.

④ 국무총리 소속 위원회: 국민권익위원회, 금융위원회, 공정거래위원회, 개인정보보호위원회, 원자력안전위원회

(3) 각 부(部)와 청(廳) – 19부 20청

| 각 부 | 소속 청 | 주요 업무 내용 |
|---|---|---|
| 기획재정부 (4청) | | 중장기 국가발전전략수립, 경제・재정정책의 수립・총괄・조정, 예산・기금의 편성・집행・성과관리, 화폐・외환・국고・정부회계・내국세제・관세・국제금융, 공공기관 관리, 경제협력・국유재산・민간투자 및 국가채무에 관한 사무 관장 |
| | 국세청 | 내국세의 부과・감면 및 징수에 관한 사무 관장 |
| | 관세청 | 관세의 부과・감면 및 징수와 수출입물품의 통관 및 밀수출입단속에 관한 사무 관장 |
| | 조달청 | 정부가 행하는 물자의 구매・공급 및 관리에 관한 사무와 정부의 주요시설 공사계약에 관한 사무 관장 |
| | 통계청 | 통계의 기준설정과 인구조사 및 각종 통계에 관한 사무 관장 |
| 교육부 | | 인적자원개발정책, 학교교육・평생교육, 학술에 관한 사무 관장 |

**심화학습**

**고위공직자범죄수사처**

고위공직자범죄수사처는 중앙행정기관이 아니고 그 권한에 속하는 직무를 독립하여 수행하는 독립기관이다.

**심화학습**

**대통령 소속 자문회의**

| | |
|---|---|
| 필수기관 | 국가안전보장회의 |
| 임의기관 | 국가원로자문회의, 민주평화통일자문회의, 국민경제자문회의, 국가교육과학기술자문회의 |

**O·X 문제**

1. 감사원은 「정부조직법」에서 정하는 합의제 행정기관에 해당한다. ( )
2. 금융감독원은 「정부조직법」에 따라 설치된 중앙행정기관이다. ( )
3. 국무총리가 특별히 위임하는 사무를 수행하기 위하여 부총리 2명을 두고, 기획재정부장관과 교육부장관이 각각 겸임한다. ( )

**O·X 문제**

4. 특허청은 기획재정부에 소속되어 있다. ( )

O·X 정답 1. × 2. × 3. ○ 4. ×

<table>
<tr><td rowspan="2">과학기술<br>정보통신부<br>(1청)</td><td colspan="2">과학기술정책의 수립·총괄·조정·평가, 과학기술의 연구개발·협력·진흥, 과학기술인력 양성, 원자력 연구·개발·생산·이용, 국가정보화 기획·정보보호·정보문화, 방송·통신의 융합·진흥 및 전파관리, 정보통신산업, 우편·우편환 및 우편대체에 관한 사무 관장</td></tr>
<tr><td>우주항공청</td><td>우주항공기술 확보, 우주항공산업 진흥, 우주위험에의 대비 사무 관장</td></tr>
<tr><td rowspan="2">외교부<br>(1청)</td><td colspan="2">외교, 경제외교 및 국제경제협력외교, 국제관계 업무에 관한 조정, 조약 기타 국제협정, 재외국민의 보호·지원, 국제정세의 조사·분석에 관한 사무 관장</td></tr>
<tr><td>재외동포청</td><td>재외동포에 관한 사무 관장</td></tr>
<tr><td>통일부</td><td colspan="2">통일 및 남북대화·교류·협력에 관한 정책의 수립, 통일교육, 그 밖에 통일에 관한 사무 관장</td></tr>
<tr><td rowspan="2">법무부<br>(1청)</td><td colspan="2">검찰·행형·인권옹호·출입국관리 그 밖에 법무에 관한 사무 관장</td></tr>
<tr><td>검찰청</td><td>검사에 관한 사무 관장</td></tr>
<tr><td rowspan="3">국방부<br>(2청)</td><td colspan="2">국방에 관련된 군정 및 군령과 기타 군사 관련 사무 관장</td></tr>
<tr><td>병무청</td><td>징집·소집 기타 병무행정에 관한 사무 관장</td></tr>
<tr><td>방위사업청</td><td>방위력 개선사업, 군수물자 조달 및 방위산업 육성에 관한 사무 관장</td></tr>
<tr><td rowspan="3">행정안전부<br>(2청)</td><td colspan="2">국무회의의 서무, 법령 및 조약의 공포, 정부조직과 정원, 상훈, 정부혁신, 행정능률, 전자정부, 정부청사의 관리, 지방자치제도, 지방자치단체의 사무지원·재정·세제, 낙후지역 등 지원, 지방자치단체 간 분쟁조정, 선거·국민투표의 지원, 안전 및 재난에 관한 정책의 수립·총괄·조정, 비상대비, 민방위 및 방재에 관한 사무 관장</td></tr>
<tr><td>경찰청</td><td>치안에 관한 사무 관장</td></tr>
<tr><td>소방청</td><td>소방에 관한 사무 관장</td></tr>
<tr><td>국가보훈부</td><td colspan="2">국가유공자 및 그 유족에 대한 보훈, 제대군인의 보상·보호, 보훈선양에 관한 사무 관장</td></tr>
<tr><td rowspan="2">문화체육<br>관광부<br>(1청)</td><td colspan="2">문화·예술·영상·광고·출판·간행물·체육·관광에 관한 사무, 국정에 대한 홍보 및 정부발표에 관한 사무 관장</td></tr>
<tr><td>국가유산청</td><td>국가유산에 관한 사무 관장</td></tr>
<tr><td rowspan="3">농림축산<br>식품부<br>(2청)</td><td colspan="2">농산·축산, 식량·농지·수리, 식품산업진흥, 농촌개발 및 농산물 유통에 관한 사무 관장</td></tr>
<tr><td>농촌진흥청</td><td>농촌진흥에 관한 사무 관장</td></tr>
<tr><td>산림청</td><td>산림에 관한 사무 관장</td></tr>
<tr><td rowspan="2">산업통상<br>자원부<br>(1청)</td><td colspan="2">상업·무역·공업·통상, 통상교섭 및 통상교섭에 관한 총괄·조정, 외국인 투자, 중견기업, 산업기술 연구개발정책 및 에너지·지하자원에 관한 사무 관장</td></tr>
<tr><td>특허청</td><td>특허·실용신안·디자인 및 상표에 관한 사무와 이에 대한 심사·심판사무 관장</td></tr>
<tr><td rowspan="2">보건복지부<br>(1청)</td><td colspan="2">생활보호·자활지원·사회보장·아동(영·유아 보육 포함)·노인·장애인·보건위생·의정(醫政) 및 약정(藥政)에 관한 사무 관장</td></tr>
<tr><td>질병관리청</td><td>감염병 및 각종 질병에 관한 조사·시험·연구에 관한 사무 관장</td></tr>
<tr><td rowspan="2">환경부<br>(1청)</td><td colspan="2">자연환경, 생활환경의 보전, 환경오염방지, 수자원의 보전·이용·개발 및 하천에 관한 사무 관장(수자원관리의 일원화)</td></tr>
<tr><td>기상청</td><td>기상에 관한 사무 관장</td></tr>
<tr><td>고용노동부</td><td colspan="2">고용정책의 총괄, 고용보험, 직업능력개발훈련, 근로조건의 기준, 근로자의 복지 후생, 노사관계의 조정, 산업안전보건, 산업재해보상보험과 그밖에 고용과 노동에 관한 사무 관장</td></tr>
<tr><td>여성가족부</td><td colspan="2">여성정책의 기획·종합, 여성의 권익증진 등 지위향상에 관한 사무, 청소년·가족에 관한 사무 관장</td></tr>
<tr><td rowspan="3">국토교통부<br>(2청)</td><td colspan="2">국토종합계획의 수립·조정, 국토의 보전·이용 및 개발, 도시·도로 및 주택의 건설, 해안 및 간척, 육운·철도 및 항공에 관한 사무 관장</td></tr>
<tr><td>행정중심복합도시건설청</td><td>행정중심복합도시 건설 업무</td></tr>
<tr><td>새만금개발청</td><td>새만금사업의 추진과 관리</td></tr>
<tr><td rowspan="2">해양수산부<br>(1청)</td><td colspan="2">해양정책, 수산, 어촌개발 및 수산물 유통, 해운·항만, 해양환경, 해양조사, 해양자원개발, 해양과학기술연구·개발 및 해양안전심판에 관한 사무 관장</td></tr>
<tr><td>해양경찰청</td><td>해양에서의 경찰 및 오염방제에 관한 사무 관장</td></tr>
<tr><td>중소벤처<br>기업부</td><td colspan="2">중소기업 정책의 기획·종합, 중소기업의 보호·육성, 창업·벤처기업의 지원, 대·중소기업 간 협력 및 소상공인에 대한 보호·지원에 관한 사무 관장</td></tr>
</table>

(4) 윤석열 정부의 정부조직 개편 주요 내용

| 변경사항 | | 구체적 내용 |
|---|---|---|
| 신 설 | 국가보훈부 | 국무총리 소속 국가보훈처를 폐지하고 국가보훈부 신설 |
| | 재외동포청 | 외교부 소속의 재외동포청 신설 |
| | 우주항공청 | 과학기술정보통신부 소속의 우주항공청 신설 |
| 변 경 | 국가유산청 | 문화체육관광부 소속의 문화재청을 국가유산청으로 변경 |

## 02 기타 우리나라의 중요 조직 형태

### 1. 위원회제

(1) 의 의

① **개념**: 계층제 조직의 경직성을 완화하고 민주적 결정과 조정을 촉진하기 위해 동일한 계층과 지위에 있는 사람들이 합의에 의해 의사결정하고 이에 대해 책임을 지는 조직을 말한다. 위원회 조직은 민간보다 정부에서 많이 활용된다.

② 특 징

㉠ **합의제 조직**: 독임제와 대비되는 조직으로 복수의 위원으로 구성되는 합의제 의사결정기구이다(다원적 의사결정체제 · 과두지배형 조직).

㉡ **통합조직**: 각 기능 부문 간에 분업이나 명령계통 간에 계층을 없애고 서로 대립되는 의견의 조정 및 갈등을 해결하는 통합조직이다.

㉢ **분권성과 민주성**: 위원들이 상호 대등한 입장에서 민주적인 토론을 거쳐 결정하는 분권적이고 민주적인 조직이다.

㉣ **탈관료제적 성격**: 분업화나 계층이 없고 분권화된 조직이라는 점에서 탈관료제적 성격을 지닌다. 다만, 신속한 결정이 어려워 환경에 민첩한 대응이 곤란하다는 점에서 탈관료제가 아니라는 견해도 있다.

(2) 유 형

① **행정위원회(광의)**

㉠ **행정위원회(협의)**: 의사결정에 법적 구속력이 있고 집행권을 보유하고 있는 위원회이다. 행정위원회는 독립적 지위를 지닌 행정관청으로 법률에 의해 설치되며, 경우에 따라 준입법권과 준사법권을 보유하기도 한다(예 중앙선거관리위원회, 국가인권위원회, 방송통신위원회, 공정거래위원회, 금융위원회, 국민권익위원회, 개인정보보호위원회, 원자력안전위원회 등).

㉡ **의결위원회**: 의사결정의 법적 구속력은 있으나 집행권이 없는 위원회이다. 의결위원회는 행정위원회(협의)와 자문위원회의 중간 조직의 성질을 지닌다(예 각 부처의 징계위원회, 공직자윤리위원회, 소청심사위원회, 토지수용위원회, 행정심판위원회 등).

② **자문위원회**: 참모기관으로 자문기능만 수행할 뿐 의사결정에 법적 구속력이 없는 위원회이다. 우리나라는 자문위원회의 남설을 방지하기 위해 위원회 일몰제(5년의 범위에서 최소한의 존속기한 설정)를 실시하고 있다(예 지방자치발전위원회, 경제사회발전노사정위원회, 정부업무평가위원회 등).

**O·X 문제**

1. 위원회 조직은 계층제 조직의 경직성을 완화한다. ( )
2. 위원회는 관련 분야의 전문지식이 있는 외부전문가만으로 구성하여야 한다. ( )
3. 위원회 조직은 결정에 대한 책임의 공유와 분산이 특징이다. ( )

**O·X 문제**

4. 행정위원회는 독립지위를 가진 행정관청으로 결정권은 없고 집행권만 갖는다. ( )
5. 소청심사위원회는 행정관청적 성격을 지닌 행정위원회에 해당된다. ( )
6. 의결위원회는 의사결정의 구속력과 집행력을 가진다. ( )
7. 자문위원회는 의사결정의 구속력이 없다. ( )
8. 자문위원회는 계선기관으로서 사안에 따라 조사 · 분석 등의 기능을 수행한다. ( )

O·X 정답 1. ○ 2. × 3. ○ 4. × 5. × 6. × 7. ○ 8. ×

③ **조정위원회**: 기관 간 또는 기관 내의 부서 간 서로 대립되는 의견을 조정·통합하기 위해 설치된 위원회이다. 조정위원회는 의사결정에 법적 구속력을 가지는 경우도 있고 그렇지 않는 경우도 있다(예 차관회의, 경제관계장관회의, 지방자치단체중앙분쟁조정위원회 등).

④ 독립규제위원회

㉠ **개념**: 행정부로부터 독립하여 준입법권·준사법권을 가지고 시장경제에 대한 규제업무를 담당하는 합의제기관이다(예 미국의 주간통상위원회 등).

㉡ **배경**: 미국에서 발달한 독립규제위원회는 행정부로부터 독립되고 전문가로 구성된 위원회를 통해 규제업무를 수행함으로써 행정권의 비대화를 방지하고 규제업무의 전문성을 제고할 목적으로 설치되었다.

㉢ 성 격

ⓐ **독립성**: 행정부로부터의 독립하여 최종적인 결정권을 보유하고 있다.

ⓑ **중립성**: 위원은 초당파적으로 구성되며, 강한 정치적 중립성을 요구받는다.

ⓒ **준입법적·준사법적 권한**: 위원회는 규칙제정권과 재결권을 갖는다.

㉣ **우리나라**: 미국의 독립규제위원회와 완벽하게 동일한 위원회는 없으나 대통령으로부터 독립되어 있다는 점에서는 중앙선거관리위원회와 국가인권위원회가, 자본주의의 발달에 따른 규제기능을 수행한다는 점에서는 공정거래위원회와 금융위원회가 유사하다.

(3) 장·단점

| 장 점 | 단 점 |
|---|---|
| • 다수에 의한 결정으로 권한남용 방지 및 신중하고 공정한 결정<br>• 신분보장과 부분교체제를 통한 행정의 안정성과 계속성 확보<br>• 다수에 의한 결정으로 중지의 집약과 창의적 결정<br>• 전문가들의 참여를 통한 행정의 전문성 향상 및 정책의 합리성 증진<br>• 이해관계자의 참여를 통한 이견의 조정 및 갈등해소와 통합 촉진<br>• 시민들에게 정책결정 참여 기회 제공<br>• 계층제 조직의 완화 | • 다수에 의한 결정으로 결정의 신속성·기밀성 확보 곤란<br>• 비용·시간·노력의 과다소모로 행정의 비능률성 야기<br>• 위원 간에 책임회피로 책임성 저하<br>• 합리적 결정이 아닌 타협적·보수적 결정 야기<br>• 정부정책의 정당화 수단으로 악용<br>• 행정기구의 확장수단으로 악용<br>• 사무국이 의제통제나 위원선임을 통해 위원회를 지배하는 현상 야기<br>• 위원의 신분보장으로 민주통제 곤란 |

## 2. 책임운영기관

(1) 의 의

① 정책기능과 집행기능을 구분하여 집행기능을 담당하는 독립기관을 설치하고 이 기관에 인사·예산 등 조직운영에 자율성을 부여하는 반면, 운영성과에 대하여 책임을 지도록 하는 조직이다.

② 책임운영기관은 공공성이 강해 민영화가 어려운 부분을 정부가 직접 수행하기 위하여 설치한다.

**O·X 문제**

1. 선거관리위원회는 조정위원회이다. ( )

2. 방송통신위원회, 금융위원회, 국민권익위원회는 행정위원회에 해당된다. ( )

**심화학습**

우리나라 위원회 – 「행정기관 소속 위원회의 설치·운영에 관한 법률」

| 구분 | 행정위원회 | 자문위원회 등 |
|---|---|---|
| 설치근거 | 법률 | 행안부장관과 협의하여 설치 |
| 설치요건 | ① 전문적인 지식이나 경험이 있는 사람의 의견을 들어 결정할 필요가 있을 것<br>② 업무의 성질상 신중한 절차를 거쳐 처리할 필요가 있을 것<br>③ 행정위원회는 ①, ② 외에도 업무의 독자성, 업무의 계속성 요건이 추가적으로 요구됨. | |
| 사무기구 등 | 최소한도의 사무기구 및 상임위원을 둘 수 있음. | 원칙적으로 사무기구와 상임위원을 둘 수 없음. |
| 존속기한 | 필요한 최소한의 기한 내에서 존속기한을 정하여 법률에 명시해야 하며, 존속기한은 5년을 초과할 수 없음(위원회일몰제). | |

**O·X 문제**

3. 위원회에서는 합의에 의한 신속한 의사결정이 이루어진다. ( )

4. 위원회제는 정책결정에 대한 책임성을 증진시킬 수 있다. ( )

5. 정책결정에 위원회제를 활용할 경우 전문가들을 활용하여 정책결정을 합리화시킬 수 있다. ( )

6. 위원회 조직은 행정의 중립성과 정책의 안정성·일관성·계속성을 유지할 수 있다. ( )

**O·X 문제**

7. 책임운영기관은 정책결정기능과 집행기능, 서비스기능을 통합하여 효율적으로 관리한다. ( )

8. 책임운영기관은 공공성이 크기 때문에 민영화하기 어려운 업무를 정부가 직접 수행하기 위해 고안된 것이다. ( )

O·X 정답 1. × 2. ○ 3. × 4. × 5. ○ 6. ○ 7. × 8. ○

**O·X 문제**

1. 기관의 자율성과 독립성을 보장하는 책임운영기관은 신공공관리론의 성과관리에 바탕을 둔 제도이다. ( )

2. 책임운영기관은 1970년대 영국에서 집행기관(executive agency)이라는 이름으로 처음 도입되었고, 우리나라는 1990년부터 운영하고 있다. ( )

3. 책임운영기관은 공공기관과 달리 법인이 아니며, 그 직원의 신분은 공무원으로서 신분보장이 된다. ( )

4. 책임운영기관은 1999년 제정된 「책임운영기관의 설치·운영에 관한 법률」에 근거하여 운영되고 있다. ( )

5. 책임운영기관은 기관장에게 행정 및 재정상의 자율성을 부여하고 그 운영성과에 대하여 책임을 지도록 하는 행정기관을 말한다. ( )

6. 책임운영기관은 일반행정기관에 비해 예산 및 인사에 대한 재량권이 크다. ( )

**O·X 문제**

7. 특허청은 행정 및 재정상의 자율성이 부여되고 성과에 대해 책임을 지도록 하는 책임운영기관에 해당한다. ( )

**심화학습**

우리나라 책임운영기관

| | |
|---|---|
| 조사연구형 | 지방통계청, 항공기상청, 국토지리정보원 등 |
| 교육훈련형 | 국립국제교육원, 통일교육원 등 |
| 문화형 | 국립중앙극장, 국립중앙과학관 등 |
| 의료형 | 경찰병원, 국립마산병원 등 |
| 시설관리형 | 국가정보자원관리원, 국방전산정보원 등 |
| 기타 | 특허청 등 |

O·X 정답 | 1. ○ 2. × 3. ○ 4. ○ 5. ○ 6. ○ 7. ○

(2) 배 경

① **이론적 배경 – 신공공관리론**: 기관 운영의 자율성을 보장하는 대신 성과에 대한 책임을 통해 행정의 효율성과 서비스의 질 향상을 도모하는 신공공관리론에 바탕을 둔 제도이다.

② **현실적 배경**: 1988년 영국 대처정부에서 국방·보건·교도소 등 140여 개의 부서를 집행기관(Executive Agency)으로 지정하면서 처음 등장하였다(Next Steps 프로그램). 이후 미국은 '성과중심조직', 일본은 '독립행정법인', 뉴질랜드는 '독립사업기관'이라는 이름으로 이 제도를 도입하였다.

③ **우리나라**: 1999년 국민의 정부에서 「책임운영기관의 설치 및 운영에 관한 법률」을 제정하여 시범사업이 실시되었고, 이후 지속적으로 확대되어 현재 약 50여 개의 책임운영기관이 설치·운영되고 있다.

(3) 구성요소

① **소속 및 직원 – 내분봉(hive-in)**: 책임운영기관은 정부조직이며 구성원의 신분은 공무원이다.

② **적용대상 – 집행기능**: 집행적·사업적 성격이 강한 부분 중 공공성이 강해 민영화가 곤란한 부분이 적용대상이다.

③ **경쟁 – 개방형 직위**: 기관장은 개방형 직위로 정부 외부에서 유능한 인재를 공개모집하여 선발하고 계약직으로 임명한다.

④ **자율 – 관리상의 자율**: 주무부처장관은 사업목표 등에 관한 성과계약을 체결하는 대신 기관장에게 인사·예산 등 관리상 자율성을 부여한다.

⑤ **책임 – 성과평가**: 기관장은 임명기간 동안 운영성과에 대한 책임을 지며, 소기의 성과를 보이지 못하면 교체된다.

(4) 우리나라의 책임운영기관 – 「책임운영기관의 설치 및 운영에 관한 법률」

① **정의**: 정부가 수행하는 사무 중 공공성을 유지하면서도 경쟁 원리에 따라 운영하는 것이 바람직하거나 전문성이 있어 성과관리를 강화할 필요가 있는 사무에 대하여 기관장에게 행정 및 재정상의 자율성을 부여하고 그 운영성과에 대하여 책임을 지도록 하는 행정기관을 말한다.

② **구 분**

㉠ **지위에 따른 구분**

ⓐ **소속책임운영기관**: 중앙행정기관의 소속기관으로서 대통령령으로 설치된 책임운영기관(현재 약 50여 개)

ⓑ **중앙책임운영기관**: 「정부조직법」상 청(廳)으로서 대통령령으로 설치된 책임운영기관(현재 1개 – 특허청)

㉡ **사무성격에 따른 구분**: ⓐ 조사연구형, ⓑ 교육훈련형, ⓒ 문화형, ⓓ 의료형, ⓔ 시설관리형, ⓕ 그 밖에 대통령령으로 정하는 유형의 책임운영기관으로 구분된다.

③ **운영원칙**: 책임운영기관은 사업목표를 달성하는 데에 필요한 기관 운영의 독립성과 자율성이 보장된다.

④ **중기관리계획 및 연도별 운영지침의 수립**: 행정안전부장관은 5년 단위로 책임운영기관의 관리 및 운영에 관한 기본계획인 중기관리계획을 수립하고, 이에 따른 연도별 운영지침을 수립해야 한다.

⑤ **설치 및 해제**

㉠ **설치기준**

ⓐ 기관의 주된 사무가 사업적·집행적 성질의 행정 서비스를 제공하는 업무로서 성과측정기준을 개발하여 성과를 측정할 수 있는 사무

ⓑ 기관 운영에 필요한 재정수입의 전부 또는 일부를 자체적으로 확보할 수 있는 사무

㉡ **설치근거**: 행정안전부장관이 대통령령으로 설치한다.

㉢ **설치 및 해제권자**: 행정안전부장관은 기획재정부 및 해당 중앙행정기관의 장과 협의하여 책임운영기관을 설치하거나 해제할 수 있다.

㉣ **설치 및 해제의 요청**: 중앙행정기관의 장은 책임운영기관의 설치 및 해제를 행정안전부장관에게 요청할 수 있다.

⑥ **지방자치단체**: 교육부장관, 행정안전부장관 및 지방자치단체의 장은 지방자치단체에 책임운영기관에 관한 제도를 도입하도록 노력하여야 한다.

⑦ 중앙책임운영기관과 소속책임운영기관

| 유 형 | 중앙책임운영기관 | 소속책임운영기관 |
|---|---|---|
| 기관장의 신분 | •「정부조직법」에서 정하는 신분(현재 특허청장은 정무직 공무원)<br>• 임기 2년, 1차에 한하여 연임 가능 | • 공개모집절차에 따라 기관장을 선발하여 임기제 공무원으로 임용(경력직 공무원 응모 불가)<br>• 근무기간은 5년의 범위에서 소속중앙행정기관의 장이 정하되, 최소한 2년 이상으로 함. |
| 정원관리 | • 총정원의 한도는 대통령령으로 정하고, 종류별·계급별 정원 및 고위공무원단에 속하는 공무원의 정원은 총리령 또는 부령으로 정함.<br>• 직급별 정원은 기관장이 제정하는 기본운영규정으로 정함. | |
| 소속 공무원 임용권 | • 기관장은 고위공무원단에 속하는 공무원을 제외한 소속 공무원에 대한 일체의 임용권을 가짐.<br>• 중앙책임운영기관 소속 공무원의 임용시험은 기관장이 실시함. | • 중앙행정기관의 장은 책임운영기관 소속 공무원에 대한 일체의 임용권을 가짐(임용권의 일부를 대통령령에 따라 기관장에게 위임할 수 있음).<br>• 소속책임운영기관 소속 공무원의 임용시험은 기관장이 실시함. |
| 예산 및 회계 | • 자체수입확보가 용이한 기관(책임운영기관특별회계기관)은 특별회계로, 그 외의 기관은 일반회계로 운영<br>• 특별회계는 계정별로 중앙행정기관의 장이 운용하고 기재부장관이 통합관리함.<br>• 책임운영기관특별회계기관의 사업은 정부기업으로 보고, 「정부기업예산법」을 적용함.<br>• 기관장은 특별회계 또는 일반회계의 초과수입금을 직·간접비로 사용할 수 있음. | |
| 성과관리 | 중앙책임운영기관장은 국무총리와 성과계약을 체결함. | 소속책임운영기관장은 소속중앙행정기관의 장과 성과계약을 체결함. |
| 평 가 | 기관장 소속으로 중앙책임운영기관운영심의회를, 행정안전부장관 소속으로 책임운영기관운영위원회를 둠(운영위원회의 평가를 우선함). | 중앙행정기관의 장의 소속으로 소속책임운영기관운영심의회를, 행정안전부장관 소속으로 책임운영기관운영위원회를 둠(운영위원회의 평가를 우선함). |

**O·X 문제**

1. 우리나라에서 책임운영기관의 설치는 조례로 정한다. ( )
2. 중앙행정기관의 장은 기획재정부장관과 협의하여 자발적으로 책임운영기관을 설치할 수 있다. ( )
3. 소속책임운영기관의 기관장은 공개모집을 통해 정년이 보장되는 정규직 공무원으로 채용된다. ( )
4. 소속책임운영기관장의 임기는 5년의 범위에서 소속중앙행정기관의 장이 정하되, 최소한 2년 이상으로 하여야 하며 신분은 공무원이다. ( )
5. 책임운영기관의 조직이나 정원 운영은 신축적이기 때문에 총정원은 행정안전부령으로 정한다. ( )
6. 소속책임운영기관에 두는 공무원의 총정원 한도는 총리령으로 정하며, 이 경우 고위공무원단에 속하는 공무원의 정원은 부령으로 정한다. ( )
7. 소속책임운영기관 직원의 임용권은 원칙적으로 책임운영기관의 장이 갖는다. ( )
8. 소속책임운영기관 소속 공무원의 임용시험은 기관장이 실시함을 원칙으로 한다. ( )
9. 중앙책임운영기관장은 국무총리와 성과계약을 체결하고, 소속책임운영기관장은 소속중앙행정기관의 장과 성과계약을 체결한다. ( )
10. 책임운영기관특별회계기관은 기관운영의 독립성과 자율성이 보장되는 정부기업의 성격을 지니며, 「정부기업예산법」이 적용된다. ( )
11. 소속책임운영기관은 중앙행정기관의 장 소속하에 소속책임운영기관운영심의회를 두고 행정안전부장관 소속하에 책임운영기관운영위원회를 둔다. ( )
12. 책임운영기관에 대한 종합평가는 매년 기획재정부 장관이 평가단을 구성하여 지원한다. ( )

**O·X 정답** 1. × 2. × 3. × 4. ○ 5. × 6. × 7. × 8. ○ 9. ○ 10. ○ 11. ○ 12. ×

⑧ 우리나라 책임운영기관의 문제점

| 적용대상 | 경쟁 측면 | 자율 측면 | 책임 측면 |
|---|---|---|---|
| • 협소한 적용대상 영역<br>• 민영화 회피수단으로 악용 | • 유인체계 미흡<br>• 엽관 인사의 통로로 악용 | • 관리상의 자율성 부족<br>• 비공식적 지시 · 권고 과다 | • 평가기구의 이원화<br>• 성과측정 및 성과책임 확보 곤란 |

## 4. 공공기관 – 「공공기관의 운영에 관한 법률」

### (1) 공공기관으로 지정할 수 있는 기관

기획재정부장관은 ① 다른 법률에 따라 직접 설립되고 정부가 출연한 기관, ② 정부지원액이 총수입액의 2분의 1을 초과하는 기관, ③ 정부가 50% 이상의 지분을 가지고 있거나 30% 이상의 지분을 가지고 임원 임명권한 행사 등을 통하여 해당 기관의 정책 결정에 사실상 지배력을 확보하고 있는 기관 등에 대하여 공공기관으로 지정할 수 있다.

### (2) 공공기관으로 지정할 수 없는 기관

기획재정부장관은 ① 구성원 상호 간의 상호부조 · 복리증진 · 권익향상 또는 영업질서 유지 등을 목적으로 설립된 기관, ② 지방자치단체가 설립하고 그 운영에 관여하는 기관, ③ 「방송법」에 따른 한국방송공사와 「한국교육방송공사법」에 따른 한국교육방송공사를 공공기관으로 지정할 수 없다.

### (3) 공공기관의 구분

① 기획재정부장관은 직원 정원, 수입액 및 자산규모가 대통령령으로 정하는 기준(직원 정원 300명 이상, 총수입액 200억원 이상, 자산규모 30억원 이상)에 해당하는 공공기관을 공기업 · 준정부기관으로, 그 외의 기관을 기타공공기관으로 지정한다.

② 기획재정부장관은 공기업과 준정부기관을 지정하는 경우 총수입액 중 자체수입액이 차지하는 비중이 대통령령으로 정하는 기준(50% 이상)인 공공기관을 공기업으로 지정하며, 그 외의 기관을 준정부기관으로 지정한다.

③ 기획재정부장관은 공기업과 준정부기관을 다음의 구분에 따라 세분하여 지정한다.

㉠ **공기업**: 자체수입액이 총수입액의 50%(기금을 관리하거나 기금의 관리를 위탁받은 공공기관의 경우 85%) 이상인 기관

ⓐ **시장형**: 자산규모와 총수입액 중 자체수입액이 대통령령으로 정하는 기준(자산규모 2조원, 총수입액 중 자체수입액이 차지하는 비중 85%) 이상인 공기업

ⓑ **준시장형**: 시장형 공기업이 아닌 공기업

㉡ **준정부기관**: 공기업이 아닌 공공기관

ⓐ **기금관리형**: 「국가재정법」에 따라 기금을 관리하거나 기금의 관리를 위탁받은 준정부기관

ⓑ **위탁집행형**: 기금관리형 준정부기관이 아닌 준정부기관

㉢ **기타공공기관**: 기획재정부장관은 공기업 · 준정부기관에 해당하는 기관 이외의 기관을 기타공공기관으로 지정하며, 기타공공기관은 이 법에서 규정하고 있는 이사회의 설치, 임원임면, 경영실적평가, 예산, 감사 등의 규정을 적용하지 아니한다.

**심화학습**

**기타 공공기관으로 지정할 수 있는 기관**

④ 정부와 ①~③까지의 어느 하나에 해당하는 기관이 합하여 50% 이상의 지분을 가지고 있거나 30% 이상의 지분을 가지고 임원 임명권한 행사 등을 통하여 해당 기관의 정책 결정에 사실상 지배력을 확보하고 있는 기관

⑤ ①~④까지의 어느 하나에 해당하는 기관이 단독으로 또는 두개 이상의 기관이 합하여 50% 이상의 지분을 가지고 있거나 30% 이상의 지분을 가지고 임원 임명권한 행사 등을 통하여 해당 기관의 정책 결정에 사실상 지배력을 확보하고 있는 기관

⑥ ①~④까지의 어느 하나에 해당하는 기관이 설립하고, 정부 또는 설립 기관이 출연한 기관

**O·X 문제**

1. 국가공기업과 지방공기업은 「공공기관 운영에 관한 법률」의 적용을 받는다. ( )

2. 기획재정부장관은 다른 법률에 따라 직접 설립되고 정부가 출연한 기관을 공기업이나 준정부기관으로 지정할 수 없다. ( )

3. 기획재정부장관은 지방자치단체가 설립하고 그 운영에 관여하는 기관을 공공기관으로 지정할 수 있다. ( )

4. 한국방송공사는 「공공기관의 운영에 관한 법률」상 준시장형 공기업으로 분류할 수 있다. ( )

5. 「공공기관의 운영에 관한 법률」에 따르면 기획재정부장관은 매년 공공기관을 공기업, 준정부기관, 기타공공기관으로 구분하여 지정 · 고시하도록 되어 있다. ( )

6. 공기업과 준정부기관은 총수입액 중 자체수입액이 차지하는 비중에 따라 구분된다. ( )

7. 공기업에는 시장형과 준시장형이 있고, 자산규모는 두 형태를 구분하는 기준의 하나이다. ( )

O·X 정답 1. × 2. × 3. × 4. × 5. ○ 6. ○ 7. ○

㉣ 구분 및 현황 – 2024년 현재 327개

| 구 분 | | | | 기관명 |
|---|---|---|---|---|
| 공기업 (32) | 의의 | | | 직원 정원 300명 이상, 총수입액 200억원 이상, 자산규모 30억원 이상인 기관 중 총수입액 중 자체수입액이 차지하는 비중이 50% 이상인 기관(시장성이 강한 기관) |
| | 유형 | 시장형 (14) | 개념 | 자산규모 2조원 이상이고 총수입액 중 자체수입액이 총수입액의 85% 이상인 공기업 |
| | | | 예 | 한국전력공사, 한국수력원자력, 한국가스공사, 한국지역난방공사, 한국석유공사, 한국도로공사, 인천국제공항공사, 한국공항공사, ㈜ 강원랜드 등 |
| | | 준시장형 (18) | 개념 | 시장형 공기업이 아닌 공기업 |
| | | | 예 | 한국마사회, 한국철도공사, 한국수자원공사, 한국토지주택공사, 한국조폐공사 등 |
| 준정부기관 (55) | 의의 | | | 직원 정원 300명 이상, 총수입액 200억원 이상, 자산규모 30억원 이상인 기관 중 총수입액 중 자체수입액이 차지하는 비중이 50% 미만인 기관(공공성이 강한 기관) |
| | 유형 | 기금관리형 (12) | 개념 | 기금을 관리하거나 기금 관리를 위탁받은 준정부기관 |
| | | | 예 | 국민연금공단, 공무원연금공단, 근로복지공단, 예금보험공사, 한국자산관리공사, 국민체육진흥공단 등 |
| | | 위탁집행형 (43) | 개념 | 기금관리형 준정부기관이 아닌 준정부기관 |
| | | | 예 | 국민건강보험공단, 한국소비자원, 한국연구재단, 도로교통공단, 한국고용정보원, 한국산업인력공단, 한국관광공사, 한국농어촌공사, 한국가스안전공사, 대한무역투자진흥공사, 한국정보사회진흥원 등 |
| 기타 공공기관(240) | | | | 공기업과 준정부기관을 제외한 기관을 지정 |

(4) 국가와 공공기관과의 관계

① **자율적 운영 보장**: 정부는 공공기관의 책임경영체제를 확립하기 위하여 공공기관의 자율적 운영을 보장한다.

② **공공기관운영위원회**: 공공기관에 관한 중요사항을 심의·의결하기 위하여 기획재정부장관 소속하에 공공기관운영위원회를 둔다(위원장 – 기획재정부장관).

③ **공공기관의 지정**: 기획재정부장관은 매 회계연도 개시 후 1개월 이내에 공공기관을 새로 지정, 지정해제 또는 구분을 변경하여 지정할 수 있다.

④ **신설 타당성 심사·기능 적정성 점검 등**: 기획재정부장관은 운영위원회의 심의·의결을 거쳐 공공기관 신설 타당성 심사, 공공기관 기능 적정성 점검, 공공기관의 경영혁신을 위한 필요한 조치 등을 할 수 있다.

⑤ **경영실적평가**

㉠ 기획재정부장관은 매년 공기업·준정부기관의 경영실적을 평가한다. 다만, 공기업·준정부기관으로 지정된 해에는 경영실적을 평가하지 아니한다.

㉡ 기획재정부장관은 경영실적 평가의 효율적인 수행과 경영실적 평가에 관한 전문적·기술적인 연구 또는 자문을 위하여 공기업·준정부기관경영평가단을 구성·운영할 수 있다.

**O·X 문제**

1. 한국전력공사와 인천국제공항공사는 시장형 공기업에 해당한다. ( )

2. 한국마사회는 시장형 공기업에 해당한다. ( )

3. 국민연금공단은 위탁집행형 준정부기관으로 지정되어 있다. ( )

4. 한국연구재단과 한국관광공사는 위탁집행형 준정부기관에 해당한다. ( )

**O·X 문제**

5. 공기업의 기관장은 인사 및 조직운영의 자율성이 없으며 관할 행정부처의 통제를 받는다. ( )

6. 공공기관의 운영에 관하여 공기업·준정부기관의 지정, 지정해제 등에 관한 사항을 심의·의결하기 위하여 기획재정부장관 소속하에 공공기관운영위원회를 둔다. ( )

7. 공기업과 준정부기관은 신규 지정된 해를 제외하고 매년 경영실적평가를 받는다. ( )

8. 공공기관 경영평가에서 3년 연속 최하등급을 받은 공기업은 「공공기관의 운영에 관한 법률」상 민영화하여야 한다. ( )

9. 기획재정부장관은 경영실적 평가결과 경영실적이 부진한 공기업·준정부기관에 대하여 운영위원회의 심의·의결을 거친 후 기관장, 상임이사의 임명권자에게 그 해임을 건의하거나 요구할 수 있다. ( )

10. 공공기관 경영평가는 기획재정부장관이 실시하고, 지방공기업 경영평가는 행정안전부장관이 실시한다. ( )

O·X 정답 1. ○ 2. × 3. × 4. ○ 5. × 6. ○ 7. ○ 8. × 9. ○ 10. ○

PART · 04

㉢ 기획재정부장관은 경영실적 평가 결과 경영실적이 부진한 공기업·준정부기관에 대하여 운영위원회의 심의·의결을 거쳐 기관장·상임이사의 임명권자에게 그 해임을 건의하거나 요구할 수 있다.

⑥ 감사: 감사원은 「감사원법」에 따라 공공기관의 업무와 회계에 대하여 감사를 실시할 수 있다.

(5) 공공기관의 경영

① 공공기관의 기구

㉠ 이사회

ⓐ 공기업·준정부기관에 경영목표, 예산 및 운영 등 중요사항을 심의·의결하기 위하여 이사회(기관장을 포함한 15인 이내의 이사로 구성)를 둔다.

ⓑ 시장형 공기업과 자산규모가 2조원 이상인 준시장형 공기업은 선임비상임이사가, 자산규모가 2조원 미만인 준시장형 공기업과 준정부기관은 기관장이 이사회의 의장이 된다.

㉡ 감사위원회

ⓐ 시장형 공기업과 자산규모가 2조원 이상인 준시장형 공기업에는 감사를 갈음하여 이사회에 감사위원회를 설치하여야 한다.

ⓑ 자산규모가 2조원 미만인 준시장형 공기업과 준정부기관은 다른 법률의 규정에 따라 감사위원회를 설치할 수 있다.

ⓒ 감사위원회를 두는 경우에는 감사를 두지 아니한다.

🗀 공기업·준정부기관 이사회와 감사위원회

| 구 분 | | | 이사회 의장 | 감사위원회 |
|---|---|---|---|---|
| 공기업 | 시장형 | | 선임비상임이사 | 의무사항 |
| | 준시장형 | 2조원 이상 | 선임비상임이사 | 의무사항 |
| | | 2조원 미만 | 기관장 | 임의설치 |
| 준정부기관 | | | 기관장 | 임의설치 |

**O·X 문제**

1. 시장형 공기업에 대한 감사위원회 설치는 임의사항이다. ( )

② 공공기관의 인사 및 성과관리

㉠ 공공기관의 인사

| 구 분 | 기관장 | 감 사 | 상임이사 | 비상임이사 |
|---|---|---|---|---|
| 공기업 | 주무기관의 장의 제청으로 대통령이 임명 | 기획재정부장관의 제청으로 대통령이 임명 | 공기업의 장이 임명 | 기획재정부장관이 임명 |
| 준정부기관 | 주무기관의 장이 임명 | 기획재정부장관이 임명 | 준정부기관의 장이 임명 | 주무기관의 장이 임명 |

**O·X 문제**

2. 「공공기관의 운영에 관한 법률」의 적용을 받는 공기업의 상임이사에 대한 원칙적인 임명권자는 주무기관의 장이다. ( )

㉡ 기관장과의 성과계약: 주무기관의 장은 협의된 계약안에 따라 기관장으로 임명되는 사람과 계약을 체결하되, 공기업의 장과 계약을 체결하는 경우 미리 기획재정부장관과 협의하여야 한다.

O·X 정답 1. × 2. ×

③ 공공기관의 예산회계

㉠ **회계연도와 회계원칙**: 공기업·준정부기관의 회계연도는 정부의 회계연도에 따르며, 공기업·준정부기관의 회계는 경영성과와 재산의 증감 및 변동 상태를 명백히 표시하기 위하여 그 발생 사실에 따라 처리한다(발생주의).

㉡ **예산편성**: 기관장은 다음 회계연도의 예산안을 편성하고, 예산안은 이사회의 의결로 확정된다(독립채산제).

㉢ **결산**: 공기업은 기획재정부장관에게, 준정부기관은 주무기관의 장에게 다음 연도 3월 15일까지 회계감사를 받은 결산서를 각각 제출하고, 4월 10일까지 승인을 받아 결산을 확정하여야 한다.

㉣ **회계검사**: 기획재정부장관과 주무기관의 장은 매년 5월 15일까지 확정된 공기업·준정부기관의 결산서와 그 밖에 필요한 서류를 감사원에 제출하여야 하며, 감사원은 결산서 등을 검사하고, 그 결과를 7월 10일까지 기획재정부장관에게 제출하여야 한다.

(6) 공공기관과 국민과의 관계

① **경영공시**: 공공기관은 경영목표와 예산 및 운영계획 등을 공시하여야 한다.

② **통합공시**: 기획재정부장관은 각 공공기관이 공시하는 사항 중 주요 사항을 별도로 표준화하고 이를 통합하여 공시할 수 있다.

③ **고객헌장 및 고객만족도 조사**: 국민에게 직접 서비스를 제공하는 공공기관은 고객헌장을 제정하여 공표하여야 하며, 연 1회 이상 고객만족도 조사를 실시해야 한다.

## 5. 공기업

(1) 개 념

① **강학상 개념**: 국가 또는 공공단체가 기업적·경영적 성격을 가지는 사업의 수행을 목적으로 소유하거나 지배하는 기업을 말한다.

② **실정법상 개념**: 공공기관으로 지정할 수 있는 기관 중 직원 정원 300명 이상, 총수입액 200억 이상, 자산규모 30억 이상이면서 자체수입액이 총수입액의 2분의 1 이상인 기관으로 기획재정부장관이 공기업으로 지정한 기관을 말한다.

(2) 설치배경

① **일반적 설치 동기**: 자연 독점과 외부효과 등으로 인한 시장실패의 치유(철도, 가스, 전기 등), 서비스 생산을 위한 민간자본의 부족, 국방 및 전략상 고려(방위산업체), 공공수요의 충족(상수도, 임대주택 공급 등), 사회간접자본 형성(도로, 항만, 공항 등), 집권정당(사회주의 정당)의 정치적 신조 등의 이유로 설치되어 왔다.

② **우리나라의 설치 동기** : 우리나라는 위의 동기 외에도 경제개발의 촉진, 국가재정수입 확충, 경제위기의 극복과 고용 창출, 역사적 유산(해방 이후 일본인 소유의 귀속사업체의 공기업화) 등의 이유로 공기업이 설치되어 왔다.

(3) 특 징

① **공공성(민주성 측면)**: 공기업의 제1차적 목표는 공익 증진이므로 다음의 원칙이 도출된다.

㉠ **공공서비스원칙**: 공기업은 공공서비스를 원활하게 사회에 제공해야 한다.

㉡ **공공규제원칙**: 공기업은 공적 소유에 기초하므로 정부가 규제해야 한다.

**O·X 문제**

1. 정부실패의 영향으로 공기업이 발달하였다. ( )
2. 공공수요가 있으나 민간부문의 자본이 부족한 경우 공기업 설립이 정당화된다. ( )
3. 공기업은 전통적인 자본주의적 사기업 질서에 반하여 사회주의적 간섭을 하는 것으로 볼 수 있다. ( )

O·X 정답 1. × 2. ○ 3. ○

PART · 04

② **기업성(능률성 측면)**: 공기업은 기업적 성격도 지니므로 어느 정도의 수지 측면을 고려하여 다음의 원칙이 도출된다.

㉠ **독립채산제의 원칙**: 정부기업을 제외한 공기업은 정부회계와 독립하여 운영된다.

㉡ **생산성의 원칙**: 공기업은 일반적 보상관계를 특징으로 하는 정부와 달리 민간기업과 동일하게 개별적 보상관계를 특징으로 하므로 생산성을 높여야 한다.

**O·X 문제**

1. 공기업의 책임경영은 중시되어야 하지만 공기업이 수익성만을 목적으로 하지는 않기 때문에 독립채산제의 도입은 엄격히 제한된다. ( )

2. 정부기업은 정부가 소유권을 가지고 운영하는 공기업으로서 정부조직에 해당되지 않는다. ( )

3. 정부부처형 공기업은 「정부기업예산법」의 적용을 받지 않는다. ( )

4. 정부기업형은 일반행정기관에 적용되는 조직, 인사, 예산에 관한 규정의 적용을 원칙적으로 받지 않는다. ( )

5. 주식회사형 공기업은 특별법 혹은 상법에 의해 설립되지만 일반행정기관에 적용되는 조직·인사 원칙이 적용된다. ( )

6. 국립중앙극장은 정부부처 형태의 공기업에 해당한다. ( )

7. 이해관계자 자본주의 모델에서 근로자의 경영 참여는 종업원 지주제도 등을 통해서 이루어지며 단기업적주의를 추구한다. ( )

O·X 정답 1. × 2. × 3. × 4. × 5. × 6. ○ 7. ×

(4) 유 형

| 구 분 | 정부기업(정부부처형) | 주식회사형 | 공사형 |
|---|---|---|---|
| 독립성 | 없음(법인격·당사자 능력). | 있음(법인격·당사자 능력). | |
| 근거법 | 「정부조직법」 | 상법(예외적으로 특별법) | 특별법에 의해 설치 |
| | 일반행정기관에 적용되는 조직·인사·예산·감사에 관한 규정 적용받음. | 일반행정기관에 적용되는 조직·인사·예산에 관한 규정 적용받지 않음. 다만, 「감사원법」에 관한 규정은 적용받음. | |
| 재 원 | 정부예산 | 50% 이상 정부출자(원칙) | 100% 정부출자(원칙) |
| 특 징 | 공공성 > 기업성 | 공공성 < 기업성 | 공공성 = 기업성 |
| 신 분 | 공무원 | **임원**: 준공무원, **직원**: 회사원 | |
| 예산회계 | 「정부기업예산법」(특별회계) | 「공공기관 운영에 관한 법률」(독립채산제) | |
| 예산성립 | 국회의결로 성립 | 국회의결 불필요(이사회의결로 성립) | |
| 조직특성 | 독임형(이사회 없음) | 이중기관제(의결기관과 집행기관의 분리) | |
| 예 | 우편, 우체국예금, 조달, 양곡관리, 책임운영기관 | 한국관광공사, 한국도로공사, 한국전력공사 등 | 대한주택공사, 한국방송광고공사, 한국철도공사 등 |

**참고** 공공기관(공기업)의 지배구조 – 주주 자본주의 모델과 이해관계자 자본주의 모델

1. **주주 자본주의(shareholder capitalism) 모델과 이해관계자 자본주의(stakeholder capitalism) 모델**
   (1) **주주 자본주의 모델**: 주주를 기업의 주인으로 보고, 주주 이익극대화를 중시하는 모델
   (2) **이해관계자 자본주의**: 주주, 노동자, 소비자, 협력사, 지역사회 등 이해관계자를 기업의 주인으로 보고, 이해관계자의 이익 증대를 중시하는 모델

2. **비 교**

| 구 분 | 주주 자본주의 모델 | 이해관계자 자본주의 모델 |
|---|---|---|
| 기업의 본질 | 주주 주권주의 | 기업공동체주의 |
| 경영목표 | 주주 이익극대화 | 이해관계자들의 이익극대화 |
| 경영상 문제점과 원인 | 대리인 문제 – 주주의 통제력 부족 | 이해관계자의 참여 부족 – 이해관계자들의 이해관계 반영 실패 |
| 기업규율방식 | 이사회의 경영감시, 시장에 의한 규율 | 조직에 의한 통제, 주거래은행의 경영감시 및 통제, 이해관계자의 경영 참여 |
| 기업성과측정방법 | 기업의 시장가치(주식가격) | 기업의 시장가치, 고용관계, 공급자와 구매자와의 거래관계 |
| 근로자의 경영참여 | 종업원 지주제, 연금펀드를 통한 지분참여 | 이사회를 통한 근로자 경영 참여(노동이사제), 공동결정제도 |
| 기업의 사회적 책임 | 주주이익 우선주의, 경제적 가치 추구, 단기업적주의 | 기업의 사회적 책임과 이해관계자 전체 이익추구, 지속가능성과 장기적 성장 추구 |

CHAPTER
# 03 조직의 관리

## 제 1 절 거버넌스 시대의 조직관리

### 01 성과관리

#### 1. 의 의

(1) 개념 및 배경

① **개념**: 성과목표를 설정하고 자율적으로 업무를 수행케 한 후 성과평가 및 평가결과에 따른 유인설계를 통해 성과를 향상시키고자 하는 결과 중심의 관리방식을 말한다.

② **배경 – 신공공관리론**: 성과관리는 규칙과 법규 중심의 통제(사전적 통제)가 아닌 성과에 의한 통제(사후적 통제)를 지향하는 신공공관리론의 핵심적 관리방식이다.

(2) 운영 과정

① **조직의 임무와 전략목표의 설정**: 부처의 장이 조직의 비전과 사명에 근거하여 조직의 임무와 전략목표를 설정한다.

② **성과계약 체결**: 부처의 장이 하위부서 및 조직원과 조직의 임무와 전략목표에 근거한 성과목표를 지표로 명시한 성과계약을 체결한다.

③ **관리상 자율**: 하위부서 및 조직원에게 재량을 부여하고 자율적으로 업무를 수행케 한다.

④ **성과평가 및 환류**: 하위부서 및 조직원이 성과목표를 달성했는지를 평가하고 그 결과에 대하여 차등적인 인센티브와 벌칙을 부과한다.

#### 2. 특 징

(1) 일반적 특징

① **복선적 가정**: 투입이 자동으로 산출 또는 결과로 연결된다는 단선적 가정이 아닌 성과는 적극 관리(평가 및 유인)되어야 한다는 복선적 가정에 기초하고 있다.

② **조직체제의 재구조화(변화관리)**: 성과지향적으로 조직의 구조(책임운영기관), 인사관리(성과급), 재무관리(성과주의 예산), 고객관리의 모든 요소를 재구조화하여 조직의 체질을 변화시키고자 하는 변화관리의 일환이다.

③ **연역적 · 하향적 접근**: 조직의 비전과 전략목표에서부터 시작되어 하위 부서 및 조직원의 성과목표가 지표로 제시된다는 점에서 논리적 추론에 의한 연역적 접근이며, 위에서 아래로 나아가는 하향적 접근이다.

④ **체제적 · 구조적 접근**: 하위 부서와 조직원들이 추구해야 할 성과목표는 조직 전체의 비전 및 전략목표와 연계되어 있다는 점에서 체제적 · 구조적 접근이다.

**O·X 문제**

1. 성과 중심의 행정은 신공공관리론이나 기업형 정부에서 강조하는 핵심적 개혁방향이다. ( )

**O·X 문제**

2. 성과관리는 조직의 비전과 목표로부터 이를 달성하기 위한 부서단위의 목표와 성과지표, 개인단위의 목표와 지표를 제시한다는 점에서 상향식 접근이다. ( )

3. 목표관리제와 성과관리제 모두 성과지표별로 목표달성수준을 설정하고 사후의 목표달성도에 따라 보상과 재정지원의 차등을 약속하는 계약을 체결한다. ( )

O·X 정답 1. ○ 2. × 3. ○

(2) 과거의 성과관리와 비교

① **산출과 결과 중시**: 전통적 성과관리는 업무수행과정에서 법적 책임성 준수 여부에 초점을 두었다면, 최근의 성과관리는 업무수행과정에서는 재량을 부여하고 산출과 결과로 창출되는 구체적 성과에 초점을 둔다.

② **구체화·계량화된 지표 중시**: 전통적 성과관리는 비교적 추상적이고 주관적인 목표에 의한 성과관리였다면, 최근의 성과관리는 목표를 구체화한 계량적 지표에 의한 성과관리이다.

③ **시민(고객)에 대한 성과책임 중시**: 전통적 성과관리는 행정 과정의 내부적인 요소를 중시하였다면, 최근의 성과관리는 서비스 공급의 최종 수요자인 시민(고객)들에 대한 성과책임(고객만족도)을 중시한다.

## 3. 주요 과정 및 한계

(1) 성과지표의 개발

① **의의**: 성과지표란 성과를 구성하는 요소들로 성과 달성 여부를 측정하기 위한 조작적 정의라 할 수 있다. 성과지표는 초기의 자원 투입에서부터 사회적인 영향에 이르기까지 궁극적인 성과가 창출되는 과정을 중심으로 매개적인 성과개념들을 식별하여 개발한다.

② 성과지표의 구성요소

㉠ **투입(input)**: 생산과정에서 사용된 자원들의 명세를 의미하며, 품목별 예산에서 일차적으로 고려되는 요소이다(예 예산, 인력, 장비 등).

㉡ **과정(process)**: 업무 부담 또는 업무 처리 과정에 초점을 두고 원재료를 산출물로 전환하거나 고객에게 서비스하기 위해 추진된 조직 내부의 활동을 말한다(예 업무시간, 현장 방문 횟수, 문서 작성 규모 등).

㉢ **산출(output)**: 생산과정과 활동에서 창출된 직접적인 생산물을 말한다(예 민원발급 건수, 제품의 생산량, 직업교육 훈련수료자의 수 등 단기목표).

㉣ **결과(result)**: 산출물이 창출한 최종적인 성과물을 말한다. 결과는 조직환경에 직접적인 변화를 가져온다(예 민원만족도 증가율, 제품의 만족도, 직업교육 훈련을 받은 취업자의 수 등 중기 목표). 민간부문의 경우 수익률, 성장률, 시장점유율 등이 이에 해당한다.

㉤ **영향(impact)**: 조직 혹은 사업의 궁극적인 사회·경제적 효과(장기목표)를 말한다. 민간부문의 경우 장기 수익률 등이 이에 해당한다. 결과(성과물)와 영향은 구분이 곤란한 경우가 많으나 시간 범주로 구분이 가능하다.

③ 공공서비스별 성과지표의 예

| 성과지표 | 경찰 부서 | 도로 부서 |
|---|---|---|
| 투 입 | 투입된 경찰·차량 규모 | 인력 및 장비 규모 |
| 과 정 | 담당 사건 수 | 인력·장비 조달, 민원 관리 |
| 산 출 | 범인 체포 건수 | 도로 건설 규모, 포장된 도로의 면적 |
| 결 과 | 범죄율 감소 | 통행속도 증가율, 사고 감소율 |
| 영 향 | 지역사회의 안전성 | 지역의 산업 경쟁력 |

**O·X 문제**

1. 범죄 체포 건수가 산출지표라면, 범죄율 감소는 결과지표이다. ( )
2. 산출은 1차적인 성과를 의미하는 것으로 도로건설사업의 경우에 도로증가율이 이에 해당한다. ( )
3. 고용노동부에서 수행한 직업교육사업의 경우 산출(output)지표가 교육생 수라면, 성과(outcome)지표는 취업자 수이다. ( )

O·X 정답 | 1. ○ 2. ○ 3. ○

(2) 성과계약(협약)의 체결

① **의의**: 성과지표별로 목표달성 수준을 사전에 합의해 설정하고, 사후의 목표달성도에 따라 보상과 재정 지원의 차등을 약속하는 협약을 체결하는 과정이다.

② **특성**: 성과계약은 정부 부서 내에서 관련 조직들 또는 관련 행위자들 간의 내부관리협약이라 할 수 있다.

(3) 성과평가

① **의의**: 평가대상자가 성과계약을 준수했는지 여부(성과지표의 달성도 여부)를 판단하는 과정이다.

② **평가의 효용성**: 평가결과에 따라 보수와 예산상 조치가 수반되므로 평가의 타당성·신뢰성·객관성 확보가 중요하다.

(4) 한 계

① **합리적 수립 곤란**: 다양한 이해관계자들과 압력단체들의 개입으로 성과계획을 합리적으로 수립하기 곤란하다.

② **다양한 가치 반영 곤란**: 정부의 활동은 경제적 가치(능률성·효과성·생산성)뿐만 아니라 정치적 가치(대응성·형평성)까지도 고려해야 하지만 성과관리는 다양하고 상충적인 가치를 성과지표로 반영하기 곤란하다.

③ **성과지표 개발 및 성과 비교 곤란**: 정부부문에서는 공공서비스의 무형성으로 인해 성과지표 개발이 곤란할 뿐만 아니라, 공동지표 개발이 어려워 사업 간 성과비교도 곤란하다.

④ **인과관계 규명 곤란**: 성과관리는 업무수행(투입)과 최종적인 성과(결과와 영향) 사이에 개입하는 변수들이 많아 인과관계를 규명하기 곤란하다.

⑤ **낮은 성과목표 설정 경향**: 성과관리는 목표달성도에 유인기제(보상과 제재)를 연결하기 때문에 관리대상자들이 성과목표를 낮게 설정하려는 행동경향을 보인다.

⑥ **목표의 전환 야기**: 성과관리는 관리대상자들이 행정이 추구하는 궁극적 목표보다는 측정의 대상이 되는 성과지표만을 중시케 함으로써 목표의 전환을 야기할 수 있다.

⑦ **X이론적 관리**: 성과관리에 있어서 성과평가의 결과는 환류과정에서 제재와 보상으로 연계된다. 제재와 보상은 맥그리거의 X이론적 관리에 근거한 비민주적 관리방식이다.

심화학습

**공공행정에서 성과평가가 곤란한 이유**

| | |
|---|---|
| 공공행정 자체의 특성에 기인한 문제점 | • 명백한 산출단위 부재<br>• 명확한 생산함수 부재<br>• 정부활동의 다목적성과 상호의존성<br>• 단일기관의 행정활동 범위 설정 곤란<br>• 정보와 자료부족 등 |
| 측정 자체가 지니는 문제점 | • 계량화가 곤란한 부분에 대한 질적평가 곤란<br>• 측정범위가 넓어 평가요소 선정 곤란 |

## 02 갈등관리

### 1. 의 의

(1) 갈등의 개념

① **의사결정상의 갈등**: 개인이나 집단이 의사결정 표준 메커니즘에 고장이 생겨 대안을 선택하는데 곤란을 겪는 상황을 말한다.

② **조직관리상의 갈등**: 행동 주체 간의 대립적·적대적 상호작용을 말한다. 이때의 갈등은 표면적으로 드러난 갈등뿐만 아니라 갈등 상황을 지각하고 긴장·좌절·불안·적개심을 느끼는 잠재적 갈등까지 포함한다.

(2) 갈등연구의 역사적 전개(Robbins)

① **전통적 관점(갈등역기능론) – 인간관계론**: 1940년대 중반까지 지속된 전통적 관점은 "조직 내의 모든 갈등은 파괴와 능률 저하를 가져오는 일종의 악이기 때문에 제거되어야 하고, 또한 명확한 직무규정 등을 통해 제거될 수 있다."고 보았다.

② **행태적 관점 – 행정행태론**: 1940년대 후반에서 1970년대 중반까지의 시각인 행태적 관점은 "갈등은 조직 내에 불가피하게 존재하는 자연스러운 현상으로 완전한 제거가 불가능하기 때문에 갈등을 인정하고 받아들여야 한다."고 보았다. 이 입장은 갈등을 수용하지만 능동적으로 조장하지는 않는다.

③ **현대적 관점 – 교호(상호)작용론**: 1970년대 중반 이후 각광을 받고 있는 교호작용론은 "갈등은 조직 내에서 하나의 동력으로 작용할 수도 있고, 부정적으로 작용할 수도 있다."고 본다. 따라서 조직의 목표달성에 부정적인 갈등은 제거되어야 하지만, 긍정적인 갈등은 조장되어야 한다는 입장(갈등조장론)을 취한다.

(3) 갈등의 기능과 적정수준

① 갈등의 기능

| 순기능 – 건설적으로 해결된 경우 | 역기능 – 해결되지 못한 경우 |
|---|---|
| • 선의의 경쟁을 통해 조직의 성장과 발전 촉진<br>• 갈등해결과정에서 조직의 문제해결능력·창의력·적응력·단결력·융통성 제고<br>• 조직 발전의 계기로 작용해 장기적으로 조직의 안정성 제고<br>• 외부집단과 갈등 시 내적 응집성 제고 | • 갈등과 불안이 일상화되는 경우 성장과 발전 저해<br>• 구성원 간 적대감 및 반목을 유발하여 사기 저하<br>• 구성원 간 통합과 조화 파괴<br>• 조직의 불균형 및 무질서 초래 |

② **갈등의 적정수준**: 갈등은 순기능과 역기능이 모두 존재하므로 조직은 갈등의 최적 수준을 유지해야 한다.

| 갈등 수준 | 낮 음 | 이상적 | 높 음 |
|---|---|---|---|
| 영 향 | 역기능적 | 순기능적 | 역기능적 |
| 집단행동 | 환경변화에 대한 적응력 둔화, 무사안일, 의욕상실, 조직침체 | 환경변화에 적응력 증진, 적극적 목표달성 행동, 변화지향적 | 혼란, 분열, 상호조정 결여, 목표의식 결여 |
| 성 과 | 낮음. | 높음. | 낮음. |

심화학습

갈등의 진행단계(Pondy)

| | |
|---|---|
| 잠재적 갈등 | 갈등이 야기될 수 있는 상황 또는 조건 |
| 지각된 갈등 | 조직원들이 인지하게 된 갈등 |
| 감정적 갈등 | 갈등의 지각으로 긴장·적개심 등을 느끼는 갈등 |
| 표면화된 갈등 | 행동으로 표출된 갈등 |
| 갈등의 결과 | 조직이 갈등에 대응한 후의 상황 또는 조건 |

O·X 문제

1. 갈등관리에서의 갈등은 표면적으로 드러나는 것만을 말하는 것이 아니라 당사자들이 느끼는 잠재적 갈등상태까지를 포함한다. ( )
2. 고전적 조직이론에서는 갈등을 중요하게 고려하지 않는다. ( )
3. 고전적 관점에서 갈등은 조직 효과성에 부정적인 영향을 끼친다고 가정한다. ( )
4. 행태론적 시각은 조직 내 갈등을 불가피하고 정상적인 것으로 간주한다. ( )
5. 행태주의 관점의 갈등관리 이론에서는 갈등이 조직 발전의 원동력이 된다고 주장하였다. ( )
6. 1970년대 중반 이후 각광을 받고 있는 상호주의적 견해는 갈등을 긍정적인 갈등과 부정적인 갈등으로 분류하고, 긍정적인 갈등은 조직 내에서 하나의 추진력으로 작용할 수 있다고 본다. ( )
7. 갈등은 새로운 아이디어 촉발, 문제 해결력 개선 등 순기능이 있다. ( )

O·X 정답 1. ○ 2. ○ 3. ○ 4. ○ 5. × 6. ○ 7. ○

## 2. 갈등의 유형

### (1) 의사결정상의 갈등

① 좌절갈등: 자신의 목표달성이 장애물에 의해 저지당해 불가능할 때 발생하는 갈등

② 역할갈등

| 의 의 | 역할이 어느 개인에게 복합적으로 부여될 때 나타나는 갈등 | |
|---|---|---|
| 유 형 | 역할 내 갈등 | 동일한 역할을 두고 구성원들의 기대가 상충될 때 나타나는 갈등 (예 감독자에게 요구되는 상사와 부하의 기대가 다를 때) |
| | 역할 간 갈등 | 한 개인이 둘 이상의 역할을 수행할 때 나타나는 갈등 (예 매트릭스 조직에서 기능부서와 사업부서의 역할이 다를 때) |

③ 목표(가치)갈등(Miller & Dollard)

| 의 의 | 두 가지 서로 다른 가치를 가진 감정이 공존할 때 나타나는 갈등 | |
|---|---|---|
| 유 형 | 접근 – 접근갈등 | 긍정적 가치를 가진 대안 중 하나를 선택해야 하는 경우 |
| | 회피 – 회피갈등 | 부정적 가치를 가진 대안 중 하나를 선택해야 하는 경우 |
| | 접근 – 회피갈등 | 바람직한 긍정적 유인가와 회피하고 싶은 부정적 유인가를 함께 가진 대안을 선택해야 하는 경우 |

④ 개인적 갈등의 원인과 형태(March & Simon)

| 구 분 | 비수락성 | 비비교성 | 불확실성 |
|---|---|---|---|
| 원 인 | 각 대안의 결과를 알지만 대안들이 만족기준을 충족하지 못해 선택에 곤란을 겪는 상황 | 각 대안의 결과를 알지만 최선의 대안이 어느 것인지 비교할 수 없어 선택에 곤란을 겪는 상황 | 각 대안이 초래할 결과를 알 수 없어 선택에 곤란을 겪는 상황 |
| 해결 방안 | • 새로운 대안 탐색<br>• 기존목표를 대안이 수용 가능한 목표로 수정 | • 대안의 비교기준 명확화<br>• 대안이 제기된 선 · 후 관계에 의존한 선택 | 미래 예측을 위한 과학적 분석 및 탐색 활동 |

### (2) 조직관리상의 갈등

① 갈등의 효과에 따른 구분

| 구 분 | 소비적 갈등 | 생산적 갈등 |
|---|---|---|
| 의 의 | 조직의 생산성을 저해하는 역기능적 · 파괴적 갈등 | 조직성과나 조직혁신에 도움을 주는 건설적 갈등 |
| 관 점 | 획일성 · 통제 · 권위 · 폐쇄 · 불안정의 시각 | 다양성 · 자극 · 성장 · 공존 · 개방의 시각 |
| 관 리 | 제거 또는 통제의 대상 | 조장의 대상 |

② 갈등의 원인에 따른 구분

| 구 분 | 수직적 갈등 | 수평적 갈등 |
|---|---|---|
| 의 의 | 조직의 상 · 하 계층 간에 발생하는 갈등 | 동일 계층의 개인이나 부서 간에 발생하는 갈등 |
| 원 인 | 권한, 목표, 업무량, 근무조건, 보수, 감독, 노 · 사 간 갈등 등 | 목표의 분업구조, 과업의 상호의존성, 자원의 제한 등 |

**심화학습**

공공갈등

| 의의 | 둘 이상의 사회집단이 정책과정에서 접근방법 · 가치 · 이해관계 등의 차이로 인하여 의견의 합치를 도출하지 못할 때 발생하는 현상 | |
|---|---|---|
| 전통적 해결방법 | 관료적 해결, 정치적 결단, 사법적 방법 등 | |
| 참여적 해결방법 | 대안적 분쟁 해결방법 | 전문성 있는 제3자에 의한 조정, 협상, 중재 등 |
| | 숙의적 분쟁 해결방법 | 시민참여를 통한 시민배심원제, 합의회의, 시나리오 워크샵, 규제협상, 공론조사, 주민투표 등 |

PART · 04

**O·X 문제**

1. 갈등의 유형 중에서 생산적 갈등이란 조직의 팀워크와 단결을 희생하고 조직의 생산성을 중요시하는 유형이다. ( )

2. 수직적 갈등은 목표의 분업구조, 과업의 상호의존성, 자원의 제한 등이 중요한 원인으로 작용한다. ( )

O·X 정답 1. × 2. ×

심화학습

기타 갈등의 유형

| | | |
|---|---|---|
| 상하 단위에 따른 분류 | 협상적 갈등 | 이해당사자 간의 갈등 |
| | 체제적 갈등 | 동일 계층의 기관 간의 갈등 |
| | 관료제적 갈등 | 계층제의 상하 기관 간의 갈등 |
| 갈등의 영향에 따른 분류 | 마찰적 갈등 | 조직구조의 변화를 유발하지 않는 갈등 |
| | 전략적 갈등 | 조직구조의 변화를 유발하는 갈등 |

O·X 문제

1. 업무의 상호의존성이 높을수록 갈등이 증가할 소지가 작다. ( )
2. 업무의 일방향 집중형 상호의존성보다 쌍방향 분산형 상호의존성이 강할 때 갈등의 발생소지가 높다. ( )
3. 조직의 희소한 자원(예산, 인력 등)은 조직 내 부서 간 경쟁을 유발시켜 갈등을 초래하는 원인이 되기도 한다. ( )
4. 지위부조화는 행동주체 간의 교호작용을 예측 불가능하게 하여 갈등을 야기한다. ( )
5. 조직의 분업구조는 하위부서 간의 업무특성, 업무수행태도, 문제를 보는 시각에 차이를 유발하여 부서 간 갈등을 초래하는 원인이 되기도 한다. ( )

O·X 정답 1. × 2. ○ 3. ○ 4. ○ 5. ×

③ 갈등의 주체에 따른 구분

| 구 분 | 개인 간 갈등 | 집단 간 갈등 |
|---|---|---|
| 의 의 | 개인 간 추구하는 가치나 목표의 충돌 시 발생하는 갈등 | 조직 내의 여러 부서 간 가치나 목표의 충돌 시 발생하는 갈등 |
| 원 인 | 개인의 성격, 가치관, 역할 등의 차이 | 분업 구조 등 조직 내의 구조적 요인 |

## 3. 갈등의 원인

### (1) 개인차에 기인한 원인

개인의 가치관·태도·성격·지각 등의 차이로 인해 갈등이 발생한다.

### (2) 조직구조에 기인한 원인

① **분업구조**: 분업화된 하위부서들은 업무 특성·업무 수행 태도·업무 수행 방식·문제를 보는 시각 등에 차이가 있어 갈등이 발생한다.

② **목표의 차이**: 양립할 수 없는 목표를 추구하는 상황(감사자와 피감사자의 관계) 또는 자신의 이익을 위해서는 타인에게 손해를 가해야 하는 제로섬(zero-sum) 상황에서 갈등의 가능성과 강도는 증폭된다.

③ **자원의 희소성**: 제한된 자원을 여러 하위부서들이 공유할 때 여러 부서가 서로 더 많은 자원을 확보하기 위해 노력하는 과정에서 갈등이 발생한다.

④ **관할 영역의 모호성**: 권한과 책임이 명확하지 않은 경우 각 당사자는 더 많은 권한을 가지려는 한편 책임은 회피하려 함으로써 갈등이 발생한다.

⑤ **업무의 상호의존성**: 업무가 상호 연계되어 있어 특정 조직이 목표달성을 위해 타 조직과 협력이 필요한 경우 갈등이 발생한다. 특히, 업무가 일방향 집중형 상호의존성을 지니는 경우보다 쌍방향 분산형 상호의존성을 지니는 경우 갈등이 심화된다.

⑥ **지위부조화**: 직위와 능력이 괴리되어 있는 경우(상사가 높은 지위에 걸맞는 전문능력이 부족한 경우) 갈등이 발생한다.

⑦ **기타**: 평가기준과 보상체계가 상이한 경우(계선과 참모 간의 갈등), 공동의사결정이 이루어지는 경우 등에서 갈등이 발생한다.

## 4. 갈등관리 방안

조직은 갈등이 지나치게 많을 경우 잠재적 갈등의 예방 전략 및 표면화된 갈등의 해소 전략을 사용해야 하고, 갈등이 지나치게 적을 경우 갈등 촉진 전략을 사용하여 갈등의 적정 수준을 유지하기 위해 노력해야 한다.

### (1) 갈등의 예방 및 해소 전략

① 갈등의 원인에 따른 예방 및 해소 전략

㉠ **개인차에 의한 갈등**: 역할연기·감수성훈련 등의 교육훈련, 상호작용 촉진, 고충해결장치의 마련 등

㉡ **분업구조로 인한 갈등**: 전문교육보다는 직급교육 강화, 공동교육훈련, 인사교류(순환보직), 공동기구 설치, 갈등 부서 간 통폐합 등

ⓒ 목표의 차이로 인한 갈등: 상위목표의 제시, 목표수준의 차별화, 계층제적 권위 활용을 통한 우선순위 설정 등

ⓓ 자원의 희소성으로 인한 갈등: 더 많은 자원의 확보, 배분기준의 명확화 등

ⓔ 업무의 상호의존성으로 인한 갈등: 부서 간의 접촉 필요성 완화

ⓕ 관할 영역의 모호성으로 인한 갈등: 업무수행의 구체적 목표·절차·규칙 등의 정형화(표준운영절차의 마련)

② 토머스(Thomas)의 갈등관리모형: 다른 갈등 당사자를 만족시켜 주려는 노력인 협력성과 자신의 관심사를 만족시키려는 노력인 단정성의 두 차원을 통해 다섯 가지의 갈등처리방식을 제시하였다.

🗀 갈등처리방식의 유형

| | |
|---|---|
| 회 피 | • 양 당사자들이 갈등문제를 무시·회피·연기하는 비단정적·비협력적 방식<br>• 갈등이 존재함에도 양 당사자들이 갈등 상황을 무시하고 소극적으로 대응하는 방식 |
| 경 쟁 | • 양 당사자들이 논쟁·위협·물리력 등을 통해 다른 당사자를 희생시키고 자신의 목표만을 달성하려는 단정적·비협력적 방식<br>• 신속하고 결단성 있는 행동이 요구되거나 구성원들에게 인기 없는 조치를 할 때 활용 |
| 순 응 | 한 당사자가 자신의 목표를 포기하고 다른 당사자의 관심사를 만족시키는 비단정적·협력적 방식 |
| 타 협 | • 양 당사자 모두 어느 정도 양보하고, 어느 정도 양보를 얻는 단정적·협력적 방식<br>• 분명한 승자나 패자가 없는 방식 |
| 협 동 | 양 당사자 모두 자신들의 목표 전부를 만족시키려는 단정적·협력적 방식[상생(win-win) 전략] |

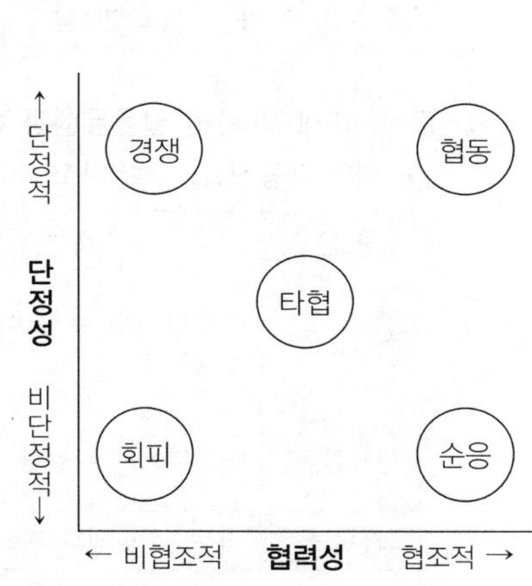


③ 사이먼과 마치(Simon & March)의 갈등해결방안

| | | |
|---|---|---|
| 분석적·합리적 방법 | 문제해결 | 갈등당사자 간 목표에 대해 기본적으로 합의한 경우, 서로 객관적인 자료를 수집하여 제시하고 쇄신적인 대안을 모색함으로써 갈등을 해결하는 것 |
| | 설 득 | 기본목표는 합의되어 있으나 하위목표에 의견대립이 있는 경우, 기본목표와 하위목표 간의 모순을 제거하고 일치성을 추구함으로써 갈등을 해결하는 것 |
| 비분석적·정치적 방법 | 협 상 | 기본목표를 조절하기 위한 방법으로 이해당사자 간 직접적인 양보와 획득에 의해 갈등을 해결하는 것(공동의사결정) |
| | 정 략 | 기본목표를 조절하기 위한 방법으로 제3자(여론이나 대중의 지지 등)의 도움에 의존하여 갈등을 해결하는 것 |

O·X 문제

1. 업무의 상호의존성에 따른 갈등예방을 위해서는 부서 간 접촉의 필요성을 늘려주는 전략이 유효하다. ( )
2. 조직 내 하위목표를 강조함으로써 갈등을 해소할 수 있다. ( )
3. 타협은 갈등 당사자 간 서로 존중하고 자신과 상대방 모두의 이익을 극대화하려는 유형으로 'win-win' 전략을 취한다. ( )
4. 갈등관리 방안 중 협동은 갈등당사자들이 서로 양보하여 갈등을 해결하는 것으로 분명한 승자나 패자가 없다. ( )
5. 경쟁은 권력, 위협 등을 통하여 상대방을 희생시키고 자신의 이익을 취하는 방식이다. ( )
6. 회피(avoiding)는 갈등당사자들의 차이점을 감추고 유사성과 공동의 이익을 내세워 갈등을 해소하는 방안이다. ( )
7. 수용(accommodating)은 자신의 이익을 양보하고 상대방의 이익을 배려해 협조한다. ( )
8. 회피(avoiding)는 갈등이 존재함을 알면서도 표면상으로는 그것을 무시하거나 인정하지 않음으로써 갈등 상황에 소극적으로 대응한다. ( )

PART · 04

O·X 정답 1. × 2. × 3. × 4. × 5. ○ 6. × 7. ○ 8. ○

**핵심정리 | 갈등의 직접적 해결 기제 – 협상**

1. **분배적 협상**
분배의 대상이 되는 자원이 한정되어 있는 제로섬(zero-sum) 상황에서의 협상을 말한다. 이 경우 당사자 모두 적당한 선에서 자신의 이익을 양보하고 부분적인 목표달성에 만족하는 타협전략이 주로 활용된다.

2. **통합적 협상**
분배의 대상이 되는 자원이 한정되어 있지 않는 넌제로섬(non zero-sum) 상황에서의 협상을 말한다. 이 경우 당사자 간 장기적인 파트너십을 발휘하여 서로의 이익을 최대한 추구하는 협력전략이 주로 활용된다.

3. **분배적 협상과 통합적 협상의 비교**

| 특 징 | 분배적 협상 | 통합적 협상 |
|---|---|---|
| 이용가능 자원 | 고정적인 양(한정된 자원) | 유동적인 양(한정되지 않은 자원) |
| 주요 동기 | 제로섬(zero-sum : 승 – 패)게임 | 넌제로섬(non zero-sum : 승 – 승)게임 |
| 이해관계 | 서로 상반 | 조화 또는 상호수렴 |
| 관계의 지속성 | 단기간 | 장기간 |
| 전 략 | 타협전략 | 협력전략 |

④ **로빈슨(Robbins)의 갈등유형과 해결방안**: 로빈슨(Robbins)은 갈등을 직무갈등, 관계갈등, 과정갈등으로 구분하고 이에 따른 해결방안을 제시하였다.

| 구 분 | 개 념 | 해소방안 |
|---|---|---|
| 직무갈등 | 직무의 내용 및 목표와 관련된 갈등 | 상위목표의 제시, 업무 간 상호의존성 완화, 계층제 또는 권위에 의한 해결, 협상과 타협, 권한과 책임의 명확화 등 |
| 관계갈등 | 대인관계와 관련된 갈등 | 개인의 가치관 및 태도의 변화, 의사전달의 장애요소의 제거, 구성원 간 소통기회의 제공 등 |
| 과정갈등 | 직무수행방법과 관련된 갈등 | 자원의 확대, 상호의사소통 증진, 조직구조의 변경 |

⑤ 그 밖의 갈등의 예방 및 해소 전략

㉠ **공동의 적 설정**: 갈등당사자에게 공동의 적을 확인해 주고 강조하여 갈등을 해소하거나 잠복시키는 방법(상위목표 제시의 소극적 측면)

㉡ **완화 혹은 수용**: 갈등 상황이나 출처를 근본적으로 변동시키지 않고 갈등당사자들이 오히려 적응하도록 하는 방법

㉢ **구조적 요인의 개편**: 인사교류, 조정담당 직위 또는 기구의 신설, 이의제기제도의 실시, 갈등을 일으키는 조직단위의 합병, 갈등을 일으키는 집단의 분리, 지위체제의 개편, 업무배분의 변경, 보상체제의 개편 등

㉣ **기타**: 상위목표의 제시, 계층제(상관)에 의한 명령과 강제, 갈등당사자의 태도 변화 유도 등

**O·X 문제**

1. 배분적 협상은 이용 가능한 자원의 양이 고정적이며 단기적인 인간관계에서 행해진다. ( )

2. 통합형 협상은 자원이 제한되어 있어 제로섬(zero-sum)방식으로 나눌 수밖에 없다는 것을 기본적인 전제로 한다. ( )

**O·X 문제**

3. 관계갈등을 해결하기 위해서는 의사전달의 장애요소를 제거하고 직원 간 소통의 기회를 제공해 줄 필요가 있다. ( )

4. 갈등당사자들에게 공동의 적을 확인시키고 이를 강조하는 전략은 해소 전략이다. ( )

5. 집단 간 갈등의 해결은 구조적 분화와 전문화를 통해서 찾을 필요가 있다. ( )

6. 집단 간 목표의 차이로 인해 발생한 갈등은 상위 목표를 제시하거나 계층제 또는 권위를 이용하여 해결한다. ( )

7. 갈등해소방법으로는 문제 해결, 상위 목표의 제시, 자원 증대, 태도 변화 훈련, 완화 등을 들 수 있다. ( )

O·X 정답 | 1. ○ 2. × 3. ○ 4. ○ 5. × 6. ○ 7. ○

(2) 갈등 조성 전략

① **외부인의 영입**: 개방형 임용제 등을 통해 기존 부서의 구성원들과는 다른 배경·경험·가치관 등을 가진 구성원을 충원하여 갈등 조장

② **경쟁의 조장**: 성과급제, 행정서비스 헌장 우수기관에 대한 헌장마크제 등의 제도를 통해 경쟁을 촉진시킴으로써 갈등 조장

③ **불확실성의 제고**: 기존의 정형화된 업무수행방식이나 관행에 변화를 주거나 위기감을 조성하여 갈등 조장

④ **의사전달 통로의 변경**: 공식적·비공식적 의사전달통로를 의식적으로 변경(의사전달통로에 포함되어 있던 사람을 배제하거나 특정인을 새롭게 포함시키는 것)하여 정보의 재분배나 권력의 재분배를 촉진함으로써 갈등 조장

⑤ **정보량 조정**: 정보전달의 억제를 통해 권력을 감소시키거나 또는 정보과다를 통해 대상집단을 활성화하여 갈등 조장

⑥ **구성원의 재배치와 직위 간 관계의 재설정**: 인사이동이나 직위 간 관계의 재설정을 통해 권력의 재분배를 촉진함으로써 갈등 조장

⑦ **구조적 분화의 촉진**: 계층의 수를 늘리거나 기능적 조직단위의 수를 늘려 서로 견제하도록 함으로써 갈등 조장

⑧ **리더십 스타일 변경**: 리더십의 유형을 적절히 교체함으로써 갈등 조장

⑨ **기타**: 태도가 다른 사람들과 접촉 유도, 구성원의 태도 변화 유도 등

## 03 조직진단과 변화관리

### 1. 조직진단(경영컨설팅)

(1) 의 의

조직진단은 조직의 의도적인 변화를 시도하기 전단계의 과정으로 조직의 과거와 현재를 분석하여 구체적인 문제를 파악하고 이에 따른 해결책을 제시하는 과정이다.

(2) 대상과 범위

① **환경진단**: 환경분석을 통해 조직의 환경에 대한 적응이 적정한지 여부를 판단한다.

② **조직진단(종합적 조직진단)**: 조직을 종합적으로 진단하는 것으로 기능과 구조를 진단하는 협의의 조직진단, 인력진단, 재정진단, 서비스 및 프로세스 진단, 조직문화와 행태진단으로 세분화된다.

(3) 과 정

① 환경분석(첫 단계) ⇨ ② 기능진단 및 재설계 ⇨ ③ 구조진단 및 재설계 ⇨ ④ 인력진단 및 재설계 ⇨ ⑤ 프로세스 진단 및 재설계 ⇨ ⑥ 문화 및 행태진단(마지막 단계) 순으로 진행된다.

**O·X 문제**

1. 개방형직위제를 통해 국·과장급 직위를 외부인에게 개방하는 것은 갈등을 조장하는 효과가 있다. ( )

2. 조직침체를 극복하기 위한 갈등 조장을 위해서는 불확실성을 높이는 전략이 유효하다. ( )

3. 의사전달통로를 변경하거나 조직 내의 계층 수 및 기능적 조직단위의 수를 늘려 서로 견제하게 하는 것은 갈등해소전략에 해당된다. ( )

4. 순기능적 갈등을 조성하는 방법으로 정보전달 억제, 과다한 정보전달, 의사전달 통로의 변경, 인사이동 또는 직위 간 관계의 재설정, 구조의 분화 등을 들 수 있다. ( )

PART·04

**심화학습**

조직진단 과정의 구체적 고찰

| 과정 | 내용 |
|---|---|
| 환경분석 | 조직 내외의 환경 요인을 분석하는 단계 |
| 기능진단 및 재설계 | 조직이 현재 수행하는 기능 체계를 진단해 문제를 발견하고 기능체계를 재설계하는 단계 |
| 구조진단 및 재설계 | 기능체제 재설계를 조직구조 차원에 반영해 효과적인 조직구조를 재설계하는 단계 |
| 인력진단 및 재설계 | 조직의 기능과 구조 설계를 토대로 적합한 인력규모를 산정하는 단계 |
| 프로세스 진단 및 재설계 | 업무 프로세스를 분석하여 비효율적인 프로세스를 제거하고 합리적인 업무프로세스로 재설계하는 단계 |
| 문화 및 행태진단 | 새로운 구조에 적합한 조직문화와 조직원의 행태 변화모형을 제시하는 단계 |

O·X 정답 1. ○ 2. ○ 3. × 4. ○

## 2. 변화관리

(1) 의 의

현 상태에서 다른 상태로의 이행을 의미하는 변화는 환경의 요구를 조직이 전환하는 과정에서 자연스럽게 발생하는 현상이다. 즉, 조직의 변화는 개방체제가 항상 경험하고 있는 적응 과정의 일부이다.

(2) 변화 과정 – 레빈(Lewin)의 조직 변화 3단계

① 해빙(unfreezing) 단계: 고착화된 구조를 녹이는 단계

② 변화(changing) 단계: 조직의 방향성에 맞게 재정렬하는 단계

③ 재동결(refreezing) 단계: 새로운 구조로 정착시키는 단계

(3) 존 코터(John P. Kotter)의 변화관리모형

① 위기감 조성: 변화를 추진하는 리더는 외부환경과 조직실태에 대한 엄밀한 분석을 통해 위기에 대한 인식을 설득력 있게 제시하여야 한다.

② 변화추진팀 구성: 다수의 변화 선도자들로 구성된 팀을 형성하고 이들에게 변화를 선도하는 데 필요한 자원과 권한을 부여하여야 한다.

③ 비전 개발: 변화추진팀은 우선적으로 비전의 개발과 이를 현실화할 수 있는 구체적인 전략을 세워야 한다.

④ 비전 전달: 비전과 전략은 구성원 모두에게 전달되고 그들과 공감대가 형성되도록 노력해야 한다.

⑤ 임파워먼트: 구성원들이 변화의 비전과 전략을 실행할 수 있도록 권한을 부여하여야 한다.

⑥ 단기성과 달성: 구성원들의 지속적인 관심과 노력을 유도하기 위해 단기간의 가시적인 성과를 보여 주어야 한다.

⑦ 지속적 도전: 단기성과에서 얻은 신뢰를 바탕으로 보다 어려운 과제에 대한 광범위한 변화계획을 수립하고 더 많은 사람들의 참여를 유도해야 한다.

⑧ 변화의 제도화: 변화가 성공적으로 이루어진 후 새로운 업무방식과 구성원의 행동방식이 조직문화로 정착되도록 제도화해야 한다.

**O·X 문제**

1. 레빈(Lewin)은 조직 변화의 과정을 현재 상태에 대한 해빙(unfreezing), 원하는 상태로의 변화(moving), 새로운 변화가 지속될 수 있도록 재동결(refreezing)하는 3단계로 제시하였다. ( )

**심화학습**

**그라이너(Greiner)의 조직성장이론 (위기에 의한 혁신적 변화)**

| 단계 | 내용 | 위기 |
|---|---|---|
| 창조의 단계 (1단계) | 모든 일을 창업주가 수행하는 단계 | 창업주의 통솔범위의 한계로 리더십의 위기 야기 |
| 지시의 단계 (2단계) | 리더십의 위기를 전문경영인을 두어 극복하는 단계 | 전문경영인의 지시와 감독으로 자율성의 위기 야기 |
| 위임의 단계 (3단계) | 자율성의 위기를 사업단위별 권한위임을 통해 극복하는 단계 | 권한위임이 일선관리에 대한 통제를 상실케 하여 통제의 위기 야기 |
| 조정의 단계 (4단계) | 통제의 위기를 기능별 분할통제장치들을 통해 극복하는 단계 | 분할통치장치들이 문서주의를 초래하여 관료주의의 위기 야기 |
| 협력의 단계 (5단계) | 관료주의의 위기를 유연한 조직관리(팀제 등)로 극복하는 단계 | 구성원들을 팀워크와 창조적 쇄신에 대한 압력에 지치게 해 탈진의 위기 야기 |

O·X 정답 1. ○

# 제 2 절 조직관리전략

## 01 조직발전(OD : Organization Development)

### 1. 의 의

(1) 개념 및 배경

① 개념 : 조직의 환경변화에 대한 대응능력과 문제해결능력(효과성)을 제고하기 위해 행태과학적 지식과 기술을 활용하여 조직원의 가치관·신념·태도 등의 행태를 변화시키고자 하는 계획적·복합적인 관리전략이다.

② 배경 : 조직발전은 1960년대 행태론자들에 의해 제시·발전된 조직혁신방법이다.

(2) 유사개념과의 비교 – 조직변동·조직혁신과의 비교

① 조직변동 : 변화의 방향과는 상관없는 무가치한 개념으로 의식적·무의식적인 모든 변화를 의미한다.

② 조직혁신 : 조직변동 중에서 조직을 바람직한 상태로 개선시키기 위한 조직의 모든 부분(구조·관리·행태 등)에서의 의식적·계획적 변화를 의미한다.

③ 조직발전 : 조직혁신 중에서 구성원의 행태에 대한 의식적·계획적 변화를 의미한다.

(3) 과 정

① 문제의 인지 : 조직발전을 위한 자료를 수집하는 단계

② 조직진단 : 외부전문가에 의해 조직의 현 상태를 객관적으로 점검하는 단계

③ 대안의 작성과 선택 : 실시할 대안의 마련 단계

④ 행동개입(실시) : 조직발전의 기법을 동원하여 실제적 행동에 돌입하는 단계

⑤ 평가 및 환류 : 평가결과에 대한 개선책 마련 단계

### 2. 기 법

전통적인 조직발전기법은 감수성훈련 등 개인발전 위주로 개발되었으나 점차 팀 형성 등 집단 차원으로 전개되었고, 최근에는 업무재설계(직무확대와 직무충실), 태도조사환류기법 등 조직 전체의 변화를 도모하는 기법들로 발전하고 있다.

(1) 감수성훈련(실험실훈련, T – 그룹훈련)

① 의의 : 외부환경으로부터 차단된 인위적 상황(사회심리적 고립된 장소)에서 10명 내외의 이질적으로 구성된 소집단 구성원(비친근자로 구성 : 낯선 구성원)이 비정형적 접촉을 통하여 타인을 이해하고 자신의 태도를 평가하여 행태를 개선하도록 하는 훈련이다.

② 목적 – 대인관계의 원만화 : 타인에 대한 편견극복과 자신에 대한 자아성찰을 통해 타인을 신뢰하고 협동하는 태도를 함양하여 개방적인 대인관계를 형성하도록 하는 데 목적이 있다.

**O·X 문제**

1. 감수성훈련의 목적은 조직구성원 간 상호경쟁을 통한 업무효율성 향상에 있다. ( )

2. 감수성훈련은 구성원 간의 협력적 노력을 향상시켜 팀 성과를 증가시킨다. ( )

3. 실험실훈련은 친근자 집단만을 훈련에 참여시킨다. ( )

4. 실험실훈련은 비정형적 상황에서 실시한다. ( )

O·X 정답 1. × 2. × 3. × 4. ○

③ 특 징

㉠ **자기표현적 인간 육성**: 참여자들의 경험과 감성을 중시하고, 이를 통해 얻어진 지식을 행동으로 옮길 수 있는 자기표현적 능력 배양에 역점을 둔다.

㉡ **자율적 훈련**: 참여자들이 스스로 새로운 대안을 자유스럽게 탐색해 나가는 과정에서 학습이 이루어지도록 하는 자율적 훈련을 중시한다.

㉢ **과정지향성**: 문제해결을 위한 구성원들의 인간적 · 사회적 · 협동적 과정을 중시한다.

④ 단 점

㉠ 소수의 인원만 참여가 가능하며, 시간과 노력이 과다하게 소모된다.

㉡ 경험한 한정된 지식만이 수용될 가능성이 있다.

㉢ 성인의 경우 습관 등으로 인해 태도 변화가 곤란하다.

㉣ 조직원의 관성과 타성으로 훈련의 효과가 지속되기 곤란하다.

(2) 관리망훈련 – 블레이크(Blake)와 모튼(Mouton)

① 의의: 생산에 대한 관심과 인간에 대한 관심의 이원적 변수에 입각한 다섯 가지 리더십 유형을 만들고 두 가지 요소를 모두 중시하는 관리방식을 통해 개인 · 집단 간의 인간관계뿐만 아니라 조직 전체의 효율화를 추구하는 방법이다.

② 특 징

㉠ 관리망훈련은 인간관계의 개선에 초점이 있는 감수성훈련을 보다 발전시킨 포괄적 접근방법으로 인간관계 개선뿐만 아니라 직무상 업적까지 대상으로 한다.

㉡ 관리망훈련은 리더십을 중심으로 논의되므로 직원뿐만 아니라 고위공직자까지를 대상으로 하는 종합적 · 장기적 과정이다.

(3) 태도조사환류기법

① 의의: 조직의 모든 구성원의 태도와 감정 · 가치관을 철저히 조사하여 조직 전반에 대한 실태를 정확히 파악하고, 그 결과를 구성원들에게 환류시켜 조직변화를 위한 기초자료로 활용하는 개입기법이다.

② 전통적 접근과의 비교

| 전통적 접근 | 태도조사환류기법 |
|---|---|
| 하급직원들을 대상으로 자료수집 | 모든 계층의 구성원들로부터 자료수집 |
| 고위층 관리자들에게 자료 환류 | 모든 참여자들에게 자료 환류 |
| 문제를 발견하는 데 초점 | 문제 발견 및 해결방안 모색에 초점 |
| 최고관리층이 자료를 분석 | 모든 구성원들이 자료를 분석 |
| 외부전문가가 설문조사를 설계 · 실시 | 전문가와 조직원이 함께 설문조사를 설계 · 실시 |
| 최고관리자만이 행동계획 수립 | 모든 계층의 팀들이 행동계획 수립 |

(4) 기 타

그 밖에도 조직발전(OD)기법에는 팀형성(팀빌딩), 과정상담과 개입전략, 집단 간 회합, 직무재설계(직무확대와 직무충실), 집단역학이나 집단심리요법, 역할분석(역할연상법), 투사법 등이 있다.

**O·X 문제**

1. 감수성훈련은 동료 간 · 동료와 상사 간의 상호작용을 진작시키기 위한 실제 근무상황에서 실시하는 기법이다. ( )

2. 감수성훈련은 자신의 행동이 타인에게 미치는 영향을 검토하도록 한다. ( )

3. 감수성훈련은 갈등과 상호관계에 관련된 능력을 개선할 목적으로 사용된다. ( )

4. 감수성훈련은 서로 모르는 사람 10명 내외로 소집단을 만들어 허심탄회하게 자신의 느낌을 말하고 다른 사람이 자신을 어떻게 생각하는지를 귀담아듣는 방법으로 훈련을 진행하기 위한 전문가의 역할이 요구된다. ( )

**심화학습**

기타 조직발전기법

| | |
|---|---|
| 팀형성(팀빌딩) | 수평적이고 응집력 있는 집단을 구성하여 구성원 간 자유로운 의사소통을 통해 협조적인 관계를 형성하고 임무수행의 효율화를 도모하는 작업집단 개선기법(집단문제의 진단회의, 가족집단회의, 역할분석회의 등) |
| 과정 상담과 개입 전략 | 외부의 상담자가 상담과 면접을 통해 개인 또는 집단이 조직 내의 과정적 문제를 지각하고 이해하며 해결할 수 있도록 도와주는 활동 |
| 집단 간 회합 | 경쟁적 관계에 있는 두 집단의 구성원을 한데 모아 상대방 집단의 잘못과 자기 집단의 오해를 대화와 토의를 통하여 개선하는 방법 |
| 기타 | 직무재설계(직무확대와 직무충실), 집단역학이나 집단심리요법, 역할분석(역할연상법), 투사법 등 |

O·X 정답 1. × 2. ○ 3. ○ 4. ○

### 3. 목적과 특징 및 문제점

(1) 목 적

① **조직의 효과성(문제해결능력) 제고**: 조직의 문제해결을 위한 목표설정과정을 중시하고 이의 달성도를 강조하는 인위적·의식적 노력이다.

② **변화대응능력 제고**: 개방체제적 관점에서 조직의 환경변화대응능력을 향상시키고자 하는 계획적 노력으로 상황변화에의 능동적 대처가 강조된다.

③ **구성원 간 협동적 행위 촉진**: 문제해결을 위해 조직원 간의 협력적 행위를 촉진시키고 갈등을 해소하는 데 초점이 있다.

(2) 특 징

① **인간의 행태 개혁에 초점**: 구조나 관리기법보다는 인간행태(가치관·태도·행동·문화 등)를 개혁하고자 하는 관리방식이다.

② **행태과학적 지식 활용**: 실제적인 자료에 기초하여 조직의 상태를 진단하고, 행태과학적 지식을 활용하여 경험적 자료를 바탕으로 실천계획을 수립해 나간다.

③ **체제론적 관점**: 조직을 하나의 체제로 인식하는 전체론적 시각으로 구성원의 행태뿐만 아니라 문화까지를 변화시키고자 한다.

④ **계획적·의식적 변화**: 목표·방법·자원 동원 등에 관한 치밀한 계획을 수립하여 실천한다는 점에서 계획적·의식적 변화이다.

⑤ **과정지향성**: 업무수행에서 구성원들 간의 사회적·협력적 과정을 중시하는 과정지향성을 지닌다.

⑥ **행태전문가의 개입**: 행태과학 지식을 지닌 외부전문가가 참여하여 개혁추진자의 역할을 수행한다.

⑦ **하향적 변화**: 많은 시간과 비용이 요구되는 관리전략이므로 최고관리자의 적극적 지지에 의한 하향적 추진이 이루어진다.

⑧ **지속적·장기적·순환적 과정**: 장기적인 효과를 위해 지속적인 평가와 환류가 이루어지는 순환적 과정이다.

⑨ **전체적 변화**: 최고관리층에서 하위계층에 이르기까지 전체적이고 통합적인 변화 노력으로 질적·규범적·가치지향적 변화를 추구한다.

⑩ **계층제적 조직의 경직성 타파**: 최고관리층과 하위계층이 수평적 관계에서 협동적 행위를 촉진해 나간다는 점에서 계층제적 질서의 타파를 전제로 한다.

⑪ **Y이론적 인간관**: 구성원들의 자율적 참여가 강조된다는 점에서 조직 휴머니즘에 입각한 Y이론적 인간관에 입각해 있다.

⑫ **집단의 중요성 강조**: 조직원 개개인을 기본단위로 하나, 집단을 구성하는 구성원들 간의 관계개선에 초점이 있다는 점에서 집단을 중시한다.

(3) 문제점

① 구조적·기술적 요인을 경시하고 지나치게 인간적·심리적 요소에만 치중한다.

② 외부전문가가 개혁추진자의 역할을 수행한다는 점에서 외부전문가의 무능·편견·무성의·실수 등으로 인한 문제가 발생할 수 있다.

**O·X 문제**

1. 조직발전은 구조, 행태, 기능 등을 바꾸고 조직의 환경변화에 대한 대응능력과 문제해결능력을 향상시키려는 관리전략이다. ( )
2. 조직발전에서 가정하는 조직은 폐쇄체제 속에서 복합적 인과관계를 가진 유기체이다. ( )

**O·X 문제**

3. 조직발전은 실제적인 자료를 중시하는 진단적 과정이며, 경험적 자료를 바탕으로 실천계획을 수립한다. ( )
4. 조직발전은 조직의 인간적 측면을 중요시하며 인간의 잠재력을 최대한으로 개발함으로써 조직 전체의 개혁을 도모하려는 체제론적 접근방법이다. ( )
5. 조직발전은 외부전문가의 유입을 허용하지 않는 계선 중심적인 문제해결책이다. ( )
6. 조직발전은 변화 관리자의 도움으로 단기간에 급진적 조직변화를 추구한다. ( )
7. 조직발전은 조직 전체의 변화를 추구하는 계획적·의도적인 개입방법이다. ( )
8. 조직발전은 결과지향적이며, 목표를 달성하는 과정보다 결과를 중시한다. ( )
9. 조직발전은 과정지향적이며 아래로부터의 자율적이고 자발적인 접근방법이다. ( )
10. 조직발전은 심리적 요인에 치중한 나머지 구조적·기술적 요인을 경시할 우려가 있다. ( )

O·X 정답 1. × 2. × 3. ○ 4. ○ 5. × 6. × 7. ○ 8. × 9. × 10. ○

## 02 목표관리(MBO : Management By Objectives)

### 1. 의 의

(1) 개념 및 배경

① **개념**: 조직의 효과성을 제고하기 위하여 상・하 조직원의 참여와 협의를 통해 목표를 설정하고 이에 따라 업무를 수행한 다음, 업무수행결과를 목표에 비추어 평가하고 환류하는 동태적・민주적・참여적 관리방식이다.

② **배경 및 정부에의 도입**

㉠ **창시**: 1950년대 드러커(Drucker), 맥그리거(McGregor) 등에 의해 창시되었으며, 1960년대 이후 조직발전(OD)과 더불어 미국 사기업체의 중요한 조직관리기법으로 널리 채택되었다.

㉡ **미국 정부에 도입**: 미국 행정부에서는 1973년 닉슨(Nixon) 대통령이 계획예산(PPBS)을 대신할 예산관리기법으로 도입하였다.

㉢ **우리나라 정부에 도입**: 우리나라는 1999년 4급 이상 공무원들의 성과평가제도로 도입하였으나, 많은 문제점으로 2004년에 폐지되었다.

(2) 과 정

① **목표의 설정 단계**: 구성원의 참여와 협의에 의해 목표가 설정되고 관리자와 부하 간 목표달성을 위한 협약(성과계약)을 맺는 단계이다. 성과계약서에는 달성해야 할 목표의 수준과 평가결과 이루어지는 사후조치가 기재된다.

② **목표의 실행 및 중간 평가와 환류 단계**: 참여를 통해 설정된 목표를 실현하는 단계이다. 이 과정에서는 중간목표에 비추어 중간결과를 평가하고 원래 합의된 목표에 환류하여 부적절한 목표를 폐기하거나 수정해 나간다.

③ **최종 평가와 환류 단계**: 부하의 목표달성도와 달성방법을 확인하고 이를 인사(성과급, 승진)나 예산(예산의 차등배분)에 반영하며, 이를 환류하여 장래의 목표관리를 개선해 나가는 단계이다.

### 2. 특징 및 장・단점

(1) 특 징

① **단기목표(objective) 중시**: 추상적・질적・가치적・장기적 목표가 아닌 계량화가 가능하고 측정이 용이한 구체적・양적・가시적・단기적 목표를 중시한다.

② **분권적 관리**: Y이론적 인간관에 입각하여 상하 간의 참여를 중시하는 분권적 관리이다.

③ **통합적 관리**: 조직원의 참여를 통해 개인의 목표가 조직의 목표에 반영된다는 점에서 개인의 목표와 조직의 목표의 통합을 추구하는 관리이다.

④ **성과(결과)지향적 관리**: 최종 성과(결과)의 평가와 이에 근거한 환류과정을 중시한다는 점에서 결과지향적 관리이다.

⑤ **상향식 관리(bottom-up 관리)**: 하급자의 참여를 통한 협력적 목표설정이 이루어진다는 점에서 상향적 관리이다.

⑥ **동태적 관리**: 지속적인 환류과정을 통해 조직의 약점을 신속히 발견하여 보완함으로써 목표와 업무수행 간의 갈등과 대립을 완화하는 동태적 관리이다.

**O·X 문제**

1. 목표관리(MBO)는 민주적・참여적 관리의 일종으로 결과지향적 관리 방식이다. ( )
2. 목표관리(MBO)의 기본적 구성요소는 목표설정, 참여, 환류이다. ( )
3. 목표관리(MBO)는 상급자와 하급자 간 상호협의를 통해 일정 기간 달성해야할 구체적인 업무목표를 설정한다. ( )
4. 목표관리제와 성과관리제 모두 성과지표별로 목표달성수준을 설정하고 사후의 목표달성도에 따라 보상과 재정지원의 차등을 약속하는 계약을 체결한다. ( )

O·X 정답 | 1. ○ 2. ○ 3. ○ 4. ○

(2) 장·단점

| 장 점 | 단 점 |
|---|---|
| • 조직활동을 목표지향적으로 변화시켜 조직의 효과성 제고<br>• 개인목표와 조직목표의 통합을 촉진해 목표달성에 유리한 조직으로 재구조화<br>• 참여적·민주적·인간적 조직 운영으로 구성원의 사기 증진<br>• 효과적인 의사전달체계의 확립으로 조직 상하 간 의사소통 촉진 및 갈등 해소<br>• 조직 활동의 전 과정에 상하 구성원의 참여로 다면평가의 기초 제공<br>• 목표와 평가 및 유인을 연계하여 조직원에게 직무몰입을 위한 강한 유인 제공<br>• 성과에 대한 평가와 평가결과의 환류를 통해 하위부서와 조직원 통제 용이<br>• 조직목표의 명확화와 업무평가의 객관적 기준 제시로 조직운영의 애매성을 제거하고 구성원의 책임한계 명확화 | • 단기적·미시적·계량적 목표를 추구하므로 조직 전체적 관점에서의 생산성 향상 곤란<br>• 단기적·양적 목표 중시로 목표전환(동조과잉)현상 초래<br>• 협의과정에서 갈등 및 세밀한 서류작업으로 시간·노력의 과다 소모<br>• 폐쇄체제적 성격으로 환경에의 대응력 저하와 시민의 의사반영 곤란<br>• 조직원들의 성과에 대한 지나친 몰입으로 쉬운 목표나 난이도 낮은 목표 채택 가능성<br>• 자율적 목표설정으로 평가 시 공정성 확보 곤란<br>• 계량적인 목표를 성과로 파악한다는 점에서 행정보다는 기업에 적용 용이<br>• 계량적 목표를 중시한다는 점에서 결과 중심 관리라기보다는 산출 중심 관리 |

(3) 정부조직 적용상 어려움

① 정부는 행정환경이 급변하기 때문에 목표가 빈번히 수정되므로 목표관리의 효용이 제약된다.

② 행정은 공적 산출단위가 없어 구체적·계량적 목표 설정이 어려워 성과평가의 기준 제시가 곤란하다.

③ 정부조직의 일반적 형태인 계층제는 참여지향적 목표관리를 적용하는 데 한계가 있다.

④ 시민의 의사 반영 통로가 없어 행정의 민주성과 봉사성을 제고하기 곤란하다.

## 3. 다양한 관리기법과 비교

(1) 전통적 관리와 목표관리의 비교

| 구 분 | 전통적 관리 | 목표관리 |
|---|---|---|
| 목표설정 | • 목표와 계획의 타인 설정<br>• 목표체계의 기계성<br>• 조직목표만 중시 | • 목표와 계획의 자기 설정<br>• 목표체계의 유기성<br>• 조직목표와 개인목표의 조화 |
| 관 리 | • X이론적 관리<br>• 지시, 명령, 통제 중심<br>• MBC(통제)·MBX(X이론)<br>• 업무의 분업화, 전문화, 공식화(규칙과 규정 중시) 촉진<br>• 고정적 관리체제 | • Y이론적 관리<br>• 참여, 자율통제, 공동통제 중심<br>• MBR(결과)·MBY(Y이론)<br>• 업무의 통합화(직무확대), 비공식화(규칙과 규정 최소화) 촉진<br>• 신축적 관리체제(환류 중시) |
| 구성원 | • 주로 작업계층 대상<br>• 동기부여·창의력·이니셔티브 여지 좁음.<br>• 직무에 대한 도전감·성취감·결과에 대한 책임감 낮음. | • 주로 관리직 대상<br>• 동기부여·창의력·이니셔티브 여지 넓음.<br>• 직무에 대한 도전감·성취감·결과에 대한 책임감 높음. |

**O·X 문제**

1. 목표관리(MBO)는 구성원 각자의 기여도를 측정·평가·환류하여 조직의 효율성을 증진할 수 있다고 본다. ( )

2. 목표관리제(MBO)는 역할모호성 및 역할갈등을 감소시키고 일과 사람의 조화수준을 높인다. ( )

3. 목표관리(MBO)는 중·장기목표를 단기목표보다 강조한다. ( )

4. 목표관리(MBO)는 개별 구성원의 직무 특수성을 반영하기 위하여 목표의 정성적, 주관적 성격이 강조된다. ( )

5. 목표관리(MBO)의 도입단계에서 많은 시간과 서류작업을 필요로 한다. ( )

6. 목표관리(MBO)제는 조직 내·외의 상황이 안정적이고 예측 가능한 조직에서 성공확률이 높다. ( )

7. 목표관리(MBO)는 목표의 상대적 가치평가와 목표달성도의 계량화가 곤란하여 주관적 평가의 위험이 있으므로 공공부문에 대한 적용이 어렵다. ( )

8. 목표관리(MBO)는 계급과 서열을 근거로 위계적으로 운영되는 조직 문화에서는 제도 도입의 효과가 크지 않다. ( )

O·X 정답 1. ○ 2. ○ 3. × 4. × 5. ○ 6. ○ 7. ○ 8. ○

PART·04

**O·X 문제**

1. 목표관리(MBO)는 외부 전문가의 충원을 통해서 전문성을 제고하고자 한다. ( )

(2) 목표관리(MBO)와 조직발전(OD)의 비교

| 구 분 | 차이점 | | 공통점 |
|---|---|---|---|
| | MBO | OD | |
| 목 적 | 단기목표 중시 | 장기적 효율성 제고 | • Y이론적 관리(개인목표와 조직목표의 조화, 인간적 발전 중시)<br>• 조직의 변화와 쇄신을 추구하는 동태적 전략<br>• 조직의 효과성 제고<br>• 평가와 환류 중시<br>• 팀워크 중시 |
| 의사전달 | 상향적 | 하향적 | |
| 추진자 | 계선 관리자(내부인사) | 행태 전문가(외부인사) | |
| 관리기법 | 일반관리기법 | 행태과학지식 | |
| 성 향 | 단순함(구체적인 생산성 제고). | 다각적임(조직의 효과성, 환경대응력 등). | |
| 변화지향 | 양적 극대화 | 질적(가치관, 문화) 변화 | |
| 계량화 | 중시 | 무관 | |
| 지 향 | 결과지향 | 과정지향 | |

## 03 총체적 품질관리(TQM : Total Quality Management)

### 1. 의 의

(1) 개념 및 개념적 요소

① 개념 : 서비스의 품질향상을 통해 고객의 요구에 부응하기 위해 조직원의 광범위한 참여를 통하여 절차나 과정뿐만 아니라 조직의 문화까지를 개선하고자 하는 관리기법 이상의 경영철학이다. TQM은 서비스의 품질향상을 강조한다는 점에서 품질경영제(품질행정제)로 불리기도 한다.

② 의 미

㉠ 총체적(Total) : 고객인 주민의 수요 파악에서부터 주민의 만족도를 확인하는 과정까지 행정의 모든 측면의 품질관리를 의미한다.

㉡ 품질(Quality) : 주민의 기대에 부응하는 데 그치지 않고 그 기대를 초과하는 수준의 품질개선을 의미한다.

㉢ 관리(Management) : 품질개선을 지속적으로 추진하여 조직역량을 유지하고 개선시키는 활동을 의미한다.

(2) 배 경

TQM은 원래 미국의 통계학자인 데밍(Deming)에 의해서 고안되었으나, 먼저 제2차 세계대전 직후 폐허가 된 일본에 받아들여져 전후 일본 기업들의 성공의 근간이 되었으며, 1970년대 후반부터는 경쟁력을 잃은 미국의 기업들로 역수출되어 경쟁력 향상에 많은 기여를 하였다.

O·X 정답 1. ×

(3) 과 정

① **고객 및 업무과정의 식별**: 구성원들은 자신이 하는 일과 업무의 양을 기술하고 고객이 누구이며, 고객을 위해 향상시켜야 할 업무과정이 무엇인지를 식별한다.

② **결함 및 그 원인의 확인**: 업무수행과정에서 결함·지연·재작업이 자주 발생하는 곳이 어디인지를 확인하고 그 원인을 규명한다.

③ **개선안의 마련 및 모의실험**: 업무과정을 개선하기 위한 대책을 마련하고 이를 시험적으로 시행해 본다.

④ **개선안의 채택과 실시**: 개선안의 시험적 실시가 성공적이면 이를 조직 전체에 도입한다.

⑤ **반복**: 위 개선작업 단계들을 결점이 없어질 때까지 지속적인 평가와 환류과정을 통해 개선해 나간다.

## 2. 특징 및 기법

(1) 특 징

① **TQM의 목표 – 고객만족**: TQM에서 품질은 고객에 의해 정의되며, 고객 감동을 창출할 수 있도록 재화와 용역의 생산과정을 개선하는 데 목적을 둔다.

② **TQM의 전략 – 사전적·예방적 통제**: TQM에서 품질 보증은 오류가 이미 발생한 뒤에 감시하고 점검하던 전통적 통제방법과는 달리 각각의 프로세스가 오류를 사전에 방지할 뿐만 아니라, 오류가 발견될 경우 바로 수정할 수 있도록 설계된다.

③ **TQM의 속도 – 지속적·장기적·점증적 개선**: TQM은 각각의 팀이 공급자로부터의 투입물에서 고객에 이르는 산출물까지 지속적·장기적·점진적으로 업무 과정의 성과를 개선하기 위해 노력한다. TQM은 지속성·점진성을 전제로 하고 있다는 점에서 급진적 혁신과정인 리엔지니어링(BPR)과 구별된다.

④ **TQM의 방식 – 과정과 절차의 표준화**: TQM은 서비스의 질 하락이 서비스의 지나친 변이성에 기인한다고 보고 서비스가 일관성이 없거나 바람직한 기준에서 벗어나지 못하도록 과정과 절차를 표준화하는 것을 강조한다.

⑤ **TQM의 대상 – 과정·절차·문화**: TQM은 조직의 과정과 절차뿐만 아니라 조직의 문화까지도 개혁하고자 하는 개혁전략으로 고객만족을 추구하기 위해 조직의 총체주의적 헌신을 강조한다.

⑥ **TQM의 활동 – 팀 활동**: TQM은 QC(Quality Circle), TQC(Total Quality Control), SMT(Self-Managed Team) 등 계층 수준과 기능단위 간 의사소통의 장벽을 없앤 팀 단위의 활동 및 팀워크를 강조한다. 그러나 관료제의 근본을 부정하거나 관료제와 TQM이 상충된다고 여기지는 않는다.

⑦ **TQM의 과정 – 고객과 구성원의 참여**: TQM은 고객의 참여뿐만 아니라 조직원의 참여를 강조하고 이들의 의사를 중시한다. 특히, TQM은 조직원들이 한편으로는 공급자로, 다른 한편으로는 고객(내부고객)으로 이중적 역할을 수행하는 것으로 본다.

PART · 04

**O·X 문제**

1. 총체적 품질관리는 고객에 대한 서비스 품질을 향상시키는 관리이다. ( )
2. TQM은 조직의 환경변화에 적절히 대응하기 위해 투입 및 과정보다 결과가 중시된다. ( )
3. TQM은 문제해결의 주된 방법을 집단적 노력에서 개인적 노력으로 옮아간다. ( )
4. 총체적 품질관리는 무결점을 향한 지속적 개선을 중시한다. ( )
5. TQM은 환경의 불확실성을 통제하기 위하여 단기적 전략과 교정적·사후적 통제에 치중한다. ( )
6. TQM은 서비스 제공 이후의 품질관리 체계를 강조한다. ( )

**심화학습**

TQM의 팀 활동

| | |
|---|---|
| 품질관리서클(QC) | 작업과정을 개선하기 위해 장기적으로 만나서 서로 관련된 유사한 작업을 수행하는 소규모집단 |
| 총괄적 품질관리(TQC) | 경영 전반에 걸쳐 조직 내의 모든 부서와 구성원이 품질 향상을 위해 자발적으로 노력하고 협조하도록 하는 관리운동 |
| 자율경영팀(SMT) | 품질혁신, 생산성 향상, 참여확대를 위한 현장 중심의 공식적·영구적 자율작업집단 |

O·X 정답 1. ○ 2. × 3. × 4. ○ 5. × 6. ×

(2) 기 법

TQM은 정형화된 틀이 없다는 점에서 프로세스 개선을 위한 다양한 혁신기법들과 결합되어 활용된다. 실제 행정 현실에서는 ISO 9000시리즈, 행정서비스헌장제 등과 융합되어 활용되고 있다. 또한 기업에서 활용되고 있는 품질경영 프로그램인 6시그마(6$\sigma$), 무결점운동 등도 TQM의 일종이다.

① **ISO 9000시리즈**: 국제표준화기구(ISO: International Standard Org.)에서 품질경영과 품질보증에 대한 국제규격을 매뉴얼화한 것이다. 특히, 정부부문에 도입된 ISO 9001은 설계·개발·생산·설치 및 애프터서비스에 대한 총괄적 개념을 규정하고 있다. TQM은 규격화된 객관적 기준과 정형화된 틀이 없기 때문에 ISO 9000시리즈와 결합하여 활용되는 것이 일반적이다.

② **6시그마($\sigma$) 운동**: 불량정도를 표시하는 척도인 6시그마 수준은 100만개 제품 중 3, 4개 이하의 불량품을 허용하는 수준(무결점 수준)을 의미한다. 6시그마($\sigma$) 운동은 고객만족이 곧 품질이라는 인식하에 철저한 통계와 데이터에 근거해 고객 불만 제로를 추구하는 통계적 품질관리전략의 일종이다.

③ **무결점운동(ZD)**: 불량률을 0으로 하기 위한 품질관리운동으로 단순한 품질관리를 넘어서서 구성원의 참여와 동기부여를 강조하는 관리기법이다.

## 3. 여타 조직혁신기법과 비교

(1) 전통적 관리와의 비교

| 구 분 | 전통적 관리 | 총체적 품질관리 |
|---|---|---|
| 고객욕구판단 | 전문가에 의한 판단(공급자 중시) | 고객에 의한 판단(수요자 중시) |
| 서비스 설계 | • 각 부서에 의한 재화와 서비스의 독단적·순차적 설계<br>• 기능중심조직 – 분업 강조 | • 재화나 서비스의 라이프 사이클에 의한 동시적 설계<br>• 절차(프로세스)중심조직 – 팀 활동 강조 |
| 자원통제 | 사전에 정해진 기준을 초과하지 않는 한 낭비 허용 | 무가치한 업무·과오·낭비 불허 |
| 품질관리 | • 문제점이 발생한 후 사후 통제<br>• 일회적 개선(단기 기획 중시) | • 문제점에 대한 예방적 통제<br>• 지속적 개선(장기 기획 중시) |
| 개선방안 | 관리자와 전문가에 의한 통제와 개선 | 관리자, 전문가, 직원, 고객 등의 팀워크에 의한 통제와 개선 |
| 의사결정 | 불확실한 가정과 직감에 근거 | 통계적 자료와 과학적 절차에 근거 |
| 조직구조 | 통제를 위한 수직적·집권적 구조 중시 | 서비스의 가치 극대화를 위한 수평적 구조 중시 |
| 성과책임 | 근로자 개인의 책임 | 팀의 책임 |
| 계약방식 | 가격에 기초한 단기 계약 | 품질의 지속적 향상에 기초한 장기 계약 |

심화학습

기타 품질관리기법

| | |
|---|---|
| 통계적 품질 관리 (SQC) | 품질향상을 위하여 통계적 표준을 설정하여 준수하도록 하고 이에 따른 데이터를 분석·평가하여 피드백하는 품질관리기법(6시그마 운동도 통계적 품질관리기법의 일종) |
| ISO 14000 | 지역사회의 환경보전을 위해 환경 친화적인 기업의 제품생산 및 업무수행 활동을 표준화한 ISO의 지침서 |
| ISO 26000 | 기업의 사회적 책임에 관한 ISO의 국제 지침서 |
| 범세계적 품질 관리 (GQM) | 세계화로 인한 초국가적 품질관리운동으로 범세계적인 네트워크 구축을 통해 다양한 각국 고객의 만족을 추구하는 품질관리기법 |

O·X 문제

1. 총체적 품질관리는 관리자와 전문가에 의해 고객의 수요가 규정된다. ( )
2. TQM은 불확실한 가정과 직감이 아닌 통계적 자료와 과학적 절차에 근거한다. ( )
3. TQM은 품질관리가 과정의 매 단계마다 이루어지고, 산출물의 일관성 유지를 위해 과정통제 계획과 같은 계량화된 통제수단을 활용한다. ( )
4. 전통적 관리체제는 기능을 중심으로 구조화되는 데 비해, TQM은 절차를 중심으로 조직이 구조화된다. ( )
5. 전통적 관리체제는 개인의 전문성을 장려하는 분업을 강조하는 데 비해 TQM은 주로 팀 안에서 업무를 수행할 것을 강조한다. ( )
6. 전통적 관리체제는 낮은 성과의 원인을 관리자의 책임으로 간주하는 데 비해 TQM은 낮은 성과를 근로자 개인의 책임으로 간주한다. ( )

O·X 정답 1. × 2. ○ 3. ○ 4. ○ 5. ○ 6. ×

(2) MBO(Management By Objectives)와 비교

| 차이점 | | | 공통점 |
|---|---|---|---|
| 구 분 | 목표관리 | 총체적 품질관리 | |
| 본 질 | 관리기법 또는 전략 | 관리기법 이상의 관리철학 | • Y이론적 관리<br>• 민주적 · 분권적 관리<br>• 구성원의 참여 중시<br>• 팀워크 강조 |
| 지향점 | 효과성(대내지향) | 고객 만족도(대외지향) | |
| 운 영 | 개개의 목표설정 및 측정 강조 | 팀 및 집단 단위활동 중시 | |
| 초 점 | 평가와 환류를 통한 사후적 관리에 초점 | 예방적 통제를 통한 사전적 관리에 초점 | |
| 안 목 | 단기적 · 미시적 시각 | 장기적 · 거시적 시각 | |
| 환 경 | 폐쇄체제적 관점 | 개방체제적 관점 | |
| 보 상 | 개인별 보상 중시 | 팀 보상(총체적 헌신) 중시 | |
| 초 점 | 결과지향 | 과정 · 절차 · 문화지향 | |
| 양과 질 | 양적 목표(정량적 목표) 중시, 계량화 중시 | 질적 목표(정성적 목표) 중시, 계량화 중시하지 않음. | |

## 4. 정부부문에의 도입현황 및 문제점

(1) 도입현황

① TQM은 원래 민간부문에서 개발된 것이지만 최근 선진국에서부터 공공부문에 도입이 되고 있다. 특히 미국의 경우 관리예산처(OMB)가 제정 · 운영 중인 '국가품질상(National Quality Award) 제도'는 TQM이 응용된 제도이다.

② 우리나라 역시 TQM은 ISO 9001로 지방정부에 경쟁적으로 채택되었을 뿐만 아니라, 최근에는 불량정책의 사전 제거를 위한 '정책품질관리제도'가 국가적 차원에서 시행되고 있다.

(2) 공공부문에서의 TQM 적용상의 문제점

① **공공재와 사적재의 차이**: 사적재 생산에 적용된 TQM을 공공생산물에 적용할 경우, 공공생산물의 무형성 · 노동집약성 · 비축적성으로 인해 서비스 평가에 한계가 있다.

② **정부의 고객개념 모호성**: TQM은 직접적 이해집단(고객)의 특정 요구를 중시하므로 조직화되지 않은 일반시민의 요구를 중시하는 공공부문에 적용할 경우 고객범위의 설정이 곤란하다.

③ **투입과 절차 중심개혁**: TQM은 프로세스 개선에 초점을 두고 있어 목표와 수단(과정과 절차)의 동조과잉현상이 야기될 우려가 있다. 뿐만 아니라 과정과 절차를 중시함으로써 결과 중심의 신공공관리론과 충돌할 위험성이 있다.

④ **취약한 조직문화**: TQM은 팀 활동을 강조하며 극도로 강인한 조직문화를 중시한다. 그러나 공공기관은 순환보직으로 인해 기업문화보다 약한 조직문화를 지니므로 TQM의 성공적 운영에 한계가 있다.

**O·X 문제**

1. 총체적 품질관리는 고객의 필요에 따라 목표를 설정한다는 면에서 목표관리와 유사하다. ( )

2. 총체적 품질관리(TQM)는 구성원의 참여를 인정한다는 점에서 목표관리(MBO)와 일치한다. ( )

3. MBO와 달리 TQM의 관심은 외향적이어서 고객의 필요에 따라 목표를 설정하는 것을 강조한다. ( )

4. TQM이 팀 단위의 활동을 바탕으로 한다면, MBO는 개별 구성원의 활동을 바탕으로 한다. ( )

5. TQM이 X이론적 인간관에 기반하고 있다면, MBO는 Y이론적 인간관에 기반하고 있다. ( )

**심화학습**

정책품질관리제도

| | |
|---|---|
| 의의 | 정책실패를 사전에 방지하고 바람직한 정책성과를 거두기 위하여 정책입안 · 결정 · 집행 · 평가 · 환류 등 각 단계별로 반드시 고려해야 할 사항이나 거쳐야 할 절차를 매뉴얼화하고, 정책 성공 및 실패 사례에 대한 학습을 강화하여 정책의 품질을 제고하고자 하는 제도 |
| 목적 | ① 정책추진과정에서 불량정책의 사전예방<br>② 정책품질관리규정과 매뉴얼을 제정함으로써 정책 프로세스별 기준 및 점검 사항 제공<br>③ 정책의 평가결과를 개인의 성과관리에 적극 반영 |

**O·X 문제**

6. 공공부문의 비시장성과 비경쟁성은 TQM의 필요성 인식을 약화시킨다. ( )

7. 총체적 품질관리는 기능적 조직에 적합하며 개인의 성과평가를 위한 도구로 도입되었다. ( )

O·X 정답 1. × 2. ○ 3. ○ 4. ○ 5. × 6. ○ 7. ×

PART · 04

## 04 BPR(Business Process Reengineering)과 IT 기술

### 1. BPR의 의의

(1) 개념 및 개념적 요소

① 개 념

㉠ 비용·품질·서비스·속도 등과 같은 동태적이고 핵심적 성과에서 극적인 향상을 이루기 위해 업무 프로세스를 기본적으로 다시 생각하고 근본적으로 재설계하는 것을 의미한다.

㉡ BPR은 업무과정재설계, 리엔지니어링, 일하는 방식의 개선 등으로 표현된다. 또한 행정에서의 BPR을 GPR 또는 PAPR이라고 부르기도 한다.

② 개념적 요소

㉠ '기본적'으로 다시 생각(fundamental rethinking): 지금 있는 것을 무시하고 반드시 있어야 할 것에 집중한다는 의미이다.

㉡ '근본적'인 재설계(radical redesign): 현존하는 모든 구조와 절차를 버리고 완전히 새로운 업무처리 방법을 만들어 내는 것을 의미한다.

㉢ '극적'인 혁신: 낡은 것을 버리고 새로운 어떤 것으로 대체한다는 것을 의미한다.

㉣ 정보통신기술에 기반: 정보통신기술을 활용한 새로운 업무방식을 지향한다.

(2) 목적 및 업무에의 영향

① 목적: 조직의 핵심업무 과정을 재설계하여 행정의 효율성을 향상하고 고객만족을 추구하는 데 목적이 있다.

② BPR과 업무에의 영향

| 재설계 | 업무에의 영향 | 인간자원에의 영향 |
|---|---|---|
| 중복업무의 제거 | 능률성 제고와 서비스 개선 | 노동비용 절감 |
| 업무흐름의 재구조화 | 조정과 통합 향상 | 직무순환 기회 증가 |
| 루틴업무의 자동화 | 비용절감과 정확성 확보 | 직무불만족 감소 |

### 2. 특징 및 한계

(1) 특 징

① 이음매 없는 조직 형성을 위한 기반

㉠ 프로세스 중심 조직: 업무절차의 최소화, 통제와 확인의 최소화, 분업의 최소화, 서류전달점의 축소 등을 통해 프로세스 중심의 조직을 구현한다.

㉡ 절차 및 고객 중심 조직: 기능 중심 조직의 한계를 극복하고, one-stop 서비스의 실현을 통해 고객만족을 추구할 수 있도록 절차 중심의 조직을 형성한다.

㉢ 핵심절차의 지속적 흐름(절차의 병렬화): 연속적인 업무(절차)들을 병렬로 진행시켜 고객에게 서비스를 제공하는 주된 절차가 지속적으로 흐르도록 한다.

㉣ 정보수집창구의 단일화: 정보를 한곳에서, 한 번에 수집하여 공동으로 활용하도록 한다.

㉤ 고객과 조직의 만남: 고객과 조직이 한곳에서 만날 수 있는 공간을 마련한다.

**O·X 문제**

1. 리엔지니어링은 고객만족 가치를 창출하는 프로세스 개선에 초점을 둔다. ( )
2. PAPR은 새로운 방식으로 업무를 수행케 한다. ( )
3. 리엔지니어링을 통한 조직의 개선은 특정 기능보다는 기능 내에 존재하는 업무과정에 초점을 둔다. ( )
4. PAPR은 정보기술의 바탕 위에서 이루어진다. ( )

O·X 정답 1. ○ 2. ○ 3. ○ 4. ○

② BPR의 수단으로서 IT 기술

㉠ BPR과 IT 기술: BPR은 최종 단계에서 필수적으로 자동화를 수반하며, IT 기술과 BPR이 지향하는 프로세스 중심 조직 간의 관계는 상호 호혜적이기 때문에 BPR은 거의 대부분 IT 기술의 활용으로 이루어진다.

㉡ 전자정부 구축의 핵심적 요소: IT 기술의 활용을 통한 BPR은 '이음매 없는 정부'를 지향하는 전자정부의 핵심적인 개혁전략이다.

(2) 한계 – 급진적 · 총체적 개혁으로 문화와 환경에 대한 고려 미흡

BPR은 급진적으로 핵심적인 업무과정의 재설계와 간결화에만 지나치게 초점을 두고 있기 때문에 조직문화와 환경적 요인들에 대한 고려가 부족하다.

### 3. BPR과 TQM의 비교

| 차이점 | | 공통점 |
|---|---|---|
| BPR | TQM | |
| 단기간의 급진적 변화<br>(총체주의 · 합리주의적 개혁) | 지속적이고 부분적인 개선<br>(점증주의적 개혁) | 프로세스(절차와 과정) 중심의 개선을 추구하는 관리기법 |
| 절차와 과정 개선 | 절차 · 과정 및 문화 개선 | |
| 조직 내부지향에서 조직 외부(고객) 지향으로 발전 | 조직 내 · 외부를 모두 중시하지만 궁극적 목적은 외부지향 | |

## 05 전략적 관리(Strategic Management)

### 1. 의 의

(1) 개념과 목적

① 개념: 급변하는 환경변화를 체계적으로 분석(기회와 위협)하고 조직 내부의 역량을 종합적으로 진단(장점과 단점)하여 조직의 비전과 미션을 구체화한 전략목표를 설정하고 이를 실천하기 위한 방법을 마련해 나가는 전략적 기획에 의한 관리를 말한다.

② 목적: 전략적 관리는 급변하는 환경변화에 대응하기 위한 변혁적 · 탈관료적 관리전략으로 조직과 그 조직이 처한 환경 사이에 가장 적합한 상태를 형성하는 데 목적을 둔다.

(2) 구별개념

① 미션: 조직의 존재이유로 무엇을 하는 조직인지, 우리 조직이 왜 존재하는지, 우리 조직이 없으면 무엇이 문제인지에 대한 답을 말한다.

② 비전: 미래에 우리 조직의 모습이 어떠할지에 대한 답을 말한다. 즉, 장기적인 조직의 목표 및 청사진 또는 조직의 미래에 대한 '머릿속의 그림'이라 할 수 있다. 비전설정은 전 구성원이 함께 참여하여 만든 공유의 비전이 중요하다.

③ 핵심가치: 미션과 비전을 실현하기 위하여 조직원이 어떻게 행동해야 할지에 대한 답을 말한다. 즉, 조직구성원들의 행동문화라 할 수 있다.

④ 전략: 조직의 미션과 비전하에 환경의 변화와 조직의 역량을 분석하여 세워진 장기적 계획을 말한다.

**O·X 문제**

1. 리엔지니어링은 조직 내 부서별 고도 분업화에 따른 폐단을 극복하기 위한 방안으로 등장하였다. ( )

2. 리엔지니어링(BPR)의 조직 개선을 위한 논의는 구조, 기술, 형태 등과 같은 변수를 중심으로 이루어진다. ( )

3. 리엔지니어링(BPR)은 조직의 점진적 변화가 필요할 때 사용되며, 조직문화는 개혁의 대상이 아니다. ( )

**심화학습**

**미션의 기능**

① 조직의 존립이나 활동에 대한 정당성의 근거
② 결정과 행동의 방향 제시
③ 불확실성 감소와 동기부여

O·X 정답 1. ○ 2. × 3. ×

(3) 과 정

① **전략적 기획에 대한 합의**: 전략적 기획의 목적, 참여자, 과정 및 절차 등을 검토하고 결정하는 단계이다.

② **미션과 비전의 확인**: 조직의 이해관계자 및 고객을 확인하고 이들의 니즈를 분석하여 조직의 미션과 비전을 재정의하는 단계이다.

③ **환경 분석(SWOT)**: 조직 외부의 환경과 조직 내부의 여건을 종합적으로 분석하는 단계이다. 환경 분석을 효율적으로 수행하기 위해 SWOT분석이 활용된다.

④ **주요 전략적 이슈 분석**: 환경 분석을 통해 조직이 직면하고 있는 전략적 이슈들을 확정하는 단계이다.

⑤ **전략적 기획의 평가**: 전략 기획의 일련의 과정을 정리한 보고서를 작성하고 기획과정을 평가해 다음의 기획과정에 환류하는 단계이다.

(4) SWOT분석

① **의의**: 조직 외부의 환경(조직 외부 환경 분석: 기회와 위협)과 조직 내부의 여건(조직 내부 환경 분석: 강점과 약점)을 종합적으로 분석하여 4가지 상황을 도출하고 각각의 상황에 맞는 대응전략을 분석해 내는 기법이다.

② **구체적 전략**

| 구 분 | | 내부 환경(역량) | |
|---|---|---|---|
| | | 강점(Strength) | 약점(Weakness) |
| 외부 환경 | 기회 (Opportunity) | SO전략(공격적 전략)<br>조직의 강점을 기반으로 기회를 활용하는 전략 | WO전략(방향전환 전략)<br>조직의 약점을 보완해 기회를 활용하는 전략 |
| | 위협 (Threats) | ST전략(다양화 전략)<br>조직의 강점을 기반으로 위협을 극복하는 전략 | WT전략(방어형 전략)<br>조직의 약점을 보완하면서 위협을 극복하는 전략 |

## 2. 특 징

(1) 일반적 특징

① **목표지향성**: 현재보다 나은 상태로 개선해 가기 위한 목표지향성 · 개혁지향성을 지닌 관리체제이다.

② **장기적 시간관**: 조직의 변화에는 장기간이 소요된다는 점에서 장기적 계획수립을 강조한다.

③ **환경 분석 중시**: 조직의 외부 환경 분석과 이를 통한 환경의 이해를 강조한다. 환경요소의 기회와 위협에 대한 분석은 조직의 생존에 초점이 있다.

④ **조직의 역량 강조**: 조직의 내부 환경 분석(역량 분석)을 중시한다. 조직 역량의 강점과 약점에 대한 분석은 조직능력을 향상시키는 데 초점이 있다.

⑤ **조직 활동의 통합 강조**: 전략적 관리는 조직의 구조 · 관행 · 절차 등 모든 요소가 조직목표달성에 기여할 수 있도록 조직 활동의 통합을 중시한다.

심화학습

**환경분석기법**

| | |
|---|---|
| 페스트(PEST) 분석 | 정치적(Political) 환경, 경제적(Economic) 환경, 사회적(Social) 환경, 기술적(Techincal) 환경을 분석하는 기법 |
| 스테퍼(STEPPER) 분석 | 사회(Social), 기술(Technology), 환경(Environment), 인구(Population), 정치(Politics), 경제(Economics), 자원(Resource)을 분석하는 기법 |

O·X 문제

1. SWOT분석은 조직 내적 특성과 외부 환경의 조합에 따른 맞춤형 대응전략 수립에 도움이 된다. ( )

2. 다양화 전략은 조직의 강점을 활용하여 위협을 회피하거나 최소화하는 전략이라고 볼 수 있다. ( )

3. 기존 프로그램의 축소 또는 폐지는 약점－기회를 고려한 방어적 전략이라고 볼 수 있다. ( )

O·X 문제

4. 전략적 관리는 환경의 변화가 급격히 이루어지기 때문에 단기적인 관점에서 계획기간을 설정한다. ( )

5. 전략적 관리는 조직의 환경 분석뿐만이 아니라 조직역량 분석 역시 필수적이다. ( )

6. 전략적 관리는 미래의 목표성취를 위한 전략을 개발 · 선택하고, 이를 위한 주요 조직활동의 분리를 중시한다. ( )

O·X 정답 1. ○ 2. ○ 3. × 4. × 5. ○ 6. ×

(2) 일상적 관리와 비교

| 구 분 | 일상적 관리 | 전략적 관리 |
|---|---|---|
| 목표에 대한 시각 | 주어진 목표 | 새로운 목표 |
| 과거에 대한 시각 | 과거의 경험 | 경험의 최소화 |
| 관심 대상 | 기능에 관심 | 환경에 관심 |
| 관심 문제 | 구체적 문제 | 추상적 문제 |
| 중시되는 성과 | 단기목표 및 단기성과 | 장기목표 및 장기성과 |
| 중시되는 리더십 | 거래적 리더십 | 변혁적 리더십 |
| 지향점 | 안정 | 변화 |
| 관 리 | MBO에 입각한 단기적·폐쇄적 관리 | BSC에 입각한 장기적·개방적 관리 |

## 06 균형성과표(BSC : Balanced Score Card)

### 1. 의 의

(1) 개념 및 개념도

① 개념 : 칼프란(Kaplan)과 노튼(Norton)에 의해 제시된 BSC는 조직의 비전 및 전략에 근거하여 도출되는 재무, 고객, 내부 프로세스, 성장과 학습 관점의 핵심성공요소를 측정 가능한 핵심지표(KPI)로 구체화하여 평가하는 전략적 성과평가 시스템이다.

② 개념도

<table>
<tr><td colspan="4">비 전</td><td>조직은 무엇을 지향해야 하는가?</td></tr>
<tr><td colspan="4">전 략</td><td>어떻게 목표에 도달할 것인가?</td></tr>
<tr><td colspan="4">전략목표(SO)</td><td>사업의 전략적 목표는 무엇인가?</td></tr>
<tr><td colspan="4">주요 성공요소(CSF)</td><td rowspan="2">전략적 목표를 달성하기 위해 무엇을 잘 해야 하는가?</td></tr>
<tr><td>재무 관점</td><td>고객 관점</td><td>프로세스 관점</td><td>성장과 학습 관점</td></tr>
<tr><td colspan="4">핵심성과지표(KPI)</td><td rowspan="2">경영 성과를 어떻게 측정해야 할 것인가?</td></tr>
<tr><td>매출, 자본수익율</td><td>고객만족도, 정책순응도</td><td>적법절차, 공개</td><td>내부 제안건수, 학습 동아리 수</td></tr>
</table>

(2) 구성요소 – 4가지 관점과 측정지표

① 재무 관점(상부구조 – 가치지향적 관점, 과거 시각) : 전통적인 후행지표로 재정운영의 효율성 제고를 목적으로 하며, 매출, 자본수익률, 예산 대비 차이 등으로 측정된다.

② 고객 관점(상부구조 – 가치지향적 관점, 외부 시각) : 외부지표로 서비스의 만족도 증진을 목적으로 하며, 고객만족도, 정책순응도, 민원인의 불만율, 신규 고객 증감 등으로 측정된다.

③ 내부 프로세스 관점(하부구조 – 행동지향적 관점, 내부 시각) : 내부지표로 고객이 원하는 가치를 구현하기 위한 조직의 내부 프로세스 개선을 목적으로 하며, 의사결정과정에 시민참여, 적법절차, 조직 내 커뮤니케이션 구조, 공개 등으로 측정된다.

**O·X 문제**

1. BSC는 조직의 비전과 목표, 전략으로부터 도출된 성과지표의 집합체이다. ( )
2. BSC는 재무적 정보 외에 고객, 내부 절차, 학습과 성장 등 조직 운영에 필요한 관점을 추가한 것이다. ( )
3. BSC에서 재무적 관점의 성과지표는 전통적인 선행지표로서 매출, 자본 수익률, 예산 대비 차이 등이 있다. ( )
4. BSC에서 고객 관점에서의 성과지표는 시민참여, 적법절차, 내부 직원의 만족도, 정책 순응도, 공개 등이 있다. ( )
5. 고객 관점은 BSC의 4가지 관점 중에서 행동지향적 관점에 해당한다. ( )
6. BSC의 업무처리 관점은 정부부문에서 정책결정과정, 정책집행과정, 재화와 서비스의 전달과정 등을 포괄하는 넓은 의미를 가진다. ( )
7. BSC는 거시적·장기적 측면의 계획 및 전략보다는 미시적·단기적 계획 및 전략의 이행 성과를 관리하는 데 초점을 맞춘다. ( )

O·X 정답 1. ○ 2. ○ 3. × 4. × 5. × 6. ○ 7. ×

④ **학습과 성장 관점(하부구조 – 행동지향적 관점, 미래 시각)**: 장기적 관점의 선행지표로 구성원의 능력개발을 목적으로 하며, 학습 동아리 수, 내부 제안 건수, 직무 만족도 등으로 측정된다. 학습과 성장 관점은 조직이 보유한 인적자원의 역량, 지식의 축적, 정보시스템 구축 등과 관련된다.

## 2. 기능과 특징

### (1) 기 능

① **성과측정시스템으로서 BSC**: BSC는 조직의 전략을 구현하기 위해 개발된 4가지 관점의 핵심 성과지표 간 연계 체계로 조직원들의 성과를 평가하는 장치로 기능한다.

② **하향적 전략관리시스템으로서 BSC**: BSC는 조직의 목표달성을 위한 전략을 4가지 관점별로 전략목표, 성과지표, 목표값과 실행계획으로 케스케이딩(cascading)하여 완성되는 하향적 전략관리시스템이다.

③ **의사소통도구로서 BSC**: 잘 개발된 BSC는 조직원들에게 조직의 전략목표를 달성하기 위해 필요한 성과가 무엇인지 알려준다는 점에서 조직이 조직원에게 전하고 싶은 메시지를 성과지표의 형태로 전달하는 의사소통도구이다.

### (2) 특 징

① **전략적 관점 – 전략목표와 실천적 행동지표 간 인과관계**: BSC는 비전 · 전략목표 · 성과지표로, 하향적으로 이어지는 목표 - 수단의 논리구조를 지니기 때문에 비전과 전략목표가 모든 성과평가의 지침이 된다.

② **계층적 · 체제적 관점 – 조직목표와 행동지표 간 인과관계**: BSC는 조직의 비전을 하위체제인 전략목표로, 전략목표를 하하위체제인 성과지표로 연계하기 때문에 조직의 비전 및 전략목표와 실천적 행동지표 간에 인과관계를 지니는 위계적(계층적) 체제이다.

③ **상호균형**: BSC는 재무 지표와 비재무 지표 간 균형, 조직의 내부 요소와 외부 요소 간 균형, 선행지표와 후행지표 간 균형, 단기적 관점과 장기적 관점의 균형, 행동지향적 관점과 가치지향적 관점의 균형을 지향한다.

④ **성과지표 간 인과관계**: BSC의 성과지표들은 학습과 성장 관점(하부구조)의 성과동인으로부터 재무 관점(상부구조)의 향상된 재무성과에 이르기까지 인과관계로 연계된다(학습 및 성장 관점 ⇨ 내부 프로세스 관점 ⇨ 고객 관점 ⇨ 재무 관점 순으로 연계된 인과관계).

### (3) 공공부문에 적용

BSC의 원형은 재무 관점을 인과적 배열의 최상위에 둔다. 그러나 공공영역에서는 기관외적인 메커니즘에 의해 예산이 할당되기 때문에 재무적 가치가 궁극적 목적이 될 수 없다. 따라서, 공공영역에서는 재무 관점을 하나의 제약조건으로 인식하고 사명달성의 성과 또는 납세자 관점이나 고객 관점을 인과적 배열의 최상위에 두는 것이 바람직하다(학습 및 성장 관점 ⇨ 내부 프로세스 관점 ⇨ 사명달성의 성과/납세자 관점/고객 관점 순으로 연계된 인과관계).

**O·X 문제**

1. BSC에서 학습 · 성장 관점은 구성원의 능력개발이나 직무만족과 같이 주로 인적자원에 대한 성과를 포함한다. ( )

**O·X 문제**

2. BSC는 추상성이 높은 비전에서부터 구체적인 성과지표로 이어지는 위계적인 체제를 가진다. ( )
3. BSC는 부서별 목표(하위계층 성과표)를 먼저 설정하고 그것을 토대로 조직전체의 목표를 설정하는 상향식 접근방법을 취한다. ( )
4. BSC는 의사소통의 도구로 조직구성원들에게 조직의 전략 목표를 달성하기 위해 필요한 성과가 무엇인지 알려준다. ( )
5. BSC는 정부실패와 시장실패 등의 위기를 극복하기 위하여 비재무적 지표보다는 재무적 지표관리의 중요성을 강조한다. ( )
6. BSC는 시간적인 측면에서 과거의 실적과 미래의 성장잠재력을 중시하여 단기와 장기를 모두 고려한다. ( )
7. BSC의 장점은 거시적이고 추상적인 조직목표와 실천적 행동지표 간 인과관계를 확보함으로써 조직의 전략과 기획을 실행에 옮길 수 있게 한다는 것이다. ( )
8. BSC는 조직목표와 이를 달성하는 데 필요한 주요 변수들의 인과관계를 전략지도로 구성한다. ( )
9. BSC는 공공부문의 경우 재무적 관점은 목표가 아니라 제약조건으로 작용된다. ( )
10. BSC를 정부부문에 적용시키는 경우 가장 중요한 변화는 재무적 관점보다 학습과 성장의 관점이 강조되어야 한다는 점이다. ( )
11. BSC와 관련하여 공공조직은 무형자산(학습과 성장)으로부터 지원받는 내부 프로세스 성과를 통해 성과를 창출할 가능성이 크다. ( )
12. BSC의 학습과 성장의 관점은 민간부문과 정부부문이 큰 차이를 둘 필요가 없는 부분이다. ( )

O·X 정답 1. ○ 2. ○ 3. × 4. ○ 5. × 6. ○ 7. ○ 8. ○ 9. ○ 10. × 11. ○ 12. ○

## 3. 기존 평가체제 및 MBO와 비교

### (1) 기존 평가체제와 비교

| 기존 평가체제 | BSC |
|---|---|
| • 유형적인 재무적 관점만을 중시하여 측정지표의 불균형 초래<br>• 결과에만 초점을 두어 미래의 조직상황 예측 곤란<br>• 전략과의 연계성 부족으로 장기적 관점의 조직가치 창출 불고려<br>• 각 부서 간 통합성을 저해하고 기능 중심의 단절된 체계 유도 | • 유형적 · 무형적 성과를 균형성 있게 지표화<br>• 결과뿐만 아니라 미래의 조직상황까지 고려<br>• 조직의 비전과 전략에 유기적으로 연계된 성과평가체계<br>• 소통성 중심의 성과평가체제로 조직의 통합성 제고 |

### (2) 목표에 의한 관리(MBO)와 비교

| 차이점 | | 공통점 |
|---|---|---|
| MBO | BSC | |
| 개인별, 팀별 구체적 · 단기적 목표 추구 | 거시적이고 장기적인 비전과 전략 중시 | • 평가 및 환류 중시<br>• 구성원의 참여 중시<br>• 우리나라에 성과평가제도로 도입된 적 있음. |
| 조직의 전략과 괴리된 성과 | 조직의 전략과 연계된 성과 | |
| 내부시각 | 내부시각과 외부시각의 균형 | |
| 환경(고객)에 대한 불고려 | 환경(고객)에 대한 고려 | |
| 양적 지표 중시 | 양적 · 질적 지표 동시 고려 | |
| 미래시각 불고려 | 미래시각 고려 | |
| 상향식 방식(bottom-up) | 하향식 방식(top-down) | |

BSC의 기본틀은 성과관리체제로 이전의 관리방식인 TQM이나 MBO와 크게 다르지 않고, 다만 거기에서 진화된 종합모형이라는 평가도 있다.

O·X 문제

1. BSC는 재무지표 중심의 기존 성과관리의 한계를 극복하기 위한 것이다. ( )

O·X 문제

2. BSC가 MBO보다 거시적이고 포괄적이다. ( )

3. BSC는 목표설정 시 하급자의 참여와 의사전달을 강조하기 때문에 상향식 성과관리 제도로 볼 수 있다. ( )

PART · 04

O·X 정답 1. ○ 2. ○ 3. ×

## 07 기타 주요 관리기법

### 1. 벤치마킹(Benchmarking)

기업들이 특정 분야에서 뛰어난 업체의 상품·기술·경영 방식 등을 배워 자사의 경영과 생산에 합법적으로 응용하는 것을 말한다. 벤치마킹은 단순한 모방과는 달리 우수한 기업이나 성공한 상품·기술·경영 방식 등의 장점을 충분히 배우고 익힌 후 자사의 환경에 맞추어 재창조하는 것으로 지속적인 모방을 통하여 자기혁신을 해 나가는 것이다.

### 2. 다운사이징(감량경영기법 : Downsizing)

조직의 능률성을 증진하기 위해 조직의 슬림화를 추구하는 것을 말한다. 정부영역에서 다운사이징은 정부의 비대화에 따른 비효율성을 극복하기 위해 정부의 인력과 기구 및 기능을 감축하는 것을 의미하며, 이를 위해 일선으로의 권한의 위임 및 분산처리를 강조한다.

### 3. 아웃소싱(Outsourcing)

해당 기업이 가장 유력한 분야나 핵심역량에 자원을 집중시키고, 나머지 활동은 외부의 전문기업에 위탁 처리함으로써 경제효과를 극대화하는 전략을 말한다. 이는 기술 진보가 가속화되고 경쟁이 심화되면서 기업의 내부조직을 통한 경제활동비용보다 아웃소싱을 통한 거래비용이 훨씬 적게 든다는 점에 기인한 전략이다.

### 4. 3R

(1) 리오리엔테이션(Re-orientation)

조직의 관리목표(방향)를 재설정하는 것을 말한다. 정부영역에서 리오리엔테이션은 자유경제의 시장원리와 성과지향적 경제원칙을 수용하여 보호보다는 경쟁, 규제보다는 자유를 지향하는 새로운 관리목표(방향)의 설정을 의미한다.

(2) 리스트럭처링(Re-structuring)

부실기업이나 비능률적인 조직을 미래지향적인 사업구조로 개편하는 구조조정을 의미한다. 리스트럭처링은 성장성이 희박한 사업 분야의 축소 내지 폐쇄, 중복성을 띤 사업의 통폐합, 기구·인원의 감축, 부동산 등 소유자산의 매각처분 등과 같은 수동적 기법과 국내외의 유망기업과 제휴하여 새로운 기술을 개발하거나 전략적으로 다른 사업 분야와 공동사업을 추진하는 능동적 기법으로 구분된다.

(3) 리엔지니어링(Re-engineering, 업무과정의 재설계, BPR, PAPR, GPR)

CHAPTER 04

# 조직의 행태

## 제 1 절 조직과 개인

### 01 조직과 개인과의 관계

**1. 조직과 개인의 상호작용 – 조직의 합리화와 개인의 만족화**

조직은 구성원의 협동행위를 통해 조직목표를 달성하려 하며, 구성원은 조직의 기여를 통해 개인목표를 달성하고자 한다. 즉, 조직은 개인이 조직목표에 기여하는 사회화 과정을 통해 합리화를 추구하며, 개인은 조직이 개인의 자아실현에 기여하는 인간화 과정을 통해 만족화를 추구하는데 이를 융합화 과정이라 한다.

**2. 융합화의 어려움 – 조직과 개인의 갈등과 대립**

조직과 개인의 융합화 과정은 충돌과 갈등을 유발하기 쉽다. 융합화 과정에서 충돌과 갈등이 발생하는 가장 중요한 원인은 개인욕구의 다양성과 변이성에 있다.

### 02 개인차

**1. 성 격**

(1) 의 의

비교적 일관되게 나타나는 개인 특유의 행동 및 사고양식을 말한다. 인간은 성격에 따라 자신의 근무환경을 다르게 지각하며, 조직환경에 반응하는 방식도 다르게 나타난다.

(2) 다운스(Downs)의 성격유형론

다운스는 정부조직의 활동은 그 구성원의 성격과 동기의 다양성에 의해 결정된다고 보고 구성원을 성격과 동기에 따라 다음과 같이 구분하였다.

| 유 형 | | 관심사 | 특 징 |
|---|---|---|---|
| 자기이익추구적 인간 | 출세형(등반형, 상승형) | 승진, 권력, 수입, 명예 등 | 단기적 결과를 중시하며 안정보다는 변화를 추구하는 유형(중간관리층) |
| | 현상옹호형(보전형) | 안전, 편의, 신분유지 등 | 변화보다는 안정을 추구하는 보수형(상층부 또는 중간관리층) |
| 혼합동기적 인간 | 열성형 | 한정된 정책에 충성 | 특정 정책에 대해 혁신과 변화를 추구하지만, 다른 정책에는 무관심한 유형(편협한 시각, 낙천적·정력적·공격적·내향적 성격) |
| | 창도형 | 조직의 이익에 충성 | 조직에 대한 애착이 강하며, 공격적인 성향을 지니는 유형(조직팽창 성향, 낙천적·적극적·외향적 성격) |
| | 경세가형 | 사회 전체 또는 국민에 충성 | 전체 국민에 대한 충성과 봉사를 추구하는 유형(강한 실천력, 이타적 성격) |

✎ 자기이익추구적 인간(이기적 동기 추구), 혼합동기적 인간(이기적 동기와 이타적 동기의 결합)

**심화학습**

**아지리스(Argyris)의 악순환모형**

| 구분 | 내용 |
|---|---|
| 의의 | 조직과 개인의 상호작용을 상호 대립의 악순환과정으로 인식한 모형 |
| 논의의 전제 | • 조직은 기계적·생리적·심리적 에너지가 필요하며, 이 중 심리적 에너지가 가장 중요하다.<br>• 심리적 에너지는 심리적 성공 경험이 많을수록 증가하고, 실패의 경험이 많을수록 감소한다. |
| 악순환 과정 | • 조직은 지시·처벌 등 개인의 심리적 성공에 역행하는 근무환경을 조성하며, 인간은 이에 대응하여 결근·이직 등 일탈적 행동을 보인다.<br>• 이에 조직은 더 강한 통제를 하고, 인간은 더 많은 일탈행위를 하는 조직과 개인의 상호작용의 반복으로 양자의 관계는 악순환의 과정을 되풀이한다. |

**심화학습**

**기타 개인의 성격유형**

| 구분 | 유형 | 내용 |
|---|---|---|
| 프레스터스(Presthus) | 상승형 | 조직의 자극에 순응하는 유형(개인의 영달 중시) |
| | 무관심형 | 조직의 자극에 냉담한 유형(무사안일) |
| | 모호형 | 조직의 자극에 순응도 거부도 하지 않은 유형(독립적인 전문가) |
| 코튼(Cotton) | 독립인형 | 조직에 대한 자기의존을 최소화하는 유형 |
| | 외부흥미형 | 자신의 만족을 조직 밖에서 찾는 유형 |
| | 조직인형 | 조직에 충성하며 상위권력자에게 아첨하는 유형 |
| | 동료형 | 연합세력을 형성하여 상위자의 권력행사에 대항하는 유형(노조원) |

심화학습

**빅파이브 성격모델**

| | |
|---|---|
| 개방성 | 능동적으로 새로운 경험을 추구하고 즐기는 성향 |
| 성실성 | 목표를 성취하기 위해 노력하는 성향 |
| 외향성 | 다른 사람과의 사교, 인간관계를 중시하는 성향 |
| 친화성 | 타인에게 협조적인 태도를 보이는 성향 |
| 신경성 | 분노, 우울감 등 불쾌한 정서를 쉽게 느끼는 성향 |

심화학습

**직무소진**

| | |
|---|---|
| 의의 | 조직원들에게 장기적으로 발생하는 정서적·정신적·신체적 탈진 및 고갈 현상 |
| 원인 | • 역할과부하: 과도한 업무량<br>• 역할갈등: 상사의 기대와 동료들의 기대 상충<br>• 인간관계, 불투명한 미래 등 |
| 영향 | • 정서적 고갈(에너지 결핍)<br>• 비인간화(냉소적 대처)<br>• 개인의 성취감 감소 |

O·X 문제

1. 조직시민행동은 공식적인 보상 시스템에 의하여 직접적으로 또는 명시적으로 인식되지 않는 직무역할 외 행동이다. ( )

O·X 정답 1. ○

## 2. 태 도

### (1) 의 의

태도란 특정한 대상에 대해 비교적 지속되는 감정·신념·행동경향을 의미한다. 조직과 직무에 대한 구성원의 태도가 호의적이면 구성원 측면에서는 근로생활의 질(QWL)이 향상될 수 있고, 조직 측면에서는 조직목표 달성을 촉진할 수 있다.

### (2) 직무와 관련된 태도

① **직무만족**: 직무에 대한 개인의 태도로 자신이 담당하는 직무에 만족하는 정도를 의미한다. 직무만족도와 생산성의 관계는 높은 정(正)의 상관관계를 보이지는 않는다. 생산성은 직무만족도뿐만 아니라 능력수준, 기술수준, 직무숙지도, 작업환경 등에 영향을 받기 때문이다.

② **조직몰입**: 조직에 대해 갖고 있는 개인의 태도로 자신이 속해 있는 조직에 헌신하는 정도를 의미한다. 높은 조직몰입도는 부처할거주의의 원인이 되며, 조직몰입도가 높은 조직일수록 행정개혁에 저항할 가능성이 높다. 조직몰입은 태도적 몰입, 규범적 몰입, 타산적 몰입의 세차원으로 구분된다(Allen & Meyer).

③ **직무몰입(직무관여)**: 직무의 기본적인 요구수준을 넘어서 자발적으로 직무를 수행하는 정도를 의미한다.

## 3. 조직시민행동(OCB: Organizational Citizenship Behavior)

### (1) 의 의

조직원이 자신의 직무에서 요구되는 의무 이상의 자발적이고 이타적인 행동을 보임으로써 조직의 효율성에 기여하려는 행동을 말한다.

### (2) 영향요인

조직시민행동은 직무만족, 조직몰입, 공정성에 대한 지각, 상사와 긍정적 관계, 전염성, 성격 변인(책임감, 외향성, 긍정 정서 및 이타주의적 성향 등) 등에 영향을 받는다.

### (3) 유 형

① **이타적 행동(altruism)**: 자발적으로 타인을 도와주려는 도움행동 또는 친사회적 행동(예 업무 처리가 늦어지는 동료의 일을 함께 처리해 주는 행위, 신입사원이 조직에 빨리 적응할 수 있도록 도와주는 행위 등)

② **양심적 행동(conscientiousness)**: 조직이 요구하는 최소수준 이상의 노력을 하는 행동(예 필요 이상의 휴식 시간을 취하지 않는 행위, 스스로 작업장의 청결을 유지하는 행위, 회사의 비품을 아껴 쓰는 행위 등)

③ **예의적 행동(courtesy)**: 자신 때문에 동료가 피해를 보는 것을 사전에 예방하기 위해 배려하는 행동(예 동료에게 사전에 연락해 양해 및 의견을 조율하는 행위 등)

④ **신사적 행동(스포츠맨십: sportsmanship)**: 불평불만을 하거나 타인에 대해 악담하지 않는 행동(예 험담하지 않는 행위, 사소한 문제에 대해 고충처리하지 않는 행위 등)

⑤ **공익적 행동(시민정신: civic virtue)**: 조직 활동에 책임의식을 가지고 솔선수범하려는 행동(예 조직 내 동아리 및 친목회에 적극적 참여, 조직발전에 도움이 될 만한 개선안을 제안하는 행위 등)

⑷ 관 계

절차공정성 지각 및 분배공정성 지각은 조직시민행동에 긍정적 영향을 미치나, 역할모호성 지각은 조직시민행동에 부정적 영향을 미친다.

O·X 문제

1. 구성원들의 역할모호성 지각은 조직시민행동에 긍정적 영향을 미친다. ( )

## 제 2 절 동기부여

### 01 동기와 동기부여이론

#### 1. 동기와 동기부여

⑴ 개 념

동기란 사람들을 일정한 방향으로 행동하도록 원인을 제공하는 동력의 집합을 의미하며, 동기부여란 조직원 개인의 욕구 충족을 통해 조직목표에 기여하도록 유도하는 과정을 의미한다.

⑵ 특 징

① 동기는 직접 관찰하거나 측정할 수 없는 인간의 정신적 상태이다.
② 동기의 양태와 수준은 다양하며 가변적이다.
③ 동기는 구성원의 직무수행과 생산성에 영향을 미치는 요인이다.
④ 동기형성은 내재적 요인 또는 외재적 요인에 의해 형성된다.
⑤ 동기형성의 주된 심리적 기초는 인간의 욕구이다.

#### 2. 동기부여이론

⑴ 전개 과정

초기에는 인간행동을 작동시키는 원인에 초점이 있는 '내용이론'이 주를 이루었으나, 최근에는 인간의 행동이 유발되는 과정에 관심을 두는 '과정이론'으로 발전하였다. 내용이론과 과정이론은 모두 동기부여의 내재성과 계산가능성을 전제로 한다는 점에서는 공통적이다.

⑵ 내용이론

동기부여의 원인이 되는 인간 욕구의 내용(what)에 초점을 두는 이론이다. 이 이론은 인간의 선험적인 욕구를 인정하고 욕구의 자극을 통한 동기부여를 강조한다는 점에서 욕구이론이라고도 한다.

⑶ 과정이론

인간의 욕구 충족과 동기부여 간에 직접적인 인과관계를 인정하지 않고 동기의 내용보다 어떠한 과정(how)을 거쳐 동기가 유발되는가에 초점을 두는 이론이다. 이 이론은 동기유발과 관련된 다양한 변수들이 어떻게 상호작용하여 조직원의 행동을 유발하는가에 대한 설명을 시도한다.

O·X 정답 1. ×

## 02 내용이론(욕구이론)

### 1. 매슬로우(Maslow)의 욕구단계론

(1) 의 의

① **욕구의 5단계**: 매슬로우는 임상실험을 통해 인간이 보편적으로 지닌 공통적인 욕구를 찾아내고 이를 다섯 단계로 계층화하였다. 즉, 인간은 생리적 욕구, 안전의 욕구, 사회적 욕구, 존경의 욕구, 자아실현의 욕구를 지니며 이들 욕구는 서로 상관되어 있고 순차적으로 발현되는 우선순위의 계층을 이룬다고 보았다.

② **욕구의 발현**: 인간의 욕구는 우선순위의 계층구조에 따라 저차원의 욕구에서 고차원의 욕구로 단계적으로 상승한다. 가장 구체적이고 강도가 높은 저차원의 욕구는 생리적 욕구이며, 상위차원의 욕구로 나아갈수록 추상적이고 우선순위가 낮은 고차원의 욕구이다.

③ **만족진행모형**: 이 이론은 하위차원의 욕구가 어느 정도 충족되었을 때(완전한 충족이 아닌 부분적 충족) 다음 단계의 상위차원의 욕구로 나아가는 '만족진행모형'에 바탕을 둔다.

④ **충족되지 않는 욕구의 동기유발성**: 이 이론에 따르면 동기로 작용하는 욕구는 충족되지 않은 욕구이며, 충족된 욕구는 동기유발의 힘을 상실한다(충족된 욕구의 약화).

(2) 욕구의 5단계

| 인간의 욕구 | | 구체적 내용 | 범 주 | 조직요소 |
|---|---|---|---|---|
| ↑ 상위욕구 | 자아실현 욕구 | 자신의 능력을 최대한 발휘하여 자신의 이상과 목적을 성취하고자 하는 자기완성 욕구 | 성취 | 도전적인 직무, 능력발전 기회, 승진 등 |
| ↑ 상위욕구 | 존경욕구 | 자기 자신에 대한 가치와 위신을 스스로 확인하고 자부심을 갖고 싶어 하는 욕구 | 자기존중, 위신 | 명예, 사회적 인정, 직급 명칭, 지위 등 |
| ↑ 상위욕구 | 사회적 욕구 | 다수의 집단 속에서 동료들과 서로 주고받는 동료관계를 유지하고자 하는 욕구 | 애정, 사랑, 소속감 | 결속력이 강한 근무집단, 직업의식으로 뭉친 동료집단 등 |
| 하위욕구 ↓ | 안전욕구 | 위험과 사고로부터 자신을 방어·보호하고자 하는 욕구 | 안전, 방어 | 안정적인 작업환경, 후생복지, 신분보장 등 |
| 하위욕구 ↓ | 생리적 욕구 | 인간이 생존을 위해 반드시 충족해야 할 가장 기본적인 욕구 | 목마름, 배고픔, 수면 등 | 기본급, 쾌락한 작업환경 등 |

(3) 한 계

① 욕구의 개인차를 고려하지 못해 욕구단계가 모든 사람들에게 획일적이다.

② 상위욕구가 충족되지 못할 때 하위욕구가 발로되는 '욕구의 하향적 퇴행현상'을 고려하지 못한다.

③ 하나의 욕구가 하나의 행동을 유발한다고 보므로 두 가지 이상의 욕구가 하나의 행동을 유발할 수 있음을 간과하고 있다(분절형의 욕구단계이론).

④ 인간의 욕구 계층은 항상 고정되어 있는 것이 아니며, 개개의 단계가 명확하게 나누어지는 것도 아닌 점을 간과하고 있다.

**O·X 문제**

1. 매슬로우의 욕구단계이론에서 인간은 다섯 가지의 욕구를 가지고 있는데, 이들은 우선순위의 계층을 이루고 있다. ( )
2. 매슬로우에 의하면 어떤 욕구가 충족되면 그 욕구의 강도는 약해지며, 충족된 욕구는 일단 동기유발 요인으로서의 의미를 상실한다. ( )
3. 매슬로우에 의하면 어느 한 단계의 욕구가 완전히 충족되어야만 다음 단계의 욕구를 추구하게 되는 것은 아니다. ( )

**O·X 문제**

4. 매슬로우의 욕구 5단계론은 욕구가 상위 수준에서 하위 수준으로 후퇴할 수도 있다고 본다. ( )
5. 매슬로우는 개인의 욕구는 학습되는 것이므로 개인마다 그 욕구의 계층에 차이가 많이 난다고 주장했다. ( )
6. 매슬로우는 두 가지 이상의 복합적인 욕구가 하나의 행동을 유발할 수 있다고 보았다. ( )

O·X 정답 1. ○ 2. ○ 3. ○ 4. × 5. × 6. ×

⑤ 인간의 모든 행동이 항상 욕구수행을 위해 수행되는 것은 아니라는 점을 간과하고 있다.

⑥ 어느 욕구가 충족된다 하더라도 그 욕구가 동기유발 요인으로서의 의미를 완전하게 상실하는 것이 아니라 강도가 약화되어 하나의 욕구로서 여전히 존재하고 있다는 점을 간과하고 있다.

## 2. 앨더퍼(Alderfer)의 E · R · G이론

### (1) 의의 – 욕구의 3단계

앨더퍼는 매슬로우의 욕구 5단계설을 수정하여 욕구를 충족시키기 위한 인간행동의 추상성을 기준으로 존재(Existence), 관계(Relatedness), 성장(Growth)의 3단계 욕구이론을 제시하였다. 앨더퍼에 의하면 욕구충족을 위한 인간행동의 추상성은 성장욕구가 가장 높고, 관계욕구가 중간이며, 존재욕구가 가장 낮다.

### (2) 매슬로우의 욕구단계이론과의 비교

① **좌절퇴행모형**: 매슬로우는 낮은 차원의 욕구가 만족되면 상위욕구로 진행해 간다는 '만족진행모형'을 주장한 반면, 앨더퍼는 순차적인 욕구발로뿐만 아니라 상위욕구가 만족되지 못하거나 좌절될 때 하위욕구를 더욱 충족시키고자 하는 '좌절퇴행모형'을 주장한다.

② **복합연결형의 욕구단계**: 매슬로우는 사람이 한 순간에 하나의 욕구만을 취하는 '분절형 욕구단계'를 주장했지만, 앨더퍼는 두 가지 이상의 욕구가 동시에 작용하기도 한다는 '복합연결형의 욕구단계'를 주장하였다.

매슬로우의 욕구단계이론과의 비교

| 구 분 | Maslow | | Alderfer |
|---|---|---|---|
| 욕 구 | 자아실현의 욕구 | | 성장욕구(G) |
| | 존경 욕구 | 자기존중 | |
| | | 타인의 인정 | 관계욕구(R) |
| | 사회적 욕구 | | |
| | 안전 욕구 | 신분보장 | |
| | | 물리적 안전 | 존재욕구(E) |
| | 생리적 욕구 | | |

### (3) 한 계

① 욕구의 개인차를 고려하지 못해 욕구단계가 모든 사람들에게 획일적이다.

② 인간의 욕구 계층은 항상 고정되어 있는 것이 아니며, 개개의 단계가 명확하게 나누어지는 것도 아닌 점을 간과하고 있다.

## 3. 맥그리거(McGregor)의 X · Y이론

### (1) 의 의

맥그리거는 매슬로우의 욕구단계이론을 바탕으로 인간관을 두 가지로 구별하고, 인간관에 따른 조직관리전략을 제시하였다.

**O·X 문제**

1. 매슬로우는 '만족 – 진행'의 요소만을 중시한 반면, 앨더퍼는 '좌절 – 퇴행'의 요소도 함께 포함하여 인간 욕구의 발로를 설명하고자 하였다. ( )

2. 앨더퍼의 ERG이론은 상위욕구가 만족되지 않으면, 하위욕구를 더욱 충족시키고자 한다고 주장한다. ( )

3. 앨더퍼는 여러 욕구 중에서 가장 우세한 하나의 욕구에 의해서 하나의 행동이 유발된다고 보았다는 점에서는 매슬로우와 공통된 견해를 가지고 있다. ( )

4. 앨더퍼의 욕구내용 중 관계욕구는 머슬로의 생리적 욕구와 안전욕구에 해당한다. ( )

5. 앨더퍼의 이론은 두 가지 이상의 욕구가 동시에 작용되기도 한다는 복합연결형의 욕구단계를 설명한다. ( )

6. 앨더퍼의 ERG이론은 인간의 욕구를 계층화한 점에서는 머슬로와 공통된 견해를 지니고 있다. ( )

O·X 정답 1. ○ 2. ○ 3. × 4. × 5. ○ 6. ○

**O·X 문제**

1. 맥그리거는 매슬로우의 욕구계층 이론을 토대로 인간의 본질에 관한 기본 가정을 두 가지로 구분하였다. ( )
2. 맥그리거의 이론은 인간관에 따라 다른 관리전략을 취해야 한다는 것이다. ( )
3. 맥그리거의 X이론은 상부책임제도, 권위적 리더십, 계층제적 조직구조의 확립을 중시한다. ( )
4. 맥그리거는 Y이론적 관리전략으로 자율에 의한 통제, 잠재력 발휘를 위한 여건의 조성, 통합의 원리, 비공식적 조직 활용 등을 제시하였다. ( )
5. 맥그리거의 이론 중 X이론에 의하면 목표관리 및 자체 평가제도가 활성화된다. ( )
6. 맥그리거의 이론 중 X이론은 조직 구성원들의 경제적 욕구 추구에 적응한 경제적 보상 체계의 확립을 중시한다. ( )
7. 관리자가 조직구성원에게 적절한 업무량을 부과하여 업무를 수행하게 하는 것은 맥그리거의 Y이론적 관리전략에 해당한다. ( )

(2) X이론과 Y이론의 비교

| 구 분 | X이론 | Y이론 |
|---|---|---|
| 인간관 | • 인간은 본성적으로 일하기 싫어하고 게으르다.<br>• 인간은 외적 강제에 의해 피동적으로 따를 뿐이다.<br>• 인간은 안전을 원하고 변화에 저항적이다.<br>• 인간은 본질적으로 자기중심적이며, 조직의 필요에 무관심하다.<br>• 인간은 야망이 없고 책임지기 싫어한다.<br>• 인간의 동기유발은 하위욕구의 자극을 통해 가능하다. | • 인간에게 일이란 작업조건만 정비되면 자연스러운 것이다.<br>• 인간은 자제의 기회를 통해 자율적으로 자기를 규제한다.<br>• 인간은 안전보다는 변화를 추구한다.<br>• 인간은 조직과 타인을 위해 행동한다.<br>• 인간은 책임지기를 원하며, 책임 있는 행동을 수행한다.<br>• 인간의 동기유발은 모든 욕구의 자극을 통해 가능하다. |
| 관리전략 | • **강경한 접근방법(채찍)**: 권위적 리더십, 계층제를 통한 강제와 위협, 상부책임제도 등<br>• **부드러운 접근방법(당근)**: 경제적 보상, 대인관계 개선 등 | **통합적 관리**: 개인목표와 조직목표의 통합(민주적 리더십·하의상달·분권화 등을 통한 성취의 기회제공 및 성장의 촉진, 비공식집단의 활용, MBO 등) |

(3) 한 계

맥그리거의 X·Y이론은 실증조사에 의해 얻어진 결론이 아니라 직관적 연역을 통해 추론된 것에 불과하다는 비판을 받는다.

## 4. 아지리스(Argyris)의 성숙·미성숙이론

(1) 의 의

아지리스는 공식조직이 인간의 행태에 미치는 영향 연구를 통해 인간은 미성숙상태에서 성숙상태로 발전하는 과정에서 성격이 변화되지만, 조직은 이를 충분히 고려하지 못하고 있다고 비판하고 민주적 관리의 중요성을 역설하였다.

(2) 내 용

① **인간의 발전**: 인간의 성격은 유아와 같은 미성숙상태(X이론적 인간)로부터 성인과 같은 성숙상태(Y이론적 인간)로 발전하며 이러한 변화는 하나의 연속성상에 있다.

| 미성숙 | ⇨ | 성 숙 |
|---|---|---|
| 수동적 행동 | ⇨ | 능동적 행동 |
| 의존적 상황 | ⇨ | 독립적 상황 |
| 단순한 활동 | ⇨ | 다양한 행동 능력 |
| 변덕스럽고 피상적인 관심 | ⇨ | 깊고 강한 관심 |
| 단기적인 안목 | ⇨ | 장기적인 안목 |
| 종속적인 지위에 만족 | ⇨ | 대등 우월적 지위에 만족 |
| 자아의식의 결핍 | ⇨ | 자아의식과 자기 통제 |

② **조직의 대응**: 공식조직은 인간이 미성숙인이라는 가정하에 X이론적 관리에 입각해 있다. 이로 인해 조직은 성숙상태에 있는 구성원들에게 미성숙인에 맞는 임무를 부여하여 인간적 발전을 저해한다.

**O·X 문제**

8. 아지리스는 조직목표와 개인목표가 일치하는 조직이 건강한 조직이라고 하였다. ( )
9. 아지리스는 성숙, 미성숙 이론에서 인간은 성숙인으로서의 욕구충족을 희망하지만, 조직은 공식적으로 조직을 관리하려는 부조화가 존재한다고 하였다. ( )

O·X 정답 1. ○ 2. ○ 3. ○ 4. ○ 5. × 6. ○ 7. × 8. ○ 9. ○

③ **발전방안**: 아지리스는 인간의 성숙을 촉진시키는 관리자의 역할을 강조하면서 Y이론적 관리전략(직무확대, 참여적이고 구성원 중심적인 리더십, 현실 중심적 리더십 등)을 조직에 채택해야 한다고 주장하였다.

## 5. 허즈버그(Herzberg)의 욕구충족요인론

### (1) 의 의

허즈버그는 기술자들과 회계사를 대상으로 한 연구조사의 결과 인간은 불만요인과 만족요인이라는 이원적 욕구구조를 가지고 있으며, 이들 요인은 서로 독립된 별개로 작용한다고 보았다. 즉, 만족의 반대는 불만족이 아니고 만족이 없는 상태이며, 불만족의 반대는 만족이 아니라 불만족이 없는 상태라고 규정하였다.

### (2) 이원적 욕구구조

① **위생요인(불만요인)**: 개인의 불만족을 방지하는 효과를 가져오는 요인이다. 위생요인은 충족되지 않으면 심한 불만을 일으키지만 충족되어도 적극적으로 만족감을 느끼거나 동기를 유발하지는 않는다. 즉, 불만요인이 제거된 개인은 근무태도의 단기적 변동만 있을 뿐 장기적 효과는 없다.

② **동기요인(만족요인)**: 개인의 만족감을 충족시켜주고 동기를 유발하는 요인이다. 만족요인이 충족되면 동기가 유발되어 생산성 향상을 가져온다.

③ 위생요인과 동기요인의 비교

| 요 인 | 위생요인(불만요인) | 동기요인(만족요인) |
|---|---|---|
| 의 의 | 불만족을 느끼게 하는 심리적 요인 | 만족을 느끼게 하는 심리적 요인 |
| 성 격 | 사람과 직무상황이나 환경과의 관계 | 사람과 사람이 하는 일 사이의 관계 |
| 역 할 | 불만족만 제거(생산성은 높여줄 수 없음) | 동기부여(생산성을 높여주는 역할) |
| 예 | 봉급, 감독방식과 내용, 작업조건, 대인관계(감독자와 부하와의 관계), 임금, 직위, 신분보장, 정책과 관리(조직의 방침과 관행) 등 | 성취감, 인정감, 책임감, 승진, 직무 그 자체, 직무에 대한 만족감, 보람 있는 일, 능력신장 등 |
| 직무확충 | 직무확장 | 직무충실 |

### (3) 직무확충과의 관계

① **의의**: 직무확충이란 직무확장과 직무충실을 포괄하는 개념으로 허즈버그가 주장한 동기부여의 한 방법이며, 행정관리의 민주화를 위한 방안이다.

② **직무확장**: 기존의 직무에 수평적으로 연관된 직무요소를 추가하여 직무분담의 폭을 횡적으로 확대하는 것을 말한다(수평적 직무재설계). 허즈버그는 직무확장을 위생요인으로 파악하고 불만요인 제거에 기여한다고 보았다.

③ **직무충실(직무풍요)**: 기존의 직무에 보다 책임성 있는 직무요소를 추가하여 직무분담의 깊이를 종적으로 심화시켜주는 것을 말한다(수직적 직무재설계). 허즈버그는 직무충실을 만족요인으로 파악하고 동기부여 제고에 기여한다고 보았다.

**O·X 문제**

1. 허즈버그에 의하면 개인은 서로 별개인 만족과 불만족의 감정을 가지는데, 위생요인은 개인의 불만족을 방지해 주는 요인이며, 동기요인은 개인의 만족을 제고하는 요인이다. ( )
2. 허즈버그는 조직구성원에게 만족을 주는 요인과 불만족을 주는 요인은 상호 독립되어 있다고 주장했다. ( )
3. 허즈버그에 의하면, 만족의 반대는 불만족이 아니고 만족이 없는 상태이며, 불만족의 반대는 만족이 아니라 불만족이 없는 상태라고 한다. ( )
4. 허즈버그의 욕구충족요인 이원론에서 불만요인은 개인의 불만족을 방지하는 효과를 가져오는 요인으로서, 충족되면 만족감을 갖게 되어 동기가 유발된다. ( )
5. 허츠버그의 2요인이론은 종업원의 직무환경 개선과 창의적 업무 할당을 통한 직무성취감 증대가 동기부여에 미치는 영향이 다르다고 본다. ( )
6. 허즈버그의 욕구충족 이원론은 '감독자와 부하의 관계'를 만족요인 중 하나로 제시한다. ( )
7. 허즈버그는 동기요인에 승진, 성장 등의 요소를 포함하고, 위생요인으로 보수, 인간관계 등을 포함한다. ( )
8. 직무충실(job enrichment)은 수직적 전문화를 강화시키려는 것이다. ( )

O·X 정답 1. ○ 2. ○ 3. ○ 4. × 5. ○ 6. × 7. ○ 8. ×

O·X 문제

1. 허즈버그의 이론은 실제의 동기유발과 만족 자체에 중점을 두고 있기 때문에 하위욕구를 추구하는 계층에 적용하기가 용이하다. ( )

2. 허즈버그의 욕구충족요인이원론은 위생요인과 동기요인이 구성원에 따라 다를 수 있다는 인식하에 개인차를 강조한다. ( )

심화학습

맥코비(McCoby)의 2개요인이론

| 의의 | | 동기부여 요인을 외적 요인(승진, 보수, 안전 등)과 내적 요인(성취욕구, 만족도)으로 구분하고, 외적 요인과 내적 요인이 모두 긍정적일 때 동기부여가 이루어질 수 있다고 보는 이론 | |
|---|---|---|---|
| 구분 | | 내적요인 | |
| | | 부정적 | 긍정적 |
| 외적요인 | 부정적 | 소외 | 좌절 |
| | 긍정적 | 불만 | 동기부여 |

O·X 문제

3. 리커트는 지원적 관계의 원리와 참여관리의 가치에 따라 구성원의 참여를 통해 조직의 효과성을 제고할 수 있다고 주장하였다. ( )

O·X 정답 1. × 2. × 3. ○

(4) 한 계

① 연구대상이 기술자와 회계사 등 전문직 종사자이므로 하위욕구를 추구하는 계층에는 적용하기 곤란하며 일반화하는 데 한계가 있다.

② 연구자료가 중요사건기록법에 근거하여 수집되었으므로 연구대상표본들의 자아보호적 편견이 내포되어 동기요인이 과대평가되어 있을 수 있다.

③ 개인차에 대한 고려가 없어 개인의 연령이나 조직 내의 직위 등에 따라 위생요인과 동기요인이 다를 수 있음을 간과하고 있다.

④ 동기유발에 관심을 두지 않고 만족 자체에 중점을 두고 있다.

⑤ 직무요소와 동기 및 성과 간의 관계가 충분히 분석되어 있지 않다.

## 6. 리커트(Likert)의 관리체제이론

(1) 의 의

① **관리체제 유형**: 리커트는 조직개혁을 위한 행태적 연구의 지표로 사용하기 위해 조직 내의 여러 변수(리더십, 동기부여, 의사전달 과정, 통제과정 등)를 기준으로 관리체제 유형을 착취적 권위형(체제 Ⅰ), 온정적 권위형(체제 Ⅱ), 협의적 민주형(체제 Ⅲ), 참여적 민주형(체제 Ⅳ)의 4가지로 구분하였다.

② **조직개혁에 대한 처방**: 리커트에 의하면 조직관리는 X이론보다는 Y이론에 입각해야 하며, 미성숙행태보다는 성숙행태를 육성시키고, 위생요인보다는 동기요인에 더욱 관심을 집중해야 한다고 주장하였다. 즉, 지원적 관계의 원리와 참여관리의 가치를 중시하는 참여적 민주형(체제Ⅳ)이 생산성을 높인다고 보았다.

(2) 관리체제 유형

| 관리체제 | | | 내 용 |
|---|---|---|---|
| 권위형 체제 | 체제 Ⅰ | 착취적 권위형 | 공포와 위협에 의한 통제, 일방적인 상의하달식 의사전달, 부하들을 의사결정에서 완전 배제 |
| | 체제 Ⅱ | 온정적 권위형 | 경제적 보상에 의한 관리, 부하들의 의사개진은 상사가 듣기 좋은 정보로 국한, 부하들의 제한된 참여 인정 |
| 참여형 체제 | 체제 Ⅲ | 협의적 민주형 | 경제적 보상과 조직몰입의 활용을 통한 관리, 상하 양방향적 의사소통이 발생하지만 하위계층의 의견은 자문적 성격을 띰. |
| | 체제 Ⅳ | 참여적 민주형 | 완전한 자율과 자유로운 참여, 대화와 신뢰를 바탕으로 한 의견교환, 협동과 공정성을 보장하는 이상적 관리체제 |

## 7. 맥클리랜드(McClelland)의 성취동기이론

(1) 의 의

맥클리랜드는 모든 사람들이 단일의 동일한 욕구계층을 지니고 있다는 매슬로우의 욕구단계이론을 비판하면서 욕구는 개인이 사회문화와 상호작용하는 과정에서 취득되고 학습되는 것이므로 개인마다 욕구계층에 차이가 있다고 주장하였다.

(2) 욕구의 종류

① **욕구의 분류와 성취욕구의 중요성:** 맥클리랜드는 개인의 동기를 유발하는 욕구를 성취욕구, 권력욕구, 친교욕구로 구분하고, 이 중 성취욕구의 충족에 의한 성취동기가 높을수록 생산성이 향상된다고 보았다.

② **각 욕구의 특징**

| 욕 구 | 의 의 | 특 성 |
|---|---|---|
| 성취욕구 | 우수한 결과를 얻기 위해 높은 기준을 설정하고 이를 달성하려는 욕구 | • 노력을 통해 목표를 성취할 수 있는 상황 선호<br>• 위험과 난이도가 적절한 수준인 상황 선호<br>• 성과에 대한 분명한 환류가 주어지는 상황 선호<br>• 성과지향적인 동료와 일하기 원함.<br>• 자기 일에 대한 몰두와 자기식으로 일하려고 함(독단적 문제해결). |
| 권력욕구 | 타인의 행동에 영향력을 미치거나 통제하려는 욕구 | • 다른 사람에게 영향력을 행사하거나 통제하려 함.<br>• 논쟁에서 이기려 하고, 타인의 행동을 변화시키려 함. |
| 친교욕구 | 타인과 따뜻하고 친근한 관계를 유지하려는 욕구 | 스스로의 의사결정이나 성취감보다 타인과 친근한 관계 유지에 시간 할애 |

(3) 동기부여 방안

맥클리랜드는 조직의 성취동기수준을 측정하여 이에 적합한 목표설정 및 환류, 작업환경을 조성하고 이후 목표수준을 순차적으로 높여감으로써 개인의 성취지향적 동기행위를 향상시켜 나가야 한다고 주장하였다.

## 8. Z이론

(1) 의 의

인간의 욕구체계를 이분법적으로 양극화시키고 그중 어느 하나가 반드시 훌륭하다는 가정에 입각해 있는 '맥그리거의 X·Y이론'을 비판하면서, 다양성과 변이성을 지닌 인간관이 제시되었는데 이를 Z이론이라 한다.

(2) 룬드스테트(Lundstedt)의 Z이론 – 방임형 관리

룬드스테트는 X형 조직을 독재형 조직, Y형 조직을 민주형 조직, Z형 조직을 자유방임형 조직으로 구분하고, 자유방임형 조직에서 인간은 타인의 간섭을 싫어하고 자유로운 상태를 추구하므로 자유방임형 리더십이 필요하다고 주장하였다.

(3) 롤리스(Lawless)의 Z이론 – 상황적응적 관리

롤리스는 고정적이고 획일적인 관리전략을 부인하고 변동하는 환경 속에 존재하는 인간과 조직은 변동하는 객관적 사실을 파악하여 업무환경, 조직특성 등을 고려한 융통성 있고 상황적응적인 관리전략을 세워야 한다고 주장하였다.

(4) 라모스(Ramos)의 Z이론 – 괄호인

라모스는 X이론의 인간을 작전인, Y이론의 인간을 반응인, Z이론에 해당하는 제3의 인간모형을 괄호인(호형인, 비판적 이성인)이라 명명하였다. 여기에서 괄호인이란 지혜와 슬기를 가진 사람으로 자아나 환경을 떠나 조직변수를 괄호 안에 넣고 밖에서 객관적으로 바라볼 수 있는 능력을 가진 사람이다.

**O·X 문제**

1. 맥클리랜드의 성취동기이론에 의하면 개인의 욕구는 성취욕구, 친교욕구, 권력욕구로 구분되며, 성취욕구의 중요성을 강조한다. ( )

2. 맥클리랜드의 성취동기이론에 의하면 동기는 학습보다는 개인의 본능적 특성이 중요하게 작용하며, 사회문화와 상호작용하는 과정에서 취득되는 것으로 보았다. ( )

3. 맥클리랜드의 성취동기이론에 의하면 성취욕구를 지닌 자는 구체적인 환류를 받아 보기를 꺼린다. ( )

4. 맥클리랜드는 성취동기이론에서 공식조직이 개인의 행태에 미치는 영향 연구를 통하여 미성숙상태에서 성숙상태로 발전하는 성격 변화의 경험이 성취동기의 기본이 된다고 주장하였다. ( )



**심화학습**

머레이(Murray)의 명시적 욕구이론

| | |
|---|---|
| 의의 | 동기는 명시적으로 대두된 욕구에 의해 유발된다고 보는 이론 |
| 내용 | 명시적 욕구란 인간이 태어날 때부터 갖고 있는 것이 아니라 성장하면서 환경과 상호작용을 통해 배우는 학습된 욕구이며, 명시적 욕구가 동기를 유발한다고 봄. |

**O·X 문제**

5. 동기부여의 Z이론에서 룬드스테트는 자유방임적 관리를 중시하였다. ( )

6. 동기부여의 Z이론에서 롤리스는 복잡한 인간을 전제로 상황적응적 관리를 주장하였다. ( )

O·X 정답 | 1. ○ 2. × 3. × 4. × 5. ○ 6. ○

(5) 베니스(Bennis)의 Z이론 — 탐구형 인간

베니스는 적응적 · 유기적 조직인 후기관료제모형의 인간형으로 탐구형 인간을 상정하고 이들을 관리하는 방안으로 개인에 대한 재량권 부여, 자율화, 행동양식의 비프로그램화 등을 강조하였다.

**핵심정리 | 오우치(Ouchi)의 Z이론**

1. **의의**: 오우치의 Z이론은 맥그리거의 X · Y이론에 대한 비판으로 대두된 Z이론과 다른 의미를 지니고 있다. 오우치는 1970년대 후반 일본기업이 미국기업을 앞질러 나가자 미국기업들이 일본의 기업경영방식을 배워야 한다는 의미에서 미국의 경영방식(A이론)과 일본의 경영방식(J이론)을 결합한 경영방식을 제시하면서 이 이론을 Z이론(미국기업에서 이루어지는 일본식 경영)이라 명명하였다.

2. **내 용**

| 구 분 | 전형적 일본조직(J) | Z유형의 미국조직(Z) | 전형적 미국조직(A) |
|---|---|---|---|
| 고 용 | 종신고용 | 장기고용 | 단기고용 |
| 평 가 | 장기간에 걸친 평가 | 장기간에 걸친 평가 | 신속한 평가 |
| 승 진 | 느린 승진 | 느린 승진 | 빠른 승진 |
| 경력경로 | 비전문화된 경력경로 | 일반화된 경력경로 | 전문화된 경력경로 |
| 통 제 | 비공식적 · 암시적 | 비공식적 · 암시적 | 공식적 · 가시적 |
| 의사결정 | 집단적 의사결정 | 집단적 의사결정 | 개인적 의사결정 |
| 책 임 | 집단책임 | 개인책임 | 개인책임 |
| 인 간 | 총체적 관심 | 총체적 관심 | 조직 내 역할에 관심 |

J이론과 Z이론은 그 내용이 거의 유사하다. 다만, 책임에 있어서 J이론은 집단책임을 강조하지만, Z이론은 개인책임을 강조한다.

## 9. 샤인(Schein)의 복잡인관

(1) 의 의

샤인은 인간 욕구에 대한 가정은 역사적으로 각 시대의 철학적 관점이 반영되어 있다고 보면서 인간 욕구의 경향성을 시대별로 연역적으로 분류하고 이에 따른 조직관리 방안을 제시하였다. 특히, 샤인은 현대사회에 가장 적절한 인간관은 복잡인관이라고 보았다.

(2) 인간관과 관리전략

① 합리적 · 경제적 인간관

㉠ 인간관: 인간은 이기적 존재로 경제적 유인에 의해 동기가 유발되는 수동적 존재이다.

㉡ 관리전략

ⓐ 조직체제를 합리적으로 구성하여 기계적 생산체제를 확립한다.

ⓑ 교환적 관리에 기초를 두고 경제적 보상과 직무수행을 교환한다(인간의 피동성, 동기부여의 외재성, 욕구체계의 획일성).

㉢ 관련 이론: 매슬로우의 생리적 욕구와 안전욕구, 맥그리거의 X이론, 아지리스의 미성숙인, 앨더퍼의 생존욕구, 과학적 관리론, 고전적 관료제론 등

② 사회적 인간관

㉠ 인간관: 인간은 사회적 존재로 조직 내의 인간관계에 의해 동기가 유발되는 수동적 존재이다.

**O·X 문제**

1. 오우치의 Z이론은 일본식 조직관리가 미국식 관리방법보다 우월하다는 전제를 기반으로 한다. (　)

O·X 정답 | 1. ○

㉡ 관리전략
ⓐ 공식조직에 있는 자생적・비공식집단을 인정하고 수용한다.
ⓑ 교환적 관리에 기초를 두고 사회적 유인과 직무수행을 교환한다(인간의 피동성, 동기부여의 외재성, 욕구체계의 획일성).
ⓒ 중간관리층은 하급자들을 고위관리층과 연결하는 가교 역할을 담당한다.
㉢ 관련 이론: 인간관계론의 호손실험, 매슬로우의 사회적 욕구, 앨더퍼의 관계적 욕구 등

③ 자아실현적 인간관
㉠ 인간관: 인간은 부단히 자기를 확장하고 창조하며 실현해 나가는 능동적 존재이다.
㉡ 관리전략
ⓐ 조직원들이 자신들의 직무에서 의미를 발견하고 스스로 도전적으로 직무를 담당할 수 있도록 한다(자기개발과 자기통제 중시).
ⓑ 조직원들에게 성취감이나 만족감과 같은 내적 보상을 부여한다.
ⓒ 개인목표와 조직목표를 통합하는 통합형 관리전략을 활용한다(참여관리, 분권화 등).
ⓓ 관리자는 면담자나 촉매자의 역할을 수행한다.
㉢ 관련 이론: 후기인간관계론, 매슬로우의 자아실현인, 맥그리거의 Y이론, 아지리스의 성숙인, 앨더퍼의 성장욕구 등

④ 복잡인관
㉠ 인간관: 인간은 단순하게 일반화하거나 유형화할 수 없는 복잡한 존재이다.
㉡ 관리전략
ⓐ 조직원의 변이성과 개인차를 인식하고 서로 다른 동기와 욕구에 적합하고 융통성 있는 진단가적・다원적 관리전략을 사용한다.
ⓑ 관리자는 상황적응적 관리를 통해 조직원의 관리전략을 구사해야 한다.
㉢ 관련 이론: 룬드스테트의 자유방임적 관리, 롤리스의 상황적응적 관리, 라모스의 괄호인, 베니스의 탐구형 인간 등

인간관과 관리전략

| 구 분 | | 합리적 경제인 | 사회인 | 자아실현인 | 복잡인 |
|---|---|---|---|---|---|
| 가 정 | 개인 욕구 | 합리적・경제적 욕구 | 정서적・사회적 욕구 | 자기실현 욕구 | 욕구체계의 변이성・다양성 |
| | 조직과의 관계 | • 피동적 존재<br>• 동기유발의 외재화<br>• 개인목표와 조직목표의 상충 | • 피동적 존재<br>• 동기유발의 외재화<br>• 개인목표와 조직목표의 상충 | • 능동적 존재<br>• 동기유발의 내재화<br>• 개인목표와 조직목표의 통합 | • 조직생활의 경험에 따라 새로운 욕구 학습<br>• 조직의 역할에 따른 욕구 변화 |
| 관리전략 | | • 원자적 개인<br>• 교환형 관리<br>• 인간보다 제도 중시 | • 집단 내의 개인<br>• 교환형 관리<br>• 일선 리더십 강조 | • 통합형 관리(참여관리, 분권화)<br>• 직무확충<br>• 관리자의 촉매적 역할 | • 개인차의 존중<br>• 상황적응적 관리<br>• 관리자의 진단가・상담가 역할 |
| 조직의 형태 | | • 계서제<br>• 합리적・기계적 생산체제 확립 | • 계서제<br>• 비공식집단의 인정과 수용 | • 유기적 구조<br>• 저층구조화<br>• 임무중심의 구조 | – |

**심화학습**

후기인간관계론

| | |
|---|---|
| 의의 | 인간관계론의 전통을 이어받아 통제 중심의 실적주의의 한계를 보완하고자 등장한 인간 중심의 현대적 인사관리활동의 총칭 |
| 관련 이론 | ① 골렘비에스키의 견인이론<br>② 베니스의 적응적 조직<br>③ 매슬로우의 자아실현적 인간관<br>④ 맥그리거의 Y이론적 관리<br>⑤ 아지리스의 성취욕구<br>⑥ 허즈버그의 직무충실과 직무확대<br>⑦ 하몬의 현상학적 접근을 통한 인적자원관리<br>⑧ MBO, OD, TQM 등 민주적 관리전략 등 |



**O·X 문제**

1. 합리적・경제적 인간관은 테일러의 과학적 관리론, 맥그리거의 X이론, 아지리스의 미성숙인이론의 기반을 이룬다. ( )

2. 후기인간관계론은 합리적・경제적 인간관보다는 자아실현적 인간관과 더 부합한다. ( )

3. 후기인간관계론을 대표하는 이론으로는 맥그리거의 Y이론, 아지리스의 성숙인 등을 들 수 있다. ( )

4. 샤인이 제기한 복잡인관의 조직관리는 구성원에 대한 지시와 통제보다는 개인과 조직의 목표를 통합시킬 수 있는 전략을 우선적으로 취하여야 한다. ( )

5. 샤인이 제기한 복잡인관에 따르면 부하들의 욕구와 동기가 서로 다르기 때문에 서로 다른 전략에 따라 융통성이 있는 관리 형태를 견지하여야 한다. ( )

6. 샤인은 인간은 다양한 욕구와 잠재력을 지닌 복잡한 존재이기 때문에 조직의 관리자는 일종의 진단자가 될 필요가 있음을 강조하였다. ( )

O·X 정답 1. ○ 2. ○ 3. ○ 4. × 5. ○ 6. ○

### 10. 페리(Perry)의 공직동기이론(공공봉사 동기이론)

(1) 의 의

① **개념**: 공직동기란 민간부문 종사자와 구별되는 공공부문 종사자의 가치체계를 의미한다. 페리에 따르면 공공부문 종사자는 민간부문 종사자와 달리 공공문제에 대한 관심, 공익에 대한 열망, 이타심, 자기 희생정신 등의 동기를 지니고 있다.

② **공공서비스론과 연계**: 페리의 공직동기이론은 공무원의 동기유발수단을 사회봉사 또는 공익의 실현 및 사회에 기여하려는 욕구로 보는 덴하트(Denhardt)의 공공서비스론과 밀접한 관련이 있다.

(2) 공직동기의 개념 차원

| 개념 차원 | 의 미 | 내 용 |
|---|---|---|
| 합리적 차원 | 개인의 효용극대화를 바탕으로 한 행동 | 정책형성과정 참여, 특정 이해관계에 대한 지지, 공공정책에 대한 일체감 등 |
| 규범적 차원 | 규범을 준수하려는 노력에 따른 행동 | 공익봉사의 욕구, 의무와 정부 전체에 대한 충성, 사회적 형평의 추구 등 |
| 감성적(정서적) 차원 | 사회적 맥락에 대한 감정적 반응에 따른 행동 | 정책의 사회적 중요성에 기인한 정책 몰입, 선의의 애국심 등 |

**핵심정리 | 내용이론의 정리**

<table>
<tr><th colspan="2">매슬로우</th><th>앨더퍼</th><th>샤 인</th><th>조직이론</th><th>중요변수</th><th>맥그리거</th><th>아지리스</th><th>리커트</th><th>허즈버그</th></tr>
<tr><td colspan="2">생리적 욕구</td><td rowspan="2">생존의 욕구(E)</td><td rowspan="2">합리적 경제인</td><td rowspan="2">과학적 관리론</td><td rowspan="2">구조</td><td rowspan="4">X이론</td><td rowspan="4">미성숙인</td><td rowspan="4">체제 Ⅰ · Ⅱ</td><td rowspan="4">위생요인</td></tr>
<tr><td rowspan="2">안전 욕구</td><td>신체</td></tr>
<tr><td>신분</td><td rowspan="3">관계의 욕구(R)</td><td rowspan="3">사회인</td><td rowspan="3">인간 관계론</td><td rowspan="5">인간</td></tr>
<tr><td colspan="2">사회적 욕구</td></tr>
<tr><td rowspan="2">존경 욕구</td><td>타인</td><td rowspan="3">Y이론</td><td rowspan="3">성숙인</td><td rowspan="3">체제 Ⅲ · Ⅳ</td><td rowspan="3">동기요인</td></tr>
<tr><td>자신</td><td rowspan="2">성장의 욕구(G)</td><td rowspan="2">자아 실현인</td><td rowspan="2">후기 인간 관계론</td></tr>
<tr><td colspan="2">자아실현 욕구</td></tr>
</table>

## 03 과정이론

### 1. 애덤스(Adams)의 공정성이론(형평성이론)

(1) 의 의

애덤스의 공정성이론은 인간은 공정하게 대우받기를 원한다는 '인지부조화이론✢'에 근거하여 사람들은 자신의 산출/투입을 타인(준거인물)의 산출/투입과 비교하고, 불공정성을 지각하게 되면 이를 해소하는 과정에서 동기가 유발된다고 보았다.

**O·X 문제**

1. 페리의 공공봉사 동기이론은 공공부문의 종사자들은 민간부문의 종사자들과 다른 직업동기를 가진다고 가정한다. ( )

2. 공공봉사 동기이론에 의하면 공공봉사동기가 높은 사람은 물질적·외재적 동기보다 사명감과 이타심 같은 공공에 대한 봉사를 더 중요하게 여길 것으로 가정한다. ( )

3. 페리와 와이스는 공직동기를 제도적 차원, 금전적 차원, 감성적 차원으로 제시하였다. ( )

4. 페리의 공공서비스동기 중 정서적 동기의 예로는 특정 집단의 이익을 옹호하는 정책에 대한 헌신이 있다. ( )

5. 공공봉사 동기이론은 공공봉사동기가 높은 사람을 공직에 충원해야 한다는 주장의 근거가 될 수 있다. ( )

✢ **인지부조화이론**
인간은 자신이 가지고 있는 지식이나 지각 또는 행동이 서로 모순될 때 심리적 불안상태를 경험하게 되고, 이러한 불안상태를 제거하고 조화롭고 일관성 있는 상태로 가기 위하여 노력한다는 이론

O·X 정답 | 1. ○ 2. ○ 3. × 4. × 5. ○

(2) 구성요소

① 투입: 자신이 조직에 주었다고 지각하는 것(예 노력, 기술, 교육, 경험 등)

② 산출: 투입에 대한 대가로서 자신이 조직에게 받았다고 지각하는 것(예 보수, 승진, 인정, 직무만족, 학습기회, 작업조건 등)

③ 준거인물: 자신의 산출/투입을 비교하는 대상인물

④ 공정성: 본인의 산출/투입과 준거인물의 산출/투입을 비교하여 발생한 지각

(3) 공정성 및 불공정성에 대한 반응

① 준거인물과 산출/투입이 일치한다고 지각: 동기유발이 되지 않는다.

② 자신의 산출/투입이 작다고 지각(과소보상): 심리적 불균형을 느끼고 편익 증대 요구, 투입 감소, 산출의 왜곡, 준거인물 변경, 본인의 지각변경, 조직에서 이탈 등의 행태가 나타난다.

③ 자신의 산출/투입이 크다고 지각(과다보상): 부담을 느끼고 편익 감소 요청, 노력 등 투입 증대, 준거인물 변경, 본인의 지각변경 등의 동기가 유발된다.

## 2. 기대이론

(1) 의 의

기대이론은 전통적인 욕구이론이 가정하는 욕구충족(만족)과 직무수행 사이의 직접적인 인과관계에 의문을 제기한다. 기대이론은 이들 간에는 주관적인 평가과정(기대)이 개입되어 있다고 보고 이를 통해 동기유발의 과정을 설명하였다.

(2) 브룸(Vroom)의 기대이론: VIE이론

① 의의: 브룸은 사람들이 결과를 예측하기 어려운 가운데서 어떤 것을 선택할 때 그 사람의 행동(동기부여)은 결과에 대한 선호(유인가)뿐만 아니라 그러한 결과를 가져오는 것이 가능할 것이라고 믿는 정도(기대감, 수단성)에 영향을 받는다고 보고 기대이론을 전개하였다.

② 동기부여의 강도를 산정하는 요소

㉠ 기대감: 특정한 노력으로 1차 수준의 결과(성과: 과업 목표 달성)를 가져올 수 있다는 가능성에 대한 개인의 신념

㉡ 수단성: 1차 수준의 결과가 2차 수준의 결과(보상: 과업달성에 따른 보상과 처벌)를 가져올 것이라는 개인의 믿음의 강도

㉢ 유의성: 2차 수준의 결과에 대한 주관적인 선호의 강도(보상에 대한 주관적 매력도)

③ 동기부여: 동기부여는 유인가, 수단성, 기대감에 의해 결정된다. 유인가, 수단성, 기대감 중 어느 하나라도 0의 값을 가지면 동기부여가 되지 않는다.

- 동기부여의 강도 = f[Σ유인가(V) × 수단성(I) × 기대감(E)]
- M(motive) = (A → P1) (P1 → P2) × V (A: 개인의 노력, P1: 1차 결과, P2: 2차 결과, V: 유인가)

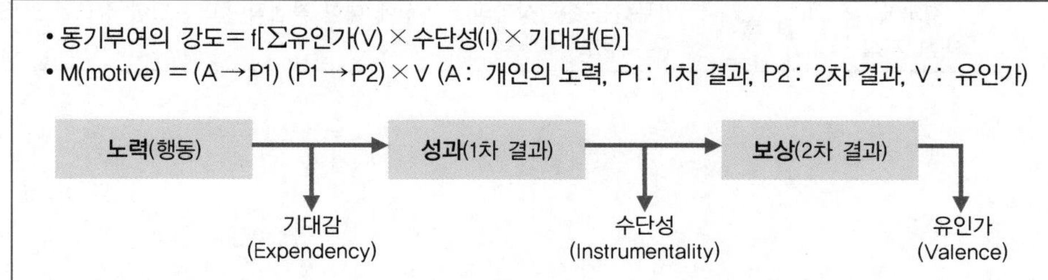


**O·X 문제**

1. 아담스의 공정성이론은 인식된 불공정성이 중요한 동기요인으로 작동한다고 본다. ( )

2. 아담스의 공정성이론에 의하면 노력과 기술은 투입에 해당하며, 보수와 인정은 산출에 해당한다. ( )

3. 형평성이론에 의하면 불형평성을 해소시키고 형평성을 추구하기 위한 행동에는 투입과 산출에 대한 본인의 지각을 바꾸는 것, 준거인물을 바꾸는 것 등이 있다. ( )

4. 형평이론에 의하면, 다른 사람과 비교하여 자기의 기여 비율이 자기가 받는 보상보다 높은 경우에만 동기가 유발된다. ( )

5. 애덤스의 형평성이론에 의하면 프로젝트에 참여한 모든 사람에게 동일한 보상을 해야 동기가 유발된다. ( )

**O·X 문제**

6. 브룸의 기대이론에서 기대감은 특정 결과는 특정한 노력으로 인해 나타날 수 있다는 가능성에 대한 개인의 신념으로 통상 주관적 확률로 표시된다. ( )

7. 브룸의 기대이론은 어느 개인이 원하는 특정한 보상에 대한 선호의 강도를 유의성이라고 하며, 유의성은 직무상에서 받을 수 있는 보상에 대하여 그 개인이 느끼는 보상의 매력도를 의미한다. ( )

8. 브룸의 기대이론은 개인의 선호에 부합하는 결과물을 유인으로 제시해야 동기부여가 된다고 보았다. ( )

9. 브룸은 욕구충족과 직무수행 간의 직접적인 관련성에 대해 의문을 제기하였다. ( )

10. 브룸의 이론은 동기부여의 방안을 구체적으로 제시하지 못하는 한계가 있다. ( )

O·X 정답 1. ○ 2. ○ 3. ○ 4. × 5. × 6. ○ 7. ○ 8. ○ 9. ○ 10. ○

PART · 04

④ **평가**: 브룸의 기대이론은 욕구충족과 직무수행 간의 직접적인 관련성에 의문을 제기하고 내용이론이 제시하지 못한 동기부여의 과정을 설명하고 있으나, 동기부여의 방안을 구체적으로 제시하지 못한다는 비판을 받는다.

(3) 포터와 롤러(Porter & Lawler)의 업적 · 만족이론

① **의의**: 업적 · 만족이론은 브룸의 기대이론에서 강조하는 기대감과 유의성뿐만 아니라 보상에 대한 개인의 만족감을 동기부여의 요인에 포함시키고 있다.

② **주요요소 – 만족감**: 만족감은 자신이 받아야 한다고 기대하는 정당한 수준 이상의 보상을 받을 때 증진된다. 만족감은 개인에게 주어지는 보상이 공평하다고 지각될 때 충족된다.

③ **동기부여 과정**: 개인의 동기부여는 노력을 하면 성과가 있을 것이라는 기대감과 보상의 유의성에 의해 결정되는데, 유의성은 만족감에 영향을 받기 때문에 동기부여는 기대감, 유의성, 만족감에 의해 결정된다.

④ **특징**: 내용이론은 구성원의 만족이 직무성취를 가져온다고 보았으나(만족 ⇨ 근무성과), 이 이론은 직무성취의 수준이 직무만족의 원인이 된다고 보았다(근무성과 ⇨ 만족).

(4) 조고폴러스(Georgopoulos)의 통로 – 목표이론(path-goal theory)

통로 – 목표이론에 의하면 개인의 동기는 목표에 반영된 개인의 욕구와 목표달성에 이르는 통로의 유용성에 대한 개인의 지각에 달려 있다.

## 3. 해크먼(Hackman)과 올드햄(Oldham)의 직무특성이론

(1) 의 의

해크먼과 올드햄은 직무가 조직화되는 방법(직무특성)에 따라 조직원의 노력(동기부여) 정도가 달라진다고 보고 직무특성이론을 제시하였다.

(2) 직무특성

① 핵심직무 차원

| 직무특성 | | 정 의 |
|---|---|---|
| 경험적 의미성 | 기술다양성 | 직무가 다양한 활동을 요구하는 정도(직무를 수행하는 데 요구되는 기술의 종류의 수) |
| | 직무정체성 | 하나의 직무가 다른 직무와 구별되는 독립적 단위로 형성된 수준(하나의 서비스를 완결되게 수행할 수 있는 정도) |
| | 직무중요성 | 직무가 다른 사람의 인생이나 업무에 중요한 영향을 주는 정도 |
| 경험적 책임감 | 자율성 | 직무를 계획하고 업무처리 절차를 결정할 때 자유와 독립성의 정도(개인이 자신의 직무에 대해 느끼는 책임감의 정도) |
| 결과에 대한 지식 | 환 류 | 업무활동 수행성과의 효과성에 대한 직접적이고 분명한 정보를 얻도록 해주는 정도 |

**O·X 문제**

1. 포터와 롤러의 업적 · 만족이론은 만족이 업적에 선행한다. ( )
2. 포터와 롤러의 기대이론은 성과의 수준이 업무만족의 원인이 된다고 본다. ( )
3. 포터와 롤러의 업적 · 만족 이론은 직무성취 수준이 직무 만족의 요인이 될 수 있다고 주장한다. ( )

**심화학습**

**기타 기대이론**

| | |
|---|---|
| 에킨슨의 기대 모형 | 인간의 행위는 성공하려는 적극적 동기와 실패를 면하려는 소극적 동기의 교호작용에 의해 결정된다. |
| 버른의 의사 거래 분석 | 인간에게는 어버이, 어른, 어린이의 자아상태가 있으며 자아상태가 자극을 받으면 동기부여 된다. 따라서 관리자는 특정 개인이 어떠한 자아상태가 지배적인가를 판단하여 관리해야 한다. |

**O·X 문제**

4. 직무특성모델은 기술다양성, 직무정체성, 직무중요성, 자율성, 환류 등 다섯 가지의 핵심 직무특성을 제시한다. ( )
5. 직무특성모델에서 직무정체성이란 주어진 직무의 내용이 하나의 제품 혹은 서비스를 처음부터 끝까지 완성시킬 수 있도록 구성되어 있는지에 관한 것이다. ( )
6. 직무특성이론모형에서 개인에게 작업결과에 대한 책임감을 제고하는 특성은 자율성이다. ( )
7. 해크먼과 올드햄의 직무특성모델의 잠재적 동기지수 공식에 의하면 제시된 직무특성들 중 직무정체성과 직무중요성이 동기부여에 가장 중요한 역할을 한다. ( )

O·X 정답 1. × 2. ○ 3. ○ 4. ○ 5. ○ 6. ○ 7. ×

② 직무특성의 영향

㉠ **경험적 의미성**: 조직원이 처리하는 직무의 기술이 다양하고, 과업의 정체성이 확고하며, 과업의 중요성이 높으면 조직원은 심리적으로 자신의 직무를 중요하고 가치 있는 것으로 간주한다.

㉡ **경험적 책임감**: 자율성이 보장된 직무는 조직원들에게 심리적으로 결과에 대한 책임 의식을 부여해 준다.

㉢ **결과에 대한 지식**: 직무가 피드백을 정확히 제시해 줄 경우 조직원들은 어떻게 효과적으로 직무를 처리할 것인지를 알게 된다.

(3) 직무특성과 동기부여

① **동기부여**: '경험적 의미성', '경험적 책임감', '결과에 대한 지식'에 대한 심리적 상태가 동기부여를 가져온다. 특히, 기술다양성, 직무정체성, 직무중요성 등의 경험적 의미성보다는 자율성과 환류가 조직원의 동기부여에 더 큰 영향을 미친다.

② **잠재적 동기지수(MPS: Motivating Potential Score)**

| M(잠재적 동기지수) = (기술다양성+직무정체성+직무중요성)/3 × 자율성 × 환류 |
|---|

(4) 직무특성과 성장욕구

직무특성과 결과 사이에는 개인의 성장욕구(존경 및 자아실현욕구)가 조절작용을 한다. 직무의 질이 높을 때(잠재적 동기지수가 높을 때) 성장욕구가 높은 사람은 다른 사람보다 더욱 긍정적으로 변하게 된다. 따라서 성장욕구가 높은 사람에게는 잠재적 동기지수가 높은 업무를, 성장욕구가 낮은 사람에게는 잠재적 동기지수가 낮은 업무를 맡기는 것이 바람직하다.

## 4. 로크(Locke)의 목표설정이론

(1) 의 의

목표설정이론은 개인의 목표를 강력한 동기유발 요인으로 보고 목표의 곤란성과 구체성에 따라 직무성과가 결정된다고 본다. 이 이론은 행동의 원인(개인의 목표)에 초점을 두고 있다.

(2) 구성요소

① **목표의 곤란도(도전성)**: 목표달성을 위해 노력을 요구하는 정도를 의미한다. 목표설정이론은 달성 가능한 수준에서 난이도가 높은 목표를 설정한다면 조직원의 노력의 강도를 높여 동기를 유발할 수 있다고 본다.

② **목표의 구체성(명확성)**: 목표가 명확하게 규정되는 정도를 의미한다. 목표설정이론은 구체적인 목표를 설정한다면 조직원에게 노력의 방향을 제시해 주어 동기를 유발할 수 있다고 본다.

**O·X 문제**

1. 로크의 목표설정이론에서는 목표의 도전성(난이도)과 명확성(구체성)을 강조했다. ( )

2. 로크(Locke)의 목표설정이론에 따르면, 개인의 강력한 동기유발을 위해서는 추상적인 목표를 채택해야 한다. ( )

O·X 정답 1. ○ 2. ×

## 5. 학습이론

### (1) 의 의

행동주의 심리학에 이론적 기초를 두고 있는 학습이론은 학습이 어떻게 발생하고 그 과정이 어떠한지에 대한 체계적이고 과학적인 탐구이다.

### (2) 행동주의 심리학에 기초한 학습이론

① 학습에 관한 고전적 관점 – 고전적 조건화(Pavlov)

㉠ 의의: 고전적 조건화에서 학습이란 조건화된 자극을 무조건화된 자극과 관련시킴으로써 조건화된 자극으로부터 새롭게 조건화된 반응을 얻어내는 과정이다.

㉡ 학습과정 – 조건화된 자극을 통해 조건화된 반응을 얻어내는 과정

| 단 계 | 자 극 | 반 응 |
|---|---|---|
| 제1단계 (학습 이전) | 무조건화된 자극(개에게 음식 제공) | 무조건화된 반응(개가 침을 흘림) |
| 제2단계 (학습과정) | 중립 자극(종을 울림) + 무조건화된 자극(개에게 음식 제공) | 무조건화된 반응(개가 침을 흘림) |
| 제3단계 (학습 이후) | 조건화된 자극(학습된 후의 자극: 종을 울림) | 조건화된 반응(개가 침을 흘림) |

✎ 고기와 침 사이에는 무조건적인 관계성이 존재하는 반면, 종소리와 침 사이에는 조건화가 형성된다.

② 강화이론 – 조작적(작동적) 조건화(Skinner)

㉠ 의의: 외부자극에 의해 학습된 행동이 유발 또는 지속되는 과정을 밝히고자 하는 이론이다. 이 이론에 의하면 학습은 결과(효과)의 법칙⁺에 의해 이루어지며, 인간의 행동은 행동결과(효과)의 함수이다.

㉡ 목표설정이론과 비교: 목표설정이론은 행동의 원인(개인의 목표)에 초점을 둔다면 강화이론은 행동의 결과(처벌이나 칭찬)에 초점을 둔다.

㉢ 강화의 유형

| 강화의 유형 | 의 미 | 예 | 행 태 |
|---|---|---|---|
| 적극적 강화 | 바람직한 결과의 제공을 통해 의도한 행동을 유발하고 유지해 나가는 과정 | 칭찬, 보상 | 바람직한 행동 반복 |
| 소극적 강화 (회피) | 바람직하지 않은 결과의 제거를 통해 의도한 행동을 유발하고 유지해 나가는 과정 | 부담의 제거 | |
| 소거(중단) | 바람직한 결과를 제공하지 않음으로써 행동의 빈도가 감소하거나 사라지는 과정 | 성과급 폐지 | 바람직하지 않는 행동 제거 |
| 처벌(제재) | 바람직하지 않은 행동의 빈도를 약화시키거나 감소시키는 과정 | 질책 | |

✎ 스키너(Skinner)는 칭찬, 보상 등과 같은 적극적 강화가 가장 바람직한 수단이라고 주장하였다.

⁺ 결과(효과)의 법칙
자극이 있으면 반응행동을 보이게 되고 이러한 반응행동의 결과가 다음 행동에 영향을 미친다는 법칙

**O·X 문제**

1. 조작적 조건화이론은 행동의 결과를 조건화함으로써 행태적 반응을 유발하는 과정을 설명한다. ( )
2. "행태는 그 결과들의 함수이다."라는 주된 생각을 갖는 이론은 강화이론이다. ( )
3. 스키너의 강화이론은 인간의 내면적 과정에 초점을 맞추며, 행동의 결과보다 원인을 더 강조한다. ( )
4. 생산량에 비례하여 임금을 지급하는 성과급제는 변동비율 강화의 한 예로, 바람직한 행동을 유지하는 데 효과적이다. ( )
5. 연속적 강화는 초기단계 학습에서 바람직한 행동의 빈도를 늘리는 데 효과적이나 강화효과가 빨리 소멸한다. ( )

O·X 정답 1. ○ 2. ○ 3. × 4. × 5. ○

㉣ **강화일정**: 강화물의 투입시기와 방법에 대한 것으로 강화계획이 시간에 의존할 때 간격강화, 반응의 횟수(빈도)에 의존할 때 비율강화라고 한다.

<table>
<tr><th>강화일정</th><th colspan="2">의 미</th></tr>
<tr><td rowspan="2">고정비율 강화</td><td colspan="2">미리 정해진 횟수(빈도)에 근거해 강화물을 제시되는 방법(생산량이 300개에 도달할 때마다 보상 지급)</td></tr>
<tr><td>연속적 강화</td><td>행동이 일어날 때마다 강화물을 제공하는 것으로 강화비율간격이 1로 설정된 고정비율 강화의 일종(뜨거운 난로의 법칙✤: 초기 학습단계에 효과적이나 강화의 효과가 빨리 소멸되어 관리자에게 큰 도움이 되지 못함)</td></tr>
<tr><td>변동비율 강화</td><td colspan="2">강화물을 획득하기 위해 수행해야 할 수행횟수를 예측하지 못하도록 강화물을 제시하는 방법(특별보너스의 지급 등, 바람직한 행동을 유지하는 데 가장 효과적)</td></tr>
<tr><td>고정간격 강화</td><td colspan="2">미리 결정되어 있는 일정한 간격으로 강화물을 제공하는 방법(관리자가 매일 2시에 사무실에 들러 업무를 감독하는 것)</td></tr>
<tr><td>변동간격 강화</td><td colspan="2">어떠한 시점에 강화물이 주어지는지 예측할 수 없도록 설정되어 있는 방법(관리자가 매일 다른 시간에 사무실에 들러 업무를 감독하는 것)</td></tr>
</table>

✤ **맥그리거(McGregor)의 뜨거운 난로의 법칙**
관련 행위가 발생할 때마다 결과가 작동되어야 하며, 발생했을 때 즉시 결과가 연결되어야 하고, 행위 발생의 가능성이 있을 때마다 사전경고가 필요하다는 법칙

③ **현대적 학습이론 – 사회학습이론(자율규제이론)**: 학습은 조작적 조건화에 의한 직접적 강화, 타인 행동의 결과에 의해 영향을 받는 대리적 강화(모델의 관찰에 의한 학습), 외적 자극이 없더라도 자신의 행동 결과에 대한 스스로의 평가에 의한 자기강화 등 복합적 요인에 의해 이루어진다고 보는 이론이다.

**심화학습**

**기타 학습에 관한 현대적 관점**

| | |
|---|---|
| 잠재적 학습 이론 | 강화라는 인위적 조작이 없어도 학습은 일어나지만, 이 때의 학습은 잠재적 학습에 불과하므로 학습결과를 행동으로 옮기도록 하기 위해서는 강화요인이 필요하다고 보는 이론 |
| 인지 학습 이론 | 외부적 자극(강화요인)이 아닌 인간의 내면적인 욕구, 만족, 기대 등의 자발적인 인지가 학습에 영향을 미친다고 보는 이론 |
| 귀납적 학습 이론 | 직접적인 설명이나 지시가 없어도 특정 상황에 대한 불확실한 추론과정(귀납적 학습)을 통해 학습이 이루어질 수 있다고 보는 이론 |

**핵심정리 | 과정이론의 정리**

| | |
|---|---|
| 기대이론 | ① 브룸의 기대이론<br>② 포터와 롤러의 업적·만족이론<br>③ 조고폴러스의 통로－목표이론 등 |
| 기 타 | ① 애덤스의 공정성이론<br>② 로크의 목표설정이론<br>③ 스키너의 강화이론(작동적 조건화 이론)<br>④ 해크먼과 올드햄의 직무특성이론 등 |

## 제 3 절 리더십

### 01 리더십의 이해

#### 1. 리더십의 의의

(1) 개 념

리더십이란 바람직한 목표를 달성하기 위해 조직 내의 개인과 집단을 유도하고 조정하며 행동케 하는 기술 내지 영향력을 말한다.

### (2) 직권력(headship)과의 차이

직권력은 공식적 직위를 근거로 하는 제도적 권위로 물리적 · 강제적 · 일방적 성격을 띤다. 반면 리더십은 지도자 자신의 권위에 기반한 심리적 권위로 지도자와 구성원 간에 심리적 일체감을 통해 구성원들을 자발적으로 행동하도록 유도한다.

🗁 리더십(지도력)과 헤드십(직권력)

| 구 분 | 리더십(지도력) | 헤드십(직권력) |
|---|---|---|
| 근 거 | 지도자 자신의 권위(사람의 권위) | 높은 공식적 지위(직위의 권위) |
| 성 격 | 심리적 권위(공감과 일체감 강함) | 제도적 권위(공식적 직위에 근거함) |
| 특 징 | 자발성, 동태성, 상호교류, 지속성, 상향성 | 강제성, 정태성, 일방성, 일시성, 하향성 |

### (3) 특 징

① **목표지향적 성격**: 리더십의 목적은 조직의 목표달성에 있다.
② **변화지향적 성격**: 리더십은 인간의 행동을 변화시키는 과정이다.
③ **사회적 관계**: 리더십은 상사와 부하와의 상호작용 과정이다.
④ **개인적 능력**: 리더십은 리더의 개인적 권위와 관련된다.
⑤ **자발성**: 리더십은 부하의 자발적 행동을 유도하는 활동이다.
⑥ **기능적 · 상황적 연계성**: 리더십의 기능은 조직의 다른 기능과 연계되어 있으며, 상황변수에 의해 영향을 받는다.

**심화학습**

**리더십의 기능**
① 조직의 공식적 구조와 설계의 미비점을 보완하는 기능
② 조직목표와 구성원의 임무 및 역할의 명확화 기능
③ 조직의 일체성 · 적응성의 확보를 통한 체제의 효율성 유지 기능
④ 변화하는 환경에 조직의 효율적인 적응 유도 기능
⑤ 구성원의 동기 유발 및 재사회화 기능
⑥ 인적 · 물적 자원과 정치적 자원의 효율적 동원 기능
⑦ 촉매자 · 대변자 · 위기관리자로서의 기능

## 2. 리더십 연구의 전개

### (1) 리더십 연구의 시작

구조 중심의 연구인 과학적 관리론은 구조만 잘 갖추면 효과적인 업무수행이 가능하다고 보아 리더십을 중시하지 않았다. 리더십은 구성원의 동기부여나 인간행태를 중시하는 인간관계론에서 연구되기 시작하여 행정행태론에서 과학적 연구가 이루어졌고, 행정이 국가발전을 선도해야 한다고 보는 발전행정론에서 본격화되었다.

### (2) 리더십이론의 변천

① 전통적 리더십이론
　㉠ **자질론(속성론 · 특성론)**: 리더 개인의 '타고난 자질'에 초점을 둔 연구
　㉡ **행태론**: 조직의 효과성을 증진하는 리더의 행태 연구
　㉢ **상황론**: 상황에 따른 효과적인 리더십의 유형 연구
② **현대적 리더십이론 — 신자질론(신속성론)**: 리더 개인의 '학습되는 자질'을 리더십의 중요 요소로 보고 이를 규명하고자 하는 최근의 연구(카리스마적 리더십, 변혁적 리더십, 서번트 리더십 등)

**O·X 문제**

1. 리더십이론은 과학적 관리론에서부터 연구되기 시작하였다. ( )
2. 리더십이론은 속성론으로부터 시작해 행태론을 거쳐 상황론으로 발전해 왔다. ( )

O·X 정답 1. × 2. ○

## 02 전통적 리더십이론

리더십에 관한 전통적 접근법은 리더십 과정의 어느 측면을 강조하느냐에 따라 역사적으로 자질론(1920~1950), 행태론(1950~1960), 상황론(1970)으로 발전하였다.

### 1. 자질론(속성론 · 특성론)적 접근

(1) 의 의

리더 개인이 가지는 몇 가지 자질과 속성이 리더십을 발휘하게 한다고 보고, 리더가 되게 하는 개인의 자질과 속성을 연구하는 접근방법이다. 이 접근방법은 리더십은 만들어지는 것이 아니라 위대한 인물의 출생과 더불어 타고난 것이라고 전제한다.

(2) 종 류

① **단일적(통일적) 자질론**: 하나의 단일적 · 통일적 자질을 구비한 사람은 어떠한 상황에서든 리더가 된다고 보고 이를 규명하고자 하는 이론이다.

② **성좌적 자질론**: 단일적 · 통일적 자질은 존재하지 않는다고 보고 여러 가지 자질의 결합을 통해 리더의 인성을 파악하고자 하는 이론이다.

(3) 한 계

① 집단의 특성 · 조직목표 · 상황에 따라 요구되는 리더의 자질이 전혀 달라질 수 있음을 간과하고 있다.

② 특정인이 지도자가 되기 전의 자질과 된 후의 자질이 사실상 동일함을 설명하기 곤란하다.

③ 성공한 지도자라 하더라도 누구나 동일한 자질을 갖고 있는 것은 아니라는 점을 설명하기 곤란하다.

④ 지도자가 반드시 갖추어야 할 보편적인 자질을 규명하는 데 실패하였다.

### 2. 행태론적 접근(행동유형론)

(1) 의 의

조직의 효과성에 직접적인 영향을 미치는 것은 리더의 속성이나 자질이 아니라 리더의 행태(리더의 실제 행동)라고 보는 접근방법이다. 행태론적 접근은 모든 상황에 효과적인 리더의 행동 유형이 존재한다는 것을 전제로 리더의 행태와 추종자들의 반응 사이의 관계를 경험적으로 밝히고자 하였다.

(2) 구체적인 이론

① **아이오와 대학의 연구**: 화이트(White)와 리피트(Lippitt)

㉠ **전개**: 화이트와 리피트에 의해 주도된 아이오와 대학의 연구는 지도자의 유형을 '권위형(명령 · 지시형)', '민주형(인간관계형)', '자유방임형(구성원의 재량을 최대한 인정하는 유형)'으로 구분하고 각 지도자 유형이 갖는 특징을 알아보는 실험을 실시하였다(1차원 모형).

㉡ **결론**: 생산성은 민주형과 권위형이 비슷하게 나타났지만, 피험자의 선호는 민주형이 가장 높다는 점에서 전체적으로 민주형을 가장 효과적인 리더십 유형으로 보았다.

**O·X 문제**

1. 리더십에 있어 자질론적 접근은 리더가 만들어지기보다는 특별한 역량을 타고나는 것임을 강조한다. ( )

2. 특성론적 접근법은 성공적인 리더는 그들만의 공통적인 특성이나 자질을 가지고 있다고 전제한다. ( )

3. 특성론적 접근법은 주로 업무의 특성과 리더십 스타일 사이의 관계에 초점을 맞춘다. ( )

4. 특성론은 리더의 자질 및 특성을 일반화하지 못했다는 비판을 받는다. ( )

PART · 04

**심화학습**

리더십 유형의 차원

| | |
|---|---|
| 1차원 모형 | 리더십의 기본유형을 단선적으로 접근하는 이론(아이오와 대학의 연구, 미시간 대학의 연구 등) |
| 2차원 모형 | 과업지향과 인간지향의 두 축에 의해 리더십의 유형을 평면적으로 접근하는 이론(오하이오 대학의 연구, 블레이크와 모튼의 관리망이론 등) |
| 3차원 모형 | 과업지향, 인간지향뿐만 아니라 상황을 고려한 효율성이라는 세 축에 의해 리더십 유형을 입체적으로 접근하는 이론(상황론적 접근) |

O·X 정답 1. ○ 2. ○ 3. × 4. ○

**O·X 문제**

1. 행태론은 리더의 행동유형을 연구하였다. ( )
2. 행태이론은 눈에 보이지 않는 능력 등 리더가 갖춘 속성보다 리더가 실제 어떤 행동을 하는가에 초점을 맞춘 이론이다. ( )
3. 행태론적 접근법은 리더의 행동과 효과성 사이의 관계에 관심을 갖는다. ( )
4. 아이오와주립대학의 리더십 연구에서는 리더의 행태를 민주형, 권위형, 방임형으로 분류하였다. ( )
5. 오하이오 주립대 리더십 연구자들은 리더의 행동을 구조주도와 배려로 설명하며 가장 훌륭한 리더유형을 중간 수준의 구조주도와 배려를 갖춘 균형잡힌 리더형태로 보았다. ( )

**심화학습**

관리망이론의 리더십 유형

| | |
|---|---|
| 무기력형 (1·1형) | 생산과 인간 모두에 대한 관심이 낮은 리더십 |
| 컨트리 클럽형 (1·9형) | 생산에 대한 관심은 낮고 인간에 대한 관심만 높은 인기형 리더십 |
| 과업형 (9·1형) | 생산에 대한 관심은 높고 인간에 대한 관심은 낮은 과업지향적 리더십 |
| 중도형 (5·5형) | 생산과 인간에 절반씩 관심을 두고 적당한 수준의 성과를 지향하는 리더십 |
| 팀형 (9·9형) | 생산과 인간에 대한 관심이 모두 높아 조직목표 달성에 헌신하도록 유도하는 리더십(단합형) |

**O·X 문제**

6. 블레이크와 모튼은 조직발전에 활용할 목적으로 관리유형도라는 개념적 도구를 사용한다. ( )
7. 블레이크와 모튼의 관리망모델은 리더의 생산과 사람에 대한 관심을 중심으로 리더십을 분류하여 각각 부족한 리더십을 훈련시키고자 하는 행태이론이다. ( )
8. 블레이크와 머튼은 생산에 대한 관심과 사람에 대한 관심이 모두 높은 단합형리더십 유형을 최선의 관리방식으로 제안하였다. ( )

O·X 정답 1. ○ 2. ○ 3. ○ 4. ○ 5. × 6. ○ 7. ○ 8. ○

② **미시간 대학의 연구**: 리커트(Likert)

㉠ **전개**: 리커트에 의해 주도된 미시간 대학의 연구는 구성원의 사기 및 작업집단의 생산성을 높이는 지도자 유형을 찾기 위해 리더십을 '업무 중심형'과 '종업원 중심형'으로 구분하였다(1차원 모형).

㉡ **결론**: 리더십의 효과성은 생산성뿐만 아니라 종업원의 사기에 의해서도 측정되어야 한다고 보았으며, '종업원 중심형'이 '업무 중심형'보다 더 효과적인 것으로 나타났다.

③ **오하이오 주립대학의 연구**(Fleishman, Harris & Burtt)

㉠ **전개**: 이 연구는 조직화의 정도(리더와 추종자와의 관계 및 조직구조와 과정을 엄격하게 형성하려는 정도)와 배려의 정도(리더와 추종자 사이에 우정·신뢰·존경심 등을 조성하려는 정도)라는 이원적 개념을 조합해 네 가지 유형의 리더십(지시적·독려적·지원적·개방적 리더십)을 제시하였다(2차원 모형).

㉡ **결론**: '높은 조직화'와 '높은 배려'를 동시에 보이는 리더가 효과적인 리더로 나타났다.

| 민주형 계열 리더십 | 권위형 계열 리더십 |
|---|---|
| 부하 중심형 | 상관 중심형 |
| 직원 중심형 | 생산 중심형 |
| 배려형 | 선도형 |
| 일반적인 감독형 | 면밀한 감독형 |
| 설득형 | 자의형 |
| 집단 중심형 | 리더 중심형 |
| 참여형 | 권위형 |
| 민주형 | 독재형 |
| 정서형 | 임무 중심형 |
| 인간관계지향형 | 과업지향형 |
| 지지형 | 지원형 |

④ **관리그리드모형(행동유형론)**: 블레이크(Blake)와 모튼(Mouton)

㉠ **전개**: 블레이크와 모튼은 '생산에 대한 관심'과 '인간에 대한 관심'의 두 가지 기준을 토대로 관리망을 구성하고 리더십의 유형을 9점 척도로 측정하여 대표적인 리더십 유형을 다섯 가지로 제시하였다(2차원 모형).

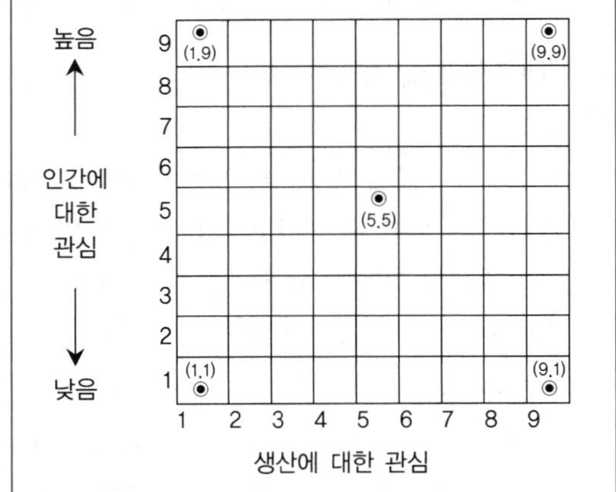


㉡ **유 형**

ⓐ 무기력형(1·1형)

ⓑ 컨트리클럽형(1·9형)

ⓒ 과업형(9·1형)

ⓓ 중도형(5·5형)

ⓔ 팀형(단합형: 9·9형)

㉢ **결론**: '인간에 대한 관심'과 '생산에 대한 관심'이 모두 높은 팀형(단합형)이 가장 이상적인 리더십 유형으로 나타났다. 이 모형은 교육·훈련을 통해 관리자를 팀형 리더로 육성해 나가야 한다고 보았으며, 조직발전(OD)기법으로 활용되었다.

(3) 행태론적 접근의 평가

① 눈에 보이지 않는 리더의 능력이나 자질보다 리더가 실제 어떤 행동을 해야 하는가에 초점을 맞추고 어떤 사람이든 리더가 될 수 있으며, 리더십은 훈련될 수 있다고 가정하였다.

② 대부분의 연구가 2요인분류법을 이용하여 리더의 행동을 너무 광범위한 두 가지 범주로만 단순하게 구분하고 있다.

③ 효과적인 리더의 행동은 상황에 따라 다르다는 사실을 간과하고 있다.

## 3. 상황론적 접근

(1) 의 의

리더십을 특정한 역사적 맥락 속에서 발휘되는 것으로 보아 리더의 자질과 행태보다는 상황을 더 중요한 요인으로 보는 접근방법이다. 상황론적 접근은 조직의 효과성은 지도자・추종자・상황에 의해 결정된다고 보고 상황에 따른 효과적인 리더십 유형을 밝히고자 하였다(3차원 모형).

(2) 구체적인 이론

① 피들러(Fiedler)의 상황이론

㉠ 의의: 피들러는 '가장 좋아하지 않는 동료(LPC: Least Preferred Coworker)✢'라는 척도에 의하여 LPC 점수가 높은 경우 '관계지향형' 리더십으로, LPC 점수가 낮은 경우 '과업지향형' 리더십으로 구분하고, 효과적인 리더십 유형은 상황에 따라 다르다고 보았다.

㉡ 상황변수: ⓐ 리더와 부하의 관계, ⓑ 직위권력, ⓒ 과업구조의 3가지 상황변수가 어떻게 결합하느냐에 따라 리더의 상황적 유리성이 결정되고, 상황적 유리성에 따라 효과적인 리더십 스타일이 다르게 나타난다.

㉢ 상황적 유리성: 리더와 부하 간 신뢰의 정도가 높을수록, 리더의 직위권력이 클수록, 과업구조가 명확하고 구체적일수록 상황적으로 유리하다.

㉣ 결론: 리더십 상황이 리더에게 유리하거나 불리한 경우에는 '과업지향형'이, 유리하지도 않고 불리하지도 않은 경우에는 '관계지향형'이 효과적이다.

② 레딘(Reddin)의 모형

㉠ 의의: 레딘은 구조설정(과업지향)과 배려(관계지향)의 두 차원에 따라 리더 행동의 기본 유형을 4가지로 분류하고 이를 효과성 차원에 접목하였다.

㉡ 리더의 기본 유형

ⓐ 분리형: 과업과 인간관계 모두 최소의 간섭만 한다.

ⓑ 헌신형: 인간관계보다는 과업만을 중시한다.

ⓒ 관계형: 과업보다는 인간관계를 중시한다.

ⓓ 통합형: 인간관계와 과업 모두를 중시한다.

㉢ 결론: 이들 유형은 상황의 적합성 여부에 따라 효과적일 수도 있고 비효과적일 수도 있다.

**O·X 문제**

1. 행태론적 리더십은 어떤 사람이든 리더가 될 수 있으며, 리더십을 훈련할 수 있다고 가정하였다. ( )
2. 행태론적 접근법은 효과적인 리더의 행동은 상황에 따라 다르다는 사실을 간과하고 있다. ( )

**O·X 문제**

3. 상황론에서는 리더십을 특정한 맥락 속에서 발휘되는 것으로 파악해, 상황 유형별로 효율적인 리더의 행태를 찾아내기 위한 연구를 수행하였다. ( )
4. 상황론은 리더십이 상황의 변화를 가져온다는 것을 전제한다. ( )

PART · 04

✢ LPC
가장 덜 좋아하는 동료에 대한 리더의 태도를 묻는 문항으로 구성된 설문

**O·X 문제**

5. 피들러의 상황적응모형에서는 '가장 좋아하지 않는 척도(LPC)'를 사용하는데 LPC 점수가 낮은 경우 과업지향형으로 분류한다. ( )
6. 피들러의 상황적 리더십 이론에서 상황변수 3가지는 리더-구성원 관계, 리더의 직위권력, 업무구조이다. ( )
7. 피들러의 상황적응적 리더십에 의하면 상황의 유리성이 중간 정도일 때에는 인간관계 중심적 리더십이 효과적이다. ( )

O·X 정답 1. ○ 2. ○ 3. ○ 4. × 5. ○ 6. ○ 7. ○

③ 허시(Hersey)와 블랜차드(Blanchard)의 성장순기론(생애주기론)

㉠ 의의: 허시와 블랜차드는 리더의 행동을 '과업지향적 행동'과 '관계지향적 행동'으로 구분하고, 상황변수로 '부하의 성숙도'를 채택해 3차원적인 리더십모형을 제시하였다(오하이오 대학의 연구와 레딘의 3차원 모형 통합).

㉡ **상황변수 – 부하의 성숙도**: 직무상의 성숙도(부하의 과업관련 지식의 정도)와 심리적 성숙도(부하의 자신감과 자존심의 정도)로 구성된다.

㉢ **결론**: 리더십의 유형을 지시형, 설득형, 참여형, 위임형으로 구분하고, 부하의 성숙도가 높아짐에 따라 리더십의 유형이 지시형 ⇨ 설득형 ⇨ 참여형 ⇨ 위임형으로 나아가야 조직의 효과성이 제고될 수 있다고 보았다.

④ 하우스(House)의 경로 – 목표모형

㉠ 의의: 하우스는 리더십의 근원은 리더가 목표 달성 경로를 명확히 해주고 목표 달성 경로에 있는 장애요소를 줄여줄 것이라는 리더에 대한 조직원들의 기대에 달려 있다고 보고 리더십이론을 전개하였다.

㉡ **특징 – 기대이론과 상황이론의 결합**: 이 모형은 동기부여의 기대이론에 착안한 것으로 기대이론과 상황이론을 결합한 것이다.

㉢ 이론의 전개

ⓐ **상황변수**: 조직원이 통제할 수 없는 환경변수(과업환경: 과업구조, 공식적 권위체계, 작업집단의 특성 등)와 조직원 개인의 특성(부하의 특성: 통제위치*, 경험 및 지각 능력, 욕구 등)을 상황변수로 보았다.

ⓑ 리더십의 유형과 효과적인 상황

| | | |
|---|---|---|
| 지시적 리더십 | 의 의 | 리더가 원하는 바를 알려주고, 부하들이 해야 할 작업일정을 계획하며, 과업수행 방법을 지도해 주는 리더십 |
| | 효과적 상황 | • **과업환경**: 과업이 구조화되어 있지 않을 때, 조직형성 초기일 때, 비상상황 또는 시간적 압박이 클 때<br>• **부하의 특성**: 부하의 경험 및 지식이 부족할 때, 외재론자일 때, 생리적 욕구나 안전욕구가 강할 때 |
| 지원적 리더십 | 의 의 | 부하의 욕구와 복지를 고려하여 작업환경의 부정적 측면을 최소화 해주는 배려 중심 리더십 |
| | 효과적 상황 | • **과업환경**: 과업이 일상적이고 단순하며 구조화되어 있을 때, 집단이 안정적일 때<br>• **부하의 특성**: 소속욕구나 존경욕구가 강할 때 |
| 참여적 리더십 | 의 의 | 부하들과 상담하고 부하들의 의견을 의사결정에 반영해 주는 리더십 |
| | 효과적 상황 | • **과업환경**: 과업이 구조화되어 있지 않을 때<br>• **부하의 특성**: 부하들이 경험과 지식이 많고 내재론자일 때 |
| 성취적 리더십 | 의 의 | 부하들에게 도전적인 목표를 설정해 주고 부하가 목표 달성을 추구하는 데 자신감을 갖게 해주는 리더십 |
| | 효과적 상황 | • **과업환경**: 과업이 구조화되어 있지 않을 때<br>• **부하의 특성**: 성취욕구가 강할 때 |

**O·X 문제**

1. 허시와 블랜차드의 리더십 상황이론에 따르면 지시형, 설득형, 참여형, 위임형이 있다. ( )

2. 허시와 블랜차드에 의하면 국민의 성숙수준이 가장 높은 경우에 적용될 수 있는 정부운영의 방식은 위임방식이다. ( )

**심화학습**

3차원 모형

| | |
|---|---|
| 의의 | 상황론적 리더십이론 중에서 특히 효율성 차원을 고려한 리더십 이론(인간, 과업, 효율성이라는 세 가지의 축에 의한 입체적 접근) |
| 예 | House & Evans의 경로–목표이론, Reddin의 모형, Hersey & Blanchard의 리더십 모형 등 |

* 통제위치

| | |
|---|---|
| 의의 | 본인이 취한 행동이 조직의 성과에 직접적으로 영향을 미친다고 믿는 정도 |
| 내재론자 | 자기에게 일어나는 일을 본인이 통제할 수 있다고 봄. |
| 외재론자 | 그들에게 발생하는 일이 운명에 의한 것이라고 봄. |

**O·X 문제**

3. 하우스는 경로–목표이론을 통하여 효과적인 리더십은 부하의 특성과 업무환경에 따라 달라진다고 주장하였다. ( )

4. 하우스의 경로–목표이론에 따르면 리더는 부하가 원하는 보상을 획득할 수 있는 경로를 명확하게 함으로써 부하의 성과를 향상시킬 수 있다고 전제한다. ( )

5. 하우스의 통로목표이론에 의하면 부하의 지식이 부족하고 공식적 규정이 마련되어 있지 않은 과업환경에서는 지원적 리더십보다 지시적 리더십이 보다 부하의 만족을 높이고 효과적일 수 있다. ( )

6. 하우스의 경로–목표이론에 의하면 참여적 리더십은 부하들이 구조화되지 않은 과업을 수행할 때 필요하다. ( )

7. 하우스와 에반스는 리더십을 지시형, 설득형, 참여형, 위임형으로 구분한다. ( )

O·X 정답 1. ○ 2. ○ 3. ○ 4. ○ 5. ○ 6. ○ 7. ×

⑤ 커(Kerr)와 저미어(Jermier)의 리더십 대체물 접근법

㉠ 의의: 커와 저미어는 리더십을 중시하는 기존의 이론과 달리 많은 상황에서 리더십이 그다지 중요하지 않다고 주장하면서 리더의 행동을 필요 없게 만드는 상황적 요소인 '대체물'과 리더가 취한 행동의 효과를 약화시키는 상황적 요인인 '중화물'을 제시하였다.

㉡ 이론의 전개

| 요 소 | | 영향받는 리더의 행동 | |
|---|---|---|---|
| | | 지시적 리더십(구조) | 지원적 리더십(배려) |
| 부하특성 | 경험 · 능력 · 훈련 | 대체물 | |
| | 부하의 전문가적 지향 | 대체물 | 대체물 |
| | 조직의 보상에 대한 무관심 | 중화물 | 중화물 |
| 과업특성 | 구조적 · 일상적 과업 | 대체물 | |
| | 과업에 의해 제공되는 피드백 | 대체물 | |
| | 내적으로 만족되는 과업 | | 대체물 |
| 조직특성 | 응집력이 높은 집단 | 대체물 | 대체물 |
| | 공식화된 구조 | 대체물 | |
| | 엄격한 규칙과 절차 | | 중화물 |
| | 리더와 부하 간의 공간적 거리 | 중화물 | 중화물 |
| | 조직보상에 대한 리더의 통제 부족 | 중화물 | 중화물 |

(3) 상황이론의 평가

① 여러 가지 상황변수를 종합적으로 분석하지 않고 학자마다 단지 한두 가지의 상황변수만을 편의적으로 선택하여 사용하고 있다.

② 자질론적 접근과 행태론적 접근이 지나치게 일반적인 원리를 파악하는 데 주력했다면, 상황론적 접근은 지나치게 수많은 단편적인 상황마다 적합한 리더의 특성이나 행동을 파악하는 데 주력한다는 점에서 일반화에 한계가 있다.

## 03 현대적 리더십이론

1980년대 이후의 리더십 연구는 행태론적 접근이나 상황론적 접근과 달리 다시 성공적인 리더의 자질(가치관, 감정 등)을 찾고자 하는 속성론적 접근으로 나아가고 있다(신자질론 · 신속성론). 다만, 현대적 리더십이론에서 리더의 자질은 타고난 자질이 아닌 습득되는 기술로 본다는 점에서 과거의 속성론적 접근과 차이가 있다.

### 1. **카리스마적**(위광적) **리더십**(Charismatic Leadership)

(1) 의 의

카리스마란 구성원들이 스스로 리더를 따르게 만드는 리더의 인간적 매력을 말하며, 카리스마적 리더십이란 리더가 뛰어난 인간적 매력으로 구성원들의 강한 헌신과 리더와의 일체화를 이끌어내는 리더십을 말한다.

**O·X 문제**

1. 구조화되고 일상적이며 애매하지 않는 과업은 리더십 대체물이다. ( )

2. 부하의 경험, 능력, 훈련수준이 높은 것은 리더십 중화물이다. ( )

3. 수행하는 과업의 결과에 대한 환류가 빈번한 것은 리더십 대체물이다. ( )

**심화학습**

기타 상황론적 접근

① **타넨바움과 슈미트의 상황이론**

| | |
|---|---|
| 의의 | 리더의 권위와 부하의 재량권은 반비례한다고 보고 상황변수에 따른 리더의 행태가 부하의 행태에 영향을 미침으로써 조직의 효과성을 결정한다고 보았다. |
| 결론 | 리더의 권위는 크고 부하의 재량권이 작은 경우 독재적 의사결정, 리더의 권위와 부하의 재량권이 적절할 경우 협의적 의사결정, 리더의 권위는 작고 부하의 재량권이 큰 경우 공동의사결정이 이루어진다. |

② **유클의 다중연결모형**

| | |
|---|---|
| 의의 | 리더십에 관한 기존의 이론들을 집대성하여 리더의 11가지 행동을 원인변수로 보면서 6가지의 매개변수와 3가지 종류의 상황변수를 이용하여 부서의 효과성을 설명하였다. |
| 평가 | 이 이론은 복잡성으로 인해 실증적으로 그 타당성을 검증하기 어렵다는 점이 한계로 지적되고 있다. |

**O·X 문제**

4. 카리스마적 리더십은 리더가 특출한 성격과 능력으로 추종자들의 강한 헌신과 리더와의 일체화를 이끌어내는 리더십이다. ( )

O·X 정답 1. ○ 2. × 3. ○ 4. ○

PART · 04

(2) 특징 – 콘거와 카눈거(Conger & Kanungo)

① 리더의 행동특성

㉠ **환경 민감성**: 환경적인 제약과 변화에 필요한 자원을 현실적으로 평가한다.

㉡ **욕구 민감성**: 구성원의 능력을 잘 파악하고 욕구에 민감하게 반응한다.

㉢ **비관행적 행동**: 기존의 관습이나 규범에 얽매이지 않고 자유롭게 행동한다.

㉣ **전략적 비전 제시**: 현상에 대한 불만을 강하게 표출하고 혁신적 변화의 필요성을 역설하며, 구성원들이 매력적으로 여길 수 있는 비전을 전달한다.

㉤ **개인적 위험의 감수**: 개인적인 손실을 감수하며 비전 달성을 위한 자기희생적인 모습을 보인다.

② 구성원들의 행동특성

㉠ 리더의 신념을 신뢰하게 되어 리더와 구성원의 신념이 유사해진다.

㉡ 리더에 대한 무조건적인 수용과 자발적인 복종이 일어난다.

㉢ 리더의 목표에 대하여 감정적으로 몰입하여 스스로 자신의 목표를 높게 설정한다.

(3) 한 계

① 카리스마적 리더는 자신이 유능한 리더라는 이미지를 심어주기 위해 인상관리를 하지만, 이것이 지나치면 오히려 구성원들의 충성을 이끌어내지 못할 수 있다.

② 카리스마적 리더가 조직의 목표보다 개인적 야망을 우선시하는 경우 구성원들을 개인적 목표를 달성하기 위한 수단으로 악용할 수 있다.

③ 카리스마적 리더십은 기본적으로 리더의 강력한 영향력에 기초하기 때문에 구성원들에 대한 관심과 배려가 부족한 경향이 있다.

## 2. **변혁적**(전환적) **리더십**(Transformational Leadership)

(1) 의 의

① 변혁적 리더십은 구성원들의 정서, 윤리규범, 가치체계, 의식수준 등을 변화시켜 개인, 집단, 조직을 바람직한 방향으로 변혁시키는 변화를 주도하고 관리하는 리더십이다.

② 변혁적 리더십은 리더가 인본주의, 평화 등 도덕적 가치와 이상을 호소하는 방식으로 구성원들의 의식수준을 높이고 이들이 높은 수준의 동기나 욕구(성장 및 자아실현욕구)에 관심을 기울이도록 유도한다.

③ 변혁적 리더십은 번스(Burns)에 의해 리더와 구성원 간의 합리적 교환관계를 토대로 하는 '안정중심의 거래적(교환적) 리더십'과 대비되는 개념으로 제시되었으며, 베스(Bass)에 의해 체계화되었다.

(2) 구성요소

① **카리스마**(**이상적 영향력**: idealized influence)

㉠ 구성원들에게 미래에 대한 비전과 사명감을 제시하고 이것을 효과적으로 전달하는 리더의 행동이나 능력을 말한다.

㉡ 변혁적 리더는 난관을 극복하고 현상에 대한 각성을 확고하게 표명함으로써 구성원에게 자긍심과 신념을 심어주며, 리더와 구성원의 강력한 감정의 결속을 통해 구성원들이 강한 충성과 존경을 가지고 리더의 비전을 수행케 한다.

심화학습

하우스의 카리스마적 리더십

| | |
|---|---|
| 리더의 성격 특성 | ① 타인을 지배하고자 하는 강한 우월성<br>② 자신의 능력에 대한 높은 자신감<br>③ 자신의 신념과 관점에 대한 강한 확신<br>④ 타인에게 영향력을 행사하고자 하는 강한 권력욕구 |
| 리더의 행동 특성 | ① 역할모델링<br>② 이미지 구축<br>③ 목표의 명확한 제시<br>④ 높은 기대와 신뢰 표현<br>⑤ 동기유발 |

O·X 문제

1. 변혁적 리더십은 인간의 행태나 상황뿐 아니라 리더의 개인적 속성도 다시 재생시키고 있으므로 신속성론에 해당한다. ( )

2. 변혁적 리더는 인본주의, 평화 등 도덕적 가치와 이상을 호소하는 방식으로 부하들의 의식수준을 높인다. ( )

3. 변혁적 리더십은 평등·자유·정의 등 고차원의 비전을 제시함으로써 추종자들의 의식을 더 높은 단계로 끌어올리려 한다. ( )

4. 변혁적 리더십은 적응보다 조직의 안정을 강조한다. ( )

5. 변혁적 리더는 부하와 충분히 소통해서 함께 이루고 싶은 미래 비전에 대한 공감대와 주인의식을 형성하게 해준다. ( )

O·X 정답 1. ○ 2. ○ 3. ○ 4. × 5. ○

② 영감적 동기부여(inspirational motivation)

㉠ 구성원들이 비전을 실현하는데 헌신하도록 동기유발시키는 리더의 행동이나 능력을 말한다(카리스마와 유사하여 동일한 요소로 보는 견해도 있음).

㉡ 변혁적 리더는 구성원들을 격려함으로써 구성원들로 하여금 도전적 목표와 임무, 미래에 대한 비전을 열정적으로 받아들이고 계속 추구하도록 만든다.

③ 지적 자극(촉매적 리더십 : intellectual stimulation)

㉠ 구성원들에게 기존의 형식적 관례와 사고에 대해 의문을 제기하고 다시 생각하게 함으로써 새로운 관념을 촉발시키고 창의적 사고를 유도하는 리더의 행동이나 능력을 말한다.

㉡ 변혁적 리더는 리더 자신, 구성원, 더 나아가 조직의 신념과 가치도 새롭게 바꾸려는 노력을 한다.

④ 개별적 배려(individualize consideration)

㉠ 구성원들의 개인적 욕구에 세심한 관심을 보이고 후원적인 업무환경을 조성하려는 리더의 행동이나 능력을 의미한다.

㉡ 변혁적 리더는 부하에게 특별한 관심을 보이고 각 부하들의 특정한 요구를 이해해 줌으로써 부하들에 대해 개인적으로 존중한다는 것을 전달한다.

㉢ 변혁적 리더는 구성원 개개인의 욕구와 능력의 차이를 인정하고 이들이 성장할 수 있도록 코치나 멘토로서의 역할을 수행하며, 권한위임(권한부여)을 활용한다.

(3) 거래적 리더십

① 의의 : 리더와 구성원 간의 교환관계에 기반을 두고, 리더는 구성원들이 가치있게 여기는 것을 제공하고 그 제공에 대한 대가로서 구성원들로부터 바람직한 행동을 유도해 내는 리더십을 말한다(변혁적 리더십과 대비되는 개념).

② 구성요소 – 보상과 처벌

㉠ 업적에 따른 보상(contingent reward) – 긍정적 강화 : 목표를 달성한 경우에 리더가 보상을 제공함으로써 구성원들의 동기를 유발한다. 이를 위해 리더는 과업을 명확히 제시하고, 과업이 완수된 경우 제공될 보상에 대해 구성원들과 합의해야 한다.

㉡ 예외관리(management by exception) – 부정적 강화 : 예외적 사건이 발생한 경우에 리더가 개입한다. 예외관리는 구성원들의 실수나 규칙 위반을 확인하여 문제가 발생하지 않도록 사전에 점검하는 적극적 예외관리와 업무 표준에 미달하거나 문제가 표면화된 경우에만 개입하는 소극적 예외관리가 있다.

③ 비거래적 리더십 – 자유방임적 리더십 : 책임을 포기하고 의사결정을 지연시키며 구성원들에게 피드백을 제공하지 않고 구성원들의 욕구를 만족시키거나 그들을 지원하는 데에도 별다른 노력을 기울이지 않는 리더십을 말한다(비리더십).

**O·X 문제**

1. 변혁적 리더십에서 영감은 공공부문의 리더가 부하로 하여금 형식적 관례와 사고를 다시 생각하게 함으로써 새로운 관념을 촉발시키는 것을 의미한다. ( )
2. 변혁적 리더는 부하들의 창의성을 계발하는 지적 자극을 중시한다. ( )
3. 변혁적 리더는 부하가 혁신적이고 창조적인 관점에서 문제를 재구성하고 해결책을 구하도록 자극하고 변화를 유도한다. ( )
4. 변혁적 리더는 부하 한 사람 한 사람의 니즈에 관심을 갖고 그에 맞는 학습기회를 제공하여 잠재력을 개발할 수 있도록 돕는다. ( )
5. 변혁적 리더는 부하에게 새로운 비전을 제시하며, 지적 자극을 통한 동기부여를 강조한다. ( )

PART · 04

**O·X 문제**

6. 변혁적 리더십은 거래적 리더십을 기반으로 하므로 거래적 리더십과 중첩되는 측면이 있다. ( )
7. 거래적 리더십에서 리더는 부하의 과업을 정확히 이해하고 목표 달성 정도를 평가하여 성과에 대한 적절한 보상을 한다. ( )
8. 변혁적 리더십에서 리더는 부하의 욕구와 직무수행에 필요한 자원을 정확히 파악하여 그에 대한 보상과 지원을 제공하고, 부하는 그에 상응하는 노력을 통하여 리더가 제시한 과업목표를 달성한다. ( )
9. 거래적 리더는 부하의 직무수행에 필요한 자원을 정확히 파악하여 지원하고, 제시된 과업목표를 부하가 달성한 정도를 평가해서 연봉, 보너스, 승진에 반영하고, 저성과자에 대해 예외관리를 한다. ( )
10. 변혁적 리더십은 행동지침을 명료하게 제시한다. ( )
11. 변혁적 리더십은 예외적 관리를 강조한다. ( )

O·X 정답 1. × 2. ○ 3. ○ 4. ○ 5. ○ 6. × 7. ○ 8. × 9. ○ 10. × 11. ×

O·X 문제

1. 변혁적 리더십의 특성에는 영감적 동기부여, 자유방임, 지적 자극, 개별적 배려 등이 있다. ( )

2. 변혁적 리더십은 단순구조나 임시체제보다 전문적 관료제에 더 적합하다. ( )

3. 변혁적 리더십은 기계적 조직체계에 적합하며, 개인적 배려는 하지 않는다. ( )

4. 변혁적 리더십은 카리스마적 리더십을 기반으로 하므로 카리스마적 리더십과 중첩되는 측면이 있다. ( )

5. 변혁적 리더십이 거래적 리더십보다 늘 행정에 유용한 것은 아니다. ( )

(4) 거래적 리더십과 변혁적 리더십의 비교

| 비교 기준 | 거래적 리더십 | 변혁적 리더십 |
|---|---|---|
| 권위의 원천 | 지위에 근거한 합법적 권위 | 구성원들의 신념에 근거한 카리스마적 권위 |
| 주된 관심 | 거래(교환)를 통한 과업의 달성 | 조직의 비전 실현, 구성원의 능력개발, 구성원의 신념·가치·욕구의 변화 |
| 동기부여 | 하위욕구(경제적·사회적 욕구)의 자극 | 상위욕구(자아실현적 욕구)의 자극 |
| 관리전략 | 업적에 따른 보상 및 예외관리(리더와 부하 간의 교환 및 통제에 의한 관리) | 카리스마, 영감, 지적 자극, 개별적 배려 등을 통한 관리(통합형 관리) |
| 초 점 | 중하위직 관리자 | 최고관리자 |
| 변화관 | 안정지향(소극적) | 변화지향(적극적) |
| 환경관 | 폐쇄체제적 접근 | 개방체제적 접근 |
| 개혁관 | 점진적·단기적·현실지향적 접근 | 급진적·장기적·미래지향적 접근 |
| 의사소통 | 일방적·하향적·수직적 | 다방향적 |
| 조직구조 | • 기계적 구조(관료제)에 적합<br>• 기계적 관료제, 사업부제, 전문적 관료제에 적합 | • 유기적 구조(탈관료제)에 적합<br>• 단순구조, 임시조직에 적합 |

(5) 변혁적 리더십의 평가

① 변혁적 리더십은 카리스마적 리더십을 기반으로 하고 있지만 카리스마적 리더십보다 더 포괄적이며, 카리스마적 리더십이 개인의 충성도를 유발한다면 변혁적 리더십은 조직몰입을 유발하여 성과향상을 가져온다는 점에서 차이가 있다.

② 변혁적 리더십이 모든 상황에 적합한 유일최선의 방법인 것은 아니다(상황적응론적 관점). 따라서 상황에 맞게 거래적 리더십과 변혁적 리더십을 적절하게 활용하는 것이 바람직하다.

O·X 문제

6. 서번트 리더십은 자기 자신보다는 다른 사람에게 초점을 두고, 부하들의 창의성과 잠재력을 발휘할 수 있도록 봉사하는 리더십이다. ( )

7. 서번트 리더십은 업무를 자율적으로 수행할 수 있도록 권한과 책임을 위임하고 지원한다. ( )

심화학습

발전적 리더십

| | |
|---|---|
| 의의 | 변동을 긍정적인 기회로 받아들이고 변동에 유리한 조건을 형성하는 데 헌신하는 리더십 |
| 특징 | 변혁적 리더십과 유사하지만 리더의 봉사정신과 추종자 중심주의를 특별히 더 강조한다는 점에서 변혁적 리더십과 서번트 리더십의 통합을 추구하는 리더십 |

O·X 정답 1. × 2. × 3. × 4. ○ 5. ○ 6. ○ 7. ○

## 3. 서번트 리더십(섬김의 리더십: Servant Leadership)

(1) 의 의

① 그린리프(Greenleaf)에 의해 제시된 서번트 리더십은 리더를 '섬김을 받는 자'가 아니라 '섬기는 자'로 정의하고, 리더가 봉사자(servant)로서 종업원, 고객 및 공동체를 우선으로 여기며, 그들의 욕구를 충족시키기 위해 헌신하는 리더십을 말한다.

② 서번트 리더십은 리더가 섬김과 봉사로써 구성원들의 성장과 발전을 도와 구성원들 스스로 조직의 목표달성에 기여할 수 있도록 하는 민주적 리더십으로 거버넌스 시대에 강력하게 요청되는 리더십 형태이다(이타주의).

(2) 구성요소

① 존중: 구성원들을 소중한 존재로 여기고 적정한 권한위임이 필요하다.
② 봉사(헌신): 구성원들의 정신적 성숙 및 전문분야에서의 발전을 위해 봉사한다.
③ 경청과 공감: 경청과 공감으로 구성원들이 스스로 문제를 해결할 수 있도록 지원한다.
④ 설득: 명령이나 지시가 아닌 대화를 통해 구성원들의 변화를 유도한다.
⑤ 정직과 신뢰: 구성원들과의 신뢰를 위해 정직한 행동과 대화를 한다.

⑥ 겸손과 헌신: 겸손한 자세로 반대 의견도 폭넓게 수용하며, 정의를 위해 헌신한다.
⑦ 공동체 구축: 구성원들의 협력을 장려하고 공동체 윤리를 확립해 나간다.

## 4. 진성 리더십(Authentic leadership)

(1) 의 의

리더의 자기성찰(자아인식)에 기초해 확고한 가치와 원칙을 세우고 투명한 관계를 형성함으로써 구성원들에게 긍정적인 영향을 미치는 리더십을 말한다(진정성 리더십).

(2) 구성요소

① 자아 인식: 리더 자신에 대한 성찰을 통해 자신의 강점과 약점, 가치관 등을 이해한다.
② 도덕적 신념: 외압이 아닌 자기 내면의 가치관에 따라 움직인다(자기조절, 자기통제).
③ 균형 잡힌 정보처리: 선입견이나 편견 없이 정보를 객관적으로 검토한다.
④ 관계의 투명성: 정직성을 가지고 자신의 생각과 감정을 구성원들과 진실되게 의사소통한다.

**O·X 문제**

1. 진성(Authentic) 리더십의 특성은 리더가 정직성, 가치의식, 도덕성을 바탕으로 팔로워들의 믿음을 이끌고, 팔로워들이 리더의 윤리성과 투명성을 믿으며 긍정적 감정을 느낀다는 것이다. ( )

## 5. 상호연계적 리더십

(1) 의 의

탭스코트(Tapscott)는 지식정보화사회라는 예측 불가능한 시대에는 특정 리더에게 의존하는 리더십이 아니라 조직원들에게 상호연계된 지식·지능이 리더십이 되어야 한다고 주장하였다.

(2) 구성요소

상호연계적 리더십이 발휘되기 위해서는 ① 조직원들의 적극적이고 자발적 학습, ② 최고관리자의 적극적인 지원과 관심, ③ 공유된 비전과 높은 학습의지, ④ 구성원들의 개인역량 강화와 역량의 결집, ⑤ 셀프 리더십(self leadership) 등이 필요하다.

(3) 셀프 리더십(self leadership)과 슈퍼 리더십(super leadership)

① 셀프 리더십: 스스로 리더가 되어 자신이 나아가야 할 방향을 설정하고 자신을 통제하면서 자신을 이끌어 나가는 리더십을 말한다.
② 슈퍼 리더십: 조직구성원이 스스로 자신들을 리드하는 셀프리더가 되도록 도움을 주는 리더십을 말한다(슈퍼 리더십과 셀프 리더십은 불가분의 관계).

**O·X 문제**

2. 탭스코트는 정보화사회의 조직은 상호연계적 리더십의 발휘를 통해 다양한 개인들의 역량이 효과적으로 결합되어야 한다고 주장한다. ( )

3. 셀프 리더십은 스스로 문제를 발견하고 해결해 나가야 하는 정보화 사회의 리더십이다. ( )

4. 셀프 리더십은 조직구성원이 스스로 자신들을 리드하는 셀프 리더가 되도록 도움을 주는 리더십이다. ( )

## 6. 추종자 중심의 리더십 – 켈리(Kelley)의 팔로워십(Followership)

(1) 의 의

켈리(Kelley)는 조직 내 팔로워(추종자)는 숫자상으로 리더보다 월등히 수가 많고, 조직성과의 기여도도 80~90%로 월등히 높다고 주장하면서 지금까지 리더의 입장에서 다루던 리더십 문제를 추종자의 입장에서 분석하고 있다.

(2) 유 형

켈리(Kelley)는 사고(의존·무비판적 사고/독립·비판적 사고)와 태도(적극적 태도/소극적 태도)를 기준으로 5개의 팔로워십 유형을 제시하였다.

① 모범형: 독립·비판적 사고와 적극적 태도 유형(가장 바람직한 유형)
② 수동형: 의존·무비판적 사고와 소극적 태도 유형

O·X 정답 1. ○ 2. ○ 3. ○ 4. ×

O·X 문제

1. 켈리는 소외적 추종자, 순응적 추종자(sheep), 수동적 추종자, 효과적 추종자 등 네 가지 추종자 유형을 제시하였고, 그 중 소외적 추종자가 가장 위험하다고 주장하였다. ( )

③ **소외형**: 독립·비판적 사고와 소극적 태도 유형

④ **순응형**: 의존·무비판적 사고와 적극적 태도 유형

⑤ **실무형**: 독립·비판적 사고와 의존·무비판적 사고의 중간 및 적극적 행동과 소극적 행동의 중간 유형

(3) 함 의

켈리(Kelley)는 5개의 팔로워십 유형 중 모범형을 가장 바람직한 유형으로 보고, 모범적 팔로워를 육성하기 위한 노력을 강조하였다.

## 7. 리더-구성원 교환이론(LMX: Leader-Member Exchange Theory)

O·X 문제

2. 리더-구성원 교환이론은 리더가 모든 구성원을 차별 없이 대우하는 공정성을 중시한다. ( )

(1) 의 의

이 이론은 리더와 부하와의 관계가 모두 동일하다고 가정하는 기존의 평균적 리더십(Average Leadership)을 비판하고, 리더는 모든 구성원들을 동일하게 다루지 않으며, 리더와 개별 구성원 사이의 역할 형성 과정 및 관계의 상태에 따라 리더가 개별 구성원에게 행사할 수 있는 영향력이 달라진다고 본다.

(2) 배경 — 수직적 쌍방관계 연결이론(VDL: Vertical Dyadic Linkage Theory)

리더는 모든 구성원들에게 동일한 행동을 하지 않고 자신이 신뢰하는 소수의 구성원들과 내집단(in-group)을 형성하여 특별임무 및 특권을 부여하고, 그 외의 구성원들과는 외집단(out-group)을 형성해 나간다고 보는 이론이다. 리더-구성원 교환이론(LMX)은 수직적 쌍방관계 연결이론(VDL)이 발전된 것이다.

O·X 문제

3. 리더-구성원 교환이론은 내집단(in-group)에 속한 구성원이 많을수록 집단의 성과가 높아진다고 본다. ( )

4. 리더-구성원 교환이론은 리더와 구성원이 파트너십 관계로 발전하는 과정을 '리더십 만들기'라 한다. ( )

(3) 이론의 전개

① 내집단(in-group)과 외집단(out-group)

㉠ **내집단**: 리더는 자신이 신뢰하고 성공의 가능성이 보이는 소수의 구성원들과 내집단을 형성한다. 내집단 구성원들은 책임과 자율성이 있는 특별임무를 수행하며, 이에 따른 특권도 누린다.

㉡ **외집단**: 내집단에 속하지 않는 구성원들은 외집단을 형성한다. 외집단 구성원들은 리더와 함께하는 시간이 적고 리더의 관심을 적게 받는다.

㉢ **결론**: 리더와 구성원 간의 관계의 질이 좋은 내집단(in-group) 구성원들은 직무몰입과 직무성과가 높게 나타나기 때문에 리더는 내집단 구성원을 확장하기 위한 노력이 필요하다.

② 리더십 세우기(역할형성단계: 내집단형성과정)

㉠ **이방인 단계**: 리더와 구성원 간에 공식적인 범위 내에서 관계가 형성되는 단계로 구성원은 규정된 역할만 수행하며, 자기 자신의 발전만을 생각한다.

㉡ **면식 단계**: 리더와 구성원 간에 자원과 정보가 공유되는 단계로 리더와 구성원은 새로운 역할을 실험하며, 자기 자신을 떠난 문제에도 관심을 갖는다.

㉢ **파트너십 단계**: 리더와 구성원 간에 신뢰와 존중이 이루어지는 단계로 리더와 구성원은 서로의 일에 관심을 갖고 개인의 문제보다는 조직의 문제에 관심을 갖는다.

O·X 정답 1. × 2. × 3. ○ 4. ○

역할형성단계

| 구 분 | 이방인 단계 | 면식 단계 | 파트너십 단계 |
|---|---|---|---|
| 역 할 | 규정된 역할 | 새 역할 실험 | 합의된 역할 |
| 영향력 | 일방적 | 혼합적 | 상호의존적 |
| 교환의 질 | 저급 | 중급 | 고급 |
| 관심대상 | 자기 자신 | 자신/타인 | 집단/조직 |

(4) 이론에 대한 평가

리더와 구성원 간의 관계의 질이 좋은 내집단(in-group) 구성원들은 직무몰입과 직무성과가 높게 나타난다. 다만, 내집단 형성 과정에서 구성원들에 대한 차별관리는 구성원들 간 분열과 갈등을 초래할 수 있다.



## 제 4 절 권력과 권위

### 01 권 력

#### 1. 의 의

(1) 개 념

권력이란 어떤 사람이 다른 사람에게 영향력을 미칠 수 있는 잠재적인 능력을 말한다.

(2) 특 징

① **상호관계에서 형성**: 권력은 두 사람 이상의 상호 간 관계에서 발생하는 현상이다.

② **공식성 · 합법성 여부**: 권력은 공식적 · 비공식적 권력, 합법적 · 비합법적 권력 모두 존재한다. 따라서 공식적 · 합법적 권력만을 의미하는 권한과 구별된다.

③ **잠재적 능력**: 권력은 행사하지 않고 가지고 있다는 사실만으로 다른 사람에게 영향을 미칠 수 있는 잠재적 능력이다.

④ **다방향적 현상**: 조직 내 권력은 계서적 · 하향적 관계에서만 나타나는 현상이 아니라 수평적 관계, 대각적 관계, 심지어는 상향적 관계에도 존재한다.

✣ 권력행사에 대한 반응

| | |
|---|---|
| 몰입 | 부하가 상사를 인정하고 추가적 노력을 통해 상사의 지시를 수행 |
| 복종 | 부하가 추가적 노력을 하지 않는 범위 내에서 상사의 지시를 수행 |
| 저항 | 부하가 상사의 지시에 반대하고 수행하지 않는 것 |

**O·X 문제**

1. 프렌치와 레이븐은 권력의 원천을 강제력, 보상, 준거, 전문성, 상징으로 보았다. ( )
2. 준거적 권력은 자신보다 뛰어나다고 생각하는 사람을 닮고자 할 때 발생한다. ( )
3. 준거적 권력은 조직의 공식적인 권력체계 내에서만 발생한다. ( )
4. 전문적 권력은 직위와 직무를 초월하여 조직 내의 누구나 가질 수 있다. ( )
5. 합법적 권력은 권한과 유사한 개념으로 조직 내 직위와 직무에 기반을 둔다. ( )
6. 직위적 권력은 직무를 가지고 있는 사람과는 관계없이 그 직위 자체로 인해 부여받은 권력이므로 보상적 권력, 강압적 권력 등과는 상호 독립적이다. ( )
7. 강압적 권력은 카리스마 개념과 유사하며 인간의 공포에 기반한다. ( )

O·X 정답 1. × 2. ○ 3. × 4. ○ 5. ○ 6. × 7. ×

## 2. 권력의 유형

### (1) 권력의 원천에 따른 구분 – 프렌치(French)와 레이븐(Raven)

| 구 분 | 의 의 | 특 징 |
|---|---|---|
| 준거적 권력 | 권력수용자가 자신보다 뛰어나다고 생각하는 사람을 닮고자 할 때 발생하는 권력(카리스마와 유사) | • 공식적 직위와 불일치<br>• 몰입✣가능성 높음. |
| 전문적 권력 | 권력수용자가 권력행사자에 대하여 특정분야에 대해 고도의 지식을 갖고 있다고 인지할 때 발생하는 권력 | • 공식적 지위와 불일치<br>• 몰입가능성 높음. |
| 합법적(정통적) 권력 | 권력수용자가 권력보유자에 대하여 영향력을 행사할 권리를 가지고 있다고 인지할 때 발생하는 권력(공식적인 직위에 근거한 권력으로 권한과 유사) | • 공식적인 직위에 기반(직위가 높을수록 권력이 커짐)<br>• 복종✣가능성 높음. |
| 보상적 권력 | 상대방이 가치 있다고 생각하는 보상을 줄 수 있는 능력에 근거를 둔 권력 | • 공식적 직위에 기반<br>• 복종가능성 높음. |
| 강압적 권력 | 복종하지 않을 경우 발생할 부정적 결과 또는 처벌에 대한 두려움에 근거를 둔 권력 | • 공식적 직위에 기반<br>• 저항✣가능성 높음. |

**참고 준거적 권력**

1. **특 징**
준거적 권력이 있는 사람은 추종자들의 신뢰를 받고, 추종자들이 그 사람의 행동을 모방하며, 의견을 수용하고, 애정을 느끼며, 상호 인간적으로 연관을 맺고자 한다(카리스마와 유사).

2. **준거적 권력의 권력행사 지침**
① 부하를 공정하게 다룬다.
② 부하의 이익을 보호해 준다.
③ 부하들의 욕구와 감정에 민감하게 대처한다.
④ 역할모형화를 시도한다.
⑤ 자신과 유사한 부하들을 선택한다.

### (2) 권력과 조직의 유형 – 에치오니(Etzioni)의 권력과 조직구조

① 의의: 에치오니는 조직이 개인을 통제하는 수단인 권력의 유형과 개인이 권력행사를 받아들이는 복종의 유형에 따라 조직을 강제적 조직, 공리적 조직, 규범적 조직으로 구분하였다.

② 권력의 유형
㉠ 강요적 권력: 강제적·물리적 힘을 통제수단으로 하는 권력
㉡ 공리적 권력: 보수와 같은 경제적 요인을 통제수단으로 하는 권력
㉢ 규범적 권력: 명예 등 도덕적·상징적 가치를 통제수단으로 하는 권력

③ 복종(관여)의 유형
㉠ 소외적(굴종적) 복종: 물리적 힘에 의한 복종
㉡ 계산적(타산적) 복종: 물질욕에 의한 복종
㉢ 도의적(규범적) 복종: 규범의 내면화에 의한 복종

④ 권력에 따른 조직의 유형

| 권력 및 관여 | 소외적 관여 | 타산적 관여 | 도덕적 관여 |
|---|---|---|---|
| 강제적 권력 | 강제적 조직 | × | × |
| 보수적 권력 | × | 공리적 조직 | × |
| 규범적 권력 | × | × | 규범적 조직 |

권력과 복종 관계가 부합하지 않는 조직들은 일관성이 없어 결국 권력과 복종이 부합하는 조직구조로 변화된다.

(3) 직위권력과 개인권력

① **직위권력**: 직무를 가지고 있는 사람과는 관계없이 그 직위 자체로 인해 부여받은 권력을 의미한다. 직위권력은 직권력(headship) 및 합법적 권력과 연관되며 권한과 유사하다.

② **개인권력**: 조직 내의 직위와 관계없이 그 개인 자체로 인해 발생하는 권력을 의미한다. 개인권력은 리더십(leadership) 및 준거적 권력과 연관된다.

## 02 권위(Authority)

### 1. 의 의

(1) 개 념

권위 또는 권한이란 권력 중에서 공식적이고 합법적인 권력을 의미한다. 권위는 정당성이 부여된 권력으로 리더십 발휘의 성공요소이다.

(2) 본 질

① **하향적 권위설(명령권리설)**: 상관의 명령이 부하에게 기계적으로 전부 다 받아들여진다고 본다(과학적 관리론, 관료제이론 등).

② **상향적 권위설(수용권설)**: 상관의 명령은 부하가 이를 어느 정도 수용하느냐에 따라 권위의 범위가 결정된다고 본다(인간관계론, 행정행태론 등).

(3) 권위의 기능

| 순기능 | 역기능 |
|---|---|
| • 조직단위 간 갈등 해결 기능<br>• 조직단위 활동의 조정 기능<br>• 규범준수 및 개인책임의 강제 기능 | • 상하계층 간 갈등 유발<br>• 공무원의 사기저하 및 행정성과 저해 |

### 2. 권위의 유형

(1) 베버(Weber)의 분류 – 정당성의 근거에 따른 분류

① **전통적 권위**: 전통 · 선례 · 관습으로 인하여 정당성이 인정되는 권위(가산적 관료제)

② **카리스마적 권위**: 상급자 개인의 특출난 자질이나 능력으로 인하여 정당성이 인정되는 권위(독선 관료제)

③ **합법적 권위**: 법규에 의하여 정당성이 인정되는 권위(근대 관료제)

심화학습

이원적 권력과 복종관계를 가지는 조직

| | |
|---|---|
| 규범적 · 강제적 조직 | 전투부대 |
| 규범적 · 공리적 조직 | 노동조합 |
| 공리적 · 강제적 조직 | 전근대적 기업체 |

심화학습

카리스마(권력)의 분포구조에 따른 조직의 유형

| | |
|---|---|
| T구조 (top구조) | 권력자가 조직의 상층부에 위치(회사 등 공리조직) |
| L구조 (line구조) | 권력자가 조직의 계층에 따라 상하로 분포(관료제 조직) |
| R구조 (rank구조) | 권력자가 횡으로 분포 (대학 등 동태적 조직) |

(2) 사이먼(Simon)의 분류 – 권위 수용의 근거에 따른 기준

① 정당성의 권위: 조직원이 조직의 규칙에 대하여 정당성을 인정함으로써 복종하게 되는 권위
② 제재(격려)의 권위: 자신에게 주어질 보상이나 제재 때문에 복종하게 되는 권위
③ 일체화(동일화)의 권위: 상관에 대해 일체감을 가질 때 발생하는 권위
④ 신뢰의 권위: 상관의 능력과 실천력을 믿고 이에 복종할 때 발생하는 권위

### 3. **권위수용이론**(상향적 권위설)

(1) 폴렛(Follet)의 조직권위론

폴렛은 조직권위를 위로부터의 일방적 명령이 아니라 관리자와 부하 간의 동의나 합의에 의한 것으로 이해하였다.

(2) 버나드(Bernard)의 무차별권

버나드는 조직의 명령을 수용성의 정도에 따라 ① 상관의 명령이 부하에게 명백히 수용되지 않는 경우, ② 수용도 불수용도 아닌 중립적인 경우, ③ 아무런 이유 없이 수용되는 경우로 구분하고 그중 ③을 무차별권(부하가 상관의 권위를 의심하지 않고 상관의 명령을 받아들이는 한계)으로 파악하였다.

(3) 사이먼(Simon)의 수용권

사이먼은 특정 개인이 타인의 의사결정에 따르는 경우를 ① 의사결정의 장단점을 검토하여 장점에 대해 확신을 가지는 경우, ② 의사결정의 장단점을 충분히 검토하지 않고 따르는 경우, ③ 의사결정이 잘못되었다는 것을 확신하면서도 따르는 경우로 나누고 그중 ②, ③의 경우가 권위의 수용권에 해당한다고 보았다.

# 제 5 절 조직의 과정

## 01 의사전달

### 1. 의 의

(1) 개념 및 연구

① 개념: 복수의 행위주체가 정보를 상호 교환하여 의미를 공유하는 쌍방적 상호교류과정을 말한다.
② 연구: 귤릭, 어윅 등 고전적 조직이론가들은 의사전달을 소홀히 하여 조직의 원리에 포함시키지 않았다. 그러나 사이먼, 마치 등 행태론자들은 하의상달, 비공식조직의 의사전달 등 의사전달 전반에 걸쳐 많은 관심을 표명하였다.

(2) 의사전달의 원칙

① **명료성의 원칙**: 전달내용을 쉽고 정확하게 이해할 수 있도록 해야 한다.

② **일관성의 원칙**: 전달내용 간에 모순이 없도록 해야 한다.

③ **적시성의 원칙**: 의사전달의 알맞은 시기를 선택해야 한다.

④ **적량성의 원칙**: 전달되는 정보의 양은 책임도와 활용도에 따라 조정해야 한다.

⑤ **분포성의 원칙**: 조직 전체에 적절히 배포해야 한다.

⑥ **적응성과 통일성의 원칙**: 의사전달은 구체적 상황에 적응할 수 있는 융통성과 신축성을 지녀야 하며, 조직 전체의 입장에서 통일성을 확보해야 한다.

⑦ **관심과 수용의 원칙**: 의사전달은 피전달자의 관심과 적극적 반응을 제고해야 한다.

## 2. 의사전달의 과정 및 의사전달 네트워크

(1) 의사전달의 과정

① **발신**: 발신자(화자)는 자신의 생각을 코드화하고 이를 미디어(채널, 통로)를 거쳐 수신자(청자)에게 전달한다.

② **수신**: 수신자(청자)는 수신된 메시지를 자신의 준거틀에 의해 해독화하여 이해하고 이에 상응하는 변화를 보여 준다.

③ **환류**: 변화는 다시 발신자(화자)에게 환류되어 메시지가 정확하게 전달되었는지 확인할 수 있도록 해준다. 환류의 차단은 의사전달의 신속성을 제고할지 모르나 정확성이 우선시되는 상황에서는 장애가 될 수 있다.

④ **잡음**: 의사전달의 과정(채널, 통로)에는 의사전달의 장애를 일으키는 요소인 잡음이 존재한다.

(2) 의사전달 네트워크

① **의의**: 조직원들 간에 의사전달의 반복적인 상호작용 패턴을 말한다.

② **유 형**

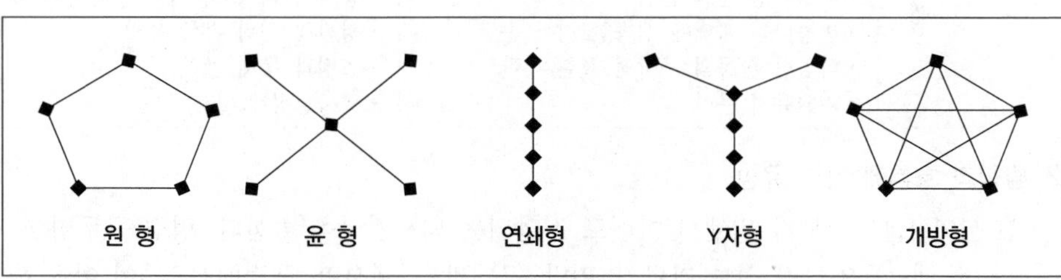


**심화학습**

**의사전달의 기능**

① 합리적 의사결정 촉진
② 구성원 간의 효과적인 조정
③ 구성원의 사기앙양 및 능률향상
④ 효과적인 리더십의 발휘 조건
⑤ 구성원의 통제 기제
⑥ 체제유지 기능

③ 유형별 특징

| 유 형 \ 조직행위 | 연쇄형(사슬형) | 바퀴형(윤형) | 원 형 | 개방형(전체경로형) |
|---|---|---|---|---|
| 권한의 집중도 | 높음. | 중간 | 낮음. | 매우 낮음. |
| 의사전달의 집중도 | 중간 | 높음. | 중간 | 매우 낮음. |
| 의사전달의 속도 | 중간 | • 단순과업: 빠름.<br>• 복잡과업: 늦음. | • 모여 있는 경우: 빠름.<br>• 떨어져 있는 경우: 늦음. | 빠름. |
| 의사전달의 정확성 | • 문서: 높음.<br>• 구두: 낮음. | • 단순과업: 높음.<br>• 복잡과업: 낮음. | • 모여 있는 경우: 높음.<br>• 떨어져 있는 경우: 낮음. | 중간 |

### 3. 의사전달의 유형

(1) 공식성 유무에 따른 유형

① **공식적 의사전달**: 공식조직 내에서 계층제적 경로와 과정을 거쳐 공식적으로 행해지는 의사전달로 공문서를 수단으로 한다(고전적 조직론에서 강조).

② **비공식적 의사전달**: 구성원 간의 친분 · 상호신뢰와 현실적인 인간관계 등을 통하여 이루어지는 의사전달로 소문이나 풍문, 메모 등을 수단으로 한다.

③ 장 · 단점 비교

| 구 분 | 공식적 의사전달 | 비공식적 의사전달 |
|---|---|---|
| 장 점 | • 송수신자가 명확하여 의사소통의 객관성 확보, 책임소재 명확, 조정과 통제 용이<br>• 상관의 권위 유지<br>• 자료 보전 용이<br>• 정책결정에 활용 용이 | • 신속하고 적응성이 강함.<br>• 배후사정을 소상히 전달<br>• 개인적 욕구 충족<br>• 공식적 의사전달 보완<br>• 관리자에 대한 조언 역할 수행 |
| 단 점 | • 법규에 의거하므로 의사전달의 신축성이 낮고 형식화 초래<br>• 배후사정 전달 곤란<br>• 변동하는 사태에 신속한 적응 곤란<br>• 다양한 활동의 포괄적 표현 곤란<br>• 기밀유지 곤란 | • 책임소재 불분명<br>• 개인적 목적으로 악용가능성<br>• 공식적 의사소통기능의 마비 야기<br>• 상관의 권위 손상 우려<br>• 조정과 통제 곤란<br>• 의사결정에 활용 곤란 |

(2) 방향과 흐름에 따른 유형

① **상의하달**: 정보가 위에서 아래로 전달되는 의사전달을 말한다. 명령(구두명령, 문서명령, 예규), 일반적 정보(기관지, 편람, 구내방송, 게시판, 행정백서) 등이 이에 해당한다.

② **하의상달**: 정보가 아래에서 위로 올라가는 의사전달을 말한다. 보고, 품의, 상담, 의견조사, 제안, 면접, 고충심사, 결재제도 등이 이에 해당한다.

③ **횡적 의사전달**: 동일한 수준에 있는 개인 또는 집단 간에 행해지는 의사전달로 공식화된 의사소통 중 가장 원활한 전달방식이다. 사전심사, 사후통지, 회람 · 공람, 회의, 토의(위원회), 레크레이션 등이 이에 해당한다.

**O·X 문제**

1. 공식적 의사전달은 의사소통이 객관적이고 책임소재가 명확하다는 장점이 있다. ( )
2. 공식적 의사전달은 조정과 통제가 곤란하다는 단점이 있다. ( )
3. 비공식적 의사전달은 수직적 계층제에서 상관의 권위를 손상시킬 수 있다. ( )

**O·X 문제**

4. 상의하달적 의사소통으로 보고, 내부결제제도, 제안제도 등이 있다. ( )
5. 문서명령과 예규의 제정 등은 하의상달에 의한 의사전달 방식이다. ( )

O·X 정답 1. ○ 2. × 3. ○ 4. × 5. ×

### 4. 의사전달의 저해요인과 촉진방안

| 구 분 | 저해요인 | 촉진방안 |
|---|---|---|
| 전달자와 피전달자 측면 | • **준거기준의 차이**: 가치관·사고방식의 차이로 인한 의미 해석의 상이성<br>• **전달자의 자기방어**: 자기에게 불리한 사실을 고의적으로 은폐·왜곡<br>• **전달자의 의식적 제한**: 보안상 비밀유지<br>• 지위에 따른 언어 해독 능력의 차이, 원만하지 못한 인간관계, 피전달자의 전달자에 대한 불신·편견·수용 거부 등 | • 상호접촉 촉진(회의·공동교육훈련·인사교류 등) 및 대인관계 개선<br>• 하의상달의 활성화를 통한 권위주의적 행태 개선 및 민주적 리더십 확립<br>• 의사전달의 누락·왜곡을 방지하고 정보처리의 우선순위를 결정하기 위한 조정 및 통제부서 설치 |
| 전달수단 및 매개체 측면 | • **전달매체의 불완전성**: 적절치 못한 언어·문자 사용<br>• 환류의 봉쇄로 의사결정의 정확성 저해<br>• 정보전달 채널의 부족<br>• 정보의 과다, 정보의 유실, 정보의 불충분한 보존, 지리적 거리로 인한 제한 등 | • 언어와 문자의 정확한 사용, 약호화·계량화를 통한 매체의 정밀성 제고<br>• 의사전달의 반복과 환류 메커니즘 확립<br>• 정보전달 채널의 다원화<br>• 정보의 우선순위 설정 및 효율적인 관리정보체계(MIS)의 확립 |
| 구조적 측면 | • **계층 수의 과다**: 의사전달의 정확성 저해<br>• **전문화**: 다른 업무에 대한 이해 부족<br>• **의사결정의 상태**: 집권도가 높을 경우 비공식적 의사전달 과다, 분권도가 높을 경우 의사전달의 정확도 저해 | • 계층제의 완화와 분권화<br>• 조직 내 의사전달 조정 및 통제부서 설치<br>• 의사결정 상태의 적정한 분권화 |

## 02 행정PR(공공관계: Public Relation)

### 1. 의 의

(1) 행정주체가 정책과 서비스에 대한 공중의 의견과 태도를 파악해 개선책을 마련하고 시정된 정책과 서비스를 공중에게 설득(공보)함으로써 공중으로부터 호의와 신뢰를 확보하는 활동을 말한다.

(2) 행정PR은 행정의 민주성 증진을 목표로 하며, 민주행정의 기본요체인 공개행정 및 시민참여를 구현하기 위한 필수요소이다.

### 2. 행정PR의 과정과 기능

(1) 과 정

① **투입과정**: 국민의 의사를 널리 듣는 공청기능(여론조사, 청원, 민원 등)을 통해 행정수요를 파악하는 과정이다.

② **전환과정(정책결정과정)**: 파악된 국민의 의견과 태도에 따라 정부의 정책 및 계획을 수립하는 과정이다.

③ **산출과정**: 정부활동을 널리 알리는 홍보·공보기능[정부간행물(국정신문, 행정백서), 매스미디어의 활용 등]으로 국민의 지지와 협조를 구하는 과정이다.

④ **환류과정**: 정부활동이나 사업에 대한 국민의 반응을 파악하여 분석·평가하고 이를 정책결정과정에 새롭게 투입하는 과정이다.

**O·X 문제**

1. 수신자의 선입관은 준거틀을 형성하여 발신자의 의도를 왜곡할 수 있다. ( )
2. 할거주의와 전문화로 인한 수평적 의사전달의 저해는 조직구조에서 기인하는 의사전달의 장애요인이다. ( )
3. 의사정보의 반복과 환류는 의사소통의 장애요인으로 작용한다. ( )
4. 환류의 차단은 의사전달의 정확성을 제고할지 모르나 신속성이 우선시되는 상황에서는 장애가 될 수 있다. ( )

**심화학습**

행정PR과 의사전달

| 행정PR | 공중과 국가 간의 상호관계 |
|---|---|
| 의사전달 | 조직 내부 구성원의 상호관계 |

**심화학습**

행정PR의 두 차원

| 관리적 개념 | 행정PR을 조직의 전 구성원이 수행해야 할 기능으로 보는 관점 |
|---|---|
| 기능적 개념 | 행정PR을 전문화된 참모 기능으로 인식하고 PR전문가가 담당해야 한다고 보는 관점 |

O·X 정답 1. ○ 2. ○ 3. × 4. ×

(2) 기 능

① 주지(국민지지 획득)기능: 정부업적을 알리고 국민의 지지를 유도하는 기능
② 방어기능: 정부활동의 정당성을 알리고 반대파의 공격을 중화시키는 기능
③ 안정기능: 위기 시 민심을 수습하고 대중의 욕구불만을 해소하는 기능
④ 중개기능: 정부 입장을 천명하고 국민의 여론을 집약하는 기능
⑤ 교육기능: 국민의 가치관 등을 보다 바람직한 방향으로 향상시키는 기능
⑥ 적응기능: 환경의 변동에 대응할 수 있도록 태도변화를 유도하는 기능

### 3. 행정PR의 특성

(1) 성 격

① 수평성: 행정PR은 정부와 국민이 대등한 관계에서 상호 이해와 협력을 증진하기 위한 과정이다.
② 교류성: 행정PR은 정부정책을 국민에게 알리고 그 반응을 들어 이를 정책에 반영하고 다시 알리는 의사교류의 과정이다.
③ 의무성: 민주주의 사회에서 국민은 정부활동에 대해 알 권리가 있으며 정부는 알려주어야 할 의무가 있다. 행정PR은 이러한 의무성을 전제로 한다.
④ 객관성(진실성): 정부는 사실이나 정보를 진실되게 객관적으로 알려 국민이 이를 정확하고 올바르게 판단하도록 해야 한다.
⑤ 교육성(계몽성): 행정PR은 국민에 대해서 계몽적 교육의 성격을 지닌다.
⑥ 공익성: 행정PR은 집권당의 홍보나 여론을 호도할 목적으로 사용하지 말아야 하며, 사회적 책임 및 공익과 일치되어야 한다.

(2) 행정PR과 선전

① 공통점: 목표달성을 위해 상대방의 동의와 협력 및 지지를 얻으려는 관리적·기술적·조작적 활동이라는 점은 공통점이다.
② 차이점

| 구 분 | 행정PR | 선 전 |
|---|---|---|
| 추구이익 | 쌍방적 이익 | 일방적 이익 |
| 방 법 | 이성에 호소 | 감정에 호소 |
| 목 적 | 민주성 등 다양한 가치 | 이윤의 추구 |
| 성 질 | 수평성·교류성·객관성·의무성·진실성 | 수직성·일방성·주관성·비진실성 |
| 시 간 | 장기적 | 단기적 |

### 4. 행정PR의 필요성과 문제점

(1) 필요성

① 국민과 정부 간의 신뢰관계 및 협력관계 형성
② 정부활동에 대한 국민의 지지와 이해·협조 획득
③ 국민의견의 사전 반영으로 행정의 효율성과 합리성 제고
④ 국민의 알 권리 충족 등 민주주의의 요청
⑤ 국민 다수의 의견을 반영하여 정부정책의 공익성·객관성 확보

**O·X 문제**

1. 행정PR은 국민의 알 권리에 대한 정부의 도덕적·법적 의무로 이해되기 때문에 일방적·명령적이어야 한다. ( )
2. 정부가 잘못된 정보를 국민에게 투입하는 것은 행정PR의 객관성에 반하는 것이다. ( )
3. 행정PR은 개발도상국가에서는 국민들에 대한 계몽적·교육적 성격을 갖는다. ( )

O·X 정답 1. × 2. ○ 3. ○

⑥ 행정수요를 파악하여 행정에의 민의 반영
⑦ 정부업적에 대한 과시욕(시위욕) 충족
⑧ 조직 내외 구성원 간 공감대 형성

(2) 문제점

① **국민의 무기력화**: 미디어의 암시와 조작에 의한 일방적인 행정PR은 국민을 자율성이 상실된 무기력한 대중으로 전락시킬 우려가 있다.
② **선전적 성격**: 행정PR은 객관성을 전제로 해야 하나, 현실적으로는 사실왜곡·실책은폐 등을 통한 여론 조종 및 선전적 성격을 많이 띠고 있다.
③ **지나친 국가기밀의 강조**: 안보상·외교상의 정보 등 기밀을 요하는 정보에 대한 지나친 강조로 행정PR이 제약된다.

(3) 제약요건

① **기술적 한계**: 기술상의 제약으로 정부와 실제 접촉하는 특정 국민과의 제한된 관계에 있어서만 행정PR이 이루어질 위험성을 경계해야 한다.
② **사회적 한계**: 대중매체의 독점을 통해 이해관계 대립 시 편향성을 지닌 행정PR이 이루어지지 않도록 해야 한다.
③ **정치적 한계**: 시민들의 자유로운 의사표시와 의견교환 등 정치적 자유를 침해하는 행정PR은 정치적으로 허용되지 않아야 한다.

심화학습

**한국 행정PR의 문제점**
① 행정PR에 대한 시민의 불신
② 정권유지를 위한 도구로 활용
③ 보안을 이유로 한 정보의 은폐
④ 투입기능(공청기능) 무시
⑤ 화재경보적 성격의 행정PR
⑥ 행정PR에 대한 인식 부족
⑦ DAD방식(독단적으로 결정하고 발표하며, 이에 대해 국민의 반발이 있는 경우 방어하는 방식)

# 제 6 절 조직문화

## 01 조직문화의 의의

### 1. 개념 및 구성요소

(1) 개 념

조직문화란 사회문화의 하나의 하위체제로서 조직원들이 공유하는 보편적인 사고방식·생활양식·행동양식 등의 총체를 의미한다.

(2) 문화의 구성요소(Schein)

① **규범**: 조직 내에서 자연발생적으로 생겨나는 비공식적인 사회적 약속이나 룰(예 일을 너무 많이 하면 누군가 해고된다는 인식)
② **철학**: 조직원과 고객에 대한 정책수립의 신념이나 지침(예 조직원과 고객에 대해 조직의 신념을 밝히는 정책)
③ **지배적 가치관**: 조직이 강조하고 있는 지배적인 가치관(예 우리 조직원은 서로를 신뢰한다는 지배적 관념)
④ **행태 규칙성**: 사람들이 상호 작용할 때 공통적으로 쓰는 언어, 경의와 복종을 표현하는 방식 등과 관련된 의식 등

⑤ **게임의 규칙**: 조직에 적응하는 데 필요한 규칙(예 신입사원이 조직원으로 인정받기 위해 배워야 하는 요령 등)

⑥ **조직의 분위기**: 조직에 흐르고 있는 분위기(예 사무실의 물리적 배치 또는 조직원이 고객이나 외부인사와 접촉하는 방식 등)

## 2. 특성 및 기능

### (1) 특 성

① 문화는 인간의 사고와 행동을 결정하는 주요 요인이다.

② 문화는 후천적 학습에 의해 공유되는 사회적 유산이다.

③ 문화는 다른 사회 구성원과 구분시켜주는 기준이 된다.

④ 문화는 개인에 의해 일정한 형태로 표출되지만 집합적이고 공유적이다.

⑤ 문화는 기본적으로 통합성을 유지하면서도 여러 다양한 하위문화를 내포하므로 통합성(보편성)과 다양성(개별성)의 양면성을 띤다.

⑥ 문화는 체제적(집합체)이므로 하나의 구성요소의 변화가 다른 요소들의 변화를 초래하며, 결국 하나의 단위로 통합되면서 일정한 형태를 유지해 간다.

⑦ 문화의 본질적 내용은 유지 · 전달 · 축적되는 변화 저항적 성격을 가진다. 그러나 시간이 흐름에 따라 변동하지 않을 수 없다.

**O·X 문제**

1. 문화는 인간의 본능이 아니라 학습을 통해서 익힌 것이다. ( )
2. 문화는 시간이 흘러도 변하지 않는 지속성을 지닌다. ( )

### (2) 기 능

① 순기능

㉠ 조직원들을 통합하여 응집력과 일체감을 높여준다.

㉡ 조직원 간 모방과 학습을 통한 사회화를 유도한다.

㉢ 조직원들의 일탈행위에 대한 통제기능을 수행한다.

㉣ 조직의 경계를 설정하고 조직의 정체성을 제공한다.

㉤ 조직원들의 불안 · 혼란 · 불확실성을 감소시켜준다.

㉥ 조직의 안정성과 계속성에 기여한다.

㉦ 조직원들의 조직에 대한 충성심과 복종심을 유발한다.

㉧ 조직몰입도(조직에 대한 헌신)를 증진하여 조직의 생산성을 높인다.

㉨ 구성원들에게 행동지침을 제공하고, 게임의 규칙을 설정해 주며, 공식화(규칙과 법규)의 대체적 기능을 수행한다.

② 역기능

㉠ 경직성으로 인해 변화와 개혁의 장애요소가 된다.

㉡ 집단사고의 폐단을 야기하여 조직의 유연성과 창의성을 저해한다.

㉢ 조직의 조정과 통제가 곤란하다.

③ 조직의 성장단계에 따른 문화의 기능

㉠ **초기 성장단계**: 문화는 독특한 능력과 일체감의 원천이 되어 안정되고 예측가능한 환경을 창출한다는 점에서 긍정적인 성장요인이 된다.

㉡ **성숙기 및 쇠퇴단계**: 문화는 조직이 과거에 거둔 영광을 보전하고 자부심 및 자기방어의 원천이 되어 조직혁신의 제약요인으로 작용한다.

**O·X 문제**

3. 조직문화는 구성원들로 하여금 조직철학과 가치에 대한 합의를 도모케 한다. ( )
4. 조직문화는 조직에 바람직하지 않은 행동을 강제수단 없이도 억제할 수 있다. ( )
5. 조직문화는 구성원들로 하여금 조직에의 몰입을 가능하게 한다. ( )
6. 조직문화는 조직구성원들에게 소속 조직원으로서의 정체성을 제공한다. ( )
7. 조직문화는 구성원의 사고와 행동에 유연성 및 창의성을 촉진한다. ( )
8. 조직이 처음 형성되면 조직문화는 조직을 묶어 주는 접착제 역할을 한다. ( )
9. 조직이 성숙 및 쇠퇴 단계에 이르면 조직문화는 조직혁신을 촉진하는 요인이 된다. ( )

O·X 정답 1. ○ 2. × 3. ○ 4. ○ 5. ○ 6. ○ 7. × 8. ○ 9. ×

## 02 조직문화이론

### 1. 전통적 문화이론(문화결정론적 시각)

(1) 의 의

전통적 문화이론인 문화결정론은 서구 선진국의 행정문화와 우리나라의 행정문화를 명확하게 구별한다. 문화결정론은 문화적 편견에 입각해 서구 선진국은 긍정적인 행정문화를, 우리나라는 부정적인 행정문화를 지닌다고 본다.

(2) 서구 선진국의 행정문화

① **합리주의 · 민주주의**: 모든 객관적인 지식을 동원하여 최적의 의사결정을 하려는 태도와 정책결정과정에서 개인 간의 자유로운 의견개진과 정보교환으로 가장 보편적인 의견을 찾으려는 노력이 이루어진다.

② **성취주의 · 실적주의 · 개인주의**: 인간의 능력을 평가할 때 출신지역이나 종교 등 귀속적인 요인이 아니라 개인의 실적이나 자격 등 객관적인 요소에 의한다. 이는 실적에 대한 보상을 중시하는 청교도 정신에 기인한다.

③ **상대주의 · 다원주의 · 세속주의**: 어떠한 가치라도 시기와 장소에 따라 다르게 평가될 수 있다는 유연한 상대적 태도와 절대유일의 최선의 가치에 집착하지 않고 다양한 분야의 가치를 인정하는 다원주의를 추구한다. 또한 국민 개개인의 현실적인 주장과 이익이 정책에 반영되는 세속주의를 특징으로 한다.

④ **모험주의**: 항상 새로운 것과 보다 나은 것을 추구하는 모험주의적 경향을 보인다. 모험주의는 시행착오를 두려워하지 않는다.

⑤ **중립주의**: 편당성을 떠나 특정 정당의 이익을 추구하지 않고 불편부당한 입장에서 공평무사한 행정을 추구한다.

⑥ **사실정향주의**: 가치판단의 제1의 기준을 객관적인 사실에 두고 '몰인격적 초연성(비정의성)'에 입각하여 보편타당한 평등행정을 수행한다.

⑦ **전문주의**: 전문지식으로 무장된 전문행정가를 중시한다. 전문주의는 행정의 전문성은 높여 주지만 융통성이 부족하고 역할과 조정의 장애가 되기도 한다.

(3) 우리나라의 행정문화

① **권위주의**

㉠ **의의**: 위계질서와 지배 · 복종의 관계를 중요시하는 문화를 의미한다.

㉡ **장점**: 계서제적 질서를 확립하여 상급자의 리더십을 강화함으로써 갈등을 억제하고, 조직의 단합을 촉진하며, 정책의 추진력을 확보할 수 있다.

㉢ **단점**: 대내적으로는 집권주의적 조직운영을 강화하며, 대외적으로는 관존민비적 · 관편의적 · 공급자 중심적 행태를 유발한다. 또한 지위체계를 과잉 경직화하여 상급자에게 맹종하는 과잉충성을 조장하며, 조직 내외의 통제와 규제를 과다하게 한다.

심화학습

**조직문화접근방법(Saffold)**

| | |
|---|---|
| 특성론적 접근 | 조직효과성을 향상시킬 수 있는 특정한 문화 특성이 존재한다는 시각(긍정적인 문화 특성을 지니고 있는 조직이 그렇지 못한 조직보다 효과성이 높다고 보는 시각) |
| 문화 강도적 접근 | 조직의 효과성을 향상시키기 위해서는 조직구성원들이 가치를 강하게 공유하는 강한 조직문화가 형성되어야 한다고 보는 시각 |
| 상황론적 접근 | 조직의 효과성은 조직문화의 특성과 상황적 요인들 간의 적합도에 달려있다고 보는 시각 |
| 문화 유형적 접근 | 각각의 문화유형의 특성에 따라 조직의 효과성이 달라진다고 보는 시각 |

② 연고주의

㉠ 의의: 혈연·지연·학연 등 일차집단적 유대를 다른 사회적 관계보다 중시하고 일차집단 구성원으로서의 행동양식을 다른 사회관계에까지 확장 또는 투사하는 문화적 특성을 의미한다.

㉡ 장점: 직장 내에 가족친화적 분위기를 조성하고, 인간관계를 개선하는 데 기여하며, 집단의 응집성을 높일 수 있다.

㉢ 단점: 가부장적 지배체제를 확립하여 조직 내의 공평한 관리작용을 방해하고, 파벌적·할거주의적 행태를 조장한다.

③ 형식주의

㉠ 의의: 외형(공식적인 것, 선언된 것)과 내실(비공식적인 것, 실제적인 것)이 괴리되는 문화적 특성을 의미한다.

㉡ 장점: 장점을 찾아보기 어렵다.

㉢ 단점: 행정의 목표나 실적보다 형식과 절차를 더 중시하는 동조과잉을 조장하고, 공식적 규범의 위반상태를 만연케 하여 부패의 원인을 제공하며, 체면치레·허례허식·번문욕례 등과 같은 폐단으로 낭비와 비효율을 야기하며, 변동저항적 행태를 조장한다.

④ 순응주의

㉠ 의의: 주체성이 빈약한 행동양식을 의미한다.

㉡ 장점: 조직의 질서에 순응하기 때문에 조직의 안정에 기여할 수 있다.

㉢ 단점: 책임 있는 능동성과 자율규제능력을 약화시키고 무사안일을 야기한다.

⑤ 온정주의

㉠ 의의: 의지와 지성보다 정에 치우치는 정의성이 높은 문화적 특성을 의미한다.

㉡ 장점: 조직 내 분위기를 부드럽게 하여 관료제의 경직성을 완화하고, 동료 간의 협력적 행동을 촉진시키며, 조직의 응집성을 강화한다.

㉢ 단점: 비공식적인 '연줄', '배경' 등이 공식적 업무처리 과정을 교란하여 정실인사와 부패를 조장한다.

⑥ 일반능력자주의

㉠ 의의: 전문성보다 일반적 능력을 존중하고 기술직이나 전문직보다 일반 행정직을 우대하는 것을 의미한다.

㉡ 장점: 인사행정의 융통성과 관리자 양성에 기여한다.

㉢ 단점: 아마추어리즘을 조장하여 행정의 효율성을 저해한다.

⑦ 상황주의(특수주의)

㉠ 의의: 다양한 잣대를 적용하는 것으로 자신과의 특수한 이해관계나 연고관계에 있는 사람들에게 사적이고 주관적인 판단이 작용하는 문화적 특성을 의미한다. 상황주의는 연고주의와도 밀접한 관련이 있다.

㉡ 평가: 목표달성을 위해 절차적인 원칙을 무시하고 상황에 따라 좌우되는 기회주의를 야기한다.

## 2. 현대적 문화이론

### (1) 호프스테드(Hofstede)의 문화유형론

① 의의: 비교문화학자인 호프스테드는 조직문화를 권력거리, 불확실성 회피, 개인주의와 집단주의, 남성성과 여성성의 4가지 기준으로 유형화하였다가 나중에 장기지향과 단기지향, 방종과 절제를 추가하여 6가지 기준으로 유형화하였다.

② 문화의 유형

㉠ **권력거리**: 권력의 불평등한 분배를 수용하는 정도를 말한다. 권력거리가 큰 사회(권위주의)는 권력의 불평등한 분배를 수용하는 정도가 높으며, 권력거리가 작은 사회(평등주의)는 낮다.

㉡ **불확실성 회피**: 모호한 상황이나 불확실성을 용인하는 정도를 말한다. 불확실성의 회피가 강한 사회는 법규와 규칙(공식화와 표준화)를 중시한다.

㉢ **개인주의와 집단주의**: 개인주의는 개인적 자유를 중시하며, 집단주의는 집단적 가치를 중시한다. 개인주의는 개인 간 연계가 느슨하며, 집단주의는 밀접하다.

㉣ **남성성과 여성성**: 남성성이 강한 사회는 물질적 성과 및 성취감을 중시하고 성역할을 구분하며, 여성성이 강한 사회는 타인과의 관계를 중시하고 삶의 질을 중시한다.

㉤ **단기지향과 장기지향**: 단기지향은 과거와 현재의 가치 및 전통에 대한 존중을 강조하며, 장기지향은 미래지향적 사고 및 실용성을 강조한다.

㉥ **방종과 절제**: 방종은 아무런 속박을 받지 않고 마음껏 즐기며, 절제는 그렇지 않다.

③ 우리나라: 우리나라는 권력거리가 큰 사회, 불확실성의 회피가 강한 사회, 집단주의, 여성성, 장기지향, 절제를 중시하는 사회로 나타나고 있다.

### (2) 퀸과 킴벌리(Quinn & Kimberly)의 경쟁가치모형

① 의 의

㉠ 퀸과 킴벌리(Quinn & Kimberly)가 제시한 조직문화의 경쟁가치모형은 조직의 효과성 평가모형인 퀸과 로보그(Quinn & Rohrbauch)의 경쟁가치모형을 조직문화에 확장한 모형이다.

㉡ 이 모형은 기존의 조직문화이론들이 실제 조직의 다양하고 배타적인 요소들을 간과한 단선적 접근에 입각해 있다고 비판하고, 다양하고 배타적이며 모순적인 가치요소들이 공존하고 있는 조직문화의 실제에 대한 포괄적 분석틀로 제시되었다.

② 기준: 조직문화의 경합가치모형은 '융통성(분권화의 자율성과 다양성)과 통제(집권화의 통합과 질서)', '외부(환경에 대한 상호작용과 상호조정)와 내부(내부적 조정과 통합)'를 기준으로 4가지 문화유형을 도출하였다.

③ 조직문화의 경합가치모형

| 구 분 | 외 부 | 내 부 |
|---|---|---|
| 융통성 | 혁신지향 문화(발전문화)<br>〈개방체제모형〉 | 관계지향 문화(집단문화)<br>〈인간관계모형〉 |
| | 변화지향성, 신축적 대응성, 도전의식, 모험성, 창의성, 혁신성, 자원획득 등 | 구성원 간 신뢰와 공유가치, 사기, 응집성, 팀워크(단결과 협동), 참여적 의사결정 등 |
| 통 제 | 과업지향 문화(합리문화)<br>〈합리목표모형〉 | 위계지향 문화(위계문화)<br>〈내부과정모형〉 |
| | 외부관점에서 경쟁력, 성과통제관점에서 효율성·능률성 등 | 공식적인 규정(표준화, 문서와 형식), 명령과 통제, 보고 및 정보관리, 분명한 책임관계 등 |

**O·X 문제**

1. 홉스테드(Hofstede)는 '권력거리'의 크기가 큰 문화에서는 평등한 관계를 중시하기 때문에 조직 내 의사소통이 활발하고 분권화된 경우가 많다고 본다. ( )

2. 불확실성 회피 정도가 강한 경우 공식적 규정을 많이 만들어 불확실한 요소를 최대한 통제하려 한다. ( )

3. 집단주의가 강한 문화는 개인주의가 강한 문화보다 상대적으로 느슨한 개인 간 관계를 더 중요시한다. ( )

4. 남성성이 강한 문화는 여성성이 강한 문화보다 상대적으로 남성과 여성의 역할에 대한 분명한 차이를 인정하려고 한다. ( )

5. 우리나라는 남성성-여성성 차원에서 다른 조사대상국에 비해 여성성이 상대적으로 높게 나타나 온정주의 성향이 강한 것을 알 수 있다. ( )

**O·X 문제**

6. 조직문화의 경쟁가치모형에 의하면 위계 문화는 응집성을 강조한다. ( )

7. 조직문화의 경쟁가치모형에 의하면 혁신지향문화(발전문화)는 구성원들의 도전과 창의성을 강조한다. ( )

8. 퀸(Quinn)의 경쟁가치모형에서 과업지향문화(합리문화)에서 조직의 업무구조는 통제를 강조하고 조직은 외부를 지향한다. ( )

O·X 정답 1. × 2. ○ 3. × 4. ○ 5. ○ 6. × 7. ○ 8. ○

PART · 04

심화학습

문화편향의 특징

| 문화편향 | 개인주의 | 운명주의 | 계층주의 | 평등주의 |
|---|---|---|---|---|
| 자연관 | 관대 | 변덕 | - | 덧없음 |
| 인간관 | 이기적 | 고립적 | - | 배려적 |
| 공정성 | 기회의 균등 | 없음 | 법 앞에 평등 | 결과의 평등 |
| 모험 | 중요한 행위 | 무모한 행위 | 관리 가능함 | 무모한 행위 |
| 실패 | 개인 탓 | 운명 탓 | 절차 미준수 | 체제의 탓 |

심화학습

다문화주의와 문화상대주의

| | |
|---|---|
| 다문화주의 | 하나의 사회 내부에 복수의 문화가 공존하는 것이 바람직하다고 보는 주장 |
| 문화상대주의 | 각 문화가 그 자체로서 고유한 가치를 지닌다고 보고 선진국의 문화와 발전도상국의 문화 사이에는 상·하관계가 없다는 주장 |

(3) 더글라스와 윌다브스키(Douglas & Wildavsky)의 집단－망 이론

① 의의: 더글라스와 윌다브스키는 문화결정론이 빠졌던 함정을 피하기 위해 일반화가 가능한 공통의 문화편향을 제시하고, 문화변동론을 주장하였다.

② 문화편향

㉠ **구별기준 – 집단과 망**: 망은 사회구분 체계로부터 발생하는 제약을 의미한다. 이는 사회적 규제의 차원이다. 집단은 개인의 상호작용이 특정 집단 내에 한정되는 정도를 가리킨다. 이는 사회적 편입의 차원이다.

㉡ 문화편향의 구분

| 구 분 | | 집단성(응집성) | |
|---|---|---|---|
| | | 낮은 집단 | 높은 집단 |
| 사회역할(규칙성) | 낮은 망 | 개인주의 | 평등주의 |
| | 높은 망 | 운명주의 | 계층주의 |

③ 함 의

㉠ **이론의 적용 범위**: 집단－망 이론은 네 가지 문화편향이 정도상의 차이는 있지만 어느 사회에나 존재한다고 가정한다.

㉡ **인간에 대한 시각 – 인간의 능동성**: 집단－망 이론은 문화결정론과 달리 문화의 선택과 관련하여 인간의 능동성을 전제한다.

㉢ **문화에 대한 시각 – 문화변동**: 집단－망 이론은 개인의 문화편향에 대한 선택으로 문화 간 갈등이 발생하며, 이 과정에서 문화변동이 이루어진다고 본다.

## 03 조직문화의 형성과 보존

### 1. 조직문화의 형성

문화의 형성은 조직원들이 대내적인 통합이나 대외적인 생존 등 그들의 문제를 해결해 준 방안을 수용하는 데서 시작된다. 해결방안에 결부된 가치를 구성원들이 의식적으로 채택하고 시간의 흐름에 따라 무의식 속에 자리잡게 되면 문화가 된다. 즉, 문화형성과정에는 여과장치 또는 과오회피기제가 작동한다.

### 2. 조직문화의 보존(사회화: Socialization)

(1) 의 의

조직문화는 신참자에게 전수되어 지속적으로 보존된다. 문화전수의 중심적인 과정은 구성원들의 문화에 대한 적응 과정인 사회화이다. 신참자들은 이 과정에서 다양한 양태를 보이게 된다.

(2) 신참자가 겪는 문화변용의 양태

① **동화**: 신참자의 문화가 조직의 문화에 일방적으로 적응하여 양자 간의 문화적 차이가 없어지는 반응이다.

② **격리**: 신참자가 조직문화에 적응하는 능력이나 의욕이 없고 독자성을 유지하려 할 때 신참자를 어떤 직무영역에 고립시키는 것이다.

③ **탈문화화**: 조직의 문화와 신참자의 문화가 다 같이 그의 행태를 지배하는 영향력을 잃을 때 나타나는 반응이다. 이 경우 조직원의 문화적 정체성은 모호해진다.
④ **다원화**: 쌍방적 학습과 적응의 과정을 통해 신참자와 조직이 각기 다른 문화를 상호수용하고 서로 변화하는 유형이다.

# 제 7 절 지식정보화 사회와 조직이론

## 01 조직구조에 미치는 영향

### 1. 조직구조의 기본변수에 미치는 영향

(1) 집·분권성에 미치는 영향

① **집권화를 촉진한다는 견해**: 정보기술은 최고관리층의 정보력을 확장시켜 사고범위와 영향력의 행사 범위를 넓힘으로써 집권화가 촉진된다(Leavitt & Whisler).
② **분권화를 촉진한다는 견해**: 정보기술로 중·하위직 관리자들이 다루어 오던 반복적·일상적인 업무들이 전자화되면서 이들이 비일상적 의사결정에 참여하여 분권화가 촉진된다(폭포효과).
③ **기존권력을 강화한다는 견해**: 정보기술은 집권화와 분권화의 요소를 모두 지녀 조직의 기존 경향을 더욱 강화시킨다.
④ **집권화와 분권화를 모두 강화한다는 견해**: 정보기술의 도입은 한편으로는 전문성을 강화하여 분권화를 촉진하나, 다른 한편으로는 분화된 과업수행에 대한 통제가 용이해져 집권화를 촉진한다(최근의 가장 종합적인 견해).

(2) 공식성에 미치는 영향

새로운 정보기술이 도입된 초창기에는 필요한 규범의 결여로 인해 공식화의 정도가 높아지나, 새로운 정보기술에 익숙해짐에 따라 공식화에 대한 영향은 감소한다.

(3) 복잡성에 미치는 영향

정보기술의 도입은 조직 내 수직적 분화를 완화시키지만 일의 흐름에 따른 수평적 분화는 촉진시킨다. 그러나 정보화 사회에서 조직원은 분업화된 단순업무를 수행하는 기능인이 아니라 다차원적 업무를 수행하는 전문가이다.

### 2. 지식정보화 사회의 조직구조

(1) 조직의 인력구조에 미치는 영향

① **중·하위계층의 축소와 저층구조화**: 정형적 업무를 컴퓨터로 대체하게 됨에 따라 중·하위층이 축소되어 수직적 계층구조가 완화된다. 특히, 리피트와 휘슬러(Leavitt & Whisler)는 중간관리층의 축소로 종 위에 럭비공을 올려놓은 모래시계형의 조직구조가 형성될 것이라고 보았다. 그러나 이러한 견해에 대해 하위층이 축소되어 마름모형 조직이 될 것이라는 견해도 있고, 중간관리층과 하위관리층이 모두 축소되어 역피라미드형 조직이 될 것이라는 주장도 있다.

**심화학습**

지식정보화와 폭포효과(Cascade Effect)

| | |
|---|---|
| 의의 | 조직에 정보통신기술이 도입되면 일상적인 의사결정은 컴퓨터로 처리되고 비정형적이고 중요한 의사결정은 최고관리층이 처리하게 됨에 따라 중하위계층의 업무에 진공상태가 발생하게 된다. 조직은 이를 극복하기 위해서 상위계층에 속했던 결정권을 하위계층에 폭포수처럼 내려주게 되는데 이를 폭포효과라 한다. |
| 이유 | 정보통신기술 도입 초기의 집권화 현상에 기인하며, 이러한 집권화 현상을 극복하기 위해 상층부의 권한을 아래로 폭포수처럼 내려줌으로써 조직은 결국 분권화된다. |

**O·X 문제**

1. 전자정부는 분권화를 촉진시키지만 집권화를 위해서 사용될 수도 있다. ( )
2. 최근 정보사회화 과정에 수반되어 나타나고 있는 조직 변화상의 특징으로 계층적 분화가 더욱 촉진되어 가고 있다. ( )
3. 전자정부의 구현으로 중간관리층 규모가 축소되고 행정농도가 낮아진다. ( )

O·X 정답 1. ○ 2. × 3. ○

② **행정농도의 저하**: 정보통신의 발달로 중간관리자와 지원인력이 축소되어 행정농도가 낮아진다.

③ **인적자원 구성의 재편**: 표준화된 일상업무 담당자나 계서적 감독자의 수는 줄어들고 정보기술전문가와 관련조직단위는 늘어난다.

④ **인력 구성의 이원화**: 조직의 인력 구성이 전문성을 갖춘 집단과 임시직·계약직 근로자 집단으로 이원화된다.

⑤ **직무의 완결도 증진**: 기존 업무의 통폐합, 직무확장·직무충실이 촉진되어 사람이 직접 수행해야 하는 직무의 완결도·다기능화의 수준이 높아진다.

⑥ **수평적 상호작용의 증가**: 누구든지 정보에의 접근이 용이해지고 의사전달이 활발해져 수평적 상호작용이 증가한다. 이로 인해 계선과 참모의 구별이 모호해진다.

⑵ 조직형태에 미치는 영향

① **이음매 없는 조직 구현**: 자유로운 정보유통으로 직무 간, 기능 간의 경계가 흐려지고 일의 흐름과 협동적 문제해결이 중시되는 이음매 없는 조직이 출현한다.

② **조직 간 연계성 증가**: 네트워크를 통한 정보공유 및 학습으로 조직 간 연계성과 상호의존성이 확대되어 네트워크 조직이 출현한다.

③ **가상조직화**: 조직구조의 융통성·변화대응성이 높아지고 가상공간화의 수준이 증대된다.

④ **조직 규모 축소**: 정보기술의 대체효과, 가상공간의 거래 증가, 대외적 네트워크 사용 증가 등으로 인해 조직의 규모가 축소된다.

**O·X 문제**

1. 전자정부의 구현으로 직무 간 경계와 기능 간 경계가 점점 명확해진다. ( )

## 02 조직관리에 미치는 영향

### 1. 지식정보화 사회에서의 사무관리

⑴ 사무 내용의 변화

단순보조 업무(서류작성, 자료정리 등)를 정보통신기술이 대신 처리함으로써 비정형적인 업무수행이 증가한다.

⑵ 사무 방식의 변화

① **전자업무 감독**: 정보통신기술은 관리자에게 직원들의 업무 실적에 관한 객관적이고 정확한 정보를 제공해 주기 때문에 업무감독과 근무 평정의 공정성이 확보된다.

② **가족친화적 근무 양식**: 재택근무(원격지근무), 탄력시간제, 압축근무제 등 유연하고 가족친화적인 근무제도가 활성화되고 정착된다.

③ **사무자동화**: 업무의 전산처리, 사무자동화 등의 활용으로 사무 처리가 신속·정확해지고 전자결재, 원격교육, 화상회의, 부처 간 정보의 공동 활용으로 중복투자를 막아 인력과 예산이 절감된다.

O·X 정답 1. ×

### 2. 지식정보화 사회에서의 정책과정

(1) 의 의

정보기술은 정보의 수집·분석·저장·검색·보고 등의 정보처리 과정에서 정보의 적시성·정확성·이용가능성 등을 향상시켜 정책결정의 질을 개선한다.

(2) 정책과정별 영향

① 정책의제형성 단계: 시민으로 하여금 문지기(gate-keeper)를 우회할 수 있는 수단을 제공함으로써 투입기능이 강화되고 무의사결정이 타파된다.

② 정책결정 단계: 다양한 정책대안의 검토가 가능해지고, 정책대안의 결과예측에서 불확실성이 감소한다.

③ 정책집행 단계: 정보네트워크의 연결과 정보의 분산처리로 집행과정에 대한 과학적인 모니터링이 가능해져 정책집행이 효율화된다.

④ 정책평가 단계: 정책평가의 객관성·투명성·정확성을 높여 줄 뿐만 아니라 정책평가의 결과를 데이터베이스화하여 정책 환류 및 학습정부 구축에 기여한다.

### 3. 지식정보화 사회에서의 구성원의 행태

(1) 동기부여

지식정보화 사회에서는 업무에의 자긍심(사명감) 부여, 권한위임(자율적인 계획의 조정), 학습기회의 부여, 평판, 가치창조 활동에의 참여 등이 중요한 동기부여의 원천이 된다.

(2) 권 력

지식정보화가 어떤 집단의 권력을 강화하는가에 대해서는 관료적 합리성 모형(관료의 권력 강화), 기술관료 엘리트 모형(기술관료의 권력 강화), 기존 권력 강화 모형, 조직 다원주의 모형(다양한 집단의 권력 동시 강화) 등이 있다.

(3) 문 화

지식정보화 사회에서는 경직적이며 강한 문화가 아닌 환경에의 융통성 있는 대응이 가능한 여성적이며 유연한 문화가 중시된다.

(4) 경쟁의 가속화

정보기술의 발달로 조직의 활동영역이 확장됨에 따라 각 조직들은 극한경쟁을 통해 생존을 확보해야 하며 개인 간에도 치열한 경쟁이 이루어진다.

(5) 개인의 자율성 향상

계층제적 조직구조가 수평적인 조직구조로 바뀌면서 조직 내 개인들은 조직의 간섭과 통제에서 벗어나 자율성과 창의성을 발휘한다.

이명훈 하이패스 행정학

합격까지 박문각

PART

# 05

# 인사행정론

CHAPTER 01

# 인사행정의 기초

## 제 1 절 인사행정의 의의와 특징

### 01 인사행정의 의의

#### 1. 인사행정의 개념과 기능

(1) 개 념

인사행정이란 정부관료제 내에서 정부활동의 효율적 수행을 위하여 인적자원을 동원(채용)하고 관리(능력발전과 사기앙양)하는 활동을 의미한다.

(2) 기능 – 막료기능(staff function)

인사행정은 정부의 목표달성에 직접적 책임을 지는 계선기관의 활동을 지원·보좌하는 막료기능으로 목표달성을 위한 수단적 성격을 지닌다.

#### 2. 인사행정의 구성요소와 과정

(1) 3대 구성요소

① 임용: 인력계획, 모집, 시험, 배치 등
② 능력발전: 교육훈련, 근무성적평정, 승진, 전직, 전보, 파견, 제안 등
③ 사기앙양: 보수, 연금, 신분보장, 인간관계, 고충관리, 인사상담, 후생복지, 행정윤리 등

(2) 과 정

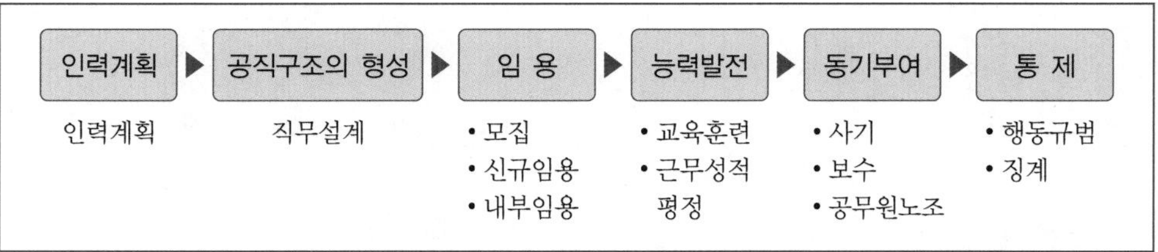


### 02 인사행정의 특징

#### 1. 인사행정과 인사관리의 비교

(1) 의 의

인사행정은 정부부문에서의 인적자원 관리활동이며, 인사관리는 민간부문에서의 인적자원 관리활동이다. 인사행정과 인사관리의 관계는 행정과 경영의 관계와 동일하다.

(2) 유사점

인사행정과 인사관리는 모두 조직의 목적달성을 위해 효율적으로 인적자원을 동원하고 관리하는 기술체계라는 점에서 인력계획 · 채용 · 능력발전 · 사기 등 인사행정의 각 활동 국면에서 사용하는 관리 절차나 기법 등이 유사하다.

(3) 차이점

① **공공성**: 인사행정은 인사관리와 달리 공공성으로 인하여 봉사성과 형평성을 추구한다.
② **정치성**: 인사행정은 인사관리와 달리 정치권력의 영향을 직접적으로 받는다.
③ **경직성 – 법정주의**: 인사행정의 주요 원칙과 절차 및 기준은 법령에 의해 규정되어 경직성을 강하게 띤다.
④ **독점성 – 비시장성**: 인사행정은 행정의 독점성으로 인하여 정부 활동의 성과를 객관적으로 측정하거나 시장가격으로 환산하기 어려워 노동가치 산출이 곤란하다.
⑤ **다양성과 광범위성**: 인사행정은 방대한 정부의 인력규모와 다양한 직종을 다룬다는 점에서 다양성과 광범위성을 띤다.
⑥ **제약성**: 인사행정은 행정의 공익성 · 평등성 · 독점성 · 계속성의 요청에 의해 임용 자격 및 시험, 복무, 윤리, 노조활동, 정치활동 등에서 민간기업보다 많은 제약을 받는다.

## 2. 현대 인사행정의 특징

(1) 개방체제적 성격

특정 정부의 인사행정을 지배하는 가치나 기본원칙은 그 정부가 속해 있는 정치적 · 경제적 · 사회적 · 문화적 환경의 특수성에 따라 결정된다. 따라서 현대의 인사행정은 일반적이고 보편적인 인사행정의 원리를 탐색하기보다는 각 나라의 환경과 상황에 따른 인사제도의 마련에 초점이 있다.

(2) 가치갈등적 성격

인사행정은 상호경쟁적인 요구나 가치를 수용하고 이를 적절한 수준에서 조화시켜야 한다는 점에서 가치갈등적 성격을 지닌다. 인사행정의 가치갈등적 성격은 공무원의 임용과정에서 가장 뚜렷하게 나타난다.

(3) 전략적 인적자원관리

지식정보화 사회에서 인사행정은 조직원을 단순히 통제의 대상으로 보지 않고 조직목표 달성을 위한 핵심적인 자산(asset)으로 인식한다. 즉, 조직원을 인적자원으로 인식하고 인적자원관리를 조직의 전략적 관리와 연계한다.

(4) 종합학문적 성격

인사행정에 대한 체계적 연구나 효율적인 관리전략의 수립은 정치학, 산업심리학, 인사심리학, 조직행동론, 관료제론, 사회학, 노동경제학 등 다양한 학문으로부터 영향을 받는다.

(5) 기 타

현대 인사행정은 관리기술의 전문성 · 과학성, 행정목적 달성을 위한 수단성 · 기술성, 환경에의 적응성, 기능의 다양성 · 통합성 · 적극성 · 전문직업성, 관리범위의 광범위성 등의 특징을 지닌다.

**O·X 문제**

1. 현대 인사행정은 목표달성을 위한 수단적 성격을 지니고 있다는 점에서 민간기업의 인사관리와 유사하다. ( )

O·X 정답 1. ○

# 제 2 절 인사행정의 제도 기반 – 충원제도

## 01 직업공무원제

### 1. 의 의

(1) 개념 – 전(全) 생애성

공직을 유능하고 인품 있는 젊은 남녀에게 개방하고 그들이 전 생애에 걸쳐서 공무원으로 근무하며 능력발전에 따라 상위직으로 승진할 수 있도록 하는 제도를 말한다.

(2) 연원 및 도입

① **연원**: 직업공무원제는 영국・프랑스・독일 등 유럽에서 대규모의 관료조직을 상시적으로 정비하고 관리하기 위한 목적으로 절대군주국가 시대부터 체계화되었다.

② **우리나라**: 직업공무원제를 「헌법」에서 제도적 보장하고 있다. 다만, 직업공무원제라는 용어는 우리나라의 법률상 용어가 아니며, 「국가공무원법」에 규정된 경력직 공무원✢이 직업공무원에 해당한다.

(3) 확립요건

① **실적주의의 우선적 확립**: 능력과 실적 중심의 공직임용(공개경쟁채용시험에 의한 임용), 신분보장 등 실적주의의 우선적 확립이 전제되어야 한다.

② **공직에 대한 높은 사회적 평가**: 공직이 국민에 대한 봉사자로서 명예롭고 긍지를 지닐 수 있는 직업이라는 높은 사회적 평가가 전제되어야 한다.

③ **학력과 연령 제한 및 강력한 신분보장**: 학력과 연령의 제한을 통해 유능하고 젊은 인재를 채용하고, 채용된 관료에 대해서는 강력한 신분보장이 전제되어야 한다.

④ **장기적 발전가능성 및 능력발전 중시**: 채용 당시 직무수행능력보다는 잠재능력이나 장기적인 발전가능성을 고려해야 하며, 재직 중 승진・전보・교육훈련 등을 통한 능력발전이 전제되어야 한다.

⑤ **생활급 및 연금제도의 확립**: 채용된 관료는 전임직으로 근무하므로 노력에 대한 적절한 보수(생활급)가 지급되어야 하며, 재직 중 안심하고 공직에 종사할 수 있도록 연금제도가 확립되어야 한다.

⑥ **장기적인 인력계획의 수립**: 채용된 관료는 장기근무가 예정되어 있기 때문에 장기적 관점에서 공무원에 대한 인력계획이 수립되어야 한다.

⑦ **폐쇄형 인사제도**: 장기근무를 유도하기 위해 신규인력을 조직의 최하위계층에서만 채용하고 능력발전을 통해 상위직으로 승진시키는 폐쇄적 임용이 전제되어야 한다.

⑧ **정치적 중립**: 관료들의 강력한 신분보장을 위해서는 정치적 간섭을 배제하기 위해 불편부당한 정치적 중립이 확립되어야 한다.

⑨ **일반행정가주의**: 전문행정가✢보다 폭넓은 안목을 가진 일반행정가✢ 양성에 초점을 두어야 한다.

---

✢ **경력직 공무원**

실적과 자격에 의해 임용되고 신분이 보장되며, 평생토록 공무원으로 근무할 것으로 예상되는 공무원

**O·X 문제**

1. 직업공무원제는 젊고 유능한 인재들이 공직을 보람있는 직업으로 선택하여 일생을 바쳐 성실히 근무하도록 유도하는 인사제도이다. ( )
2. 우리나라는 직업공무원제도를 「헌법」상의 제도보장으로 선언하고 있다. ( )
3. 실적주의가 확립되지 않아도 직업공무원제는 확립될 수 있다. ( )
4. 직업공무원제도는 채용 당시의 직무수행능력이 장기적인 발전가능성보다 중요시된다. ( )
5. 직업공무원제가 성공하려면 우선 공직임용에서 연령 상한제를 폐지하는 것이 필수적이다. ( )
6. 직업공무원제는 직무급 보수 체제를 특징으로 한다. ( )
7. 직업공무원제는 계급제, 폐쇄형 공무원제, 일반행정가주의에 바탕을 둔 제도이다. ( )
8. 직업공무원제를 확립하기 위해 국민의 요구에 민감하게 대응하여 행정의 민주성을 확보할 수 있도록 충원의 개방성을 확보해야 한다. ( )

✢ **일반행정가와 전문행정가**

| 일반행정가 | 전문행정가 |
|---|---|
| 행정일반에 관한 폭넓은 지식과 경험을 갖춘 공무원 | 특정 분야에 대한 전문지식과 경험을 갖춘 공무원 |
| 주로 계선 기능 | 주로 막료 기능 |
| 계급제・직업공무원제와 친화성 | 직위분류제와의 친화성 |
| 영국에서 발달 | 미국에서 발달 |

O·X 정답 1. ○ 2. ○ 3. × 4. × 5. × 6. × 7. ○ 8. ×

(4) 직업공무원제와 실적주의

① 관 계

㉠ (광의)의 실적주의와 관계: 실적주의(광의)는 자격과 능력에 따른 공직임용을 의미하며, 직업공무원제는 실적주의의 우선적 확립을 전제로 한다. 그러나 실적주의가 채택되었다고 해서 직업공무원제가 반드시 확립되는 것은 아니다. 이는 실적주의가 채택되었더라도 약한 신분보장을 전제로 하는 개방형 임용을 폭넓게 인정하면 강한 신분보장이 요구되는 직업공무원제를 확립할 수 없기 때문이다(실적주의는 직업공무원제의 필요요건).

㉡ (협의)의 실적주의와 관계: 실적주의(협의)는 직위분류제와 전문행정가주의에 입각한 미국의 인사제도를 의미하며, 계급제와 일반행정가주의에 입각한 영국의 직업공무원제와 대립되는 제도이다.

② 직업공무원제와 실적주의의 비교

| 차이점 | | | 공통점 |
|---|---|---|---|
| 비 교 | 직업공무원제(영국) | 실적주의(미국) | |
| 역사적 배경 | 절대군주국가 시대에 확립 | 1883년 「펜들턴법」에 의해 확립 | • 신분보장<br>• 정치적 중립<br>• 자격이나 능력에 따른 채용과 승진<br>• 공직임용상의 기회균등 |
| 추구 이념 | 안정성·계속성 | 전문성·능률성 | |
| 실적주의 유형 | 폐쇄적 실적주의 | 개방적 실적주의 | |
| 친화적인 제도 | 계급제 | 직위분류제 | |
| 결원보충 방식 | 폐쇄형(내부충원형) | 개방형(외부충원형) | |
| 행정가 | 일반행정가주의 | 전문행정가주의 | |
| 임용 시 제한 | 연령·학력의 제한으로 제약된 기회균등 | 연령·학력 제한이 없는 완전한 기회균등 | |
| 채용 시 중시되는 요소 | 잠재능력 또는 장기적 발전 가능성 중시 | 채용 당시의 직무수행능력 중시(업적성) | |
| 정치적 중립 | 완화된 정치적 중립 | 강력한 정치적 중립 | |
| 신분보장 | • 강력한 신분보장<br>• 적극적 신분보장✣ | • 약한 신분보장<br>• 소극적 신분보장✣ | |
| 보 수 | 생활급 | 직무급 | |

## 2. 장·단점

(1) 장 점

① 행정의 전문성·능률성 제고 – 전문직업주의 확립: 장기근무를 장려하기 때문에 공직을 하나의 전문직업분야로 확립(전문직업주의)할 수 있으며, 이를 통해 민주적으로 설정된 목표를 능률적으로 수행하는 데 기여한다.

② 행정의 중립성·공익성 제고: 정치적 중립을 통해 정당정치의 폐단을 방지하고 중립적 관점에서 공익에 입각한 행정을 수행하는 데 기여한다.

③ 행정의 안정성·계속성 제고: 신분보장이 되는 공무원들에 의해 지속적이고 안정적인 행정이 수행된다.

**O·X 문제**

1. 미국에서 직업공무원제는 1800년대 실적주의 성립 이전부터 확립되어 있었다. ( )

2. 실적주의는 반드시 공무원의 정치적 중립성을 요구하지 않으나 직업공무원제는 공무원의 정치적 중립이 필수적이다. ( )

3. 직업공무원제는 계급제에 입각하고 있으나 실적주의제는 직위분류제에 입각하고 있다. ( )

✣ 소극적 신분보장과 적극적 신분보장

| | |
|---|---|
| 소극적 신분보장 | 부당한 정치적 압력으로부터 권익을 보호할 목적으로 행해지는 신분보장(방어적 의미) |
| 적극적 신분보장 | 직업적 안정성을 통한 행정의 효율성을 확보하기 위한 목적으로 행해지는 신분보장 |

O·X 정답 1. × 2. × 3. ○

**O·X 문제**

1. 직업공무원제는 절대왕정시기의 관료제에 연원을 두고 있으며 장기근무를 장려하여 공직을 전문직업분야로 인식하게 하였다. ( )
2. 직업공무원제는 강력한 신분보장을 통해 정권교체에도 불구하고 행정의 계속성과 안정성을 유지한다. ( )
3. 직업공무원제는 고급공무원 양성에 유리하며, 높은 수준의 행동규범을 유지하는 데 도움이 된다. ( )
4. 직업공무원제도는 폐쇄형 충원방식을 통해 행정조직의 관료화를 막고 민주적 통제를 강화할 수 있다. ( )
5. 직업공무원제는 폐쇄적 임용을 통해 공무원집단의 보수화를 예방하고 전문행정가 양성을 촉진한다. ( )
6. 직업공무원제도는 공직에 대한 자부심과 일체감이 강화되고, 직업적 연대의식을 갖게 하는 장점이 있다. ( )
7. 직업공무원제는 정부 관료제에 대한 정당 및 정치지도자의 지도력과 통솔력을 강화한다. ( )
8. 직업공무원제에서 공무원집단은 환경적 요청에 민감하지 못하고 특권집단화될 우려가 있다. ( )
9. 직업공무원제는 공무원의 일체감과 단결심 및 공직에 헌신하려는 정신을 강화하는 데 불리한 제도이다. ( )
10. 직업공무원제는 공무원의 장기근무를 유도하므로 행정의 전문화에 도움이 된다. ( )
11. 직업공무원제도는 공직을 직업전문 분야로 확립시키기도 하지만, 행정의 전문성 약화를 가져오기도 한다. ( )

O·X 정답 | 1. ○ 2. ○ 3. ○ 4. × 5. × 6. ○ 7. × 8. ○ 9. × 10. ○ 11. ○

④ **공무원의 질적 향상**: 젊고 유능한 인재를 조기에 발굴하여 영입하고 장기간에 걸쳐 능력발전을 유도함으로써 공무원의 질적 향상에 기여한다.

⑤ **근무규율 수용도 제고**: 공직에 대한 자부심과 일체감·연대감을 제고하여 공무원이 갖추어야 할 높은 봉사정신과 행동규범을 보장한다.

⑥ **공무원의 사기 제고**: 폐쇄적 임용 및 신분보장과 승진기회 부여로 재직 공무원의 사기를 제고하는 데 기여한다.

⑦ **고급공무원의 양성에 유리**: 장기근무를 유도하여 공무원의 공공분야에 대한 이해도를 증진시킴으로써 고급공무원을 육성하는 데 효과적이다.

⑧ **관료제의 구성원리에 부합**: 전임직 근무, 고정된 보수와 연금, 신분보장 등을 특징으로 하는 관료제의 구성원리에 부합하는 인사제도이다.

(2) 단 점

① **행정의 전문성·능률성 저해**: 폐쇄적 임용·강력한 신분보장·일반행정가주의(순환보직)·연공서열 중시 등으로 인해 행정의 전문성과 능률성을 저해할 수 있다.

② **민주적 통제 곤란**: 강력한 신분보장으로 인해 외부로부터 민주적 통제가 곤란하여 시민의 요구에 민감하게 대응하지 못한다.

③ **관료주의화·특권집단화**: 강력한 신분보장으로 조직의 신진대사가 원활하지 못해 공직 침체와 공무원 집단의 관료주의화와 특권집단화가 초래된다.

④ **환경변화에 대한 대응력 저하**: 강력한 신분보장과 평생직장 개념은 새로운 기술에의 부적응 등 외부환경에 대한 무사안일한 대응을 초래할 수 있다.

⑤ **민주주의 평등이념과 충돌**: 학력과 연령에 대한 엄격한 제한은 공직임용에의 기회균등을 저해함으로써 민주주의 평등이념과 충돌한다.

⑥ **직업전환 곤란**: 공무원이 공직에서만 필요한 인재로 육성되기 때문에 공직에만 종사하는 특수한 직업인으로 굳어져 다른 직업으로의 전환이 곤란하다.

**핵심정리 | 직업공무원제의 쟁점**

1. **직업공무원제와 전문성·능률성**
   (1) **긍정적 측면**: 공무원의 장기근무를 통해 공직사회의 독특한 수행 논리를 체득케 함(전문직업주의 확립)으로써 행정체제적 관점에서 행정의 전문성과 능률성을 제고할 수 있다.
   (2) **부정적 측면**: 폐쇄적 임용·강력한 신분보장·일반행정가주의(순환보직) 등으로 인해 세부 업무영역별 관점에서 행정의 전문성과 능률성을 저해할 수 있다.
2. **직업공무원제와 기회균등 – 제약된 기회균등**
   (1) **긍정적 측면**: 신분질서를 타파하고 자격과 능력에 따른 임용을 전제로 한다는 점에서 기회균등의 요소를 지니고 있다.
   (2) **부정적 측면**: 학력과 연령의 제한을 전제로 한다는 점에서 기회균등을 저해하는 요소를 지니고 있다.
3. **직업공무원제와 민주성**
   (1) **긍정적 측면**(조직 내부): 재직공무원들로 하여금 신분상 불안감 없이 직무에 전념케 하며, 일반행정가주의 등을 통해 인간적 발전을 지향한다는 점에서 민주성을 제고하는 측면이 있다.
   (2) **부정적 측면**(시민과의 관계): 신분보장으로 인한 민주적 통제의 곤란성, 관료주의화·특권집단화 등으로 인한 시민요구에 대한 대응성 상실 등으로 민주성을 저해하는 측면이 있다.

### 3. 직업공무원제의 동요

(1) 직업공무원제의 개혁

최근 직업공무원제가 급격한 환경변화에 대응하지 못하고 행정의 민주성과 능률성 모두를 저해한다는 비판을 받으면서 전 세계적으로 직업공무원제에 대한 개혁이 추구되고 있다.

(2) 개혁을 위한 제도

① **충원의 개방화**: 개방형 임용제도, 임기제 공무원제, 고위공무원단 등
② **신분보장의 완화**: 계급정년제, 정년단축, 공무원 퇴출제 등
③ **공직의 전문화**: 직위분류구조의 활용, 경력개발제도 등
④ **근무방식의 유연화**: 시간선택제공무원제, 탄력근무제, 원격근무제, 민간근무휴직제 등
⑤ **기타**: 연령상한제 폐지, 정치적 중립의 완화 등

(3) 직업공무원제의 미래

직업공무원제에 대한 일련의 개혁조치들은 전통적인 직업공무원제가 지니고 있는 한계를 보완하기 위한 것이지 직업공무원제 자체를 부정하는 것은 아니다. 행정은 직업공무원제가 지향하는 공익성・계속성・안정성 등의 윤리규범이 여전히 요구되기 때문에 직업공무원제는 앞으로도 인사행정의 중요한 장치로 기능할 것이다.

## 02 엽관주의(spoils system)

### 1. 의 의

(1) 개 념

엽관주의는 정당에 대한 충성도와 공헌도를 공직의 임용기준으로 삼는 인사제도를 말한다. 엽관주의는 미국에서 건국 초기 자유민주주의의 정착과 발전을 위한 실현수단으로 등장하였다.

(2) 수립과정

엽관주의는 미국에서 공직의 25%를 공화당원들로 임명한 제퍼슨(Jefferson) 대통령에서 연원하여, 대통령과 공무원의 임기를 국회의원의 임기와 일치시킨 「4년임기법(Four Years Law)」을 제정한 먼로(Monroe) 대통령을 거쳐, 잭슨(Jackson) 대통령이 공식적인 인사제도로 채택하였다.

(3) 발전요인

① **정치적 민주주의의 요청**: 서부 개척민의 지지를 받아 정권을 잡았던 잭슨 대통령은 자신을 지지해 준 대중에게 공직을 널리 개방하여 대중의 의사를 국정에 반영하고자 하는 민주적 신념으로 엽관주의를 도입하였다.
② **공직의 민주화**: 공직을 민주화할 목적으로 국민의 지지에 따라 관료제를 구성하는 엽관주의를 도입하였다.
③ **대통령의 지지세력 확보**: 선거에서 승리한 정당이 국민에게 제시한 공약을 강력하게 추진할 목적으로 대통령의 지지세력을 확보하기 위해 엽관주의를 도입하였다.
④ **상위계층의 관료독점 타파**: 미국 행정부 내에 누적되었던 특정 상위계층 중심의 관료제 독점을 타파하기 위한 혁신수단으로 엽관주의를 도입하였다.

**O·X 문제**

1. 직업공무원제의 단점을 보완하는 제도로는 개방형 인사제도, 계약제 임용제도, 계급정년제의 도입, 정치적 중립의 강화 등이 있다. ( )

**O·X 문제**

2. 엽관주의는 실적 이외의 요인을 고려하여 임용하는 방식으로 정치적 요인, 혈연, 지연 등이 포함된다. ( )
3. 미국의 잭슨 대통령은 엽관제를 민주주의의 실천적 정치원리로 인식하고 인사행정의 기본 원칙으로 채택하였다. ( )
4. 엽관주의는 관직을 만인에게 개방함으로써 특정 계층의 공직 독점을 타파하고 민주주의의 평등이념에 부합한다. ( )
5. 엽관주의와 관련하여 미국의 잭슨(Jackson) 대통령은 공무원의 장기근무의 순기능을 강조하며 공직의 대중화를 도모하였다. ( )
6. 엽관주의는 행정이 복잡화될수록 적용가능성이 높다. ( )

O·X 정답 1. × 2. × 3. ○ 4. ○ 5. × 6. ×

PART · 05

⑤ **정당정치의 발달**: 당시 정당지도자들은 정당의 유지와 선거, 정당원의 통솔 등을 위하여 엽관주의를 옹호하였다.

⑥ **행정의 단순성**: 당시의 행정은 어느 정도의 상식을 지닌 사람이면 누구나 임무를 수행할 수 있을 만큼 단순했기 때문에 엽관주의 실현이 용이하였다.

## 2. 정실주의와의 관계

(1) 정실주의의 의의

미국의 엽관주의와 영국의 정실주의는 오늘날 동일한 의미로 사용되기도 하나 반드시 동일한 의미는 아니다. 가장 중요한 차이점은 엽관주의는 정당에의 충성도를 공직 임용기준으로 삼는 반면, 정실주의는 인사권자와의 개인적 신임이나 친분관계를 공직 임용기준으로 삼는다는 점에 있다.

(2) 엽관주의와 정실주의의 차이

| 구 분 | 발달국가 | 임용근거 | 신 분 | 임용범위 |
|---|---|---|---|---|
| 엽관주의 | 미국 | 정당에 대한 충성도 | 임기제 | 주기적·대폭적 공직경질 |
| 정실주의 | 영국 | • 초기: 국왕에 대한 충성도<br>• 후기: 의원에 대한 충성도 | 종신제 | 부분적 임용 및 신분보장 |

(3) 우리나라

우리나라는 엽관주의를 공식적인 인사제도로 채택한 적은 없으나, 현재 정무직·별정직 등에서 한정적으로 엽관주의적 임용이 이루어지고 있다. 우리나라의 엽관주의는 대통령의 개인적 친분관계에 의한 부분적인 공직임용이 이루어진다는 점에서 정실주의적 성격을 강하게 띤다.

## 3. 장·단점

(1) 장 점

① **민주주의 평등이념 구현**: 소수 상위계층에 의해 독점되었던 정부 관료제의 문호를 민중에게 개방함으로써 민주주의 평등이념을 구현하는 데 기여하였다.

② **민주통제 및 책임행정 구현**: 주기적인 선거과정을 통해 대폭적인 공직경질이 이루어지므로 민주통제를 강화하고 책임행정을 구현하기 용이하다.

③ **정당정치의 발전 및 행정의 민주화**: 선거를 통해 집권한 정당에 정부 관료제를 예속시킴으로써 정당정치의 발전 및 행정의 민주화에 공헌하며, 의회와 행정부 간에 조정이 활성화된다.

④ **강력한 정책 추진**: 정치지도자의 지지세력을 확보함으로써 리더십이 강화되고 정당이념의 철저한 실현과 공약의 강력한 추진이 가능해진다.

⑤ **관료적 대응성 및 효율성 향상**: 정치지도자의 행정통솔력을 강화함으로써 국민의 요구에 대한 관료제의 대응성 및 정책수행 과정에서의 효율성을 제고할 수 있다.

⑥ **관료제의 쇄신**: 주기적이고 대량적인 공직경질을 통하여 관료특권화와 공직 침체 현상을 방지할 수 있다.

⑦ **정책변동 대응에 유리**: 집권 정당의 교체로 인한 정치적 변혁기의 정책변동에 대응하기 유리하다.

**심화학습**

정실주의의 전개

| | |
|---|---|
| 은혜적 정실주의 | 명예혁명 이전 국왕이 개인적 친분이나 반대세력을 회유하기 위해 관직을 제공했던 인사 관행 |
| 정치적 정실주의 | 명예혁명 이후 국왕에 대한 의회의 우월성이 확립되고, 내각책임제가 발전하게 됨에 따라 의회 다수당의 정당지도자가 관직을 정치적 고려에 의하여 제공했던 인사 관행 |

**O·X 문제**

1. 엽관주의는 국민의 지지에 따라서 정부가 구성되므로 정책 추진이 용이하며 의회와 행정부 간의 조정이 활성화된다. ( )
2. 엽관주의는 정당정치의 발달은 물론 행정의 민주화에 기여할 수 있다. ( )
3. 엽관제는 직업공무원제 정착에 도움이 된다. ( )
4. 엽관제는 전문성을 통한 행정의 효율성 제고와 정부관료의 역량 강화에 기여한 것으로 평가된다. ( )
5. 엽관주의는 공직의 상품화를 가져올 가능성이 있다. ( )
6. 19세기 전반 미국의 엽관주의는 재정낭비를 방지하는 데 중요한 기여를 하였다. ( )
7. 엽관제는 공직의 특권계층화를 초래하는 문제점이 있다. ( )
8. 엽관주의는 소수 상위계층의 공직 독점을 가져온다. ( )
9. 잭슨(Jackson)이 도입한 엽관주의는 정치지도자의 행정통솔력을 약화함으로써 국민의 요구에 대한 관료적 대응성의 후퇴 및 정책수행과정에서의 비효율성을 초래하였다. ( )

O·X 정답 1. ○ 2. ○ 3. × 4. × 5. ○ 6. × 7. × 8. × 9. ×

(2) 단 점

① **행정의 전문성 · 능률성 저해**: 정치적 임용으로 인한 행정의 전문성 저하뿐만 아니라 위인설관(爲人設官) 등 관직의 남설로 인한 재정적 낭비를 초래할 수 있다.

② **행정의 안정성 · 일관성 저해**: 정치적 권력변동에 따른 대량적인 공직경질로 인해 행정의 안정성 · 계속성 · 일관성이 저해될 수 있다.

③ **행정의 공정성 · 중립성 저해**: 관료를 소수 정당 간부의 특수 이익을 위한 도구로 전락시켜 행정의 공정성 · 공익성 · 중립성이 훼손될 수 있다.

④ **공직 사유화 및 부패**: 소수에 의한 정당의 과두적 지배로 공직의 사유화가 야기되며, 매관매직 등 부패가 만연하게 된다.

⑤ **기회균등 상실**: 집권 정당에 충성하는 자들에게만 관직 임용이 이루어져 기회균등이 제한된다.

**핵심정리 | 엽관주의의 쟁점**

**1. 엽관주의와 민주성(대응성) · 책임성**

(1) **긍정적 측면**: 선거를 통해 집권한 정당에 관료제를 예속시킴으로써 국민이 지지한 공약의 강력한 추진이 가능하며, 선거과정을 통해 관료제가 국민들로부터 통제를 받는다는 점에서 행정의 민주성과 책임성 향상을 가져올 수 있다.

(2) **부정적 측면**: 엽관주의에서 관료들은 국민에 대한 충성보다는 집권 정당에 대한 충성이 강조되어 소수 정당 간부의 특수이익을 위한 도구로 전락됨으로써 국민에 대한 민주성과 책임성이 저해될 수 있다.

**2. 엽관주의와 공평성 · 기회균등**

(1) **긍정적 측면**: 엽관주의는 본래 미국 초창기 사회 소외계층이었던 서부 개척민을 국정운영과정에 참여시키기 위한 제도적 장치로 공평성을 이념으로 하였다.

(2) **부정적 측면**: 엽관주의는 실제 운영에 있어서 집권 정당의 특수이익에 충성하는 사람들만이 공직에 임용된다는 점에서 공평성을 저해하는 측면이 있다.

**3. 엽관주의와 효율성**

(1) **긍정적 측면**: 엽관주의는 정치지도자의 관료에 대한 행정통솔력을 강화함으로써 정책수행과정에서의 효율성을 제고할 수 있다.

(2) **부정적 측면**: 엽관주의는 정당에의 충성도에 따른 관직임용으로 부패와 무능력을 야기함으로써 행정의 효율성을 저해할 수 있다.

## 4. 현대행정에서 엽관주의

(1) 엽관주의의 최근 경향

실적주의가 수립된 1880년대 후반 이후 엽관주의적 임용은 상당히 약해졌으나 여전히 모든 정부에서 지속되고 있다. 오늘날 엽관주의는 대부분의 국가에서 종래와 같이 광범위한 직위에 이용되지는 않으며, 조직의 상층부에서 정책결정을 담당하는 고위직(정무직)이나 특별한 신임을 요하는 직위(별정직) 등에 한해 한정적으로 허용되고 있다.

(2) 현대행정에서 엽관주의의 필요성

① **정책변동에의 대응**: 정치적 권력변동에 따른 중요한 정책변동이 있을 때 정책의 강력한 추진을 위하여 엽관주의적 임용이 활용되고 있다.

② **실적주의의 한계**: 국민에 의해 직접 선출되지 않고 정치적인 해고로부터 자유로운 실적주의 관료를 민주적으로 통제하기 위해 조직의 상층부에 엽관주의적 임용이 활용되고 있다.

**O·X 문제**

1. 엽관주의는 행정의 전문성을 저하시킬 수 있다. ( )

2. 엽관주의는 행정의 책임성을 확보하기 힘들다. ( )

3. 엽관주의는 국민의 요구에 대한 관료적 대응성을 확보하기 어렵다. ( )

4. 엽관주의에 따른 인사는 관료기구와 집권 정당의 동질성을 확보할 수 있으며, 정부가 공무원의 충성심을 확보하고 공무원을 효과적으로 통솔할 수 있다. ( )

5. 엽관주의하에서는 행정의 민주성과 관료적 대응성의 향상은 물론 정책수행 과정의 효율성 제고도 기대할 수 있다. ( )

**O·X 문제**

6. 엽관제는 관료제의 특권화를 방지하고 국민에 대한 대응성을 높인다는 점에서 현재도 일부 정무직에 적용되고 있다. ( )

7. 정책에 큰 변동이 있을 때에는 평상시보다 엽관주의에 의한 인사가 더 요구될 수 있다. ( )

8. 엽관주의는 선거를 통하여 국민에게 책임을 지는 선출적 지도자들의 직업공무원들에 대한 통제를 용이하게 해준다. ( )

O·X 정답 1. ○ 2. × 3. × 4. ○ 5. ○ 6. ○ 7. ○ 8. ○

## 03 실적주의

### 1. 의 의

(1) 개 념

실적주의는 개인의 실적(업적·성과 등)과 능력(자격·기술·지식 등)을 공직임용의 기준으로 삼는 인사제도를 말한다.

(2) 발전요인

① **정당정치 및 엽관주의의 폐해**: 정당정치의 변질로 인하여 엽관주의는 부패와 예산 낭비를 초래하였다. 특히, 엽관주의 추종자에 의한 가필드(Garfield) 대통령의 암살사건은 실적주의로의 제도 변화를 촉진하는 기폭제가 되었다.

② **행정국가화 현상**: 행정의 전문화·복잡화로 인하여 행정 업무가 양적으로 확대되고 질적으로 심화됨에 따라 전문적·기술적 능력을 갖춘 유능한 인재를 확보할 수 있는 실적주의가 필요하게 되었다.

③ **중간선거에서 공화당의 참패**: 당시 집권당이었던 공화당이 중간선거에서 참패하고 그 결과로 다가오는 대통령 선거에서 자신감을 상실하면서 엽관주의를 폐지하고 실적주의를 확립하였다.

### 2. 수립과정

(1) 영 국

① **성립배경**: 1855년 노스코트 – 트레빌리언 보고서(1853)⁺에 근거한 제1차 추밀원령에 의해 미온적인 공무원 제도 개혁이 이루어졌고, 1870년 제2차 추밀원령에 의해 실적주의가 확립되었다.

② 제2차 추밀원령의 주요 내용

㉠ 공개경쟁채용시험의 원칙 명시

㉡ **계급별 채용 시험**: 공무원 계급을 행정·집행·서기·서기보로 구분하고 계급별로 교양과목에 의한 공무원 채용 시험 실시

㉢ **인사위원회 설치 및 재무성의 인사권 강화**: 인사행정을 관리하기 위해 인사위원회를 설치하였으며(제1차 추밀원령), 재무성은 지원자의 자격과 시험을 행할 관직의 결정에 관한 동의권 등을 행사할 수 있도록 하였다.

(2) 미 국

① **성립배경**: 1868년 젠키스(Jenkes) 법안과 1871년 그랜트(Grant)위원회의 활동에 의해 실적주의가 주창되기 시작했으며, 영국의 공무원제도를 연구한 이스턴(Eaton)보고서(1880)의 영향을 받아 1883년 「펜들턴(Pendleton)법」에 의해 실적주의가 확립되었다.

② 「펜들턴(Pendleton)법」의 주요 내용

㉠ 공개경쟁채용시험제도에 의한 임용

㉡ 독립적·초당적 연방중앙인사위원회(CSC)의 설치

㉢ 시험에 합격한 공무원에 대한 시보임용 기간제의 채택

㉣ 공무원의 정치헌금 및 정치활동 금지(공무원의 정치적 중립)

**O·X 문제**

1. 실적주의는 엽관주의의 폐해와 급격한 경제발전으로 행정기능이 양적으로 확대되고 질적으로 복잡해짐에 따라 공무원들의 전문적 지식과 기술이 필요해지면서 정당성이 강화되었다. ( )

2. 잭슨(Jackson) 대통령이 암살당한 사건은 미국에서 실적주의 도입의 배경이 되었다. ( )

⁺ 노스코트 – 트레빌리언 보고서
공개경쟁채용시험에 의해 공무원을 채용할 것과 시험을 관장할 독립적인 중앙인사위원회를 설치할 것을 건의한 보고서

**O·X 문제**

3. 실적제로 전환을 위한 영국의 추밀원령은 미국의 펜들턴법보다 시기적으로 앞섰다. ( )

4. 실적주의의 등장은 미국은 「펜들턴법」, 영국은 「해치법」이 계기가 되었다. ( )

5. 실적주의 발달과 관련 있는 내용으로 4년임기법, 노스코트와 트레빌리언 보고서, 그랜트위원회 등이 있다. ( )

6. 미국의 실적주의는 영국의 실적주의에 많은 영향을 받았다. ( )

7. 미국에서는 1883년 펜들턴법을 계기로 실적제가 확립되었다. ( )

8. 펜들턴(Pendleton)은 미국 공무원 인사제도 개혁의 일환으로 공무원에 대한 정치적 영향력을 배제하고 공무원 선발시험의 실시를 내용으로 하는 법안을 제출한 상원 의원이다. ( )

O·X 정답 1. ○ 2. × 3. ○ 4. × 5. × 6. ○ 7. ○ 8. ○

㉤ 전문과목 위주의 시험과목 편성
㉥ 정부와 민간부문 간 폭넓은 인사교류
㉦ 제대군인에 대한 특혜 인정

③ **실적주의의 강화 – 「해치(Hatch)법」**: 「해치법」(1940)은 공무원정치활동금지특별법으로 공무원의 정치적 중립을 엄격하게 규정하여 실적주의의 강화를 가져왔다.

(3) 미국의 실적주의와 영국의 실적주의

| 구 분 | 개방형 여부 | 초 점 | 직업공무원제 |
|---|---|---|---|
| 미국(협의의 실적주의) | 개방형 실적주의 | 직무 중심 | 미확립 |
| 영국(직업공무원제) | 폐쇄형 실적주의 | 재직 공무원 중심 | 확립 |

## 3. 주요 내용 및 장·단점

(1) 주요 내용

① **공직취임의 기회균등**: 공직은 모든 국민에게 개방되며, 성별·종교·사회적 신분·학벌 등의 이유로 어떠한 차별도 받지 않는다.

② **실적 중심의 공직임용**: 공무원의 임용은 공개경쟁채용시험을 통한 능력·실적·자격의 검증에 의하며 정실이나 당파성은 배제된다.

③ **공무원의 신분보장**: 공무원은 법령에 저촉되지 않는 한 자의적인 제재로부터 적법절차에 의해 신분을 보장받는다.

④ **정치적 중립**: 공무원이 특정 정당에 대한 봉사자가 아닌 모든 국민의 봉사자가 되도록 하기 위하여 정치적 중립이 요구된다.

⑤ **인사권의 집권화**: 공정한 인사행정을 위해 초당파적이고 독립적인 중앙인사기구를 설치하고 이 기구를 통해 인사행정을 통일적·집권적으로 수행한다.

⑥ **인사행정의 합리화·과학화·객관화**: 과학적 관리론의 영향을 받아 인사행정의 합리화·과학화·객관화를 추구한다.

⑦ **상대적 평등주의**: 각 개인의 능력에 차이가 있음을 인정하고 능력에 따른 차별(능력이 있는 자만 관직 임용)을 강조하는 상대적 평등주의를 지향한다.

(2) 장 점

① **공직임용의 기회균등**: 성별·종교·사회적 신분·학벌 등의 이유로 어떠한 차별도 받지 않도록 함으로써 민주주의 평등이념을 실현할 수 있다.

② **행정의 전문성·능률성 확보**: 공개경쟁시험을 통한 유능한 인재의 임용으로 행정의 전문성과 능률성 향상을 가져올 수 있다.

③ **행정의 공정성 확보**: 공무원의 정치적 중립을 확립하고 공직의 상품화를 방지하여 행정의 공정성을 확립할 수 있다.

④ **행정의 안정성·계속성 확보**: 공무원의 신분보장을 통해 행정의 안정성과 계속성을 확보할 수 있다.

⑤ **인사행정의 객관성 확보**: 실적기준에 따른 인사행정을 수행함으로써 객관성을 확보할 수 있다.

**O·X 문제**

1. 신분보장 및 정치적 중립은 실적주의의 주요 구성요소 중 하나이다. ( )
2. 실적주의의 도입은 중앙인사기관의 권한과 기능을 분산시키는 결과를 가져왔다. ( )
3. 실적주의에서 공무원은 자의적인 제재로부터 적법절차에 의해 구제받을 권리를 보장받는다. ( )
4. 공직취임의 기회균등보장, 행정의 전문화 촉진, 공무원의 자질 향상과 업무능률의 증진은 실적주의의 장점이라 할 수 있다. ( )
5. 실적주의는 공무원 인력의 탄력적 운용이 가능하다. ( )
6. 실적제 원리를 적용하면 외부로부터 적극적으로 우수한 공무원을 채용하므로 내부공무원의 직업안정성 유지에 상대적으로 불리하다. ( )
7. 실적주의는 정치로부터의 중립을 중시하며, 인사행정을 소극화·형식화시켰다. ( )
8. 실적제는 중앙인사기능의 강화와 엄격한 기준의 적용으로 실질적 행정수요에 부응하는 인사가 이루어지기 어렵다. ( )
9. 실적주의는 상대적으로 유능한 인재의 유치라는 적극적인 측면보다는 부적격자의 제거라는 소극적인 측면에 중점을 두고 있다. ( )
10. 실적주의는 국민에 대한 관료의 대응성을 높인다. ( )
11. 엽관주의와 실적주의는 모두 민주성과 형평성의 실현을 추구하였다. ( )

O·X 정답 1. ○ 2. × 3. ○ 4. ○ 5. × 6. × 7. ○ 8. ○ 9. ○ 10. × 11. ○

(3) 단 점

① **인사행정의 집권화**: 인사권을 중앙인사기관에 지나치게 집중시켜 각 운영기관의 실정에 맞는 독창적이고 신축적인 인사행정이 저해될 수 있다.

② **인사행정의 경직화·형식화**: 반엽관주의에 집착하여 인사기능을 법제화함에 따라 기술성·수단성 위주의 경직적 인사행정이 야기될 수 있다.

③ **인사행정의 소극화**: 공개경쟁시험제도로 인해 유능한 인재의 유치라는 적극적인 측면보다는 부적격자의 제거라는 소극적 측면에 중점을 둔다.

④ **행정의 대응성 저해**: 신분보장과 정치적 중립에 대한 요구로 정부 관료제를 국민의 요구에 둔감한 폐쇄집단으로 전락시킬 수 있다.

⑤ **행정의 책임성 저해**: 신분보장으로 인하여 행정에 대한 민주통제가 어렵고, 관료의 책임성을 확보하기 곤란하다.

⑥ **정치적 변동 대응 곤란**: 공무원의 신분보장으로 인해 정치지도자들의 행정통솔력을 약화시켜 정치적 변동기에 효과적인 정책수행을 저해할 수 있다.

⑦ **형식적 기회균등**: 시험응시기회의 균등만을 보장할 뿐 소득격차에 따른 교육기회의 불평등을 고려하지 못하여 형평성·대표성 확보가 곤란하다.

⑧ **직무수행능력 측정 곤란**: 공개경쟁시험이 실제 직무수행능력과 연계되지 못해 공직후보자의 능력을 정확하게 측정하는 것이 곤란하다.

**핵심정리 | 실적주의의 쟁점**

1. **실적주의와 능률성**
실적주의는 공개경쟁채용시험을 통해 유능한 인재를 채용한다는 점에서 행정의 능률성을 제고하는 측면이 있지만, 신분보장으로 인해 공무원의 무사안일·복지부동을 야기한다는 점에서 능률성을 저해하는 측면도 있다.

2. **실적주의와 기회균등**(형평성)
실적주의는 신분상의 차별을 두지 않고 공직취임에의 기회균등(형식적 기회균등)을 보장하지만, 시험응시기회의 균등만을 보장할 뿐 소득격차에 따른 교육기회의 불평등을 고려하지 못한다는 점에서 실질적 기회균등을 저해하는 측면이 있다.

## 04 적극적 인사행정·전략적 인적자원관리·관리융통성 모형·다양성 관리

### 1. 의의와 대두배경

(1) 의 의

실적주의가 지니는 인사행정의 한계를 극복하기 위해 최근 실적주의에 다양한 인사방식을 가미한 적극적 인사행정·성과 중심의 전략적 인적자원관리·관리융통성 모형·다양성 관리 등이 등장하고 있다.

(2) 배 경

① **이론적 배경**: 조직 구성원의 욕구와 인간적 가치를 중시하는 인간관계론과 후기인간관계론, 공직구성에의 대표성 확보를 강조하는 대표관료제론, 성과지향적 행정을 강조하는 신공공관리론 등에 근거하고 있다.

**O·X 문제**

1. 실적주의는 공직임용기회 균등으로 평등이념 실현에 기여할 수 있다. ( )

2. 사회적 약자의 공직진출을 제약할 수 있다는 점은 실적주의의 한계이다. ( )

**심화학습**

실적주의의 대두요인과 위협요인(Mosher)

| | | |
|---|---|---|
| 대두요인 | 청교도 윤리 | 업적에 따른 보상 중시 |
| | 개인주의 | 개인의 실적과 능력 중시 |
| | 평등주의 | 모든 사람들에 대한 동등한 취급 |
| | 과학주의 | 객관적·과학적 해결책 중시 |
| | 분리주의 | 정치로부터 분리된 독립적인 인사업무 |
| | 일방주의 | 정당한 절차에 따른 정부정책 중시 |
| 위협요인 | 노동조합 | 일방주의, 개인주의, 평등주의, 분리주의와 충돌 |
| | 직업공무원제 | 개인주의, 평등주의와 충돌 |
| | 전문가주의 | 일방주의와 충돌 |

O·X 정답 1. ○ 2. ○

② **현실적 배경**: 실적주의의 소극성·경직성·집권성·형식적 기회균등·과학적 인사관리의 결함 등에 대한 비판으로 등장하였다.

## 2. 적극적 인사행정

### (1) 의 의

적극적 인사행정은 실적주의의 한계를 비판하고 실적주의와 엽관주의의 조화 및 민주적이고 신축적인 인사관리를 추구하는 인사행정을 말한다.

### (2) 지 향

① **실적주의와 엽관주의의 조화**: 실적주의를 기반으로 하지만 신분보장으로 인한 실적주의의 관료주의화와 공직의 침체화를 방지하고, 정책의 강력한 추진을 위해 관료제 상층부에 엽관주의를 활용하는 것을 강조한다.

② **인간관계론적 인사관리**: 자아실현적 인간관을 바탕으로 한 신뢰관리를 추구하고 인사상담제도, 공무원노조의 인정, 제안제도의 장려, 고충처리제도, 하의상달적 의사전달의 촉진, 민주적 리더십 등을 중시한다.

### (3) 주요 내용

① **적극적 모집**: 공직에 대한 사회적 평가를 제고하여 유능한 인재를 외부로부터 적극적으로 모집한다.

② **과학적 인사관리의 지양**: 직위분류제 등의 지나친 합리성을 완화하고 직무 중심과 인간중심의 적절한 통합에 의한 관리를 도모한다.

③ **재직자의 능력발전**: 교육훈련·승진·전직·근무성적평정제도 등을 적극적이고 합리적으로 활용하여 재직자의 능력발전을 도모한다.

④ **인사행정의 분권성 및 신축성**: 중앙인사기관의 인사권을 각 부처에 위임하여 신축적인 인사행정이 가능하도록 한다.

⑤ **대표관료제의 가미**: 공직구성의 대표성을 확보함으로써 실질적인 기회균등을 추구한다.

⑥ **개방형 임용 및 계약직 공무원의 활용**: 개방형 임용 및 계약직 공무원의 활용을 통해 실적주의의 소극성을 보완한다.

⑦ **공무원노조의 허용**: 공무원의 권익보호 및 근로조건을 개선하기 위해 공무원노조를 허용한다.

## 3. 전략적 인적자원관리(성과주의; S-HRM)

### (1) 의 의

최근에는 적극적 인사행정이 확장된 성과 중심의 전략적 인적자원관리가 대두되고 있다. 전략적 인적자원관리는 조직의 목표 및 성과달성을 위하여 개인의 역량을 개발(인적자원 육성)하여 개인이 조직과 일치성을 가지고 조직의 전략을 수행할 수 있도록 하는 인적자원관리방식을 의미한다.

PART · 05

**O·X 문제**

1. 실적주의의 강화가 적극적 인사행정이다. ( )
2. 개방형 계약임용제의 도입은 적극적 인사행정의 방안이다. ( )
3. 적극적 인사행정은 인사권을 중앙인사행정기관에 집중한다. ( )
4. 적극적 인사행정은 정년보장식 신분보장을 추구한다. ( )
5. 적극적 인사행정은 공무원의 권익향상을 위한 단체 활동을 인정한다. ( )
6. 적극적 인사행정은 엄격한 직위분류제의 운용을 추구한다. ( )

O·X 정답 **1.** × **2.** ○ **3.** × **4.** × **5.** ○ **6.** ×

O·X 문제

1. 전략적 인적자원관리는 사람을 조직의 가장 중요한 자산으로 여기고 이를 관리하는 개념을 말한다. ( )

2. 전략적 인적자원관리는 장기적이며 목표·성과 중심적으로 인적자원을 관리한다. ( )

3. 전략적 인적자원관리는 직무만족 및 조직시민행동에 중점을 두고 개인의 심리적 측면에 분석의 초점을 둔다. ( )

4. 전략적 인적자원관리는 장기적 관점에서 현재 및 미래의 환경변화와 이를 기반으로 하는 역량분석에 집중한다. ( )

5. 전략적 인적자원관리는 인력의 선발, 교육훈련, 성과관리 등 인적자원관리 기능 간의 연계 및 수직적·수평적 통합을 통한 전체 최적화를 추구한다. ( )

6. 연공주의는 조직 내 경쟁을 통해서 개인의 역량 개발에 기여한다. ( )

O·X 정답 1. ○ 2. ○ 3. × 4. ○ 5. ○ 6. ×

(2) 특 징

① **목표 – 조직의 성과 제고**: 전략적 인적자원관리는 조직의 성과달성을 위하여 인적자원의 잠재능력이나 역량을 개발하고 전략적으로 활용하는 활동이다.

② **인식 – 인간을 자산으로 인식**: 전략적 인적자원관리는 사람을 소모적인 자원이 아니라 투자를 통해 가치가 증대되는 자산(asset)으로 인식하고 육성한다.

③ **방법 – 조직의 전략과 인적자원관리의 통합성 확보**: 전략적 인적자원관리는 거시적 관점에서 다양한 인적자원관리 활동을 조직의 전략과 일치시키고 유기적으로 연계하여 관리한다.

④ **초점 – 역량분석 및 역량개발**: 전략적 인적자원관리는 장기적 관점에서 조직의 현재 및 미래의 환경변화와 이를 기반으로 하는 역량분석을 통해 인적자원의 체계적인 육성과 개발에 초점을 둔다(공급자 중심이 아닌 수요자 중심의 교육훈련 시스템 구축 등).

(3) 전통적 인사행정(연공주의)과 전략적 인적자원관리(성과주의)의 비교

| 구 분 | 전통적 인사행정(연공주의) | 전략적 인적자원관리(성과주의) |
|---|---|---|
| 분석초점 | 개인의 심리적 측면(직무만족, 동기부여, 조직시민행동 등)에 초점 | 조직의 전략 및 성과와 인적자원관리 활동과의 연계에 초점 |
| 관 점 | **미시적 관점**: 개별 인적자원관리 기능별로 부분 최적화 추구 | **거시적 관점**: 인적자원관리 기능 간의 연계를 통한 전체 최적화 추구 |
| 범 위 | 단기적 계획수립 및 단기적 문제해결 | 장기적 계획수립 및 인적자본 육성 |
| 기 능 | 조직의 목표달성과 무관 또는 조직의 목표달성을 보조하는 부수적 역할 | 조직의 전략수립과 실행 및 목표달성에 있어 적극적 역할 |
| 역 할 | 통제 메커니즘 마련 | 인적자본의 체계적 육성과 개발 |
| 인사관리 | 집권화(중앙인사기관) | 분권화(각 부처에 위임) |
| 인사기능 | 분절된 행정적 기능 | 상호연계적·전략적 기능 |
| 관리방식 | 규격화·경직화된 형식요건 중시 | 실적과 성과 중심의 유연한 관리 |
| 조직구조 | 기능별 조직(개인별 문제해결) | 과업형 조직(집단적 문제해결) |
| 채 용 | • 신규인력 정기 채용<br>• 신입사원 채용 중심 | • 필요인재 수시 채용<br>• 경력사원 채용 강화 |
| 복무 관리 | 고정근무, 시간과 투입관리 | 유연근무, 성과와 결과관리 |
| 교육 훈련 | 공급자 중심(강의식 교육) | 수요자 중심(역량개발훈련 등) |
| 평 가 | 태도와 근속 연수 중심의 평가 | 성과와 능력 중심의 평가 |
| 승진 및 보상 | • 직급과 연차 중심의 연공 승진<br>• 연공형 월급제, 고정 상여금 | • 직급 파괴 및 성과와 역량에 의한 승진<br>• 성과급제 등 |
| 퇴 직 | 평생고용 | 조기 퇴직 및 전직 지원 활성화 |

### 4. 관리융통성체제 – 전략적 인적자원관리의 이론적 기반

(1) 의 의

인사행정의 관리융통성체제는 최근 급변하는 행정환경에 효과적으로 대응할 수 있도록 운영상의 융통성을 높인 인사행정모형이다. 관리융통성체제는 적극적 인사행정과 전략적 인적자원관리의 중요한 이론적 기반이다.

(2) 특 징

① **인사권의 분권화**: 인사행정의 융통성을 위해서는 인사운영에 대한 중앙통제를 줄이고 각 기관의 계선관리자들에게 인사기능을 위임해야 한다.

② **중앙인사기관의 봉사도구화**: 중앙인사기관은 각 기관에 대한 통제기능보다는 각급 계선관리자들의 관리기능을 도와주는 봉사적 기능을 수행해야 한다.

③ **통합적 융통성**: 인사행정만의 고립된 융통성으로는 유동적인 환경에 대응하기 곤란하므로 조직, 예산 등 다른 관리기능도 융통성을 확보하여 상호지원이 가능하도록 통합적 융통성이 추구되어야 한다.

(3) 도입방안

① **채용의 융통성**: 엽관주의의 부분적 활용, 대표관료제의 가미, 개방형 임용·계약직 및 인턴제의 활용 등 채용절차와 방법의 다양화를 촉진해야 한다.

② **직업구조의 융통성**: 직위분류제에 계급제적 요소의 가미, 각 부처의 특성에 맞는 다원화된 직무재설계 등을 통해 직업구조의 융통성을 촉진해야 한다.

③ **내부임용의 융통성**: 전보·전직·승진 등을 통한 공무원 경력 통로의 다양화, 공공과 민간 간·공직 내부기관 간 인사교류 등을 활성화해야 한다.

④ **근무시간 및 근무장소의 융통성**: 시간선택제, 탄력근무제, 원격근무제 등의 활용을 통해 근무관리의 유연성을 확보해야 한다.

⑤ **퇴직관리의 융통성**: 연령정년제 등 획일적인 퇴직제도의 개선을 통해 퇴직관리의 융통성을 확보해야 한다.

⑥ **기타**: ㉠ 총액인건비제·성과급제 등의 활용을 통한 보수의 융통성, ㉡ 팀제의 활용을 통한 직무의 융통성, ㉢ 액션러닝·역량개발교육훈련 등 교육훈련 방식의 융통성, ㉣ 근무성적 평정제도의 효율화, ㉤ 내재적 동기유발 프로그램의 강화, ㉥ 행동규범의 경직성 완화 등이 있다.

(4) 장·단점

| 장 점 | 단 점 |
|---|---|
| • 환경변화와 국민의 요구에 대한 대응성 증진<br>• 우수한 인재의 유치와 조직침체 방지<br>• 신축적인 인력구조의 경직성 탈피 | • 인사행정의 복잡화로 인한 관리비용 증대<br>• 계선관리자들의 도덕적 해이로 인한 정실인사<br>• 직업적 안정성의 위축 및 단체정신의 상실 |

### 5. 다양성 관리

(1) 의 의

내적·외적 차이를 가진 다양한 노동력을 공평하고 효율적으로 활용하기 위한 체계적인 인적자원관리과정을 말한다. 다양성 관리는 ① 차이에 대한 인식과 인정, ② 모든 특별한 것에 대한 존중, ③ 차이가 가지는 잠재력 활용, ④ 다양성의 촉진 등을 전제로 한다.

**O·X 문제**

1. 관리융통성제도로는 팀제, 실적주의, 총액인건비제, 개방형 임용제 등이 있다. ( )

**O·X 정답** 1. ×

(2) 다양성 관리의 필요성 – 조직 내 다양성과 조직의 효과성

① 긍정적 측면 – 다양한 정보의 관점: 조직 내 다양성은 다양한 정보의 생산과 공유를 가져와 정보의 양과 질을 향상시키고 조직의 효과성 및 외적 위험으로부터 조직의 탄력성을 제고할 수 있다.

② 부정적 측면 – 이질적 집단의 확산 관점: 조직 내 다양성은 조직의 응집을 저해하고 상호 간의 소통을 위축시켜 조직의 효과성을 저해할 수 있다.

③ 논의의 종합 – 다양성 관리의 필요성: 조직 내 다양성이 자연적으로 조직의 효과성이 제고하는 것은 아니기 때문에 부정적 효과는 완화하고 긍정적 효과를 향상시키기 위한 관리가 필요하다.

(3) 다양성 관리의 대상 – 다양성

① 구별기준 – 가시성과 변화가능성

㉠ 가시성: 구성원 간의 이질성을 확인하기 용이한 정도를 말한다. 가시성이 높은 속성(성별, 인종 등)에 대해서는 폐쇄적인 하위집단의 생성에 따른 부작용을 최소화하기 위한 관리가 필요하다.

㉡ 변화가능성: 구성원이 갖고 있는 이질성이 변화가능한 정도를 말한다. 변화가능성이 높은 속성(교육수준, 직무 전문성 등)에 대해서는 이질성을 수용하면서도 동화와 통합을 위한 관리가 필요하다.

② 다양성 유형화 모형

| 구 분 | | 변화가능성 | |
|---|---|---|---|
| | | 높 음 | 낮 음 |
| 가시성 | 높 음 | 직업(사무직/생산직), 직위/직급, 숙련도(업무수행능력), 전문성, 언어(외국어 능력) 등 | 성별, 장애(육체적), 인종, 민족, 연령(세대) 등 |
| | 낮 음 | 교육수준(학력), 노동지위(정규직/비정규직), 자녀유무, 장애(정신적), 가치관 등 | 고향(출신지역), 출신학교(전공), 가족배경, 성적 지향, 사회화 경험, 성격, 종교, 동기요인, 혼인여부 등 |

(4) 공공부문의 다양성 관리

| 구 분 | 협의의 다양성 관리(멜팅팟) | 광의의 다양성 관리(샐러드 보울) |
|---|---|---|
| 대 상 | 외적 다양성(인종, 성별 등) 관리 | 외적·내적 다양성(이념, 가치 등)의 통합관리 |
| 접근 방법 | 멜팅팟(melting pot): 문화적 동화주의 | 샐러드 보울(salad bowl): 문화적 다원주의 |
| | 문화적 동화와 문화 적응 | 구성원들의 특성을 유지하도록 다양성 지원 |
| | 조직 응집성 저하 방지를 위한 소극적 접근 | 조직 탄력성을 극대화하기 위한 적극적 접근 |
| 목 적 | 법적·도덕적 목적 달성 목적 | 생산성, 효율성, 삶의 질 향상 목적 |
| 방 향 | 구성원의 변화 유도 | 제도와 운영방식의 변화 |
| 초 점 | 선발의 형평성에 초점 | 개발 등 관리적 요소에 초점 |
| 수 단 | 강제적 | 자발적 |
| 효 과 | 단기적·제한적 효과 | 장기적·지속적 효과 |
| 정책 수단 | 균형인사정책(대표관료제): 양성채용목표제, 장애인 우대제도, 지방인재 우대제도, 이공계출신 우대제도, 저소득층 우대제도 등 | 일과 삶의 균형(WLB): 유연근무제(시간선택제 전환근무, 탄력근무제, 원격근무제), 가족친화적 프로그램, 선택적 복지 등 |

O·X 문제

1. 다양성의 유형 중 직업, 직급, 교육수준은 변화가능성이 높다. ( )

2. 다양성의 유형 중 출신 지역, 학교, 성적(性的) 지향, 종교는 가시성(visibility)이 높다. ( )

3. 다양성 관리에는 문화적 동화주의에 근거한 멜팅팟(melting pot) 접근과 문화적 다원주의에 근거한 샐러드 보울(salad bowl) 접근이 있다. ( )

4. 균형인사정책, 일과 삶 균형정책은 다양성 관리의 방안으로 볼 수 없다. ( )

5. 다양성 관리는 협의로는 균형인사정책에 한정되지만, 광의로는 일-삶의 균형정책까지 확대된다. ( )

O·X 정답 1. ○ 2. × 3. ○ 4. × 5. ○

## 05 대표관료제

### 1. 의 의

(1) 개 념

대표관료제는 사회를 구성하는 모든 주요 집단(인종·종교·성별·직업·신분·계층·지역 등)으로부터 한 나라의 인구 전체 안에서 차지하는 비율에 따라 관료를 충원하여 정부관료제가 그 사회의 모든 계층과 집단에 공평하게 대응하도록 하는 제도이다.

(2) 대두배경 – 행정국가화 현상

대표관료제는 사회문제의 복잡성으로 인해 전문성을 지닌 관료들의 재량권과 자원배분권이 확대되고 그 결과 일반국민은 물론 국민의 대표들까지도 관료들에게 의존하게 된 행정국가 시대에 정부관료제가 사회 내의 모든 집단들에게 공평하게 반응하도록 하기 위해 대두되었다.

(3) 대표성의 의미 – 모셔(Mosher)의 분류

① **소극적·수동적·피동적·구성론적 대표성(상징적 측면 : standing for)** : 사회를 구성하는 모든 주요 집단의 인구비례에 따라 관료를 충원하는 것을 의미한다. 소극적 대표성의 강조는 출신성분이 태도를 결정한다는 가정에 기반하고 있다.

② **적극적·능동적·역할론적 대표성(행동적 측면 : acting for)** : 관료들이 자신들의 출신집단이나 계층을 대변하고 정책을 결정하여 출신집단에 책임을 지는 것을 의미한다. 적극적 대표성의 강조는 출신성분이 태도를 결정할 뿐만 아니라 태도가 행동을 결정한다는 가정에 기반하고 있다.

③ **관계** : 대표관료제는 소극적 대표성이 자동적으로 적극적 대표성을 보장한다는 가정에 입각해 있다. 그러나 소극적 대표성과 적극적 대표성의 관계는 현실에서 명확하게 검증되지 못하였으며 허구에 불과하다는 비판을 받는다.

(4) 대표관료제 이론의 전개

① **킹슬리(Kingsley)** : 대표관료제라는 용어를 처음 사용한 킹슬리는 대표관료제의 구성적 측면을 강조하여 대표관료제를 사회 내의 구성집단들을 그대로 반영한 관료제라고 정의하였다.

② **라이퍼(Riper)** : 대표관료제의 개념을 확장하여 사회적 특성뿐만 아니라 사회적 가치나 태도까지도 대표관료제의 요소로 포함시켰다.

③ **크랜즈(Kranz)** : 대표관료제의 개념을 비례대표로까지 확대하여 관료제 내의 출신집단별 구성 비율이 총인구 구성 비율과 일치해야 할 뿐만 아니라, 나아가 관료제 내의 모든 직무 분야와 계급의 구성 비율까지도 총인구 비율에 상응하게 분포되어 있어야 한다고 주장하였다(비례대표 관료제).

④ **모셔(Mosher)** : 대표관료제에서의 대표성을 적극적 대표성과 소극적 대표성으로 구분하고, 적극적 대표성을 강조할 경우 집단이기주의의 발현으로 소수집단에 불리한 결과를 초래하여 민주주의를 위협한다고 보아 "관료는 다른 사람들을 위하여 실제로 행동하는 것이 아니라 단지 그들을 상징적으로 대표할 뿐이다."라고 주장하였다.

**O·X 문제**

1. 대표관료제는 정부관료제가 사회의 인적 구성을 잘 반영하도록 함으로써 관료제 내부에 민주적 가치를 주입하려는 의도에서 출발한다. ( )
2. 대표관료제의 소극적 대표성은 전체 사회의 인구 구성적 특성과 가치를 반영하는 관료제의 인적 구성을 강조한다. ( )
3. 대표관료제의 적극적 대표성이란 사회의 인구구성 비율에 따라 정부 관료구성 비율에 비례적 형평성을 두는 것이다. ( )
4. 대표관료제는 출신성분과 인간의 행동 간에는 밀접한 관련성이 있음을 전제로 한다. ( )
5. 대표관료제는 소극적 대표가 자동적으로 적극적 대표를 보장한다는 가정에서 출발한다. ( )
6. 대표관료제는 임용 전 사회화가 임용 후 행태를 자동적으로 보장한다는 가정하에 전개되어 왔다. ( )

**O·X 문제**

7. 대표관료제라는 용어를 처음 사용한 사람은 크랜즈(Kranz)이며, 킹슬리(Kingsley)는 비례대표로 그 개념을 확대하였다. ( )
8. 크랜츠(Kranz)는 대표관료제의 개념을 비례대표로까지 확대하는 것에 반대한다. ( )

O·X 정답 | 1. ○ 2. ○ 3. × 4. ○ 5. ○ 6. ○ 7. × 8. ×

## 2. 유용성과 한계

### (1) 유용성

① **실질적 기회균등**: 출발선에서의 차이를 인정하고 이를 결과 측면에서 보전하여 실질적 기회균등(적극적 · 진보적 평등)을 보장할 수 있다.

② **민주적 대표성 확보**: 공직채용 과정에서 그 사회를 구성하는 모든 집단을 균등하게 포함시킴으로써 관료제의 민주적 대표성을 확보할 수 있다.

③ **행정의 대응성 증진**: 한 사회를 구성하는 다양한 구성집단들의 요구를 정책에 반영할 수 있어 행정의 대응성 증진에 기여할 수 있다.

④ **사회적 형평성 제고**: 사회적 소외계층 출신의 공직 채용 및 사회적 소외계층의 정책 요구 수용을 통해 사회적 형평성을 제고할 수 있다.

⑤ **행정의 신뢰성 증진**: 사회적 소외계층의 요구를 정책에 반영함으로써 정부 정책의 신뢰성 및 정책대상집단의 순응도를 향상시킬 수 있다.

⑥ **행정의 공정성 증진**: 출신집단의 이익에 봉사하고자 하는 관료들의 주관적 책임이 적정하게 반영될 경우 행정의 공정성이 증진될 수 있다.

⑦ **행정의 책임성 제고**: 민중(대중 · 공중)통제를 관료제에 내재화함으로써 내부통제를 강화하여 행정의 책임성을 제고할 수 있다.

⑧ **합리적 정책결정**: 정책에 다양한 견해를 반영하여 합리적인 정책결정을 유도할 수 있다.

⑨ **다양성 관리기법 발전**: 공직구성의 다양성을 촉진하기 위한 관리기법의 발전을 가져올 수 있다.

⑩ **실적주의의 폐단 시정**: 사회적 소외계층을 적극 우대 임용함으로써 능력 중심의 형식적 기회균등을 추구하는 실적주의의 단점을 보완할 수 있다.

### (2) 한 계

① **역차별과 사회적 분열 조장**: 특정 집단에 할당제 등을 적용함으로써 역차별을 야기하고, 사회의 분열 및 해체를 조장할 수 있다.

② **집단이기주의의 발현**: 집단이기주의의 발현으로 소수집단에 불리한 결과를 초래하여 민주주의의 근간을 해할 위험성이 있다.

③ **공직취임 후의 재사회화**: 공직취임 이후에 공무원의 재사회화로 인하여 소극적 대표성이 적극적 대표성으로 연결되지 않을 수 있다.

④ **대표성 확보의 기술적 어려움**: 사회의 구성집단 파악, 각 구성집단의 구성원 파악, 구성집단별 할당 수 산정 등에 있어서 기술적 어려움이 있다.

⑤ **행정의 전문성 · 생산성 저하**: 개인의 능력과 자질을 부차적인 기준으로 삼기 때문에 실적주의를 훼손하고 행정의 전문성과 생산성을 저해할 수 있다.

⑥ **시민통제의 무력화**: 진정한 외부 시민의 참여에 의한 통제를 무력화하여 민주주의나 국민주권의 원리에 반할 수 있다.

⑦ **감축관리와 충돌**: 사회적 소외계층에게 임용기회를 많이 부여하려는 복지정책의 일환으로 감축관리나 작은 정부 이념과 충돌할 수 있다.

⑧ **자유주의 원리와 충돌**: 특정 집단 출신을 우대한다는 점에서 개인의 능력을 중시하는 자유주의 원칙에 위배된다.

**O·X 문제**

1. 대표관료제는 관료제에 대한 외부적 통제는 근본적 한계를 지닐 수밖에 없다는 인식이 확산되면서 제기되었다. ( )
2. 대표관료제는 임명직 관료집단이 민주적 방법으로 행동하도록 하기 위한 방안으로 도입되었다. ( )
3. 대표관료제는 국민에 대한 관료의 대응성을 향상시킬 수 있다. ( )
4. 대표관료제는 관료들의 객관적 책임을 매우 현실적이라고 주장한다. ( )
5. 대표관료제는 엽관주의 폐단을 시정하기 위해 등장하였으며 역차별의 문제를 완화할 수 있다. ( )
6. 대표관료제는 사회 각 주요 집단의 다양한 인재를 충원하여 행정의 전문성과 능률성을 제고한다. ( )
7. 대표관료제는 정부관료제 내에 민주성과 형평성의 가치를 내재화시킬 수 있다. ( )
8. 대표관료제는 현대 인사행정의 기본 원칙인 실적제를 훼손할 뿐만 아니라 역차별을 야기할 수 있다는 비판을 받는다. ( )
9. 대표관료제는 관료 조직 내의 내부통제를 약화시킨다. ( )
10. 관료 입직 이후의 재사회화는 대표관료제의 민주적 대표성을 높인다. ( )

O·X 정답 1. ○ 2. ○ 3. ○ 4. × 5. × 6. × 7. ○ 8. ○ 9. × 10. ×

### 3. 대표관료제의 구체적 실현

#### (1) 의 의

① **미국 – 적극적 조치(affirmative action)**: 미국에서 대표관료제의 일환으로 실시되고 있는 '적극적 조치'는 사회 구성 집단의 균등한 참여를 보장하는 대표관료제에 비해 사회적 소외집단에 대한 배려에 더 강조점이 있다.

② **우리나라 – 균형인사정책**: 우리나라는 과거의 차별적인 인사 관행을 타파하고자 상대적으로 공직에서 소외되었던 여성 · 장애인 · 지방 및 지역인재, 과학기술인력 · 저소득층 등에 대하여 균형인사정책을 실시하고 있다. 우리나라의 균형인사정책 역시 '적극적 조치'의 관점에서 사회적 소외집단에 대한 배려에 초점을 두고 있다.

#### (2) 우리나라 균형인사정책

① **균형인사기본계획**: 인사혁신처장은 균형인사정책을 실시하기 위하여 균형인사기본계획을 5년마다 수립하여야 한다.

② **양성평등 인사관리**

㉠ **양성평등 채용목표제**: 선발예정인원이 5명 이상인 시험단위를 대상으로 5급 · 7급 · 9급 공개경쟁채용시험에서 어느 한쪽 성의 합격자 비율이 30% 미만일 때 해당 성의 응시자를 목표비율인 30%만큼 추가 합격시키는 제도이다.

㉡ **기타**: ⓐ 여성인력의 대표성 확보(4급 이상 여성관리자 임용확대 계획 수립 · 추진), ⓑ 보직관리(보직부여와 승진기회)에 있어서 양성평등 보장, ⓒ 일 · 생활 균형을 위한 근무환경 조성(출산휴가 및 육아휴직 여건 개선 및 이를 위한 대체인력뱅크 구축 · 운영) 등

③ **장애인 공무원 인사관리**

㉠ **장애인 의무고용제**: 국가 및 자치단체가 장애인을 소속 공무원 정원의 1천분의 34(3.4%) 이상 고용하도록 하는 제도이다. 국가와 자치단체의 각 시험 실시 기관의 장은 신규채용시험을 실시할 때 장애인을 신규채용 인원의 1천분의 34(3.4%) 이상(장애인 공무원의 수가 1천분의 34 미만이면 그 비율의 2배) 채용하여야 한다(「장애인 고용촉진 및 직업재활법」).

㉡ **기타**: ⓐ 중증장애인 채용(경력경쟁채용시험), ⓑ 장애인 의무고용 적용 직종 확대, ⓒ 장애인 근무적합분야 지속적 발굴, ⓓ 장애인 구분모집제, ⓔ 장애인 공무원 근무여건 개선 등

④ **지방 · 지역인재 인사관리**

㉠ **지방인재채용목표제**: 선발예정인원이 10명 이상인 직렬을 대상으로 5급 · 7급 공개경쟁채용시험에서 지방인재채용목표비율(5급 20%, 7급 30%)에 미달 시 일정요건을 갖춘 지방인재[서울특별시를 제외한 지역에 소재한 학교를 최종적으로 졸업(예정) · 중퇴하거나 재학 · 휴학 중인 자]를 추가로 합격시키는 제도이다.

㉡ **지역인재추천채용제**: 우수한 인재를 공직에 유치하기 위하여 학업 성적 등이 뛰어난 고등학교 이상 졸업(예정)자를 추천 · 선발하여 3년의 범위에서 수습으로 근무하게 하고, 그 근무기간 동안 근무성적과 자질이 우수하다고 인정되는 자는 6급 이하의 공무원으로 임용할 수 있는 제도이다.

**O·X 문제**

1. 미국의 고용기회 균등정책(Equal Employment Opportunity Act)과 소수집단 우대정책(affirmative action)은 대표관료제의 이념에 기반한다. ( )

2. 대표관료제는 역차별 문제의 발생과 실적주의 훼손의 비판이 제기되며, 사회적 소외집단을 배려하는 우리나라의 균형인사정책은 미국의 적극적 조치(affirmative action)의 관점에서 이해될 수 있다. ( )

3. 균형인사정책은 대표관료제의 단점, 즉 소외집단에 대한 배려가 다른 집단에 대한 역차별을 불러올 가능성을 낮추는 데 기여할 수 있다. ( )

4. 우리나라 정부는 여성, 장애인, 이공계전공자, 지역인재 등을 대상으로 공직임용을 확대하기 위한 균형인사정책을 운영한다. ( )

5. 양성채용목표제는 공무원 공채시험에서 여성 또는 남성이 반드시 20% 이상 되도록 채용하는 것이다. ( )

O·X 정답 1. ○ 2. ○ 3. × 4. ○ 5. ×

PART · 05

ⓐ **지역인재 7급 추천채용**: 학사학위과정이 개설된 학교의 졸업(예정)자를 대상으로 해당 학교의 장의 추천을 거쳐 선발(수습기간 1년)

ⓑ **지역인재 9급 추천채용**: 고등학교 또는 전문학사 학위과정이 개설된 학교의 졸업(예정)자를 대상으로 해당 학교의 장의 추천을 거쳐 선발(수습기간 6개월)

⑤ 이공계 공무원 인사관리

㉠ **이공계 인력의 신규채용 확대**: 인사혁신처장과 중앙행정기관 등의 장은 5급 공무원 공개경쟁채용, 경력경쟁채용, 임기제 공무원 임용 등 채용경로에 관계없이 정부 전체 5급 및 이에 준하는 신규채용 총인원의 40%를 이공계 인력으로 채용하도록 노력하여야 한다.

㉡ **기타**: ⓐ 주요 정책결정직위에 이공계 인력 임용확대, ⓑ 기술직 임용확대와 능력발전을 위한 인사관리제도 운영 등

⑥ 사회통합형 인재 인사관리

㉠ **저소득층 채용**: 저소득층(「국민기초생활보장법」에 따른 수급자 또는 「한부모가족지원법」에 따른 보호대상자)에 대하여 9급 공개경쟁채용시험의 경우에는 선발예정인원의 2% 이상, 9급 경력경쟁채용시험의 경우에는 부처별 연간 신규채용인원의 1% 이상을 채용하여야 한다.

㉡ **사회적 소수집단 차별 금지**: 중앙행정기관 등의 장은 자격과 능력에 따라 평등한 기회를 부여하여야 하며, 합리적인 이유 없이 사회적 소수집단(「북한이탈주민의 보호 및 정착지원에 관한 법률」, 「다문화가족지원법」 등의 법률에서 국가가 지원하도록 국가의 책무를 정하고 있는 집단)을 차별하여서는 아니 된다.

**핵심정리 | 국가유공자우대제도와 대표관료제**

국가유공자우대제도는 국가유공자에게 국가에 대한 충성의 대가로 공직취임에 있어서 혜택을 부여하는 제도이다. 따라서 사회 내의 다양한 이해관계를 반영하기 위한 대표관료제의 실현 제도라 볼 수 없다.

**O·X 문제**

1. 우리나라에서의 대표관료제 실천 노력으로 국가유공자우대제도가 있다. ( )

### 4. 실적주의와 대표관료제의 관계

(1) 실적주의와 대표관료제의 조화와 상충

① **조화 – 기회균등**: 대표관료제와 실적주의는 모두 공직취임에의 기회균등을 이상으로 삼고 있다. 다만 실적주의는 형식적 기회균등을, 대표관료제는 실질적 기회균등을 강조한다는 점에 차이가 있다.

② **상충**: 실적주의는 개인의 자격과 능력에 초점을 두는 개인주의적 접근을 강조하지만, 대표관료제는 일부 사회집단 구성원을 우대하는 집단주의적 접근을 지향한다. 이로 인해 인사행정의 실제에서 대표관료제에 따라 우대받는 사람 때문에, 보다 우수한 실적평가를 받은 임용후보자가 탈락하는 경우 실적주의와 대표관료제는 상충된다.

**O·X 문제**

2. 대표관료제는 할당제를 강요하는 결과를 초래해 현대 인사행정의 기본원칙인 실적주의를 훼손하고 행정능률을 저해할 수 있다는 비판을 받는다. ( )

3. 대표관료제와 실적주의는 원천적으로 양립할 수 없다. ( )

4. 대표관료제는 기회 균등 원칙을 보장함으로써 관료제의 국민대표성과 사회적 형평성 제고라는 민주적 이념을 실현한다. ( )

O·X 정답 | 1. × 2. ○ 3. × 4. ○

(2) 실적주의와 대표관료제의 관계정립

① 만약 집단 간에 구조적 불평등이 심각하여 사회적 통합을 저해할 위험이 있다면 궁극적인 사회적 이익을 위해서 대표관료제를 확장하는 것이 바람직하다.

② 반대로 사회적 불평등성이 심각하지 않은 상황에서 대표관료제의 지나친 확장은 역차별로 인한 공직사회의 무능력화를 야기할 수 있다.

③ 따라서 실적주의를 기반으로 하면서 대표관료제를 어느 정도 비율로 도입할 것인가의 문제는 사회의 구조적 불평등 정도에 따라 결정되어야 한다.

**핵심정리 | 대표관료제의 주요 쟁점**

1. **비공식적(비제도적) 통제**
대표관료제는 정부관료제 구성에 있어서 다양한 집단의 인재를 충원하고 이들 간의 비제도적·비공식적인 조정을 강조하는 제도이다.

2. **사회주의 이념에 기반한 수직적 형평**
대표관료제는 사회적 약자에 대한 우대조치와 관련되므로 사회주의 이념에 기반하고 있으며 '다른 것은 다르게'와 관련된 수직적 형평성과 관련된다. 이로 인해 '같은 것은 같게'와 관련된 수평적 형평을 저해하여 역차별을 야기할 위험성이 있다.

3. **2차 사회화 불고려**
사회화 과정이란 인간이 자신이 속해 있는 집단의 구성원들이 기대하는 바에 따라 가치관·태도·신념 등을 형성해 나가는 것을 말한다. 대표관료제는 이러한 인간의 사회화 과정(1차 사회화)에 근거한 제도이다. 그러나 대표관료제는 한 개인이 관료제 내부로 진입하게 되면 관료집단 구성원들이 기대하는 바에 따라 다시 사회화 과정(2차 사회화)을 겪음으로써 자신의 출신이 어디든지 간에 관료이익을 대변하는 자로 변화됨을 고려하지 못한다.

엽관주의, 실적주의, 대표관료제 비교

| 구 분 | 엽관주의 | 실적주의 | 대표관료제 |
|---|---|---|---|
| 초 점 | 정당 중심 관료제 | 개인 중심 관료제 | 집단 중심 관료제 |
| 주요 가치 | 민주성(대응성), 책임성 | 능률성, 전문성 | 형평성, 공정성, 대응성 |
| 실현방식 | 공직경질제(교체임용주의) | 공개경쟁채용시험 | 임용할당제 |
| 정치적 중립 | 정당에 대한 봉사 | 소극적 정치적 중립 | 적극적 정치적 중립 |

**핵심정리 | 인사행정의 제도기반**

| 공직임용 | 특 징 | |
|---|---|---|
| 직업공무원제 | 유럽 각국에서 절대군주국가 시대부터 체계화 | |
| 엽관주의 | • **영국**: 국왕 또는 의회의원의 친분에 따른 공직임용(정실주의)<br>• **미국**: 잭슨 대통령이 공식적인 인사제도로 채택 | |
| 실적주의 | • **영국**: 노스코트－트레벨리언 보고서에 의한 1차 추밀원령(1855)과 2차 추밀원령(1870)에 의해 확립<br>• **미국**: 「펜들턴법」(1883)에 의해 확립 | |
| 적극적 인사행정 | • 후기 인간관계론에서 중시(1950년대 이후)<br>• 대표관료제 중시(1944년에 대두) | 관리융통성 체계에 기반 |
| 전략적 인적자원관리 (적극적 인사행정의 확장) | • 조직의 임무 및 전략과 인적자원관리의 연계<br>• 공무원을 인적자본으로 인식하고 성과 중시 | |
| 다양성 관리 | • 내적·외적 다양성의 존중 및 활용<br>• 균형인사정책과 일과 삶의 균형(WLB) 중시 | |

**O·X 문제**

1. 대표관료제는 행정에 대한 비공식 내부통제의 한 방안이다. ( )
2. 대표적 관료제는 공무담임권의 수직적 형평성에 어긋난다. ( )
3. 대표관료제는 채용 전과 후의 이해관계가 변화할 수 있고 자기의 신념도 바뀔 수 있다는 재사회화 현상을 충분히 고려한다. ( )
4. 대표관료제는 흑인공무원이 오히려 흑인들을 더 탄압하였다는 연구결과에서 볼 수 있듯이 관료가 공직에 들어온 이후에 그 신념이 변하는 1차 사회화를 고려하지 못하였다는 점이 한계로 지적된다. ( )



O·X 정답 1. ○ 2. × 3. × 4. ×

# 제 3 절 공직분류와 공직구조

## 01 공직분류의 의의

### 1. 개 념

공직분류란 정부조직 속의 직위(position)를 일정한 기준에 따라 질서 있게 배열한 것을 말한다. 공직분류는 공직구조 형성의 기초이며, 인사행정의 기준과 방향을 제시해 주는 기능을 수행한다.

### 2. 기 준

공직분류기준은 일반적으로 (1) 공직분류체계를 형성하는 방법에 따라 계급제와 직위분류제, (2) 신규채용 허용범위에 따라 개방형과 폐쇄형, (3) 공무원의 기관 간 이동 허용 여부에 따라 교류형과 비교류형으로 구분된다. 한편, 우리나라는 이외에도 (4) 임용주체나 소속에 따라 국가공무원과 지방공무원, (5) 실적주의와 직업공무원제의 적용 여부에 따라 경력직과 특수경력직으로 구분하고 있다.

## 02 계급제와 직위분류제

### 1. 계급제

(1) 의 의

① **개념**: 개별 공무원의 자격과 능력을 기준으로 계급을 설정하고 이에 따라 공직을 분류하는 제도이다(사람 중심의 공직구조).

② **발전**: 사회가 수평적으로 분화되지 않고 수직적으로만 분화된 농업사회의 전통에서 비롯된 제도이다. 오랜 군주국가의 전통과 관료제적 전통을 지닌 영국, 프랑스, 독일 등 유럽 각국과 한국, 중국, 일본 등 아시아 각국은 여전히 강한 계급제의 전통을 가지고 있다.

(2) 특 징

① **3~4 계급제**: 주로 3~4개의 계급으로 구분되며, 신규채용 시 계급별로 학력·경력·자격 등을 제한한다.

② **계급 간 차별**: 각 계급 간에 사회적 평가나 보수·자격요건에서 큰 차이를 보이며, 계급 간의 승진이 어려워 한정된 계급 범위에서만 승진이 가능하다.

③ **고급공무원의 엘리트화**: 고급공무원의 수를 적게 하고 이들에게 높은 학력을 요구하는 대신 보수 및 사회적 평가에서 높은 대우를 해준다.

④ **일반행정가 지향성**: 조직 전체의 시각에서 업무를 파악하고 처리할 수 있는 일반행정가 양성을 지향한다.

⑤ **높은 수평적 융통성**: 직무의 종류에 따른 구분이 없어 수평적 융통성은 높은 반면, 계급 간의 경계가 명확하고 차별이 강해 수직적 융통성은 낮다.

⑥ **강력한 신분보장**: 공무원은 자진하여 사퇴하거나 형의 선고나 징계처분 등 법적으로 문제되지 않는 한 정년까지 신분이 보장된다.

**O·X 문제**

1. 계급제는 개별 공무원의 자격과 능력을 기준으로 계급을 설정하고 이에 따라 공직을 분류하는 제도이다. ( )
2. 계급제는 정치적 민주화가 꽃을 피우기 훨씬 전부터 국가체제를 유지하기 위한 공직분류체계의 기본 틀로 형성되었다. ( )
3. 계급제에서는 계급 간 승진이 어려워 한정된 계급 범위에서만 승진이 가능하다. ( )
4. 계급제는 인적자원 활용의 수평성은 높으나 수직적 융통성은 낮은 편이다. ( )
5. 계급제는 폐쇄적 충원방식과 일반행정가 양성을 지향한다. ( )

O·X 정답 1. ○ 2. ○ 3. ○ 4. ○ 5. ○

⑦ **폐쇄형 충원 체제**: 신규채용이 계급의 최하위 계층에서만 허용돼 내부승진을 통해서만 상위 계층으로 올라갈 수 있는 폐쇄형 충원체제를 갖는다.

(3) 장 · 단점

① 장 점

㉠ **장기적 관점에서 유능한 인재 채용**: 발전가능성과 잠재력이 높은 인재를 채용하여 장기적으로 유능한 인재를 공직에 흡수할 수 있다.

㉡ **탄력적 인사관리**: 동일계급 내에서 수평적으로 자유로운 이동이 가능해 인력활용의 융통성이 제고된다.

㉢ **경력발전을 통한 관리자 양성**: 공무원 경력발전 기회가 증진되어 조직 전반에 폭넓은 시각과 교양을 갖춘 관리자를 양성하는 데 유리하다.

㉣ **협조와 조정 용이**: 일반행정가 양성을 통해 공무원의 시야와 이해력을 넓혀 공무원 간, 부서 간의 협조와 조정이 원활하게 이루어질 수 있다.

㉤ **직업적 연대의식 및 일체감 제고**: 공무원의 장기근무를 유도하여 공무원들로 하여금 직업적 연대의식과 일체감을 갖게 한다.

㉥ **직업공무원제 확립 용이**: 폐쇄형 충원, 강력한 신분보장, 장기적 발전가능성 중시 등을 통해 직업공무원제를 확립하는 데 용이하다.

㉦ **현직자의 근무의욕 및 조직몰입 제고**: 공무원의 신분보장 및 장기근무를 통해 현직자의 사기를 증진시키며 조직에 애정을 갖고 근무케 한다.

㉧ **인사관리의 용이성과 비용절감**: 분류 구조와 보수 체계가 단순하여 인사관리가 수월하고 비용도 절감된다.

㉨ **규모가 작고 단순한 조직에 적합**: 분류 구조와 보수 체계가 단순하므로 규모가 작고 단순한 조직에 적합하다.

② 단 점

㉠ **행정의 전문성 저해**: 공무원이 동일 분야의 직책을 장기간 담당하지 않고 다양한 직무를 수행하기 때문에 행정의 전문성을 확보하기 곤란하다.

㉡ **권한과 책임의 한계 불분명**: 직무의 경계가 불명확하여 권한과 책임의 한계가 불분명하고 갈등이 야기될 소지가 크다.

㉢ **직무급 확립 곤란**: 동일 계급에 대해서 직무의 종류나 성격과 관계없이 동일보수가 지급되므로 직무급체계를 확립하기 곤란하다.

㉣ **직무에 적합한 인재확보 곤란**: 해당 직무에 적임자의 임용이 보장되지 않아 업무의 능률성이 저해되며 객관적인 훈련계획 수립도 곤란하다.

㉤ **의사결정의 합리성 확보 곤란**: 해당 직무에 적임자의 임용이 보장되지 않아 의사결정의 합리화와 적실성을 기하기 어렵다.

㉥ **무사안일 및 특권집단화**: 강력한 신분보장으로 관료들이 무사안일에 빠지거나, 자신들의 집단이익을 옹호하는 특권집단으로 전락될 위험성이 있다.

㉦ **고객 요구 및 환경 변화에 둔감**: 폐쇄적 충원체제와 강력한 신분보장으로 국민의 여망과 외부환경 변화에 탄력적이지 못하다.

㉧ **공직의 경직화 초래**: 폐쇄형 충원체제와 강력한 신분보장으로 조직의 신진대사가 원활치 못하여 공직침체와 경직화를 초래한다.

**O·X 문제**

1. 계급제는 공직에 자리가 비었을 때 외부 충원을 원칙으로 한다. ( )

**O·X 문제**

2. 계급제는 인적자원을 탄력적으로 운용할 수 있다. ( )
3. 계급제는 공무원의 장기 근무를 유도하고 직업공무원제도 확립에 유리하다. ( )
4. 계급제는 공무원 간의 유대의식이 높아 협력을 통한 능률성을 제고할 수 있다. ( )
5. 계급제에서는 공무원의 신분보장과 경력발전이 강조된다. ( )
6. 계급제는 직무보다는 사람을 중심으로 공직을 분류하며, 규모가 크고 복잡한 조직에 적합하다. ( )
7. 계급제는 보직 관리 범위를 제한하여 공무원의 시야를 좁게 만드는 측면이 있다. ( )
8. 계급제에서는 보수 및 직무부담의 형평성 확보가 곤란하다. ( )
9. 계급제에서는 해당 직무에 적임자의 임용이 보장되지 않는다. ( )
10. 계급제는 공직의 경직화를 야기할 수 있다. ( )

**O·X 정답** 1. × 2. ○ 3. ○ 4. ○ 5. ○ 6. × 7. × 8. ○ 9. ○ 10. ○

## 2. 직위분류제

(1) 의 의

① **개념**: 공직을 직책 중심으로 직무의 성질 및 직무의 난이도와 책임의 경중에 따라 등급을 설정하고 이에 따라 공직을 분류하는 제도이다(직무 중심의 공직제도).

② **발전**: 직위분류제는 산업사회를 배경으로 미국의 사기업체에서 먼저 채택·실시된 제도이다. 당시 미국의 사기업체에서는 과학적 관리론의 영향으로 작업 능률의 향상과 보수의 공평화를 위한 직무분석과 직무평가 방법이 발달하였다. 이를 미국 정부가 받아들여 공공부문에 직위분류제가 도입되었으며 현재 캐나다, 뉴질랜드, 중남미 국가 등에서 활용되고 있다.

(2) 특 징

① **등급의 세분화**: '동일직무·동일보수'의 확립을 위하여 직무의 난이도와 책임의 경중에 따라 등급을 세분화한다.

② **낮은 계급의식**: 등급은 사회적 출신 배경이나 학력 등에 관계없이 개인의 직무수행능력에 의한 것이므로 상하 간의 계급의식이나 위화감이 크지 않다.

③ **인사행정의 객관화·합리화**: 객관적인 직무분석과 직무평가를 통해 특정 직무에 적임자를 임용하므로 인사행정의 능률성과 합리화를 도모할 수 있다.

④ **전문행정가 지향성**: 노동의 분화를 전제로 하는 전문화된 분류 체계이기 때문에 일반행정가보다 전문행정가를 육성하는 데 유리하다.

⑤ **높은 수직적 융통성**: 직무의 내용에 따른 명확한 구분으로 수평적 융통성은 낮은 반면, 등급 간의 차별이 없어 수직적 융통성은 높다.

⑥ **개방형 충원체제**: 공직의 모든 등급에서 외부 인사의 신규채용이 허용되는 개방형 충원체제를 갖는다.

(3) 장·단점

① 장 점

㉠ **직무급 확립을 통한 보수의 형평성 제고**: '동일직무·동일보수의 원칙'에 입각한 직무급 체계를 확립하여 보수의 형평성을 제고한다.

㉡ **행정의 전문성 향상**: 특정 직무에 대한 전문직업인을 양성하는 데 유리하며, 행정의 전문화에 기여한다.

㉢ **인사행정의 합리적 기준 제공**: 해당 직무를 효과적으로 수행할 수 있는 인재의 채용·전직·승진 등의 인사관리에 적합한 기준을 제공한다.

㉣ **근무성적평정 및 교육훈련 수요 파악**: 직무 중심의 공직분류로 특정 직위가 요구하는 능력과 자격요건을 알 수 있어 근무성적평정 및 교육훈련 수요 파악이 용이하다.

㉤ **권한과 책임의 명확화**: 직위마다 직무의 내용과 수준이 제시되므로 직위 간의 권한과 책임의 한계가 명확해진다.

㉥ **효율적인 사무관리 및 정원관리**: 직무의 종류와 수준 및 업무량을 알 수 있어 효율적인 사무관리 및 정원관리가 가능하다.

**심화학습**

**미국의 직위분류제 발달 배경**

① 과학적 관리론의 영향
② 보수의 불평등 제거
③ 산업사회의 전통
④ 실적주의의 발전
⑤ 엽관제와 실적제의 조화
⑥ 절약과 능률을 위한 정부 개혁 운동의 일환

**O·X 문제**

1. 직위분류제는 공무원 개인의 능력이나 자격을 기준으로 공직분류체계를 형성한다. ( )
2. 직위분류제는 직무의 종류나 수준에 따라 공직을 분류하여 체계화한 제도를 말한다. ( )
3. 과학적 관리론과 실적제의 발달은 직위분류제의 쇠퇴와 계급제의 발전에 기여했다. ( )
4. 직위분류제는 개방형 인사제도를 기반으로 운영되며, 공직 내부에서 수평적 이동 시 인사배치의 유연함과 신축성이 있다. ( )
5. 직위분류제에서는 동일직무에 대한 동일보수의 원칙을 반영한 직무급체계가 확립될 수 있다. ( )
6. 직위분류제는 업무 난이도에 따라 보상이 결정된다. ( )
7. 직위분류제는 직위가 요구하는 직무의 내용, 성격, 그리고 자격요건에 따라 채용시험, 교육훈련, 전보 및 승진 등을 시행함으로써 인사행정의 합리적 기준을 제공한다. ( )
8. 직위분류제는 책임 명료화, 갈등 예방, 합리적 절차수립을 돕는다는 장점이 있다. ( )
9. 직위분류제는 행정책임과 예산 행정의 능률 확보가 어렵다. ( )
10. 직위분류제는 전문직업인을 양성하는 데 도움이 되고 행정의 전문화에 기여한다. ( )
11. 직위분류제는 교육훈련 수요의 파악과 정원관리의 개선에 도움을 준다. ( )

O·X 정답 1. × 2. ○ 3. × 4. × 5. ○ 6. ○ 7. ○ 8. ○ 9. × 10. ○ 11. ○

ⓢ **예산행정의 능률화**: 직위의 수에 따라 공무원 수가 결정되기 때문에 낭비인력이 존재하지 않아 예산행정의 능률화를 촉진한다.

ⓞ **행정의 민주적 통제**: 국민에게 공무원의 업무와 인건비 간의 논리적 관계를 밝혀 줌으로써 행정의 민주적 통제에 기여한다.

ⓩ **공직분류와 조직구조의 연계**: 전문화된 공직분류체계이므로 분업화된 조직구조와 연계가 용이하다.

ⓒ **규모가 크고 복잡한 조직에 적합**: 철저한 분업화의 원리에 입각해 있어 규모가 크고 복잡한 조직에 적합하다.

ⓚ **직무 중심적 동기유발 촉진**: 개인이 지닌 능력과 연관된 직무를 부여하므로 직무 중심적 동기유발을 촉진할 수 있다.

② 단 점

㉠ **일반행정가 양성 곤란**: 특정 직무의 전문가를 요구하므로 일반적 관리 능력을 가진 일반행정가의 확보나 양성이 곤란하다.

㉡ **인사행정의 탄력성과 신축성 결여**: 수평적 융통성이 제약되어 인사관리의 탄력성과 신축성이 결여된다.

㉢ **업무조정(업무통합) 곤란**: 전문적 행정관리에 역점을 두어 다양한 전문성이 종합될 필요가 있는 상위 직급에서의 업무조정 및 통합이 곤란하다.

㉣ **편협한 안목과 직위관리의 고립화**: 개인이 수행할 직무를 분석단위로 삼는 편협한 안목 때문에 직위관리를 일반관리기능으로부터 고립시킨다.

㉤ **환경 변화에 적응 곤란**: 지나친 직무 구조의 편협성과 비탄력적 분류 체계 때문에 역동적이고 불확실한 상황에 적절히 대응하지 못한다.

㉥ **약한 신분보장**: 공무원의 신분이 특정 직위와 연계되어 있기 때문에 조직개편 등으로 직위가 폐지된 경우 공무원의 신분보장이 위협을 받는다.

㉦ **직업공무원제 확립 곤란**: 약한 신분보장, 장기적 발전가능성보다는 현재의 직무수행 능력 중시, 개방형 충원체제 등으로 직업공무원제의 확립이 곤란하다.

㉧ **자발적 헌신 및 연대감 저해**: 공무원의 인간적 요소가 고려되지 않아 구성원들의 조직에 대한 자발적 헌신이나 연대감을 조장하기 곤란하다.

㉨ **투입 중시·산출 경시**: 직위분류제가 규정한 직무는 직무수행의 가능성에 대한 것이며, 성과로서 직무 또는 실현된 직무에 관한 것이 아니다.

㉩ **직위분류의 주관성**: 정부의 직무는 직무의 양·종류·수준 등을 엄격히 구분하기 곤란하므로 정부의 직위분류는 대단히 주관적이다.

### (4) 직위분류제의 구성요소와 수립절차

① 직위분류제의 구성요소

㉠ **직위(position)**: 1명의 공무원에게 부여할 수 있는 직무와 책임을 말한다. 일반적으로 직위의 수와 직원의 수는 일치한다(예 실장, 국장, 과장 등).

㉡ **직급(class)**: 직무의 종류·곤란성과 책임도가 유사해 채용과 보수 등에서 동일하게 다룰 수 있는 직위의 군을 말한다. 직급의 수는 직위의 수보다 적다.

㉢ **직군(group)**: 직무의 성질이 유사한 직렬의 군을 말한다(예 행정, 기술 등).

**O·X 문제**

1. 직위분류제는 직무 한계와 책임 소재가 명확하다. ( )
2. 직위분류제에서는 공직분류와 조직구조가 연계된다. ( )
3. 직위분류제는 특정 직무에 대한 능력과 전문성을 갖춘 사람을 임용 대상으로 한다. ( )
4. 직위분류제에서 각 계층의 구성원들은 자기 집단이익의 옹호에 집착할 가능성이 높다. ( )
5. 직위분류제는 공무원의 전문성을 강화하고 직무 중심의 동기유발이 가능하다. ( )
6. 직위분류제는 조직과 직무의 변화 등에 신속히 대응할 수 있다. ( )
7. 직위분류제는 잠정적·비정형적 업무로 구성된 역동적이고 불확실한 상황에 유용하다. ( )
8. 직위분류제는 인적자원 활용에 주는 제약이 크다는 비판을 받는다. ( )
9. 직위분류제는 계급 간의 수직적 이동이 곤란하다. ( )
10. 직위분류제에서는 조직개편이나 직무의 불필요성 등으로 직무 자체가 없어진 경우, 그 직무 담당자는 원칙적으로 퇴직의 대상이 된다. ( )
11. 직위분류제는 전보나 전직의 범위가 매우 넓게 설정되어 있어 인적자원의 전문성 향상에 기여한다. ( )

O·X 정답 1. ○ 2. ○ 3. ○ 4. × 5. ○ 6. × 7. × 8. ○ 9. × 10. ○ 11. ×

**O·X 문제**

1. 등급은 직위에 포함된 직무의 성질, 난이도, 책임의 정도가 유사해 채용과 보수 등에서 동일하게 다룰 수 있는 직위의 집단이다. ( )
2. 직렬은 직무의 종류는 유사하고 그 책임과 곤란성의 정도가 서로 다른 직급의 군을 말한다. ( )
3. 비슷한 성격의 직렬들을 모은 직위분류의 대단위는 직군이라고 한다. ( )
4. 동일한 직급 내에 담당 분야가 동일한 직무의 군으로 세분화한 것을 직류라고 한다. ( )
5. 관리관, 이사관, 서기관 등은 직위에 해당한다. ( )
6. 직위는 한 사람의 공무원에게 부여할 수 있는 직무와 책임을 의미한다. ( )
7. 직무등급은 직무의 곤란도·책임도가 유사해 동일 보수를 줄 수 있는 직위의 군(群)을 의미한다. ( )

ⓔ **직렬(series)**: 직무의 종류가 유사하고 그 책임과 곤란성의 정도가 서로 다른 직급의 군을 말한다(예 행정, 세무, 교정 등).

ⓜ **직류(sub-series)**: 같은 직렬 내에서 담당 분야가 같은 직무의 군을 말한다(예 일반행정, 법무행정, 국제통상 등).

ⓗ **등급(grade)**: 직무의 종류는 다르지만 직무의 곤란도·책임도나 자격요건이 상당히 유사해 동일한 보수를 지급할 수 있는 직위의 횡적 군을 말한다(우리나라 실정법상 계급: 예 관리관, 이사관, 부이사관, 서기관, 사무관 등).

| 구 분 | 성 질(종류) | 곤란도(책임도) | 구성단위 |
|---|---|---|---|
| 직 위 | – | – | 1인의 업무량 |
| 직 급 | 유사 | 유사 | 직위의 군 |
| 직 렬 | 유사 | 상이 | 직급의 군 |
| 직 군 | 유사 | – | 직렬의 군 |
| 직 류 | 유사 | – | 직무의 군 |
| 등 급 | 상이 | 유사 | 직위의 군 |

ⓢ **직무등급**: 직무의 곤란성과 책임도가 상당히 유사한 직위의 군을 말한다. 직무등급은 계급이 폐지된 고위공무원단(가급, 나급 2개의 직무등급)과 외무공무원(14개의 직무등급)에 적용된다. 상위 직무등급으로의 이동을 승격이라 한다.

**참고 | 우리나라 일반직 공무원의 직급표**

| 직 군 | 직 렬 | 직 류 | 계급 및 직급 | | | | | | |
|---|---|---|---|---|---|---|---|---|---|
| | | | 3급 | 4급 | 5급 | 6급 | 7급 | 8급 | 9급 |
| 행정 | 행정 | 일반행정 | 부이사관 | 서기관 | 사무관 | 주사 | 주사보 | 서기 | 서기보 |
| | | 법무행정 | | | | | | | |
| | 교정 | | | | | | | | |
| 기술 | 공업 | 일반기계 | | | | | | | |
| | 농업 | | | | | | | | |

우리나라 일반직 공무원의 직군·직렬·직류
1. **일반직 직군**: 행정직군, 기술직군, 관리운영직군, 우정직군 4개
2. **행정직군의 직렬**: 교정, 보호, 검찰, 출입국관리, 행정, 세무, 관세, 사회복지, 통계 등 15개
3. **행정직군 내 행정직렬의 직류**: 일반행정, 인사조직, 교육행정, 국제통상, 재경, 회계 등 9개

② 수립절차

㉠ **준비단계 – 직위분류작업을 위한 사전단계**: 분류작업을 위한 법적 근거를 마련하고, 직위분류작업을 담당할 주관 기관을 결정하며, 분류대상 직위를 결정하고, 분류 기술자를 확보하며, 직위분류에 대한 공보 활동을 하는 단계이다.

㉡ **직무조사 – 직무기술서의 작성**

ⓐ **의의**: 분류대상이 된 직위들의 직무내용에 대한 정보를 수집하는 작업을 말한다. 직무조사에서는 관찰법, 면접법, 설문지법, 일지기록법 등을 통해 직무의 내용, 책임도, 곤란성, 자격 요건 등에 관한 모든 자료를 수집해야 하며, 직무조사를 통해 직무기술서가 작성된다.

ⓑ **직무기술서**: 직무조사에 사용되는 질문서로 특정 직위에 부여된 직무의 내용과 책임에 관한 자료와 정보를 구체적으로 정리한 문서이다.

**심화학습**

직무기술서와 직무명세서

| | |
|---|---|
| 직무기술서 | 직무의 목적·내용·수행방법·기대성과 등을 명시한 문서 |
| 직무명세서 | 직무를 수행하기 위해 필요한 지식·기술·능력·자질 등을 명시한 문서(인적 요건 중심) |

O·X 정답 1. × 2. ○ 3. ○ 4. × 5. × 6. ○ 7. ○

㉢ 직무분석

ⓐ 의의: 직무조사(직무기술서)를 토대로 직위를 직무의 종류 또는 성질에 따라 직군·직렬·직류를 형성하는 종적 분류작업을 말한다(사실상 횡적 분업과 유사).

ⓑ 활용: 인력채용, 시험의 내용적 타당성, 교육훈련, 직무수행평가 등에 활용된다.

㉣ 직무평가

ⓐ 의의: 각 직위의 직무에 대한 책임도·난이도·곤란도 등을 기준으로 직무의 상대적 가치를 평가하여 등급을 결정하는 횡적 분류작업을 말한다(사실상 종적 분업과 유사). 직무평가의 결과로 등급과 직급이 결정된다.

ⓑ 활용: 직무평가의 목적은 직무 요소의 상대적 가치를 평가해 직무가 요구하는 능력과 공헌도에 따라 보상을 차등화하는 데 있다(직무급 확립).

㉤ 직급명세서의 작성

ⓐ 의의: 직무분석과 직무평가에 따라 결정된 직급의 직책 내용, 자격요건 및 시험의 내용, 직무수행의 예시 등을 직급별로 명시한 것이다.

ⓑ 활용: 원래 정급의 지표를 제시하기 위한 것이나 채용·승진·보수·평정의 기준으로도 활용된다.

㉥ 정급(定級) 및 유지·관리: 정급이란 분류 대상 직위들을 해당 직급 또는 직무등급에 배치하는 것을 말한다. 정급이 끝나면 직위분류제의 수립절차는 마무리된다.

③ 직무평가의 방법

| 구 분 | | 특 징 | 비 고 |
|---|---|---|---|
| 비계량적인 방법(직무 전체를 포괄적으로 판단) | 서열법 | • 직무를 전체적·종합적으로 평가하여 상대적 중요도에 의해 서열을 부여하는 자의적 평가방법(단순서열법, 쌍쌍비교법)<br>• 소규모 조직을 제외하고 거의 사용되지 않음.<br>• 간편하고 시간과 비용이 절감되나 분류가 자의적임. | 직무와 직무의 비교(상대평가) |
| | 분류법(등급법) | • 직위의 등급수와 분류 기준을 작성한 등급기준표에 따라 직무의 책임도와 곤란도를 평가하는 방법<br>• 정부기관에서 많이 사용되는 방법<br>• 보편적인 직무 특성을 명시할 뿐 요소별 구체적인 평가방법을 제시하지 못함. | 직무와 등급기준표의 비교(절대평가) |
| 계량적인 방법(직무의 구성요소를 선정하여 평가) | 점수법 | • 평가요소별 점수를 부여한 직무평가기준표에 근거하여 직위를 평가요소별로 평가하여 각 직위의 등급을 결정하는 방법<br>• 기업체에서 가장 많이 사용되는 방법<br>• 평가결과의 타당성과 신뢰성이 확보되나, 평가절차가 복잡하여 시간과 비용의 과다소모 야기 | 직무와 직무 평가 기준표의 비교(절대평가) |
| | 요소비교법 | • 기준(대표)직위를 먼저 선정한 다음 직무요소별로 기준직위와 평가할 직위를 비교해 가면서 점수를 부여하여 보수액을 산정하고 제시하는 방법<br>• 가장 늦게 개발된 객관적이고 정확한 방법이나 평가절차가 복잡하고 평가요소 및 대표직위의 선정 시 주관이 개입될 여지 있음. | 직무와 직무의 비교(상대평가) |

**O·X 문제**

1. 직무분석은 직무들의 상대적인 가치를 체계적으로 분류하여 등급화하는 것이다. ( )
2. 직무평가는 직위의 종류를 구별하여 종적으로 직렬과 직군을 형성하는 것이다. ( )
3. 직무평가의 결과는 보수와 직결되는 것이 보통이다. ( )
4. 일반적으로 직무평가 이후에 직무분류를 위한 직무분석이 이루어진다. ( )

PART · 05

**O·X 문제**

5. 서열법은 직무의 구성요소를 구별하지 않고 직무 전체의 중요도를 종합적으로 평가하는 방법이다. ( )
6. 분류법은 비계량적 방법을 통해 직무기술서의 정보를 검토한 후 직무 상호 간에 직무 전체의 중요도를 종합적으로 비교한다. ( )
7. 점수법은 직무평가표에 따라 구성요소별 점수를 매기고, 이를 합계해 총점을 계산하므로 시간과 노력이 적게 든다는 장점이 있다. ( )
8. 요소비교법은 조직 내의 중심이 되는 기준직무를 선정하여, 평가하고자 하는 직무와 기준직무의 평가요소들을 상호 비교하여 상대적 가치를 질적으로 판단하는 방법이다. ( )
9. 직무평가에 있어서 직위와 직위를 비교하는 방법에는 서열법과 요소비교법이 있다. ( )
10. 직무평가방법으로 서열법, 요소비교법 등 비계량적 방법과 점수법, 분류법 등 계량적 방법을 사용한다. ( )

O·X 정답 1. × 2. × 3. ○ 4. × 5. ○ 6. ○ 7. × 8. × 9. ○ 10. ×

## 3. 계급제와 직위분류제의 비교 및 현재의 경향

### (1) 계급제와 직위분류제의 비교

| 구 분 | 계급제 | 직위분류제 |
|---|---|---|
| 분류기준 | 인간 중심 분류 | 직무 중심 분류 |
| 배 경 | 농업사회의 전통 | 산업사회의 전통 |
| 채용기준 | 잠재적 · 일반적 능력 | 전문능력 |
| 경력발전 | 일반행정가 | 전문행정가 |
| 충원체제 | 폐쇄형 | 개방형 |
| 인사이동 | 융통성 · 탄력성(신축적) | 불융통성 · 비탄력성(경직적) |
| 직업공무원제 | 확립 용이 | 확립 곤란 |
| 보 수 | 동일계급 · 동일보수(생활급) | 동일직무 · 동일보수(직무급) |
| 인사관리 | • 연공서열 중심<br>• 상관의 자의성 개입 용이 | • 능력 · 실적 중심<br>• 객관적 기준 제공 |
| 채용과 시험 | 비연결(장기적 발전가능성과 잠재력을 지닌 자 채용) | 연결(업무와 관련된 전문지식 소유자 채용) |
| 승 진 | 승진의 폭 넓음. | 승진의 폭 협소 |
| 교육훈련 | 교육훈련 수요 파악 곤란 | 교육훈련 수요 파악 가능 |
| 능력발전 | 창의력 개발 및 능력발전 유리 | 창의력 개발 및 능력발전 불리 |
| 갈등발생 소지 | 권한과 책임 불명확화로 갈등 높음. | 권한과 책임의 명확화로 갈등 낮음. |
| 행정상 조정 | 행정상 조정 · 협조 원활 | 행정상 조정 · 협조 곤란 |
| 조직계획 | 장기적인 조직계획 · 장기안목 | 단기적인 조직계획 · 단기안목 |
| 조직구조와 관계 | 연계성 낮음. | 연계성 높음. |
| 신분보장 | 강함. | 약함. |
| 행정의 전문화 | 장애가 됨. | 기여함. |
| 직무수행의 형평성 | 낮음. | 높음. |
| 환경변화 대응력 | 약함. | 강함. |
| 창의성과 쇄신성 | 높음. | 낮음. |
| 채용과 내부임용 | 탄력적 · 융통적 | 경직적 · 제한적 |
| 공무원의 시각 | 종합적이고 광범위함. | 부분적이고 협소함. |
| 현직자의 근무의욕 | 높음. | 낮음. |
| 제도 유지비용 | 저렴함. | 비싼 편임. |
| 인사권자의 리더십 | 높음. | 낮음. |
| 몰입감 | 조직 몰입감 높음. | 직무 몰입감 높음. |

**O·X 문제**

1. 직위분류제는 인사관리의 탄력성이 낮고 신분보장이 어려우나, 계급제는 인사관리의 탄력성이 크고 신분보장이 용이하다. ( )

2. 직위분류제는 실적주의와 관련이 깊고, 계급제는 직업공무원제와 관련이 깊다. ( )

3. 조직계획에서 계급제는 장기적인 측면을, 직위분류제는 단기적인 측면을 더 잘 반영할 수 있다. ( )

4. 직위분류제는 업무의 전문화로 인하여 상위직급에서의 업무 통합이 쉽다. ( )

5. 직위분류제는 능력발전과 창의력 개발에 도움이 된다. ( )

6. 계급제는 교육훈련 수요를 정확하게 파악하는 데 이바지할 수 있으나, 직위분류제는 교육훈련 수요를 정확하게 파악하기 어렵다. ( )

7. 직위분류제는 직무한계와 책임소재가 명확하여 갈등의 사전 방지가 가능하나, 계급제는 직무 구분이 불명확하여 갈등의 사전예방이 어렵다. ( )

8. 직무에 대한 갈등발생 시 계급제는 직위분류제에 비해 조정이 용이하다. ( )

9. 계급제는 개방형 충원을 원칙으로 하며 일반행정가 양성에 유리하나, 직위분류제는 폐쇄형 충원을 원칙으로 하고 전문가 양성에 유리하다. ( )

10. 계급제는 계급군 간의 수직적 폐쇄성이 강하나 직위분류제는 수평적 폐쇄성이 강하다. ( )

11. 계급제는 상대적으로 소규모 조직에 적합한 반면, 직위분류제는 상대적으로 대규모 조직에 적합하다. ( )

O·X 정답 | 1. ○ 2. ○ 3. ○ 4. × 5. × 6. × 7. ○ 8. ○ 9. × 10. ○ 11. ○

(2) 계급제과 직위분류제의 현재 경향

직위분류제와 계급제는 현재 대부분의 국가에서 상호 보완적으로 활용되고 있다. 영국 등 계급제를 채택한 나라에서는 행정의 기술화와 전문화를 충족시킬 목적으로 직위분류제적 요소를, 직위분류제를 철저하게 실천해 온 미국 등은 지나친 직무분화로 인한 행정의 통합성과 신축성 결여를 극복하기 위해 상위직에 계급제적 요소를 가미하고 있다.

(3) 우리나라의 현재

우리나라는 계급제를 기반으로 하면서 직위분류제적 요소를 가미한 공직구조 형태를 띠고 있다. 즉, 폐쇄형 충원 · 일반행정가주의 · 일반교양 과목 중심의 채용시험 · 강력한 신분보장 · 직업공무원제의 「헌법」상 제도적 보장 등의 계급제적 요소를 기반으로 하면서도 「국가공무원법」과 「지방공무원법」에 직위분류제에 대한 별도의 장을 마련하여 직위분류제의 구성요소(직위, 직군, 직렬, 직류, 직급)와 도입을 위한 규정을 두고 있다.

## 03 폐쇄형과 개방형

### 1. 폐쇄형

(1) 의 의

① 개념: 공직에의 신규채용이 최하위 계층에서만 허용돼 내부승진을 통해서만 상위 계층으로 올라갈 수 있는 공직구조를 말한다(경력 중심 인사체제).

② 발달: 영국에서 발달한 계급제에 토대를 두고 있다.

③ 특 징

㉠ 전문가보다는 일반행정가 중심의 인력구조를 선호한다.

㉡ 특정 계급(5급, 7급, 9급)에 대한 정부 전체의 인력 수요를 예상해 선(先)채용, 후(後)보직 방식으로 공무원을 충원한다.

㉢ 개방형보다 내부승진의 기회가 많으며, 채용된 공무원의 경력발전을 위한 교육훈련의 비중이 높다.

㉣ 직무가 없어지더라도 담당 공무원이 퇴직하는 것이 아니라, 배치전환을 통하여 근무가 지속된다.

(2) 장 · 단점

① 장 점

㉠ 공무원의 신분보장이 강화되어 행정의 일관성 · 안정성 확보에 유리하다.

㉡ 재직공무원의 승진기회가 확대되어 사기가 앙양된다.

㉢ 공무원의 이직률이 낮아 일체성 확보 및 직업공무원제 확립에 유리하다.

㉣ 재직공무원의 장기경험을 활용하여 행정능률을 향상시킬 수 있다.

㉤ 경력 위주의 승진제도이므로 인사행정의 객관성 확보에 유리하다.

**O·X 문제**

1. 우리나라 현행 공직분류제도는 계급제와 직위분류제의 균형을 원칙으로 채택하고 있다. ( )

2. 우리나라의 경우 기본적으로 계급제를 채택하고 있으며, 채용 및 승진, 전직에서 직위분류제의 요소를 부분적으로 활용하고 있다. ( )

3. 우리나라 「국가공무원법」에는 직위분류제 주요 구성개념인 '직위, 직군, 직렬, 직류, 직급' 등이 제시되어 있다. ( )

**O·X 문제**

4. 폐쇄형은 계급제를 토대로 하는 일반행정가 중심의 인사체계이다. ( )

5. 폐쇄형은 개방형에 비해 내부승진의 기회가 많아 공무원의 경력개발을 위한 교육훈련을 경시한다. ( )

6. 폐쇄형은 조직에 대한 소속감이 높고 공무원의 사기가 높다. ( )

7. 폐쇄형은 국민의 요구에 민감하게 대응하며 행정에 대한 민주통제가 보다 용이하다. ( )

8. 폐쇄형 인사의 장점은 행정의 전문성을 제고시킨다는 데 있다. ( )

O·X 정답 1. × 2. ○ 3. ○ 4. ○ 5. × 6. ○ 7. × 8. ×

② 단 점

㉠ 일반행정가주의를 지향하므로 전문성 확보가 곤란하다.
㉡ 강력한 신분보장으로 무사안일·복지부동 등 관료주의화 및 공직침체를 초래한다.
㉢ 강력한 신분보장으로 관료에 대한 민주통제가 곤란하다.
㉣ 국민의 요구에 민감하게 대응하지 못하고 특권집단화될 수 있다.
㉤ 공직에 우수한 인재를 등용하기 곤란하다.

## 2. 개방형

(1) 의 의

① 개념: 공직의 모든 계급이나 직위와 상관없이 공직 내·외부로부터의 신규채용이 허용되는 공직구조를 말한다(성과 중심 인사체제).
② 발달: 미국에서 발달한 직위분류제에 토대를 두고 있다.
③ 특 징

㉠ 일반행정가보다는 전문가 중심의 인력구조를 선호한다.
㉡ 직무가 없어지면 담당 공무원이 퇴직해야 하므로 신분보장이 약하다.
㉢ 개방과 경쟁을 통해 성과 중심 인사를 촉진한다.

(2) 장·단점

① 장 점

㉠ 행정에 대한 민주통제가 용이하여 행정의 대응성을 제고할 수 있다.
㉡ 공직의 신진대사를 촉진하여 공직침체 및 관료주의화를 방지할 수 있다.
㉢ 정치적 리더십이 강화되어 개혁의 추진세력을 형성할 수 있다.
㉣ 민간 전문가의 채용을 통해 행정의 전문성을 제고할 수 있다.
㉤ 개방과 경쟁을 통해 재직자의 자기개발 노력을 촉진할 수 있다.
㉥ 공직 내외에서 우수 인재를 유치하여 행정의 질적 수준을 증대시킨다.
㉦ 성과 중심 인사를 통해 권위주의 행정문화를 타파할 수 있다.
㉧ 인력양성을 위한 교육·훈련비용이 감소한다.
㉨ 해당 직무에 적임자의 임용되어 공무원의 정책에 대한 충성심을 제고할 수 있다.

② 단 점

㉠ 신분보장의 약화로 장·단기적으로 직업공무원제의 확립을 저해한다.
㉡ 인사권자의 전횡을 야기하여 정실인사를 야기할 위험성이 있다.
㉢ 빈번한 교체근무로 행정의 책임성·일관성·안정성이 저해될 수 있다.
㉣ 복잡한 임용절차 및 잦은 신규임용으로 임용비용이 증가한다.
㉤ 임용절차의 이원화로 구성원 간의 불신이 야기될 수 있다.
㉥ 인력 유동성 증대로 구성원 간 응집성이 약화될 수 있다.
㉦ 약한 신분보장으로 공무원의 공직에 대한 애착심 및 충성심이 저하된다.
㉧ 승진 기회 축소로 재직공무원의 사기가 저하된다.
㉨ 민관유착으로 인한 공공성 훼손이 야기될 수 있다.
㉩ 계속적 근무경험에 의해 축적될 수 있는 전문성이 저해될 수 있다.

**O·X 문제**

1. 개방형은 공직의 계급이나 직위와 상관없이 신규채용이 허용된다. ( )
2. 개방형은 승진기회의 제약으로, 직무의 폐지는 대개 퇴직으로 이어진다. ( )
3. 개방형은 재직자의 승진기회가 많고 경력발전의 기회가 많다. ( )
4. 개방형은 공직의 침체를 막고 행정의 효율성을 높이려는 의도에서 도입된다. ( )
5. 개방형은 정치적 영향이나 압력으로부터 자유롭다. ( )
6. 개방형은 공무원의 신분보장이 강화됨으로써 행정의 안정성을 유지할 수 있다. ( )
7. 개방형 인사관리는 폭넓은 지식을 갖춘 일반행정가를 육성하는 데에 효과적이다. ( )
8. 개방형 인사관리는 정치적 리더십의 요구에 따른 고위층의 조직장악력의 약화를 초래한다. ( )

O·X 정답 | 1. ○ 2. ○ 3. × 4. ○ 5. × 6. × 7. × 8. ×

## 3. 폐쇄형과 개방형의 비교 및 현재의 경향

(1) 폐쇄형과 개방형의 비교

| 구 분 | 폐쇄형 | 개방형 |
|---|---|---|
| 신분보장 | 신분 안정(법적 보장) | 신분 불안정(임용권자가 좌우) |
| 신규임용 | 하위직만 허용 | 전 등급에서 허용 |
| 승진임용 기준 | 내부임용, 연공서열(상위적격자) | 내 · 외부임용, 공개모집(최적격자) |
| 임용자격 | 일반소양과 자질 강조 | 해당 직무에 대한 전문능력 강조 |
| 직위분류 기준 | 직급 : 사람 중심 ⇨ 계급제, 직업공무원제 | 직위 : 직무 중심 ⇨ 직위분류제 |
| 직원 간의 관계 | 온정적 | 사무적 |
| 채택국가 | 영국, 독일, 프랑스, 일본 | 미국, 캐나다, 필리핀 |
| 교육훈련 | 내부교육기관 | 외부교육기관 |
| 연 금 | 비기여제 | 기여제 |
| 보 수 | 생활급 | 직무급 |

(2) 현재의 경향

개방형과 폐쇄형은 각 국가의 정치적 여건이나 시대적 상황에 따라 역사적으로 형성된 체계이나, 현재 대부분의 국가들은 순수한 형태의 개방형이나 폐쇄형을 고수하지 않고 두 유형의 인사체제를 절충하여 운영하고 있다.

(3) 우리나라의 현재

우리나라는 전통적으로 폐쇄형 인사제도를 유지하고 있다. 특정 계급 외에는 외부자의 진입을 허용하지 않으며 신규로 임용되는 공무원은 해당 계급군의 최하위에서 근무를 시작한다. 그러나 최근 격변하는 행정환경의 변화와 행정에 대한 전문직업화의 요청에 부응하기 위해 상위계층에 개방형 직위제도(1999)를 도입하여 개방형 충원체제를 가미하고 있다.

## 4. 개방형 직위제도

(1) 의 의

임용권자 등은 해당 기관의 직위 중 전문성이 특히 요구되거나 효율적인 정책 수립을 위하여 필요하다고 판단되어 공직 내부나 외부에서 적격자를 임용할 필요가 있는 직위에 대하여는 개방형 직위로 지정하여 운영할 수 있다.

(2) 운 영

① 지 정

㉠ 소속 장관별로 고위공무원단 직위 총수의 20%의 범위에서와 과장급 직위 총수의 20%의 범위에서 지정한다.

㉡ 소속 장관은 개방형 직위 중 특히 공직 외부의 경험과 전문성을 적극 활용할 필요가 있는 직위를 공직 외부에서만 적격자를 선발하는 '경력개방형 직위'로 지정할 수 있다.

㉢ 소속 장관은 개방형 직위로 지정(변경 및 해제 포함)되는 직위와 지정범위에 관하여 인사혁신처장과 협의하여야 한다.

**O·X 문제**

1. 개방형 인사제도는 폐쇄형 인사제도에 비해 안정적인 공직사회를 형성함으로써 공무원의 사기를 높이고 장기근무를 장려한다. ( )
2. 폐쇄형 인사제도는 개방형 인사제도에 비해 내부승진과 경력 발전을 위한 교육훈련의 기회가 적다. ( )
3. 일반적으로 폐쇄형 인사제도는 직위분류제에 바탕을 두고 있으며, 일반행정가보다 전문가 중심의 인력구조를 선호한다. ( )

**O·X 문제**

4. 개방형 직위제도는 공직 내 · 외의 경쟁을 유도하기 위한 임용제도이다. ( )
5. 개방형 직위는 업무 수행상 고도의 전문성이 요구된다고 판단되는 직위에 한정하고 있다. ( )
6. 우리나라는 모든 직급과 계급에서 개방형 직위를 지정하여 임용할 수 있다. ( )
7. 개방형 직위는 소속 장관별로 고위공무원단 직위 총수의 20% 범위 안에서 지정하고, 과장급은 직위 총수의 30% 범위 안에서 지정한다. ( )
8. 경력개방형 직위제도는 개방형 직위 중 공직 외부의 경험과 전문성을 활용할 필요가 있는 직위를 공직 외부에서만 적격자를 선발하는 것이다. ( )

O·X 정답 | 1. × 2. × 3. × 4. ○ 5. × 6. × 7. × 8. ○

PART · 05

✢ **개방형 직위 중앙선발시험위원회**
인사혁신처장 소속으로 개방형 직위 중앙선발시험위원회를 두며, 선발시험위원회는 임용예정 직위별로 5명 이상의 위원으로 구성한다.

**O·X 문제**

1. 개방형 직위로 지정된 직위에는 외부적격자뿐만 아니라 내부적격자도 임용할 수 있다. ( )
2. 개방형 직위는 일반직을 대상으로 하며 특정직 및 별정직은 제외된다. ( )
3. 개방형 직위제도의 임용기간은 5년 이내의 범위 안에서 장관이 정하되 최소 3년 이상으로 한다. ( )

② **선발시험**: 소속 장관은 공직 내외에서 공개모집한 후 개방형 직위 중앙선발시험위원회(인사혁신처장 소속)✢가 실시하는 선발시험을 거쳐 선발해야 한다. 선발시험은 서류전형과 면접시험으로 하되, 필요한 경우에는 필기시험이나 실기시험을 실시할 수 있다.

③ **임용절차**: 선발시험위원회는 개방형 직위의 임용예정 직위별로 3명 이내의 임용후보자를 선발하고 추천순위를 정하여 소속 장관에게 추천하고, 소속 장관은 특별한 사유가 없는 한 임용후보자 추천 순위에 따라 임용해야 한다.

④ **임용방법**: 소속 장관은 경력경쟁채용 등의 방법으로 개방형 직위에 공무원을 임용한다. 다만, 개방형 임용 당시 임기제 공무원이 아닌 경력직 공무원인 자는 전보, 승진 또는 전직의 방법으로 임용할 수 있다[일반직, 특정직(외무공무원에 한함), 별정직으로 임용].

⑤ **신분**: 임용 당시 경력직 공무원인 자 등을 제외하고는 임기제 공무원으로 임용하여야 한다.

⑥ **임용기간**: 공무원의 임용기간은 다른 법령에 특별한 규정이 있는 경우를 제외하고는 5년의 범위에서 소속 장관이 정하되, 최소한 2년 이상으로 하여야 한다.

⑦ **임용제한**: 개방형 임용 당시 경력직 공무원이었던 사람은 개방형 직위의 임용기간에 다른 직위에 임용될 수 없다.

(3) 문제점

① 각 부처의 특정 직위에 결원이 생긴 경우에 한해 부정기적으로 실시된다.
② 민간기업과의 보수 격차로 유능한 인재의 유입이 곤란하다.
③ 공무원 출신에 대한 선호가 여전히 자리잡고 있다.
④ 민간전문가가 채용된다 하더라도 배타적인 공직문화로 적응이 곤란하다.

## 04 비교류형과 교류형

### 1. 비교류형

(1) 의 의

공무원의 근무와 경력 발전 계통이 하나의 기관에 국한되어 기관 간 공무원의 이동이 제한된 공직구조를 말한다. 비교류형은 원래 인사행정의 부처주의에서 연원하는 것으로 일반행정가주의를 지향하는 인사체제에서 대부분 관행으로 굳어진 것이다.

**O·X 문제**

4. 비교류형 인사체계는 교류형에 비해 기관 간 승진 기회의 형평성 확보에 유리하다. ( )

(2) 장 · 단점

① 장 점
㉠ 기관 내부의 응집성과 충성심이 제고된다.
㉡ 인사관리가 용이하다.

② 단 점
㉠ 정부 전체 관점에서 통합적 행정활동이 제약된다.
㉡ 기관별 인력의 질적 불균형을 초래하며, 인력활용의 융통성이 저해된다.
㉢ 승진 기회의 형평성이 확보되지 않아 공무원의 사기가 저하된다.
㉣ 공무원 개인의 경력발전 기회가 저해된다.

O·X 정답 1. ○ 2. × 3. × 4. ×

## 2. 교류형

(1) 의 의

담당 업무의 성격이 같은 범위 내에서 기관 간 이동이 자유스러운 공직구조를 말한다. 인사교류는 전통적으로 중앙부처 간 인사교류 및 중앙과 지방정부 간 인사교류를 의미했으나 최근에는 정부기관과 민간기관 간의 인사교류까지 확장되고 있다.

(2) 장 · 단점

① 장 점

㉠ 기관 간의 배타성과 파벌성을 극복하여 협조와 조정을 용이하게 한다.

㉡ 인력 활용의 고립주의를 탈피하고 융통성 있는 인력활용이 가능하다.

㉢ 개별 공무원의 경력발전 기회 및 근무조건 개선을 가져와 사기를 제고한다.

㉣ 기관별 인력의 질적 불균형을 해소하고 승진기회의 형평성이 확보된다.

② 단 점

㉠ 복잡한 인사관리를 초래한다.

㉡ 업무의 전문성을 저해한다.

## 3. 교류형과 비교류형의 현재

(1) 교류형과 비교류형의 현재

과거 대부분의 국가들은 인사행정의 부처주의에 입각해 비교류형이 지배적이었다. 그러나 최근에 와서는 협력과 조정능력 제고 및 지식의 공유를 위하여 부처 간 인사교류뿐만 아니라 정부기관과 민간기관 간의 인사교류까지 확장해 나가고 있다.

(2) 우리나라의 현재

우리나라 역시 현재 공모직위제도, 고위공무원제도, 개방형 직위제도, 민간근무휴직제도 등의 제도적 장치를 통해 부처 간, 중앙정부와 자치단체 간, 정부와 공공기관 간, 정부와 대학 · 연구기관 간, 정부와 민간 간 인사교류를 확장해 나가고 있다.

## 4. 공모직위제도

(1) 의 의

임용권자 등은 해당 기관의 직위 중 효율적인 정책 수립 또는 관리를 위하여 해당 기관 내부 또는 외부의 공무원 중에서 적격자를 임용할 필요가 있는 직위에 대하여는 공모직위로 지정하여 운영할 수 있다.

(2) 운 영

① 지 정

㉠ 소속 장관별로 경력직 공무원으로 임명할 수 있는 고위공무원단 직위 총수 30%의 범위에서와 과장급 직위 총수 20%의 범위에서 지정한다.

㉡ 소속 장관은 과장급직위나 실장 · 국장 밑에 두는 보조기관 또는 이에 상응하는 직위에 4급 및 5급 경력직 공무원 또는 이에 상당하는 공무원으로 임명할 수 있는 직위(담당급직위)를 공모 직위로 지정한다.

㉢ 소속 장관은 공모 직위의 지정 범위에 관하여 인사혁신처장과 협의하여야 한다.

**O·X 문제**

1. 교류형 인사제도는 비교류형 인사제도에 비해 기관 간 이해증진, 업무협조 및 개별 공무원의 경력개발 측면에서 유리하다. ( )

**심화학습**

**우리나라의 인사교류 종류**

① **정부와 민간 간 인사교류**: 개방형 직위제도, 고위공무원단, 민간근무휴직제도
② **정부 내 인사교류**: 고위공무원단제도, 공모직위제도
③ 중앙정부와 지방정부 간의 인사교류
④ 지방자치단체 간 인사교류
⑤ 정부와 공공기관 간 인사교류
⑥ 정부와 대학 · 연구기관 간 인사교류

**O·X 문제**

2. 공모직위는 선거에 의해 임명되는 공무원으로 임용되며 고도의 정치적 판단을 하는 직위이다. ( )

3. 공모직위는 공무원에게만 개방하며 민간인은 지원할 수 없다. ( )

4. 임용권자나 임용제청권자는 해당 기관의 직위 중 전문성이 요구되거나 효율적인 정책 수립 또는 관리를 위하여 적격자를 임용할 필요가 있는 직위에 대하여 공모직위로 지정하여 운영할 수 있다. ( )

5. 공모직위제도는 타 부처 공무원들과의 경쟁을 통해 최적임자를 선발하는 제도로 경력직 고위공무원단 직위 수의 30% 범위에서 지정한다. ( )

O·X 정답 1. ○ 2. × 3. ○ 4. × 5. ○

PART · 05

② 선발시험: 소속 장관은 고위공무원단 공모직위에 공개모집에 의한 시험을 거쳐 적격자를 선발하여야 한다. 선발시험은 서류전형과 면접시험으로 실시한다.

③ 임용절차: 공모직위 선발심사위원회(소속 장관 소속)⁺는 공모직위의 임용예정 직위별로 2명 또는 3명의 임용후보자를 선발하고 임용후보자 순위를 정하여 소속 장관에게 추천하고, 소속 장관은 특별한 사유가 없는 한 선발심사위원회의 추천 순위에 따라 임용해야 하며, 소속 장관이 추천 순위와 다르게 임용하려는 경우에는 선발심사위원회의 의견을 들어야 한다.

④ 임용방법: 공모직위에 임용되는 공무원은 전보, 승진, 전직 또는 경력경쟁채용 등의 방법으로 임용하여야 한다.

⑤ 신분: 경력직 공무원 중에서 선발하므로 경력직 공무원의 신분을 갖는다.

⑥ 임용제한: 공모직위에 임용된 공무원은 임용된 날부터 2년 이내에 다른 직위에 임용될 수 없다.

⑦ 응모: 국가직 공모직위에 지방직 공무원도 응모가 가능하다. 지방자치단체의 공모직위 역시 국가직 공무원 및 타 지방자치단체 공무원의 응모가 가능하다.

⁺ 공모직위 선발심사위원회
소속 장관은 임용예정 직위별로 5명 이상의 심사위원으로 이루어진 선발심사위원회를 구성하여야 한다.

(3) 개방형 직위와 공모직위의 비교

| 구 분 | 개방형 직위 | 공모직위 |
|---|---|---|
| 선발범위 | 공직 내·외 | 부처 내·외 |
| 채용사유 | 전문성이 요구되거나 효율적인 정책수립이 요구되는 경우 | 효율적인 정책수립 또는 관리가 필요한 직위 |
| 채용직위 | • 각 부처 고위공무원단 직위 총수의 20%의 범위<br>• 과장급 직위 총수의 20%의 범위 | • 경력직 공무원으로 보할 수 있는 고위공무원단 직위 총수의 30%의 범위<br>• 과장급 직위 총수의 20%의 범위<br>• 과장급이 아닌 4·5급 경력직 공무원으로 임명할 수 있는 직위[담당급 직위]도 지정 |
| 채용절차 | 선발시험위원회(인사혁신처 소속)의 추천을 받아 소속 장관이 임용 | 선발심사위원회(소속 장관 소속)의 추천을 받아 소속 장관이 임용 |
| 임용방법 | 시험(서류전형, 면접시험) | 시험(서류전형, 면접시험) |
| 채용기간 | 2년 이상 5년 이내(임기제 공무원은 3년 이상) | 기간 제한 없음(2년 이상). |
| 직 종 | 임기제 공무원을 원칙으로 하되, 임기제 공무원이 아닌 경력직 공무원도 가능 | 임기제 공무원이 아닌 경력직 공무원 |
| 특이사항 | 소속 장관은 개방형 직위 중 공직외부에서만 적격자를 선발하는 경력개방형 직위를 지정할 수 있음. | 국가직 공모직위에 지방직 공무원도 응모 가능하며, 자치단체의 공모직위에 국가직 또는 타 자치단체의 공무원도 응모 가능 |
| 보직관리 | 경력직 공무원이 개방형 직위나 공모직위를 통해 임용된 경우, 임용기간 만료 후 원소속기관으로 복귀 가능 | |
| 자치단체 | 도입 | 도입 |

O·X 문제

1. 개방형 직위는 임기제 공무원으로 임용함을 원칙으로 하되, 임기제가 아닌 경력직으로도 임용할 수 있다. ( )

## 5. 민간근무휴직제도

공무원이 민간 부문의 업무수행 방법, 경영기법 등을 습득하고, 민간 부문에서는 공무원의 전문지식과 경험을 활용함으로써 민·관 간 이해 증진 및 상호 발전을 도모할 수 있도록 공무원이 민간기업 등에 임시로 근무하기 위하여 휴직하는 제도이다.

심화학습

민간근무휴직제도의 운영

| | |
|---|---|
| 대상 | 재직기간 3년 이상인 3~8급 공무원 |
| 대상기업 | 상법에 의한 영리목적의 법인, 기타 법률에 의한 법인·단체·협회 등 국내 소재 기관 |
| 휴직기간 | 최초 계약기간은 1년의 범위 내에서 하되, 총 2년의 범위에서 연장 가능(총 3년까지 가능) |

O·X 정답 1. ○

# 제 4 절 우리나라의 공직분류

## 01 국가공무원과 지방공무원 – 임용주체에 따른 분류

### 1. 의 의

중앙정부(국가)가 임용하는 공무원을 국가공무원이라 하고, 지방자치단체가 임용하는 공무원을 지방공무원이라고 한다.

### 2. 국가공무원과 지방공무원의 비교

| 구 분 | 국가공무원 | 지방공무원 |
|---|---|---|
| 법적 근거 | 「국가공무원법」, 「정부조직법」 | 「지방공무원법」, 「지방자치법」, 조례 |
| | 「국가공무원법」, 「지방공무원법」, 「지방자치법」의 추구 가치 : 민주성과 능률성 | |
| 임용권자 | • 5급 이상 : 대통령(3급 이하 장관에 위임)<br>• 6급 이하 : 소속 장관 또는 위임된 자 | 지방자치단체의 장 |
| 공직분류 | • 일반직 : 1~9급<br>• 고위공무원단 도입 | • 일반직 : 1~9급<br>• 고위공무원단 미도입 |
| 보수 재원 | 국비 | 지방비 |
| 기 타 | 「공직자윤리법」, 「공무원연금법」, 「공무원노조법」은 국가공무원 및 지방공무원 모두를 적용 대상으로 함. | |

### 3. 우리나라의 공직 구성

국가공무원(약 62%)이 지방공무원(약 36%)보다 그 수가 더 많으며, 국가공무원은 특정직 공무원이 가장 많은 비중을 차지하고 있다.

## 02 경력직과 특수경력직 – 실적주의 적용 여부에 따른 기준

### 1. 경력직 공무원

#### (1) 의 의

실적과 자격에 따라 임용되고 그 신분이 보장되며 평생 동안(근무기간을 정하여 임용하는 공무원의 경우에는 그 기간 동안) 공무원으로 근무할 것이 예정되어 있는 공무원을 말한다.

#### (2) 종 류

① 일반직 공무원

㉠ 의의 : 기술 · 연구 또는 행정 일반에 대한 업무를 담당하는 공무원을 말한다.

㉡ 구성 : ⓐ 행정 · 기술직, ⓑ 우정직, ⓒ 연구 · 지도직, ⓓ 일반직 공무원 중 특수업무 분야에 종사하는 공무원인 전문경력관이 이에 속한다.

㉢ 특징 : 일반직 공무원은 1급에서 9급까지의 계급으로 구분하며, 직군과 직렬별로 분류한다. 다만, 연구 · 지도직은 연구관 · 지도관과 연구사 · 지도사로 2계급으로 구분되며, 전문경력관은 계급 구분과 직군 · 직렬의 분류를 적용하지 아니한다. 또한 고위공무원단 소속 공무원은 계급 없이 직무등급으로 구분된다.

**O·X 문제**

1. 국가공무원과 지방공무원은 모두 인사관리에 적용하는 기본 법률이 동일하다. ( )
2. 국가공무원과 지방공무원은 모두 고위공무원단제도를 동일하게 시행하고 있다. ( )
3. 국가공무원과 지방공무원의 보수 재원은 모두 국비로 충당한다. ( )
4. 국가공무원과 지방공무원은 모두 임용권자가 대통령이나 소속 장관이다. ( )
5. 우리나라의 공무원은 지방공무원 수가 국가공무원 수보다 많다. ( )
6. 행정부 국가공무원 중에서는 일반직 공무원의 수가 가장 많다. ( )

O·X 정답 1. × 2. × 3. × 4. × 5. × 6. ×

PART · 05

**O·X 문제**

1. 실적주의 적용과 신분보장의 여부에 따라 경력직과 특수경력직 공무원으로 구분된다. ( )
2. 일반직 공무원은 경력직과 특수경력직으로 구분된다. ( )
3. 특정직 공무원은 직업공무원제의 적용을 받는다. ( )
4. 특정직 공무원의 계급도 일반직과 마찬가지로 9계급으로 되어 있다. ( )
5. 교육·소방·경찰공무원 및 법관, 검사, 군인 등 특수 분야의 업무를 담당하는 공무원은 특수경력직 중 특정직 공무원에 해당한다. ( )
6. 헌법재판소의 헌법연구관, 검사, 국가정보원의 직원은 특정직 공무원에 해당된다. ( )
7. 국세청장, 경찰청장, 검찰총장은 경력직 공무원에 해당한다. ( )

② 특정직 공무원

㉠ 의의: 담당업무가 특수하여 자격·신분보장·복무 등에서 특수성이 인정되는 공무원을 말한다.

㉡ 구성: ⓐ 법관·검사, ⓑ 외무공무원, ⓒ 경찰공무원(자치경찰 포함), ⓓ 소방공무원(지방소방사 포함), ⓔ 교육공무원(교육감 소속의 교육전문직원 포함), ⓕ 군인·군무원, ⓖ 헌법재판소 헌법연구관, ⓗ 국가정보원의 직원·경호공무원과 특수 분야의 업무를 담당하는 공무원으로서 다른 법률에서 특정직 공무원으로 지정하는 공무원이 이에 속한다(검찰총장, 경찰청장, 해양경찰청장, 고위공직자범죄수사처 처장과 차장 포함).

㉢ 특징: 특정직 공무원은 국가공무원 중 가장 많은 수를 차지하고 있다. 특정직 공무원은 특별법이 우선 적용되는 공무원으로 1급에서 9급까지의 계급으로 구분되는 일반직 공무원과 다른 계급으로 구분된다.

(3) 경력직 공무원의 확대

임기제 공무원은 경력직 공무원으로, 전문경력관은 경력직 공무원 중 일반직 공무원으로 전환되었다. 또한, 과거 별정직으로 지정되었던 시·도 선관위 상임위원(현재 임기제 공무원)과 감사원 사무차장도 경력직 공무원 중 일반직 공무원으로 분류된다.

## 2. 특수경력직 공무원

(1) 의 의

경력직 이외의 공무원으로 직업공무원제(신분보장)의 적용을 받지 않는 비직업공무원을 말한다. 「국가공무원법」에 규정된 보수·복무규율·징계 등을 적용받으며, 정치적 임용이 필요하거나 특수한 직무를 수행하도록 하기 위해 임용된다.

(2) 종 류

① 정무직 공무원

㉠ 의의: 선거로 취임하거나 임명할 때 국회의 동의가 필요한 공무원 또는 고도의 정책결정 업무를 담당하거나 이러한 업무를 보조하는 공무원으로서 법률이나 대통령령에서 정무직으로 지정하는 공무원을 말한다.

㉡ 구성: ⓐ 선거로 취임하는 공무원(대통령, 국회의원, 지방자치단체의 장, 지방의회 의원 등), ⓑ 국회의 임명동의를 요하는 공무원(국무총리, 감사원장, 헌법재판소장, 국회에서 선출하는 헌법재판관·중앙선거관리위원), ⓒ 고도의 정책결정업무를 담당 또는 보조하는 공무원[중앙정부의 장·차관, 청장, 처장, 국무조정실장 및 차장, 차관급상당 이상의 보수를 받는 비서관(대통령비서실장·정책실장 및 수석·보좌관, 안보실장, 경호처장, 국무총리비서실장, 대법원장비서실장, 국회의장비서실장), 감사원의 감사위원 및 사무총장, 국회사무총장 및 차장, 헌법재판소 재판관 및 사무처장·사무차장, 중앙선거관리위원회 상임위원 및 사무총장·차장, 국가인권위원회 위원장과 상임위원, 국가정보원장·차장·기획조정실장, 방송통신위원회 위원장 등]이 이에 속한다.

**O·X 문제**

8. 기술에 대한 업무를 담당하는 공무원은 별정직 공무원에 해당한다. ( )
9. 별정직 공무원은 특정직 공무원의 한 유형이다. ( )
10. 특수경력직 공무원은 경력직 공무원 이외의 공무원으로서 실적주의와 직업공무원제의 획일적인 적용을 받지는 않는다. ( )
11. 특수경력직 공무원은 특정직 공무원과 정무직 공무원으로 구성된다. ( )
12. 선거에 의해 취임하는 공무원은 특수경력직 중 정무직 공무원에 해당한다. ( )

O·X 정답 1. ○ 2. × 3. ○ 4. × 5. × 6. ○ 7. × 8. × 9. × 10. ○ 11. × 12. ○

㉢ **특징**: 대통령제 국가에서는 정무직 공무원의 임명과정과 절차를 엄격하게 규정하는 반면, 의원내각제 국가에서는 통제가 크지 않다. 우리나라는 일부 정무직 공무원 임명 시 국회인사청문회를 규정하고 있다.

② 별정직 공무원

㉠ **의의**: 비서관·비서 등 보좌업무 등을 수행하거나 특정한 업무 수행을 위하여 법령이나 조례에서 별정직으로 지정하는 공무원을 말한다.

㉡ **구성**: ⓐ 비서관·비서, ⓑ 장관정책보좌관·차관보, ⓒ 국회 수석전문위원, ⓓ 지방의회 전문위원, ⓔ 기타 법령에서 별정직으로 지정하는 공무원 등이 이에 속한다.

㉢ **특징**: 주로 공정성·기밀성이 요구되거나 특별한 신임을 요하는 직위에 임용되며, 징계·보수·능률·복무(정년 등) 등에 대해서는 일반직 공무원에 준하는 인사제도가 적용된다.

**O·X 문제**

1. 별정직 공무원의 근무상한연령은 65세이며, 일반임기제 공무원으로 채용할 수 있다. ( )
2. 국회 수석전문위원은 특수경력직 중 별정직 공무원에 해당한다. ( )
3. 지방의회 전문위원과 교육감 소속의 교육전문직원은 별정직 공무원에 해당한다. ( )

## 03 우리나라의 공직분류와 관련된 주요 제도

### 1. 임기제 공무원·시간선택제공무원·전문경력관

(1) 임기제 공무원

① **의의**: 전문지식·기술이 요구되거나 임용관리에 특수성이 요구되는 업무를 담당하게 하기 위하여 일정 기간을 정하여 임용하는 경력직 공무원을 말한다.

② 유 형

| 구분 | 내용 |
|---|---|
| 일반임기제 공무원 | 직제 등 법령에 규정된 경력직 공무원의 정원에 해당하는 직위에 임용되는 임기제 공무원(책임운영기관의 장 등) |
| 전문임기제 공무원 | 특정 분야에 대한 전문적 지식이나 기술 등이 요구되는 업무를 수행하기 위하여 임용되는 임기제 공무원 |
| 시간선택제 임기제공무원 | 통상적인 근무시간보다 짧은 시간(주당 15시간 이상 35시간 이하의 범위에서 임용권자 등이 정한 시간)을 근무하는 공무원으로 임용되는 일반임기제 또는 전문임기제공무원 |
| 한시임기제 공무원 | 휴가 또는 휴직 공무원의 업무를 대행하기 위하여 1년 6개월 이내의 기간 동안 임용되는 공무원으로서 통상적인 근무시간보다 짧은 시간을 근무하는 임기제 공무원 |

③ 운 영

㉠ **경력직 공무원**: 근무기간 동안 신분보장을 받는 경력직 공무원으로 분류된다.

㉡ **근무기간**: 5년의 범위에서 필요한 기간 동안 근무한다.

㉢ **신분보장**: 정해진 근무기간 동안 신분보장을 받는다(법에 정한 사유에 해당되지 않는 한 면직 불가능).

㉣ **징계**: 임기제 공무원은 징계의 종류로서 강등을 적용하지 아니한다.

**O·X 문제**

4. 임기제 공무원은 근무기간을 정하여 임용하는 특수경력직 공무원이다. ( )

PART·05

O·X 정답 1. × 2. ○ 3. × 4. ×

### (2) 시간선택제공무원

① 의의: 공무원의 통상적인 근무시간(주당 40시간, 일당 8시간)보다 짧게 근무하는 공무원을 말한다.

② 유 형

| 구분 | | 내용 |
|---|---|---|
| 시간선택제 채용공무원 | 의 의 | 통상적인 근무시간보다 짧은 시간을 근무하는 일반직 공무원(임기제 공무원 제외)으로 신규채용된 공무원 |
| | 근무시간 | 주당 15시간 이상 35시간 이하의 범위에서 임용권자 등이 정함. |
| | 특 징 | • 시험에 의해 원칙적으로 7급 이하로 채용(2014년부터 채용시험 실시)되며, 정년이 보장됨.<br>• 시간선택제채용공무원을 통상적인 근무시간 동안 근무하는 공무원으로 임용하는 경우에는 어떠한 우선권도 인정되지 않음(별도의 공개경쟁에 따른 신규채용절차를 다시 거쳐야 함). |
| 시간선택제 전환공무원 | 의 의 | 통상적인 근무시간 동안 근무하던 (전일제)공무원이 본인의 요구에 따라 통상적인 근무시간보다 짧은 시간을 근무하는 공무원(2010년 도입) |
| | 대 상 | • 일반직(임기제 포함), 별정직 공무원은 직위·계급 및 직무분야 등의 제한 없이 시간선택제 근무 신청 가능<br>• 시간선택제채용공무원, 시간선택제임기제공무원, 한시임기제공무원 제외 |
| | 근무시간 | 주당 15시간 이상 35시간 이하의 범위에서 소속장관이 정함. |
| 시간선택제 임기제 공무원 | 의 의 | 통상적인 근무시간보다 짧은 시간을 근무하는 공무원으로 임용되는 임기제 공무원 |
| | 종 류 | 시간선택제일반임기제공무원, 시간선택제전문임기제공무원 |
| | 근무시간 | 주당 15시간 이상 35시간 이하의 범위에서 임용권자 등이 정한 시간 |

**O·X 문제**

1. 시간선택제 근무는 통상적인 전일제 근무시간(주 40시간)보다 길거나 짧은 시간을 근무하는 제도이다. ( )
2. 시간선택제채용공무원의 주당 근무시간은 40시간으로 한다. ( )
3. 시간선택제채용공무원을 통상적인 근무시간 동안 근무하는 공무원으로 임용하는 경우 어떠한 우선권도 인정하지 않는다. ( )

### (3) 전문경력관

① 의의: 계급 구분과 직군 및 직렬의 분류를 적용하지 아니하는 특수 업무 분야에 종사하는 공무원을 말한다. 전문경력관은 별정직 중 전문성이 요구되는 직위를 일반직으로 전환하면서 신설한 직위이다(예 외래간호전문경력관 등).

② 운 영

㉠ 지정: 소속 장관은 해당 기관의 일반직 공무원 직위 중 순환보직이 곤란하거나 장기 재직 등이 필요한 특수 업무 분야의 직위를 전문경력관 직위로 지정할 수 있다.

㉡ 직위구분: 전문경력관 직위의 군은 직무의 특성·난이도 및 직무에 요구되는 숙련도 등에 따라 가군(일반직 5급 이상에 해당), 나군 및 다군으로 구분한다.

㉢ 신규채용: 전문경력관은 경력경쟁채용시험 등으로 채용한다.

㉣ 전직: 임용권자는 일정한 경우에 전직시험을 거쳐 전문경력관을 다른 일반직 공무원으로 전직시키거나 다른 일반직 공무원을 전문경력관으로 전직시킬 수 있다.

㉤ 전보: 임용권자는 일정한 경우에 전문경력관을 직무분야가 동일한 다른 전문경력관 직위로 전보할 수 있다.

㉥ 징계 및 신분보장: 전문경력관은 정년까지 신분이 보장되며, 징계의 종류로서 강등은 적용되지 아니한다.

**O·X 문제**

4. 전문경력관이란 직무 분야가 특수한 직위에 임용되는 일반직 공무원을 말한다. ( )
5. 소속 장관은 해당 기관의 일반직공무원 직위 중 순환보직이 곤란하거나 장기 재직 등이 필요한 특수 업무 분야의 직위를 전문경력관직위로 지정할 수 있다. ( )
6. 전문경력관은 일반직 공무원과 마찬가지로 계급 구분과 직군 및 직렬의 분류를 적용한다. ( )
7. 전문경력관 직위의 군은 직무의 특성·난이도 및 직무에 요구되는 숙련도 등에 따라 구분한다. ( )
8. 전직시험을 거쳐 다른 일반직공무원을 전문경력관으로 전직시킬 수 있으나, 전문경력관을 다른 일반직 공무원으로 전직시킬 수는 없다. ( )

O·X 정답 | 1. × 2. × 3. ○ 4. ○ 5. ○ 6. × 7. ○ 8. ×

(4) 임기제 공무원과 전문경력관의 비교

| 구 분 | 임기제 공무원 | 전문경력관 |
| --- | --- | --- |
| 공직 분류 | 경력직 공무원 | 경력직 공무원 중 일반직 공무원 |
| 지정요건 | 전문지식 · 기술이 요구되거나 임용관리에 특수성이 요구되는 업무 | 순환보직이 곤란하거나 장기 재직 등이 필요한 특수 업무 분야의 직위 |
| 시 험 | 경력경쟁채용시험에 의함. | |
| 근무기간 | 5년 이내 | 제한 없음. |
| 신분보장 | 근무기간 동안 신분보장 | 정년까지 신분보장 |
| 구 분 | 일반, 전문, 시간선택제, 한시 | 가군, 나군, 다군 |
| 계급, 직군 · 직렬 | 있음. | 없음. |
| 징 계 | 징계의 종류로서 강등을 적용하지 아니함. | |

## 2. 국회의 인사청문

(1) 의 의

고위 공직자의 적격성 여부를 국회 차원에서 사전에 검증하여 공직 임명과정에서 민주성을 확보하기 위한 제도이다.

(2) 인사청문대상 공직자

① 인사청문특별위원회의 인사청문대상자

㉠ 「헌법」에 따라 그 임명에 국회의 동의가 필요한 대법원장 · 헌법재판소장 · 국무총리 · 감사원장 및 대법관(대통령당선인이 인사청문의 실시를 요청한 국무총리 후보자 포함)

㉡ 「헌법」에 따라 국회에서 선출하는 헌법재판소 재판관 및 중앙선거관리위원회 위원

② 소관 상임위원회의 인사청문대상자

㉠ 대통령이나 대법원장이 각각 임명 또는 지명하는 헌법재판소 재판관 · 중앙선거관리위원회 위원

㉡ 모든 국무위원(대통령당선인이 지명하는 국무위원 후보자 포함)

㉢ 방송통신위원회 위원장, 국가정보원장, 공정거래위원회 위원장, 금융위원회 위원장, 국가인권위원회 위원장, 고위공직자범죄수사처장, 국세청장, 검찰총장, 경찰청장, 합동참모의장, 한국은행 총재, 특별감찰관 또는 한국방송공사 사장의 후보자

(3) 인사청문의 내용 및 절차

① 방식: 임명동의안 등에 대한 심사 또는 인사청문은 인사청문회를 열어 공직후보자를 출석하게 하여 질의를 행하고 답변과 의견을 청취하는 방식으로 하며, 원칙적으로 공개한다.

② 임명동의안 등의 회부 등: 국회의장은 임명동의안 등이 제출된 때에는 즉시 본회의에 보고하고 위원회에 회부하며, 그 심사 또는 인사청문이 끝난 후 본회의에 부의하거나 위원장으로 하여금 본회의에 보고하도록 한다.

심화학습

인사청문특별위원회의 구성

① 인사청문특별위원회는 임명동의안 등이 국회에 제출된 때에 구성된 것으로 본다.
② 인사청문특별위원회의 위원정수는 13인으로 한다.
③ 인사청문특별위원회는 임명동의안 등이 본회의에서 의결될 때 또는 인사청문경과가 본회의에 보고될 때까지 존속한다.

**O·X 문제**

1. 인사청문회는 원칙적으로 국회윤리특별위원회에서 실시한다. ( )
2. 「헌법」에서 임명에 국회의 동의를 얻도록 정하고 있는 사람들은 인사청문특별위원회의 인사청문을 거쳐야 한다. ( )
3. 소관 상임위원회 인사청문에서 상임위원회가 경과보고서를 채택하지 않는 경우에, 대통령이 후보자를 임명하는 것을 실정법으로 막을 수 있다. ( )

③ **위원장의 보고 등**: 위원장은 위원회에서 심사 또는 인사청문을 마친 임명동의안 등에 대한 위원회의 심사경과 또는 인사청문경과를 본회의에 보고한다. 국회의장은 공직후보자에 대한 인사청문경과가 본회의에 보고되면 지체 없이 인사청문경과보고서를 대통령·대통령당선인 또는 대법원장에게 송부하여야 한다.

④ **청문기간**: 국회는 임명동의안 등이 제출된 날부터 20일 이내에 그 심사 또는 인사청문을 마쳐야 한다(위원회는 임명동의안 등이 회부된 날부터 15일 이내에 인사청문회를 마치되, 인사청문회의 기간은 3일 이내로 함).

(4) 인사청문 결정의 구속력

국회의 인사청문은 법률적 성격보다는 정치적 성격이 강하며, 국회인사청문회의 심사경과보고서 또는 인사청문경과보고서의 내용은 법적 구속력이 없다. 따라서 소관 상임위원회가 인사청문경과보고서 등을 채택하지 않는다 하더라도 대통령은 후보자를 임명할 수 있다. 다만, 「헌법」에서 그 임명에 국회의 동의를 요하도록 하는 공직자(인사청문특별위원회 인사청문대상자)가 국회의 본회의에서 동의를 얻지 못한 경우 대통령은 임명할 수 없다.

## 04 고위공무원단제도

### 1. 의 의

(1) 개 념

정부의 주요 정책 및 관리에 있어서 핵심적 역할을 담당하는 국가의 고위공무원을 중·하위직 공무원과 구분하여 범정부적 차원에서 통합 관리하는 개방과 경쟁 및 직무와 성과 중심의 공직분류제도이다.

(2) 도입 및 발전

고위공무원단제도는 미국 카터 행정부에서 1978년 「공무원제도개혁법」에 의해 최초로 도입한 이후 영국, 호주, 캐나다 등 OECD 선진 국가들이 도입하였으며, 우리나라도 노무현 정부(2006)에서부터 도입하여 실시하고 있다.

(3) 핵심 요소

고위공무원단제도의 운영방식은 각 나라마다 차이가 있지만 고위공무원의 범정부적 통합관리, 개방과 경쟁, 성과와 책임, 능력발전, 신분보다 일 중심의 인사관리 등을 통해 정부의 경쟁력을 높이고자 하는 점은 공통적이다.

**O·X 문제**

4. 미국에서는 고위공무원단제도를 카터 행정부 시기인 1978년에 「공무원제도개혁법」 개정으로 도입하였다. ( )
5. 우리나라의 경우 김대중 정부 출범 이후인 1998년에 고위공무원단제도를 처음 도입·시행하였다. ( )
6. 고위공무원단제도는 역량 중심의 인사관리, 계급 중심의 인사관리, 성과와 책임 중심의 인사관리, 개방과 경쟁 중심의 인사관리 등을 특징으로 한다. ( )

### 2. 우리나라 고위공무원단제도

(1) 고위공무원단의 구성

① **법적 의미**: 직무의 곤란성과 책임도가 높은 실·국장급 직위에 임용되어 재직 중이거나 파견·휴직 등으로 인사관리되고 있는 일반직·별정직 및 특정직 공무원(특정직 공무원은 외무공무원만 해당)의 군을 말한다(현재 1,500여 명).

O·X 정답 | 1. × 2. ○ 3. × 4. ○ 5. × 6. ×

② 대상직위

㉠ 중앙행정기관의 실·국장급 및 이에 상당하는 보좌기관(본부장, 단장, 부장, 팀장, 심의관 등)

㉡ 행정부 각급 기관(감사원은 제외)의 직위 중 실·국장급 직위에 상당하는 직위(각급 위원회의 위원장·상임위원, 사무처장 등)

㉢ 국가공무원으로 보하는 지방자치단체 및 지방교육행정기관의 직위 중 실·국장급 직위에 상당하는 직위(도와 광역시의 부시장·부지사 및 기획관리실장, 교육청의 부교육감 등)

㉣ 그 밖에 다른 법령에서 고위공무원단에 속하는 공무원으로 임용할 수 있도록 정한 직위

③ 정리사항

㉠ 감사원 공무원과 지방공무원은 고위공무원단에 소속되지 않는다. 다만, 지방에서 근무하는 국가직 고위공무원은 고위공무원단에 소속된다.

㉡ 현재 고위공무원단 직위에 재직 중인 자뿐만 아니라 고위공무원단 직위에 재직 중 파견·휴직 등의 사유에 있는 자도 포함된다.

(2) 고위공무원단으로의 진입

① **고위공무원단 후보자**: 고위공무원 후보자 교육과정을 마치고 역량평가를 통과한 사람으로서 3급 공무원, 4급 공무원 중 해당 계급에서 5년 이상 재직한 사람, 연구관·지도관으로서 7년 이상 재직한 사람, 고위공무원단 직위 등에 일반직 국가공무원으로 재직한 사람 등은 고위공무원단 후보자가 된다.

② 임 용

㉠ 임용권자 또는 임용제청권자는 고위공무원단에 속하는 공무원의 채용 또는 고위공무원단 직위로 승진임용하고자 하는 경우 임용대상자를 선정하여 고위공무원임용심사위원회의 심사를 거쳐 임용 또는 임용제청하여야 한다.

㉡ 고위공무원단에 속하는 일반직 공무원은 소속 장관의 제청으로 인사혁신처장과 협의를 거친 후에 국무총리를 거쳐 대통령이 임용하되, 고위공무원단에 속하는 일반직 공무원의 경우 소속 장관은 해당 기관에 소속되지 아니한 공무원에 대하여도 임용제청할 수 있다.

③ **고위공무원임용심사위원회**: 고위공무원단에 속하는 공무원의 채용과 고위공무원단 직위로의 승진임용, 고위공무원으로서 적격여부 등을 심사하기 위하여 인사혁신처에 고위공무원임용심사위원회를 둔다. 위원회는 위원장을 포함하여 5명 이상 9명 이하의 위원으로 구성하며, 위원장은 인사혁신처장이 된다.

(3) 인사관리

① **소속과 인사권**: 고위공무원은 인사혁신처에서 관리하고 운영하는 '고위공무원단 소속 공무원'이 되어 범정부적 통합관리의 대상이 된다. 소속 장관은 고위공무원의 소속 기관에 구애되지 않고 적임자를 임용제청할 수 있으며, 각 부처에 배치된 고위공무원은 소속 장관이 인사권과 복무감독권을 행사한다.

**O·X 문제**

1. 고위공무원단은 중앙행정기관과 지방자치단체의 실장·국장 및 이에 상당하는 보좌기관에 임용되어 재직 중이거나 파견·휴직 등으로 인사관리되고 있는 국가공무원과 지방공무원을 말한다. ( )

2. 고위공무원단의 대상은 일반직 공무원이며 별정직 공무원은 그 대상에서 제외된다. ( )

3. 고위공무원단으로 관리되는 풀에는 일반직 공무원뿐만 아니라 외무공무원도 포함된다. ( )

4. 「국가공무원법」상 고위공무원단은 감사원 공무원과 지방공무원을 포함한다. ( )

5. 광역시의 행정부시장과 도의 행정부지사는 고위공무원단에 포함되지 않는다. ( )

6. 고위공무원단에 진입하기 위해서는 소정의 교육과정을 이수한 후 역량평가를 통과해야 한다. ( )

7. 고위공무원단에 속하는 모든 일반직 공무원의 신규채용 임용권은 각 부처의 장관이 가진다. ( )

**심화학습**

**구체적인 진입 과정**

| | |
|---|---|
| 일반직 | 소속 장관은 보통승진심사위원회의 선발과 고위공무원임용심사위원회의 승진심사를 거쳐 임용제청하여야 한다. |
| 연구직·지도직 | 소속 장관은 보통승진심사위원회를 거쳐 인사혁신처장과 협의하여 임용제청하여야 한다. |
| 임기제 공무원 | 경력경쟁채용(면접시험, 서류전형)하며, 개방형 직위에 민간인이 선발·임용된 경우에는 교육과정이나 역량평가의 단계 없이 고위공무원단으로 진입된 것으로 본다. |

O·X 정답 1. × 2. × 3. ○ 4. × 5. × 6. ○ 7. ×

**O·X 문제**

1. 고위공무원단에 속하는 일반직 공무원의 경우 소속 장관은 해당 기관에 소속되지 아니한 공무원에 대하여 임용제청을 할 수 없다. ( )
2. 고위공무원단은 계급제가 아닌 직무등급제를 기반으로 운영된다. ( )
3. 고위공무원단의 구성은 소속 장관별로 개방형 직위 30%, 공모직위 20%, 기관자율직위 50%로 이루어져 있다. ( )
4. 고위공무원단의 자율직위에는 타 부처 공무원을 임용제청할 수 없다. ( )
5. 고위공무원단제도는 성과목표, 평가기준 등에 대해 계약하고 그 성과를 평가하는 직무성과계약제가 시행된다. ( )
6. 고위공무원단제도는 원칙적으로 직무성과급적 연봉제를 적용한다. ( )
7. 고위공무원단에 속하는 일반직 공무원으로 근무성적평정에서 총 2년 이상 최하위 등급의 평정을 받아 적격심사를 요구받은 자에 대해서는 직위를 부여하지 아니할 수 있다. ( )
8. 고위공무원단 소속 공무원은 적격심사에서 부적격 결정을 받은 경우에 한해서만 직권면직이 가능하므로 제도 도입 전보다 신분보장이 강화되었다. ( )

O·X 정답 1. × 2. ○ 3. × 4. × 5. ○ 6. ○ 7. ○ 8. ×

② **정원관리방식 – 계급 없이 직무등급과 직위 중심**: 계급(관리관, 이사관 등)이 폐지되고 직위의 직무 값에 따라 부여되는 2개의 직무등급(가급, 나급)을 기준으로 합리적인 보수지급과 인사관리가 이루어진다(2009년 5등급에서 2등급으로 변경).

③ **충원 – 개방형 직위(20%), 공모직위(30%), 자율직위**: 개방형 직위는 소속 장관별로 고위공무원단 직위 총수의 20% 범위에서, 공모직위는 소속 장관별로 경력직 공무원으로 보할 수 있는 고위공무원단 직위 총수의 30% 범위에서 지정할 수 있다. 또한 자율직위는 기관장의 자율적 판단에 의하며, 다른 기관 출신을 임용제청할 수 있다.

④ **최소보임기간**: 고위공무원의 전문성을 제고하고 능력을 충분히 발휘할 수 있도록 특정 직위에 임용된 경우 최소한 2년 동안 해당 직위에 재직해야 한다.

⑤ **근무성적평정 – 성과계약 등 평가**: 4급 이상 공무원에게 적용되는 '성과계약 등 평가'에 의하며, 개인의 성과목표달성도 등 객관적 지표에 따라 5개 등급(매우 우수, 우수, 보통, 미흡, 매우 미흡)으로 평가하되, 부처별로 최상위 등급의 인원비율은 20% 이내로, 하위 2개 등급의 인원비율은 10% 이상으로 하여야 한다.

⑥ **보수 – 직무성과급적 연봉제**: 기본연봉(기준급과 직무급)과 성과연봉을 결합한 보수체계인 직무성과급적 연봉제가 지급된다. 직무성과급적 연봉제는 고위공무원의 성과와 보수의 연계성을 강화하기 위해 직무급(직무의 곤란성 및 책임성의 정도 반영)의 최대 차이보다 성과연봉(전년도 업무실적의 평가결과 반영)의 최대 차이가 보다 크게 설계되어 있다.

⑦ **검증시스템 – 적격성 심사제**

㉠ **의의**: 고위공무원단에 속하는 일반직 공무원은 특정 사유에 해당하는 경우 고위공무원으로서 적격한지 여부에 대한 심사를 받아야 한다.

㉡ **적격성 심사 대상**

ⓐ 근무성적평정에서 최하위 등급의 평정을 총 2년 이상 받은 때

ⓑ 정당한 사유 없이 직위를 부여받지 못한 기간이 총 1년에 이른 때

ⓒ 근무성적평정에서 최하위 등급을 1년 이상 받은 사실이 있고 정당한 사유 없이 6개월 이상 직위를 부여받지 못한 사실이 있는 때

ⓓ 조건부 적격자가 교육훈련을 이수하지 아니하거나 연구과제를 수행하지 아니한 때

㉢ **실시 기관**: 인사혁신처 소속 고위공무원임용심사위원회에서 실시한다.

㉣ **과정**: 소속 장관은 소속 공무원이 적격심사의 대상 사유에 해당하면 지체 없이 인사혁신처장에게 적격심사를 요구하여야 한다. 적격심사를 요구받은 자에 대해서는 직위를 부여하지 않을 수 있으며, 적격심사는 대상사유에 해당하게 된 때부터 6개월 이내에 실시하여야 한다.

㉤ **결과**: 적격심사는 근무성적, 능력 및 자질의 평정에 따르되, 고위공무원의 직무를 계속 수행하게 하는 것이 곤란하다고 판단되는 사람을 부적격자로 결정한다. 다만, 교육훈련 또는 연구과제 등을 통하여 근무성적 및 능력의 향상이 기대되는 사람은 조건부 적격자로 결정할 수 있다. 임용권자는 부적격자에 대하여 직권으로 면직시킬 수 있다.

⑧ **정년 및 신분보장**: 고위공무원단 소속 공무원의 정년은 60세이며, 정치적 중립과 신분보장 규정이 적용된다. 다만, 가급 고위공무원은 「국가공무원법」상 신분보장 규정의 적용을 받지 못한다.

### (4) 고위공무원단제도 도입 전 · 후 비교

| 구 분 | 도입 전 | 도입 후 |
|---|---|---|
| 소 속 | 각 부처 | 고위공무원단 |
| 인사기준 | 계급제 | 직무등급제(가급, 나급) |
| 임 용 | 부처 내 폐쇄적 임용 | 부처 내 · 외 개방적 임용 |
| 성과관리 | 연공서열 위주의 형식적 관리 | 엄격한 성과관리(직무성과계약 등) |
| 보 수 | 계급제적 연봉제 | 직무성과급적 연봉제 |
| 능력평가 | 주관적 · 추상적 평가 | 역량평가제 |
| 교육훈련 | 획일적 교육 | 맞춤식 교육(action learning) |
| 검 증 | 주관적인 인사심사 | 인사심사 + 적격성심사 |
| 신분관리 | **안정적 · 온정적 신분보장**: 성과와 역량이 미달하여도 특별한 문제가 없으면 직위 유지 | **엄격한 인사관리**: 성과와 역량이 일정수준에 계속 미달하면 신분상 불이익 부과 |

## 3. 효용과 한계

| 효 용 | 한 계 |
|---|---|
| • **성과관리 운영기반의 확립**: 연공서열이 아닌 능력 중심의 인사관리<br>• **인사운영의 융통성 제고**: 부처 간 인사교류의 활성화로 인사침체 완화<br>• **관료정치 극복 및 민주정치 증대**: 인사권자의 인사상 재량범위를 확대하여 강력한 정책 추진력 확보<br>• **고위공무원의 전략적 육성**: 정치적 대응성과 전문적 업무수행능력을 모두 구비한 고급공무원 양성<br>• **계급구조의 타파**: 신분 · 지위지향적인 자세에서 역할지향적인 자세로 전환<br>• **임용의 개방화 제고**: 우수 공무원 확보<br>• **기타**: 성과계약 등을 통한 고위공무원의 책임성 강화, 직무성과급제를 통한 우수 공무원의 처우 개선 등 | • **행정의 분절화 현상**: 고위직은 정치논리(고위공무원단)로, 하위직은 기업논리(공무원노조)로 운영<br>• **엽관인사의 가능성 증대**: 정치적 임용의 확대로 공무원의 직무수행의 자율성 손상<br>• **신분보장 완화**: 신분불안으로 인한 직업공무원제의 약화 및 공무원의 사기 저하<br>• **전문성 저해**: 부처 간의 자유로운 이동으로 직무수행의 경험에서 축적되는 전문성 저해<br>• **기타**: 개방형 임용제와 직위공모제에 의해 임용된 고위공무원의 업무 장악력 저하, 개방형 임용제 등의 활용으로 인한 과장급 이하 공무원의 승진적체 현상, 특정 부처 출신 공직자들의 편중임용 현상 등 |

**O·X 문제**

1. 고위공무원단은 직업공무원제도와 다른 제도로서 정년이 보장되지 않는다. ( )

**O·X 문제**

2. 고위공무원단의 도입목적은 고위직의 개방 확대 및 경쟁 촉진, 신분중심의 인사관리 강화, 고위직 책임성 확대 등이다. ( )

3. 우리나라 고위공무원단제도는 직업공무원제도를 강화하는 측면이 있다. ( )

4. 고위공무원단은 국정의 전문성과 업무추진의 효율성 차원에서 정책과정에서 일어날 수 있는 갈등가능성을 방지할 수 있다. ( )

5. 고위공무원단제도는 엽관제적 특성이 반영되어 있다. ( )

O·X 정답 **1. × 2. × 3. × 4. ○ 5. ○**

PART · 05

### 4. 미국과 영국의 고위공무원단

(1) 미국 – SES(Senior Executive Service)

① 도입: 하위직은 직위분류제를 통해 전문가로 양성하고, 상위직은 고위공무원단을 통해 일반행정가로 양성하여 행정의 전문성과 일반성을 적절히 조화하고자 하는 목적에서 카터(Carter) 정부에서 도입(1978)하였다.

② 우리나라의 고위공무원단과 비교

| 미 국 | 우리나라 |
|---|---|
| 직위분류제에 계급제적 요소 가미<br>(직무개념을 포기하고 계급개념 도입) | 계급제에 직위분류제적 요소 가미<br>(계급개념을 포기하고 직무개념 도입) |
| 전문행정가에 일반행정가적 요소 가미 | 일반행정가에 전문행정가적 요소 가미<br>(현장형 학습, 역량평가 등 도입) |
| 신분보장 강화(SES에서 해임되어도 고위공무원단 이외의 직위에 임용) | 적격성 심사제를 통한 신분보장 완화 |
| 직무급에서 직무성과급제로 전환 | 연공급에서 직무성과급제로 전환 |

(2) 영국 – SCS(Senior Civil Service)

계급제 중심의 공직제도가 폐쇄적이고 전문성이 약한 문제를 극복하기 위해 계급제(직업공무원제)에 직위분류제적 요소를 가미한 형태로 메이저(Major) 정부에서 도입(1996)하였다.

**O·X 문제**

1. 미국이 고위공무원단(SES)제도를 도입한 배경에는 직위분류제가 지니는 폐쇄성을 극복하고, 고위관리자들의 시각을 넓히려는 의도가 있었다. ( )

2. 우리나라의 고위공무원단제도 도입 배경에는 계급제 틀과 연공서열의 관행을 벗어나 개방과 경쟁을 통해 임용하고 성과관리를 강화하려는 의도가 있었다. ( )

3. 고위공무원단은 전(全)정부적으로 통합 관리되는 공무원 집단으로 계급제나 직위분류제적 제약이 약화되어 인사 운영의 융통성이 강화된다. ( )

O·X 정답 1. ○ 2. ○ 3. ○

CHAPTER 02

# 인적자원의 전략적 관리

## 제 1 절 인사행정기구

### 01 중앙인사기관의 의의

#### 1. 개 념

정부의 인사기능을 담당하고 인사정책을 수립하며 그 집행을 총괄하는 인사관리기관을 말한다. 역사적으로 중앙인사기관은 엽관주의의 영향을 차단하고 실적주의를 확립하는 과정에서 인사행정의 통일성이 요구되면서 출현하였다.

#### 2. 설립 목적

| 소극적 · 방어적 목적(전통적 목적) | 적극적 목적(현대적 목적) |
|---|---|
| • 엽관주의(정실주의)의 정치적 폐해 방지<br>• 자의적인 인력운영 배제<br>• 인사행정의 공정성과 중립성 확보<br>• 인사행정의 범정부적 통일성 확보<br>• 인사행정에 대한 각종 세력집단 요구의 정당한 반영 및 각종 세력집단의 지원확보 | • 국가 최고 책임자에게 국정관리를 위한 효율적인 수단 제공<br>• 인사행정의 전문화와 과학화를 통한 능률성 · 효과성 제고<br>• 인사행정의 범정부적 통일성 확보<br>• 정부 인사정책의 변화와 혁신 추구 |

#### 3. 중앙인사기관의 기능

(1) 전통적 기능

① **준입법 기능**: 의회에서 제정한 법률의 범위 내에서 인사행정 전반에 관한 명령과 규칙을 제정하는 기능

② **준사법 기능**: 공무원의 권익을 보장하기 위한 기능(미국의 실적제보호위원회, 한국의 소청심사위원회)

③ **집행기능**: 인사행정에 관한 구체적 사무(임용 · 인사이동 · 교육훈련 · 근평 · 보수 · 연금 · 신분보장 등)를 인사 법령에 따라 수행하는 기능

(2) 현대적 기능

① **감사기능**: 각 행정기관의 인사행정을 통제하고 지도하는 기능(인사행정이 분권화되어 있는 경우에 중시되는 기능)

② **보좌기능(권고 · 지원 기능)**: 행정수반의 인사관리를 지원하는 기능(중앙인사기관의 조직 형태가 비독립단독형인 경우 본질적 기능)

③ **중재기능**: 효율성을 중시하는 부처 기관장과 공정성을 중시하는 부처 인사기관 간의 갈등을 중재하는 기능

O·X 문제

1. 소청심사 등 준사법 기능은 중앙인사기관의 기능으로 볼 수 없다. ( )

O·X 정답 1. ×

## 02 중앙인사기관의 조직 형태

### 1. 구조적 특성

과거 엽관주의의 폐해를 극복하고 실적주의를 확립하는 과정에서 제도화된 중앙인사기관은 독립성 · 합의성 · 집권성의 구조를 지니고 있었다. 그러나 최근에는 중앙인사기관의 행정수반에 대한 관리도구성(지원기능)이 강조됨에 따라 비독립성, 단독성, 분권성의 구조가 강조되는 추세이다.

### 2. 중앙인사기관의 유형

(1) 독립합의형(위원회형)

① 의의: 엽관주의의 폐해를 방지하고 인사행정의 정치적 중립성을 보장하기 위하여 행정부로부터 독립된 위원회 형태를 지닌 인사기관을 말한다.

중앙인사기관의 유형

| 구 분 | 합의성 | 단독성 |
|---|---|---|
| 독립성 | 독립합의형 | 절충형 |
| 비독립성 | 절충형 | 비독립단독형 |

② 특 징

㉠ **행정수반으로부터의 독립**: 행정수반으로부터 독립된 지위를 가지며, 의사결정은 여러 위원들에 의하여 이루어진다.

㉡ **정치적 중립**: 정치적 중립을 보장하기 위해 정당의 추천 인사 또는 초당적 인사로 위원회를 구성하고 위원들의 임기를 엄격히 보장한다.

③ 장 · 단점

| 특 성 | 장 점 | 단 점 |
|---|---|---|
| 독립성 | • 엽관주의 압력 배제<br>• 행정부패와 무질서 방지<br>• 정치적 중립성 확보<br>• 인사권자의 전횡 방지 | • 인사행정의 막료기능적 성격과 충돌<br>• 책임한계 불분명 및 인사통제 곤란<br>• 행정수반의 강력한 정책추진 곤란 |
| 집권성 | • 실적주의 확립에 기여<br>• 인사행정의 통일성 확보<br>• 통합적인 조정 및 인사통제 | • 각 부처 기관장의 사기 저하<br>• 적극적 인사행정 곤란<br>• 인사행정의 경직화 |
| 합의성 | • 인사행정의 신중성 · 중립성 · 공정성 · 계속성 확보<br>• 다양한 요구를 균형 있게 수용 | • 책임소재 불명확<br>• 신속한 결정 곤란<br>• 타협적 의사결정 |

④ **예**: 1883년부터 1978년까지 존속했던 미국 연방인사위원회, 1978년 미국 「연방공무원개혁법」에 의하여 설립된 실적제보호위원회(MSPB), 일본의 인사원 등이 있다.

(2) 비독립단독형(집행부형, 종속단독형)

① 의의: 행정수반에 의하여 임명된 한 사람의 기관장에 의해 관리되는 인사기관을 말한다. 현재 많은 국가들은 비독립단독형의 중앙인사기관을 설치하여 운영하고 있다.

② 특 징

㉠ **행정부에 소속**: 행정수반이나 내각의 지시를 받는다.

㉡ **인사행정에 대한 책임**: 최종적으로 한 사람의 기관장이 진다.

O·X 문제

1. 독립합의형은 엽관주의를 배제하고 실적제를 발전시키는 데 유리하지만, 책임소재가 불분명해질 수 있다는 단점이 있다. ( )

2. 독립합의형은 인사행정의 정치적 중립을 보장하여 실적제를 발전시키는 데 유리하다. ( )

3. 독립합의형은 인사행정에 대한 이익집단의 요구를 균형 있게 수용할 수 있다. ( )

4. 독립합의형 인사기관은 인사행정의 공정성 확보가 용이하다는 장점이 있다. ( )

5. 독립합의형은 입법부, 일반 국민 및 행정부와의 관계를 원만하게 유지할 수 있으므로 행정수반이 자신의 정책을 강력히 추진하는 데 도움이 된다. ( )

O·X 정답 1. ○ 2. ○ 3. ○ 4. ○ 5. ×

③ 장·단점

| 특 성 | 장 점 | 단 점 |
|---|---|---|
| 비독립성 | • 행정수반의 강력한 정책추진<br>• 책임한계 명확<br>• 인사통제 용이 | • 인사행정의 정실화 우려<br>• 인사권자의 독선적·자의적 결정<br>• 정치적 중립성 확보 곤란 |
| 분권성 | • 적극적 인사행정<br>• 인사행정의 융통성 | • 인사행정의 통일성 확보 곤란<br>• 통합적인 조정 곤란 |
| 단독성 | • 책임소재 명확<br>• 신속한 의사결정 | • 인사행정의 신중성·중립성 저해<br>• 인사행정의 계속성·연속성 저해 |

④ 예: 한국의 인사혁신처, 미국의 인사관리처(OPM), 영국의 내각사무처 소속의 공무원 장관실, 일본의 총무성 인사·은사국 등이 있다.

(3) 절충형

절충형으로는 독립단독형과 비독립합의형이 있다. 독립단독형은 역사상 유례를 찾기 어렵다. 다만, 비독립합의형의 경우 과거 국민의 정부 시절 중앙인사위원회와 소청심사위원회, 현재 미국의 연방노사관계청 등이 대표적인 예이다.

(4) 복수형

국가의 실정과 인사기능의 성격에 따라 중앙인사기관을 복수로 설치하여 적절히 인사기능을 분담하여 수행토록 하는 방식이다. 특히, 미국은 비독립단독형의 인사관리처, 독립합의형의 실적제보호위원회, 비독립합의형의 연방노사관계청을 두고 있다.

## 03 각국의 중앙인사기관

### 1. 미국의 중앙인사기관

| 구분 | 내용 |
|---|---|
| 「펜들턴법」 이전 | • 인사기능이 각 부처에 분산되어 엽관주의가 행해진 시기<br>• **추구가치**: 인사행정의 민주성 확립 |
| 「펜들턴법」 이후 (1883~1978) | • 인사기능이 집권화되어 실적주의를 확립한 시기<br>• **추구가치**: 인사행정의 중립성·공정성 확립<br>• **형태**: 독립성·합의성·집권성을 지닌 독립합의형의 인사기관<br>• **설치목적**: 엽관주의의 폐단과 인사상의 정치적 압력 배제 |
| 「연방공무원 개혁법」 이후 (1978년 이후) | • 인사기관을 복수화하여 행정수반의 인사관리 권한의 확대와 인사행정의 중립성을 모두 향상시킨 시기<br>• **추구가치**: 인사행정의 능률성·대응성·공무원의 권익보호 |
| | • **인사관리처(OPS) – 비독립단독형**: 인사행정 일반 담당(① 최고관리자에게 인사행정에 대해 조언하는 막료적 기능, ② 각 부처 인사기관에 대한 기술적 지원 및 감사기능)<br>• **실적제보호위원회(MSPB) – 독립합의형**: 연방공무원 권익보호 및 실적제 보호(공무원의 소청 처리)<br>• **연방노사관계청(FLRA) – 비독립합의형**: 연방공무원 노동권 보호, 연방공무원의 노사관계 감독 및 노사관계에 관한 정책형성 |

**O·X 문제**

1. 비독립단독형은 집행부 형태로 인사행정의 책임이 분명하고 신속한 의사결정을 가능하게 해주지만, 인사행정의 정실화를 막기 어렵다. ( )
2. 비독립단독형은 정치권력의 부당한 개입을 막아 정치적 중립성과 공직의 안정성을 확보할 수 있다. ( )
3. 현재 우리나라의 중앙인사기관은 인사에 대한 의사결정이 신속하고, 책임소재의 명확화가 가능한 유형이다. ( )
4. 현재 우리나라의 중앙인사기관은 행정수반의 적극적인 지원을 받고 있어 인사상의 공정성 확보가 용이하다. ( )
5. 비독립단독형은 위원회형에 비해 인사행정의 계속성을 더 보장한다. ( )
6. 독립단독형은 독립합의형과 비독립단독형의 절충적 성격을 가진 형태로서 대표적인 예는 미국의 인사관리처나 영국의 공무원 장관실 등이다. ( )

PART·05

**심화학습**

기타 국가의 중앙인사기관

| 국가 | 중앙인사기관 |
|---|---|
| 일본 | • **인사원**(독립합의형): 정부로부터 강한 독립성을 부여받은 합의제 행정기관<br>• **총무청 인사국**(비독립단독형): 총리대신이 관할하는 단독제 행정기관 |
| 프랑스 | • **인사행정처**(비독립단독형): 수상 직속의 중앙인사기관<br>• **각 부처의 인사기관**: 구체적인 인사집행기능 |

O·X 정답 1. ○ 2. × 3. ○ 4. × 5. × 6. ×

**O·X 문제**

1. 영국의 내각사무처는 비독립단독형 인사기관 형태를 채택하고 있다. ( )

**O·X 문제**

2. 「국가공무원법」상 중앙인사관장기관으로는 감사원사무총장, 법원행정처장, 헌법재판소사무처장, 국회사무총장 등이 있다. ( )

**심화학습**

**우리나라 중앙인사기관의 변천**

① 고시위원회와 총무처(1984)
② 국무원 사무국(1955)
③ 국무원 사무처(1960)와 내각 사무처(1961)
④ 총무처(1963~1998)
⑤ 행정자치부(1998)
⑥ 행정자치부와 중앙인사위원회의 이원화(1999)
⑦ 중앙인사위원회(2004)
⑧ 행정안전부(2008) – 중앙인사위원회 폐지·흡수
⑨ 안전행정부(2013)
⑩ 인사혁신처(2014)

O·X 정답 1. ○ 2. ×

### 2. 영국의 중앙인사기관

영국의 중앙인사기관은 재무부를 중심으로 분화와 합병, 그리고 재분화와 병합의 과정을 거치면서 오늘에 이르고 있다. 현재 영국 중앙정부의 인사행정은 내각사무처 소속의 공무원장관실에서 비독립단독형의 형태로 운영되고 있다.

## 04 우리나라의 인사기관

### 1. 중앙인사관장기관

국회는 국회사무총장, 법원은 법원행정처장, 헌법재판소는 헌법재판소사무처장, 선거관리위원회는 중앙선거관리위원회사무총장, 행정부는 인사혁신처장(차관급 정무직 공무원으로 대통령이 임명)이 관장하며, 비독립단독형의 형태를 지닌다.

### 2. 중앙인사관장기관의 기능

(1) 인사관리 총괄

중앙인사관장기관의 장은 각 기관의 균형적인 인사 운영을 도모하고 인력의 효율적인 활용과 능력 개발을 위하여 법령으로 정하는 바에 따라 인사관리에 관한 총괄적인 사항을 관장한다.

(2) 초과현원의 총괄관리

중앙인사관장기관의 장은 조직의 개편 등으로 현원이 정원을 초과하는 경우 또는 행정기관별로 고위공무원단에 속하는 공무원의 현원이 정원을 초과하는 경우에는 그 초과된 현원을 총괄하여 관리할 수 있다.

(3) 인사법령 관리

행정부 내 각급 기관은 공무원의 임용·인재개발·보수 등 인사 관계 법령의 제정 또는 개폐 시에는 인사혁신처장과 협의해야 한다.

(4) 위법·부당한 인사행정 신고 및 인사에 대한 감사

누구든지 위법 또는 부당한 인사행정 운영이 발생하였거나 발생할 우려가 있다고 인정되는 경우에는 인사혁신처장에게 신고할 수 있으며, 인사혁신처장은 대통령령으로 정하는 바에 따라 행정기관의 인사행정 운영의 적정 여부를 정기 또는 수시로 감사할 수 있다.

### 3. 인사혁신처의 주요 조직과 기능

(1) 고위공무원임용심사위원회

고위공무원단에 속하는 공무원의 채용과 고위공무원단 직위로의 승진임용, 고위공무원으로서 적격한지 여부 및 그 밖에 고위공무원 임용 제도와 관련하여 대통령령으로 정하는 사항을 심사하기 위해 인사혁신처에 고위공무원임용심사위원회(위원장: 인사혁신처장, 위원: 위원장을 포함하여 5명 이상 9명 이하의 위원으로 구성)를 둔다.

(2) 소청심사위원회

① 의의: 공무원의 징계처분, 그 밖에 그 의사에 반하는 불리한 처분이나 부작위에 대한 소청을 심사·결정하게 하기 위하여 소청심사위원회를 둔다.

② 설 치

㉠ 행정기관 소속 공무원의 소청을 담당하기 위하여 인사혁신처에 소청심사위원회를 둔다.

㉡ 국회·법원·헌법재판소·선거관리위원회 소속 공무원에 대한 소청을 담당하기 위하여 국회사무처·법원행정처·헌법재판소사무처·중앙선거관리위원회사무처에 각각 해당 소청심사위원회를 둔다.

㉢ 지방자치단체 소속 공무원의 소청을 담당하기 위하여 시·도별로 지방소청심사위원회를 둔다.

③ 구 성

㉠ 인사혁신처에 설치된 소청심사위원회는 위원장 1명을 포함한 5명 이상 7명 이하의 상임위원과 상임위원 수의 2분의 1 이상인 비상임위원으로 구성하되, 위원장은 정무직으로 보한다. 위원장 및 위원은 인사혁신처장의 제청으로 대통령이 임명한다.

㉡ 소청심사위원회의 상임위원은 다른 직무를 겸할 수 없으며, 임기는 3년으로 하고, 한 번만 연임할 수 있다.

㉢ 「국가공무원법」에 따른 공무원의 결격사유에 해당하는 자, 「정당법」에 따른 정당의 당원, 「공직선거법」에 따라 실시하는 선거에 후보자로 등록된 자는 소청심사위원회의 위원이 될 수 없다.

④ 심사대상

㉠ 일반직 공무원을 대상으로 하며, 다른 법률로 정하는 바에 따라 특정직 공무원의 소청을 심사·결정할 수 있다.

㉡ 특정직 공무원 중 교원은 「교원의 지위 향상 및 교육활동 보호를 위한 특별법」에 의해 교육부에 별도의 교원소청심사위원회를 두며, 검사는 다른 법률로 소청에 대한 규정을 정하지 아니하여 소청제도가 인정되지 않는다.

㉢ 특수경력직은 신분보장이 되지 않기 때문에 소청심사청구가 인정되지 않는다.

⑤ **결정**: 소청 사건의 결정은 재적 위원 3분의 2 이상의 출석과 출석 위원 과반수의 합의에 따르되, 의견이 나뉘어 출석 위원 과반수의 합의에 이르지 못하였을 때에는 과반수에 이를 때까지 소청인에게 가장 불리한 의견에 차례로 유리한 의견을 더하여 그중 가장 유리한 의견을 합의된 의견으로 본다.

⑥ **결정의 효력 등**: 소청심사위원회의 결정은 처분 행정청을 기속하며, 행정소송은 소청심사위원회의 심사·결정을 거치지 아니하면 제기할 수 없다.

⑦ 주요 특징

㉠ 소청심사위원회가 소청 사건을 심사할 때에는 소청인 또는 대리인에게 진술 기회를 주어야 하며, 진술 기회를 주지 아니한 결정은 무효로 한다.

㉡ 소청심사위원회가 소청을 심사하는 경우 원징계처분보다 무거운 징계 또는 원징계부가금 부과처분보다 무거운 징계부가금을 부과하는 결정을 하지 못한다.

㉢ 근무성적평정의 결과나 승진탈락은 소청의 대상이 되지 않는다.

㉣ 중앙고충처리기능도 소청심사위원회가 담당한다.

**O·X 문제**

1. 소청심사위원회는 행정안전부 소속으로 행정기관 소속 공무원의 징계처분에 관한 사무를 관장한다. ( )
2. 소청심사위원회는 공무원의 징계, 그 밖에 그 의사에 반하는 불리한 처분이나 부작위에 대한 소청을 심사 결정하기 위한 합의제기관으로 재결기능을 갖는다. ( )
3. 지방소청심사위원회는 기초자치단체별로 설치되어 있다. ( )
4. 면직 처분에 대하여는 소청심사를 청구할 수 있으나 승진탈락에 대하여는 청구할 수 없다. ( )
5. 강임과 면직은 소청심사 대상이나 휴직과 전보는 심사대상에 해당되지 않는다. ( )
6. 모든 국가 및 지방 공무원은 소청심사를 통해 공무원 징계처분에 대한 이의제기권을 보장받는다. ( )
7. 검찰청 소속 검사의 소청은 인사혁신처의 소청심사위원회에서 담당한다. ( )
8. 소청심사위원회에서 소청 사건의 결정은 재적 위원 과반수 이상의 출석과 출석 위원 과반수의 합의에 의한다. ( )
9. 소청심사위원회의 결정은 원징계부가금 부과처분보다 무거운 징계부가금을 부과하는 결정을 하지 못한다. ( )
10. 소청심사위원회의 결정은 처분 행정청을 기속한다. ( )
11. 중앙선거관리위원회사무처는 별도의 소청심사위원회를 두지 않는다. ( )

O·X 정답 1. × 2. ○ 3. × 4. ○ 5. × 6. × 7. × 8. × 9. ○ 10. ○ 11. ×

PART · 05

# 제 2 절 임용 관리

## 01 임용의 의의와 인력관리계획

### 1. 개 념

임용이란 공무원 관계의 발생, 변동, 소멸에 이르는 일련의 과정을 총칭하는 개념으로 외부임용(신규채용)뿐만 아니라 내부임용(전직 · 전보 · 승진 · 강임 등)과 퇴직임용(파면 · 해임 · 퇴직 등)까지를 포괄하는 개념이다.

### 2. 유 형

| 구분 | 유형 | 내용 |
|---|---|---|
| 외부임용 | 공개경쟁채용 | 자격 있는 모든 사람들에게 지원 기회를 부여하고 경쟁시험을 통하여 임용후보자를 선발 |
| | 경력경쟁채용<br>(특별채용) | 공개경쟁채용이 적당하지 않거나 곤란한 경우 경쟁을 제한하여 별도의 선발기준을 거쳐 임용후보자를 선발(제한경쟁) |
| 내부임용 | 수평적 이동 | 전직 · 전보 · 파견 · 겸임 |
| | 수직적 이동 | 승진 · 강임 |
| 퇴직임용 | 자발적 퇴직 | 의원면직 · 명예퇴직 |
| | 강제적 퇴직 | 당연퇴직 · 직권면직 · 징계면직 |

### 3. 임용의 원칙

(1) 공무원의 임용은 시험성적 · 근무성적, 그 밖의 능력의 실증에 따라 행한다. 다만, 국가기관의 장은 대통령령 등으로 정하는 바에 따라 장애인 · 이공계전공자 · 저소득층 등에 대한 채용 · 승진 · 전보 등 인사관리상의 우대와 실질적인 양성 평등을 구현하기 위한 적극적인 정책을 실시할 수 있다(「국가공무원법」 제26조).

(2) 국가기관의 장은 소속 공무원을 임용할 때 합리적인 이유 없이 성별, 종교 또는 사회적 신분 등을 이유로 차별해서는 아니 된다(「국가공무원법」 제26조의6).

### 4. 인력관리계획

(1) 의 의

부처별 비전 및 전략목표에 따라 현재 보유인력의 수준과 미래 요구수준 간 차이 분석을 토대로 조직 내 인적자본을 적재 · 적소 · 적시에 확보 · 활용하기 위해 수립하는 전략적인 중장기 계획을 말한다.

(2) 특 징

① **전략적 인적자원관리**: 조직의 비전과 목표를 달성하기 위한 우수인재를 적시에 확보하고자 하는 전략적 인적자원관리의 한 부분이다.

② **장기적 · 체계적 계획**: 단순 결원보충이 아닌, 충원 · 교육 · 보직관리 등이 연계된 장기적 · 체계적 계획이다.

(3) 과 정

① **인력 수요의 측정**: 조직목표 달성을 위한 필요 인력을 각 부문 및 유형별로 구분하고, 직급과 기능에 따라 인력 수요를 구체화한다.

② **기존 인력의 분석**: 현재 조직이 보유하고 있는 인력의 수준을 양적·질적 측면에서 기술한다.

③ **대응계획의 수립**: 조직의 인력 수요와 기존 인력 분석 결과의 차이를 측정하여 그 차이에 따른 대응방안을 마련한다.

(4) 우리나라의 인력관리계획(「공무원임용령」 제8조)

① 소속 장관은 조직목표의 달성에 필요한 효율적인 인적자원 관리를 위해 소속 공무원의 채용·승진·배치 및 경력개발 등이 포함된 인력관리계획을 수립해야 한다.

② 인사혁신처장은 각 기관의 균형적인 인사 운영과 효율적인 인력 활용을 위해 필요한 때에는 인력관리계획의 일부 또는 전부를 제출받아 이를 지원·조정 및 평가할 수 있으며, 제출받은 인력관리계획을 토대로 정부 전체적인 연간 충원계획을 수립한다.

## 02 외부임용(신규채용)

### 1. 의 의

(1) 개 념

정부조직 외부에서 인재를 모집·선발해 충원하는 활동을 말한다. 외부임용에는 공개경쟁채용과 경력경쟁채용이 있다.

(2) 유 형

① 공개경쟁채용

㉠ **의의**: 자격 있는 모든 자들에게 평등하게 지원기회를 부여하고 경쟁시험을 통하여 임용 후보자를 선발하는 제도이다. 공개경쟁채용제도는 실적주의 인사제도 확립의 기준이 된다.

㉡ **요건**: 적절한 공고, 지원기회의 개방, 현실적 자격요건 설정, 차별금지, 능력에 의한 선발, 결과의 공개 등

㉢ **절차**: 인력관리계획의 수립 ⇨ 모집 ⇨ 시험 ⇨ 채용후보자명부 작성 ⇨ 임용추천 ⇨ 시보임용 ⇨ 임용 및 보직

② 경력경쟁채용

㉠ **의의**: 공개경쟁시험에 의해 채용이 부적당하거나 곤란한 경우 경력 등 응시요건을 정하여 시험을 거쳐 공무원을 채용하는 제도이다(제한경쟁). 경력경쟁채용시험에는 같은 사유에 해당하는 다수인을 대상으로 경쟁의 방법으로 채용하는 '경력경쟁채용시험'과 다수인을 대상으로 하지 아니하는 '비다수인대상채용시험'이 있다.

㉡ **원칙**: 직제와 정원의 개폐 또는 예산의 감소 등에 따라 폐직 또는 과원이 되어 퇴직한 자를 우선 채용한다.

㉢ **장점**: 특별한 자격요건을 갖춘 인재 확보, 필요 인력의 융통성 있는 확보, 복잡하고 유동적인 환경에 대응, 적극적 인사행정의 방안 등

㉣ **단점**: 기회균등의 원칙 훼손, 정실임용의 가능성 증대 등

**심화학습**

**전자인사관리시스템(e-사람)**

| 의의 | 각 중앙행정기관의 인사업무를 지원하는 '표준인사관리시스템'과 인사혁신처의 인사정책 및 인사업무처리를 돕는 '중앙인사정책지원시스템'을 연계한 전체시스템 | |
|---|---|---|
| 구성 | 표준인사관리시스템 | 중앙행정기관 인사 관련 자료를 데이터베이스화하여 관리하고, 인사 담당자 및 공무원들의 인사 업무를 효과적으로 처리하는 시스템 |
| | 중앙인사정책지원시스템 | 중앙인사관장기관에서 정책업무를 수행하고, 현황분석 및 통계자료를 제공하여 과학적이고 합리적인 인사정책을 수립할 수 있도록 지원하는 시스템 |

**심화학습**

**경력경쟁채용의 대상**

① 퇴직자의 재임용
② 직무에 관한 자격증 소지자
③ 임용예정 직급·직위와 같은 직급·직위에서의 근무경력 등이 일정 기간 이상인 자
④ 1급 공무원 또는 가급 고위공무원의 직위에 일반직 공무원을 임용하는 경우
⑤ 특수한 직무분야·환경 또는 특수한 지역에 근무할 자
⑥ 지방공무원을 그 직급·직위에 해당하는 국가공무원으로 임용하는 경우 등

## 2. 모 집

### (1) 의 의

모집이란 공직 희망자에게 채용 및 공직에 대한 정보를 제공함으로써 공직에 지원하도록 유도하는 활동을 말한다. 모집의 과정은 지원으로 끝나며 이후에는 시험의 과정이 시작된다.

### (2) 유 형

① **소극적 모집**: 공직에서 부적격자를 제거하는 데 초점을 둔 전통적 활동(실적주의)
② **적극적 모집**: 유능한 인력을 공직에 유치하기 위한 능동적 활동(적극적 인사행정)

### (3) 적극적 모집

① **의의**: 유능한 젊은 인재들이 공직에 지원하도록 적극적으로 여러 가지 요인을 제공하는 것을 말한다.
② **대두배경**: 서구에서 제2차 세계대전 후 완전 고용에 가까운 경기 호황을 맞아 공직에 유능한 인재를 확보하는 것이 곤란해지면서 유능한 인재를 적극적으로 유인하기 위하여 대두되었다. 다만, 우리나라는 현재까지도 공직에 대한 사회적 평가가 높아 적극적 모집의 필요성이 적다.
③ 방 안
㉠ 공직에 대한 사회적 평가의 향상 및 처우 개선
㉡ 장·단기 인력계획 수립 및 시험의 정기적 실시
㉢ 특별채용의 합리적인 확대
㉣ 응시절차 및 수험준비절차의 간소화(시험과목의 축소 등)
㉤ 모집공고의 개선 등 적극적 홍보
㉥ 인적자원의 개척 및 수습·위탁교육제도의 활용
㉦ 지원자격의 완화 및 기회균등
㉧ 채용활동에 대한 사후평가와 환류 강화
㉨ 인력양성기관과의 연계 강화
④ 우리나라의 제도
㉠ **국가인재 데이터베이스(DB)**: 정부의 주요 직위 인선 시 전문 지식과 경험을 갖춘 적합한 인재를 발굴·임용하기 위해 사회 각 분야 전문가의 인물정보를 수집하고 관리하는 국가인물정보시스템
㉡ **정부 헤드헌팅**: 정부의 경쟁력 제고를 위해 개방형 직위 등에서 필요로 하는 최고수준 민간 전문가를 인사혁신처가 직접 발굴·추천하는 맞춤형 인재발굴서비스(공모 중심 채용에서 전략적 인재발굴의 적극적 채용으로의 변화)
㉢ **국민추천제**: 참신한 인재발굴을 목적으로 국민이 직접 참여하여 공직후보자를 추천하는 국민참여형 선진인사시스템
㉣ **공직박람회**: 공직에 대한 이해를 도모하고 우수인력을 유치하기 위해 공직에 관심있는 국민들에게 공직채용 전반에 대한 실질적 정보를 종합적·체계적으로 제공하는 서비스

### (4) 모집 대상자의 자격요건

모집 대상자의 자격요건에는 연령, 국적, 학력, 경력, 거주지, 성별 등의 형식적·소극적 요건과 지식, 기술, 가치관 등의 적극적·실질적 요건이 있다.

① **국적**: 원칙상 한국 국적이어야 한다. 다만, 국가안보 및 보안·기밀에 관계되는 분야를 제외하고 대통령령 등으로 정하는 바에 따라 외국인을 공무원으로 임용할 수 있다.

② **학력**: 원칙상 학력제한이 없다. 다만, 경력경쟁채용의 경우 제한적으로 활용되고 있다.

③ **연령**: 과거에는 엄격한 연령제한 규정이 있었으나, 2009년 이후 모든 공무원시험 응시 상한 연령 제한을 폐지하였다.

④ **경력**: 경력경쟁채용 시 중요한 기준이 되고 있다.

⑤ **거주지**: 국가공무원의 지역별 모집, 지방공무원 채용시험을 제외하고 원칙상 제한이 없다.

⑥ **성별**: 원칙상 성별제한이 없다. 다만, 비공식적인 성차별 관행을 타파하고 여성 공무원의 채용을 확대하기 위해 양성평등채용목표제가 시행되고 있다.

⑦ **기타 우대 조건**: 법령에 따른 일정 자격을 취득한 자, 의사상자⁺의 가족, 국가유공자와 가족 등에 대한 가산점 부과 등이 있다.

### (5) 임용결격사유(「국가공무원법」 제33조)

① 피성년후견인

② 파산선고를 받고 복권되지 아니한 자

③ 금고 이상의 실형을 선고받고 그 집행이 끝나거나 집행이 면제된 날부터 5년이 지나지 아니한 자

④ 금고 이상의 형의 집행유예를 선고받고 그 유예기간이 끝난 날부터 2년이 지나지 아니한 자

⑤ 금고 이상의 형의 선고유예⁺를 받은 경우에 그 선고유예 기간 중에 있는 자

⑥ 법원의 판결 또는 다른 법률에 따라 자격이 상실되거나 정지된 자

⑦ 공무원으로 재직기간 중 직무와 관련하여 「형법」 제355조(횡령, 배임) 및 제356조(업무상의 횡령과 배임)에 규정된 죄를 범한 자로서 300만원 이상의 벌금형을 선고받고 그 형이 확정된 후 2년이 지나지 아니한 자

⑧ 성폭력범죄, 스토킹 범죄, 음란한 영상 등의 배포·전시나 공포심·불안감 유발 영상을 반복적으로 상대방에게 도달하게 한 죄를 범한 사람으로서 100만원 이상의 벌금형을 선고받고 그 형이 확정된 후 3년이 지나지 아니한 사람

⑨ 미성년자에 대한 성폭력범죄, 아동·청소년대상 성범죄에 해당하는 죄를 저질러 파면·해임되거나 형 또는 치료감호를 선고받아 그 형 또는 치료감호가 확정된 사람

⑩ 징계로 파면처분을 받은 때로부터 5년이 지나지 아니한 자

⑪ 징계로 해임처분을 받은 때부터 3년이 지나지 아니한 자

## 3. 시 험

### (1) 의 의

수많은 지원자 중에서 직무수행능력을 갖춘 적격자를 선발하는 활동을 말한다. 시험은 민주성 측면에서 공직취임에의 기회균등을 실현하며, 능률성 측면에서 유능한 인재확보를 통한 정부업무의 효율성 향상을 가져온다.

**O·X 문제**

1. 국가기관의 장은 국가안보 및 보안·기밀에 관계되는 분야를 제외하고 대통령령 등으로 정하는 바에 따라 외국인을 공무원으로 임용할 수 있다. ( )

**심화학습**

**외국인과 복수국적자의 임용**

| | |
|---|---|
| 외국인의 임용 | 국가기관의 장은 국가안보 및 보안·기밀에 관계되는 분야를 제외하고 대통령령 등으로 정하는 바에 따라 외국인을 공무원으로 임용할 수 있다. |
| 복수 국적자의 임용 | 국가기관의 장은 국가의 존립과 「헌법」 기본질서의 유지를 위한 국가안보 분야, 내용이 누설되는 경우 국가의 이익을 해하게 되는 보안·기밀 분야, 외교·국가 간 이해관계와 관련된 정책결정 및 집행 등 복수국적자의 임용이 부적합한 분야로서 대통령령 등으로 정하는 분야에는 복수국적자의 임용을 제한할 수 있다. |

⁺ **의사상자**
자신의 직무와 관련없이 타인을 구하려다 부상을 당하거나 사망한 사람

⁺ **선고유예**
경미한 범죄에 대하여 일정한 기간 형(刑)의 선고를 유예하고, 그 유예기간을 사고 없이 지내면 형의 선고를 면하게 하는 제도

O·X 정답 1. ○

PART · 05

(2) 시험의 효용성

시험의 효용성이란 시험이 목적하는 바를 효율적으로 성취할 수 있는 정도를 말한다. 시험의 효용성은 타당도, 신뢰도, 객관도, 난이도, 실용도 등이 갖춰져야 확보될 수 있다.

① 타당도(validity): 시험이 측정하고자 하는 요소를 정확하게 측정하는 정도 또는 직무수행능력이 가장 우수한 자를 정확하게 식별하는 정도를 말한다.

**핵심정리 | 타당도의 종류**

**1. 기준타당도**(Criterion-related validity: 가장 일반적인 타당도 기준)

(1) **의의**: 시험이 직무수행능력을 얼마나 정확하게 측정하는가에 관한 기준이다. 시험성적과 근무성적을 비교하여 양자의 상관계수(상관관계)가 높을수록 기준타당도는 높다.

(2) **검증방법 – 시험성적과 근무성적의 비교**

① **예측적 타당성 검증**(추종법)

㉠ **개념**: 시험에 합격한 사람을 일정 기간 근무케 한 다음 그의 시험성적과 업무실적을 비교하여 양자의 상관관계를 확인하는 방법이다. 이 방법은 측정 시 시차가 발생한다는 점에서 추종법이라 불린다.

㉡ **장점**: 응시자집단 중 합격자를 대상으로 하기 때문에 측정의 정확성이 높다.

㉢ **단점**: 비용과 노력이 과다하게 소모되며, 시차가 발생하여 성장효과 및 오염효과가 야기될 수 있다.

② **현재적 타당성 검증**(동시적 타당도)

㉠ **개념**: 앞으로 사용하려고 입안한 시험을 재직 중에 있는 사람에게 실시한 다음 그들의 업무실적과 시험성적을 비교하여 그 상관관계를 확인하는 방법이다. 이 방법은 시험성적과 근무성적을 동시에 측정한다는 점에서 동시적 타당도라 불린다.

㉡ **장점**: 자료를 신속하게 확보할 수 있어 시간과 비용이 적게 소모된다.

㉢ **단점**: 응시자집단이 아닌 재직자집단을 대상으로 하므로 측정의 정확성이 낮다.

**2. 내용타당도**

(1) **의의**: 시험이 특정 직위에 필요한 능력이나 실적과 직결되는 실질적인 능력요소를 포괄적으로 측정하였는가에 관한 기준이다.

(2) **요건**: 내용타당도를 확보하려면 직무분석을 통해 선행적으로 실질적인 능력요소를 파악해야 한다.

(3) **내용타당도와 액면타당도**: 내용타당도는 직무에 정통한 전문가집단이 시험의 구체적 내용이나 항목이 직무의 성공적 임무 수행에 얼마나 적합한지를 판단하여 검증한다(관련 전문가들이 패널을 구성하는 등의 방법 활용). 반면 액면(안면)타당도는 내용타당도와 동의어로 사용되기도 하나 구별할 경우 관련 전문가가 아닌 일반인들이 상식에 근거하여 내용타당성을 분석한다.

(4) **검증방법 – 직무수행에 필요한 능력요소와 시험내용의 비교**: 운전면허시험에서 도로주행을 테스트하는 경우, 취재기자 선발시험에서 구체적인 기사 작성을 테스트하는 경우 등

**3. 구성(개념)타당도**(Construct validity: 해석적 타당도, 안출적 타당도)

(1) **의의**: 시험이 이론적(추상적) 능력요소를 얼마나 정확하게 측정할 수 있느냐에 관한 기준이다. 즉, 구성타당도는 구체적인 측정요소가 추상적 능력요소를 얼마나 잘 대변하는가의 문제이다.

(2) **요건**: 구성타당성을 확보하기 위해서는 추상성을 측정할 지표개발과 고도의 계량분석기법 및 행태과학적 조사가 필수적이다.

(3) **검증방법 – 이론적(추상적) 구성요소와 시험내용의 비교**

① **수렴적 타당성**: 같은 개념을 상이한 측정방법으로 측정했을 때, 그 측정값 사이의 상관관계의 정도를 말하며, 상관관계가 높을수록 수렴적 타당성이 높다.

② **차별적 타당성**: 서로 다른 개념을 측정하는 측정지표들 간의 상관관계의 정도를 말하며, 상관관계의 정도가 낮을수록 차별적 타당성이 높다.

(4) **평가**: 직무내용의 능력요소를 구체적으로 포착하기 어려운 고위직에 유용하나, 고도의 관념적 추론과정을 거치므로 오류가능성이 크다.

**O·X 문제**

1. 기준타당성은 하나의 측정도구를 이용하여 측정한 결과와 다른 기준을 적용하여 측정한 결과를 비교했을 때 도출된 연관성의 정도이다. ( )
2. 현직 공무원을 대상으로 시험을 실시한 결과 근무실적이 좋은 재직자가 시험성적도 좋았다면 그 시험은 예측적 타당성을 갖추었다고 할 수 있다. ( )
3. 내용타당성은 특정 직무를 성공적으로 수행하는 데에 필요한 지식, 기술, 태도 등 능력요소를 얼마나 정확하게 측정하느냐를 의미한다. ( )
4. 내용타당성은 직무에 정통한 전문가 집단이 시험의 구체적 내용이나 항목이 직무의 성공적 임무 수행에 얼마나 적합한지를 판단하여 검증하게 된다. ( )
5. 내용타당성을 확보하기 위해서는 전문가의 판단에만 의존하지 않고 계량분석기법인 행태과학적 조사를 통한 검증절차를 거쳐야 한다. ( )
6. 내용타당성을 확보하려면 직무분석이 무엇보다도 필수적이다. ( )
7. 구성타당성은 연구에서 이용된 이론적 구성개념과 이를 측정하는 측정 수단 간에 일치하는 정도를 의미한다. ( )
8. 지원자의 능력이라는 추상적인 개념을 공직적격성 테스트라는 측정도구가 적절하게 측정했는가를 의미하는 것이 구성타당성의 문제이다. ( )
9. 구성타당성이란 결과의 측정을 위한 도구가 반복적인 측정에서 얼마나 일관성 있는 결과를 얻을 수 있는가에 대한 타당성이다. ( )
10. 차별적 타당성은 서로 다른 이론적 구성개념을 나타내는 측정지표 간의 관계를 의미하며, 서로 다른 구성개념을 측정하는 지표 간의 상관관계가 낮을수록 차별적 타당성이 높다. ( )

O·X 정답 | 1. ○ 2. × 3. ○ 4. ○ 5. × 6. ○ 7. ○ 8. ○ 9. × 10. ○

② 신뢰도(reliability)

㉠ 의의: 측정 도구가 측정 대상을 일관성 있게 측정하는 정도를 말한다.

㉡ 측정방법

| 구 분 | | 내 용 |
|---|---|---|
| 시험을 두 차례 실시하는 방법 | 재시험법 | 동일한 시험을 동일한 대상 집단에게 시간 간격을 두고 2회 이상 실시하여 점수 간 일관성을 비교하는 방법(시험의 종적 일관성을 검증하는 방법) |
| | 동질이형법 (평행양식법) | 동일한 시험을 형식(가책형, 나책형)을 달리하여 두 번 시험을 치른 뒤 점수 간 일관성을 비교하는 방법[종적 일관성(시간)과 횡적 일관성(장소)을 모두 검증하는 방법] |
| 시험을 한차례 실시하는 방법 | 이분법 | 시험은 한 번 치르되 문제의 문항을 무작위로 배열한 후 문항을 두 부분(홀·짝)으로 나누어 점수 간의 상관관계를 조사하는 방법 |
| | 문항 간 일관성 검증 방법 | 시험의 모든 문항을 비교하여 그 성적의 상관관계를 살펴보는 방법(각 문항 간에 상관계수가 높으면 신뢰성이 높음) |

㉢ 제고방법: 신뢰도를 제고하기 위해서는 질문의 내용이 모호하지 않아야 하며, 채점의 객관도를 높이고 출제 문항 수를 늘려야 한다. 그리고 답안 작성 시간을 알맞게 주고 적절한 수험 환경을 조성해 주어야 한다.

**핵심정리 | 타당도와 신뢰도와의 관계**

1. **타당도와 신뢰도**
   타당도는 시험과 기준과의 관계(시험성적과 근무성적, 결근율, 이직률 등과의 관계)인 반면, 신뢰도는 시험 그 자체의 문제(시험성적 자체의 일관성)이다.
2. **타당도와 신뢰도의 관계**
   (1) **관계**: 신뢰도는 타당도의 충분조건이 아니라 필요조건이다. 따라서 신뢰도가 높다고 해서 타당도가 반드시 높은 것은 아니지만, 신뢰도가 낮으면 타당도는 반드시 낮다.
   (2) **구체적 관계**
   ① 타당도가 높으면 신뢰도가 높다(참).
   ② 신뢰도가 낮으면 타당도가 낮다(참).
   ③ 타당도가 낮으면 신뢰도가 낮다(거짓).
   ④ 신뢰도가 높으면 타당도가 높다(거짓).

③ 객관도(objectivity)

㉠ 의의: 시험 결과가 채점자의 주관적 편견이나 시험 외적 요인에 의하여 차이를 나타내지 않는 정도를 말한다. 주관식 시험보다 객관식 시험의 객관도가 높다. 객관도가 낮은 시험은 신뢰도가 높을 수 없기 때문에 객관도는 신뢰도의 필요조건이다.

㉡ 측정방법: 채점자가 하나의 시험을 시간 간격을 두고 두 차례 채점하여 그 결과를 비교하는 방법으로 측정할 수 있다.

㉢ 제고방법: 채점 기준을 표준화하고, 복수의 채점자가 채점해야 한다.

④ 난이도(difficulty): 시험이 어려운 정도를 말한다. 시험이 너무 어렵거나 쉬우면 수험생의 능력 차이를 제대로 식별해 주지 못하므로 시험은 적당히 어려워야 한다. 수험생들의 성적 분포가 종 모양의 정규 분포를 나타내면 난이도가 적정하다고 볼 수 있다.

⑤ 실용성(practicability): 시험은 경제적 측면에서 시험의 관리비용이 적게 들어야 하며, 시험관리의 측면에서 시험의 실시 및 채점이 용이해야 한다.

**O·X 문제**

1. 시험이 측정해 내는 결과의 일관성이 어느 정도인가에 관한 기준을 시험의 타당성이라 한다. ( )
2. 시험의 신뢰성을 검증하는 방법으로 재시험법, 동질이형법, 내적 일관성 검증 등이 있다. ( )
3. 신뢰성은 시험 그 자체의 문제이지만, 타당성은 시험과 기준과의 관계를 말한다. ( )
4. 시험의 신뢰성은 시험과 기준의 관계이며, 재시험법은 시험의 횡적 일관성을 조사하는 것이다. ( )
5. 신뢰성은 측정도구의 타당성을 담보할 수 있는 충분조건이다. ( )
6. 타당성은 없지만 신뢰성이 높은 측정도구가 있을 수 있다. ( )
7. 신뢰성이 없지만 타당성이 높은 측정도구는 있을 수 없다. ( )



**O·X 문제**

8. 시험문제가 지나치게 어려워 대부분 수험생들의 성적이 거의 60점 이하로 분포되어 우수한 사람과 열등한 사람을 구별하기가 어려웠다면 내용타당성이 낮다고 말할 수 있다. ( )
9. 시험의 객관성은 같은 채점자가 하나의 시험을 시간 간격을 두고 두 차례 채점하여 그 결과를 비교하는 방법으로 측정할 수 있다. ( )
10. 시험의 실용성이란 시험이 실제 직무수행능력을 측정할 수 있어야 한다는 것을 의미한다. ( )

O·X 정답 1. × 2. ○ 3. ○ 4. × 5. × 6. ○ 7. ○ 8. × 9. ○ 10. ×

(3) 시험의 종류 – 형식(방법)에 의한 분류

① **서류전형**: 응시자가 제출한 서류(지원서, 졸업증명서, 성적증명서 등)로 적격성을 가려내는 방법으로 비용이 적게 드나 평가자의 편견이 개입될 여지가 크다.

② **면접시험**: 수험자의 구술 능력으로 평가하는 방법으로 피평가자의 가치관이나 성격을 파악하기 용이하지만 평가자의 주관이 개입될 여지가 크다.

③ **필기시험**: 수험자에게 자유롭게 답안을 작성하도록 하거나, 문제에 대한 답을 선택하도록 하는 방법으로 평가의 객관성이 높고 관리가 용이하다.

④ **실기시험**: 직무 수행에 필요한 실제적인 기술과 능력을 평가하는 방법으로 타당도가 높으나 비용이 많이 든다.

심화학습

**「공무원임용시험령」상 면접시험**

면접시험은 해당 직무 수행에 필요한 능력 및 적격성을 검정하며, ① 공무원으로서의 정신자세, ② 전문지식과 그 응용능력, ③ 의사 표현의 정확성과 논리성, ④ 예의·품행 및 성실성, ⑤ 창의력·의지력 및 발전가능성의 모든 평정요소를 각각 상, 중, 하로 평정한다.

(4) 시험의 한계

시험은 성공가능성이 있는 사람을 식별해 주기보다는 부적격자를 가려내는 소극적 기능만을 수행한다는 한계를 지닌다.

## 4. 채용후보자명부 작성 및 추천

(1) 임용후보자명부에 등재

① **등록 및 등재**: 공개경쟁채용시험의 합격자는 시험 실시기관의 장(인사혁신처장)이 정하는 바에 따라 채용후보자 등록을 해야 하며, 등록하지 아니하면 임용될 의사가 없는 것으로 본다. 시험실시기관의 장은 이들의 등록을 받아 채용후보자 명부에 등재해야 한다.

② **명부의 유효기간 및 임용유예**: 명부의 유효기간은 2년으로 한다. 시험 실시기관의 장 또는 임용권자는 채용후보자 명부에 올라 있는 채용후보자가 일정한 사유에 해당하는 경우에는 채용후보자 명부의 유효기간의 범위에서 기간을 정하여 시험 실시기관의 장은 임용추천을, 임용권자는 임용을 유예할 수 있다.

(2) 추 천

① **추천**: 시험 실시기관의 장은 각 기관의 결원 수 및 예상 결원 수를 고려하여 채용후보자 명부에 올라 있는 채용후보자를 시험성적, 훈련성적, 전공분야, 경력 및 적성 등을 고려하여 임용권을 갖는 기관에 추천하여야 한다.

② **추천방법**: 단수추천제, 배수추천제, 덩어리추천제, 특별추천제(지정추천제), 전체추천제 등이 있다.

③ **우리나라**: 임용권자로부터 특별한 자격을 가진 자를 지정하여 추천해줄 것을 요구받지 않는 한 시험 실시기관의 장은 성적 순위에 따라 단수추천제에 의하여 후보자를 임용권자에게 추천한다(단수추천제와 특별추천제 채택). 한편 임용권자는 면접 및 서류심사를 거쳐 임용 여부를 결정한다. 다만, 5급 수습사무관에 대해서는 부처맞춤형 충원시스템이 활용되고 있다.

심화학습

**후보자 추천방법**

| 구분 | 내용 |
|---|---|
| 단수 추천제 | 성적순에 따라 결원된 인원의 숫자만큼 추천 |
| 배수 추천제 | 결원된 직위의 정해진 배수(3~7배수)를 추천 |
| 덩어리 추천제 | 채용후보자를 성적순에 따라 몇 개의 집단으로 구분하고 이들 집단 속에 소속된 후보자를 덩어리로 추천 |
| 특별 추천제 | 특별한 자격을 가진 자를 지정하여 추천 |
| 전체 추천제 | 전체 채용후보자를 추천 |

심화학습

**부처맞춤형 충원시스템**

수습사무관인 임용예정자가 자신이 원하는 부처를 정해 지원하면, 각 부처는 면접을 실시하고 이를 채점하여 임용 추천 순위 명부를 작성해 인사혁신처에 통보한다. 인사혁신처는 이를 기준으로 임용후보자를 부처에 배치한다.

## 5. 시보임용 및 임명 · 보직

### (1) 시보임용

① 의의: 임용권자는 추천된 임용후보자 가운데 적격자를 선발하여 일정한 기간 동안 시보공무원으로 임명한다. 시보기간은 후보자의 적격성 여부를 판정하는 선발 과정의 일부이며, 시보기간 중 부적격자로 판정받은 후보자는 정규공무원으로 임용되지 못한다.

② 목적: 선발 수단의 보완 목적(주된 목적)과 동시에 후보자에게 기초 적응 훈련을 제공하는 목적(부수적 목적)을 지닌다.

③ 우리나라: 5급 공무원을 신규채용하는 경우에는 1년, 6급 이하 공무원을 신규채용하는 경우에는 6개월을 시보기간으로 한다. 다만, 대통령령 등으로 정하는 경우에는 시보 임용을 면제하거나 그 기간을 단축할 수 있다.

④ 특 징

㉠ 시보기간의 근무성적 · 교육훈련성적과 공무원으로서의 자질을 고려하여 정규공무원으로 임용한다.

㉡ 시보임용 기간 중에 있는 공무원이 근무성적 · 교육훈련성적이 나쁘거나 「국가공무원법」 또는 이 법에 따른 명령을 위반하여 공무원으로서의 자질이 부족하다고 판단되는 경우에는 면직시키거나 면직을 제청할 수 있다.

㉢ 휴직한 기간, 직위해제 기간 및 징계에 따른 정직이나 감봉 처분을 받은 기간은 시보임용 기간에 넣어 계산하지 아니한다.

㉣ 시보공무원은 정규공무원과 같은 신분보장이 되지 않아 임명권자가 해임하더라도 소청 등의 구제수단이 없다고 보는 것이 학자들의 일반적인 시각이다.

### (2) 임명 및 보직

① 의의: 시보기간 중 근무성적이 양호한 경우 정규공무원으로 임명되고 초임보직을 부여받는다. 이때 임명은 특정인에게 공무원의 신분을 부여하는 신분 설정행위이며, 보직은 공무원을 일정한 직위에 배치하는 행정행위이다.

② 우리나라의 임명 및 보직

㉠ **5급 이상 공무원**: 행정기관 소속 5급 이상 공무원, 고위공무원단에 속하는 일반직 공무원, 전문경력관 가군은 원칙적으로 소속 장관의 제청으로 인사혁신처장과 협의를 거친 후에 국무총리를 거쳐 대통령이 임용한다. 다만, 대통령은 5급 이상 공무원에 대한 임용권의 일부를 소속 장관에게 위임할 수 있다. 현재 3~5급 공무원의 임용과 전문경력관 가군의 임용은 소속 장관에게 위임하고 있다.

㉡ **6급 이하 공무원**: 소속 장관은 6급 이하 소속 공무원에 대하여 일체의 임용권을 가진다.

**O·X 문제**

1. 시보제도는 초임자의 적응훈련을 주요 목적으로 하며, 주로 신규채용자를 대상으로 실시된다. ( )
2. 시보임용은 공무원으로서 적격성 여부를 판단하는 선발과정의 일부이다. ( )
3. 시보공무원은 일종의 교육훈련 과정으로 교육에만 전념할 수 있도록 정규공무원과 동일하게 공무원 신분을 보장한다. ( )
4. 신규 채용되는 공무원의 경우 시보임용을 면제하거나 그 기간을 단축할 수 없다. ( )

O·X 정답 1. ○ 2. ○ 3. × 4. ×

## 03 내부임용

### 1. 의 의

내부임용은 정부조직 안에서 사람을 움직여 쓰는 활동을 말한다. 내부임용에는 (1) 수직적 이동(승진 · 강임), (2) 수평적 이동(전직 · 전보 · 파견 · 겸임), (3) 해직과 복직(휴직 · 직위해제 · 정직 · 면직 · 해임 · 파면) 등이 있다.

### 2. 수직적 이동 – 승진

(1) 의 의

① **개념**: 하위직급에서 직무의 책임도와 곤란도가 높은 상위직급 또는 상위계급으로의 이동을 의미한다(종적 이동). 승진은 직무의 곤란도와 책임의 증대를 의미하며, 보수의 증액을 수반한다.

② **구별개념**: 승진은 동일한 등급 내에서 호봉만 올라가는 승급과 구분되며, 횡적 이동인 전직 · 전보와도 구별된다.

(2) 승진의 중요성

① **공무원의 사기앙양**: 공무원 개인의 성공에 대한 기대감 충족

② **유능한 인재의 확보**: 유능한 인재의 이직을 막아 관리자 양성에 유리

③ **공무원의 능력발전**: 곤란도가 높은 직무를 수행케 하여 능력발전 촉진

④ **직업공무원제 확립에 기여**: 공무원의 장기근무를 유도하여 직업공무원제 확립

(3) 승진의 한계

① **의의**: 직업공무원이 어느 계층까지 승진할 수 있는가에 대한 것이다.

② **승진한계가 높을 경우**

㉠ **장점**: 직업공무원의 사기앙양 및 전문성 증대

㉡ **단점**: 관료권력이 강화되어 민주통제 곤란

③ **각국의 제도**: 직업공무원제가 확립된 영국 · 독일 등은 승진한계가 높고, 직위분류제를 기반으로 하고 있는 미국은 승진한계가 낮은 편이다.

④ **우리나라**: 법제상 국장급까지 승진할 수 있으나, 공무원의 낮은 직업화 정도와 인사권자의 권한남용으로 실제로는 그보다 낮다.

(4) 승진경쟁의 범위

① **신규채용과의 관계 – 폐쇄형(승진임용)과 개방형(신규채용)**

㉠ **의의**: 폐쇄형은 정부조직 내부에서 승진임용하는 방법을, 개방형은 정부조직 내 · 외부에서 승진 또는 충원하는 방법을 말한다.

㉡ **우리나라**: 주로 폐쇄형(승진임용)에 의해 결원보충을 해왔으나, 최근 개방형 임용제 등의 도입으로 개방형이 제한적으로 활용되고 있다.

② **재직자 간 경쟁범위 – 비교류형(폐쇄주의)과 교류형(개방주의)**

㉠ **의의**: 폐쇄주의(비교류형)는 동일부처 내부의 구성원들만 경쟁케 하는 방법을, 개방주의(교류형)는 다른 부처의 공무원을 포함시켜 경쟁케 하는 방법을 말한다.

㉡ **우리나라**: 주로 폐쇄주의를 활용해 왔으나, 최근 직위공모제 등의 도입을 통해 개방주의를 제한적으로 활용하고 있다.

**O·X 문제**

1. 승진은 특정한 직책에 적합한 자를 선별해 내는 방법의 하나로 상위직으로 이동하여 종전보다 무거운 직책을 담당하게 되는 것을 의미한다. ( )

2. 승진과 승급 모두 보수의 증액을 수반하나, 승급은 동일 계급(직급) 내에서 보수만 증액된다는 점에서 승진과 차이가 있다. ( )

**심화학습**

승진한계를 결정하는 요인
① 직업공무원제의 발전 정도
② 고급공무원의 능력
③ 민주통제의 수준
④ 공무원의 채용정책
⑤ 공직의 분류방식
⑥ 개방형과 폐쇄형의 여부 등

**O·X 정답** 1. ○ 2. ○

(5) 승진의 기준

① 기준: 일반적으로 경력평정, 근무성적평정, 교육훈련성적, 시험성적 및 기타 능력의 입증을 기준으로 한다.

② 경 력

㉠ 개념: 근무연한·학력·직무경험 등을 기준으로 한다.

㉡ 장·단점

| 장 점 | 단 점 |
|---|---|
| • 승진 기준 중 가장 객관적인 방법<br>• 행정의 안정성 유지<br>• 승진제도 운영의 정실화 방지 | • 행정침체·관료주의화 야기<br>• 유능한 인재 등용 곤란<br>• 기관장의 재량권 축소로 부하통솔 곤란 |

③ 실 적

㉠ 개념: 근무성적평정·교육훈련성적·시험성적 등을 기준으로 한다.

㉡ 방법 – 주관적 평가방법과 객관적 평가방법

ⓐ **주관적 평가방법**: 근무성적평정, 승진심사위원회의 심사, 인사권자의 판단, 교육훈련성적 등이 있다. 이 방법은 행정침체를 방지하여 행정의 효율성 증진에 기여하나, 정실인사의 가능성이 높다는 한계를 지닌다.

ⓑ **객관적 평가방법**: 시험은 객관적 평가방법이다. 시험은 정실인사를 방지하여 승진의 공정성을 확보할 수 있고, 평가의 타당성이 높다. 반면, 장기근속자의 사기를 저하시키고, 승진대상자가 근무보다 시험공부에 주력하여 행정의 비효율성을 야기하며, 승진대상자에게 공부에 대한 정신적 부담을 초래한다는 단점이 있다.

(6) 우리나라 승진제도

① 일반승진임용

㉠ 기준: 근무성적평정·경력평정, 그 밖에 능력의 실증에 따른다.

㉡ **승진후보자명부의 평정점**: 임용권자는 근무성적평가 점수의 반영비율은 90%, 경력평정점의 반영비율은 10%로 하여 승진후보자 명부를 작성하되, 근무성적평가 점수의 반영비율은 95%까지 가산하여 반영할 수 있고, 경력평정점의 반영비율은 5%까지 감산하여 반영할 수 있다.

② 특별승진임용

㉠ 청렴하고 투철한 봉사정신으로 직무에 모든 힘을 다하여 공무 집행의 공정성을 유지하고 깨끗한 공직 사회를 구현하는 데에 다른 공무원의 귀감이 되는 자

㉡ 직무수행 능력이 탁월하여 행정 발전에 큰 공헌을 한 자

㉢ 제안의 채택·시행으로 국가 예산을 절감하는 등 행정 운영 발전에 뚜렷한 실적이 있는 자

㉣ 재직 중 공적이 특히 뚜렷한 자가 명예퇴직 할 때

㉤ 재직 중 공적이 특히 뚜렷한 자가 공무로 사망한 때

③ **승진소요최저연수**: 상위직급 승진에 필요한 최소한의 근무기간을 말한다. 일반직 공무원의 경우 9급은 1년 6개월 이상, 7·8급은 2년 이상, 6급은 3년 6개월 이상, 5급은 4년 이상, 4급은 3년 이상, 3급 이상은 제한이 없다.

심화학습

**계급별 승진임용**

① 1급~3급 및 고위공무원단 직위로의 승진임용은 능력과 경력 등을 고려하여 임용한다. 고위공무원으로의 승진심사는 고위공무원임용심사위원회가, 그 밖의 공무원의 승진심사는 각 임용권자 단위별로 구성된 보통승진심사위원회가 담당한다.

② 5급 공무원으로의 승진임용의 경우에는 승진시험을 거치도록 하되, 필요하다고 인정하면 대통령령 등으로 정하는 바에 따라 승진심사위원회의 심사를 거쳐 임용할 수 있다.

③ 6급 이하의 공무원으로의 승진임용의 경우 필요하다고 인정하면 대통령령 등으로 정하는 바에 따라 승진시험을 병용할 수 있다.

④ 승진임용의 제한
   ㉠ 징계처분 요구 또는 징계의결 요구, 징계처분, 직위해제, 휴직 또는 시보임용기간 중에 있는 경우
   ㉡ 징계처분의 집행이 끝난 날로부터 견책 6개월, 감봉 12개월, 강등·정직 18개월의 기간이 경과하지 아니한 자

⑤ 우리나라의 문제점: ㉠ 정실 개입, ㉡ 연공서열에 의한 승진, ㉢ 승진기회의 불균형, ㉣ 실제상 낮은 승진 한계와 승진적체 현상 등

⑥ 승진적체 해소를 위한 방안
   ㉠ **대우공무원제**: 임용권자 등이 소속 일반직 공무원 중 해당 계급에서 승진소요최저연수 이상 근무하고 승진임용의 제한 사유가 없으며 근무 실적이 우수한 사람을 바로 상위 직급의 대우공무원으로 선발할 수 있도록 하는 제도이다.
   ㉡ **필수실무관제**: 소속 장관이 6급 공무원인 대우공무원 중 해당 직급에서 계속하여 일하기를 희망하고 실무수행 능력이 우수하여 기관 운영에 특히 필요하다고 인정하는 사람을 필수실무관으로 지정하고 대신 수당을 지급하는 제도이다.
   ㉢ **복수직급제**: 동일수준의 직위에 계급이 다른 사람을 배치할 수 있도록 하는 제도이다. 우리나라는 3급 또는 4급의 복수직급(4급이 3급으로 승진하면서 보직은 과장 직위에 머무르는 경우)과 4급 또는 5급의 복수직급(5급이 4급으로 승진하면서 과장 직위를 받지 못하는 경우) 등이 있다.
   ㉣ **통합정원제**: 공무원 정원을 통합관리함으로써 직급별 정원에 구애됨이 없이 승진할 수 있도록 하는 제도이다. 우리나라는 일반직 6급 이하 공무원을 통합관리하고 있다.
   ㉤ **근속승진제**: 통합정원제를 전제로 하는 제도로 일정 기간 복무한 하위직 공무원을 자동 승진시키는 제도이다. 우리나라는 일반직 9급은 5년 6개월 이상, 8급은 7년 이상, 7급은 11년 이상 재직자 중 매년 1회 성과우수자 중 30%를 자동 승진하도록 하고 있다.

### 3. 수직적 이동 – 강임

**(1) 의 의**

같은 직렬 내에서 하위 직급에 임명하거나, 하위 직급이 없어 다른 직렬의 하위 직급으로 임명하거나, 고위공무원단에 속하는 일반직 공무원을 고위공무원단 직위가 아닌 하위 직위에 임명하는 것을 말한다.

**(2) 요 건**

임용권자는 직제 또는 정원의 변경이나 예산의 감소 등으로 직위가 폐직되거나 하위의 직위로 변경되어 과원이 된 경우 또는 본인이 동의한 경우에는 소속 공무원을 강임할 수 있다.

**(3) 향후 조치**

강임된 공무원은 상위 직급 또는 고위공무원단 직위에 결원이 생기면 우선 임용된다. 다만, 본인이 동의하여 강임된 공무원은 본인의 경력과 해당 기관의 인력 사정 등을 고려하여 우선 임용될 수 있다.

**O·X 문제**

1. 강임은 한 계급 아래로 직급을 내리는 것으로 징계의 종류 중 하나이다. ( )
2. 강임은 직제 또는 정원의 변경이나 예산의 감소 등으로 직위가 폐직되거나 하위의 직위로 변경되어 과원이 된 경우 또는 본인이 동의한 경우 가능하다. ( )
3. 강임의 경우, 같은 직렬의 하위 직급이 없는 경우 다른 직렬의 하위 직급으로는 이동할 수 없다. ( )

O·X 정답 1. × 2. ○ 3. ×

(4) 보 수

강임된 공무원에게는 강임된 봉급이 강임되기 전보다 많아지게 될 때까지는 강임되기 전의 봉급에 해당하는 금액을 지급한다(「공무원보수규정」 제6조).

## 4. 수평적 이동 – 배치전환

(1) 의 의

배치전환이란 내부임용방법 중 수평적·횡적 변동을 의미하는 것으로 전입·전직·전보·파견근무 등이 있다. 배치전환은 조직에게 내부인력시장을 통해 인적자원을 효율적으로 활용할 수 있는 기회를 제공하며, 구성원에게 경력발전과 직장생활의 질을 높일 수 있는 기회를 제공한다.

(2) 유 형

① **전입**: 인사 관할을 달리하는 국회·법원·헌법재판소·선거관리위원회·행정부 상호 간에 다른 기관 소속 공무원을 이동시켜 받아들이는 것을 말한다. 다른 기관 소속 공무원을 전입하려는 때에는 원칙적으로 시험을 거쳐 임용하여야 한다.

② **전직**: 등급의 수준은 동일하나 직렬을 달리하는 직위로의 이동을 말한다. 공무원을 전직 임용하려는 때에는 원칙적으로 전직시험을 거쳐야 한다.

③ **전보**: 같은 직급 내에서의 보직 변경 또는 고위공무원단 직위 간의 보직 변경을 말한다. 공무원을 전보 임용하려는 때에는 시험을 거칠 필요가 없다. 다만, 우리나라는 잦은 전보로 인한 행정의 연속성·안정성·전문성 저하 등의 문제를 해소하기 위해 필수보직기간제도(원칙: 3년/4급 과장급 이상: 2년)를 두고 있다.

④ **겸임**: 한 사람의 공무원에게 둘 이상의 직위를 부여하는 것을 말한다. 직위와 직무 내용이 유사하고 담당 직무 수행에 지장이 없다고 인정하면 경력직 공무원 상호 간에 또는 경력직 공무원과 관련 교육·연구기관 등의 임직원 간에 서로 겸임하게 할 수 있다. 겸임은 본직의 직무수행에 지장이 없는 범위에서 2년 이내로 하며, 특히 필요한 경우 2년의 범위에서 연장할 수 있다.

⑤ **파견**: 국가적 사업의 수행을 위하여 공무원의 소속을 바꾸지 않고 일시적으로 다른 기관이나 국가기관 이외의 기관 및 단체에서 근무하게 하는 것을 말한다(임시적 배치전환).

(3) 용 도

| 본질적·합리적 용도 | 부정적 용도 |
|---|---|
| • 인사교류를 통한 할거주의 타파와 부처 간 협력 조성<br>• 특정 상관에서 조직 전체로 충성심 방향 전환<br>• 조직의 침체방지 및 구성원의 근무 의욕 자극<br>• 적재적소 배치를 위한 수단<br>• 능력발전과 교육훈련 수단<br>• 개인적 희망의 존중<br>• 승진의 예비경로로 활용 | • 징계의 수단<br>• 해고의 방편<br>• 부패방지 수단<br>• 정실인사의 수단(개인적 특혜 제공 수단)<br>• 사임 강요 수단<br>• 개인세력 확장 수단 |

**O·X 문제**

1. 예산 감소 등으로 직위가 폐지되어 하위 계급의 직위에 임용하려면 별도의 심사 절차를 거쳐야 하고, 강임된 공무원에게는 강임된 계급의 봉급이 지급된다. ( )

**O·X 문제**

2. 국회, 법원, 헌법재판소, 선거관리위원회 및 행정부 상호 간에 다른 기관 소속 공무원을 전입하려는 때에는 시험을 거쳐 임용하여야 한다. ( )

3. 전직은 인사 관할을 달리하는 기관 사이의 수평적 인사이동에 해당하며, 예외적인 경우에만 전직시험을 거치도록 하고 있다. ( )

4. 같은 직급 내에서 직위 등을 변경하는 전보는 수평적 인사이동에 해당하며, 전보의 오용과 남용을 방지하기 위해 전보가 제한되는 기간이나 범위를 두고 있다. ( )

**심화학습**

**필수보직기간제도(「공무원임용령」 제45조)**

임용권자 등은 소속 공무원을 해당 직위에 임용된 날부터 필수보직기간이 지나야 다른 직위에 전보할 수 있다. 이 경우 필수보직기간은 3년으로 하되, 실장·국장 밑에 두는 보조기관 또는 이에 상당하는 보좌기관인 직위에 보직된 3급 또는 4급 공무원과 연구관 및 지도관과 고위공무원단 직위에 재직 중인 공무원의 필수보직기간은 2년으로 한다.

**O·X 문제**

5. 배치전환은 부서 간 업무 협조를 유도하고 구성원 간 갈등을 해소한다. ( )

6. 배치전환은 직무의 부적응을 해소하고 조직 구성원에게 재적응의 기회를 부여할 수 있다. ( )

7. 배치전환은 행정의 전문성과 능률성을 증진시킬 수 있다. ( )

8. 배치전환의 본질적 용도 중에 하나는 징계의 대용이나 사임을 유도하는 수단으로 사용하는 것이다. ( )

O·X 정답 | 1. × 2. ○ 3. × 4. ○ 5. ○ 6. ○ 7. × 8. ×

PART · 05

# 제 3 절 능력발전

## 01 의 의

### 1. 직업공무원제와 능력발전

현대 인사행정의 근간을 이루고 있는 직업공무원제는 능력발전을 필수적 요건으로 한다. 따라서 직업공무원제에서는 체계적이고 공정한 승진 및 배치전환과 교육훈련 등을 통해 능력발전 기회가 지속적으로 제공되어야 한다.

### 2. 능력발전 방안

| 방 안 | 내 용 |
|---|---|
| 교육훈련 | 직무수행능력 향상 및 바람직한 공직관 함양 |
| 경력개발 | 전문경로를 확립하여 관료의 능력발전 및 조직의 생산성 향상 |
| 근무성적평정 | 공무원의 직무수행능력 · 실적 등을 평가하여 능력발전 도모 |
| 승 진 | 곤란도 · 책임도가 높은 직위로의 이동을 통해 능력발전 도모 |
| 배치전환 | 전직 · 전보 · 파견 등 다양한 업무수행을 통해 능력발전 도모 |
| 직무확충 | 직무확장(횡적 확대), 직무충실(종적 확대)을 통한 능력향상 |
| 제안제도 | 창의적인 아이디어 제안을 장려함으로써 능력발전 도모 |
| 기 타 | 권한위임, 참여 확대, 통솔범위의 확대, 조직의 탈관료제화, 실적주의, 직업공무원제 등 |

**능력발전 방안이 아닌 것**: 승급(근무연수에 따른 호봉의 상승), 신분보장

**배치전환**(순환보직)**과 전문성**: 배치전환은 공무원의 능력발전을 위한 방안이면서도 공무원의 전문성을 저해하는 요소이다.

심화학습

**한국 공무원의 능력발전 저해요인**

① 일반행정가 중심의 조직문화
② 연공서열 위주의 승진제도
③ 교육훈련의 형식성
④ 보직경로의 비체계성 등

## 02 교육훈련

### 1. 의 의

(1) 개 념

교육훈련이란 공무원에게 직무수행상 필요한 지식과 기술을 습득시켜주는 훈련과 그들의 능력을 발전적으로 향상시켜주는 교육의 기능이 결합된 개념이다. 교육훈련은 체제의 기능(AGIL) 중 형상유지기능에 해당한다.

(2) 교육훈련과 다른 인사활동과의 관계

① 직무분석에서 얻는 정보: 교육훈련에서 가르쳐야 할 지식과 기술 파악

② 인력계획에서 얻은 정보: 인력계획의 채용 규모 · 시기 · 대상에 대한 정보를 통해 교육훈련의 규모 · 시기 · 교육훈련 프로그램 설계

③ 근무성적평정에서 얻은 정보: 근무성적평정 결과에 따라 교육훈련 대상자 선정, 교육훈련 이후의 근무성적평정을 통해 교육훈련의 효과성 평가

④ 보직이동과의 관계: 교육훈련의 과정과 내용에 따른 보직이동

⑤ 승진과의 관계: 교육훈련의 성적을 승진의 기준으로 활용

⑶ 중요성

| 차 원 | 기여 측면 | 내 용 |
|---|---|---|
| 조직 차원 | 생산성 | 공무원의 태도 및 의식변화, 직무수행능력 및 근무실적 개선 |
| | 인사관리 | 내부인력의 신축적 운용 및 예비인력 확보 |
| | 통제 · 조정 | 직무수행능력 개선을 통해 통제의 필요성 감소 |
| 개인 차원 | 직무만족도 | 능력 향상을 통해 성취감 및 근로의욕 고취 |
| | 경력발전 | 개인의 장기적인 경력목표 달성에 기여 |

## 2. 교육훈련의 방법

⑴ 강의식 · 주입식 방법

① 개념: 한 강사가 여러 사람을 대상으로 피훈련자에게 말로 정보를 전달하는 방식(사이버 강좌도 포함되며, 가장 일반적이고 전통적인 교육훈련방법)

② 장 · 단점

| 장 점 | 단 점 |
|---|---|
| • 체계적이고 논리적인 정보전달<br>• 교육내용의 신축적 조절 용이<br>• 일시에 다수인에게 정보전달(경제적)<br>• 신규채용자에 대한 기초훈련에 적합 | • 일방적인 주입식 교육방식<br>• 수강생의 참여기회가 적음.<br>• 실무활동에 기여하지 못할 가능성<br>• 수강생의 이해정도 파악 곤란 |

⑵ 참여식 · 토론식 기법

① 회의(conference)

㉠ 의의: 참가자들이 한데 모여 사회자의 사회로 토의를 하는 방식

㉡ 장 · 단점

| 장 점 | 단 점 |
|---|---|
| • 참여자들의 능동적 참여<br>• 아이디어와 정보교환에 유용<br>• 민주적이고 신중한 사고 고양<br>• 피훈련자의 흥미 유발<br>• 실무활동에 유용 | • 조직적이고 체계적 문제제기 곤란<br>• 유능한 사회자 확보 곤란<br>• 참가자의 예비지식이 요구됨.<br>• 초점을 잃은 논쟁으로 변할 우려<br>• 시간과 비용의 과다 소요 |

② 대집단토의식 기법

㉠ 패널(panel): 몇 사람의 토론 참가자들이 하나의 주제에 대해서 공동으로 토론하는 교육훈련방법(피훈련자들의 토론 참여 없음)

㉡ 심포지엄(symposium): 여러 명의 연사들이 각각 별개의 주제에 대해서 발표하는 교육훈련방법(피훈련자들의 토론 참여 제한됨)

㉢ 포럼(forum): 특정한 주제에 관하여 피훈련자들에게 새로운 자료와 견해를 제공하여 그들로 하여금 자신의 의견을 표명하도록 하는 교육훈련방법(피훈련자들의 능동적 참여)

㉣ 대담: 전문가 한 명과 피훈련자 한 명이 질의 · 응답하는 교육훈련방법

심화학습

교육훈련과정

| | |
|---|---|
| 수요 조사 단계 | 교육훈련의 목적을 구체화하고 피교육자에게 교육훈련의 내용을 알려 동기를 부여하는 단계 |
| 프로그램 개발 단계 | 구체적인 교육훈련의 종류와 실시 계획을 마련하며, 프로그램의 타당성과 효과성을 고려한 최적의 방안을 선택하는 단계 |
| 프로그램 실시 단계 | 교육훈련에 대한 피교육자의 저항을 완화하면서 프로그램을 집행하는 단계 |
| 평가 및 환류 단계 | 프로그램 집행 성과에 대한 평가와 프로그램 타당성에 대한 평가를 수행하고 이를 환류하는 단계 |

심화학습

교육훈련의 종류

| 구분 | | 훈련 내용 |
|---|---|---|
| 시기별훈련 | 신규 채용자 훈련 | 신규공무원을 대상으로 자신이 배치될 기관의 목표와 자신이 담당해야 할 직무의 내용을 이해시켜주는 훈련(기초훈련, 적응훈련) |
| | 재직자 훈련 | 재직공무원을 대상으로 새로운 지식 · 기술 · 근무태도 · 가치관 등을 개선시키기 위한 훈련 [보수(補修)훈련] |
| 대상자별훈련 | 감독자 훈련 | 부하를 지휘 · 감독하고 이에 대한 책임을 지는 직위에 있는 자(과장 · 계장)에 대한 훈련 |
| | 관리자 훈련 | 감독자보다 높은 층의 고위공무원(실 · 국장)에 대하여 정책결정에 필요한 지식 등 일반행정가적 자질에 대한 훈련 |
| 윤리교육 훈련 | | 공무원의 가치관과 태도의 발전적 변화를 모색하는 교육훈련(우리나라의 정신교육) |

③ 분임연구(syndicate : 신디케이트)

㉠ 개념 : 피훈련자들을 10명 내외의 분반으로 나누고 분반별로 동일한 문제를 토의하여 문제해결 방안을 작성한 후, 다시 전원이 한 장소에 모여 분반별로 작성한 안을 발표하고 토론을 벌여 하나의 합리적인 안을 최종적으로 작성하는 교육훈련방법

㉡ 장점 : 새로운 정책대안 모색 용이, 고위직 공무원 교육훈련에 적합

㉢ 단점 : 시간과 비용 과다 발생(비경제성)

④ 사례연구(case study)

㉠ 개념 : 실제 조직생활에서 경험한 사례 또는 가상의 시나리오를 여러 사람이 사회자의 지도하에 토의하면서 해결책을 찾아 나가는 교육훈련방법

㉡ 장점 : 피훈련자의 흥미유발을 통해 능동적 참여 유도, 높은 학습 효과로 조직원들의 문제해결능력 향상, 중·고위직 공무원 교육훈련에 적합

㉢ 단점 : 작은 집단에만 활용가능하며, 시간과 비용 과다 발생(비경제성)

⑤ 역할연기(role playing)

㉠ 개념 : 어떤 사례를 몇 명의 피훈련자가 청중들 앞에서 실제의 행동으로 연기하고, 사회자가 청중들에게 연기내용을 토론하도록 한 후, 결론적인 설명을 하는 교육훈련방법

㉡ 장점 : 피훈련자는 보통 자신과 반대되는 입장의 역할을 수행하기 때문에 감정이입을 촉진하여 태도·행동 변경에 효과적, 피훈련자의 능동적 참여 유도

㉢ 단점 : 시간과 비용의 과다 발생(비경제성)

(3) 체험식 기법

① 현장훈련(OJT : On the Job Training)

㉠ 개념 : 담당업무의 수행능력을 향상시키기 위하여 피훈련자가 실제 직무를 정상적으로 수행하면서 감독자 또는 선임자로부터 직무수행에 관한 지식과 기술을 배우는 교육훈련방법

㉡ 방 식

ⓐ 실무수습(internship : 인턴십) : 제한된 기간 동안 피훈련자를 임시로 고용하여 조직의 전반적인 구조·문화·과정에 대한 이해를 증진하고 업무를 경험할 수 있는 기회를 부여하는 방법

ⓑ 직무순환(job rotation : 순환보직) : 피훈련자가 여러 직무를 경험할 수 있도록 계획된 순서에 따라 다양한 직무를 담당케 하는 방법

ⓒ 임시대역(transitory experience : 임시배정) : 상급자의 장기 부재 시 직무수행을 대리케 하거나 특수직위에 잠시 배정하여 경험을 쌓게 함으로써 부하의 능력향상을 도모하는 방법

ⓓ 멘토링(mentoring : 실무지도, 계획적 지도) : 선임자가 신입공무원을 1 : 1로 책임지도하는 현장훈련방법

ⓔ 기타 : 대화·훈화, 과제연구 등

---

**O·X 문제**

1. 사례연구는 피훈련자의 능동적인 참여를 유도할 수 있기 때문에 훈련의 목적달성에 시간이 많이 걸리지 않는다. ( )

2. 역할연기는 실제 직무상황과 같은 상황을 실연시킴으로써 문제를 빠르게 이해시키고 참여자들의 태도변화와 민감한 반응을 촉진시킨다. ( )

3. 역할연기는 공공서비스의 공급자인 공무원이 수혜자인 시민의 입장을 가장 잘 이해할 수 있도록 하기 위한 가장 효과적인 교육훈련방법이다. ( )

**O·X 문제**

4. 현장훈련(OJT)의 방식으로는 인턴십, 역할 연기, 직무순환, 실무지도 등이 있다. ( )

5. 현장훈련(OJT)은 직장생활을 수행하면서 동시에 진행되기 때문에 사전에 예정된 계획에 따라 실시하기가 용이하다. ( )

6. 직장 내 훈련(OJT)은 감독자의 능력과 기법에 따라 훈련성과가 달라지며 많은 사람을 동시에 교육하기 어렵다. ( )

O·X 정답 1. × 2. ○ 3. ○ 4. × 5. × 6. ○

㉢ 장 · 단점

| 장 점 | 단 점 |
|---|---|
| • 실제 직무와 관련된 교육훈련으로 교육훈련 내용이 구체적 · 실제적 · 실용적<br>• 교육훈련과 직무수행을 병행하므로 경제적<br>• 1:1 교육훈련으로 상사와 동료 간 이해와 협력 증진하여 원만한 인간관계 형성<br>• 학습 향상 정도 파악이 용이하며, 피훈련자의 능력과 습득도에 따른 교육훈련 | • 교육훈련과 직무수행을 병행하므로 실제 업무수행에 지장 초래<br>• 교육훈련과 직무수행을 병행하므로 계획에 따라 실시하기 곤란<br>• 다수인을 동시에 교육시킬 수 없기 때문에 교육의 내용과 수준의 통일성 확보 곤란<br>• 전문교관이 아닌 상급자에 의한 교육으로 전문적인 지식이나 기술을 교육하기 곤란 |

② 모의실험(simulation : 시뮬레이션)

㉠ 개념 : 실제와 유사한 가상적 상황을 꾸며 놓고 피훈련자가 이에 대처하도록 하는 교육훈련방법

㉡ 방 식

ⓐ **관리연습** : 조직 전체 또는 어느 한 부분의 운영상황을 인위적으로 꾸며 놓고 그와 관련하여 피훈련자들이 여러 가지 조직활동에 관한 의사결정을 직접 해보도록 하는 방법

ⓑ **정보정리연습** : 조직 운영상의 의사결정에 필요한 자료를 정리하고 중요한 정보를 가려낸 후, 그에 기초하여 어떤 의미 있는 결정을 내려 보도록 하는 방법

ⓒ **사건처리연습** : 어떤 사건의 대체적인 윤곽을 피훈련자에게 알려주고 피훈련자가 교관에게 필요한 추가정보를 물어 해결책을 찾도록 하는 방법(사례연구의 일종)

③ 시찰(observation) : 피훈련자가 실제로 현장에 가서 어떤 일이, 어디서, 어떻게 이루어지고 있는가를 관찰하는 방법

④ 감수성훈련(실험실훈련, T-group훈련) : 집단요법(정신장애를 치료하기 위해 집단토론 등을 활용하는 정신요법)에서 유래한 기법으로, 대인관계의 개선을 위해 집중적인 집단토론과 상호작용을 통해 구성원의 태도나 가치관의 변화를 도모하는 교육훈련기법

(4) 교육훈련방법의 분류

| 교육훈련의 목적 | 교육훈련방법 |
|---|---|
| 지식의 습득 | 강의, 토론회, 사례연구, 시찰, 시청각교육, 사이버 강좌 등 |
| 기술의 연마 | 사례연구, 모의연습, 현장훈련, 전보 · 순환보직, 실무수습, 시청각교육 등 |
| 태도 · 행동의 교정 | 사례연구, 역할연기, 감수성훈련 등 |

## 3. 교육훈련의 혁신 – 역량기반 교육훈련제도

(1) 교육훈련 패러다임의 변화

최근의 교육훈련은 개인의 지식축적 수단이 아닌 조직목표 달성을 위한 수단으로, 단순한 지식전달 수단이 아닌 조직의 문제해결 수단으로, 공급자 중심의 표준화된 교육훈련이 아닌 수요자 중심의 맞춤형 교육훈련으로 패러다임이 근본적으로 변화하고 있다. 역량기반 교육훈련은 이러한 패러다임의 변화에 입각한 교육훈련제도이다.

심화학습

교육기관훈련(Off-JT)

| | |
|---|---|
| 의의 | 담당업무에서 벗어나 교육기관에 입소하여 전문교관으로부터 배우는 교육훈련방법 |
| 장점 | • 교육생이 교육훈련에만 전념할 수 있음.<br>• 다수인을 동시에 교육할 수 있어 교육의 내용과 수준의 통일성 확보 용이<br>• 예정된 계획에 따라 실시<br>• 전문적인 교관에 의한 교육 |
| 단점 | • 교육훈련의 내용을 바로 현장에 활용하기 곤란<br>• 업무공백이 발생하여 남아 있는 구성원들의 업무부담 가중<br>• 과다한 비용 발생 |

PART · 05

O·X 문제

1. 모의연습(simulation)은 T-집단훈련으로도 불리며, 주어진 사례나 문제에서 어떠한 역할을 실제로 연기해 봄으로써 당면한 문제를 체험해 보는 방법이다. ( )

2. 감수성훈련은 태도와 가치관의 변화를 통해 대인관계기술을 향상시키는 것이 아니라 지식기술의 변화를 도모하는 것이 주된 목적이다. ( )

3. 감수성훈련은 원래 정신병 치료법으로 발달한 것으로 전문가의 지원을 받아 과제의 해결책을 도출하는 방법이다. ( )

4. 강의, 토론회, 시찰, 시청각교육 등은 태도나 행동의 변화를 주된 목적으로 한다. ( )

O·X 정답 1. × 2. × 3. × 4. ×

(2) 역량의 의의

① **역량의 개념**: 조직목표 달성과 연계하여 우수한 직무수행을 보이는 고성과자의 차별화된 행동특성과 태도를 말한다. 따라서 역량은 개인 측면의 자질과 능력이 아니라 조직 측면에서 성과 창출을 위한 자질과 능력이다.

② **역량의 구성(역량모델) – 공통역량, 관리역량, 직무역량**

| | | |
|---|---|---|
| 공통역량 | 의 의 | 조직구성원 모두에게 적용되어야 할 기본 역량 |
| | 역 량 | 조직헌신도, 전문가 의식, 공무원의 윤리의식, 고객지향성, 자기통제력, 경영마인드, 적응력 등 |
| 관리(리더십)역량 | 의 의 | 관리자가 갖추어야 할 자질, 역할, 책임과 관련된 역량 |
| | 역 량 | 목표・방향 제시, 자원・조직관리, 지도・육성 등 |
| 직무역량 | 의 의 | 직무수행에 요구되는 전문지식 또는 전문가적 행동특성과 관련된 역량 |
| | 역 량 | 정보 수집・관리, 문제 인식・이해, 전략적 사고, 정책집행관리 등 |

(3) 역량개발의 중요성

| 인재육성 차원 | 인력관리 차원 |
|---|---|
| • 성과지향적 교육과정 개발의 근거 제공<br>• 부서별 특성에 부합하는 인력육성 계획 수립 및 실행방안 제고<br>• 합리적 평가기준의 개발과 활용<br>• 타 부서의 필요역량에 대한 정보습득이 용이해져 경력개발(CDP)에 활용 | • 신규인력의 채용 및 선발기준으로 활용<br>• 기존 인력에 대한 교육, 승진, 보상의 근거로 활용<br>• 부서별 직무역량 보유자의 식별과 적절한 인력 배치에 활용<br>• 업무수행의 목적이나 가치를 인식하여 job ownership 강화 |

(4) 역량기반 교육훈련

① **개념**: 조직의 성과 창출에 필요한 역량을 파악하고 현재 수준과 요구 수준 간의 격차를 확인한 후 이를 해소하고자 하는 교육훈련체계를 말한다.

② **대두배경 – 직무기반교육훈련의 한계 극복**: 직무분석으로 도출된 직무명세서(직무를 수행하기 위해 필요한 지식・기술 등을 명시한 문서)를 바탕으로 교육과정을 설계하는 직무지향적 교육훈련 방법이 조직의 성과창출에 기여하지 못하는 한계를 극복할 목적으로 대두되었다.

③ **구축과정**

㉠ **역량모델의 개발**: 조직 내의 역할별・직무별 우수 수행자의 행동을 분석하여 성과창출에 영향을 미치는 행동 요인을 파악한다.

㉡ **역량평가 및 역량격차 도출**: 역량평가의 실시를 통해 조직의 요구 수준과 구성원의 현재 수준을 측정함으로써 역량격차를 도출한다.

㉢ **교육훈련 프로그램 설계**: 역량격차를 토대로 교육훈련 프로그램을 설계한다.

(5) 역량기반 교육훈련 기법

① **멘토링(mentoring)**

㉠ 의의: 조직 내에서 직무에 대한 많은 경험과 전문지식을 갖고 있는 멘토가 일대일 방식으로 멘티를 지도함으로써 조직 내 업무 역량을 배양하고자 하는 학습활동이다.

**O·X 문제**

1. 맥클랜드(McClelland)는 우수성과자의 인사 관련 행태를 역량으로 규정하고 이를 중심으로 한 인사관리를 주장하였다. ( )
2. 역량모델은 전체 구성원에게 적용되는 공통역량, 원활한 조직운영을 위한 직무역량, 전문적 직무수행을 위한 관리역량으로 구성된다. ( )

**O·X 문제**

3. 역량기반 교육훈련은 직무분석으로 도출된 직무명세서를 바탕으로 교육과정을 설계하는 직무지향적 교육훈련방법이다. ( )
4. 역량기반 교육훈련은 피교육자의 능력을 정확히 진단하여 부족한 부분(gap)을 보충하는 교육이 가능하다. ( )

O·X 정답 1. ○ 2. × 3. × 4. ○

ⓛ **효과**: 멘토링은 지식이나 노하우 이전을 통한 핵심 인재의 육성, 구성원들 간의 학습활동 촉진 등을 통해 조직 내 업무 역량을 조기에 배양할 수 있다.

ⓒ **우리나라**: 각급 행정기관의 장이 신규임용과 관련해 수습행정관에 대한 지도와 교육을 위해 수습지도관을 임명하도록 규정하고 있다.

② **액션러닝(현장형 학습: action learning)**

㉠ **의의**: 교육생들이 소집단을 구성하여 팀워크를 바탕으로 실패의 위험을 갖는 실제 현안 문제를 정해진 시점까지 해결하는 동시에 문제 자체와 문제해결과정에 대한 성찰을 통해 학습하도록 지원하는 행동학습(learning by doing)을 말한다.

㉡ **배경 및 활용**: 액션러닝은 미국 GE사의 혁신기법으로 개발되었으며, 우리나라는 2005년부터 고위공직자에 대한 교육훈련 방법으로 도입되었다.

㉢ **구성요소**: 액션러닝은 ⓐ 문제(실패의 위험을 지닌 실제 문제), ⓑ 학습팀, ⓒ 질문과 성찰과정, ⓓ 학습의욕, ⓔ 퍼실리테이터(facilitator: 문제에 대한 내용 전문가가 아니라 체계적인 성찰이 이루어지도록 회의를 지원하는 변화촉진자)를 구성요소로 한다.

㉣ **특징**: 일과 학습이 연계된 적시형 학습으로 창조적 해결방안 모색이 강조되며, 실제문제를 다룬다는 점에서 비교적 학습기간이 장기적인 특징을 지닌다.

③ **워크아웃(work-out) 프로그램**: 조직의 수직적·수평적 장벽을 제거하고 전 구성원이 자발적으로 참여하여 문제해결을 위한 지식과 통찰방법들을 서로 교환하는 교육훈련 방식이다. 이 방법은 관리자의 신속한 의사결정과 문제해결을 도모할 수 있다.

④ **학습조직**: 조직 내 모든 구성원의 학습과 개발을 촉진하여 지식의 창출 및 공유와 상시적 관리 역량을 제고해 나가는 조직이다. 학습조직은 유연한 조직설계와 자생적 질서를 특징으로 하기 때문에 조직설계기준을 제시하기는 곤란하다.

## 03 보직관리와 경력개발제도

### 1. 우리나라의 보직관리

(1) 우리나라 보직관리의 원칙

① **적재적소 배치의 원칙**: 공무원의 직급·직류 및 인적 특성(전공분야·훈련·근무경력·전문성·적성 등)을 고려하여 적격한 직위에 임용하는 것을 원칙으로 한다.

② **정기적 순환보직의 원칙**: 특정 직위에서의 장기 근무로 인한 침체 방지 등을 위해 정기적으로 전보를 실시하는 것을 원칙으로 한다.

(2) 문제점

① **행정의 전문성 저해**: Z자형 보직이동으로 인해 공무원의 직무에 대한 전문성이 저해된다.

② **행정의 안정성·연속성 저해**: 특정 직위에서 공무원의 짧은 재직기간으로 인해 행정의 안정성과 연속성이 저해된다.

**O·X 문제**

1. 액션러닝은 소규모로 구성된 그룹이 실질적인 업무현장의 문제를 해결해 내고 그 과정에서 성찰을 통해 학습하도록 하는 행동학습(learning by doing) 교육훈련방법이다. ( )

2. 액션러닝은 실제 교육생들이 직면할 어떤 가상적인 모형을 꾸며 놓고 역할 실습과 같은 행동연습을 통해서 상황을 익히게 하는 것이다. ( )

3. 액션러닝은 미국 GE사 전략적 인적자원 개발프로그램으로 활용된 것으로 태도와 행동의 변화를 통해 인간관계 기술을 향상하려는 것이 주된 목적이다. ( )

4. 학습조직은 역량기반 교육훈련제도의 대표적인 방식으로 활용되고 있다. ( )

O·X 정답 1. ○ 2. × 3. × 4. ○

## 2. 경력개발제도(CDP)

### (1) 의 의

① **개념**: 조직원이 장기적인 경력목표를 설정하고 이를 달성하기 위해 필요한 경력계획을 수립하여 시행함으로써 자신의 역량을 개발해 나가는 활동을 말한다.

② **목적**: 경력개발제도는 조직원이 자기 발전 욕구를 충족하는 과정에서 조직의 성과가 향상된다고 전제하고 개인과 조직의 발전에 대한 욕구를 전문성이라는 공통분모에서 접점을 찾아 결합한 인사관리제도이다.

경력개발제도의 목적

| 개인목표와 조직목표의 조화를 통한 전문성 제고 | |
|---|---|
| 개인 – 자아실현과 조직 몰입 | 조직 – 조직의 성과 향상 |
| • 개인의 성장욕구 충족<br>• 조직과의 일체감(조직몰입) 향상<br>• 직무만족도 제고 | • 맞춤형 인재의 전략적 육성<br>• 업무의 전문성 제고<br>• 적재적소 배치 |

### (2) 경력개발제도의 운영을 위한 기본 원칙

① **적재적소의 원칙**: 개인의 적성·지식·경험·능력과 부합되도록 직위를 부여하여야 한다.

② **자기주도의 원칙**: 경력목표+와 경력경로+를 조직원 스스로 수립하도록 해야 한다.

③ **인재양성의 원칙**: 조직 내부에서 후진을 양성하여 자체적으로 인재를 확보할 수 있도록 경력경로가 설정되어야 한다.

④ **직무와 역량 중심의 원칙**: 직급이 아닌 직무가 요구하는 역량 개발에 중점을 두고 경력경로를 확립하여야 한다.

⑤ **승진경로의 원칙**: 모든 직위는 계층적인 승진경로를 따라 명확하게 형성되고 정의되어야 한다.

⑥ **경력개발 기회의 원칙**: 조직의 승진경로가 어떤 한 부서나 직위에만 국한되지 않도록 기회를 확장해야 한다(개방성 및 공정경쟁의 원칙).

### (3) 경력개발제도의 과정

① **직무설계 단계**: 직무분석을 통해 조직의 직무들을 수개의 전문분야로 구분하고 분류하는 단계이다.

② **경력설계 단계**: 조직원이 자신의 희망·적성·역량 등 자기진단을 행한 후, 자기진단에 부합되는 경력목표를 설정하고 이에 이를 수 있는 경력경로를 설계하는 단계이다. 표준적인 보직경로모형은 일반직은 工자형을, 기술직은 T자형을 이룬다.

③ **경력관리 단계**: 개인의 경력설계가 승인되면 그 경력경로에 따라 직위를 부여하는 단계이다. 조직은 특정 직위에 결원이 발생하면 원칙적으로 경력경로상에 있는 개인들을 대상으로 한 제한경쟁에 의하여 보직 부여 대상자를 심사·선발해야 한다.

④ **평가 및 보안 단계**: 수시적인 평가를 통해 경력목표 및 경력경로의 적정성을 확인하고 보완하는 단계이다.

+ 경력목표와 경력경로

| | |
|---|---|
| 경력목표 | 자신의 절정기에 도달하고자 하는 최고의 직급 및 직위 |
| 경력경로 | 경력목표를 도달하기 위한 중간과정으로 희망보직 경로를 직위단위로 연결시키는 것 |

**O·X 문제**

1. 경력개발은 직급이 아닌 직무 중심의 경력계획을 세우고, 직무에서 요구되는 필요 역량의 개발에 중점을 두어야 한다. ( )

2. 경력개발은 구성원 스스로가 적극적인 정보 수집을 통해 경력목표와 경력개발계획을 작성하고 능동적으로 학습하는 것을 원칙으로 한다. ( )

3. 경력개발제도의 기본원칙 중 인재양성의 원칙은 적극적으로 외부에서 필요한 인재를 충원하는 것을 강조한다. ( )

**심화학습**

경력개발모형

| 모형 | 특징 |
|---|---|
| 工형 (ɪ형) | 상·하위직급에서의 어느 정도 순환을 실시하고, 중간직급에서 전문화를 추구하는 모형(직군별 관리자 육성) |
| T형 (▽형) | 하위직급에서는 전문화하고, 상위직급에서 폭넓은 순환을 통해 넓은 시야를 갖게 하는 모형(일반관리자 육성) |
| ⊥형 (△형) | 하위직급에서의 폭넓은 순환을 통해 많은 직무를 경험하게 하고 상위직급에서 전문화하는 모형(전문참모 육성) |
| ↑형 | 채용 이래로 전문분야만 종사하고 순환이 없는 모형(전문행정가 육성) |

O·X 정답 1. ○ 2. ○ 3. ×

(4) 경력개발제도를 위한 인사관리활동 및 발전방안

① 경력개발제도를 위한 인사관리활동

㉠ **자기주도적 경력 계획 수립**: 조직원이 주도적으로 적성과 희망에 알맞은 경력목표 및 이를 달성하기 위한 경력경로를 설정하도록 해야 한다.

㉡ **직무분석을 통한 정보 제공**: 직무수행에 필요한 역량요소를 확인하기 위해 직무분석을 수행하고 그 정보를 조직원에게 제공해야 한다.

㉢ **교육훈련과 연계**: 직무수행에 필요한 역량내용을 파악하고 역량개발을 위한 교육훈련을 지원해야 한다.

㉣ **평가 및 환류**: 조직원의 보직에 따른 직무수행성과를 평가하고 경력개발에 반영해야 한다.

② 발전방안

㉠ **통합인사정보시스템 구축**: 경력개발제도를 체계적으로 지원할 수 있는 통합인사정보시스템을 구축해야 한다.

㉡ **다른 인사제도와 정합성 확보**: 경력개발제도와 다른 인사제도와의 정합성을 강화해 상호연계성과 일관성을 가지도록 해야 한다.

㉢ **경력정체 예방 조치 마련**: 선호직위와 비선호직위 간 형평성을 확보하고 경력정체를 미리 예측하여 예방 조치를 마련해야 한다.

㉣ **경력상담제도의 운영**: 외부의 경력개발 전문가 또는 내부의 관리자로 하여금 경력상담을 실시하도록 제도화해야 한다.

㉤ **전문직위제도⁺의 활성화**: 전문성이 요구되는 직위 등을 대상으로 도입되어 있는 전문직위제도를 활성화해야 한다.

㉥ **전보제한제도(필수보직기간제도)의 정착**: 지나친 배치전환이 행정의 전문성과 연속성을 저해하지 않도록 필수보직기간제도의 정착을 도모해 나가야 한다.

**O·X 문제**

1. 경력개발제도는 개인별 보직경로를 설정하고, 이를 보직관리와 교육훈련 등 관련 인사관리제도와 연계해 운영하는 것이 중요하다. ( )

**+ 전문직위제도**

소속 장관이 해당 기관의 직위 중에서 장기근무 필요성이 있는 직위에 대해 전문직위로 지정하여 관리하는 제도

# 제 4 절 근무성적평정

## 01 근무성적평정 일반론

### 1. 근무성적평정의 의의

(1) 개 념

공무원이 일정 기간 동안 수행한 근무실적·능력 등을 체계적·정기적으로 평가하여 이를 보수·승진·배치전환·교육훈련 등 인사행정에 활용하는 제도를 말한다.

(2) 배 경

① **대두배경**: 실적주의에 따른 능률주의적 인사행정관의 대두와 함께 인사행정의 객관적 기준의 발견이라는 기술적 요청으로 발달하였다.

② **미국**: 1923년 「직위분류법」이 공포됨에 따라 공무원에 대한 근무성적평정제도가 공식적으로 도입되었다.

O·X 정답 1. ○

③ 우리나라: 조선시대 도목정사(都目政事)와 갑오개혁 이후 고과제(考課制)가 그 기원이며, 현대적 근무성적평정제도는 1961년에 통일적인 규정이 마련되었다.

## 2. 근무성적평정의 용도

### (1) 근무성적평정 용도의 변화

① **평정의 목적**: 과거에는 직무수행 실적을 측정하여 보수·승진·배치전환·감원 등에 활용하는 소극적·통제적 목적으로 수행되었으나, 최근에는 피평정자의 동기유발, 능력발전, 직무수행 개선, 행정발전에 기여 등을 위한 적극적·발전적·임상적(臨床的) 목적으로 수행되고 있다.

② **평정의 요소**: 과거에는 개인 차원의 직무수행 실적에 관한 평정요소가 중시되었으나, 최근에는 조직목표 달성에의 기여도를 알 수 있는 평정요소가 중시되고 있다.

③ **평정의 과정**: 과거에는 하향적 심사통제의 과정이었지만, 최근에는 평정 결과의 공개 및 평정과정에 피평정자의 참여(성과면담)를 강조하는 참여적·협동적 과정으로 나아가고 있다.

### (2) 구체적인 용도

① **능력발전 및 근무능률 향상**: 공무원 스스로 파악하기 힘든 자신의 장·단점을 조직이 지적해 줌으로써 능력발전 및 근무능률의 향상을 가져올 수 있다.

② **인사행정의 객관성과 공정성 확보**: 평정 결과를 승진·면직·감원·보수·보직관리 등에 활용함으로써 인사행정의 객관성과 공정성을 확보할 수 있다.

③ **상벌 등 인사조치에 대한 기준**: 상벌 등의 인사조치에 대한 객관적이고 공정한 기준을 제시할 수 있다.

④ **감독자와 부하 간의 이해와 협조 증진**: 평정 결과의 공개를 통해 감독자와 부하 간에 인간관계 개선 및 이해와 협조의 증진을 가져올 수 있다.

⑤ **시험의 타당성 측정**: 시험 성적과 근무성적평정 결과를 비교하여 시험의 타당도를 측정할 수 있다.

⑥ **교육훈련 수요의 파악**: 공무원의 현재 능력을 파악하고 이를 직책이 요구하는 능력과 비교하여 교육훈련의 수요를 파악할 수 있다.

## 3. 근무성적평정과 직무평가의 비교

### (1) 근무성적평정과 직무평가

근무성적평정은 사람을 기준으로 이미 실현된 직무의 성과를 측정하는 데 초점이 있지만, 직무평가는 직무를 기준으로 직무 자체의 곤란도·난이도·책임도를 측정하는 데 초점이 있다.

### (2) 비 교

| 구 분 | 평가대상 | 평가시기 | 평가결과의 활용 | 특 징 |
|---|---|---|---|---|
| 근무성적평정 | 공무원의 업무성과 | 업무수행 이후 | • 승진, 전보, 교육훈련 등<br>• 성과급의 기준 | 주관적 |
| 직무평가 | 직무의 곤란도·책임도 | 업무수행 이전 | • 등급·직급·보수표 작성<br>• 직무급의 기준 | 객관적 |

심화학습

**바람직한 근무성적평정의 요건**
① 평정요소의 공식화와 표준화
② 직무연관성 있는 평정요소의 설정
③ 평정요소에 직무성취에 대한 기대전달
④ 평정의 신뢰성과 타당성 확보
⑤ 유능한 평정자의 확보
⑥ 개방적 의사전달(성과면담)
⑦ 평정 결과의 공개
⑧ 정당한 절차의 확보(평정 결과에 대한 이의제기절차 마련)
⑨ 참여적 운용과 운영의 편의성 제고

O·X 문제

1. 근무성적평정 결과를 통해 시험의 타당도를 측정할 수 있다. ( )
2. 근무성적평정은 직무평가의 합리적 자료로 활용된다. ( )

O·X 정답 1. ○ 2. ×

## 4. 근무성적평정의 유형

### (1) 평정 방법에 따른 구분

① 도표식 평정척도법

㉠ 의의: 한편에는 실적·능력 등 평정요소를 나열하고, 다른 편에는 각 평정요소마다 우열을 나타내는 등급을 숫자나 언어로 표시할 수 있는 도표를 작성해 놓고 평정자가 피평정자를 평정요소별로 관찰하여 해당되는 등급에 표시하도록 하는 방법이다. 이 평정방법은 공무원의 평정방법으로 가장 많이 활용되고 있다.

🗁 도표식 평정척도법의 예(3등급 척도의 경우)

| 평정요소 | 관찰내용 | 평정척도(등급) | | |
|---|---|---|---|---|
| 직무지식 | 담당직무의 지식소유 정도 | 탁월 (3점) | 보통 (2점) | 불량 (1점) |
| 협조성 | 타인과 협력적 업무수행 정도 | 탁월 (3점) | 보통 (2점) | 불량 (1점) |

㉡ 현황: 우리나라는 5급 이하 공무원의 근무성적평정에 도표식 평정척도법을 기본형으로 채택하고 여기에 다른 방법을 보완하여 사용하고 있다.

㉢ 장 점

ⓐ 일시에 다수 인원을 신속하게 평정할 수 있다.

ⓑ 평정표 작성이 간단하고, 평정 결과의 계량화 및 통계작성이 용이하다.

㉣ 단 점

ⓐ 평정요소 선정의 주관성, 평정요소 간 가중치 부여의 주관성, 등급 간 비교기준의 모호성으로 인해 주관적이고 임의적인 평정이 야기될 수 있다.

ⓑ 연쇄효과(halo effect)를 발생시킬 우려가 있다.

② 강제배분법(forced distribution)

㉠ 의의: 피평정자들의 성적 분포가 과도히 집중되는 것을 막기 위해 성적 분포의 비율을 미리 정해 놓는 평정방법으로 평정결과가 정규분포를 이루도록 배분한다.

㉡ 현황: 우리나라는 원칙적으로 3등급 이상으로 평가하되, 최상위 등급은 20%를, 최하위 등급은 10%를 배정하도록 하고 있다.

㉢ 장점: 관대화·집중화·엄격화로 인한 평정오차를 방지할 수 있다.

㉣ 단 점

ⓐ 평정대상 전원이 무능하거나 유능한 경우에도 일정비율만이 우수하거나 열등하다는 평정을 받게 되어 현실을 왜곡하는 부작용을 초래한다.

ⓑ 평정자가 미리 강제배분 비율에 따라 피평정자를 각 등급에 분포시키고 그 다음에 역으로 등급에 해당하는 점수를 부여하는 '역산식(逆算式) 평정'이 야기된다.

③ 사실기록법: 객관적인 사실에 기초를 두고 평가하는 방법이다.

㉠ 산출기록법(production records)

ⓐ 의의: 시간 당 수행하는 공무원의 업무량을 측정하거나 일정한 업무량을 달성하는데 소요되는 시간을 계산해 그 성적을 평정하는 방법이다.

ⓑ 장점: 워드프로세서 등과 같이 표준 작업시간과 표준 작업량 산정이 가능한 직종의 평정에 적합하며, 평정자의 주관성을 배제할 수 있다.

ⓒ 단점: 작업의 질이나 피평정자의 태도·성격(협동성, 판단력) 등은 측정할 수 없다.

**O·X 문제**

1. 도표식 평정척도법은 평정이 용이하다는 장점이 있으나 평정요소의 합리적 선정이 어렵고, 등급기준이 모호하며, 연쇄효과의 우려가 있다는 단점이 있다. ( )

2. 도표식 평정척도법은 공무원의 근무성적평정에 가장 많이 이용되고 있는 방법으로 평정이 용이하고 등급의 비교기준을 명확히 할 수 있다. ( )

3. 도표식 평정척도법은 전형적인 평정방법으로 직관과 선험에 근거하여 평가요소를 결정하기 때문에 작성이 빠르고 쉬우며, 경제적이라는 장점이 있다. ( )

4. 도표식 평정척도법은 근무성적을 객관적 사실에 기초하여 평가하므로 평정자의 편견이 개입할 가능성이 작다. ( )

5. 평정자마다 척도에 사용되는 용어에 대한 지각과 이해가 상이할 경우 평정상의 오류가 범해질 수 있으며, 이러한 문제는 특히 도표식 평정척도법에서 많이 나타난다. ( )

6. 근무성적평정을 행할 때, 집중화·관대화 경향을 방지하기 위한 방법은 강제배분법이다. ( )

7. 강제배분법은 피평정자들을 우열의 등급에 따라 구분한 뒤 몇 개의 집단으로 분포비율에 따라 강제로 배치하는 방법으로, 절대평가의 단점인 집중화·관대화의 경향을 막을 수 있고, 역산제의 우려가 없다는 것이 장점이다. ( )

O·X 정답 1. ○ 2. × 3. ○ 4. × 5. ○ 6. ○ 7. ×

㉡ 주기적 검사법(periodic tests)

ⓐ 의의: 평정기간 중 일정 시간에 한정하여 작업량을 조사하고 그것으로 전 기간의 성적을 추정하여 평정하는 방법이다.

ⓑ 장·단점: 산출기록법과 유사하다.

㉢ 근태기록법(absenteeism and tardiness records)

ⓐ 의의: 공무원의 지각 빈도수, 결근 일수 등의 기록을 근무성적평정의 주요 요소로 하여 평정하는 방법이다.

ⓑ 장점: 평정자의 주관성을 배제할 수 있다.

ⓒ 단점: 작업의 양이나 질 및 태도 등을 측정할 수 없다.

㉣ 가감점수법(merit and demerit system)

ⓐ 의의: 피평정자의 직무사항에 나타난 긍정적인 요소(우수한 직무수행)와 부정적인 요소(실패나 과오)를 점수로 환산하여 가점 또는 감점을 주는 방식으로 평정하는 방법이다.

ⓑ 장점: 고도로 표준화된 단순 업무 평정에 적합하고, 공무원의 지도·감독 자료로 활용하기 용이하다.

ⓒ 단점: 감독자는 부하직원의 결점만을 감시하게 되고 부하직원은 가점을 받기 위한 형식적인 근무에 집착할 위험성이 존재한다.

④ 서열법

㉠ 의의: 피평정자 간의 근무성적을 비교해서 서열을 정하는 평정방법이다.

㉡ 방 법

ⓐ 쌍쌍비교법: 피평정자를 두 명씩 짝을 지어 비교하여 평정하는 방법이다.

ⓑ 대인비교법: 각 평정 등급별로 피평정자들 중에 표준 인물을 선택하여, 그를 기준으로 나머지 피평정자를 비교하여 평정하는 방법이다.

㉢ 장점: 특정 집단 내의 전체적인 서열을 알려줄 수 있다.

㉣ 단점: 비교적 작은 집단에만 사용할 수 있으며, 다른 집단과 비교할 수 있는 객관적 자료를 제시하지 못한다.

⑤ 목표관리제 평정법(MBO: Management By Objectives)

㉠ 의의: 조직 계층의 상·하급자 간에 협의를 통하여 부서 및 개인의 목표를 명확히 설정하고 설정된 목표의 달성 여부를 평가하는 방법이다.

㉡ 현황: 우리나라는 과거 4급 이상 공무원들에 대하여 MBO를 적용해 왔으나 2005년에 이를 폐지하였다.

⑥ 체크리스트 평정법(프로브스트식 평정법, 사실표지법)

㉠ 의의: 공무원을 평가하는 데 적절하다고 판단되는 표준행동목록을 미리 작성해 두고 평정자가 이 목록에 단순히 가부를 표시하게 하는 방법을 통해 피평정자를 평가하는 방법이다.

체크리스트 평정법의 예

• 평정대상자의 행태를 나타내는 항목에 체크하세요.

| 행 태 | 체크란 | 가중치 |
|---|---|---|
| 근무시간을 잘 지킨다. | | 4.5 |
| 업무가 많을 때 야근을 한다. | | 5.4 |

심화학습

서열법의 순위결정방법

| 종합적 순위법 | 평정요소를 세분한 객관적 지표에 의하지 않고 피평정자의 전체적인 근무 상황을 포괄적으로 비교하는 방법 |
|---|---|
| 분석적 순위법 | 평정요소를 선정하고 각 요소별로 피평정자를 비교하여 통합하는 방법 |

O·X 문제

1. 쌍쌍비교법, 대인비교법 등 서열법은 특정집단 내의 전체적 서열은 알려줄 수 있지만, 다른 집단과 비교할 수 있는 객관적 자료 제시가 곤란하다. ( )

2. 목표관리제 평정법은 참여를 통한 명확한 목표의 설정과 개인과 조직 간 목표의 통합을 추구한다. ( )

3. 체크리스트 평정법은 평정자가 평정표(평정서)에 나열된 평정요소에 대한 설명 또는 질문을 보고 피평정자에게 해당되는 것을 골라 표시를 하는 평정방법이다. ( )

O·X 정답 1. ○ 2. ○ 3. ○

ⓛ 장점 : 평정요소가 명확하게 제시되고 평정자가 질문항목마다 유무 또는 가부만을 판단하기 때문에 평정하기가 비교적 쉽다.

ⓒ 단점 : 평정요소에 관한 평정항목을 만들기가 힘들 뿐만 아니라 질문항목이 많을 경우 평정자가 곤란을 겪게 된다.

⑦ 강제선택법(강제선택식 체크리스트법)

㉠ 의의 : 비슷한 가치가 있는 기술항목의 조 가운데 피평정자의 특성에 가까운 것을 강제적으로 골라 표시하도록 하는 방법이다.

강제선택법의 예

| 평정기술항목의 조 |
|---|
| 1. 부하들에게 명확하고 올바른 지시를 내린다.<br>2. 어떤 일이라도 믿고 맡길 수 있다. |

ⓛ 장 점

ⓐ 평정자도 어떤 항목이 피평정자에게 유리한지 모르고 평정하기 때문에 평정자의 편견이나 정실을 배제할 수 있다.

ⓑ 비슷한 항목 중에 반드시 하나를 선택해야 하므로 연쇄효과를 방지할 수 있다.

ⓒ 단 점

ⓐ 평정기술항목들을 만들기 어렵고 작성 비용이 많이 든다.

ⓑ 평정자 자신도 각 항목이 어떻게 계산되는지 모르기 때문에 피평정자의 평정에 관하여 상의하기 곤란하다.

ⓒ 평정자들은 평정기술항목들이 피평정자와 전혀 관계가 없다고 생각하거나 모든 항목이 다 관계있다고 생각할 때에도 그중 하나를 선택해야 하므로 평정의 타당성이 저해될 수 있다.

⑧ 중요사건기록법

㉠ 의의 : 피평정자의 근무 실적에 큰 영향을 주는 중요 사건들을 평정자로 하여금 기술하게 하거나 또는 중요 사건들에 대한 설명구를 미리 만들어 평정자로 하여금 해당되는 사건에 표시하게 하는 평정방법이다.

ⓛ 장 점

ⓐ 평정자와 피평정자가 해당 사건에 대해 토론하는 과정에서 피평정자의 태도와 직무수행을 개선하기 용이하다.

ⓑ 사실에 초점을 두고 평정하므로 근접오류(막바지효과)를 방지할 수 있다.

ⓒ 단 점

ⓐ 전형적인 행동보다는 이례적인 행동을 지나치게 강조하게 될 수 있다.

ⓑ 비교기준이 없어 행태 간의 상호비교가 곤란하다.

⑨ 행태기준 평정척도법(BARS : Behaviorally Anchored Rating Scales)

㉠ 의의 : 직무분석에 기초하여 주요 과업을 선정하고, 각 과업별로 가장 이상적인 행태에서부터 가장 바람직하지 못한 행태까지를 몇 개의 등급으로 구분한 후, 각 등급마다 중요 행태를 명확하게 기술하고 점수를 할당하는 방법이다.

행태기준 평정척도법의 예

| 등 급 | 문제해결의 협조성 |
|---|---|
| ( )5 | 부하와 상세하게 대화 |
| ( )4 | 스스로 해결하기 위한 노력 |
| ( )3 | 일시적 해결책으로 대응 |
| ( )2 | 독단적 의사결정 |
| ( )1 | 문제해결 시 개인감정을 앞세움 |

**O·X 문제**

1. 체크리스트 평정법은 평정요소에 관한 평정항목을 만들기가 힘들 뿐만 아니라 질문 항목이 많을 경우 평정자가 혼란을 겪게 된다. ( )

**O·X 문제**

2. 강제선택법은 평정자가 미리 정해진 비율에 따라 평정대상자를 각 등급에 분포시키고, 그 다음에 역으로 등급에 해당하는 점수를 부여하는 역산식 평정을 할 가능성이 높다. ( )

3. 중요사건기록법은 평정대상자로 하여금 자신의 근무실적을 스스로 보고하도록 하는 방법이다. ( )

4. 평정자가 최근에 일어난 일에 더 많은 영향을 받음으로써 평정상의 오류를 범할 수 있으며, 최근 결과에 의한 오류는 중요사건기록법에서 비교적 많이 나타난다. ( )

5. 중요사건기록법은 근무실적에 영향을 주는 중요한 사건들을 평정하는 방법으로 사실에 근거한 평가가 가능하지만 이례적인 행동을 지나치게 강조하는 단점이 있다. ( )

6. 중요사건기록법은 피평정자의 태도와 직무수행 개선 등 행태변화를 도모하는 데 유용하다. ( )

O·X 정답 1. ○ 2. × 3. × 4. × 5. ○ 6. ○

**O·X 문제**

1. 행태기준평정법은 성과와 관련된 직무행태를 관찰하여 활동의 발생빈도를 측정하는 것으로 도표식 평정척도법에 중요사건기록법을 가미한 방법이다. ( )

㉡ 특징: 도표식 평정척도법의 한계(평정요소 해석의 주관성과 등급부여의 임의성)와 중요사건기록법의 한계(행태 간 상호비교의 곤란성)를 보완하기 위해 두 방법의 장점을 통합한 평정방법이다.

㉢ 장 점

ⓐ 평정자는 피평정자의 행태를 관찰하여 척도상의 유사한 과업 행태를 찾아 표시하므로 평정오류를 줄일 수 있다.

ⓑ 피평정자가 척도 설계 과정에 참여하므로 피평정자의 신뢰와 적극적인 관심을 기대할 수 있다.

㉣ 단 점

ⓐ 직무가 다르면 별개의 평정 양식이 있어야 하며, 동일직무에서도 과업마다 별도의 행태 기준을 작성해야 하므로 개발에 많은 시간·비용·노력이 요구된다.

ⓑ 상호비교가 곤란한 행태 중에서 피평정자의 가장 대표적인 행태 하나만을 선택해야 하므로 평정오류가 발생할 수 있다.

**O·X 문제**

2. 행태관찰 척도법은 직무성과와 관련이 있는 중요행위를 사전에 나열하고 그러한 행위를 얼마나 자주 하는가에 대한 빈도를 표시하는 척도를 만들어 평가한다. ( )

3. 각 과업분야에 대하여 가장 이상적인 과업행태에서부터 가장 바람직하지 못한 행태까지를 몇 개의 등급으로 구분하고 각 등급마다 중요 행태를 명확하게 기술하고 점수를 할당하는 근무성적 평정방법은 행태관찰 기준법이다. ( )

4. 바람직한 행동과 바람직하지 못한 행태와의 상호 배타성을 극복하고 피평정자에게 행태변화에 유용한 정보를 제공해 줄 수 있으며 평정의 주관성과 임의성을 줄일 수 있는 근무성적 평정방법은 행태기준 평정척도법이다. ( )

⑩ 행태관찰 척도법(BOS : Behavioral Observation Scales)

㉠ 의의: 한편에는 행태에 관한 구체적인 사건·사례를 제시하고(평정항목), 다른 한편에는 사건의 빈도수를 표시하는 척도(등급)를 구성하여 평정하는 방법이다.

🗀 행태관찰 척도법

(평정요소 : 부하직원과의 의사소통)

| 평정항목 | 등 급 | | | | |
|---|---|---|---|---|---|
| | 거의 관찰되지 않음 | | | | 자주 관찰됨 |
| • 새 정책이나 내규를 게시판에 게재한다. | 1 | 2 | 3 | 4 | 5 |
| • 주의력을 집중하여 대화에 임한다. | 1 | 2 | 3 | 4 | 5 |

㉡ 특징: 행태기준 평정척도법의 단점인 바람직한 행동과 그렇지 않은 행동과의 상호 배타성을 극복하기 위해 개발된 것으로 행태기준 평정척도법과 도표식 평정척도법의 장점을 통합한 평정방법이다.

㉢ 장 점

ⓐ 평정 항목의 행동이 얼마나 자주 관찰되느냐를 기준으로 평정이 이루어지기 때문에 평정자의 주관을 줄일 수 있다.

ⓑ 평정요소가 직무관련성이 높아 평정 결과를 통하여 피평정자에게 행태 변화에 유용한 정보를 피드백해 줄 수 있다.

㉣ 단점: 등급과 등급 간의 구분이 모호하고, 연쇄효과가 나타날 수 있다.

**심화학습**

기타 평정방법

| | |
|---|---|
| 직무기준법 | 직무수행의 구체적 기준을 미리 설정하고 직무수행의 실적과 기준을 비교하는 방법 |
| 발전잠재력평정법 | 피평정자의 발전잠재력과 장래의 직무수행을 예측해 줄 수 있는 평가방법 |

(2) 평정자에 따른 구분

① 감독자평정법: 피평정자의 상관인 감독자가 평정하는 방법이다. 가장 일반적인 평정방법이며, 우리나라 역시 감독자평정법을 원칙으로 한다.

② 기타: 자기평정, 동료평정, 부하평정, 고객평정, 다면평정 등이 있다. 이러한 평정방법들은 평정의 객관성과 공정성에 한계가 있어 일반적으로 상벌의 자료로 활용되기보다는 구성원의 능력 발전을 돕는 데 활용되며, 감독자평정을 보완하는 의미를 지닌다.

O·X 정답 1. × 2. ○ 3. × 4. ×

(3) 평정 결과의 배분에 따른 구분

① 절대평가 : 평정 결과의 분포비율을 강제하지 않는 평정

② 상대평가 : 평정 결과의 분포비율을 강제하는 평정(강제배분법)

(4) 평정제도의 구분 정리

| 평정방법에 따른 구분 | 도표식 평정척도법, 사실기록법(산출기록법, 주기적 검사법, 근태기록법, 가감점수법), 목표관리제 평정법, 체크리스트 평정법, 강제선택법, 중요사건기록법, 행태기준 평정척도법, 행태관찰 척도법 등 |
|---|---|
| 평정자에 따른 구분 | 감독자평정, 자기평정, 동료평정, 부하평정, 고객평정, 다면평정 등 |
| 평정 결과의 배분에 따른 구분 | 절대평가, 상대평가(서열법 – 쌍쌍비교, 대인비교, 강제배분법) 등 |

## 5. 평정오차

(1) 연쇄효과(halo-effect, 후광효과)

① 의의 : 한 평정요소에 대한 평정자의 판단이 연쇄적으로 다른 요소의 평정에도 영향을 미치는 현상을 말한다(예 피평정자가 성실한 경우 그에게서 받은 좋은 인상이 창의성·지도력 등 성격이 다른 요소의 측정에도 영향을 미쳐 좋은 점수를 부여하게 되는 현상).

② 극복방안 : ㉠ 체크리스트법이나 강제선택법을 사용하여 평정요소 간의 연상 효과를 가능한 한 배제하는 방법, ㉡ 피평정자별로 평정하지 않고 평정요소별로 평정하는 방법, ㉢ 유사한 요소들을 멀리 배치하는 등 요소별 배열 순서를 조정하는 방법, ㉣ 요소마다 용지를 달리하는 방법 등이 있다.

(2) 집중화·관대화·엄격화 경향

① 집중화 경향 : 평정 결과의 분포가 대부분 중간 수준의 점수에 집중되는 경향성을 말한다. 집중화 경향은 평정 결과를 공개할 경우 보다 심해진다.

② 관대화 경향 : 평정 결과의 분포가 우수한 쪽에 집중되는 경향성을 말한다. 관대화 경향은 평정 결과가 공개되는 경우 평가대상자와 불편한 인간관계에 놓이는 것을 피하려는 상황에서 흔히 발견된다.

③ 엄격화 경향 : 평정 결과의 분포가 낮은 쪽에 집중되는 경향성을 말한다.

④ 극복방안 : 집중화·관대화·엄격화 경향은 모두 강제배분법으로 해결가능하다.

(3) 규칙적 오류(체계적 오류, 일관된 오류)와 총계적 오류(불규칙적 오류)

① 규칙적(체계적) 오류 : 특정 평정자가 다른 평정자들보다 언제나 후하거나 나쁜 점수를 주는 것을 말한다.

② 총계적 오류 : 특정 평정자의 평정기준이 일정치 않아 관대화 경향과 엄격화 경향이 불규칙하게 나타나는 것을 말한다.

③ 극복방안 : 규칙적 오류는 강제배분법을 활용하거나 평정 이후에 특정 평정자의 평정이 후하거나 박한 정도를 계산하여 그 수치를 원래의 평정에 감하거나 보탬으로써 사후에 조정할 수 있다. 그러나 총계적 오류는 불규칙적인 오류이므로 사후조정이 불가능하다.

**O·X 문제**

1. 절대적 평정방법으로는 가감점수법, 서열법, 강제배분법 등이 있다. ( )

**O·X 문제**

2. 연쇄효과란 평정자가 가장 중요시하는 하나의 평정요소에 대한 평가 결과가 성격이 다른 평정요소에도 영향을 미치는 것으로 연쇄화의 오류를 방지하기 위해서는 강제선택법을 사용한다. ( )

3. 후광효과(halo effect)는 첫인상이나 가장 최근의 정보를 가지고 대상을 판단하는 것이다. ( )

4. 연쇄효과는 도표식 평정척도법에서 자주 발생하며 피평가자별이 아닌 평정요소별 평정을 완화방법으로 고려할 수 있다. ( )

5. 집중화 경향을 방지하기 위한 강력한 방법은 상대평가를 반영하는 강제배분법이다. ( )

6. 관대화 경향은 비공식집단적 유대때문에 발생하며 평정결과의 공개를 완화방법으로 고려할 수 있다. ( )

7. 근무성적 평정 시 어떤 평정자가 다른 평정자보다 언제나 좋은 점수 또는 나쁜 점수를 주는 오류는 총계적 오류이다. ( )

8. 일관적 오류는 평정자의 기준이 다른 사람보다 높거나 낮은 데서 비롯되며 강제배분법을 완화방법으로 고려할 수 있다. ( )

O·X 정답 | 1. × 2. ○ 3. × 4. ○ 5. ○ 6. × 7. × 8. ○

PART · 05

(4) 시간적 오류 — 최초효과(첫머리효과)와 근접오류(막바지효과)

① 최초효과(첫머리효과): 평정점수가 평정대상의 전체 기간이 아닌 초기의 업적에 영향을 많이 받는 현상을 말한다.

② 근접오류(막바지효과): 평정점수가 평정대상의 전체 기간이 아닌 쉽게 기억되는 최근의 사건이나 업적에 영향을 많이 받는 현상을 말한다.

③ 극복방안: 중요사건기록법, 목표관리제(MBO) 평정법, 행태기준 평정척도법 등을 활용하거나 독립적인 평가센터를 설치·운영하여 평정오류를 완화할 수 있다.

(5) 상동적 오차(선입견에 의한 오류 — 유형화·정형화·집단화의 착오)

① 의의: 평정요소와 관계없는 성별·출신학교·출신지역·종교·연령 등에 대해 평정자가 갖고 있는 편견이 평정에 영향을 미치는 현상을 말한다(예 근무 연한이 긴 선임자에 대해 후한 평가를 하는 근속 연한의 오류 등).

② 극복방안: 개인의 귀속적 요인에 대한 신상정보 비공개, 직속상관 외에 제3자를 평정자로 활용하는 방안 등으로 평정오류를 완화할 수 있다.

(6) 귀인적 편견

① 의의: 평가자가 자신이나 타인의 행동의 원인을 추론하는 과정에서 발생하는 편견 또는 오류를 말한다. 귀인의 유형에는 내적 귀인(능력, 노력 등의 개인적 요소)과 외적 귀인(직무의 특성, 상관의 특성 등의 환경적 요소)이 있다.

② 유 형

㉠ 근본적 귀속의 착오: 타인의 성공을 평가할 때에는 상황적 요인(외적 귀인)을 과대평가하고, 실패를 평가할 때에는 개인적 요인(내적 귀인)을 과대평가함으로써 나타나는 착오

㉡ 이기적 착오(자존적 편견): 자신의 성공을 평가할 때에는 개인적 요인(내적 귀인)을 과대평가하고, 실패를 평가할 때에는 상황적 요인(외적 귀인)을 과대평가함으로써 나타나는 착오

(7) 기타 착오

① 대비착오: 피평정자를 바로 직전의 피평정자와 비교하여 평정함으로써 발생하는 착오

② 유사착오: 평정자 자신과 성향이 유사한 부하에게 후한 점수를 주는 착오

③ 투사에 의한 착오: 자신의 감정이나 특성을 다른 사람에게 투사 또는 전가하는 데서 오는 착오(예 공격성을 지닌 평정자는 피평정자의 공격성을 잘 발견할 수 있어 이를 중시하는 데서 오는 착오)

④ 기대성 착오: 사전의 기대에 따라 무비판적으로 사실을 지각함으로써 발생하는 착오(예 주위에서 영리하게 길들여졌다고 이야기되는 쥐에 대해 영리하다고 평가하는 것)

⑤ 논리적 오차: 한 평정요소의 점수가 논리적 상관관계에 있는 다른 평정요소의 점수에 영향을 미치는 오류(예 기억력이 좋으면 지식이 높다)

⑥ 선택적 지각의 착오(추측에 의한 착오): 모호한 상황에서 부분적인 정보만 받아들여 평정함으로써 발생하는 착오

⑦ 방어적 지각의 착오: 자신의 습성이나 고정관념에 어긋나는 정보를 회피하거나 왜곡함으로써 발생하는 착오

**O·X 문제**

1. 시간적 오류는 근무평가 대상기간 초기의 업적에 영향을 크게 받는 첫머리효과와 최근 실적을 중심으로 평가하는 막바지효과로 나타난다. ( )

2. 근접효과는 평가시점으로부터 가까운 실적이나 사건 등을 평가에 크게 반영하는 오류를 의미하며, 중요사건기록법을 통해 해당 오류를 감소시킬 수 있다. ( )

3. 상동적 태도는 인지 대상이 속한 집단의 특성에 비추어 그 대상을 지각하는 것이다. ( )

4. 평정의 착오에 있어 상동적 오차는 평정자가 자기 자신과 성향이 유사한 부하에게 후한 점수를 주는 오차이다. ( )

5. 이기적 착오란 타인의 성공을 평가할 때 상황적 요인은 과소평가하고 개인적 요인은 과대평가하거나 그 반대인 경우 발생하는 착오이다. ( )

6. 논리적 오차는 사람에 대한 경직된 편견이나 선입견 또는 고정관념에 의한 오차를 뜻하는 것으로 이를 방지하기 위해서는 개인의 귀속적 요인에 대한 신상정보를 밝히지 말아야 한다. ( )

7. 선택적 지각은 자기 기준 체계에 유리한 것만을 일관성 있게 수용하려고 하는 것이다. ( )

8. 논리적 오류는 유형화(정형화, 집단화)의 착오에 해당하는 것으로 사람에 대한 경직된 편견이나 선입견 또는 고정관념에 의한 오류를 말한다. ( )

9. 평정자가 평정대상자를 다른 평정대상자와 비교함으로써 발생하는 오류는 대비오차이다. ( )

O·X 정답 1. ○ 2. ○ 3. ○ 4. × 5. × 6. × 7. ○ 8. × 9. ○

⑧ **피그말리온효과(자기충족적 예언효과, 로젠탈효과)**: 평정자의 긍정적 기대나 관심을 받는 구성원이 실제로 그렇게 행동하게 되어 긍정적 인식이 더욱 강화되는 현상

⑨ **스티그마효과(낙인효과)**: 피그말리온효과와 반대로 평정자의 부정적인 낙인이 찍힌 구성원이 실제로 그렇게 행동하게 되어 부정적 인식이 더욱 강화되는 현상

(8) 평정오류의 유형 정리

| 분포상의 오류 | 집중화(중간화)의 오류, 관대화의 오류, 엄격화의 오류, 규칙적 오류, 총계적 오류 등 |
|---|---|
| 지각상의 오류 | 연쇄효과(후광효과), 선입견에 의한 오류(상동적 오차, 유형화·정형화·집단화의 오류), 시간적 오류(최초효과, 근접오류), 귀인적 편견(근본적 귀속의 착오, 이기적 착오), 대비착오, 유사착오, 투사에 의한 오류, 기대성 착오, 논리적 오차, 선택적 지각의 착오, 방어적 지각의 착오, 피그말리온효과, 스티그마효과 등 |

## 02 우리나라의 근무성적평정제도

### 1. 의 의

(1) 「공무원 성과평가 등에 관한 규정」(대통령령)에 따르면 근무성적평정은 일반직 공무원 전원을 대상으로 하며, 4급 이상은 성과계약 등 평가(직무성과계약제)를, 5급 이하는 근무성적평가(근무실적 및 능력에 대한 평가)를 의무적으로 실시하도록 하고 있다.

(2) 또한 계급을 불문하고 다면평가를 실시할 수 있도록 규정(임의사항)하고 있으며, 이외에 5급 이하는 경력평정이 가미되고, 과장급 이상 공무원에 대해서는 역량평가를 수행하도록 하고 있다.

### 2. 직무성과계약제(직무성과관리제, 성과계약 등 평가)

(1) 의 의

장·차관 등 기관의 책임자와 실·국장 등 고위관리자, 과장 등 중간관리자 간에 하향식(top-down)으로 성과목표와 평가지표 등에 관해 공식적인 성과계약을 맺은 뒤 계약서에 명시한 목표달성도 등을 평가하여 평가결과를 보수 및 승진 등에 반영하는 제도이다.

(2) 운영원리

① **전략계획 수립**: 기관장이 기관임무로부터 전략목표를 도출하는 단계

② **성과계약 체결**: 기관장과 실·국장 간, 실·국장과 과장 간 전략목표에 근거한 성과목표와 지표 등에 대하여 합의를 통해 성과계약을 체결하는 단계

③ **중간점검**: 실·국장 및 과장의 업무추진실적을 점검하고 성과향상 방안을 논의하여 필요시 목표수정 등이 이루어지는 단계

④ **성과평가(최종평가)**: 기관장이 목표달성도를 평가한 후 평가등급 및 평가의견을 제시하고 환류하는 단계

(3) 특징 – 하향식(top-down) 관리

상향식 관리(bottom-up)인 목표에 의한 관리(MBO)와 달리 조직의 임무와 전략목표가 먼저 수립되고 이를 바탕으로 하향식(top-down)으로 관리자들의 개인목표가 설정되기 때문에 조직목표와 개인목표 간, 상·하급자 간, 부서 간 목표가 긴밀하게 연계된다.

**O·X 문제**

1. 집중화의 오류, 관대화의 오류, 유형화의 오류는 평정 결과의 분포상의 오류이다. ( )

**O·X 문제**

2. 직무성과관리제는 직무분석을 통해 도출된 성과책임을 바탕으로 성과목표를 설정·관리·평가하고, 그 결과를 보수 혹은 처우 등에 적용하는 제도를 말한다. ( )

3. 직무성과계약제는 상·하급자 간의 합의를 통해 목표를 설정하고, 성과계약의 내용이 구체적이며 상향식으로 체결된다는 점에서 목표관리제(MBO)와 유사하다. ( )

4. 직무성과계약제는 주로 개인의 성과평가제도로 조직 전반의 성과관리를 중심으로 하는 균형성과지표(BSC)와 구분된다. ( )

O·X 정답 1. × 2. ○ 3. × 4. ○

**O·X 문제**

1. 우리나라의 6급 이하 공무원에게는 직무성과계약제가 적용되고 있다. ( )

2. 직무성과계약제는 실·국장 등과 5급 이하 공무원 간에 공식적 성과계약을 체결한다. ( )

**심화학습**

**평정요소 예시**

| 구분 | 평정요소 |
|---|---|
| 근무실적 | 업무 난이도, 완성도, 적시성 등 |
| 직무수행능력 | 기획력, 의사전달력, 협상력, 추진력, 신속성, 팀워크, 성실성, 고객지향성 등 |

O·X 정답 1. × 2. ×

(4) 우리나라 – '성과계약 등 평가'

① **대상**: 4급 이상 공무원(고위공무원단에 속하는 공무원 포함)과 연구관·지도관 및 전문직 공무원을 대상으로 한다. 다만, 소속 장관은 5급 이하 공무원 및 우정직 공무원 중 성과계약 등 평가가 적합하다고 인정하는 공무원에 대해서도 실시할 수 있다.

② **평가항목**: 소속 장관은 평가항목을 성과목표 달성도, 부서 단위의 운영 평가 결과, 그 밖에 직무수행과 관련된 자질이나 능력 등에 대한 평가 결과 중에서 하나 또는 그 이상으로 정할 수 있다.

③ **성과계약의 체결**: 소속 장관은 평가 대상 기간의 해당 기관의 임무 등을 기초로 평가 대상 공무원과 평가자가 성과계약을 체결하도록 해야 한다.

④ **평정시기**: 12월 31일을 기준으로 실시한다(연 1회).

⑤ **평가방법**

㉠ 평가 대상 기간 중 평가 대상 공무원의 소관 업무에 대한 성과계약의 성과목표 달성도 등을 고려하여 평가한다.

㉡ 평가등급의 수는 3개 이상으로 하며, 업무상 비위 등 소속 장관이 정하는 요건에 해당하는 공무원에게는 최하위 등급을 부여할 수 있다.

㉢ 고위공무원단 소속 공무원에 대한 평가등급별 인원 분포 비율은 소속 장관이 정한다. 이 경우 최상위 등급은 평가 대상 공무원 수의 상위 20% 이하의 비율로, 하위 2개 등급(미흡 및 매우미흡의 등급)은 하위 10% 이상의 비율로 분포하도록 해야 한다.

### 3. 근무성적평가

(1) 운 영

① **대상**: 5급 이하 공무원, 우정직 및 연구직·지도직 공무원을 대상으로 한다.

② **평가항목**

㉠ 근무실적과 직무수행능력으로 하되, 소속 장관이 필요하다고 인정하는 경우에는 인사혁신처장이 정하는 범위에서 직무수행태도 또는 부서 단위의 운영 평가 결과를 평가항목에 추가할 수 있다.

㉡ 평가항목별 평가요소는 소속 장관이 직급별·부서별 또는 업무분야별 직무의 특성을 반영하여 정한다.

㉢ 근무성적평가는 직급별로 구성한 평가 단위별로 실시한다.

③ **성과목표의 선정**: 소속 장관은 해당 기관의 임무 등을 기초로 평가 대상 공무원이 평가자 및 확인자와 협의하여 성과목표 등을 선정하도록 해야 한다.

④ **평정시기**: 정기평가와 수시평가로 구분하여 실시하고, 정기평가는 6월 30일과 12월 31일을 기준으로 실시한다(연 2회). 수시평가는 승진후보자 명부의 조정 사유가 발생한 경우에 실시한다.

⑤ **평가방법**

㉠ 평가자는 확인자와 협의하여 평가 대상 공무원의 근무실적과 직무수행능력 등을 고려하여 평가 단위별로 근무성적을 평가하되, 평가 대상 공무원의 성과목표 달성 정도 등을 고려하여 평가해야 한다.

㉡ 평가등급의 수는 3개 이상으로 하며, 최상위 등급은 평가 단위별 인원수의 상위 20%로, 최하위 등급은 하위 10%로 분포하도록 평가한다.

㉢ 평가자 및 확인자는 근무성적평가의 결과를 근무성적평가위원회에 제출해야 한다.

⑥ 근무성적평정위원회

㉠ 근무성적평가 결과를 고려하여 평가 대상 공무원에 대한 근무성적평가 점수를 정하고 근무성적평가 결과의 조정 · 이의신청 등에 관한 사항을 처리하기 위해 승진후보자 명부작성단위 기관별로 근무성적평가위원회를 둔다.

㉡ 위원회는 평가 단위별로 제출한 평가 대상 공무원의 근무성적평가 결과에 따라 직급별 또는 계급별로 근무성적평가 점수를 부여하되, 근무성적평가 점수의 총점은 70점을 만점으로 한다.

㉢ 근무성적평가 점수는 평가 단위별로 제출한 결과에 따라 3개 등급 이상으로 구분하여 최상위 등급의 인원은 상위 20%로, 최하위 등급의 인원은 하위 10%로 분포하도록 부여한다.

⑦ **근무성적평가제도의 자율적 설계 · 운영**: 소속 장관은 근무성적 평가에 관한 사항으로서 따로 정할 필요가 있는 근무성적평가제도의 설계 · 운영 등에 관한 사항에 대해서는 해당 기관의 직무특성 등을 고려하여 따로 정할 수 있다.

(2) 근무성적평정의 절차 등

① **평가자 · 확인자 · 평가단위 확인자**: 평가자는 평가 대상 공무원의 업무수행 과정 및 성과를 관찰할 수 있는 상급 또는 상위 감독자 중에서, 확인자는 평가자의 상급 또는 상위 감독자 중에서, 평가단위 확인자는 확인자의 상급 또는 상위 감독자 중에서 소속 장관이 지정한다.

② **성과면담**: 평가자는 평정이 공정하고 타당하게 실시될 수 있도록 평정 대상 공무원과 성과면담을 실시해야 한다. 또한 정기평가를 실시할 때에는 성과목표 추진 결과 등에 관해 평정 대상 공무원과 서로 의견을 교환해야 한다.

③ 근무성적평정 결과의 공개 및 이의신청 등

㉠ 평가자, 확인자, 평가단위 확인자는 근무성적평정이 완료되면 평정 대상 공무원에게 해당 근무성적평정 결과를 알려 주어야 한다.

㉡ 평정 대상 공무원은 평가자의 평정 결과에 이의가 있는 경우에는 확인자에게, 평가단위에서의 평가 결과에 이의가 있는 경우에는 평정단위 확인자에게 이의를 신청할 수 있다.

㉢ 평가 대상 공무원으로서 이의신청 결과에 불복하는 공무원은 근무성적평가위원회에 근무성적평가 결과의 조정을 신청할 수 있다.

㉣ 근무성적평정의 결과에 대한 소청은 명문규정이 없으나, 소청심사위원회의 결정에 의하면 소청심사의 대상이 아니다.

④ **평가결과의 활용**: 소속 장관은 평가결과를 평가 대상 공무원에 대한 승진임용 · 교육훈련 · 보직관리 · 특별승급 · 성과상여금 지급 등 각종 인사관리에 반영해야 한다.

**O·X 문제**

1. 평가자는 근무성적평정 대상 공무원과 의견교환 등 성과면담을 3회 이상 실시하여야 한다. ( )
2. 우리나라는 평정 결과의 비공개를 원칙으로 하고 평정 결과에 대한 소청을 인정하지 않고 있어, 평정의 공정성과 신뢰성 확보가 불충분하다. ( )
3. 우리나라 정부에서는 현재 평정 결과에 대한 소청이 허용되고 있다. ( )

O·X 정답 1. × 2. × 3. ×

### (3) 경력평정

① **의의**: 경력이란 직업상의 경험과 그 근무연한을 말한다. 경력평정은 하위계급에서 일정 기간 근무해야 상위계급으로 승진할 수 있도록 하는 승진소요최저연수제도와 관련하여 중요성을 지닌다.

② **장점**: 경력평정은 정실 개입이 적어 고도의 객관성에 근거한 인사관리가 이루어지며, 행정의 안정성이 유지된다.

③ **단점**: 공무원 평정에서 경력만을 중시할 경우 유능한 인재의 승진이 어려워져 행정의 침체가 야기되고, 상급자의 통솔이 곤란하다.

④ **운 영**

㉠ **대상**: 정기평정 기준일 현재 승진소요최저연수에 도달한 5급 이하 공무원·연구사·지도사를 대상으로 한다(4급 이상 공무원은 경력평정을 하지 않음).

㉡ **확인자**: 각급 기관의 인사담당관이 확인자이다.

㉢ **대상기간**: 정기평정 기준일부터 평정 대상 공무원의 승진소요최저연수 이상의 범위에서 소속 장관이 정하는 기간 중 실제로 직무에 종사한 기간을 대상으로 한다.

㉣ **경력평정점의 산출**: 총점은 30점 만점으로 한다.

㉤ **평정시기**: 정기평정과 수시평정으로 구분하여 실시한다(근무성적평가와 동일).

## 4. 우리나라의 근무성적평정제도

| 방 식 | 성과계약 등 평가 | 근무성적평가 |
|---|---|---|
| 대 상 | 일반직 4급 이상 공무원, 연구관·지도관 및 전문직 공무원 | 일반직 5급 이하 공무원, 우정직, 연구직·지도직 공무원 |
| 평정주체 | 복수(이중)평정<br>• **평가자**: 평가 대상 공무원의 상급 또는 상위감독자<br>• **확인자**: 평가자의 상급 또는 상위감독자 | |
| 평가시기 | 12월 31일 기준(연 1회) | 6월 30일, 12월 31일 기준<br>(연 2회, 다만, 6월말 평가는 생략 가능) |
| 평가항목 | 성과계약의 성과목표 달성도, 부서 단위의 운영 평가 결과, 그 밖의 직무수행과 관련된 자질이나 능력 등에 대한 평가 결과 중에서 하나 또는 그 이상 | 근무실적과 직무수행능력을 기본으로 하되, 소속 장관은 직무수행태도 또는 부서 단위 평가 결과를 추가할 수 있음. |
| 평가등급 | • 평가등급의 수는 3개 이상으로 하며, 인원 비율은 부처에서 자율 결정<br>• 고위공무원단은 5개 등급으로 하되, 최상위 등급은 20% 이하의 비율로, 하위 2개 등급의 인원은 10% 이상의 비율로 분포하도록 함. | • 평가등급의 수는 3개 이상으로 하며, 최상위 등급의 인원은 평가단위별 인원수의 상위 20%의 비율로, 최하위 등급의 인원은 하위 10%의 비율로 평가<br>• 소속 장관이 필요하다고 인정하는 경우에는 분포비율을 달리 정할 수 있음. |
| 절차 등 | • **성과면담**: 평가자는 평정의 공정하고 타당성 있는 실시를 위해 평정 대상 공무원과 성과면담을 실시해야 함.<br>• **평정 결과의 공개**: 평가자, 확인자 및 평가 단위 확인자는 평정이 완료되면 평정 대상 공무원에게 해당 평정 결과를 알려 주어야 함.<br>• **평정 결과에 대한 이의신청**: 평가자의 평정에 이의가 있는 경우에는 확인자에게, 평가 단위에서의 평가에 이의가 있는 경우에는 평가 단위 확인자에게 이의신청<br>• **소청심사**: 명문규정은 없으나 소청심사위원회의 결정에 의하면 소청심사 불가능 | |
| 평정 결과의 활용 | 소속 장관은 평가 결과를 평가 대상 공무원에 대한 승진임용·교육훈련·보직관리·특별승급 및 성과상여금 지급 등 각종 인사관리에 반영해야 함. | |

**심화학습**

**경력평정의 원칙**

| | |
|---|---|
| 근시성의 원칙 | 과거 경력보다는 최근 경력을 높이 평가한다. |
| 친근성의 원칙 | 승진 시 승진예정직무와 유사한 관련 업무에 대한 경력을 높이 평가한다. |
| 습숙성의 원칙 | 책임도·곤란도가 높은 상위직급의 경력을 높이 평가한다. |
| 발전성의 원칙 | 잠재능력과 장래발전가능성이 있는 경력을 높이 평가한다. |

**심화학습**

**가점평정**

소속 장관은 승진후보자 명부를 작성할 때에는 직무 관련 자격증의 소지 여부, 특정 직위 및 특수지역에서의 근무경력, 근무성적평가 대상 기간 중의 업무혁신 등 공적사항, 그 밖에 직무의 특성 및 공헌도 등을 고려하여 해당 공무원에게 5점의 범위에서 가점을 부여할 수 있다. 다만, 전문직위에 일정 기간 이상 근무한 사람에 대해서는 가점을 부여해야 한다.

**O·X 문제**

1. 일반직 공무원의 근무성적평정은 크게 5급 이상을 대상으로 한 '성과계약 등 평가'와 6급 이하를 대상으로 한 '근무성적평가'로 구분된다. ( )
2. '성과계약 등 평가'는 정기평가와 수시평가로 나눌 수 있으며, 정기평가는 6월 30일과 12월 31일 기준으로 연 2회 실시한다. ( )
3. 우리나라는 평정대상자의 근무실적과 직무수행능력을 평가하지만 적성, 근무태도 등은 평가할 수 없다. ( )
4. 우리나라는 평정 결과에 대해 소청할 수 없다. ( )

O·X 정답 1. × 2. × 3. × 4. ○

## 5. 다면평가제(집단평정)

### (1) 의 의

조직원을 평가할 때 상사에 의한 일방향적 평가가 아닌 다양한 수준과 측면에서 상사·동료·부하·고객 등 다양한 평가자가 평가하는 포괄적인 평가체제를 말한다(360° 피드백).

### (2) 등장배경

① **관리범위의 확대**: 현대의 유기적 조직은 통솔범위가 넓어지면서 관리자가 부하 개개인의 행동을 직접 관찰할 수 없기 때문에 관리자가 관찰할 수 없는 행태를 관찰할 수 있는 동료·부하·고객에 의한 평가가 중시되었다.

② **지식노동자의 출현**: 전문지식을 갖추지 못한 일반관리자들은 지식노동자들에 대한 평가가 곤란하기 때문에 동료 지식노동자에 의한 평가가 중시되었다.

③ **팀 위주의 조직 지향**: 전통적인 관료제 조직에서 점차 팀제로 전환됨에 따라 팀원들 간에 성과 피드백이 중시되면서 다면평가의 필요성이 증대되었다.

④ **조직원들의 참여의식 확대**: 조직원들이 적극적으로 의사결정과정에 참여하는 조직문화로의 이행으로 인해 다면평가의 필요성이 증대되었다.

⑤ **내·외부고객의 피드백**: 고객지향적 행정이 중시됨에 따라 고객의 피드백이 강조되면서 다면평가의 필요성이 증대되었다.

### (3) 다면평가의 유용성

① **종합적·객관적 평가**: 피평가자에 대한 다양한 시각으로부터의 정보획득을 통한 종합적·객관적 평가를 통해 피평가자로부터 승복을 받아내기 용이하다.

② **평가의 정확성 제고**: 피평가자에게 늘 근접해 있는 다수의 평가자들에게 평가를 받기 때문에 상사의 편견을 극복하고 평가의 정확성을 높일 수 있다.

③ **자기개발에 대한 동기부여**: 상사로부터의 환류보다 근접성과 상호성에 근거한 동료로부터의 환류가 개인의 행위를 바꾸는 데 더 큰 영향을 미친다는 점에서 구성원의 자기개발을 촉진할 수 있다.

④ **인간관계 개선 및 의사소통 활성화**: 조직원으로 하여금 조직 내외의 모든 사람들과 원활한 인간관계 증진 및 의사소통 활성화를 촉진할 수 있다.

⑤ **현대조직의 특성과 부합**: 현대의 수평적 조직은 상사위주의 평가가 아닌 동료·부하·자기 평가 등의 다면평가와 부합가능성이 높다.

⑥ **충성심의 다원화**: 기존의 상사에 대한 일방향적 충성심이 다양한 평가자들에 대한 다원화된 충성심으로 변화되어 권위적·관료적 행태의 병폐를 시정하고 민주적 조직운영을 활성화할 수 있다.

⑦ **조직의 생산성 증대**: 정실주의적 인사관리가 아닌 능력과 성과 중심의 인사관리가 활성화되어 조직의 생산성이 향상될 수 있다.

⑧ **참여문화의 유도**: 부하 및 동료들의 참여를 통해 참여문화를 유도하며, 고객참여를 통해 고객 서비스 증대에 도움을 줄 수 있다.

⑨ **분권화의 촉진**: 평정권한을 부하들에게 배분하여 부하들에게 힘을 실어줌으로써 분권화를 촉진한다.

⑩ **민주적 리더십 확립**: 관리자가 부하의 의견을 토대로 잘못된 행태를 개선할 수 있도록 하여 민주적 리더십 확립에 기여한다.

PART · 05

**O·X 문제**

1. 다면평가는 다수의 평가자가 참여해 합의를 통해 평가 결과를 도출하는 체계이며, 개별평가자의 오류를 방지하고 평가의 공정성을 확보할 수 있다. ( )
2. 다면평가제도는 정실인사의 폐단을 방지하고 공정한 인사정책을 운영할 수 있는 장치 중 하나이다. ( )
3. 다면평가는 조직구성원들로 하여금 조직 내외의 모든 사람들과 원활한 인간관계를 증진시키려는 동기를 부여하게 된다. ( )
4. 다면평가는 평가 결과의 환류를 통하여 평가대상자의 자기역량 강화에 활용할 수 있다. ( )
5. 다면평가는 보다 공정하고 객관적인 평정이 가능하게 하며, 평정 결과에 대한 당사자들의 승복을 받아내기 쉽다. ( )
6. 다면평가는 조직 내외의 다양한 사람들과의 원활한 인간관계를 증진시키도록 동기를 부여하기 때문에 업무수행의 효율성을 제고할 수 있다. ( )

O·X 정답 **1.** × **2.** ○ **3.** ○ **4.** ○ **5.** ○ **6.** ○

#### (4) 다면평가의 한계

① **물리적 비용 증대**: 평가에 익숙하지 않은 부하나 고객을 학습시키기 위한 비용이 증대되며, 다수의 평가자에 대한 관리의 어려움이 야기된다.

② **다양한 평정오류 야기**: 상사를 제외한 평가자들은 평가업무에 익숙치 않아 다양한 평정오류를 야기하여 평정의 정확성을 저해할 수 있다.

③ **포퓰리즘 야기**: 조직 내에서 포퓰리즘이 야기되어 피평가자들이 목표나 능력의 성취보다는 인기관리에 급급할 우려가 있다.

④ **담합으로 인한 목표의 왜곡**: 동료 또는 부하와의 담합이나 모략성 응답을 통해 평가목표(평가의 공정성)의 왜곡을 야기할 위험성이 있다.

⑤ **평가의 적합성 확보 곤란**: 평가항목이 유사해 부처별·직급별·직종별 특성에 따른 다양하고 적합한 평가가 이루어지지 않을 수 있다.

⑥ **통제 및 조정 곤란**: 상급자의 권위 및 리더십을 훼손하고 방어적인 행태를 조장하여 부하와 상사와의 관계를 파괴하고 조직의 통제 및 조정을 곤란케 할 수 있다.

⑦ **평가 방향의 불안정성**: 평정자 간 평가의 방향이 다를 경우 피평가자가 어떤 방향성에 더 비중을 두어 행동해야 하는가의 문제가 발생한다.

⑧ **피평가자의 갈등과 스트레스**: 피평정자는 통제망의 확대로 평정상의 불쾌감이나 스트레스가 커질 수가 있다.

#### (5) 우리나라의 운영현황

① **실시 여부**: 소속 장관은 소속 공무원에 대한 능력개발 및 인사관리 등을 위하여 해당 공무원의 상급 공무원, 동료, 하급 공무원 및 민원인 등에 의한 다면평가를 실시할 수 있다(임의사항).

② **평가단 구성**: 평가자 집단은 다면평가 대상 공무원의 실적·능력 등을 잘 아는 업무 관련자로 구성하되, 소속 공무원의 인적 구성을 고려하여 공정하게 대표되도록 구성하여야 한다.

③ **특징**: 온라인 평가를 원칙으로 하며, 다면평가에 앞서 피평정자 본인이 업무실적기록을 제출하도록 하여 자기평정의 요소가 가미되어 있다. 또한, 다면평가의 결과는 해당 공무원에게 공개할 수 있다.

④ **활용**: 다면평가의 결과는 공무원의 역량개발·교육훈련 등 자기개발 목적으로 활용되며, 승진·전보·성과급 지급 등에는 참고자료로만 활용된다.

**O·X 문제**

1. 다면평정은 부하들에게 힘을 실어주어 행정분권을 촉진하지만 포퓰리즘으로 인한 목표의 왜곡이 발생할 수 있다. ( )
2. 다면평가는 평정자들이 평정의 취지와 방법을 잘 알고 있기 때문에 담합을 하거나 모략성 응답을 할 가능성이 적다. ( )
3. 다면평가는 능력보다는 인간관계에 따른 친밀도로 평가가 이루어져 상급자가 업무추진보다는 부하의 눈치를 의식하는 행정이 이루어질 가능성이 높다. ( )
4. 다면평가는 평가의 공정성과 객관성을 제고할 수 있으나 각 부처가 반드시 이를 실시해야 하는 것은 아니다. ( )
5. 다면평가의 평가자에 피평가자의 상급 또는 상위 공무원, 동료, 하급 또는 하위 공무원은 포함되지만, 민원인은 참여할 수 없다. ( )
6. 다면평가의 결과는 승진, 전보, 성과급 지급 등에 참고자료로 활용될 수 있다. ( )

O·X 정답 1. ○ 2. × 3. ○ 4. ○ 5. × 6. ○

## 6. 역량평가

### (1) 의 의

일종의 사전적 검증장치로 단순한 근무실적 수준을 넘어 평가대상자가 자신이 담당해야 할 업무수행과 관련된 역량을 보유하고 있는지에 대해 평가하는 제도이다.

### (2) 평가기법 – 평가센터(Assessment Center)기법의 활용

① **미래의 잠재력 평가**: 대상자의 과거 성과를 평가하는 것이 아니라 미래 행동에 대한 잠재력을 측정하며, 성과에 대한 외부 변수를 통제함으로써 개인의 역량에 대한 객관적인 평가를 수행한다.

② **관찰에 의한 평가**: 구조화된 모의 상황을 설정해 현실적 직무 상황에 근거한 행동을 관찰하여 평가한다. 즉, 추측이나 유추가 아닌 직접적 관찰을 통해 평가자의 주관성을 배제한다.

③ **다양한 역량의 측정**: 다양한 실행과제를 종합적으로 활용(복합적 실행과제)함으로써 개별 평가기법의 한계를 극복하고 대상자들의 몰입을 유도하여 다양한 역량을 측정한다.

④ **다수 평가자의 합의에 의한 평가**: 다수의 평가자가 참여해 합의를 통해 평가결과를 도출함으로써 개별 평가자의 오류를 방지하고 평가의 공정성을 확보한다.

### (3) 평가대상자

① **고위공무원단 후보자**: 고위공무원으로 신규채용되려는 자, 4급 이상 공무원이 고위공무원단 직위로 전보 또는 승진임용되려는 자는 역량평가를 통과해야 한다.

② **과장급 후보자**: 과장급 직위로 신규채용되려는 자, 과장급 직위로 전보 또는 승진임용되려는 자는 역량평가를 통과해야 한다.

### (4) 역량평가체제

| 방 식 | 고위공무원단 후보자 | 과장급 후보자 |
|---|---|---|
| 평가 대상자 | 고위공무원으로 신규 채용되려는 자, 4급 이상 공무원이 고위공무원단 직위로 전보 또는 승진임용되려는 자 | 과장급 직위로 신규채용되려는 자, 과장급 직위로 전보 또는 승진임용되려는 자 |
| 평가체제 | 6개 역량, 4개 실행과제, 9명 평가자 | 6개 역량, 4개 실행과제, 6명 평가자 |
| 평가대상 역량 | 문제인식, 전략적 사고, 성과지향, 변화관리, 고객만족, 조정·통합 | 정책기획, 성과관리, 조직관리, 의사소통, 이해관계조정, 동기부여 |
| 실행과제 | 1:1 역할수행, 서류함기법, 집단토론, 1:2 역할수행 | 1:1 역할수행, 서류함기법, 집단토론, 발표 |
| 교육과정 | 고위공무원단 직위로 승진임용되고자 하는 경우 '고위공무원단 후보자 과정'을 의무적으로 이수한 후 역량평가를 받음. | 과장급 직위에 승진임용되고자 하는 경우 '과장 후보자 과정'의 이수 여부는 본인이 선택 후 역량평가를 받음. |
| 평가결과 환류 | 평가대상자에게 역량평가 통과 여부, 역량 수준, 역량별 강점 및 약점, 역량개발 조언 등을 담은 결과보고서 통보 | |

**O·X 문제**

1. 역량평가는 구조화된 모의상황을 설정하여 현실적 직무 상황에 근거한 행동을 관찰·평가하는 방식으로 평가자의 주관성을 배제할 수 있다. ( )

2. 역량평가제도는 피평가자의 과거 성과를 평가하는 것이 아니라 미래 행동에 대한 잠재력을 측정하는 것이다. ( )

3. 역량평가제는 다양한 평가기법을 활용하여 실제 업무와 유사한 모의 상황에서 나타나는 평가 대상자의 행동 특성을 다수의 평가자가 평가하는 체계이다. ( )

4. 역량평가는 다양한 실행과제를 종합적으로 활용함으로써 개별 평가기법들이 지니는 한계를 극복하고 다양한 역량을 평가할 수 있다. ( )

5. 역량평가제도는 5급 신규 임용자를 대상으로 업무수행에 필요한 충분한 역량을 보유하고 있는지를 평가한다. ( )

6. 역량평가제는 다수의 평가자가 참여하고 평가자 간의 합의에 의해 평가결과가 도출되기 때문에 개별 평가자의 오류를 막고 평가의 공정성을 확보할 수 있다. ( )

7. 고위공무원단 후보자가 되기 위해서는 역량평가를 거친 후 반드시 고위공무원단 후보자 교육과정을 이수해야 한다. ( )

O·X 정답 1. ○ 2. ○ 3. ○ 4. ○ 5. × 6. ○ 7. ×

PART · 05

CHAPTER 03

# 공무원의 사기와 권리

## 제 1 절 사기관리

### 01 공무원의 사기

#### 1. 의 의

(1) 개 념

사기란 조직목표 달성을 위해 열성적 · 헌신적으로 협력하고 노력하려는 조직 내 개인 또는 집단의 자발적인 직무수행의욕(정신자세 및 태도)을 말한다.

(2) 연구의 대두배경

고전적 행정학인 과학적 관리론은 사기를 연구하지 않았으며, 인간관계론부터 사기에 대한 연구가 진행되었다. 인간관계론은 집단 내에서 사회적 욕구가 충족되면 구성원의 사기가 높아지고 이를 통해 조직의 성과가 향상될 것으로 보았다.

(3) 사기의 성격

① **주관적 · 자발적 성격**: 개인의 심리상태와 관련된 주관적이고 자발적인 근무의욕이다.

② **집단적 · 조직적 성격**: 개인의 심리상태를 넘어 구성원들의 협력성 · 응집력 등의 집단적 정신자세를 포함하는 개념이다.

③ **사회적 성격**: 반사회성을 지닌 근무의욕은 진정한 의미의 사기라 할 수 없기 때문에 사기는 사회적 가치와 결부되어야 한다.

④ **직무와 관련된 근무의욕**: 직무수행과 관련된 의욕으로 직무와 관련이 없는 개인의 단순한 만족감은 사기와 관련이 없다.

⑤ **상황의존적 · 가변적 성격**: 사기의 수준은 항상 일정하게 고정되어 있는 것이 아니라 상황의존적이며 가변적이다.

심화학습

사기의 효용
① 조직목표 달성에 기여
② 조직에 대한 충성심과 일체감 고취
③ 법규나 규칙의 자발적 준수
④ 직무와 조직에 대한 자긍심 부여
⑤ 자신의 직무에 대한 직업적 전문화 촉진
⑥ 조직의 자발적 조정에 기여

#### 2. 구체적 내용

(1) 사기의 특징

① **사기와 동기부여**: 사기는 인간의 욕구에 의해 결정된다. 즉, 욕구가 충족되면 사기가 증진되며, 충족되지 못하면 사기가 저하된다. 따라서 사기는 동기부여이론과 표리관계에 있다.

② 사기와 생산성

㉠ **사기실재론(Mayo)**: 초기의 주류적 입장으로, 사기와 생산성 간의 밀접한 관계를 인정한다. 이들은 근로자의 욕구충족이 사기를 고취시키고 이로 인해 조직의 생산성이 향상된다고 본다(동기부여의 내용이론).

㉡ **사기명목론(Coser, Schachter)**: 최근의 주류적 입장으로, 사기와 생산성의 밀접한 관계를 부인한다. 이 견해에 의하면 생산성은 사기와 작업수행능력 등의 결합이다. 따라서, 사기가 높더라도 작업수행능력이 낮다면 반드시 생산성이 증진되는 것은 아니라고 본다(V. Vroom의 기대이론 등 동기부여의 과정이론).

㉢ **논의의 종합**: 사기명목론이 오늘날의 일반적인 입장이다. 사기는 생산성에 영향을 미치는 요소 중에 하나이지만 사기가 높다고 해서 반드시 생산성이 높은 것은 아니다. 즉, 사기는 생산성의 필요요건일 뿐 충분요건이라 할 수 없다.

(2) 사기의 결정요인

① **경제적(물질적) 요인**: 생존욕구와 관련된 요인으로 보수, 연금, 작업환경 등이 이에 속한다. 과학적 관리론에서 중시되었다.

② **사회적 요인**: 관계욕구와 관련된 요인으로 대인관계, 조직에 대한 귀속감·일체감 등이 이에 속한다. 인간관계론에서 중시되었다.

③ **심리적 요인**: 성장욕구와 관련된 요인으로 성취감, 인정감, 성공감, 참여감 등이 이에 속한다. 최근의 후기인간관계론 또는 조직인본주의에서 중시되었다.

(3) 사기조사의 방법

① **태도조사**: 질문지나 면접 등을 통해 공무원의 태도를 조사하여 사기를 진단하는 방법이다. 태도조사방법에는 관찰법·면접법·질문지법·사회측정법 등이 있다.

② **근무관계기록조사**: 공무원 개개인에 대한 생산고⁺(직무의 성취도), 근태 여부(출퇴근 상황), 이직률 등과 같은 근무상황과 관련된 기록을 조사하여 사기를 진단하는 방법이다.

(4) 사기앙양 방법

① **생리적 욕구의 충족**: 좋은 직무환경, 보수 합리화, 급식 보조, 주거 지원 등

② **안정적 욕구의 충족**: 의료보험과 연금 혜택, 안전한 환경 조성, 고용 안정 등

③ **사회적 욕구의 충족**: 공식적·비공식 활동에 참여 유도, 의사소통 활성화, 고충처리, 상담제도 등

④ **존경 욕구의 충족**: 정기적인 긍정적 피드백, 명예로운 직책 부여, 홍보물 등에 사진 게시, 진급, 포상, 신뢰 회복, 제안제도 등

⑤ **자아실현 욕구의 충족**: 합리적 승진, 도전적인 직무 할당, 핵심적인 업무활동에 대한 재량권 부여, 창의성 진작과 존중 등

심화학습

**사회측정법(Sociometry : 소시오메트리)**

모레노(Moreno)가 창안한 것으로 조직구성원 간 호(好)·오(惡) 관계를 파악하여 사기를 측정하는 방법[조직구성원 간 호(好)관계가 지배적일 경우 사기가 높다고 판단하며, 조직구성원 간 오(惡)관계가 지배적일 경우 사기가 낮다고 판단함]

**⁺ 생산고**

일정한 기간에 생산되어 나오는 재화의 수량이나 액수

## 02 보 수

### 1. 의 의

(1) 개 념

공무원 보수란 노동의 대가로서 공무원이 행한 공직에서의 봉사에 대하여 정부가 지급하는 금전적인 보상을 말한다.

(2) 특징 – 민간기업과 비교

① **경직성**: 민간은 노동시장의 조건·경영실적·단체교섭 등에 따라 보수의 유동성이 강하나, 공무원의 보수는 예산심의의 대상이 될 뿐만 아니라 법정화되어 있어 경직성이 강하다.

② **거시적 관리**: 민간의 보수는 각 근로자의 노동 가치에 따라 보수가 미시적으로 결정되지만, 공무원의 보수는 국가 정책적 관점(국민경제, 사회의 제반 정책 등의 고려)에서 거시적으로 결정된다.

③ **동일직무에 대한 동일보수의 곤란**: 공직은 규모가 방대하고 수행하는 업무가 추상적이어서 동일직무에 대한 동일보수 확립이 곤란하다.

④ **사회·윤리적 성격**: 공무원 보수는 노동에 대한 대가이지만 동시에 생활보장적 급부의 성격도 띠고 있다. 따라서, 국가는 대규모 모범적 고용주로서 공무원의 생계·품위 유지를 위한 생활급 지급의무를 지닌다.

⑤ **노동3권의 제약**: 공무원의 보수는 노사협약에 의해 결정되는 민간의 임금과는 달리 노동권의 제약을 받고 있어 보수결정이 공무원에게 불리하다.

⑥ **비시장성**: 정부의 업무는 시장에서 노동의 비교치를 찾는 것이 곤란하고 화폐가치로 환산이 어려워 시장가치를 파악하기 곤란하다.

⑦ **정치적 통제의 대상**: 공무원의 보수는 국민적 감시 및 민주통제의 대상이 되므로 정치적·법적 환경의 영향을 많이 받는다.

### 2. 보수의 결정요인

(1) 보수결정의 기본원칙

① **대외적 균형의 원칙(보수수준의 관리: 대외적 비교성)**: 공무원의 보수는 민간부문의 임금수준을 고려하여 보수의 수준이 결정된다.

② **대내적 균형의 원칙(보수체계의 관리: 대내적 상대성)**: 공무원의 보수는 상하 직급 간의 보수액의 차를 통해 능력발전과 근무의욕을 유도해 나가야 한다.

③ **기타**: 보수법정주의(공무원 보수는 법령에 근거를 둬야 함), 중복지급 금지의 원칙(공무원은 겸직을 하더라도 이중으로 보수를 지급받지 않음) 등이 있다.

④ **현황**: 미국, 영국 등의 서구 선진국과 우리나라는 대외적 비교성의 원칙과 대내적 상대성의 원칙의 조화를 추구하면서도 우선적으로 대외적 비교성을 기본원칙으로 하고, 대내적 상대성을 보완적으로 고려하고 있다.

### (2) 보수의 결정요인

공무원의 보수는 정부재정력(경제적 요인)을 상한선으로, 공무원의 생계비(사회·윤리적 요인)를 하한선으로 하여 직책과 능력에 따라 결정한다.

① **경제적 요인**: 정부에서 보수수준의 상한선을 결정할 때 고려하는 요인으로 ㉠ 사기업의 임금수준, ㉡ 정부의 지불능력과 국가의 재정력, ㉢ 물가수준과 정부의 경제정책, ㉣ 국민의 담세능력 등이 있다.

② **사회·윤리적 요인**: 정부에서 보수수준의 하한선을 결정할 때 고려하는 요인으로 정부는 공무원의 생계비 적정수준을 보장해 주어야 하는 사회·윤리적 의무를 지닌다.

③ **성과와 동기요인**: 근무성과에 따른 보수 지급을 통해 공무원의 동기를 유인하고 행정의 능률성을 향상시키기 위한 요인이다.

### (3) 우리나라 공무원 보수결정의 원칙(「국가공무원법」 제46조)

① 공무원의 보수는 직무의 곤란성과 책임의 정도에 맞도록 계급별·직위별 또는 직무등급별로 정한다.

② 공무원의 보수는 일반의 표준 생계비, 물가수준, 그 밖의 사정을 고려하여 정하되, 민간부문의 임금수준과 적절한 균형을 유지하도록 노력하여야 한다.

③ 경력직 공무원 간의 보수 및 경력직 공무원과 특수경력직 공무원 간의 보수는 균형을 도모하여야 한다.

④ 공무원의 보수 중 봉급에 관하여는 법률로 정한 것 외에는 대통령령으로 정한다.

⑤ 이 법이나 그 밖의 법률에 따른 보수에 관한 규정에 따르지 아니하고는 어떠한 금전이나 유가물도 공무원의 보수로 지급할 수 없다.

## 3. 보수체계의 관리 – 보수표 작성

보수표는 보수행정의 체계화·표준화를 가능하게 하고, 인건비 예산편성을 용이하게 하며, 공무원으로 하여금 장래의 봉급에 대한 예측을 할 수 있게 함으로써 심리적 안정감을 갖게 한다. 보수표는 작성 시 다음과 같은 사항에 유의해야 한다.

### (1) 등급의 수

① 보수등급이란 한 보수표 내에서 직무의 가치(직무의 곤란도·책임도)를 나타내는 기준으로 일반적으로 동일직무에 대한 동일보수의 원칙이 적용되는 부분이다. 등급(우리나라의 계급)이 올라가는 것을 승진이라 한다.

② 등급의 수를 세분하면 동일직무에 동일보수의 원칙을 실현할 수 있으나, 지나치게 세분하면 등급 간 차액이 미미하여 상위 등급으로의 승진에 대한 매력이 떨어지고 인사업무만 복잡해진다.

③ 등급의 수가 너무 적으면 동일직무에 대한 동일보수 원칙이 적용되기 어려울 뿐만 아니라 공무원이 한 등급에 지나치게 오래 머물기 때문에 승진에 대한 동기부여가 미약하다.

④ 계급제는 등급의 수가 적고 폭이 넓어 수당 중심의 보수제도가 운영되며, 직위분류제는 등급의 수가 많고 폭이 좁아 기본급 중심의 보수제도가 운영된다.

**심화학습**

**생계비의 적정수준**

생계비의 적정수준에 대하여 빈곤수준, 최저생활수준, 건강과 품위유지수준, 안락수준, 문화수준 등의 논란이 있으나 공무원 보수는 이 중 적어도 건강과 품위유지수준은 확보할 수 있는 정도여야 한다.

**O·X 문제**

1. 한국, 영국, 미국에서의 공무원 보수수준 결정은 주로 대내적 상대성 원칙을 따르고 있다. ( )
2. 공무원의 보수수준은 공무원의 생계비를 상한선으로 하고, 정부의 재정력을 하한선으로 하여 결정되는 것이 바람직하다. ( )
3. 공무원의 보수수준의 결정 시 정부의 지불능력, 민간부문의 임금수준, 외국공무원의 보수수준 등을 고려해야 한다. ( )
4. 공무원 보수는 일반의 가계생계비, 민간의 임금, 기타 사정을 고려하여 직무의 곤란성과 책임의 정도에 상응하도록 계급별로 정한다. ( )



**심화학습**

**등급의 수 결정에 영향을 미치는 요인**

① 조직 규모 및 직무의 분화
② 평균 승진 소요연수
③ 보수표의 수
④ 상하 직급 간 보수액의 차
⑤ 등급의 폭

**O·X 문제**

5. 계급제하에서는 계급만 같으면 일의 난이도·책임의 경중을 불문하고 동일액의 봉급이 지급되는 것이 원칙이다. ( )
6. 계급제를 채택하는 나라는 수당의 종류가 많은 것이 일반적이다. ( )

O·X 정답 1. × 2. × 3. × 4. × 5. ○ 6. ○

O·X 문제

1. 승급은 하위 직급에서 상위 직급으로 이동하는 것을 의미하며, 일반적으로 직무의 곤란도와 책임 증대 및 보수의 증액을 수반한다. ( )

2. 호봉 간 승급에 필요한 기간은 1년이며, 직종별 구분 없이 하나의 봉급표가 적용된다. ( )

(2) 등급의 폭(보수의 폭)과 호봉

① 등급의 폭이란 동일 등급 내에서 보수의 차를 의미한다. 등급의 폭은 몇 단계로 나누어지는데 이를 호봉이라 한다.

② 동일한 등급 내에서 호봉만 올라가는 것을 승급이라 한다. 우리나라는 승급의 기간을 1년 원칙으로 하고 있다.

③ 등급의 폭 및 호봉을 두는 이유는 근무연한 우대, 장기근무 장려, 근무성적 향상 등에 있다.

(3) 등급 간 보수액의 중첩

① 한 등급의 봉급 폭이 상위등급의 봉급 폭과 부분적으로 겹치는 것을 말한다.

② 보수액의 중첩은 경험 있는 공무원의 가치를 인정하고 근속자에게 혜택을 주기 위한 생활급적 요소를 지니며, 승진이 갖는 예산상의 부담을 완화하기 위한 것이다.

(4) 보수표의 작성

① 보수표란 등급과 호봉을 이용하여 보수액을 체계적으로 정리한 것이다.

② 우리나라의 경우 직종의 분화에 따라 11개의 보수표(봉급표)를 두고 있다(일반직 · 공안직 · 연구직 · 지도직 · 일반직 우정직군 등).

③ 복수의 보수표가 존재하는 이유는 단일의 보수표로는 각 직렬 간 직무의 특성, 근무기간, 능력발전을 위해 소요되는 기간 등의 특징을 반영하기 어렵기 때문이다.

일반직 공무원과 일반직에 준하는 특정직 및 별정직 공무원 등의 보수표(봉급표)

(단위: 만원, 2024년 기준)

| 계급(직무등급) / 호 봉 | 1급 | 2급 | 3급 | 4급 (6등급) | 5급 (5등급) | 6급 (4등급) | 7급 (3등급) | 8급 (2등급) | 9급 (1등급) |
|---|---|---|---|---|---|---|---|---|---|
| 1 | 4,36 | 3,93 | 3,54 | 3,04 | 2,71 | 2,24 | 2,05 | 1,91 | 1,87 |
| 2 | 4,52 | 4,07 | 3,67 | 3,16 | 2,82 | 2,34 | 2,12 | 1,96 | 1,89 |
| 3 | 4,67 | 4,22 | 3,81 | 3,29 | 2,94 | 2,45 | 2,20 | 2,01 | 1,92 |
| ⋮ | | | | | | | | | |
| 최고호봉 | (23) 7,50 | (25) 6,90 | (27) 6,36 | (28) 5,66 | (30) 5,29 | (32) 4,66 | (31) 4,21 | (31) 3,82 | (31) 3,49 |

(5) 보수곡선

① 봉급표 작성에서 호봉 간, 등급 간 급여차를 표시한 그래프를 보수곡선이라고 한다.

② 공무원의 보수곡선은 고급공무원을 우대하는 J곡선의 형태를 취한다. J곡선은 고위직으로 갈수록 보수가 급격히 높아지는 상후하박(上厚下薄)의 보수구조를 의미한다.

J곡선

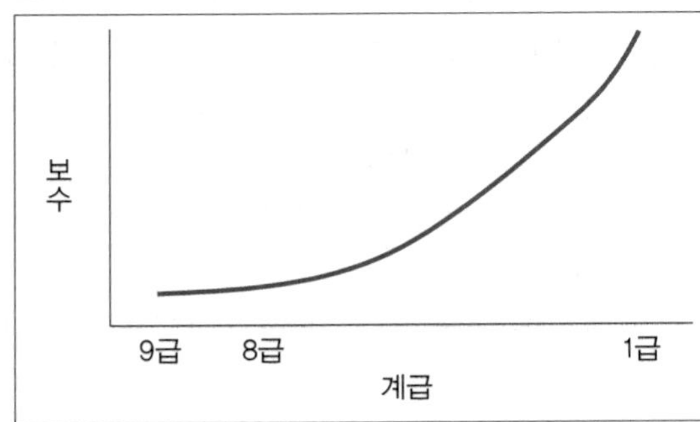


O·X 정답 1. × 2. ×

③ 보수곡선이 J곡선의 형태인 이유는 고위직이 조직에의 기여도가 높기 때문이며, 고위직의 보수를 많게 함으로써 승진에 대한 인센티브로 작용하도록 하기 위한 것이다.

④ 우리나라의 경우 민간기업이나 외국에 비해 공무원 보수의 상하 간 격차가 적은 편이다. 따라서 우리나라 공무원의 보수곡선은 미국이나 민간기업에 비해 보수곡선의 기울기가 완만하다. 즉, 우리나라 공무원의 보수는 미국이나 민간기업에 비해 하후상박(下厚上薄)의 구조를 지니고 있다.

(6) 보수관리기관

① 보수관리는 인사행정기능과 재정관리기능이 혼합된 영역이다. 일반적으로 직위분류제 국가는 중앙인사기관이, 계급제 국가는 중앙예산기관이 보수관리를 담당한다.

② 우리나라는 중앙인사기관인 인사혁신처가 처우개선을 담당하되, 중앙예산기관인 기획재정부와 협의하여 공무원처우개선계획을 수립한다.

## 4. 보수의 종류 및 구성

(1) 보수의 종류

| 보수유형 | 보수결정기준 | 기초원리 | 보수원칙 |
|---|---|---|---|
| 생활급 | 생계비 | 보수의 하한선 | 생활보장의 원칙 |
| 연공급 | 연령 및 근무연수 | 동일근속 동일보수 | |
| 직능급 | 직무수행능력(잠재적 기여가능성) | 동일능력 동일보수 | 노동대가의 원칙 |
| 직무급 | 직무의 곤란도와 책임도 | 동일직무 동일보수 | |
| 실적급 | 근무성적(기여도, 산출과 결과) | 동일성과 동일보수 | |

① **생활급**: 보수기준을 공무원과 그 가족의 생계비에 두는 제도로, 공무원의 생활의 안정성을 기할 수 있다(계급제 채택국가에서 적용).

② **연공급(근속급)**: 보수기준을 공무원의 근속연한에 두는 제도로, 재직공무원의 장기근무를 유도할 수 있으나 전문기술인력 확보에는 불리하다(계급제 채택국가에서 적용).

③ **직능급**: 보수기준을 공무원의 능력에 두는 제도로, 자격증을 갖춘 유능한 인재의 확보에 유리하다.

④ **직무급**: 보수기준을 공무원이 수행하고 있는 직무 기준(직무의 곤란도와 책임도)에 두는 제도로, '동일직무 동일보수'라는 합리적인 보수 책정에 유리하다(직위분류제 채택국가에서 적용).

⑤ **성과급(업적급 · 실적급)**: 보수기준을 공무원들이 일정 기간 동안 수행한 업무성과에 두는 제도로, 변동급의 성격을 지닌다.

(2) 보수의 구성 – 기본급과 부가급

① **기본급**: 공무원의 자격 · 능력 · 학력 · 연령 · 근속연한 · 등급 · 직무의 양과 질 등에 의해 결정되는 고정급여이다. 기본급에는 직무급, 생활급, 연공급, 성과급, 직능급 등이 있다.

② **부가급**: 기본급을 보충하는 것으로 특수한 근무조건이나 생활조건을 고려하거나 능률 향상을 위해 지급하는 각종 수당을 말한다. 부가급은 보수 운영의 탄력성 제고에 기여하나 보수인상편법으로 악용될 소지가 있다.



**O·X 문제**

1. 직무급은 직무 가치를 상대적으로 분석 · 평가해 그 결과에 따라 보수를 결정하는 것으로, 개인별 임금 차의 불만 해소가 가능하다. ( )

2. 직능급이란 직무의 난이도와 책임에 따라 결정되는 보수이다. ( )

3. 근속급은 연공(seniority)과 같은 인적 요소 기준에 의한 임금의 형태로, 동일직무에 대한 동일보수 원칙에 근거한다. ( )

4. 연공급은 공무원 개인의 연공을 기준으로 기본급을 결정하는 보수체계로, 주로 직위분류제를 채택하고 있는 국가에서 보수체계의 기초로 활용되고 있다. ( )

5. 실적급은 직무의 상대적 가치를 기준으로 기본급을 결정하는 보수체계로, '동일직무에 대한 동일보수'의 원칙에 충실하여 보수의 공정성을 높일 수 있다. ( )

**O·X 문제**

6. 공무원의 보수는 기본급과 부가급을 포함하는 개념인데, 이 중 부가급은 보수체계의 유연성을 제고할 수 있으나 보수체계를 복잡하게 만드는 등 부정적인 측면이 있다. ( )

O·X 정답 1. ○ 2. × 3. × 4. × 5. × 6. ○

## 5. 우리나라 공무원의 보수(「공무원 보수규정」 제4조)

### (1) 보수의 구성

① **보수**: 봉급과 그 밖의 각종 수당을 합산한 금액을 말한다. 다만, 연봉제 적용대상 공무원은 연봉과 기타 각종 수당을 합산한 금액을 말한다.

② **봉급**: 직무의 곤란성 및 책임의 정도에 따라 직책별로 지급되는 기본급여 또는 직무의 곤란성과 책임의 정도 및 재직기간 등에 따라 계급별·호봉별로 지급되는 기본급여를 말한다. 현재 우리나라는 직종별로 11개의 봉급표가 있다.

③ **수당**: 직무여건 및 생활여건 등에 따라 지급되는 부가급여를 말한다. 현재 우리나라는 총 18종의 수당(수당 – 14종, 실비변상 등 – 4종)이 있다.

### (2) 봉 급

① **호봉제**: 호봉에 따라 봉급(기본급)이 지급되는 임금체계로 5급 이하 공무원(5급 공무원 중 과장급 직위에 임용되는 자는 제외)에게 적용된다. 호봉제는 매년 정기승급을 통하여 호봉이 올라가도록 되어 있는 연공급적 성격의 보수체계이다.

② **연봉제**: 개인의 능력·실적·공헌도에 대한 평가를 토대로 계약에 의해 연간 임금액을 결정하는 능력(실적) 중시형 임금체계로 정무직 공무원, 고위공무원단 소속 공무원, 1~5급(상당) 공무원에게 적용된다. 연봉제는 고정급적 연봉제, 성과급적 연봉제, 직무성과급적 연봉제로 구분된다.

🗀 우리나라 공무원의 봉급(기본급)

| 구 분 | | 적용대상 | 비 고 |
|---|---|---|---|
| 호봉제 | | 5급 이하 공무원 | 5급 공무원 중 과장급 직위에 임용되는 자는 제외 |
| 연봉제 | 고정급적 연봉제 | 차관급 이상 정무직 공무원 | 정무직 공무원은 성과측정이 곤란하기 때문에 개별 직위마다 고정된 연봉 지급 |
| | 성과급적 연봉제 | 일반직, 별정직 등 1~5급(상당) 공무원과 임기제 공무원 | • 기본연봉과 성과연봉으로 구성<br>• **기본연봉**: 계급별로 경력에 따라 지급<br>• **성과연봉**: 전년도 업무실적평가에 따라 차등지급<br>• 5급 상당 공무원에 대해서는 과장급 직위에 임용될 경우에만 해당 |
| | 직무 성과급적 연봉제 | 고위공무원단에 속하는 공무원(대통령경호처 직원 중 별정직 공무원은 제외) | • 기본연봉과 성과연봉으로 구성<br>• **기본연봉**: 기준급(개인의 경력과 누적성과를 반영하여 책정)과 직무급(직무의 곤란성 및 책임의 정도를 반영하여 직무등급에 따라 책정)으로 구성<br>• **성과연봉**: 전년도 업무실적평가에 따라 차등지급(성과급비중이 성과급적 연봉제보다 높음) |

✎ 대통령경호처 직원 중 고위공무원단에 속하는 별정직 공무원에 대해서는 호봉제를 적용(공무원 보수규정 제63조)

### (3) 수 당

우리나라 공무원의 수당은 「공무원수당 등에 관한 규정」에 따라 5개 분야(상여수당, 가계보존수당, 특수지근무수당, 특수근무수당, 초과근무수당 등) 14종으로 구분되며, 동 규정은 실비변상 4종도 함께 규정하고 있다.

**O·X 문제**

1. 고위공무원단에 속하는 공무원에 대해서는 대통령경호처 직원 중 별정직 공무원을 제외하고 직무성과급적 연봉제를 적용한다. ( )

2. 직무성과급적 연봉제를 적용하는 고위공무원의 기본연봉은 개인의 경력 및 누적성과를 반영하여 책정되는 기준급과 직무의 곤란성 및 책임의 정도를 반영하여 직무등급에 따라 책정되는 직무급으로 구성한다. ( )

3. 성과급적 연봉제와 직무성과급적 연봉제의 성과연봉은 전년도의 업무실적에 따른 평가결과에 따라 차등지급된다는 점에서 유사한 면이 있다. ( )

4. 우리나라 고위공무원단에 속하는 공무원의 연봉제 수립에 있어서 직무분석이 직무평가보다 더 중요한 기능을 한다. ( )

**심화학습**

우리나라 공무원의 수당

| 구분 | 수당명 |
|---|---|
| 상여수당 (3종) | 대우공무원 수당, 정근수당, 성과상여금 |
| 가계보전수당 (4종) | 가족수당, 자녀학비보조수당, 주택수당, 육아휴직수당 |
| 특수지근무수당 (1종) | 도서, 벽지, 접적지 및 특수기관 근무자 |
| 특수근무수당 (4종) | 위험근무수당, 특수업무수당, 업무대행수당, 군법무관수당 |
| 초과근무수당 등 (2종) | 초과근무수당, 관리업무수당 |
| 실비변상 (4종) | 정액급식비, 직급보조비, 명절휴가비, 연가보상비 |

O·X 정답 1. ○ 2. ○ 3. ○ 4. ×

## 6. 우리나라의 주요 보수제도

### (1) 성과급제(업적급 · 실적급)

① 의의: 근로자들이 일정 기간 동안 수행한 업무성과를 평가하여 그 평가결과에 따라 보수를 차등지급하는 보수체계를 말한다. 정부에서 성과급제는 근로자들의 생활안정을 위해 기본급여에 부가하여 지급하는 것이 일반적이다.

② 도입배경: 이론적으로는 신공공관리론을 배경으로 하며, 현실적으로는 연공급의 한계를 극복하고 공직사회의 경쟁력과 생산성을 향상시키기 위한 목적으로 도입되었다.

③ 제도 운영

㉠ 성과연봉제: 1~5급(상당) 공무원을 대상으로 하며, 매년 12월 31일을 기준으로 성과계약등평가 결과 등에 따라 성과급을 지급한다.

㉡ 성과상여금제: 5급 이하 공무원을 대상으로 하며, 수당으로 지급한다. 지급방법은 소속 장관이 기관특성 등을 고려하여 개인별로 차등, 부서별로 차등, 개인별 차등 지급방법과 부서별 차등 지급방법을 병용, 부서별로 차등하여 지급한 후 부서 내에서 다시 개인별로 차등하여 지급하는 방법 등을 자율적으로 선택할 수 있도록 하고 있다.

㉢ 기타: 그 밖에도 개인 차원의 성과급제로 공무원제안제도에 의한 성과급제가 있으며, 조직 차원의 성과급제로 기관평가 성과급제가 있다.

④ 문제점

| 성과급 자체의 한계 | 한국의 특수한 한계 |
|---|---|
| • 인간의 피동화와 낮은 수준의 동기부여<br>• 성과지표 중시로 목표의 전환 야기<br>• 경쟁강조로 인한 조직 내의 위화감 조성<br>• 성과 측정 곤란 | • 얇고 넓게 퍼진 성과급<br>• 성과평가의 객관성 · 공정성 결여<br>• 개인 차원의 성과급제의 경우 집단주의 문화와 충돌 |

### (2) 연봉제

① 의의: 개인의 능력 · 실적 · 공헌도에 대한 평가를 토대로 계약에 의해 연간 임금액을 결정하는 능력 중시형 임금체계이다. 연봉제는 능력과 성과에 따른 임금체계로 생활의 안정이 요구되는 하위직보다는 고위직에 적합하다.

② 특 징

㉠ 성과 중심의 보수제도로 실적주의 및 직위분류제와 융합가능성이 높고, 직업공무원제 및 계급제와는 융합가능성이 낮다.

㉡ 개인 실적 중심의 보수체계로 구성원의 근무의욕과 사기 증진 및 우수인재 확보에는 유리하나, 관료제 내부의 공동체의식이나 연대의식을 저해할 소지가 있다.

③ 운영방식: 기본급, 상여금, 수당 등의 세분화된 항목 없이 연봉액을 1년 단위로 책정하여 12개월로 나누어 매월 지급하는 것이 원칙이다. 연봉제는 수당 · 상여금 등의 구분이 없어 보수관리가 간편하다.

④ 우리나라: 차관급 이상 정무직 공무원은 고정급적 연봉제를, 1~5급(상당) 공무원은 성과연봉제를, 고위공무원단 소속 공무원은 직무성과급적 연봉제를 적용받는다.

**O·X 문제**

1. 성과급제도는 직무수행의 실적을 보수결정의 기준으로 삼는 제도를 말하며, 기본적인 보수 위에 추가하여 지급하는 것이 원칙이다. ( )

**심화학습**

임금피크제(Pay peak)

| | |
|---|---|
| 의의 | 생계비가 가장 많이 드는 중장년기에 가장 많은 보수를 지급하고 일정연령을 지나면 보수를 감소하는 대신 정년을 보장해 주는 제도 |
| 특징 | • 생계비와 임금의 연계성 확보<br>• 정부 재정부담 경감<br>• 조직의 신진대사 촉진<br>• 고용안정 효과 |
| 한계 | • 직무와 성과중심의 보수체계와 충돌<br>• 정년연장의 도구로 활용 |

**심화학습**

성과향상인센티브제도

| | |
|---|---|
| 성과 보너스 | 탁월한 성과를 거둔 구성원에게 금전적 보상을 지급하는 제도 |
| 제안상 제도 | 조직의 자원을 절약할 수 있는 우수한 제안을 한 구성원에게 인센티브를 제공하는 제도 |
| 행태 보상 제도 | 관리층이 권장하는 특정 행동에 대해 인센티브를 제공하는 제도 |
| 종업원 인정 제도 | 금전적 보상이 아닌 비금전적인 보상으로 구성원의 노력과 성과달성을 인정해 주는 제도(칭찬, 관리자명의의 감사편지, 이달의 종업원 선정 등) |

**O·X 문제**

2. 연봉제는 주로 상위직에 적용되며, 우리나라에서도 고위공무원에 대하여 직무성과급적 연봉제를 실시하고 있다. ( )

O·X 정답 1. ○ 2. ○

## 7. 보수제도의 혁신 – 총액인건비제도

(1) 의 의

① 개념: 중앙당국이 총정원과 인건비 예산의 총액만 관리하고, 각 기관은 동 총정원과 인건비 총액 한도 내에서 인력규모·인력종류(직급·직렬)·기구 설치·인건비 배분을 자율적으로 운영하고 그 결과에 책임을 지도록 하는 제도이다.

② 도입배경 – 신공공관리론: 각 기관(관리자)에 인력관리의 자율성을 부여하는 대신, 성과에 대해 책임을 묻고자 하는 신공공관리론을 배경으로 한다.

③ 우리나라: 노무현 정부에서 중앙정부와 지방정부에 총액인건비제도를 도입하였으나, 지방정부는 2014년부터 총액인건비제도와 유사한 기준인건비제*를 도입하여 시행하고 있다.

(2) 운영목표 및 운영방식

① 운영목표 – 자율과 책임의 조화: 각 기관에 인력관리의 자율성을 부여하여 구성원에 대한 성과와 보상의 연계를 강화하고, 각 기관이 성과에 대해 책임을 지도록 하여 자율과 책임의 조화를 추구하고자 하는 제도이다.

② 운영방식

㉠ 예산분야: 인건비와 운영경비를 총액인건비의 대상 경비로 하고 기관장에게 이들 경비의 세부항목 간 전용을 위임한다. 또한 총액인건비 대상 경비 내에서 여유재원이 발생한 경우 여유재원의 사용에 대해 각 기관에게 재량을 부여한다.

㉡ 보수분야: 인건비를 기본항목과 자율항목으로 구분하고 기본항목은 인사혁신처가 종합관리하는 반면, 성과상여금 등 자율항목은 부처가 자율적으로 그 지급대상이나 요건을 정한다.

㉢ 조직 및 정원 관리 분야

ⓐ 인력규모: 총정원의 상한은 행정안전부가 대통령령으로 정하되, 각 부처는 상한 범위 내에서 실제 정원 규모를 자율적으로 결정한다. 또한 필요한 경우 총정원의 5%~7% 이내에서 자율적으로 인력을 증원할 수 있다.

ⓑ 직급별 정원: 상위직은 상한비율 한도를 설정하되, 3·4급 이하 실무인력의 직급별 배정은 각 부처가 자율적으로 조정한다.

ⓒ 기구 설치: 국 단위 이상 기구는 대통령령에 규정하되, 국 아래에 두는 보조기관(과 단위 기구)은 각 부처가 정원 범위 안에서 총리령 또는 부령으로 자율적으로 설치·운용한다.

총액인건비제

| 구 분 | 중앙통제 | 자율결정 |
|---|---|---|
| 인력규모 | 총정원의 상한은 행정안전부장관이 대통령령으로 정함. | 각 부처는 상한범위 내에서 실제 정원 규모를 자율적으로 결정 |
| 계급별 정원 | 행정안전부는 상위직의 상한비율 한도 설정 | 각 부처는 3·4급 이하 실무인력의 직급별 배정을 자율적으로 조정 |
| 기구 설치 | 국 단위 이상 기구는 행정안전부가 대통령령으로 정함. | 과 단위 기구는 부처 자율 설치(총수 통제 폐지) |
| 인건비 배분 | 봉급, 기본연봉 등 기본항목은 인사혁신처장이 종합관리 | 성과상여금, 성과연봉 등 자율항목은 부처가 자율적으로 운영 |

**O·X 문제**

1. 총액인건비제도는 성과관리와 관리유인체계를 제공하기 위한 신공공관리적 시각을 반영한다. ( )

2. 총액인건비제도의 운영 목표는 성과와 보상의 연계 강화와 자율과 책임의 조화라고 할 수 있다. ( )

* 기준인건비제
중앙당국은 자치단체가 행정여건의 변화에 탄력적으로 대응할 수 있도록 자율적으로 운영할 수 있는 인건비의 범위를 포함한 기준인건비를 설정해 주고, 자치단체는 기준인건비를 기준으로 기구와 정원을 자율적으로 관리하는 제도

**심화학습**

인건비 분류체계

| | | |
|---|---|---|
| 인건비 | 기본항목 | 봉급, 기본연봉, 정근수당 등 |
| | 자율항목 | 성과상여금, 성과연봉, 시간외근무수당 등 |
| 운영경비 | 맞춤형 복지예산, 기관운영을 위한 기본경비 등 | |

**O·X 문제**

3. 총액인건비제도는 일반적으로 기구·정원 조정에 대한 재정당국의 중앙통제는 그대로 둔 채 수당의 신설·통합·폐지와 절감예산 활용 등에서의 부처 자율성을 부여하는 특성을 갖는다. ( )

4. 총액인건비제도는 총정원과 계급별·직급별 정원에 대해 자율권이 인정된다. ( )

5. 총액인건비제는 국 단위 기구까지 자율성이 인정된다. ( )

6. 총액인건비제도하에서는 성과상여금에 대한 지급액의 증감이 가능하다. ( )

7. 총액인건비제도는 표준정원제 운영에 적합하고, 지방자치단체장의 무분별한 기구와 정원관리의 폐해를 막을 수 있다. ( )

8. 총액인건비제도는 직급 인플레이션을 발생시킬 수도 있다. ( )

O·X 정답 1. ○ 2. ○ 3. × 4. × 5. × 6. ○ 7. × 8. ○

(3) 장 · 단점

① 장 점

㉠ **성과 중심의 조직운영**: 각 기관은 총액인건비 내에서 기구 및 보수를 성과향상을 위한 인센티브로 활용해 성과 중심의 조직운영을 할 수 있다.

㉡ **기관의 특성에 적합한 관리**: 각 기관에 인력운영의 자율성을 부여하기 때문에 각 기관의 특성에 적합한 조직관리 · 예산관리 · 보수관리가 가능해진다.

② 단 점

㉠ **운영상의 도덕적 해이**: 행정조직의 팽창주의 속성, 부처이기주의, 공무원 노조의 영향력 행사 등으로 인해 무분별한 기구 · 정원의 팽창 및 직급 향상 인플레이션을 야기할 수 있다.

㉡ **행정서비스 질 저하 가능성**: 하위직 공무원의 무분별한 승진으로 인해 행정서비스의 직접적 공급자인 일선관료는 줄어들고 중간계급은 많아지는 다이아몬드형 조직으로 전환되어 행정서비스의 질이 저하될 수 있다.

## 03 연금제도

### 1. 의 의

(1) 공무원의 후생복지를 위한 사회보장의 일환으로 공무원이 노령 · 질병 · 장애 등으로 퇴직하거나 사망한 경우에 본인 또는 유족에게 지급하는 금전적 급부를 말한다.

(2) 연금은 공무원 입장에서는 사회보장 기능을 수행하며, 정부 입장에서는 사기앙양을 통한 근무성적 향상과 인력의 신진대사를 통해 경비절감을 유도할 수 있다.

### 2. 연금의 본질과 조성 방식

(1) 연금의 본질

① **공로보상설(은혜설)**: 재임 중의 공로를 보상한다는 입장으로 공무원이 기여금을 납부하지 않으며, 전액 정부 부담금으로 운영된다. 공로보상설에 의한 연금은 공무원이 근무 중 잘못이 있으면 그 혜택을 잃게 된다(독일, 영국).

② **거치보수설(보수유보설)**: 유보된 보수를 나중에 지급한다는 입장으로 정부(정부 부담금)와 공무원(공무원 기여금)이 공동으로 기금을 조성한다(미국, 한국). 즉, 보수의 일부를 지급하지 않고 적립(거치)하였다가 퇴직 이후에 지급하는 방식이다. 따라서 이때의 연금은 광의의 보수에 포함되며, 공무원의 당연한 권리이다.

(2) 연금의 조성 방식

① 운영방식 – 기금제와 비기금제

㉠ 기금제

ⓐ **개념**: 연금재원을 조달하기 위해 기금을 조성하고 운용하는 제도이다(미국, 한국).

ⓑ **평가**: 미리 계획을 세워 별도로 기금을 마련하고 운용 · 관리해야 하므로 출발(개시)비용 및 운용 · 관리비용이 많이 든다.

**O·X 문제**

1. 우리나라의 공무원연금은 재직 시 보수의 일부를 거치하였던 것을 퇴직 후 지급하는 것이다. ( )
2. 보수후불설(거치보수설)에 따르면 퇴직연금은 공무원의 당연한 권리이다. ( )

**O·X 문제**

3. 기금제는 운용 · 관리 비용이 적게 든다는 장점이 있다. ( )
4. 비기금제는 적립된 기금 없이 연금급여가 발생할 때마다 필요한 비용을 조달하여 지급하는 방식으로 미국 등이 채택하고 있다. ( )
5. 비기여제는 정부가 연금재원의 전액을 부담하는 제도이다. ( )
6. 우리나라 공무원연금제도는 기여제와 기금제를 채택하고 있다. ( )

O·X 정답 1. ○ 2. ○ 3. × 4. × 5. ○ 6. ○

PART · 05

ⓛ 비기금제

ⓐ 개념: 연금재원을 국가의 예산 중에서 퇴직연금 지출용도로 확보하여 충당하는 제도이다(영국, 독일).

ⓑ 평가: 별도의 기금을 마련하지 않고 상황에 따라 국가의 예산으로 연금을 지급하기 때문에 출발비용과 운용·관리비용이 적게 발생하지만, 기금운용수익이 없어 장기적으로 비용이 많이 소요된다.

ⓒ 우리나라 - 기금제: 기금제에 입각해 있으며, 공무원연금기금을 설치·운용하고 있다. 국가와 지방자치단체는 공무원연금재정의 안정을 위하여 예산의 범위에서 책임준비금을 공무원연금기금에 적립하여야 한다.

② 비용부담방식 - 기여제와 비기여제

㉠ 기여제(Contributory System): 급여에 소요되는 비용을 국가 또는 지방자치단체와 공무원이 공동으로 부담하는 방식이다(미국, 한국).

ⓛ 비기여제(Non-Contributory System): 급여에 소요되는 비용을 공무원이 비용부담하지 않고 국가 또는 지방자치단체가 전액 부담하는 방식이다(영국).

ⓒ 우리나라 - 기여제: 공무원은 기여금을, 국가나 자치단체는 연금부담금을 부담한다. 공무원(기준소득월액의 9%)과 정부(보수예산의 9%)는 재원을 균등하게 부담한다.

③ 재정방식 - 적립방식과 부과방식

㉠ 적립방식(Funded System)

ⓐ 개념: 공무원이 재직 중 납부한 기여금을 적립하고, 적립된 자금을 투자·운용하여 수익금을 확보한 다음, 대상 공무원이 퇴직했을 때 원금과 수익금을 지급하는 방식이다(장래에 소요될 급여비용의 부담액을 제도가입기간 동안의 평준화된 보험료로 적립시키도록 계획된 재정방식).

ⓑ 평가: 공무원이 재직 중 적립한 기여금과 이에 따른 수익금이 마련되어 있기 때문에 인구구조의 변화나 경기 변동에 영향을 적게 받아 연금재정 및 급여의 안정성을 확보할 수 있다. 또한 공무원이 적립한 기여금의 운용수익을 통해 정부의 장기 비용부담을 덜어 제도의 안정적인 운영이 가능하다. 다만, 인플레이션이 심한 경우 연금급여의 실질가치를 유지하기 곤란하다.

ⓛ 부과방식(Pay-as-you-go)

ⓐ 개념: 현직자의 기여금을 바로 퇴직자에게 지급하는 방식이다(일정 기간 동안의 급여비용을 동일기간 내에 조달하도록 계획된 재정방식).

ⓑ 평가: 현직자의 기여금이 바로 퇴직자에게 지급되기 때문에 인플레이션이 심할 경우 연금급여의 실질가치를 유지하기 용이하다. 다만, 인구구조의 변화나 경기 변동에 영향을 많이 받아 연금재정의 안정성을 확보하기 곤란하다.

ⓒ 우리나라 - 부과방식: 현직자의 기여금을 퇴직자에게 바로 지급하는 부과방식에 의해 운영되며, 재정수지 부족액은 정부 보전금으로 충당하고 있다.

심화학습

**공무원 기여금과 정부 부담금**

| 구분 | 내용 |
|---|---|
| 기여금 | 연금급여에 소요되는 비용으로 공무원이 부담하는 비용 |
| 정부 부담금 | 연금급여에 소요되는 비용으로 국가 또는 지방자치단체가 부담하는 금액 |

O·X 문제

1. 적립방식은 부과방식에 비해 인구구조의 변화나 경기 변동에 영향을 덜 받는다. ( )
2. 적립방식은 인플레이션이 심하더라도 연금급여의 실질가치를 유지할 수 있다. ( )

O·X 정답 1. ○ 2. ×

### 3. 「공무원연금법」

#### (1) 도 입

공무원과 그 유족의 노후 소득보장을 도모하는 한편, 장기재직과 직무충실을 유도하기 위한 인사정책적 차원에서 1960년에 「공무원연금법」이 제정·공포된 이후 현재까지 지속적으로 시행하고 있다.

#### (2) 목 적

공무원의 퇴직, 장해 또는 사망에 대하여 적절한 급여를 지급하고 후생복지를 지원함으로써 공무원 또는 그 유족의 생활안정과 복지 향상에 이바지함을 목적으로 한다.

#### (3) 적용대상

① **적용대상**: 「국가공무원법」, 「지방공무원법」, 그 밖의 법률에 따른 공무원(정규공무원)과 국가기관이나 지방자치단체에 근무하는 직원 중 대통령령으로 정하는 사람(정규공무원 외의 직원)을 대상으로 한다.

② **적용 제외**: 군인, 선거에 의하여 취임하는 공무원(대통령, 국회의원, 자치단체장, 지방의회의원), 공무원 임용 전의 수습기간 및 견습직원, 기간제 교사 등은 제외한다.

#### (4) 특 징

① **관장 및 운영**: 공무원연금제도의 운영에 관한 사항은 인사혁신처장이 주관하며, 공무원연금관리공단은 인사혁신처장의 권한 및 업무를 위탁받아 공무원연금기금을 관리·운용한다.

② **특수직역연금제도**: 우리나라 최초의 공적 연금제도로서 한정적으로 직업공무원만을 대상으로 하는 특수직역연금제도이다.

③ **사회보험원리와 부양원리가 혼합된 제도**: 사회적 위험을 보험의 방식(일정 금액을 미리 거뒀다가 위험에 처할 경우 지급)으로 대처하는 사회보험의 성격을 띠며, 재정수지 부족액을 국가재정으로 보전하는 정부 부양원리를 채택하고 있다.

④ **부과방식에 기반을 둔 세대 간 부양시스템**: 퇴직자의 노후보장을 현직자가 부담하는 보험료로 충당하는 부과방식(세대 간 부양시스템)으로 운영된다.

⑤ **종합복지프로그램**: 우리나라 연금제도는 연금뿐만 아니라 퇴직수당·후생복지 등을 종합적으로 실시하며, 유능한 인재등용을 유치하기 위한 인사정책적 의의 및 연금에 퇴직금의 일부가 포함되어 후불임금적 성격도 내포한다는 점에서 종합복지프로그램이다.

#### (5) 공무원 기여금

① **납부기간**: 기여금은 공무원으로 임명된 날이 속하는 달부터 퇴직한 날의 전날 또는 사망한 날이 속하는 달까지 월별로 내야 한다. 다만, 기여금 납부기간이 36년을 초과한 사람은 기여금을 내지 아니한다.

② **납부금액**: 기여금은 기준소득월액의 9%로 한다. 우리나라의 경우 정부와 공무원이 균등부담하기 때문에 국가나 지방자치단체의 연금부담금은 보수예산의 9%로 한다.

---

**심화학습**

**적용대상 중 정규공무원 외의 직원**

① 청원경찰 및 청원산림보호직원
② 위원회 등의 상임위원과 전임직원(한시적 또는 법령에 의하지 아니한 위원회 제외)
③ 기타의 직원으로서 인사혁신처장이 인정하는 자

**O·X 문제**

1. 국가직 공무원과 지방직 공무원은 모두 「공무원연금법」의 적용을 받는다. ( )

2. 「공무원연금법」 적용대상자에는 선거에 의하여 취업하는 공무원을 포함한다. ( )

3. 「공무원연금법」상 공무원연금대상에는 군인, 공무원 임용 전의 견습직원 등이 포함된다. ( )

4. 2009년 연금 개혁으로 공무원연금의 적용대상이 확대됨에 따라 공무원연금공단 직원도 대상에 포함하게 되었다. ( )

5. 공무원연금제도는 행정안전부가 관장하고, 그 집행은 공무원연금공단에서 실시하고 있다. ( )

6. 현재 우리나라 공무원연금제도는 사회보험원리와 부양원리가 혼합된 제도이다. ( )

7. 기여금을 부담하는 재직기간은 최대 36년까지이다. ( )

O·X 정답 1. ○ 2. × 3. × 4. × 5. × 6. ○ 7. ○

(6) 급여의 종류

| | | |
|---|---|---|
| 퇴직 · 사망 | 퇴직급여 | • **퇴직연금**: 10년 이상 재직하고 퇴직 시 65세부터 지급<br>• **퇴직일시금**: 10년 미만 재직하고 퇴직한 때<br>• 기타: 퇴직연금일시금, 퇴직연금공제일시금 |
| | 유족급여 | • **퇴직유족연금**: 10년 이상 재직한 공무원이 재직 중 사망한 때<br>• **퇴직유족일시금**: 10년 미만 재직한 공무원이 재직 중 사망한 때<br>• 기타: 퇴직유족연금부가금, 퇴직유족연금특별부가금, 퇴직유족연금일시금 |
| | 퇴직수당 | • 공무원이 1년 이상 재직하고 퇴직 또는 사망한 경우에 지급<br>• 퇴직수당 지급에 드는 비용은 국가나 지방자치단체가 전액 부담 |
| 비공무상 부상 · 질병 | 장해급여 | 비공무상 장애연금, 비공무상 장해일시금 |

(7) 퇴직연금

① **의의**: 공무원이 10년 이상 재직하고 퇴직한 경우에 65세가 되는 때부터 사망할 때까지 지급되는 연금이다.

② **연금지급률**: 공무원들이 퇴직 후에 받는 연금액을 산정할 때 사용되는 비율인 연금지급률은 평균기준소득월액+의 1.7%로 한다(2016년부터 단계적으로 인하하여 2035년 이후 1.7%로 함).

③ **산정 기준**: 재직기간의 평균기준소득월액을 기준으로 한다.

④ **연금액의 산정**: 총재직기간의 평균기준소득월액 × 재직기간 × 연금지급률에 의한다. 기준소득월액이 300만원이고 재직기간이 30년이며, 연금지급률이 1.7%라면 153만원이 된다.

⑤ **연금지급개시연령**: 2022년부터 단계적으로 연장하여 2033년 이후 65세부터 지급된다(1996년 이후 임용된 공무원에게 적용).

⑥ **유족연금 하향 조정**: 유족연금 지급률을 퇴직연금액의 60%로 한다(2009년 이전 임용자는 퇴직연금액의 70% 지급).

## 04 고충처리제도 · 제안제도 · 복리후생

### 1. 고충처리제도

(1) 고충처리의 의의

① **개념**: 공무원의 근무조건이나 직장생활과 관련된 여러 고충을 심사하고 해결조치를 취하는 활동을 말한다.

② **목적**: 공무원의 신분보장, 하의상달적 의사소통 촉진, 조직원의 사기앙양, 직업공무원제 발전에 기여 등을 목적으로 한다.

**O·X 문제**

1. 퇴직수당은 공무원과 정부가 분담한다. ( )

**심화학습**

**퇴직연금 지급시기**

① 65세가 되는 때
② 정년 또는 근무상한연령을 60세 미만으로 정한 경우, 계급정년이 되어 퇴직한 경우, 직위가 없어지거나 정원을 초과하는 인원이 생겨 퇴직한 경우에는 퇴직한 때부터 5년이 경과한 때
③ 대통령령으로 정하는 장애상태가 된 때

**+ 평균기준소득월액**
전년도 보수의 직종 · 직급별 평균액을 더하여 12개월로 나눈 후 공무원 보수 인상률을 곱한 금액

**O·X 문제**

2. 연금지급개시연령은 임용 시기 구분 없이 65세로 한다. ( )

3. 원칙적으로 퇴직연금의 산정은 총재직기간의 평균소득월액을 기초로 한다. ( )

O·X 정답 1. × 2. × 3. ○

(2) 절 차

① **비공식절차(감독자에 의한 고충처리)**: 감독자가 비공식적으로 직원의 고충을 일찍 포착하여 신속하게 고충을 처리하는 것을 말한다.

② **공식절차(전담기구에 의한 고충처리)**: 감독자에 의한 고충처리에 의해 해결될 수 없거나, 고충의 대상이 감독자인 경우에 고충처리 전담기관에 의해 처리·해결하도록 하는 것을 말한다. 공식적인 고충처리절차는 객관성·공정성 유지를 위해서 독립된 합의제 기관에서 처리하는 것이 바람직하다.

(3) 우리나라의 고충처리제도

① **상담신청 및 심사청구, 신고**: 공무원은 인사·조직·처우 등 각종 직무 조건과 그 밖에 신상 문제와 관련한 고충에 대하여 상담을 신청하거나 심사를 청구할 수 있으며, 누구나 기관 내 성폭력 범죄 또는 성희롱 발생 사실을 알게 된 경우 이를 신고할 수 있다. 이 경우 상담신청이나 심사청구 또는 신고를 이유로 불이익한 처분이나 대우를 받지 아니한다.

② **신청 및 청구 등의 처리**: 중앙인사관장기관의 장, 임용권자 등은 상담을 신청받은 경우에는 소속 공무원을 지정하여 상담하게 하고, 심사를 청구받은 경우에는 관할 고충심사위원회에 부쳐 심사하도록 하여야 하며, 그 결과에 따라 고충의 해소 등 공정한 처리를 위하여 노력하여야 한다.

③ **고충처리기관의 설치**

㉠ **중앙고충심사위원회**: 중앙인사관장기관에 두며, 중앙고충심사위원회의 기능은 소청심사위원회에서 관장한다.

㉡ **보통고충심사위원회**: 임용권자 또는 임용제청권자 단위로 둔다.

④ **고충처리기관의 대상**

㉠ **중앙고충심사위원회**: 보통고충심사위원회의 심사를 거친 재심청구와 5급 이상 공무원 및 고위공무원단에 속하는 일반직 공무원의 고충을 심사한다.

㉡ **보통고충심사위원회**: 소속 6급 이하의 공무원의 고충을 심사한다.

⑤ **고충심사절차**: 고충심사위원회가 청구서를 접수한 때에는 30일 이내에 고충심사에 대한 결정을 해야 한다(위원회의 의결로 30일의 범위에서 연장 가능).

⑥ **고충처리기관의 결정**: 보통고충심사위원회의 결정은 위원 5명 이상의 출석과 출석위원 과반수의 합의에 따르며, 중앙고충심사위원회의 결정은 위원 3분의 2 이상의 출석과 출석위원 과반수의 합의에 따른다.

⑦ **고충처리기관의 권한**: 중앙인사관장기관의 장, 임용권자 등은 심사 결과 필요하다고 인정되면 처분청이나 관계기관의 장에게 그 시정을 요청할 수 있으며, 요청받은 처분청이나 관계기관의 장은 특별한 사유가 없으면 이를 이행하고, 그 처리 결과를 알려야 한다. 다만, 부득이한 사유로 이행하지 못하면 그 사유를 알려야 한다(고충심사위원회의 결정은 구속력이 없음).

심화학습

**소청심사와 고충심사**

| 구분 | 소청심사 | 고충심사 |
|---|---|---|
| 대상 | 징계처분 그 밖에 그 의사에 반하는 처분이나 부작위 | 근무조건이나 직장생활과 관련된 고충 |
| 기능 | 준사법적 기능 | 정부의 배려적 인사활동 |
| 의결 | 재적위원 2/3 이상 출석과 출석위원 과반수 찬성 | 재적위원의 과반수 |
| 결정 | 구속력 있음. | 구속력 없음. |

**O·X 문제**

1. 5급 이상 공무원 및 고위공무원단에 속하는 일반직 공무원의 고충을 다루는 중앙고충심사위원회의 기능은 소청심사위원회가 관장한다. ( )

**O·X 문제**

2. 고충심사위원회와 소청심사위원회의 결정은 관계기관의 장을 기속한다. ( )

O·X 정답 1. ○ 2. ×

PART · 05

O·X 문제

1. 「공무원 제안 규정」상 우수한 제안을 제출한 공무원에게 인사상 특전을 부여할 수 있지만, 상여금은 지급할 수 없다. ( )

2. 제안제도는 정책결정에 관여하는 관리층의 참여가 중요하다. ( )

3. 제안제도는 구성원들의 권익보장을 위한 목적으로 주로 활용되어야 한다. ( )

심화학습

**제안제도의 활성화 방안**

① 최고관리자의 관심
② 제안의 자유 보장 및 자유로운 참여 분위기 조성
③ 제안을 용이하고 간편하게 할 수 있는 절차의 확립
④ 제출된 제안의 신속하고 공정한 처리
⑤ 채택된 제안에 대한 적절하고 충분한 보상
⑥ 채택된 제안의 행정실무에의 신속한 반영

O·X 정답 1. × 2. × 3. ×

## 2. 제안제도

(1) 의 의

공무원에게 행정운영의 능률화와 경제화를 위한 창의적인 의견이나 고안(考案)을 계발하여 제안하도록 하고, 그 제안이 채택되고 시행되어 국가 예산을 절약하는 등 행정운영 발전에 뚜렷한 실적이 있는 경우 제안자에게 상여금 및 특별승진이나 특별승급을 시켜주는 제도를 말한다.

(2) 장 · 단점

| 장 점 | 단 점 |
|---|---|
| • 행정능률 향상 및 예산절약<br>• 조직에 대한 일체감 · 귀속감 증진<br>• 하위직 공무원의 참여기회 제공 및 하의상달적 의사소통 활성화(행정관리의 민주화)<br>• 공무원의 창의력 및 문제해결능력 제고<br>• 근무의욕을 고취시켜 공무원의 사기 진작 | • 조직 내 경쟁심을 자극하여 인간관계를 악화시킬 우려<br>• 객관적이며 공정한 심사 곤란<br>• 기술적 제안에 치중할 우려<br>• 실질적 제안자 식별 곤란 |

## 3. 복리후생

(1) 직장생활의 질(QWL : Quality of Working Life)

① 의의: 직장에서 근로자의 삶의 질을 향상시키기 위한 인간적이고 민주적인 근로운동을 말한다.

② 방 안

㉠ 적절하고 공정한 보상
㉡ 안전하고 건전한 작업환경
㉢ 인간능력의 활용과 개발기회 제공
㉣ 개인적 성장과 안전을 위한 기회제공(승진 및 작업환경의 안전성)
㉤ 작업장에서의 사회적 통합(공동체의식의 함양)
㉥ 작업조직의 제도화(프라이버시 보호, 자유로운 의사소통, 공정한 대우 등)
㉦ 균형 있는 총체적 생활공간(직장생활과 사생활의 조화)
㉧ 직장생활의 사회적 적합(기업의 사회적 책임 중시)
㉨ 가족 친화적인 근무제도의 확립(탄력적 업무시간 조정, 재택근무, 직장 내 탁아소 운영 등)

(2) 맞춤형 복지제도

① 의의: 공무원 개인에게 배정된 복지점수를 본인의 선호와 필요에 따라 자신에게 적합한 혜택을 선택하도록 하여 다양한 복지수요를 충족하도록 하는 제도이다.

② 복지항목 구성

| 복지항목 | | 주요 내용 |
|---|---|---|
| 기본항목 | 필 수 | 정부 차원에서 필요성을 판단하여 설정하고 전 구성원이 의무적으로 가입(생명/상해보험 등) |
| | 선 택 | 각 운영기관의 장이 정책적 필요에 따라 설정하고, 각 구성원은 의무적으로 가입(본인 및 가족 의료비 보장보험, 건강검진 등) |
| 자율항목 | | 각 운영기관의 장이 필요에 따라 설정하고 각 구성원이 자율적으로 선택(건강관리, 자기계발, 여가활용, 가족친화 등) |

(3) 일과 삶의 균형(WLB : Work-Life Balance)

① 유연근무제: 공직 생산성을 향상시키고 공무원의 삶의 질을 제고하기 위해 개인·업무·기관별 특성에 맞는 유연한 근무형태를 공무원이 선택해 활용할 수 있는 제도이다. 유연근무제는 시간선택제 전환근무, 탄력근무제, 원격근무제로 구분된다.

🗁 유연근무제의 형태(「인사혁신처 예규」)

| 유 형 | | 세부 형태 | |
|---|---|---|---|
| 시간선택제 전환근무 | | 통상적인 근무시간 동안 근무하던 (전일제)공무원이 본인의 요구에 따라 통상적인 근무시간보다 짧은 시간을 근무하는 제도(2010년 도입) | |
| 탄력근무제 | 의 의 | 주 40시간 일하되 출퇴근시각, 근무시간, 근무일을 자율조정할 수 있는 제도 | |
| | 세부형태 | 시차출퇴근형 | 1일 8시간 근무체제를 유지하면서 출퇴근 시간을 탄력적으로 조정할 수 있는 제도(출근시각을 7시~10시 사이에서 선택) |
| | | 근무시간 선택형 | 주5일 40시간 근무하되, 1일 근무시간을 4시간~12시간 사이에서 조정할 수 있는 제도 |
| | | 집약근무형 | 주3.5일~4일 40시간 근무하되, 1일 근무시간을 4시간~12시간 사이에서 조정할 수 있는 제도 |
| | | 재량근무형 | 출퇴근 의무 없이 프로젝트 수행으로 주 40시간을 인정해 주는 제도 |
| 원격근무제 | 의 의 | 특정한 근무장소를 정하지 않고 정보통신망을 이용하여 근무하는 제도 | |
| | 세부형태 | 재택근무형 | 사무실이 아닌 자택에서 근무[시간 외 근무(초과근무)인 경우 정액분은 지급하나 실적분은 지급하지 아니함] |
| | | 스마트워크 근무형 | 자택 인근 스마트워크센터 등 별도 사무실에서 근무 |

② 육아휴직: 여성공무원이 임신 또는 출산하게 된 때 또는 만 8세 이하 또는 초등학교 2학년 이하의 자녀를 양육하기 위하여 필요할 때 남성공무원도 여성공무원과 동일하게 3년 이내의 범위에서 육아휴직을 할 수 있다.

③ 자기 개발을 위한 휴직: 장기 재직한 공무원이 자기 개발을 위해 학습·연구 등을 할 경우 1년 이내에서 휴직할 수 있다.

**심화학습**

**복지점수 배정기준**

| 기본복지점수 | | 전 직원에게 일률적으로 배정 |
|---|---|---|
| 변동복지점수 | 근속복지점수 | 근속기간에 따라 배정 |
| | 가족복지점수 | 부양가족 수에 따라 배정 |

**O·X 문제**

1. 유연근무제는 공무원의 근무방식과 형태를 개인·업무·기관특성에 따라 선택할 수 있는 제도이다. ( )
2. 유연근무제도에는 시간선택제 전환근무제, 탄력근무제, 원격근무제가 포함된다. ( )
3. 탄력근무제에는 시차출퇴근형, 재택근무형, 재량근무형 등이 있다. ( )
4. 탄력근무제는 전일제 근무시간을 지키되 근무시간, 근무일수를 자율조정할 수 있는 제도이다. ( )

O·X 정답 1. ○ 2. ○ 3. × 4. ○

PART · 05

# 제 2 절 공무원의 신분보장

## 01 의 의

### 1. 개 념

공무원이 법이 정하는 사유에 의하지 아니하고는 자신의 의사에 반하여 신분상의 불이익을 받지 않는 것을 말한다. 공무원의 신분보장은 실적주의 및 직업공무원제의 필수요건으로써 원칙적으로는 법적 보장을 받지만, 일정한 사유가 발생하는 경우에는 제한적으로 신분보장이 배제된다.

### 2. 법적 근거 –「국가공무원법」 제68조

공무원은 형의 선고, 징계처분 또는 이 법에서 정하는 사유에 따르지 아니하고는 본인의 의사에 반하여 휴직·강임 또는 면직을 당하지 아니한다. 다만, 1급 공무원과 직무등급이 가장 높은 등급의 직위에 임용된 고위공무원단에 속하는 공무원은 그러하지 아니하다.

## 02 공무원 신분보장의 배제

### 1. 공무원의 퇴직

(1) 개 념

퇴직이란 공무원 관계가 소멸하는 것을 의미한다. 퇴직에는 강제퇴직과 자진퇴직이 있다. 강제퇴직으로는 당연퇴직·정년퇴직·징계퇴직·직권면직 등이 있으며, 자진퇴직으로는 의원면직·명예퇴직·조기퇴직 등이 있다.

(2) 강제퇴직

① 당연퇴직

㉠ 의의: 재직 중에 법률에 규정된 일정한 사유의 발생으로 인하여 공무원 관계가 소멸하는 것을 말한다.

㉡ 당연퇴직 사유 –「국가공무원법」 제69조, 제33조

ⓐ 피성년후견인

ⓑ 파산선고를 받고 복권되지 아니한 자(신청기한 내에 면책신청을 하지 아니하였거나 면책불허가 결정 또는 면책 취소가 확정된 경우만 해당)

ⓒ 금고 이상의 실형을 선고받고 그 집행이 종료되거나 집행을 받지 아니하기로 확정된 후 5년이 지나지 아니한 자

ⓓ 금고 이상의 형을 선고받고 그 집행유예 기간이 끝난 날부터 2년이 지나지 아니한 자

ⓔ 금고 이상의 형의 선고유예를 받은 경우에 그 선고유예 기간 중에 있는 자(수뢰, 횡령·배임, 성폭력범죄 등 죄를 범한 사람으로서 금고 이상의 형의 선고유예를 받은 경우만 해당)

ⓕ 법원의 판결 또는 다른 법률에 따라 자격이 상실되거나 정지된 자

ⓖ 공무원으로 재직기간 중 직무와 관련하여 「형법」 제355조(횡령, 배임) 및 제356조(업무상의 횡령과 배임)에 규정된 죄를 범한 자로서 300만원 이상의 벌금형을 선고받고 그 형이 확정된 후 2년이 지나지 아니한 자

---

**O·X 문제**

1. 공무원의 정치적 중립을 확보하기 위한 신분보장은 실적주의 및 직업공무원제 정착에 기여한다. ( )

2. 우리나라 1급 공무원을 포함한 경력직 공무원은 형의 선고, 징계처분 또는 법령에서 정하는 사유에 따르지 아니하고는 본인의 의사에 반하여 휴직·강임 또는 면직을 당하지 아니한다. ( )

**심화학습**

퇴직관리

| 구분 | 내용 |
|---|---|
| 의의 | 조직 내 인력의 퇴직 상황을 파악하고 예측해 적정한 퇴직 수준을 유지하며, 퇴직 결정을 전후해 발생하는 문제들을 해결하는 일련의 인적 자원관리활동 |
| 퇴직 관리 | • **저성과자의 퇴직관리**: 무능공무원퇴출제, 부적격 공무원 특별관리제, 삼진아웃제, 현장시정추진단 등<br>• **퇴직공무원의 삶의 질 개선**: 연금을 통한 경제적 지원, 퇴직 후 재취업 및 창업을 위한 직업교육 등 은퇴 설계를 위한 각종 지원 프로그램 |

O·X 정답 1. ○ 2. ×

ⓗ 「성폭력범죄의 처벌 등에 관한 특례법」 제2조에 규정된 죄(성폭력범죄)를 범한 사람으로서 100만원 이상의 벌금형을 선고받고 그 형이 확정된 후 3년이 지나지 아니한 사람

ⓘ 징계로 파면처분을 받은 때부터 5년이 지나지 아니한 자

ⓙ 징계로 해임처분을 받은 때부터 3년이 지나지 아니한 자

ⓚ 임기제 공무원의 근무기간이 만료된 경우

② **직권면직**

㉠ **개념**: 일정한 사유가 발생했을 때 임용권자가 본인의 의사와 무관하게 처분에 의해 직권으로 공무원의 신분을 박탈하는 임용행위를 말한다.

㉡ **성격**: 직권면직은 「국가공무원법」상 징계에 해당하지 않는다.

㉢ **직권면직 사유(「국가공무원법」 제70조)**: 임용권자는 다음의 어느 하나에 해당하면 직권으로 면직시킬 수 있다(임의사항).

ⓐ 직제와 정원의 개폐 또는 예산의 감소 등에 따라 폐직(廢職) 또는 과원(過員)이 되었을 때(정부의 사정에 의한 일방적 퇴직으로 우선 복직제도가 인정됨)

ⓑ 휴직 기간이 끝나거나 휴직 사유가 소멸된 후에도 직무에 복귀하지 아니하거나 직무를 감당할 수 없을 때

ⓒ 대기 명령을 받은 자가 그 기간에 능력 또는 근무성적의 향상을 기대하기 어렵다고 인정된 때(징계위원회의 동의 필요)

ⓓ 전직시험에서 세 번 이상 불합격한 자로서 직무수행능력이 부족하다고 인정된 때

ⓔ 병역판정검사·입영 또는 소집의 명령을 받고 정당한 사유 없이 이를 기피하거나 군복무를 위하여 휴직 중에 있는 자가 군복무 중 군무(軍務)를 이탈하였을 때

ⓕ 해당 직급·직위에서 직무를 수행하는 데 필요한 자격증의 효력이 없어지거나 면허가 취소되어 담당 직무를 수행할 수 없게 된 때

ⓖ 고위공무원단에 속하는 공무원이 적격심사 결과 부적격 결정을 받은 때

③ **정년퇴직**

㉠ **의의**: 조직의 능률향상과 활발한 신진대사를 위해 일정한 연령이 넘으면 본인의 의사와 관계없이 퇴직시키는 제도이다.

㉡ **목적**: 조직의 신진대사를 활성화하여 행정의 유동성을 증진하고, 고령자의 인건비를 절감하여 행정의 능률성을 향상할 목적으로 시행된다.

㉢ **유 형**

ⓐ **연령정년제**: 일정한 연령에 달하면 자동 퇴직하는 제도이다. 우리나라는 다른 법률에 특별한 규정이 없는 한 직급에 차별 없이 모든 공무원의 연령정년을 60세로 단일화하였다(2013).

**연령정년제의 장·단점**

| 장 점 | 단 점 |
|---|---|
| • 예측가능성이 높아 인력계획에 따른 조직 운영 용이<br>• 신분보장을 통한 공무원의 심리적 안정감 제공 | • 인력운영의 경직성·획일성 야기<br>• 감독자의 리더십 저하<br>• 공무원의 복지부동 만연 |

**O·X 문제**

1. 직권면직이란 직제·정원의 변경으로 직위의 폐지나 초과정원이 발생한 경우에 임용권자가 직권으로 직무수행의 의무를 면해주되 공무원의 신분은 보유하게 하는 임용행위이다. ( )

2. 직권면직은 「국가공무원법」상 징계의 한 종류로서, 임용권자가 특정한 사유에 해당되는 공무원을 직권으로 면직시키는 것이다. ( )

3. 직무수행능력이 부족하거나 성적이 불량한 자는 직권면직 대상이 된다. ( )

4. 임용권자는 직무수행능력 부족을 이유로 직위해제를 받은 공무원이 직위해제 기간에 능력의 향상을 기대하기 어렵다고 인정된 때에 직권면직을 통해 공무원의 신분을 박탈할 수 있다. ( )

5. 전직시험에서 3회 이상 불합격한 자로서 직무능력이 부족한 자는 직위해제 대상이다. ( )

O·X 정답 1. × 2. × 3. × 4. ○ 5. ×

PART · 05

**O·X 문제**

1. 계급정년형 직업공무원제는 각 계급에서 승진하지 못하면 정년퇴직을 해야 하는 연령을 달리함으로써 능력 있는 사람이 승진하여 공직에 오래 머물게 하는 제도이다. ( )

2. 계급정년제는 인적자원의 유동률을 높여 국민의 공직취임 기회를 확대할 수 있다. ( )

3. 계급정년제는 모든 공무원의 직업적 안정성을 확보할 수 있다. ( )

ⓑ **계급정년제**: 일정 계급에서 일정 기간 승진을 하지 못하면 자동 퇴직하는 제도이다. 현재 우리나라는 군인·경찰·소방공무원 등에게 적용된다.

계급정년제의 장·단점

| 장 점 | 단 점 |
|---|---|
| • 신진대사 촉진으로 공직의 유동률 제고<br>• 관료주의 타파 및 무능공무원 퇴출 수단<br>• 능력발전 및 성취지향적 공직풍토 조성<br>• 정실주의를 방지하여 인사행정의 객관성 확보 | • 법령에 의하여 획일적으로 적용할 경우 이직률 조정 곤란<br>• 직업의 안정성·계속성 저해<br>• 직업공무원제 및 실적주의 훼손<br>• 공무원의 사기 저해 |

ⓒ **근속정년제**: 공직 근속연한이 일정 기간에 달하면 자동퇴직하는 제도이다.

④ **징계퇴직**: 징계처분 중 파면·해임 등에 의해 공무원 신분관계가 소멸하는 것을 말한다.

(3) 자진(임의)퇴직

① **의원면직**: 공무원 스스로의 희망에 의한 퇴직을 말한다.

② **명예퇴직**: 공무원으로서 20년 이상 근속한 자가 정년 전에 스스로 퇴직하는 것을 말한다. 이 경우 정부는 예산의 범위에서 명예퇴직수당을 지급할 수 있다.

③ **조기퇴직**: 공무원으로서 20년 미만 근속한 자가 정년 전에 자진하여 퇴직하는 것을 말한다. 직제와 정원의 개폐 또는 예산의 감소 등에 따라 폐직 또는 과원이 되었을 때에 20년 미만 근속한 자가 정년 전에 스스로 퇴직하면 예산의 범위에서 수당을 지급할 수 있다.

## 2. 공무원의 징계

(1) 의 의

징계란 의무위반에 대한 제재로 공무원의 신분을 변경시키거나 상실케 하는 처분을 말한다. 징계는 공무원의 의무위반을 시정하기 위한 교정의 목적뿐만 아니라 징계규정을 둠으로써 그러한 사태를 미리 예방하고자 하는 목적을 지니고 있다.

(2) 대 상

경력직 공무원(일반직, 특정직) 및 특수경력직 공무원 중 별정직 공무원을 대상으로 한다. 정무직 공무원은 징계의 대상에 포함되지 않는다.

**O·X 문제**

4. 직무의 내외를 불문하고 그 체면 또는 위신을 손상하는 행위를 하는 경우 징계사유가 된다. ( )

(3) 사유 -「국가공무원법」 제78조

①「국가공무원법」 및 이 법에 따른 명령을 위반하는 경우

② 직무상 의무를 위반하거나 직무를 태만히 한 때

③ 직무의 내외를 불문하고 그 체면 또는 위신을 손상하는 행위를 한 때

O·X 정답 1. ○ 2. ○ 3. × 4. ○

(4) 종류 및 효력

① 경징계

㉠ 견책: 전과에 대하여 훈계하고 회개하게 하는 것으로 공식적인 징계절차에 의하고 인사기록에 남는다(징계처분의 집행이 끝난 날부터 6개월간 승진·승급 제한).

㉡ 감봉: 1개월 이상 3개월 이하의 기간 동안 보수 3분의 1을 감한다(징계처분의 집행이 끝난 날부터 12개월간 승진·승급 제한).

② 중징계

㉠ 정직: 1개월 이상 3개월 이하의 기간 동안 공무원 신분은 보유하나 직무에 종사하지 못하며, 그 기간 중 보수의 전액을 감한다(징계처분의 집행이 끝난 날부터 18개월간 승진·승급 제한).

㉡ 강등: 1계급 아래로 직급을 내리고(고위공무원단 소속 공무원은 3급으로, 연구관 및 지도관은 연구사 및 지도사로 임용) 공무원 신분은 보유하나 3개월간 직무에 종사하지 못하며, 그 기간 중 보수의 전액을 감한다(징계처분의 집행이 끝난 날부터 18개월간 승진·승급 제한). 다만, 계급을 구분하지 아니하는 공무원(전문경력관 등)과 임기제 공무원은 적용하지 아니한다.

㉢ 해임: 공무원을 강제로 퇴직시키는 처분으로 3년 이내에 다시 공무원이 될 수 없으며, 원칙적으로 퇴직금에 영향이 없다. 다만, 금품 및 향응 수수, 공금의 횡령·유용으로 징계에 의하여 해임된 경우에 퇴직급여는 재직기간이 5년 미만인 사람은 1/8을, 5년 이상인 사람은 1/4을 감한다.

㉣ 파면: 공무원을 강제로 퇴직시키는 처분으로 5년 이내에 다시 공무원이 될 수 없다. 탄핵 또는 파면된 경우 퇴직급여는 재직기간이 5년 미만인 사람은 1/4을, 5년 이상인 사람은 1/2을 감한다.

(5) 징계부가금

공무원의 징계사유가 금전·물품·부동산·향응 또는 그 밖에 대통령령으로 정하는 재산상 이익을 취득하거나 제공한 경우 또는 예산·기금·국고금·보조금·국유재산 및 물품 등을 횡령·배임·절도·사기 또는 유용한 경우에는 해당 징계 외에 취득하거나 제공한 금전 또는 재산상 이득의 5배 내의 징계부가금을 징계위원회의 의결을 거쳐 부과할 수 있다.

(6) 징계 기구 – 징계의결위원회

① 중앙징계위원회: 국무총리 소속으로 두며, 위원장은 인사혁신처장이 된다. 주로 고위공무원단에 속하는 공무원, 5급 이상 공무원, 연구관 및 지도관 등의 징계 또는 징계부과금 등을 심의·의결한다.

② 보통징계위원회: 중앙행정기관에 두며, 6급 이하 공무원 등의 징계 등 사건을 심의·의결한다.

(7) 징계절차 및 징계처분

① 징계절차: 징계의결 요구는 5급 이상은 소속 장관이, 6급 이하는 소속 기관의 장 또는 소속 상급기관의 장이 한다. 징계의결요구서를 접수하면 중앙징계위원회는 60일 이내, 보통징계위원회는 30일 이내에 징계에 관한 의결을 하여야 한다.

**O·X 문제**

1. 징계는 파면, 해임, 강등, 정직의 중징계와 감봉, 견책의 경징계로 구분된다. ( )

2. 견책은 잘못된 행동에 대하여 훈계하고 회개토록 하는 것으로 6개월간 승진과 승급이 제한되는 효력을 가진다. ( )

3. 감봉 처분을 받은 자는 감봉 처분이 시작된 날부터 12개월간 승진이 제한된다. ( )

4. 정직은 1개월 이상 3개월 이하의 기간으로 하고, 정직 처분을 받은 자는 그 기간 중 공무원의 신분은 보유하나 직무에 종사하지 못하며 보수의 전액을 감한다. ( )

5. 강임은 1계급 아래로 직급을 내리고, 공무원 신분은 보유하나 3개월간 직무에 종사하지 못하며 그 기간 중 보수의 전액을 감하는 것이다. ( )

6. 강등은 1계급 아래로 직급을 내리고 공무원의 신분은 보유하나 3개월간 직무에 종사하지 못하며 그 기간 중 보수의 3분의 2를 감한다. ( )

7. 해임이란 공무원의 신분을 박탈하는 중징계 처분의 하나이며 퇴직급여액의 2분의 1이 삭감되는 임용행위이다. ( )

8. 금품 및 향응 수수, 공금의 횡령·유용으로 징계 해임된 자의 퇴직급여는 감액하지 아니한다. ( )

9. 파면은 공무원 신분을 완전히 잃는 것으로 5년간 재임용자격이 제한된다. ( )

10. 해임과 파면은 신분박탈형 징계로 일정 기간 공무원 임용의 결격사유가 된다. ( )

O·X 정답 1. ○ 2. ○ 3. ○ 4. ○ 5. × 6. × 7. × 8. × 9. ○ 10. ○

② **징계의결**: 징계위원회는 위원 5명 이상의 출석과 출석위원 과반수의 찬성으로 의결하되, 의견이 나뉘어 출석위원 과반수의 찬성을 얻지 못한 경우에는 출석위원 과반수가 될 때까지 징계 등 혐의자에게 가장 불리한 의견에 차례로 유리한 의견을 더하여 가장 유리한 의견을 합의된 의견으로 본다.

③ **징계처분**: 공무원의 징계처분 등은 징계위원회의 의결을 거쳐 징계위원회가 설치된 소속 기관의 장이 하되(파면 · 해임은 각 임용권자 등이 함), 국무총리 소속으로 설치된 징계위원회에서 한 징계의결 등에 대하여는 중앙행정기관의 장이 한다.

④ **감사원의 조사와의 관계**: 감사원에서 조사 중인 사건에 대하여는 조사개시 통보를 받은 날부터 징계의결의 요구나 그 밖의 징계 절차를 진행하지 못한다. 또한 검찰 · 경찰, 그 밖의 수사기관에서 수사 중인 사건에 대하여는 수사개시 통보를 받은 날부터 징계의결의 요구나 그 밖의 징계절차를 진행하지 아니할 수 있다.

⑤ **처분사유 설명서의 교부**: 징계처분 등을 할 때나 강임 · 휴직 · 직위해제 또는 면직처분을 할 때에는 그 처분권자 등은 처분사유를 적은 설명서를 교부하여야 한다.

### (8) 징계 및 징계부가금 부과 사유의 시효

징계의결 등의 요구는 징계 등 사유가 발생한 날로부터 성매매 · 성폭력 · 성희롱 · 아동/청소년대상 성범죄의 경우에는 10년, 금품수수 · 공금횡령 및 유용의 경우에는 5년, 그 밖의 사유에 해당하는 경우에는 3년이 지나면 하지 못한다.

### (9) 퇴직공무원의 징계사유 확인 및 퇴직 제한 등

임용권자 등은 공무원이 퇴직을 희망하는 경우에는 징계사유가 있는지 등을 확인해야 하며, 확인 결과 중징계에 해당하는 징계사유가 있는 경우에는 지체 없이 징계의결 등을 요구하여야 하고, 퇴직을 허용해서는 아니 된다.

**참고** 적극행정의 장려와 적극행정징계면제

1. **적극행정과 소극행정**
   (1) **적극행정**: 공무원이 불합리한 규제를 개선하는 등 공공의 이익을 위해 창의성과 전문성을 바탕으로 적극적으로 업무를 처리하는 행위
   (2) **소극행정**: 공무원이 부작위 또는 직무태만 등 소극적 업무행태로 국민의 권익을 침해하거나 국가 재정상 손실을 발생하게 하는 행위
2. **적극행정의 장려**
   (1) **적극행정 총괄 및 제도운영**: 행정안전부와 인사혁신처가 담당한다.
   (2) **적극행정실행계획**: 중앙행정기관의 장은 적극행정실행계획을 매년 수립 · 시행해야 한다.
   (3) **적극행정위원회**: 적극행정 추진에 관한 사항을 심의하기 위해 각 중앙행정기관에 적극행정위원회를 둔다.
3. **적극행정징계면제**
   (1) **고의 또는 중대한 과실이 없는 경우**: 적극행정을 추진한 결과에 대해 해당 공무원의 행위에 고의 또는 중대한 과실이 없다고 인정되는 경우에는 징계 관련 법령에 따른 징계의결 등(징계 또는 징계부가금 부과의결)을 하지 아니한다.
   (2) **사전컨설팅이나 위원회의 의견에 따른 경우**
      ① 공무원이 감사원이나 감사기구의 장의 사전컨설팅 의견이나 적극행정위원회의 의견대로 업무를 처리한 경우에는 징계의결 등을 하지 않는다.
      ② 다만, 공무원과 대상 업무 사이에 사적인 이해관계가 있거나 감사원이나 감사기구의 장의 사전컨설팅이나 적극행정위원회의 심의에 필요한 정보를 충분히 제공하지 않은 경우에는 그렇지 않다.

**O·X 문제**

1. 적극행정은 공무원이 불합리한 규제를 개선하는 등 공공의 이익을 위해 창의성과 전문성을 바탕으로 적극적으로 업무를 처리하는 행위를 말한다. ( )

2. 공무원이 적극행정을 추진한 결과에 대해 그의 행위에 고의 또는 중대한 과실이 없는 경우에는 징계요구 등 책임을 묻지 않는다. ( )

3. 공무원과 대상 업무 사이에 사적 이해관계가 있더라도 사전컨설팅에서 제시된 의견대로 적극행정을 추진한 경우 징계 등에 대한 면책을 받는다. ( )

O·X 정답 1. ○ 2. ○ 3. ×

4. **적극행정국민신청 및 소극행정신고**

(1) **적극행정국민신청**

① 법령이 없거나 법령이 명확하지 않다는 사유로 거부통지 등을 받은 사람은 소관 중앙행정기관의 장에게 해당 업무를 적극적으로 처리해 줄 것을 신청할 수 있다.

② 적극행정국민신청은 온라인 국민참여포털을 통해 해야 한다.

(2) **소극행정신고 및 예방근절**

① 누구든지 공무원의 소극행정을 소속 중앙행정기관의 장이나 소극행정신고센터에 신고할 수 있다.

② 징계의결 등 요구권자는 소속 공무원의 소극행정이 발생한 경우 징계 관계 법령에 따라 징계의결 등을 요구하는 등 필요한 조치를 해야 한다.

## 3. 기타 공무원 신분제한 제도

### (1) 직위해제

① 의의: 임용권자가 공무원으로서의 신분은 보존시키되 직위를 부여하지 않는 임용 행위를 말한다(보수의 8할을 지급하며 경력은 인정되지 않음).

② 직위해제의 사유(「국가공무원법」 제73조의3): 임용권자는 다음의 어느 하나에 해당하는 자에게는 직위를 부여하지 아니할 수 있다.

㉠ 직무수행능력이 부족하거나 근무성적이 극히 나쁜 자

㉡ 파면·해임·강등 또는 정직에 해당하는 징계의결이 요구 중인 자

㉢ 형사사건으로 기소된 자(약식명령이 청구된 자는 제외)

㉣ 고위공무원단에 속하는 일반직 공무원으로 적격심사를 요구받은 자

㉤ 금품비위, 성범죄 등 대통령령으로 정하는 비위행위로 인하여 감사원 및 검찰·경찰 등 수사기관에서 조사나 수사 중인 자로서 비위의 정도가 중대하고 이로 인하여 정상적인 업무수행을 기대하기 현저히 어려운 자

③ 직위해제 사유의 경합: ㉠의 직위해제 사유와 ㉡, ㉢, ㉤의 직위해제 사유가 경합할 때에는 ㉡, ㉢, ㉤의 직위해제 처분을 하여야 한다.

### (2) 대기명령

① 의의: 임용권자는 '직무수행능력이 부족하거나 근무성적이 극히 나쁜 자(㉠)'의 사유에 따라 직위해제된 자에게 3개월의 범위에서 대기를 명한다. 또한 임용권자 등은 대기명령을 받은 자에게 능력회복이나 근무성적의 향상을 위한 교육훈련 또는 특별한 연구과제의 부여 등 필요한 조치를 하여야 한다.

② 결과: 직위해제의 사유가 소멸하면 임용권자는 지체 없이 직위를 부여하여야 한다. 그러나 이 기간 중 능력의 향상 또는 근무성적의 향상을 기대하기 어렵다고 인정된 때에 임용권자는 직권면직을 통하여 공무원의 신분을 박탈할 수 있다.

### (3) 휴직과 복직

① 휴직: 공무원이 재직 중 일정한 사유로 직무를 일정 기간 동안 떠나 있는 것을 말한다. 휴직은 일반적으로 본인의 희망에 의하며(청원휴직), 본인의 의사에도 불구하고 특정한 사유 발생 시 임용권자는 휴직을 명할 수 있다(직권휴직). 휴직 중인 공무원은 공무원의 신분은 보유하나 직무에 종사하지 못하며, 휴직기간 중 봉급액의 일정 금액을 지급받는다.

**O·X 문제**

1. 직위해제란 해당 공무원에 대해 직위를 부여하지 않음으로써 공무원의 신분을 박탈하는 임용행위이다. ( )

2. 직위해제는 공무원 징계의 한 종류이다. ( )

3. 직무수행 능력이 부족하거나 근무성적이 극히 나쁜 자에 대해서도 직위해제가 가능하다. ( )

4. 공무원에 대하여 근무성적이 극히 나쁘다는 사유와 형사 사건으로 기소되었다는 사유가 경합할 때에는 근무성적이 극히 나쁘다는 사유로 직위해제 처분을 하여야 한다. ( )

5. 임용권자는 직무수행 능력이 부족하여 직위해제된 자에게 3개월의 범위에서 대기를 명할 수 있다. ( )

6. 직위해제의 사유가 소멸된 경우 임용권자는 인사위원회의 심의를 거쳐 3개월 이내에 직위를 부여하여야 한다. ( )

**O·X 정답** 1. × 2. × 3. ○ 4. × 5. ○ 6. ×

② **복직**: 휴직 또는 직위해제 중인 공무원을 직위에 복귀시키는 것을 말한다. 휴직기간이 끝난 공무원은 30일 이내에 복귀신고를 하면 당연히 복직된다.

(4) 기 타

① **전보(좌천)**: 정식 징계절차를 거치지 않고 요직에서 한직으로 이동시키는 것을 말한다.

② **권고사직**: 파면해야 할 사람을 자발적 퇴직으로 유도하는 일종의 편법을 말한다.

③ **감원**: 정부조직의 사정이나 예산감축 등으로 공무원 일부가 불필요해져서 그 수를 감소시키는 일방적·강제적 퇴직을 말한다.

## 제 3 절 공무원의 권리와 의무

### 01 공무원의 정치적 중립

#### 1. 의 의

(1) 개 념

정치적 중립이란 공무원이 정치에 개입하지 않는다는 의미가 아니라 공무원이 어떤 정당이 집권하더라도 편당성을 떠나 공평무사하게 봉사해야 한다는 것을 의미한다. 공무원의 정치적 중립은 공무원 충원에 있어서 비정치성, 선거과정에서의 중립, 직업윤리로서 공평성을 모두 포함하는 개념이다.

(2) 정치적 중립과 정치·행정과의 관계

① **정치행정이원론에서 정치적 중립**: 초기의 정치적 중립은 엽관주의의 폐해를 극복하기 위해 행정을 조직 내부의 인적·물적 자원에 대한 관리활동으로 한정하고 행정의 정책결정권한을 인정하지 않는 소극적 의미였다.

② **정치행정일원론에서 정치적 중립**: 행정의 전문화·복잡화로 인해 행정이 실질적인 정책결정을 담당해야 하는 현대행정에서 정치적 중립은 공무원의 정책으로부터의 단절이나 행정에서 정치적 고려를 배제하자는 것이 아니라, 공무원이 정책결정을 담당하더라도 특정 정당에 치우치지 않고 공정하게 해야 한다는 적극적 의미이다.

(3) 대두배경 및 각국의 동향

① **대두배경 및 전개**: 정치적 중립은 미국에서 엽관주의의 폐해를 극복하고 실적주의를 확립하는 과정에서 대두되었다. 정치적 중립은 모든 나라에서 강하게 규정하고 있는 것도 아닐 뿐더러 최근 실적주의에서 적극적 인사행정으로 인사행정의 패러다임이 변화됨에 따라 점차 완화되고 있다.

② 각국의 정치적 중립

㉠ **미국**: 1883년 「펜들턴(Pendelton)법」에서 최초로 공무원의 정치적 중립을 규정하고, 1939년 「해치(Hatch)법」에 의해 공무원의 정치적 중립을 보다 강화하였다. 그러나 1974년 「연방선거운동법」의 개정을 통해 공무원의 정치적 중립을 상당히 완화하였다.

심화학습

「해치(Hatch)법」의 주요 내용

① 공무원 신분으로 입후보 금지
② 정당에 선거자금제공 금지
③ 정당의 직위보유 금지
④ 선거운동 금지
⑤ 공무원단체의 정치활동 금지

㉡ **영국**: 영국은 전체 공무원을 3계층으로 구분하고 정책결정과 가장 관련이 깊은 고급 공무원에 대해 정치적 중립을 강하게 요구하지만, 밑으로 내려갈수록 완화해 하위층에는 제약을 두지 않고 있다(행정·집행계급은 정치활동 금지, 서기계급은 정치활동은 허용하되 입후보 금지, 하위직은 정치활동의 자유 허용).

㉢ **서유럽**: 독일·프랑스 등은 원래부터 정치적 중립이 완화되어 있었다. 공무원은 공무원 신분으로 정당의 후보자로 입후보할 수 있고, 당선되면 사임해야 하지만 의원직을 사퇴하면 복직이 허용된다.

㉣ **북유럽**: 서유럽 국가들보다 정치적 중립이 더욱 완화되어 있어 공무원이 의원직 겸직까지도 가능하다.

㉤ **일본**: 공무원 신분으로 지방자치단체의 선거에 입후보할 수 있다.

## 2. 정치적 중립의 필요성과 한계

### (1) 필요성(찬성) – 전체 국민의 봉사자로서 공무원

① **행정의 공평성 확보**: 공무원이 파당적 특수이익에 편중되거나 부당한 정치적 압력에 굴복하지 않고 국민 전체의 봉사자로서 공익을 옹호하고 증진하게 한다.

② **행정의 일관성·안정성 확보**: 정치의 불안정성에 대한 방파제 역할을 수행함으로써 행정의 일관성·안정성을 확보할 수 있다.

③ **부정부패의 방지 및 실적주의의 확립**: 실적주의 확립에 기여하여 엽관주의로부터 공직을 보호하고 부정부패를 방지하며, 행정의 전문성과 능률성을 향상시킬 수 있다.

④ **행정의 자율성 확보**: 행정에 대한 부당한 정치적 간섭을 배제하고 정치적 전횡으로부터 행정의 자율성을 확보하여 공평무사한 행정을 수행하게 한다.

⑤ **민주정치의 기본질서 확립**: 관료제와 정치권력과의 밀착을 방지하고 민주정치의 기본질서와 정치세력의 균형을 유지하게 한다.

### (2) 한계(반대) – 정치적 시민권의 주체로서 공무원

① **공무원의 참정권 제한**: 공무원도 공복(公僕) 이전에 시민이다. 공무원이라는 특정집단에 대하여만 참정권을 제한하는 것은 민주정치 원리와 모순된다.

② **참여적 관료제 저해**: 정당정치에 기반한 민주정치에서 우수한 인적자원인 공무원들의 정당 가입을 금지하는 것은 참여적 관료제의 발전을 저해할 수 있다.

③ **대표관료제와 부조화**: 정치적 중립은 다양한 이해관계집단의 의사를 국정운영과정에 반영하고자 하는 대표관료제 정신에 위배된다.

④ **특권집단화**: 정치적 중립으로 인한 실적주의의 확립은 신분보장으로 인해 공무원 집단을 특권집단화할 수 있다.

⑤ **행정책임 저해**: 정치적 중립을 통한 공무원의 신분보장은 공직활동에 대한 공무원의 책임성을 저해할 수 있다.

⑥ **정치행정일원론과 부정합**: 정치적 중립은 공무원의 정책결정권한이 확대된 현대행정국가의 정치행정일원론적 시각과 조화롭지 못하다.

**O·X 문제**

1. 공무원에게 정치적 중립이 요구되는 근거는 정치적 무관심화를 통한 직무수행의 능률성 확보를 위한 것이다. ( )
2. 공무원의 정치적 중립은 공무원의 대표성 확보를 위해 필요하다. ( )
3. 공무원에게 정치적 중립이 요구되는 근거는 공무원 집단의 정치세력화를 방지하기 위한 것이다. ( )
4. 공무원의 정치적 중립은 엽관주의의 폐해를 극복하여 행정의 안정성과 전문성을 제고할 수 있다. ( )
5. 공무원의 정치적 중립은 실적주의를 극복하기 위한 성격을 지닌다. ( )
6. 공무원의 정치적 중립은 공무원의 정치적 기본권을 강화하여 공직의 계속성을 제고할 수 있다. ( )
7. 지나친 정치적 중립의 강조는 공무원집단을 오히려 폐쇄적으로 만들 수 있다. ( )

O·X 정답 1. × 2. × 3. ○ 4. ○ 5. × 6. × 7. ○

PART · 05

### 3. 우리나라의 정치적 중립 – 강력한 정치적 중립 규정

(1) 「헌법」 제19조

공무원의 신분과 정치적 중립은 법률에 의하여 보장된다.

(2) 「국가공무원법」 제65조(정치운동의 금지)

① 공무원은 정당이나 그 밖의 정치단체의 결성에 관여하거나 이에 가입할 수 없다.

② 공무원은 선거에서 특정 정당 또는 특정인을 지지 또는 반대하기 위한 다음의 행위를 하여서는 아니 된다.

㉠ 투표를 하거나 하지 아니하도록 권유운동을 하는 것

㉡ 서명운동을 기도·주재하거나 권유하는 것

㉢ 문서나 도서를 공공시설 등에 게시하거나 게시하게 하는 것

㉣ 기부금을 모집 또는 모집하게 하거나, 공공자금을 이용 또는 이용하게 하는 것

㉤ 타인에게 정당이나 그 밖의 정치단체에 가입하게 하거나 가입하지 아니하도록 권유운동을 하는 것

③ 공무원은 다른 공무원에게 ①과 ②에 위배되는 행위를 하도록 요구하거나, 정치적 행위에 대한 보상 또는 보복으로서 이익 또는 불이익을 약속하여서는 아니 된다.

④ 이외에 정치적 행위의 금지에 관한 한계는 대통령령 등으로 정한다.

(3) 국가 및 지방공무원 복무규정

공무원이 집단이나 단체 명의로 국가정책을 반대하거나, 근무시간 중 정치적 구호가 담긴 조끼·머리띠·완장을 착용하지 못한다.

## 02 공무원단체

### 1. 의 의

공무원들이 근로조건의 유지·개선 및 복지 증진, 기타 경제적·사회적 지위 향상을 목적으로 자주적으로 단결하여 조직하는 단체(공무원노조)를 말한다.

### 2. 공무원노조의 기능과 한계

(1) 기 능

① **압력단체의 기능**: 공무원들의 집합적인 의사를 개별 관리자·단위 행정기관·행정부·입법부·사법부·국민 등에게 전달하는 효율적인 의사전달 통로로 기능한다.

② **공무원 집단의 욕구 충족 기능**: 공무원의 참여 의식, 인간적 가치, 귀속감, 연대의식 등의 사회적 욕구를 충족시켜 공무원의 일체감 형성 및 사기 증진에 기여할 수 있다.

③ **행정의 민주화 기능**: 관리층과 대화와 협상을 통해 상호이해를 증진하고 관리층의 횡포를 통제하여 행정의 민주화와 행정발전에 기여할 수 있다.

④ **실적제 강화 기능**: 엽관인사의 부조리 또는 관리층의 자의적 인사정책을 막는 내부통제장치로 기능하여 실적주의 확립에 기여할 수 있다.

⑤ **직업윤리 확립 및 자질향상 기능**: 공무원들이 직업적인 행동규범으로부터 이탈되는 것을 막아 직업윤리의 확립 및 자율적 통제의 효과를 증진할 수 있다.

**심화학습**

**공무원노조의 의의**

| 구분 | 내용 |
|---|---|
| 정치적 의의 | 압력단체의 기능, 민주주의 증진, 무의사결정영역의 타파 등 |
| 관리적 의의 | 의사소통의 활성화, 내부통제수단, 참여 증진, 사기 증진, 합리적 정책 결정 등 |
| 법적 의의 | 권리제고, 부당한 처우 보호 등 |

⑥ **공무원의 기본권 보장 기능**: 공무원도 공무원 이전에 노동자이므로 기본권인 노동권을 보장해 줌으로써 민주주의의 확장을 가져올 수 있다.

⑦ **사기업 노동자와의 균형 유지 기능**: 공무원도 노조를 인정해줘야 노동권을 보장받는 사기업 노동자와 균형이 유지된다.

(2) 한 계

① **공익 훼손 가능성**: 노조활동을 통한 공무원의 사익추구행위는 공무원이 국민을 위한 봉사자라는 공복개념과 충돌하여 공익을 훼손할 수 있다.

② **관리자의 관리권 제약**: 노조활동은 관리층의 관리영역인 인력운용을 제약하고, 자유로운 정책구사 여지를 위축시켜 인력관리의 경직성을 초래할 수 있다.

③ **행정의 능률성 저해**: 노조활동은 성과와 관계없이 동일한 보상을 요구하는 평등주의 성향과 업무량의 증가에 집단적으로 저항하는 행위를 통해 행정의 능률성을 저해할 수 있다.

④ **실적주의의 훼손**: 노조의 공무원 인사에 대한 과도한 개입과 영향력 행사는 자격과 능력을 중시하는 실적주의를 훼손할 수 있다.

⑤ **노사 구분 곤란**: 공무원은 일반 노동자와는 달리 스스로 국가기관의 지위에 있고, 정부와 특별권력관계에 있기 때문에 노사 구분이 모호하다.

⑥ **교섭대상의 확인 곤란**: 노조의 가장 중요한 교섭대상인 보수와 근무조건은 공무원의 경우 법정화되어 있을 뿐만 아니라 의사결정권이 분산되어 있어 교섭대상이 되기 곤란하다.

⑦ **행정의 지속성과 안정성 저해**: 쟁의행위로 인한 업무중단은 행정의 안정성과 지속성을 저해할 수 있다.

### 3. 공무원노조의 권리 및 각국의 현황

(1) 공무원노조의 권리

① **단결권**: 공무원의 근무조건을 유지・향상시키기 위하여 단체를 구성할 수 있는 권리이다. 국제노동기구(ILO)헌장의 규정에 따라 대부분의 국가에서 인정하고 있다.

② **단체교섭권**: 관리층과 자주적으로 근로조건 등에 대해 협의・교섭할 수 있는 권리이다. 단체교섭권은 단결권을 인정하는 대부분의 국가에서 인정하고 있다.

③ **단체행동권**: 단체교섭이 결렬되었을 때 파업・태업 등을 할 수 있는 권리이다. 공무원의 파업은 공익침해의 우려로 인해 대부분의 국가에서 제한적으로 인정하고 있다.

(2) 각국의 공무원노조 현황

| 구 분 | 단결권 | 단체교섭권 | 단체행동권 |
|---|---|---|---|
| 미 국 | 인정 | 인정 | 「태프트 하틀리(Taft Hartly)법」에 의하여 엄격하게 금지 |
| 영 국 | 인정 | 인정 | 노무자적 성격을 띠는 하위직 중심으로 극히 제한적으로 인정 |
| 프랑스 | 인정(군인・경찰 가) | 인정 | |
| 독 일 | 인정(군인・경찰 가) | 인정 | 불인정 |
| 일 본 | 인정(경찰 제외) | 인정 | |

**O·X 문제**

1. 공무원노조는 행정관리개선과 공무원의 질적 향상, 행정윤리의 확립, 공무원의 부패방지, 행정과정의 민주화 등에 이바지할 수 있다. ( )
2. 공무원은 공무원노조를 통하여 입법부와 관리층에 그들의 입장과 의견을 표시할 수 있다. ( )
3. 공무원노조 설립은 공공부문 인력관리의 탄력성을 제고시키고 관리층의 인사권을 확대할 수 있다. ( )
4. 공무원단체는 행정의 계속성을 저해할 수 있다. ( )
5. 공무원노조는 공공부문 인적자원관리의 민주성을 증진하지만, 실적주의에는 영향을 미치지 않는다. ( )

O·X 정답 | 1. ○ 2. ○ 3. × 4. ○ 5. ×

PART · 05

### 4. 우리나라의 공무원노조

(1) 공무원노조 관련 법령과 노조의 종류

① 「헌법」 제33조: 근로자는 근로조건의 향상을 위하여 자주적인 단결권·단체교섭권 및 단체행동권을 가진다. 공무원인 근로자는 법률이 정하는 자에 한하여 단결권·단체교섭권 및 단체행동권을 가진다.

② 「국가공무원법」 제66조: 공무원은 노동운동이나 그 밖에 공무 외의 일을 위한 집단 행위를 하여서는 아니 된다. 다만, 사실상 노무에 종사하는 공무원은 예외로 한다. 사실상 노무에 종사하는 공무원의 범위는 대통령령 등으로 정한다.

③ 「국가공무원 복무규정」(대통령령) 제28조 – 현업기관 우정직 노조: 사실상 노무에 종사하는 공무원은 과학기술정보통신부 소속 현업기관의 작업 현장에서 노무에 종사하는 우정직 공무원을 말한다. 우리나라는 우정직 노조에 한하여 단결권·단체교섭권·단체행동권 모두를 인정한다. 다만, 우정직 노조는 일반직 공무원과는 달리 공무원직장협의회에는 가입할 수 없다.

④ 「교원의 노동조합 설립 및 운영 등에 관한 법률」 – 교원노조: 교원노조는 시·도 및 전국단위로 설립이 가능하며 학교단위로의 설립은 금지된다. 교원의 경우 단결권 및 단체교섭권은 인정되나, 단체행동 및 정치활동이 금지된다.

⑤ 「공무원의 노동조합 설립 및 운영 등에 관한 법률」 – 일반직 노조: 「국가공무원법」과 「지방공무원법」상 공무원은 이 법의 적용을 받으며, 사실상 노무에 종사하는 공무원과 교원인 공무원은 이 법의 적용을 받지 않는다.

(2) 「공무원의 노동조합 설립 및 운영 등에 관한 법률」의 내용

① 단체의 구성(단결권)

㉠ 설립단위: 공무원이 노동조합을 설립하고자 하는 경우에는 국회·법원·헌법재판소·선거관리위원회·행정부·특별시·광역시·특별자치시·도·특별자치도·시·군·구 및 특별시·광역시·특별자치시·도·특별자치도의 교육청을 최소단위로 한다. 즉, 「헌법」상 독립기관과 자치단체는 별도로 독립된 노조를 결성할 수 있으며, 행정부 국가공무원노조는 전국단위로 단일노조가 운영되고 각 부처는 지부 형태로 운영된다.

㉡ 설립신고: 노동조합을 설립하려는 사람은 고용노동부장관에게 설립신고서를 제출하여야 한다.

㉢ 가입범위(직급제한 폐지, 소방·교육공무원 및 퇴직공무원 노동조합 가입 허용)

ⓐ 일반직 공무원

ⓑ 특정직 공무원 중 외무영사직렬·외교정보기술직렬 외무공무원, 소방공무원 및 교육공무원(다만, 교원은 제외)

ⓒ 별정직 공무원

ⓓ ⓐ부터 ⓒ까지의 어느 하나에 해당하는 공무원이었던 사람으로서 노동조합 규약으로 정하는 사람

**심화학습**

**공무원노조와 「헌법」 규정 변천**

| | |
|---|---|
| 제헌 헌법 | 노동자의 단결, 단체교섭과 단체행동의 자유는 법률의 범위 내에서 보장된다(공무원과 민간 노동자의 구분 없음). |
| 제5차 개헌 | 공무원인 근로자는 법률로 인정된 자를 제외하고는 단결권, 단체교섭권, 단체행동권을 가질 수 없다. |

**O·X 문제**

1. 공무원노조를 설립하고자 하는 경우에는 인사혁신처장에게 노조설립 허가서를 제출하여야 한다. ( )
2. 별정직 공무원은 공무원 노조에 가입할 수 없다. ( )
3. 6급 이하의 일반직 공무원만 노동조합에 가입할 수 있다. ( )
4. 퇴직공무원도 노동조합에 가입할 수 있다. ( )
5. 소방공무원과 교원은 노동조합 가입이 허용되지 않는다. ( )

O·X 정답 1. × 2. × 3. × 4. ○ 5. ×

㉣ 가입할 수 없는 공무원

ⓐ 업무의 주된 내용이 다른 공무원에 대하여 지휘·감독권을 행사하거나 다른 공무원의 업무를 총괄하는 업무에 종사하는 공무원

ⓑ 업무의 주된 내용이 인사·보수 또는 노동관계의 조정·감독 등 노동조합의 조합원 지위를 가지고 수행하기에 적절하지 아니한 업무에 종사하는 공무원

ⓒ 교정·수사 등 공공의 안녕과 국가안전보장에 관한 업무에 종사하는 공무원

㉤ 노동조합 전임자의 지위

ⓐ 공무원은 임용권자의 동의를 받아 노동조합으로부터 급여를 지급받으면서 노동조합의 업무에만 종사할 수 있다.

ⓑ 노동조합의 업무에만 종사하는 자(전임자)에 대하여는 그 기간 중 휴직명령을 하여야 한다.

ⓒ 국가와 자치단체는 공무원이 전임자임을 이유로 승급이나 그 밖에 신분과 관련하여 불리한 처우를 하여서는 아니 된다.

㉥ 근무시간 면제자 등

ⓐ 공무원은 단체협약으로 정하거나 정부교섭대표가 동의하는 경우 근무시간 면제 한도를 초과하지 아니하는 범위에서 보수의 손실 없이 정부교섭대표와의 협의·교섭, 고충처리, 안전·보건활동 등 이 법 또는 다른 법률에서 정하는 업무와 건전한 노사관계 발전을 위한 노동조합의 유지·관리업무를 할 수 있다.

ⓑ 근무시간 면제 시간 및 사용인원의 한도(근무시간 면제 한도)를 정하기 위하여 공무원근무시간면제심의위원회를 경제사회노동위원회에 둔다.

ⓒ 심의위원회는 노동조합 설립 최소 단위를 기준으로 조합원의 수를 고려하되 노동조합의 조직형태, 교섭구조·범위 등 공무원 노사관계의 특성을 반영하여 근무시간 면제 한도를 심의·의결하고, 3년마다 그 적정성 여부를 재심의하여 의결할 수 있다.

ⓓ 근무시간 면제 한도를 초과하는 내용을 정한 단체협약 또는 정부교섭대표의 동의는 그 부분에 한정하여 무효로 한다.

ⓔ 정부교섭대표는 국민이 알 수 있도록 전년도에 노동조합별로 근무시간을 면제받은 시간 및 사용인원, 지급된 보수 등에 관한 정보를 대통령령으로 정하는 바에 따라 공개하여야 한다.

② 단체교섭 및 단체협약 체결권

㉠ 교섭대상 및 주체 : 노동조합의 대표자는 그 노동조합에 관한 사항 또는 조합원의 보수·복지, 그 밖의 근무조건에 관하여 인사혁신처장(행정부), 단체장(지방자치단체) 등과 각각 교섭하고 단체협약을 체결할 권한을 가진다.

㉡ 교섭제외 대상 : 법령 등에 따라 국가나 자치단체가 그 권한으로 행하는 정책결정에 관한 사항, 임용권의 행사 등 그 기관의 관리·운영에 관한 사항으로서 근무조건과 직접 관련되지 아니하는 사항은 교섭의 대상이 될 수 없다.

㉢ 교섭절차

ⓐ 노동조합의 대표자는 정부교섭대표와 교섭하려는 경우에는 교섭하려는 사항에 대하여 정부교섭대표에게 서면으로 교섭을 요구하여야 한다.

**O·X 문제**

1. 교정·수사 등에 관한 업무에 종사하는 공무원은 노동조합에 가입할 수 있다. ( )
2. 공무원의 보수에 관한 사항은 단체교섭의 대상이 되나, 보수에 관한 업무수행을 하는 공무원은 노조에 가입할 수 없다. ( )
3. 우리나라의 경우 공무원 노동조합 활동을 전담하는 전임자는 인정되지 않는다. ( )
4. 공무원은 고용노동부장관의 동의를 받아 노동조합으로부터 급여를 지급받으면서 노동조합의 업무에만 종사할 수 있다. ( )

**O·X 문제**

5. 정책결정에 관한 사항 등 근무조건과 직접 관련되지 아니하는 사항은 단체교섭을 할 수 없다. ( )
6. 신규공무원의 채용 기준과 절차 등 임용권 행사에 관한 사항은 단체교섭대상이 아니다. ( )
7. 단체교섭의 대상은 조합원의 보수·복지, 그 밖의 근무조건 등에 관한 사항이다. ( )

O·X 정답 1. × 2. ○ 3. × 4. × 5. ○ 6. ○ 7. ○

PART · 05

ⓑ 정부교섭대표는 교섭을 요구받았을 때에는 교섭을 요구받은 사실을 공고하여 관련된 노동조합이 교섭에 참여할 수 있도록 하여야 한다.

ⓒ 정부교섭대표는 교섭을 요구하는 노동조합이 둘 이상인 경우에는 해당 노동조합에 교섭창구를 단일화하도록 요청할 수 있다. 이 경우 교섭창구가 단일화된 때에는 교섭에 응하여야 한다.

㉣ 단체협약의 효력

ⓐ 체결된 단체협약의 내용 중 법령 · 조례 또는 예산에 의하여 규정되는 내용과 법령 · 조례에 의하여 위임을 받아 규정되는 내용은 단체협약으로서의 효력을 가지지 아니한다.

ⓑ 정부교섭대표는 단체협약으로서의 효력을 가지지 아니하는 내용에 대하여는 그 내용이 이행될 수 있도록 성실히 노력하여야 한다.

㉤ 조정신청

ⓐ 단체교섭이 결렬된 경우에는 당사자 어느 한쪽 또는 양쪽은 중앙노동위원회에 조정을 신청할 수 있다(지방공무원노조도 중앙노동위원회에 조정 신청).

ⓑ 조정은 조정신청을 받은 날부터 30일 이내에 마쳐야 한다(당사자 간 합의한 경우 30일 이내의 범위에서 조정기간 연장 가능).

㉥ **공무원노동관계조정위원회의 구성**: 단체교섭이 결렬된 경우 이를 조정 · 중재하기 위하여 중앙노동위원회에 7인 이내의 공익위원으로 구성되는 공무원노동관계조정위원회를 둔다.

㉦ **중재의 개시**: 중앙노동위원회는 단체교섭이 결렬되어 관계 당사자 양쪽이 함께 중재를 신청한 경우 또는 조정이 이루어지지 않아 공무원 노동관계 조정위원회 전원회의에서 중재 회부를 결정한 경우 지체 없이 중재를 한다.

㉧ **중재재정의 확정 등**: 관계 당사자는 중재재정이 위법하거나 월권에 의한 것이라고 인정하는 경우에는 중재재정서를 송달받은 날부터 15일 이내에 중앙노동위원회 위원장을 피고로 하여 행정소송을 제기할 수 있다. 이 기간 이내에 행정소송을 제기하지 아니하면 그 중재재정은 확정된다. 중재재정이 확정되면 중재재정은 단체협약과 같은 효력을 지니며 관계 당사자는 이에 따라야 한다.

③ 단체행동권 – 정치활동과 쟁의행위 금지

㉠ **정치활동 금지**: 노동조합과 그 조합원은 정치활동을 하여서는 아니 된다.

㉡ **쟁의행위 금지**: 노동조합과 그 조합원은 파업 · 태업 또는 그 밖에 업무의 정상적인 운영을 방해하는 어떠한 행위도 하여서는 아니 된다. 파업 · 태업 그 밖에 업무의 정상적인 운영을 방해하는 행위를 한 자는 5년 이하의 징역 또는 5천만원 이하의 벌금에 처한다.

④ 기 타

㉠ **복수노조 인정 여부**: 명문규정은 없으나 판례상 인정된다.

㉡ **공무원직장협의회와의 관계**: 공무원이 「공무원직장협의회의 설립 · 운영에 관한 법률」에 의하여 직장협의회를 설립 · 운영하는 것을 방해하지 아니한다. 따라서 공무원은 노조 가입도 가능하고 직장협의회 가입도 가능하다.

**O·X 문제**

1. 단체협약의 내용 중 법령, 조례, 예산에 의하여 규정되는 내용은 단체협약으로서의 효력을 인정하지 아니한다. ( )

**O·X 문제**

2. 우리나라의 공무원노조는 미국 연방정부와 같이 단체행동권을 가지고 있다. ( )
3. 노동조합과 그 조합원은 정치활동이 허용된다. ( )
4. 우리나라의 경우 일반직 공무원은 계급 제한 없이 노동조합과 공무원직장협의회에 모두 가입이 가능하다. ( )

O·X 정답 1. ○ 2. × 3. × 4. ○

### 핵심정리 | 공무원 직장협의회 – 「공무원직장협의회의 설립 · 운영에 관한 법률」

**1. 의 의**

공무원의 근무환경 개선, 업무능률 향상 및 고충처리 등을 위해 각 국가기관 및 자치단체에 구성된 협의회(노조가 아닌 노사협의회의 성격)

**2. 설 립**

(1) 국가기관, 자치단체 및 그 하부기관에 근무하는 공무원은 직장협의회를 설립할 수 있다.
(2) 협의회는 기관 단위로 설립하되, 하나의 기관에는 하나의 협의회만을 설립할 수 있다.
(3) 협의회는 국회 · 법원 · 헌재 · 선관위, 중앙행정기관, 자치단체 내에 설립된 협의회를 대표하는 하나의 연합협의회를 설립할 수 있다.

**3. 가입범위**

(1) **가입할 수 있는 공무원** : ① 일반직 공무원, ② 특정직 중 외무 · 경찰 · 소방공무원, ③ 별정직 공무원
(2) **가입할 수 없는 공무원** : ① 업무의 주된 내용이 지휘 · 감독권을 행사하거나 다른 공무원의 업무를 총괄하는 업무에 종사하는 공무원, ② 업무의 주된 내용이 인사, 예산, 경리, 물품출납, 비서, 기밀, 보안, 경비 및 그 밖에 이와 유사한 업무에 종사하는 공무원

**4. 협의사항 및 활동**

(1) **협의사항** : ① 해당 기관 고유의 근무환경 개선에 관한 사항, ② 업무능률 향상에 관한 사항, ③ 소속 공무원의 공무와 관련된 일반적 고충에 관한 사항, ④ 소속 공무원의 모성보호 및 일과 가정생활의 양립을 지원하기 위한 사항, ⑤ 기관 내 성희롱, 괴롭힘 예방 등에 관한 사항, ⑥ 그 밖에 기관의 발전에 관한 사항
(2) **활동** : 협의회등의 활동은 원칙적으로 근무시간 외에 수행하여야 한다.

**O·X 문제**

1. 중앙정부 · 지방자치단체 및 그 하부기관에 근무하는 공무원은 직장협의회를 설립할 수 있으며, 하나의 기관에 복수의 협의회 설립이 가능하다. ( )
2. 공무원직장협의회도 협의회를 전담하는 공무원을 둘 수 있다. ( )

O·X 정답 1. × 2. ×

PART · 05

이명훈 하이패스 행정학

합격까지 박문각

PART

# 06

# 재무행정론

CHAPTER 01

# 재무행정론의 기초

## 제 1 절 재무행정과 예산

### 01 재무행정의 의의

#### 1. 재무행정의 개념

재무행정이란 정부가 필요한 재원을 동원·배분·관리하는 경제활동의 총체를 의미한다. 따라서 예산뿐만 아니라 기금, 조세, 국공채, 재정 수입과 배분, 이에 따른 사회·경제적 효과 및 재정정책을 모두 포괄하는 개념이다(정책기능설의 관점).

**심화학습**

재무행정의 범위

| | |
|---|---|
| 관리 기능설 | 재무행정의 본질을 관리로 인식하고, 재무행정은 ① 예산의 편성과 심의, ② 예산의 집행, ③ 회계의 기록, ④ 회계의 검사로 구성된다고 보았다(L. D. White). |
| 정책 기능설 | 재무행정의 본질을 정책형성과 관리의 통합으로 인식하고, 재무행정은 ① 예산, ② 회계, ③ 감사, ④ 구매로 구성된다고 보았다(M. E. Dimock). |

#### 2. 공공재정의 범위

| 공공재정의 범위 | | | | 적용법규 | 관리책임자 |
|---|---|---|---|---|---|
| 국가재정 | 예 산 | 일반회계 | | 「국가재정법」 | 기획재정부장관 |
| | | 특별회계 | 기업특별회계 | 「정부기업예산법」 | 중앙관서의 장 |
| | | | 기타특별회계 | 개별법 | |
| | 기 금 | 기 금 | | 「국가재정법」 | |
| | | 금융성기금 | | | |
| 지방재정 | 예 산 | 일반회계 | | 「지방재정법」 | 지방자치단체의 장 |
| | | 특별회계 | | | |
| | 기 금 | | | | |
| 공공기관의 재정 | | | | 「공공기관의 운영에 관한 법률」 | 공공기관의 장 |

### 02 예산의 의의

#### 1. 예산의 개념

(1) 일반적 의미

① 예산이란 "1회계연도 동안의 국가의 세입과 세출에 관한 예정적 수치로서 국회의 재정동의권이 부여된 형식"을 말한다.

② 예산은 국가가 징수할 수입과 지출할 경비의 내역 및 규모에 대한 계획이 담겨진 문서로 정부활동에 필요한 자원규모와 국정책임자의 우선순위에 관한 회계적 표현이다.

**O·X 문제**

1. 정부예산은 정부활동에 필요한 자원규모와 국정책임자의 정책우선순위에 관한 확정적 수치이다. ( )

O·X 정답 1. ×

(2) 실질적 의미와 형식적 의미

① 실질적 의미: 1회계연도 동안의 국가의 세입과 세출에 관한 예정적 수치

② 형식적 의미: 「헌법」과 「국가재정법」에 따라 국회가 심의·의결해야만 확정되는 재정계획(국회의 재정동의권이 부여된 형식)

## 2. 예산과 재정민주주의

(1) 재정민주주의의 의의

① 개념: 재정민주주의란 재정주권이 납세자인 국민에 있다는 것을 의미한다. 경제학자인 빅셀(Wicksell)은 재정민주주의를 국가가 시민의 재정선호를 반영하는 예산을 집행할 때 성립되는 개념으로 보았다.

② 개념의 구체화

㉠ 협의적 개념: 국가의 재정활동은 국민의 대표기관인 국회가 의결한대로 행해져야 한다는 것을 의미한다(재정입헌주의).

㉡ 광의적 개념: 재정주권이 궁극적으로 납세자인 국민에 있으므로 예산상의 의사결정 및 예산운영을 민주화하여 납세자 주권을 확립해야 한다는 것을 의미한다(시민의 의사에 입각한 예산운영).

(2) 재정민주주의의 확립과정

① 세출과 세입에 대한 통제권: 세출에 대한 통제권은 영국에서 13세기 마그나 카르타 이후 의회의 승인이 없으면 공금을 지출할 수 없다는 원칙에 의해 확립되었다. 반면, 세입에 대한 통제권은 영국에서 명예혁명 이후 권리장전(1689)에 의해 국회에 과세동의권이 부여됨에 따라 확립되었다.

② 조세저항(tax revolt: 조세반란): 재정민주주의와 관련하여 최근 의미 있는 사건은 1978년 캘리포니아 주에서부터 시작된 조세저항운동*이다. 조세저항운동은 정부실패를 배경으로 납세자주권주의에 입각한 시민운동이다.

(3) 재정민주주의 확립방안

① 전제조건: 재정민주주의가 정착되기 위해서는 시민들의 재정선호가 올바르게 표출될 수 있는 조건이 전제되어야 하는데 이를 위해서는 민주주의와 공정한 시장경제 질서의 확립이 필요하다.

② 시민의 재정선호가 반영되는 방식

㉠ 사전적 참여

ⓐ 개념: 예산결정과정에 시민이 참여하여 시민의 재정선호를 예산에 반영하는 것을 말한다.

ⓑ 방식: 예산편성과정에서의 공청회와 청문회, 시민대표의 위원회 참여, 재정수요의 조사, 재정정보의 공개, 참여예산제도, 주민투표제도 등이 있다.

㉡ 사후적 참여

ⓐ 개념: 예산집행과정에 시민의 재정선호가 제대로 반영되고 있는지 여부를 시민이 직접 감시하고 통제하는 것을 말한다.

**심화학습**

**예산의 유래**

예산(budget)은 본래 영국의 재무장관이 의회에서 재정연설을 할 때 재정계획서를 넣어 다니던 가죽가방을 의미한다.

*** 조세저항운동**

캘리포니아의 보수주의 운동가인 하워드 자비스(Howard Jarvis)가 주민발의에 의한 주민투표를 통해 조세를 제한하는 주 「헌법」 수정안(캘리포니아 「헌법」 제13조)을 성공적으로 이끌어 낸 후 이와 유사한 운동이 다른 주까지 확산된 것을 계기로 붙여진 명칭이다.

ⓑ **방식**: 제도적 방식으로는 정보공개 청구, 주민감사청구, 내부고발자 보호, 주민소환제도, 납세자소송제도(주민소송제도) 등이 있으며, 비제도적 방식으로는 NGO의 예산감시운동(우리나라의 '밑빠진 독상', 미국의 '황금양털상'·'꿀꿀이상', 독일과 일본의 '적자시계상' 등)이 중요한 역할을 수행하고 있다.

## 3. 예산의 본질과 특성

### (1) 예산의 본질 – 정책과 사업의 금전적 표현

예산은 정책과 사업을 금전적으로 표현한 것이다(예 '사회복지비' 18조원). 예산결정은 정책(사업)에 대한 결정과 금액에 대한 결정의 두 차원으로 이루어진다.

### (2) 예산의 특성

① **가치판단과 사실판단**: 예산결정은 '재원지출이 어떤 효과를 가질 것인가'에 대한 사실판단과 '재원지출의 효과는 바람직한가'에 대한 가치판단의 이중적 결정으로 이루어져 있다.

② **정치경제학적 성격**: 예산은 예산상의 목적을 효율적으로 달성하고자 하는 경제적·합리적 측면(규범적 측면)과 배분 과정에서 서로 많은 몫을 차지하려는 참여자들 간의 정치권력적 측면(현실적 측면)이 모두 작용한다.

③ **조직 상태에 대한 묘사**: 예산서에는 특정 조직이 얼마의 금액으로 무엇을 구입해 어떤 일을 하며 무엇을 달성하고자 하는지가 기술되어 있다.

④ **정부활동의 관리도구**: 예산은 정책을 관리하고 정부조직을 운영하는 관리도구로써 기능한다.

⑤ **정부활동의 평가기준**: 예산은 공공사업과 정부활동을 효율성과 공평성 측면에서 평가하는 기준을 제시한다.

⑥ **회계책임 확보 도구**: 예산은 정부자금 지출의 통로이며, 관료들에게 집행에 대한 책임성을 부여하는 회계도구이다.

⑦ **자원·활동·결과에 대한 인과적 설명**: 예산은 지출항목으로 표시된 금액으로 자원을 조달해 어떤 일을 하면 어떤 결과가 나올 것이라는 인과관계에 대한 설명이다.

⑧ **정보창출도구**: 예산은 정부의 정책결정의 결과와 재정 우선순위, 사업 목적, 공공서비스의 전반적 수준에 대한 다양한 정보를 창출하는 도구이다.

⑨ **보수성**: 예산은 정부정책 중 가장 보수적인 영역으로 현년도 예산은 전년 대비 일정 비율의 변화에 국한되는 점증주의적 성격이 강하게 나타난다.

**O·X 문제**

1. 예산의 본질적 모습은 예산을 통해 추진하고자 하는 정책과 사업이라고 할 수 있다. ( )
2. 예산에는 정책결정자의 사실판단에 근거하며 가치판단은 배제되어 있다. ( )
3. 예산은 다양한 주체들 간 타협과 협상 등 상호작용이 이루어지는 정치적 과정이다. ( )
4. 예산은 공공사업과 서비스를 제공하는 방법과 수단, 그리고 정부의 활동을 효율성과 공평성이라는 측면에서 평가하는 기준을 제시해 준다. ( )
5. 예산은 관료들의 책임성을 확보하기 위한 회계도구로 작용할 수 있다. ( )
6. 예산의 결과와 집행은 정부정책 중 가장 진보적 성격을 지니는 영역이다. ( )

## 4. 예산과 희소성

### (1) 개 념

예산의 희소성이란 공공욕구는 무한하나 이를 충족시켜주기 위한 수단인 공공자원은 한정되어 있어 부족한 상태를 의미한다. 즉, 희소성은 "정부가 얼마나 원하는가"에 대하여 "정부가 얼마나 보유하고 있는가"의 양면적 조건으로 이루어져 있다.

### (2) 정부와 희소성

모든 현대정부는 희소성의 문제에 직면해 있다. 다만, 정부예산은 양출제입에 입각해 있어 희소성의 원칙이 절대적인 것은 아니다.

**O·X 문제**

7. 공공부문의 희소성은 공공자원을 사용할 수 있는 제약 상태를 반영한 개념이다. ( )

O·X 정답 1. ○ 2. × 3. ○ 4. ○ 5. ○ 6. × 7. ○

(3) 희소성의 유형(A. Schick)

| 구 분 | 희소성의 상태 | 예산의 초점 | 예산제도 |
|---|---|---|---|
| 완화된 희소성 | 정부가 계속사업의 증가분뿐만 아니라 신규사업을 추진할 수 있는 자원을 보유한 상황(계속사업+증가분+신규사업) | 예산의 계획기능을 중시하며, 다년도 예산 및 사업개발 중시 | PPBS |
| 만성적 희소성 | 정부가 계속사업의 증가분을 충당할 수 있지만 신규사업은 추진할 수 없는 상황(계속사업+증가분) | • 신규사업에 대한 분석 및 평가 소홀<br>• 지출통제보다는 관리개선을 통한 효율성 강조 | ZBB |
| 급성 희소성 | 정부가 계속사업의 유지는 가능하지만 증가분을 충당할 수 없는 상황(계속사업만 가능) | • 예산관련 기획은 거의 없으며 관리상의 효율성을 재강조<br>• 예산수요는 다양한 예산 삭감전략에 의해 억제되고, 수입은 즉각적인 재정수입 강조 | 단기적 · 임기응변적 예산, 세입예산(양입제출 예산) |
| 총체적 희소성 | 정부가 계속사업 자체를 유지할 수 없는 상황(계속사업도 불가능) | • 비현실적인 계획과 부정확한 예산을 꾸미는 현실회피형 예산편성<br>• 광범위한 행정부패와 허위적인 회계처리로 예산통제와 관리 무의미 | 반복예산(답습예산) |

## 03 예산의 기능과 예산의 원칙

### 1. 예산의 기능

(1) 의 의

예산은 다양한 기능을 수행하며, 역사적으로 강조되는 기능은 상황에 따라 변화되어왔다. 과거 근대입법국가시대에는 통제 위주의 소극적 기능을, 행정국가시대에는 관리 및 기획 위주의 적극적인 기능을 중시하였다. 특히, 최근 정부실패 이후에는 성과향상을 위한 적극적인 관리도구로서의 기능이 중시되고 있다.

(2) 예산의 기능

① 법적 기능: 예산은 국민의 대표기관인 국회가 심의 · 의결하여 확정한 범위 내에서만 지출하도록 통제되어야 한다는 것을 말한다.

② 정치적 기능(A. Wildavsky): 예산은 입법부 · 행정부 · 정당 · 이익집단 등 다양한 이해관계세력들의 합의에 의한 조정과정을 통해 결정되어야 한다는 것을 말한다. 특히, 윌다브스키(Wildavsky)는 「예산과정의 정치」에서 예산이란 정치적 투쟁의 결과물이라고 주장하면서 예산의 정치적 기능을 강조하였다.

③ 경제적 기능(R. Musgrave): 머스그레이브(Musgrave)는 예산의 경제적 기능으로 경제안정기능, 자원배분기능, 소득재분배기능을 제시하였다.

㉠ 경제안정기능(성장과 안정의 균형)

ⓐ 의의: 예산을 통해 환율 · 물가 · 실업률 등의 거시경제 지표들을 안정적으로 관리하는 기능을 말한다(예 외국환평형기금을 통한 환율관리 등).

ⓑ 특징: 정부는 환경 변화에 따른 급격한 거시적 경제 변동에 대응하기 위한 재정활동을 통해 경제안정기능을 수행한다. 특히, 케인즈(Keyes)는 경기불황기에 총수요관리를 통한 경제안정화 기능을 중시하였다(유효수요이론).

**O·X 문제**

1. 완화된 희소성의 상태는 정부가 현존 사업을 계속하고 새로운 예산공약을 떠맡을 수 있는 충분한 자원을 가지고 있는 상황이다. ( )
2. 만성적 희소성하에서 예산은 주로 지출통제보다는 관리의 개선에 역점을 두게 된다. ( )
3. 급격한 희소성은 가용자원이 정부의 계속사업을 지속할 만큼 충분하지 못한 경우에 발생한다. ( )
4. 총체적 희소성하에서는 반복적 답습예산에 의존한다. ( )

**심화학습**

예산의 정치적 기능

| | |
|---|---|
| 주창자와 옹호자 | 예산의 정치적 기능은 예산을 사용하고자 하는 주창자와 예산을 지키고자 하는 옹호자의 상호관계의 관점으로 이해할 수 있다. |
| 정책의 구체화 | 다양한 이해관계를 고려한 정책은 예산에 반영되어야 하므로 예산을 통하여 정책형성이 실현 · 보완 · 구체화된다. |

O·X 정답 1. ○ 2. ○ 3. × 4. ○

㉡ 자원배분기능(효율적인 자원배분)

ⓐ **의의**: 시장에서 최적규모로 생산되지 않는 공공서비스(공공재, 가치재 등)를 예산을 통해 생산함으로써 사회의 최적생산수준과 최적소비수준이 이루어지도록 하는 기능을 말한다(예 가로등 건설, SOC 건설 등).

ⓑ **특징**: 시장실패를 교정하여 최적자원배분을 이루기 위한 기능으로, 최적자원배분의 효과를 측정할 수 있는 성과지표(소비자 주권주의, 이용자 만족도, 경제적 생산성 등)들이 중시된다.

㉢ 소득재분배기능(형평성 있는 분배)

ⓐ **의의**: 국가 최저수준 또는 롤스(Rawls)의 최소극대화(maximin) 원칙과 같은 '사회적 정의 관점'에서 소득분배 상태를 바람직한 방향으로 개선하기 위해 예산을 통해 사회복지서비스를 제공하는 기능을 말한다.

ⓑ **특징**: 사회적 형평성을 제고하기 위한 기능으로 기본적으로 정치적 성격을 지니며, 형평성이 높을수록 정치적 정당성은 높아진다. 다만, '사회적 정의' 개념이 모호하기 때문에 소득재분배의 최적 지출 수준에 대한 객관적 기준을 도출하기 곤란하다.

㉣ 기타: 머스그레이브(Musgrave)가 제시한 경제적 기능 외에도 경제성장촉진기능도 예산의 경제적 기능에 포함된다. 경제성장촉진기능은 정부가 예산을 통해 특정 산업 육성 및 자본 형성 등의 방식으로 경제성장을 촉진하는 기능을 말한다.

**참고** 소득분배의 불평등도 측정지표

1. **빈도함수**
소득계층별 인구특성이 비선형이고 저소득층에 비하여 고소득층이 적은 상황에서 인구와 소득수준 간에 관계를 설명하는 데 유용한 분석기법이다.

2. **오분위 분배율과 십분위 분배율**
(1) **오분위 분배율**: 상위 20% 소득/하위 20% 소득을 의미하며, 값이 적을수록 평등한 분배상태를 나타낸다.
(2) **십분위 분배율**: 하위 40% 소득/상위 20% 소득을 의미하며, 값이 클수록 평등한 분배상태를 나타낸다.

3. **로렌츠 곡선**
(1) **개념**: 소득 분포의 불평등한 정도를 표현하는 도수곡선으로 가로축(X)은 인구누적비율을, 세로축(Y)은 소득누적비율을 나타낸다.
(2) **특성**: 로렌츠 곡선은 인구누적비율과 소득누적비율을 그래프 상에 표현한 것으로 완전균등분배일 때 대각선이 되며, 완전불균등분배일 때 수평축이나 수직축이 된다. 따라서 로렌츠 곡선의 곡률이 클수록 불평등한 상태이다.
(3) **장 · 단점**: 소득분배상태를 그림으로 표현하기 때문에 특정 지역의 소득분배상태를 직관적으로 알 수 있게 해주는 장점이 있다. 하지만 불평등 정도를 서수적(상대적)으로만 나타낼 뿐 기수적으로는 알려주지 못하며, 둘 이상의 로렌츠 곡선이 교차하는 경우 지역 간 비교가 곤란하다.

4. **지니계수**
(1) **개념**: 로렌츠 곡선의 내용을 수치(기수화)로 표현한 것으로 로렌츠 곡선과 대각선으로 둘러싸인 면적을 대각선 아래쪽의 전체 면적인 직각 삼각형의 면적으로 나눈 비율을 의미한다.
(2) **특성**: 지니계수는 0~1의 값을 가지며 0에 가까울수록 소득분배가 평등함을, 1에 가까울수록 소득분배가 불평등함을 의미한다.

**심화학습**

**지방정부의 예산과 경제적 기능**
국가예산과 달리 지방정부의 예산은 소규모성과 조세법정주의로 인해 경제안정화기능과 소득재분배기능을 수행하지 못하며, 자원배분기능만 수행한다.

**O·X 문제**

1. 머스그레이브는 재정의 3대 기능으로 효율적인 자원배분, 형평성 있는 분배, 성장과 안정의 균형 등을 제시하였다. ( )
2. 정부에 부여된 목적과 자원을 연계하여 소기의 성과를 거둘 수 있도록 관료를 통제해야 한다는 것은 머스그레이브가 제시한 정부 재정기능의 기본 원칙에 포함된다. ( )
3. 머스그레이브가 주장한 재정의 3대 기능 중 공공재의 외부효과 및 소비의 비경합성과 비배재성에 기인한 시장실패를 재정을 통해서 교정하고 사회적 최적 생산과 소비수준이 이루어지도록 하는 기능은 자원배분기능이다. ( )
4. 개발도상국의 경제성장을 위한 자본형성기능은 예산의 경제적 기능에 해당한다. ( )

O·X 정답 1. ○ 2. × 3. ○ 4. ○

(3) **장 · 단점**: 불평등 정도를 계수화하여 로렌츠 곡선의 한계를 어느 정도 극복하고 지역 간 비교가 가능하다는 장점이 있으나, 두 지역의 지니계수 값이 같다고 해서 소득배분 상태가 동일함을 의미하는 것이 아니다.

**5. 앳킨슨지수**

지니계수와 함께 가장 많이 사용되는 불평등 지수로 1－(균등분배대등소득/사회전체평균소득)로 산출되며, 그 값이 0에 가까울수록 균등분배를, 1에 가까울수록 불균등분배를 의미한다.

④ 행정적 기능(A. Schick)

㉠ 의의: 쉬크(Schick)는 예산제도의 발달과정에 따른 예산의 행정적 기능으로 통제기능, 관리기능, 계획기능을 제시하였다. 쉬크는 모든 예산제도가 이 세 가지 기능을 모두 내포하고 있으나, 각 예산제도마다 상대적으로 특정 기능을 강조하는 경향이 있다고 보았다.

㉡ 행정적 기능과 예산제도

ⓐ 통제기능: 예산은 행정부의 재정활동에 대하여 민주적으로 통제하는 역할을 수행한다. 품목별 예산제도(LIBS)에서 강조하는 기능이다.

ⓑ 관리기능: 예산은 행정부가 자원을 능률적으로 활용·관리하도록 하는 역할을 수행한다. 성과주의 예산제도(PBS)에서 강조하는 기능이다.

ⓒ 계획기능: 예산은 행정부의 계획을 집행하는 역할을 수행한다. 계획예산제도(PPBS)에서 강조하는 기능이다.

㉢ 기타: 쉬크의 분류 외에도 예산의 행정적 기능으로 참여기능[구성원의 참여에 의한 예산 운영, 목표예산(MBO)에서 강조], 감축기능[예산감축을 위해 사업의 우선순위에 따라 예산 배분, 영기준예산(ZBB)에서 강조] 등이 있다.

## 2. 예산의 원칙

(1) 의 의

예산의 원칙이란 예산운영에서 지켜야 할 규범을 말한다. 예산의 원칙에는 통제를 강조하는 전통적 예산원칙과 예산운영의 재량과 융통성을 강조하는 현대적 예산원칙이 있다.

(2) 전통적 예산원칙 － 뉴마르크(Neumark)의 원칙

입법부가 행정부의 재정활동을 효과적으로 통제하기 위한 입법부 우위의 예산원칙으로 재정민주주의 구현을 목적으로 한다.

① 사전의결의 원칙(절차성의 원칙)

㉠ 개념: 예산은 행정부가 집행하기 이전에 입법부에 의해 먼저 심의·의결되어야 한다는 원칙이다.

㉡ 예외: 준예산, 사고이월, 전용, 이체, 예비비, 긴급재정경제명령·처분+, 지방자치단체장의 선결처분 등

② 엄밀성의 원칙(정확성의 원칙)

㉠ 개념: 예산과 결산은 되도록 일치되어야 한다는 원칙이다. 이를 위해서는 세입추계가 정확해야 하고 불용액이나 불법사용이 없어야 한다.

㉡ 예외: 예산의 신축성 확보 장치들

**O·X 문제**

1. 미국의 예산개혁과 결부시켜 쉬크(A. Schick)가 도출한 예산제도의 주된 지향점으로 볼 수 있는 것은 통제지향, 성과지향, 기획지향이다. ( )

2. 통제, 관리, 기획의 세 가지 기능은 어떠한 예산제도에나 포함되어 있다. ( )

**심화학습**

**예비비와 사전의결의 원칙**

예비비의 설치는 총액으로 국회의결을 거치므로 사전의결원칙의 예외가 아니나, 예비비의 지출은 사후에 국회가 승인을 거치므로 사전의결의 원칙의 예외이다.

**+ 긴급재정경제명령 · 처분**

대통령은 내우·외환·천재·지변 또는 중대한 재정·경제상의 위기에 있어서 국가의 안전보장 또는 공공의 안녕질서를 유지하기 위하여 긴급한 조치가 필요하고 국회의 집회를 기다릴 여유가 없을 때에 한하여(국회의 의결 없이) 최소한으로 필요한 재정·경제상의 처분을 하거나 이에 관하여 법률의 효력을 가지는 명령을 발할 수 있다.

O·X 정답 1. × 2. ○

PART · 06

③ 완전성의 원칙(예산총계주의)

㉠ 개념: 예산에 모든 세입과 세출이 명시적으로 나열되어 빠짐없이 계상되어야 한다는 원칙이다.

㉡ 예외: 순계예산, 기금, 수입대체경비, 국가의 현물출자, 전대(轉貸)차관✢ 등

④ 공개성의 원칙

㉠ 개념: 예산과 결산은 국민에게 공개되어야 한다는 원칙이다.

㉡ 예외: 우리나라 일부 국방비·외교활동비·정보비, 신임예산✢ 등

⑤ 단일성의 원칙

㉠ 개념: 예산은 하나의 장부에 전부 기록되어야 한다는 원칙이다.

㉡ 예외: 특별회계, 기금, 추가경정예산 등

⑥ 명확(료)성의 원칙

㉠ 개념: 예산은 구조와 과목이 단순하고 명확하여 국민과 국회가 이해하기 쉬워야 한다는 원칙이다. 명확성의 원칙은 예산공개의 전제조건이 된다.

㉡ 예외: 총액계상예산(총괄예산), 안전보장 관련 예비비 등

⑦ 통일성(비영향)의 원칙(국고통일의 원칙, 수입금 직접 사용 금지의 원칙)

㉠ 개념: 예산은 특정 세입을 특정 세출에 연계하면 안 된다는 원칙이다. 즉, 정부의 모든 수입은 국고로 편입되고 여기에서 지출되어야 한다는 것(전체 세입으로 전체 세출을 충당해야 한다는 것)을 의미한다.

㉡ 예외: 특별회계, 기금, 수입대체경비, 수익금마련지출제도, 목적세(국세 − 교육세, 농어촌특별세, 교통·에너지·환경세 / 지방세 − 지역자원시설세, 지방교육세) 등

⑧ 한정성의 원칙

㉠ 개념: 예산은 국회가 의결해 준 목적범위 내, 규모범위 내, 시간범위 내에서 사용되어야 한다는 원칙이다.

㉡ 예외: 목적[질적] 한정성의 예외(이용, 전용 등), 규모[양적] 한정성의 예외(예비비, 추가경정예산 등), 시간[기간] 한정성의 예외(이월, 계속비, 조상충용, 과년도 수입, 과년도 지출 등)

(3) 현대적 예산원칙 − 스미스(H. Smith)의 원칙

행정부의 재정활동에 재량과 신축성을 부여하기 위한 행정부 우위의 예산원칙으로 재정운영의 효율성 확보를 목적으로 한다.

① **행정부 책임의 원칙**: 행정부는 예산을 경제적·효과적으로 집행해야 할 책임을 져야 한다는 원칙이다.

② **예산기구 상호교류의 원칙**: 중앙예산기구와 각 부처 예산기구는 활발한 상호작용과 의사소통을 통해 상호협력적 관계를 확립해야 한다는 원칙이다.

③ **보고의 원칙**: 예산의 편성, 심의, 집행은 선례나 관습보다는 공식적인 형식을 가진 재정보고 및 업무 보고에 기초를 두고 이루어져야 한다는 원칙이다.

④ **행정부 재량의 원칙**: 행정부에게 예산집행에 대한 재량범위를 최대한 확대해 주어야 한다는 원칙이다. 최근 중시되는 총액(괄)예산, 지출통제예산은 이 원칙에 입각해 있다.

✢ 전대차관
민간 대출을 전제로 기획재정부장관을 차주로 외국의 금융기관에서 외화자금을 차입하는 것

✢ 신임예산
전시 등 특별한 경우에 의회가 행정부를 신임하고 특정 분야의 예산(군사비 등)을 총액으로 의결해 주는 제도(2차 대전 당시 영국, 캐나다 등)

**O·X 문제**

1. 뉴마르크(Neumark)가 지적한 예산의 원칙으로는 보고의 원칙, 예산 사전의결의 원칙, 예산 명료의 원칙, 예산 공개의 원칙 등이 있다. ( )

2. 정부가 특정 수입과 특정 지출을 직접 연계해서는 안 된다는 한계성 원칙의 예외로는 예비비, 계속비 등이 있다. ( )

3. 세입과 세출 내역의 명시적 나열은 단일성의 원칙이며, 그 예외로 이용과 전용이 있다. ( )

4. 사전의결의 원칙에 대한 예외로 준예산, 계속비, 예비비 등이 있다. ( )

5. 국가가 현물로 출자하는 경우와 외국차관을 도입하여 전대(轉貸)하는 경우에 이를 세입세출예산 외로 처리할 수 있도록 한 것은 예산 엄밀성의 원칙의 예외이다. ( )

6. 예산의 질적 한정성의 원칙의 예외로는 이용, 계속비, 전용 등이 있다. ( )

7. 목적세 및 기금은 '통일성 원칙'의 예외이다. ( )

8. 조세를 징수하는 경우 징세비를 제외한 순수입만을 예산에 반영하는 것은 '예산총계주의'에 위반하는 것이다. ( )

O·X 정답 1. × 2. × 3. × 4. × 5. × 6. × 7. ○ 8. ○

⑤ **행정부 계획의 원칙**: 예산은 행정부의 사업계획을 충실히 반영해야 한다는 원칙이다.
⑥ **시기 신축성의 원칙**: 행정부가 예산집행에 대한 시기를 융통성 있게 조정할 수 있어야 한다는 원칙이다.
⑦ **다원적 절차의 원칙**: 예산은 정부 사업의 성격에 따라 일반회계, 특별회계, 기금 등 다양한 제도에 의해 운영되어야 한다는 원칙이다.
⑧ **적절한 행정수단 구비의 원칙**: 효과적인 예산 운영을 위해 유능한 인적자원, 조직, 제도 등의 수단이 확보되어야 한다는 원칙이다.

(4) 양자의 조화

'통제' 중심의 전통적 예산원칙과 '신축성' 중심의 현대적 예산원칙은 상호보완적으로 조화되어야 한다. 최근의 예산개혁 역시 유동적인 행정환경에 대응하기 위한 신축성을 중시하면서도 재정건전성을 확보하기 위하여 투명성·책임성·공개성 등의 고전적 예산원칙도 중시하고 있다.

(5) 「국가재정법」상 예산원칙(「국가재정법」 제16조)

① 정부는 재정건전성의 확보를 위해 최선을 다해야 한다(재정건전성의 원칙).
② 정부는 국민부담의 최소화를 위해 최선을 다해야 한다(국민부담최소화의 원칙).
③ 정부는 재정을 운용할 때 재정지출 및 조세지출의 성과를 제고해야 한다(재정성과의 원칙).
④ 정부는 예산과정의 투명성과 예산과정에의 국민 참여를 제고하기 위해 노력해야 한다(투명성과 참여의 원칙).
⑤ 정부는 성별영향평가의 결과를 포함하여 예산이 여성과 남성에게 미치는 효과를 평가하고, 그 결과를 정부의 예산편성에 반영하기 위해 노력해야 한다(남녀평등의 원칙).
⑥ 정부는 예산이 온실가스 감축에 미치는 효과를 평가하고, 그 결과를 정부의 예산편성에 반영하기 위하여 노력해야 한다(온실가스 감축의 원칙).

## 04 재무행정조직

### 1. 의 의

(1) 개 념

재무행정조직이란 국가의 재정활동을 총괄하는 조직체계를 말한다.

(2) 분 류

① **삼원체제(재무행정의 트로이카)**: 재무행정조직이 중앙예산기관(국가예산에 관한 정책의 입안, 예산안의 편성과 집행에 관한 통제 담당), 수지총괄기관(국고의 수입과 지출 총괄), 중앙은행(정부의 재정 대행업무 담당)으로 삼원화되어 있는 체제를 말한다.
② **이원체제(슈퍼재무부제)**: 재무행정조직이 중앙예산기관과 수지총괄기관이 통합된 기관과 중앙은행으로 이원화되어 있는 체제를 말한다.

**O·X 문제**

1. 미국의 행정학자인 스미스가 제시한 예산의 원칙에는 책임의 원칙, 계획의 원칙, 재량의 원칙, 시기 신축성의 원칙 등이 있다. ( )
2. 예산 공개의 원칙은 현대적 예산원칙에 해당한다. ( )
3. 예산구조나 과목은 국민들이 이해하기 쉽게 단순해야 한다는 원칙은 스미스가 제시한 현대적 예산원칙에 해당한다. ( )
4. 예산의 편성, 심의, 집행은 공식적인 형식을 가진 재정 보고 및 업무 보고에 기초를 두어야 한다는 것은 현대적 예산원칙에 해당한다. ( )
5. 총괄예산(Lump-Sum Budget)은 행정부 재량의 원칙과 부합한다. ( )
6. 「국가재정법」상 예산원칙으로는 재정건전성의 원칙, 국민부담 최소화의 원칙, 투명성의 원칙, 통일성의 원칙 등이 있다. ( )

O·X 정답 1. ○ 2. × 3. × 4. ○ 5. ○ 6. ×

PART·06

③ 삼원체제와 이원체제의 비교

| 유 형 | 삼원체제(재무행정의 트로이카) | 이원체제(슈퍼재무부제) |
|---|---|---|
| 의 의 | 중앙예산기관 · 수지총괄기관 · 중앙은행으로 삼원화되어 있는 체제 | 중앙예산기관과 수지총괄기관이 통합된 기관과 중앙은행으로 이원화되어 있는 체제 |
| 국 가 | 미국 관리예산처(OMB), 캐나다의 예산위원회 등 주로 대통령중심제 국가 | 영국 재무성, 일본 대장성 등 주로 의원내각제 국가 |
| 특 징 | 국고수지총괄기관과 중앙예산기관의 분리 | 국고수지총괄기관과 중앙예산기관의 통합 |
| 장 점 | 효과적인 행정관리수단, 강력한 행정력 발휘(초월적 입장 유지, 할거주의 방지) | 세입과 세출 간 관련성 확보 |
| 단 점 | 세입과 세출 간 관련성 저하 | 부처할거주의 발생, 통솔력의 한계 발생 |

## 2. 재무행정조직의 구체적 고찰

### (1) 중앙예산기관

① 개념: 행정수반의 기본정책에 입각하여 예산정책을 수립할 뿐만 아니라 각 부처의 예산요구를 사정 · 조정하고 예산안을 편성하여 입법부에 제출하며, 예산이 성립한 뒤에는 예산집행을 관리 · 통제하는 최고예산관리기관이다(예 우리나라의 기획재정부, 미국의 관리예산처, 영국의 재무성, 일본의 대장성 등).

② 기 능

㉠ **예산편성 및 집행의 관리**: 각 부처의 예산안을 사정하여 예산을 종합적으로 편성하고, 예산이 입법부에서 확정되면 예산집행의 관리를 담당한다.

㉡ **재정계획 및 사업의 검토 조정**: 경기를 전망하고 재정계획을 수립하는 한편 예산편성과정에서 각 부처의 사업을 검토한다.

㉢ **행정관리의 개선**: 예산제도 및 관리개선은 물론 예산이 소요되는 정부기관의 신설, 정원 조정, 법률의 제정 등의 업무에 관여한다.

㉣ **대국민 홍보기능**: 예산과 기타 재정상황에 관하여 국민에게 보고하고 정보를 제공함으로써 국민의 이해와 협조를 구하는 역할을 수행한다.

③ 유 형

㉠ **행정수반 직속형**: 미국의 관리예산처(대통령의 재정관리기능 강화)

㉡ **재무부 소속형(이원체제)**: 우리나라의 기획재정부, 영국과 일본의 재무성

㉢ **중앙기획기관 소속형**: 개발도상국, 과거 우리나라의 기획예산처

### (2) 수입지출총괄기관

세입예산에서의 수입과 세출예산에서의 지출 · 회계 · 결산을 총괄하는 기관을 말한다. 수지총괄기관은 일반적으로 수입 측면에서는 조세 정책의 수립을, 지출 측면에서는 지출계획의 수립과 자원배분 및 국고금 관리를 한다.

### (3) 국고예치기관

정부의 재정대행기관으로 모든 국고금의 예수 및 출납업무를 대행하는 기관을 말한다. 국고예치기관은 정부의 은행, 은행의 은행으로서의 기능을 수행한다.

**O·X 문제**

1. 미국의 중앙예산기관인 관리예산처(OMB)는 대통령 직속기관이다. ( )

2. 우리나라 중앙예산기관은 예산과 기획을 연계시키는 기능을 한다. ( )

**심화학습**

**국회예산정책처**

국회의장 직속기관으로 국회의 각 위원회 및 국회의원의 요청에 따라 예산과 결산의 제반 분석을 행하고 필요한 정보를 제공하는 기능을 수행하는 기관

O·X 정답 1. ○ 2. ○

### 3. 한국의 재무행정조직

2008년 이후 우리나라는 중앙예산기관과 수지총괄기관을 통합한 기획재정부와 국고예치기관인 한국은행을 둠으로써 기획재정부와 중앙은행의 이원체제를 유지하고 있다. 현재 우리나라의 기획재정부는 국가기획, 국가예산, 재정개혁, 국고수지 등을 총괄하는 통합형 기구이다.

## 제 2 절 예산의 구조와 종류

### 01 예산의 구조와 범위

#### 1. 정부예산의 구조

정부예산은 한편으로는 일반회계와 특별회계로, 다른 한편으로는 세입과 세출로 구성된다. 즉, 정부예산은 일반회계와 특별회계가 각각 세입과 세출로, 세입과 세출이 각각 일반회계와 특별회계로 구분된다.

#### 2. 세입예산과 세출예산

(1) 세 입

① 의의: 1회계연도 내의 정부지출의 재원이 되는 모든 현금적 수입을 말한다. 세입에는 조세수입, 수익자부담금(사용료, 수수료, 공기업 요금), 국공채, 민간자본 유치 등이 있다. 2024년 현재 예산과 기금을 합한 우리나라의 총수입 예상규모는 612.2조원이다.

② 조 세

㉠ 의의: 정부가 재정권에 의거하여 국민에게 반대급부 없이 강제적으로 징수하는 재원이다.

㉡ 장 점

ⓐ 이자부담이 없어 부채관리와 관련된 재원관리비용이 발생하지 않는다.

ⓑ 납세자인 국민은 정부지출을 통제하고 성과에 대한 직접적인 책임을 강하게 요구할 수 있다.

ⓒ 현세대의 의사결정에 대한 재정부담이 미래세대로 전가되지 않는다.

ⓓ 장기적으로 차입보다 비용이 저렴하다.

㉢ 단 점

ⓐ 미래세대까지 혜택이 발생하는 자본투자를 현세대만 부담한다면 세대 간 비용·편익의 형평성 문제가 발생한다.

ⓑ 조세를 통해 투자된 자본시설은 대가를 지불하지 않는 자유재로 인식되어 과다수요 또는 과다 지출되는 비효율성의 문제가 발생한다.

ⓒ 과세의 대상과 세율을 결정하는 법적 절차가 복잡하고 시간이 많이 소요되는 경직성 때문에 일시적으로 대규모 재원투자가 필요한 전략 투자 사업에서는 조세재원 동원의 시의성을 확보하기 곤란하다.

**심화학습**

**한국의 재무행정조직의 변천**

| 기간 | 내용 |
|---|---|
| 1961~1994 | 기획기능·예산관리기능 – 경제기획원, 수지총괄기능 – 재무부(삼원체제) |
| 1994~1997 | 기획기능·예산관리기능·수지총괄기능 – 재정경제원(이원체제) |
| 1998~1999 | 기획기능·예산관리기능 – 기획예산위원회, 수지총괄기능 – 재정경제부(삼원체제) |
| 1999~2008 | 기획기능·예산관리기능 – 기획예산처, 수지총괄기능 – 재정경제부(삼원체제) |
| 2008~현재 | 기획기능·예산관리기능·수지총괄기능 – 기획재정부(이원체제) |

**O·X 문제**

1. 세출예산뿐 아니라 세입예산도 일반회계와 특별회계로 구분한다. ( )

2. 특별회계 예산은 세입과 세출이라는 운영 체계를 지닌다. ( )

3. 세입세출예산은 일반회계와 특별회계 및 기금으로 구분한다. ( )



**O·X 문제**

4. 국가의 재정지출을 조세수입에 의해 충당하는 경우 납세자인 국민들은 정부지출을 통제하기 어렵고 성과에 대한 직접적인 책임을 요구하기 어렵다. ( )

5. 조세로 투자된 자본시설은 개인이 대가를 지불하지 않는 것으로 인식되어 과다 수요 혹은 과다 지출되는 비효율성 문제가 발생할 수 있다. ( )

6. 조세는 현세대의 의사결정에 대한 재정 부담을 미래세대로 전가하지 않는다는 장점이 있다. ( )

7. 미래세대까지 혜택이 발생하는 자본투자를 조세수입에 의해 충당할 경우 세대 간 비용·편익의 형평성 문제가 발생한다. ( )

O·X 정답 1. ○ 2. ○ 3. × 4. × 5. ○ 6. ○ 7. ○

㉣ 우리나라 조세의 구성(2024년 현재 14개)

| | | | |
|---|---|---|---|
| 내국세 (13) | 보통세 (10) | 직접세(5) | 법인세, 소득세, 상속세, 증여세, 종합부동산세 |
| | | 간접세(5) | 부가가치세, 개별소비세, 주세, 인지세, 증권거래세 |
| | 목적세(3) | 교육세, 농어촌특별세, 교통·에너지·환경세(2024. 12. 31.까지) | |
| 관세(1) | 화물이 국경을 통과하면 발생하는 세 | | |

㉤ 우리나라 조세의 특징

ⓐ 간접세의 비중이 서구 선진국과 달리 지나치게 높다(국세 중 간접세가 차지하는 비중이 미국은 약 20%, 우리나라는 약 50%).

ⓑ 우리나라는 2024년 현재 소득세(125.7조) > 부가가치세(81.4조) > 법인세(77.6조) 순으로 비중이 크다.

ⓒ 과거 지방세인 종합토지세를 폐지하고 국세로 신설된 종합부동산세는 전액 부동산교부세로 자치단체에 교부된다.

ⓓ 과거 지방양여금의 재원으로 사용되던 주세는 지방양여금이 폐지되면서 징수액 전액을 광역·지역발전특별회계의 재원으로 사용된다.

ⓔ 목적세인 교통·에너지·환경세는 매 3년마다 일몰연장을 통해 징수해 오고 있다.

③ 수익자 부담금

㉠ 의의: 공공서비스 이용의 대가로 징수하는 재원으로 사용료, 수수료, 공기업 요금 등이 있다. 수익자 부담금은 사용자 중심의 재원조달방식이며, 특정 사업을 위한 경비에 충당된다는 점에서 특정 재원이다.

㉡ 확대경향: 최근 정부실패와 조세저항으로 정부가 재정난을 경험하면서도 조세를 확대하는 것이 곤란한 상태에 처하면서 조세의 대안적 재원조달방안으로 중시되고 있다.

㉢ 장 점

ⓐ 시장기구와 유사한 메커니즘을 통해 공공서비스의 최적 수준을 결정할 수 있어 자원배분의 효율성을 제고할 수 있다.

ⓑ 편익을 보는 자가 비용을 부담하므로 부담과 편익의 공평성을 확보할 수 있다(수평적 형평).

ⓒ 공공재의 공급과 수익관계가 분명하고 부담의 용도가 확실하면 수익자 부담이 국민들에게 정당화될 수 있다.

㉣ 단점: 비용을 부담할 수 있는 능력이 있는 자만 서비스를 이용할 수 있어 사회적 형평성(수직적 형평)이 저하될 수 있다(수익자 민주주의 야기).

④ 국공채

㉠ 의의: 정부가 과세권을 담보로 증서차입 또는 증권발행을 통하여 부족한 재원을 충당하는 채무부담행위이다.

㉡ 장점: 국공채를 발행하여 시행된 사업으로 편익을 얻게 될 후세대도 비용을 부담하게 되기 때문에 세대 간 비용부담의 공평성을 높일 수 있다.

㉢ 단점: 정부가 국공채를 발행하면 민간부문에 투자할 자본이 정부로 이전되는 것에 불과하여 구축효과를 야기할 수 있으며, 미래세대에게 과중한 부담을 야기할 수 있다.

**O·X 문제**

1. 현재 우리나라의 조세수입은 법인세 > 부가가치세 > 소득세순으로 비중이 크다. ( )

2. 종합부동산세, 인지세, 주세는 국세에 해당한다. ( )

**O·X 문제**

3. 수익자 부담금은 시장기구와 유사한 메커니즘을 통해 공공서비스의 최적 수준을 지향하여 자원배분의 효율성을 제고할 수 있다. ( )

**O·X 문제**

4. 국공채는 사회간접자본(SOC) 관련 사업이나 시설로 인해 편익을 얻게 될 경우 후세대도 비용을 분담하기 때문에 세대 간 형평성을 훼손시킨다. ( )

O·X 정답 1. × 2. ○ 3. ○ 4. ×

⑤ 민간자본유치

㉠ **의의**: 공공부문에서 공공재 공급을 위해 민간부문의 자본을 유치하는 것을 말한다.

㉡ **방식**: 정부와 민간기업의 공동출자방식이나 BTO, BTL 등이 있다.

㉢ **장점**: 세대 간 비용부담의 공평성을 가져올 수 있다.

㉣ **단점**: 외상공사의 남발, 미래세대에게 과중한 부담 야기 등의 문제를 초래할 수 있다.

(2) 세 출

① **의의**: 1회계연도 내에서 정부가 그 목적을 수행하기 위한 일체의 지출을 의미한다. 세출은 승인된 예산의 범위에서만 지출할 수 있다.

② **유형 – 의무지출과 재량지출**

㉠ **의무지출**: 재정지출 중 법률에 따라 지출의무가 발생하고 법령에 따라 지출규모가 결정되는 법정지출 및 이자지출을 말한다. 「국가재정법 시행령」은 의무지출의 범위를 ⓐ 지방교부세, 지방교육재정교부금 등 법률에 따라 지출의무가 정하여지고 법령에 따라 지출규모가 결정되는 지출, ⓑ 외국 또는 국제기구와 체결한 국제조약 또는 일반적으로 승인된 국제법규에 따라 발생되는 지출, ⓒ 국채 및 차입금 등에 대한 이자지출로 규정하고 있다.

㉡ **재량지출**: 재정지출에서 의무지출을 제외한 나머지 지출을 말한다.

③ **현황**: 2024년 현재 우리나라의 총지출 예상규모는 656.6조이며, 분야(기능)별로는 사회복지분야(222.4조)와 일반·지방행정분야(110.5조)가, 소관(중앙관서)별로는 보건복지부(122.3조)와 교육부(95.7조)가 가장 많은 비중을 차지하고 있다.

### 3. 일반회계와 특별회계

(1) 일반회계

① **개념**: 일반적인 국가활동에 관한 총세입과 총세출을 망라하여 편성한 예산을 말한다. 일반회계는 정부 재정 체제에서 중심 위치를 차지하고 있으며, 일반적으로 예산이라고 할 때에는 일반회계를 지칭한다.

② **특 징**

㉠ **세입**: 조세수입이 대부분이며, 전년도 이월·차관·기타 세외수입으로 구성된다.

㉡ **세출**: 국가사업을 위한 기본적인 경비지출로 구성된다.

㉢ **예산의 원칙**: 통일성의 원칙과 단일성의 원칙에 입각해 있다.

㉣ **적용영역**: 행정부의 일반행정기관뿐만 아니라 입법부, 사법부, 헌법재판소, 선거관리위원회 등 「헌법」상 독립기관도 모두 정부예산에 포함되고 일반회계로 편성된다.

(2) 특별회계

① **의의**: 특정한 세입에 의해 특정한 세출을 충당하도록 편성한 예산을 말한다. 특별회계는 정부의 예산이 하나로 통일되어 회계처리되는 일반회계와는 구별되며, 정부예산의 일부로 편성된다.

② **설치요건 – 「국가재정법」 제4조**: ㉠ 국가에서 특정한 사업을 운영하고자 할 때(기업 특별회계), ㉡ 특정한 자금을 보유하여 운영하고자 할 때(자금 특별회계), ㉢ 특정한 세입으로 특정한 세출에 충당함으로써 일반회계와 구분하여 회계처리할 필요가 있을 때(기타 특별회계) 법률로써 설치한다.

**O·X 문제**

1. 일반회계예산의 세입은 조세수입에 의존한다. ( )
2. 특별회계는 특정한 목적을 위해 세입과 세출을 별도로 회계처리함으로써 행정 능률을 제고하려는 예산제도이다. ( )
3. 특별회계예산은 국가의 회계 중 특정한 세입으로 특정한 세출을 충당하기 위한 예산이다. ( )
4. 「국가재정법」에 따르면 특별회계는 국가에서 특정한 사업을 운영하고자 할 때나 특정한 자금을 보유하여 운용하고자 할 때 대통령령으로 설치할 수 있다. ( )

**O·X 정답** 1. ○ 2. ○ 3. ○ 4. ×

③ 목적: 특별회계는 재정운영주체의 자율성을 증대함으로써 재정운영의 효율성을 강화하기 위한 목적에서 설치되며, 정부역할이 증대되고 다양화될수록 그 수와 규모가 증가하는 현상이 나타난다.

④ 우리나라 특별회계의 구성

㉠ **운영현황**: 우리나라의 특별회계는 활동에 따라 기업특별회계(「정부기업예산법」에 의해 설치 · 운용)와 기타특별회계(개별법에 의해 설치 · 운용)로 구분된다. 2024년 현재 21개의 특별회계를 운영하고 있으며, 특별회계 가운데 기타특별회계가 70% 이상을 차지하고 있다.

**특별회계의 종류**(2024년 현재 21개)

| 기업특별회계 | 기타특별회계 | | |
|---|---|---|---|
| ① 양곡관리<br>② 조달<br>③ 우편사업<br>④ 우체국예금<br>⑤ 책임운영기관 | ① 교통시설<br>② 교도작업<br>③ 우체국보험<br>④ 등기<br>⑤ 환경개선<br>⑥ 혁신도시건설 | ⑦ 행정중심복합도시건설<br>⑧ 아시아문화중심도시조성<br>⑨ 국방 · 군사시설이전<br>⑩ 주한미군기지이전<br>⑪ 지역균형발전<br>⑫ 농어촌구조개선 | ⑬ 에너지및자원사업<br>⑭ 유아교육지원<br>⑮ 소재 · 부품 · 장비경쟁력강화<br>⑯ 고등 · 평생교육지원(신설) |
| 5개 | 16개 | | |

㉡ 특이점

ⓐ 과거 자금특별회계로 재정투융자특별회계가 있었으나 폐지되었고, 현재 우리나라는 자금특별회계가 존재하지 않는다.

ⓑ 유아교육지원특별회계는 누리과정예산 확보를 위해 2017년부터 한시적으로 설치 · 운용하고 있고(2025. 12. 31.까지 연장), 소재 · 부품 · 장비경쟁력강화특별회계는 소재 · 부품 · 장비산업의 발전기반을 조성하기 위해 2020년부터 설치 · 운용하고 있다. 또한 2023년부터 고등 · 평생교육지원특별회계를 신설하였다.

⑤ 특 징

㉠ **수입원**: 주로 정부부처형 공기업과 책임운영기관의 사업소득, 부담금, 수수료 등과 일반회계의 전입금이 재원이 된다.

㉡ **단일성의 원칙과 통일성의 원칙의 예외**: 특별회계는 모든 세입과 세출이 하나로 통일되어 회계처리되어야 한다는 '단일성의 원칙'과 특정세입과 특정세출이 연계되어서는 아니 된다는 '통일성의 원칙'의 예외이다.

㉢ **법률에 의한 설치 및 타당성 심사**: 특별회계는 반드시 법률로 설치하되, 「국가재정법」 별표 1에 규정된 법률에 의하지 아니하고는 이를 설치할 수 없다. 또한 특별회계는 신설시 기획재정부장관으로부터 타당성 심사를 받아야 한다.

㉣ **예산의 신축적 운영**: 특별회계 운영의 신축성을 높이기 위해 초과 수입을 그 수입과 관련된 직접비에 활용할 수 있도록 하는 수입금마련지출제도, 기획재정부장관의 승인 없이 목 간 전용 허용, 자금조달을 위한 국채발행 등을 「정부기업예산법」에 규정하고 있다.

㉤ **특별회계의 관리**: 특별회계는 통일성의 원칙의 예외로 해당 부처가 관리한다. 다만 책임운영기관 특별회계는 계정별로 소속 중앙행정기관의 장이 운용하고, 기획재정부장관이 이를 통합관리한다.

**O·X 문제**

1. 우리나라는 특별회계의 설치근거가 되는 법률을 별도로 정하고 있다. ( )
2. 우편사업, 우체국예금사업, 양곡관리사업, 조달사업을 수행하기 위한 특별회계예산의 운용에 관한 사항을 규정하고 있는 현행법은 「정부기업예산법」이다. ( )
3. 특별회계의 경우 각각의 개별법이 마련되어 운영되는 것이 일반적이다. ( )

**O·X 문제**

4. 「국가재정법」에 따르면 일반회계로부터의 전입금도 특별회계의 세입이 될 수 있다. ( )
5. 특별회계는 예산 단일의 원칙과 예산 통일성의 원칙에 위배된다. ( )
6. 「국가재정법」에 따르면 기획재정부장관은 특별회계 신설에 대한 타당성을 심사한다. ( )
7. 특별회계는 세입 · 세출에 의하지 아니하고 예산 외로 운영할 수 있는 것으로 사업 운영 시 별도의 국회의 의결 없이 사용 가능한 것이다. ( )
8. 특별회계는 임시적인 성격이 강하기 때문에 국회의 심의를 받지 않는다. ( )

O·X 정답 1. ○ 2. ○ 3. ○ 4. ○ 5. ○ 6. ○ 7. × 8. ×

ⓗ **국회의 예산 및 결산심의**: 특별회계는 정부예산의 일부이므로 일반회계와 더불어 국회의 예산심의 및 결산심의를 받는다.

⑥ 장·단점

| 장 점 | 단 점 |
|---|---|
| • 재정운영주체의 자율성을 증대하여 경영의 합리화 및 효율성 증진<br>• 특정 정부사업 재정수지의 명확한 파악<br>• 행정기능의 전문화와 다양화에 대응 | • 예산구조의 복잡화로 예산통제가 곤란하여 재정팽창(재정 인플레이션) 야기 우려<br>• 단일성의 원칙의 예외로 국가재정의 전체적 관련성 파악 곤란<br>• 통일성의 원칙의 예외로 재원배분구조의 왜곡 가능성 야기 |

⑦ **일반회계와 특별회계의 관계**: 특별회계는 일반회계로부터 전입금을 받을 수 있고, 발생한 잉여금을 일반회계로 전출시킬 수 있어 상호의존적이다. 다만, 책임운영기관 특별회계는 일반회계로부터 전입을 받을 수 있으나 잉여금을 일반회계로 전출할 수는 없다.

## 4. 기 금

### (1) 의 의

① **개념**: 국가가 특정한 목적을 위하여 특정한 자금을 신축적으로 운용할 필요가 있을 때에 한하여 법률로써 설치하되 세입세출예산 외(off budget)로 운영되는 자금을 말한다.

② **필요성**

㉠ **재정의 안정적·탄력적 운용**: 특정 분야의 사업에 대해 지속적이고 안정적인 자금 지원이 필요하거나, 사업 추진에 탄력적인 집행이 필요한 경우에 설치·운용된다.

㉡ **특정부문·특정산업의 육성**: 국가가 특정부문을 육성하거나 개발을 촉진하고자 할 때, 국가가 직접 사업을 수행해야 할 필요가 있는 경우에 설치·운용된다.

### (2) 특징 – 예산과의 차이점을 중심으로

① **재원**: 기금은 조세수입이 아닌 일반회계로부터 전입금, 정부출연금, 민간부담금 등을 재원으로 하며, 유상급부를 원칙으로 한다.

② **고전적 예산 원칙**: 기금은 특정 수입과 지출이 연계된다는 점에서 '통일성의 원칙'의 예외이며, 일반회계와 별도로 회계처리된다는 점에서 '단일성의 원칙'의 예외이고, 예산 외로 운영된다는 점에서 '완전성의 원칙'의 예외가 된다.

③ **운용방식**: 예산은 회계연도 내의 세입이 그 해에 모두 지출되는 데 반해, 기금은 조성된 자금을 회계연도 내에 운용해 남는 자금을 계속 적립해 나간다. 또한 기금 운용은 예산에 비해 자율성과 탄력성이 강하다.

### (3) 기금의 조성과 운용

① **수지체계**: 기금은 일정시점의 재산 상태를 나타내는 '조성'과 일정 기간의 운영 상황을 나타내는 '운용'으로 나누어 계획을 수립한다.

② **기금의 조성**: 기금에 따라 다양하나 일반적으로 정부출연금, 민간부담금, 차입금, 운용수입 등이 주요 재원이 된다.

③ **기금의 운용**: 기금은 해당 연도의 수입과 지출로 구성되는 기금운용계획에 따라 운용된다. 수입은 자체수입, 정부 내부수입, 차입금, 여유자금 회수 등으로, 지출은 사업비, 기금운영비, 정부 내부지출, 여유자금 운용 등으로 구성된다.

**O·X 문제**

1. 특별회계예산에서는 입법부의 예산통제가 용이해진다. ( )
2. 특별한 목적을 위해 운용하는 특별회계는 행정부의 재량 및 재정운영 자율성을 축소시킨다. ( )
3. 특별회계예산은 세입과 세출의 수지가 명백하다. ( )
4. 특별회계예산은 국가재정의 전체적인 관련성을 파악하기 곤란하다. ( )
5. 특별회계는 일반회계와 구분해 회계처리할 필요가 있을 때 설치하므로, 일반회계로부터의 전입은 금지된다. ( )

**O·X 문제**

6. 기금은 국가가 특정한 목적을 위하여 특정 자금을 신축적으로 운용할 필요가 있을 때에 한하여 법률로써 설치한다. ( )
7. 일단 기금이 조성되고 나면, 세입세출예산에 의하여 운영된다. ( )
8. 기금은 특정수입과 지출의 연계를 배제한다. ( )
9. 기금은 예산의 통일성과 단일성 원칙에 위배된다. ( )
10. 기금은 예산에 비해 소관부처의 재량과 탄력성이 많은 편이다. ( )
11. 기금은 법률로써 설치하며 출연금, 부담금 등은 기금의 재원으로 활용할 수 없다. ( )

O·X 정답 1. × 2. × 3. ○ 4. ○ 5. × 6. ○ 7. × 8. × 9. ○ 10. ○ 11. ×

PART · 06

심화학습

기타 기금의 분류

| | |
|---|---|
| 설치 목적 | • 사회보험성 기금<br>• 계정성 기금<br>• 금융성 기금<br>• 사업성 기금 |
| 운용 방식 | • 소비성 기금<br>• 회전성 기금<br>• 적립성 기금 |

(4) 분 류

① 기금(비금융성 기금): 금융성 기금을 제외한 기금을 말한다.

② 금융성 기금: 신용보증기금, 외국환평형기금 등 금융적 성격을 띠는 기금으로 일반기금보다 더 신축적으로 운용되며, 통합재정에 포함되지 아니한다.

(5) 한국의 기금제도

① 관리: 국가의 재정에 관한 사항을 규정하고 있는 「국가재정법」에 의해 관리된다.

② 현황: 기금은 과거 방만하게 조성·운용되어 왔으나 국민의 정부 이후 대대적인 통폐합 작업이 이루어졌으며, 2024년 현재는 68개의 기금이 존재한다.

③ 설 치

㉠ 기금설치법정주의: 기금은 국가가 특정한 목적을 위하여 특정한 자금을 신축적으로 운용할 필요가 있을 때에 한정하여 법률로써 설치하되, 정부의 출연금 또는 법률에 따른 민간부담금을 재원으로 하는 기금은 「국가재정법」 별표2에 규정된 법률에 의하지 아니하고는 이를 설치할 수 없다(「공무원연금법」, 「국민연금법」, 「군인연금법」, 「신용보증기금법」, 「외국환거래법」 등).

㉡ 특별회계와 기금 신설에 대한 타당성 심사

ⓐ 중앙관서의 장은 소관 사무와 관련하여 특별회계 또는 기금을 신설하고자 하는 때에는 해당 법률안을 입법예고하기 전에 특별회계 또는 기금의 신설에 관한 계획서를 기획재정부장관에게 제출하여 그 신설의 타당성에 관한 심사를 요청해야 한다.

ⓑ 기획재정부장관은 특별회계와 기금이 심사기준에 적합한지 여부를 심사하고 심사기준에 부합하지 아니한다고 인정하는 때에는 계획서를 제출한 중앙관서의 장에게 재검토 또는 수정을 요청할 수 있다.

심화학습

특별회계 신설과 기금 신설의 타당성 심사기준

| | |
|---|---|
| 특별회계 신설에 관한 심사 기준 | • 일반회계나 기존의 특별회계·기금보다 새로운 특별회계나 기금으로 사업을 수행하는 것이 더 효과적일 것<br>• 특정한 사업을 운영하거나 특정한 세입으로 특정한 세출에 충당함으로써 일반회계와 구분하여 회계처리할 필요가 있을 것 |
| 기금 신설에 관한 심사 기준 | • 부담금 등 기금의 재원이 목적사업과 긴밀하게 연계되어 있을 것<br>• 사업의 특성으로 인하여 신축적인 사업추진이 필요할 것<br>• 중·장기적으로 안정적인 재원조달과 사업추진이 가능할 것<br>• 일반회계나 기존의 특별회계·기금보다 새로운 특별회계나 기금으로 사업을 수행하는 것이 더 효과적일 것 |

④ 기금의 관리 및 운용

㉠ 기금운용의 원칙(「국가재정법」 제62조~제64조)

ⓐ 기금관리·운용의 원칙: 기금관리주체는 그 기금의 설치목적과 공익에 맞게 기금을 관리·운용하여야 한다.

ⓑ 기금자산운용의 원칙: 기금관리주체는 안정성·유동성·수익성 및 공공성을 고려하여 기금자산을 투명하고 효율적으로 운용하여야 한다.

ⓒ 의결권 행사의 원칙: 기금관리주체는 기금이 보유하고 있는 주식의 의결권을 기금의 이익을 위해 신의성실에 따라 행사하고, 그 행사내용을 공시하여야 한다.

㉡ 기금운용계획안의 수립

ⓐ 중기사업계획서 제출: 기금관리주체는 매년 1월 31일까지 해당 회계연도부터 5회계연도 이상의 기간 동안의 중기사업계획서를 기획재정부장관에게 제출하여야 한다.

ⓑ 기금운용계획안 작성지침 시달: 기획재정부장관은 자문회의의 자문과 국무회의의 심의를 거쳐 대통령의 승인을 얻은 다음 연도의 기금운용계획안 작성지침을 매년 3월 31일까지 기금관리주체에게 통보하여야 한다. 기획재정부장관은 국가재정운용계획과 기금운용계획 수립을 연계하기 위해 기금운용계획안 작성지침에 기금별 지출한도를 포함하여 통보할 수 있으며, 통보한 기금운용계획안 작성지침을 예산결산특별위원회에 보고하여야 한다.

심화학습

기금운용계획안

| | |
|---|---|
| 운용 총칙 | 기금의 사업목표, 자금의 조달과 운용 및 자산취득에 관한 총괄적 사항 |
| 자금 운용 계획 | 수입계획과 지출계획으로 구분하되, 수입계획은 성질별로 구분하고 지출계획은 성질별 또는 사업별로 주요항목 및 세부항목으로 구분하여 작성 |

ⓒ **기금운용계획안의 작성 · 제출**: 기금관리주체는 기금운용계획안 작성지침에 따라 다음 연도의 기금운용계획안을 작성하여 매년 5월 31일까지 기획재정부장관에게 제출하여야 한다.

ⓓ **기금운용계획안의 확정**: 기획재정부장관은 제출된 기금운용계획안에 대하여 기금관리주체와 협의 · 조정하여 기금운용계획안을 마련한 후 국무회의의 심의를 거쳐 대통령의 승인을 얻어야 한다.

㉢ **기금운용계획안의 국회제출 및 심의 · 의결**

ⓐ 기금운용계획안은 운용총칙과 자금운용계획으로 구성된다.

ⓑ 정부는 기금운용계획안을 회계연도 개시 120일 전까지 국회에 제출하고, 국회는 회계연도 개시 30일 전까지 심의 · 의결하여야 한다.

ⓒ 국회는 정부가 제출한 기금운용계획안의 주요항목 지출금액을 증액하거나 새로운 과목을 설치하고자 하는 때에는 미리 정부의 동의를 얻어야 한다.

㉣ **기금운용계획의 변경**

ⓐ 기금관리주체는 지출계획의 주요항목 지출금액의 범위 안에서 대통령령으로 정하는 바에 따라 세부항목 지출금액을 변경할 수 있다.

ⓑ 기금관리주체는 기금운용계획 중 주요항목 지출금액을 변경하고자 하는 때에는 기획재정부장관과 협의 · 조정하여 마련한 기금운용계획변경안을 국무회의의 심의 및 대통령의 승인을 얻은 후 국회에 제출해야 한다.

ⓒ 주요항목 지출금액의 변경범위가 금융성 기금 외의 기금은 10분의 2 이하, 금융성 기금은 10분의 3 이하의 범위에서는 기금운용계획변경안을 국회에 제출하지 아니하고 대통령령으로 정하는 바에 따라 변경할 수 있다.

㉤ **기금결산**: 각 중앙관서의 장은 「국가회계법」에서 정하는 바에 따라 회계연도마다 소관 기금의 결산보고서를 중앙관서결산보고서에 통합하여 작성한 후 기획재정부장관에게 제출해야 한다.

⑤ **기금운용심의회 및 자산운용위원회 등**

㉠ **기금운용심의회**: 기금관리주체는 기금의 관리 · 운용에 관한 중요한 사항을 심의하기 위해 기금별로 기금운용심의회를 설치해야 한다.

㉡ **자산운용위원회**: 기금관리주체는 자산운용에 관한 중요사항을 심의하기 위해 다른 법률에서 따로 정하는 경우를 제외하고는 심의회에 자산운용위원회를 설치해야 한다.

⑥ **기금운용 평가**: 기획재정부장관은 기금운용평가단을 운영할 수 있고, 회계연도마다 전체 기금 중 1/3 이상의 기금에 대하여 대통령령으로 정하는 바에 따라 그 운용실태를 조사 · 평가하여야 하며, 3년마다 전체 재정체계를 고려하여 기금의 존치 여부를 평가하여야 한다. 또한 기획재정부장관은 평가결과를 국무회의에 보고한 후 국회에 제출하는 국가결산보고서와 함께 국회에 제출하여야 한다.

⑦ **국정감사**: 기금관리주체는 「국정감사 및 조사에 관한 법률」에 따른 감사의 대상기관으로 한다.

**O·X 문제**

1. 기금은 재원의 자율적 운영을 위하여 국회의 심의를 거치지 않는다. ( )
2. 정부는 주요항목 단위로 마련된 기금운용계획안을 회계연도 개시 60일 전까지 국회에 제출하여야 한다. ( )
3. 기금운용계획(금융성 기금 제외) 중 주요항목 지출금액의 변경범위가 30% 이하인 경우에는 기금운용계획변경안을 국회에 제출하지 않고 변경할 수 있다. ( )
4. 기금운용계획안은 국무회의의 심의와 대통령의 승인이 필요하다. ( )
5. 정부는 기금운용계획안과 기금결산보고서 모두 국회에 제출해야 한다. ( )
6. 기획재정부장관은 매년 전체 재정체계를 고려하여 기금의 존치 여부를 평가하여야 한다. ( )
7. 기금 상호 간에 여유재원을 전입 또는 전출하여 통합적으로 활용할 수 없다. ( )

**O·X 정답** 1. × 2. × 3. × 4. ○ 5. ○ 6. × 7. ×

PART · 06

심화학습

**특별회계와 기금의 통합 · 폐지 사유**

① 특별회계나 기금의 설치목적을 달성하였거나 설치목적 달성이 불가능하다고 판단되는 경우
② 특별회계와 기금 간 또는 특별회계 및 기금 상호 간에 유사하거나 중복되게 설치된 경우
③ 재정운영의 효율성 및 투명성을 높이기 위하여 일반회계에서 통합 운용하는 것이 바람직하다고 판단되는 경우

**O·X 문제**

1. 일반회계예산의 집행절차는 합법성에 입각하여 엄격하게 통제하는 경향이 있다. ( )
2. 일반회계예산은 공권력에 의한 조세수입과 무상급부를 원칙으로 한다. ( )
3. 특별회계예산은 일반회계예산과 달리 예산편성에 있어 국회의 심의 및 의결을 받지 않는다. ( )
4. 특별회계는 일반회계와 기금 운용형태가 혼재되어 있다. ( )
5. 특별회계와 기금의 공통점은 특정수입과 특정지출의 연계, 법률에 근거한 설치 등이다. ( )
6. 일반회계는 국가고유의 일반적 재정활동을, 기금은 특정한 세입으로 특정한 사업을 운용하기 위해 설치된다. ( )
7. 합목적성 차원에서 자율성과 탄력성이 강한 기금도 예산과 마찬가지로 국회의 심의·의결 및 결산 절차를 모두 거쳐야 한다. ( )
8. 특정 목적을 위해 설치한 특별회계와 기금은 여유재원이 있는 경우라 할지라도 회계와 기금 간 또는 회계 및 기금 상호 간에 여유재원을 전입 또는 전출할 수 없다. ( )

O·X 정답 1. ○ 2. ○ 3. × 4. ○ 5. ○ 6. × 7. ○ 8. ×

(6) 일반회계 · 특별회계 · 기금의 통합관리

① **일반회계 · 특별회계 · 기금의 통합운용**: 최근 재정운영의 방향은 일반회계, 특별회계, 기금을 통합적으로 운용하는 방식을 취하고 있다. 일반회계 · 특별회계 · 기금의 통합운용은 조직(기획재정부의 재정운영실 – 통합관리), 예산체계(프로그램 예산 – 통합편성), 재원배분방식(통합배분) 등에서 나타나고 있다.

② **회계 및 기금 간 여유재원의 전 · 출입**: 정부는 국가재정의 효율적 운용을 위하여 필요한 경우에는 다른 법률의 규정에도 불구하고 회계 및 기금의 목적 수행에 지장을 초래하지 아니하는 범위 안에서 회계와 기금 간 또는 회계 및 기금 상호 간에 여유재원을 전입 또는 전출하여 통합적으로 활용할 수 있다(우체국보험특별회계, 국민연금기금, 공무원연금기금 등 일부 특별회계와 기금은 제외).

## 5. 일반회계, 특별회계, 기금의 비교

| 구 분 | 예 산 | | 기 금 |
|---|---|---|---|
| | 일반회계 | 특별회계 | |
| 의 의 | 일반적인 국가활동에 관한 총세입 · 총세출을 망라한 예산 | 특정한 세입에 의해 특정한 세출을 충당하도록 하는 예산(법률로 설치) | 국가가 특정 목적을 위해 특정 자금을 신축적으로 운용할 필요가 있을 때에 한정하여 법률로 설치하되, 세입세출예산 외로 운영되는 자금(법률로 설치) |
| 설 치 | 행정부 외에 「헌법」상 독립기관(입법부, 사법부, 헌재, 선관위 등)도 일반회계로 편성 | • 특정 사업 운영<br>• 특정 자금의 보유 · 운용<br>• 특정 세입으로 특정 세출에 충당할 필요가 있을 때 | |
| 운 용 | 공권력에 의한 조세수입으로 무상급부 수행(소비성) | 일반회계와 기금의 운용 형태 혼재(주로 소비성) | 다양한 재원으로 융자사업 등 유상급부 수행(적립성 또는 회전성) |
| 운영방식 | 회계연도 내의 모든 세입이 해당 연도 세출로 연결 | | 조성된 자금을 회계연도 내에 운용해 남는 자금을 적립 |
| 세 입 | 조세수입 | 사업소득, 부담금, 수수료, 전입금 등 | • **조성**: 전입금 · 출연금 · 외부차입금 · 운용수입 등 다양한 수입원<br>• **운용**: 기금운용계획에 따른 신축적 운용 |
| 세 출 | 국가사업에 대한 기본적인 경비지출 | 특정 세출에 충당 | |
| 확정절차 | ① 예산 및 기금에 대한 중기사업계획서 제출(중앙관서)<br>② 예산안 편성지침 및 기금운영계획안 작성지침의 통보(기재부)<br>③ 예산요구서 및 기금운용계획안의 작성 · 제출(중앙관서)<br>④ 예산안 및 기금운용계획안의 협의(기재부와 중앙관서)<br>⑤ 국무회의 심의 및 대통령의 승인(회계연도 개시 120일 전까지)<br>⑥ 국회의 심의 · 의결로 확정(회계연도 개시 30일 전까지) | | |
| 집행절차 | 합법성에 입각한 엄격한 통제 | 일반회계에 비해 자율성과 탄력성 높음. | 일반회계와 특별회계보다 자율성과 탄력성 높음. |
| 계획변경 | 추가경정예산의 편성 | | 지출금액 변경범위가 비금융성 기금은 20%, 금융성 기금은 30% 초과 시에만 국회의 심의 · 의결 필요 |
| 예산원칙 | 고전적 예산원칙 적용 | 통일성 · 단일성의 원칙 예외 | 완전성 · 통일성 · 단일성의 원칙 예외 |
| 결 산 | 감사원의 결산심사, 국회의 결산심의와 승인 | | |

## 6. 일반회계, 특별회계, 기금의 현황

2024년 현재 총수입 및 총지출 규모는 일반회계 > 기금 > 특별회계 순이다.

| 구 분 | 총재정 규모 | 예 산 | | | 기 금 |
|---|---|---|---|---|---|
| | | 예산총액 | 일반회계 | 특별회계 | |
| 총수입 규모 | 612.2조 | 395.5조 | 367.3조 | 28.2조 | 216.7조 |
| 총지출 규모 | 656.6조 | 438.3조 | 356.5조 | 81.7조 | 218.4조 |

## 7. 통합예산(통합재정)

### (1) 의 의

일반회계, 특별회계, 기금 등을 내부거래와 보전거래를 제외하고 하나로 합쳐 정부 전체의 총재정규모를 정확하게 파악하고, 재정이 국민경제에 미치는 영향을 밝히고자 하는 예산제도이다. 통합예산은 그 성격상 법정예산제도가 아니며, 법정예산은 그대로 유지하면서 이와 병행하여 작성된다.

### (2) 통합예산의 구비조건

① **포괄성 – 재정통계범위의 확장**: 중앙정부와 지방정부를 포함하는 일반정부뿐만 아니라 그 보조기관, 정부기업, 정부관리기금 등 모든 정부의 활동이 포괄적으로 포함되어야 한다.

② **이중거래의 조정 – 순계개념으로 작성**: 정부 간 거래나 정부 내 거래로 인한 이중적 계상(중복액)을 방지하고 재정규모를 정확하게 파악하기 위해 예산총계 개념이 아닌 예산순계 개념으로 작성되어야 한다.

③ **대출순계(순융자)의 구분**: 융자지출이나 융자회수와 같은 재정자금 운용상황을 통합재정의 세입 · 세출 안에 일반적인 세입 · 세출과 구분하여 순계기준으로 별도로 밝혀주어야 한다.

④ **보전재원의 명시**: 보전재원이란 재정적자가 발생했을 때 이를 보전하기 위한 재원(차입금, 차관수입, 국공채발행수입 등)을 말한다. 보전재원은 통합재정의 세입 · 세출과 구분하여 별도로 명시하여 재정적자의 근거(재정자금 조달내역)를 명백히 밝혀주어야 한다.

**핵심정리 | 예산총계와 예산순계, 총계예산과 순계예산**

1. **예산총계 · 예산순계**
   일반회계, 특별회계, 기금 간의 자유로운 전 · 출입으로 인하여 단순히 일반회계, 특별회계, 기금의 지출액을 합하면 중복액이 이중계산된다. 이렇게 중복된 상태로 파악된 재정규모를 예산총계라 하고, 예산총계에서 중복액(회계 간 내부거래분)을 제외하고 파악된 재정규모를 예산순계라 한다.
2. **총계예산 · 순계예산**
   총계예산은 완전성의 원칙과 관련된 개념으로 필요경비 등을 제하지 않고 모든 수입을 세입으로 계상한 예산을 말하며, 순계예산은 필요경비(징세비 등)를 공제한 순수입만을 세입으로 계상한 예산을 말한다.

**O·X 문제**

1. 특별회계예산 규모는 일반회계보다는 적지만 기금보다는 크다. ( )

**O·X 문제**

2. 통합재정은 정부 전체의 재정규모를 파악하고 재정이 국민경제에 미치는 영향을 효과적으로 파악하고자 하는 제도이다. ( )
3. 통합재정수지는 정부가 실제 수행하고 있는 활동영역별 예산을 파악하기 위해 도입되었다. ( )
4. 통합재정수지는 일반회계, 특별회계, 기금을 포함한 정부 예산의 규모를 정확하게 파악하기 위한 것이다. ( )
5. 통합재정 산출 시 내부거래와 보전거래를 제외함으로써 세출을 순계개념으로 파악한다. ( )
6. 통합재정은 국가예산의 세입 · 세출을 총계개념으로 파악하여 재정건전성을 판단한다. ( )
7. 통합재정수지를 통해 국가재정을 통합하여 관리할 수 있게 되어 예산운용의 신축성이 제고되었다. ( )

**O·X 문제**

8. 실질적인 정부의 총예산 규모를 파악하는 데에는 예산순계 기준보다 예산총계 기준이 더 유용하다. ( )

O·X 정답 | 1. × 2. ○ 3. × 4. ○ 5. ○ 6. × 7. × 8. ×

PART · 06

### (3) 우리나라 통합예산

① 현 황

㉠ 우리나라는 IMF에서 제시한 '정부재정통계편람(GFSM: Government Finance Statistics Manual)'에 따라 1979년부터 통합재정수지를 작성해 오고 있다.

㉡ 과거 우리나라는 1986년도 GFS에 의한 통합재정 통계를 작성하였으나, 최근에는 2001년도 GFS에 의한 통합재정 통계도 함께 작성하여 발표하고 있다.

② 우리나라의 통합재정 – '86 GFS기준과 '01 GFS 기준

| 구 분 | 1986년 GFS | 2001년 GFS |
|---|---|---|
| 포괄범위 | 회계단위 | 제도(기관)단위 |
| | • 중앙재정 및 지방재정을 포함한 일반정부 부문의 통합재정 통계작성<br>• 중앙정부와 지방정부의 회계(일반회계, 특별회계) 및 기금 중심으로 기록(세입세출외 자금 포함)하며, 정부기능과 직접 관련되는 거래만 작성<br>• 금융공공기관의 기능과 관련된 거래는 제외하고 비금융공공부문만을 작성 | • 중앙재정 및 지방재정을 포함한 일반정부 부문뿐만 아니라 국내 거주 비영리기관을 포함하여 통합재정 통계작성<br>• 국내에 거주하는 모든 정부단위와 정부에 의해 통제되고 재정이 지원되는 국내 거주 모든 비영리기관의 재무제표를 작성<br>• 비금융공공부문뿐만 아니라 금융공공기관의 기능과 관련된 거래도 포함하여 작성 |
| 기록방식 | 현금주의 | 발생주의 |
| | • 현금의 수입과 지출시점에 회계처리<br>• 현금흐름이 발생하는 사건(현금의 증감)의 결과만 기록 | • 현금변동 이외 권리·의무의 변동을 포함한 경제적 실질이 변동하는 시점에 회계처리<br>• 현금의 유출입이 없더라도 자산 및 부채 평가로 경제적 자원변동 결과 기록 |
| 회계기간 | 예산연도 기준으로 1년 단위로 작성 | |
| 순계치통합 | 통합재정의 포괄범위 내에 있는 각종 회계 및 기금 간의 내부거래를 제거 후 수지 합산 | |

③ 우리나라 통합예산의 구조

㉠ **특징**: 통합재정은 정부의 수입을 세입·융자회수로, 지출을 세출·융자지출로 구분하여 작성한다.

㉡ **수입**: 정부로 유입되는 비상환성 수입만 세입으로 기록되며, 수입은 경상수입과 자본수입으로 구분하여 작성된다.

㉢ **지출 및 순융자**: 정부의 비상환성 지출만 세출로 기록되며, 순융자는 유동성 목적이 아닌 정책적 목적의 대출 및 대출금 회수를 기록한다. 지출과 순융자는 경상지출, 자본지출, 순융자로 구분하여 경제성질별 분류와 기능별 분류로 작성된다.

㉣ **보전재원**: 보전재원은 재정적자를 보전하는 재원(차관, 국공채, 차입금 등)으로 그 크기는 수입에서 지출 및 순융자를 뺀 차와 같다. 보전재원은 통합재정의 세입·세출과 별도로 명시되며, 유동성 목적의 상환성 수입 및 지출 거래의 총량이 기록된다(재정수지가 적자면 보전재원은 '+'로, 흑자면 보전재원은 '−'로 표시).

**O·X 문제**

1. 우리나라의 통합재정은 국제통화기금(IMF)의 재정통계 작성기준을 기초로 작성 및 발표한다. ( )

2. 통합예산은 정부의 전체적인 예산 규모 및 예산의 경제적 효과를 파악하려는 목적으로 만들어졌으며, 우리나라의 통합예산('86 GFS기준)은 중앙정부의 일반회계, 특별회계, 정부관리 기금 등을 포함하고 있다. ( )

3. 우리나라 통합재정('86 GFS기준)은 금융 공공부문 및 비금융 공공부문의 일반회계와 특별회계 외에 기금과 세입세출외 자금을 포함한다. ( )

4. 우리나라는 통합재정('86 GFS기준)의 기관 범위에 공공기관은 포함되지만, 지방자치단체는 포함되지 않는다. ( )

5. 우리나라 통합재정('86 GFS기준)은 중앙재정, 지방재정, 지방교육재정(교육비특별회계)을 포함한다. ( )

6. 통합재정의 세입과 세출은 경상거래와 자본거래로 구분하여 작성한다. ( )

7. 중앙정부의 통합재정 규모('86 GFS기준)는 일반회계, 특별회계, 기금, 세입세출 외 항목을 포함하지만 내부거래와 보전거래는 제외한다. ( )

O·X 정답 1. ○ 2. ○ 3. × 4. × 5. ○ 6. ○ 7. ○

우리나라 통합예산('86 GFS기준) 총괄표

| 수 입 | 경상수입 | 441,148 | 443,853 |
|---|---|---|---|
| | 자본수입 | 2,705 | |
| 지출 및 순융자 | 경상지출 | 387,100 | 455,850 |
| | 자본지출 | 49,598 | |
| | 순융자 | 19,152 | |
| 수지차(수입 − 지출 및 순융자) | | | △11,997 |
| 보전재원 | | | +11,997 |

(4) 우리나라 통합재정의 유용성과 한계

① 통합재정의 유용성

㉠ **순수한 총재정 규모 파악**: 통합재정은 내부거래와 보전거래를 차감함으로써 순수한 정부부문의 총재정 파악이 가능하다.

㉡ **재정의 국민경제적 효과분석**: 통합재정은 정부의 수입과 지출을 경상거래 및 자본거래로 구분하여 파악하기 때문에 정부소비, 저축, 총고정자본 형성 등을 알 수 있어 재정이 국민경제에 미치는 효과를 분석하기 용이하다.

㉢ **재정의 통화효과 분석**: 통합재정은 금융거래를 금융기관, 기타민간, 해외 등 경제부문별로 구분하여 파악하기 때문에 재정부문의 통화효과 분석이 용이하다.

㉣ **재정건전성 분석**: 통합재정은 재정적자의 보전이나 흑자처분을 위한 거래(보전거래)는 제외하고 순수한 정부지출과 정부수입만을 작성하므로 재정의 건전성 판단이 가능하다.

㉤ **재정활동의 국제비교 분석**: 통합재정은 국가 간 재정지표를 비교하는데 유용한 자료로 활용된다.

② **통합재정의 한계 - 융자지출의 문제**: 융자지출은 회수되는 시점에서는 흑자 요인이 된다는 점에서 순환적인 적자의 성격을 가지고 있음에도 불구하고 통합재정은 이를 해당연도의 지출로 보아 적자 요인으로 파악하고 있기 때문에 정확한 재정건전성 판단을 저해할 수 있다.

**핵심정리 | 우리나라의 재정통계와 재정지표**

1. **우리나라의 재정통계**
   (1) **의의**: 기획재정부는 재정정보공개시스템(열린재정)을 통해 중앙정부와 지방정부의 재정통계를 공개하고 있다.
   (2) **구성**: 예산, 집행, 결산, 성과평가, 국세통계, 채무[국가채무(확정채무), 보증채무(미확정채무)], 수지, 지방재정, 지방교육재정
2. **우리나라의 재정지표**
   (1) **총수입**
   ① **의의**: 중앙 재정의 실제 수입규모를 파악하기 위해 회계·기금 간 내부거래 등을 제외하고 산출한 중앙정부의 수입을 말한다.

   > 총수입 = 일반회계수입 + 특별회계수입 + 기금수입 − 내부거래 − 보전거래(차입금, 국채발행 수입 등)

   ② **특징**: 순계개념으로 작성되는 통합재정방식과 동일하며, 여러 기업으로 구성된 그룹이 그룹 전체의 규모를 파악하기 위해 구성기업 간 내부거래를 제외한 연결재무제표를 만드는 것과 유사하다.

**O·X 문제**

1. 통합재정수지는 재정건전성 분석, 재정의 실물경제 효과 분석, 재정 운용의 통화부문에 대한 영향 분석 등에 활용될 수 있다. ( )

**O·X 문제**

2. 우리나라의 통합재정수지에서는 융자지출을 재정수지의 흑자 요인으로 간주한다. ( )
3. 통합예산에서는 융자지출을 일시 적자로 보고 재정수지상의 적자 요인으로 파악하지 않는다. ( )

O·X 정답 1. ○ 2. × 3. ×

PART · 06

O·X 문제

1. 우리나라의 통합재정은 회계 간 내부거래와 보전거래를 세입과 세출에서 각각 제외한다는 점에서 기업의 연결재무제표와 유사하다. ( )

2. 통합재정은 국민의 입장에서 느끼는 정부의 지출 규모이며 내부거래를 포함한다. ( )

3. 통합재정은 2005년부터 정부의 재정규모 통계로 사용하고 있으며 세입과 세출을 총계개념으로 파악한다. ( )

4. 통합재정수지를 계산할 때 국민연금기금 등의 사회보장성 기금의 수지는 제외된다. ( )

5. 통합재정은 일반회계, 특별회계, 기금을 모두 포괄하며, 재정활동의 전모를 파악할 수 있도록 융자지출을 통합재정수지의 계산에 포함하고 있다. ( )

(2) **총지출**(재정규모)

① **통합재정규모**(순계개념)

| 통합재정 = 경상지출 + 자본지출 + 순융자(융자지출 − 융자수입) |
|---|

㉠ 예산·기금 등 정부부문 지출규모에서 채무상환 등을 차감한 순수한 재정활동의 규모이다.
㉡ 통합재정규모는 순수한 재정활동규모를 측정하기 위해 융자거래와 기업특별회계를 순계개념으로 파악한다.

② **총지출규모**(총계개념)

| 총지출규모 = 경상지출 + 자본지출 + 융자지출 |
|---|

㉠ 국민의 입장에서 느끼는 정부의 지출규모이다.
㉡ 2005년부터 재정운용계획 수립 시 우리 정부의 재정규모 통계로 사용하고 있다.
㉢ 총계개념으로 파악하므로 통합재정규모보다 항상 규모가 크다.

③ **일반정부규모**

㉠ 중앙정부·지방정부 및 비영리공공기관의 모든 재정활동을 포함하는 규모이다.
㉡ 각국은 국민계정작성기준에 따라 작성하며, 우리나라는 한국은행과 통합재정 '01 GFS 기준이 이 기준에 따라 작성하고 있다.

(3) **통합재정수지와 관리재정수지**

① **통합재정수지**: 해당 연도의 순수한 총수입에서 순수한 총지출을 차감한 수치를 말한다.
② **관리재정수지**: 통합재정수지 중 사회보장성기금을 제외한 재정수지를 말한다. 사회보장성기금(국민연금, 사학연금, 산업재해보상보험기금, 고용보험기금)의 흑자는 연금 등 장래 지급에 대비하여 적립되므로 재정건전성을 평가하기 위해서는 통합재정수지에서 사회보장성기금수지를 제외할 필요가 있기 때문에 작성된다.
③ **우리나라**: 2002년부터 통합재정수지와 함께 관리재정수지를 발표하고 있다.

## 02 예산의 종류

### 1. 예산성립 시기에 따른 분류(예산편성 절차상의 분류)

O·X 문제

6. 예산의 성립을 기준으로 볼 때 수정예산, 본예산, 추가경정예산 순으로 성립한다. ( )

7. 정부가 수정예산안을 편성하여 국회에 제출하고자 할 때에도 국무회의의 심의를 거쳐 대통령의 승인을 얻어야 한다. ( )

8. 수정예산은 예산 성립 후에 발생한 사유로 인하여 필요한 경비의 과부족이 발생한 때 본예산에 수정을 가한 예산이다. ( )

O·X 정답 1. ○ 2. × 3. × 4. × 5. ○ 6. ○ 7. ○ 8. ×

(1) 본예산(당초예산)

정부가 매년 다음 연도의 예산을 편성하여 회계연도 개시일 전에 국회의 심의·의결을 거쳐 확정된 최초의 예산을 말한다(입법부에 의해 의결된 시점에 성립).

(2) 수정예산

① 의의: 예산안이 편성되어 국회에 제출된 후 심의를 거쳐 성립(의결)되기 이전에 부득이한 사유로 인하여 그 내용의 일부를 수정하고자 하는 경우 작성되는 예산을 말한다(이미 제출된 예산안이 입법부에 제출되고 의결로 확정되기 이전 시점에 성립).

② 절 차

㉠ 정부는 예산안을 국회에 제출한 후 부득이한 사유로 인하여 그 내용의 일부를 수정하고자 하는 때에는 국무회의의 심의를 거쳐 대통령의 승인을 얻은 수정예산안을 국회에 제출할 수 있다.

㉡ 수정예산은 국회에 제출 후 상임위원회와 예산결산특별위원회의 심사를 받고 국회의 의결을 거쳐야 한다.

㉢ 이미 제출한 예산안이 예비심사나 종합심사 중에 있을 때에는 수정예산을 함께 심사하고, 심사가 종료된 경우에는 별도로 심사를 거쳐야 한다.

③ **추가경정예산의 수정예산안**: 본예산의 수정예산절차와 동일하다.

④ **우리나라**: 현재까지 총 4회 편성된 적이 있다(1970 · 1981 · 2009년 본예산, 1980년 추경예산).

### (3) 추가경정예산(최종예산)

① **의의**: 예산이 국회를 통과하여 성립된 후에 생긴 사유로 인하여 이미 확정된 예산에 변경을 가할 필요가 있을 때 편성되는 예산이다(확정된 예산을 집행할 때 기존 예산을 변경하는 시점에 성립).

② **특 징**

㉠ 정부는 국회에서 추가경정예산안이 확정되기 전에 이를 미리 배정하거나 집행할 수 없다.

㉡ 추가경정예산은 본예산의 항목 · 금액을 추가하거나 수정하는 것이므로 일단 성립하면 본예산에 흡수되어 본예산과 통산하여 전체로서 집행된다.

㉢ 추가경정예산은 예산 단일성의 원칙 및 한정성의 원칙의 예외이다.

㉣ 우리나라는 추가경정예산의 잦은 편성을 통제하기 위하여 「국가재정법」에 편성 사유를 엄격히 제한하고 있다. 그러나 편성 횟수에 대한 제한은 없다.

③ **절차**: 본예산의 편성절차와 원칙적으로 동일하다.

④ **편성사유**

㉠ 전쟁이나 대규모 재해(「재난 및 안전관리 기본법」에서 정의한 자연재난과 사회재난의 발생에 따른 피해)가 발생한 경우

㉡ 경기침체, 대량실업, 남북관계의 변화, 경제협력과 같은 대내 · 외 여건에 중대한 변화가 발생하였거나 발생할 우려가 있는 경우

㉢ 법령에 따라 국가가 지급하여야 하는 지출이 발생하거나 증가하는 경우

⑤ **우리나라**: 거의 매년 1~2회 추가경정예산을 편성하고 있다.

예산의 성립시기에 따른 분류

| | |
|---|---|
| 본예산 | 국회의 심의 · 의결을 거쳐 성립된 당초의 예산 |
| 수정예산 | 예산안이 국회 제출 후 성립 전에 내용을 변경하는 예산 |
| 추가경정예산 | 예산이 국회에서 의결 · 성립된 후에 원래의 내용을 변경하는 예산 |

**O·X 문제**

1. 수정예산안은 상임위원회와 예산결산특별위원회의 심의를 거쳐야 한다. ( )

**O·X 문제**

2. 추가경정예산은 본예산과 별도로 성립되며, 국회의 행정부에 대한 통제 강화에 도움을 준다. ( )
3. 추가경정예산안의 편성절차는 본예산안의 편성절차와 원칙적으로 동일하다. ( )
4. 추가경정예산은 본예산과 별개로 성립되며 일단 성립되어도 본예산과 별도로 운용 · 집행된다. ( )
5. 추가경정예산은 본예산과 별개로 성립하며 결산 심의 역시 별도로 이루어진다. ( )
6. 정부는 국회에서 추가경정예산안이 확정되기 전에 이를 미리 배정하거나 집행할 수 있다. ( )
7. 정부는 편성 사유와 무관하게 필요시 추가경정예산안을 편성할 수 있다. ( )
8. 추가경정예산의 편성 여부나 연간 편성 횟수에는 법령상 제한이 없다. ( )
9. 추가경정예산은 경기침체 등과 같은 대내외 여건에 중대한 변화가 발생할 우려가 있어 이미 확정된 예산에 변경을 가할 필요가 있는 경우라도 편성할 수 없다. ( )
10. 추가경정예산은 법령에 따라 국가가 지급하여야 하는 지출이 발생하거나 증가하여 이미 확정된 예산에 변경을 가할 필요가 있는 경우에 편성할 수 있다. ( )

O·X 정답 1. ○ 2. × 3. ○ 4. × 5. × 6. × 7. × 8. ○ 9. × 10. ○

PART · 06

**O·X 문제**

1. 예산은 성립시기에 따라 잠정예산, 가예산, 준예산으로 분류된다. ( )
2. 잠정예산은 수개월 단위로 임시예산을 편성해 운영하는 것으로 가예산과 달리 국회의 의결이 불필요하다. ( )
3. 예산이 성립되면 잠정예산은 그 유효기간이나 지출 잔액 유무에 관계없이 본예산에 흡수된다. ( )
4. 우리나라가 채택한 적이 있는 가예산의 경우, 예산안이 회계연도 개시일까지 국회를 통과하지 못할 때 정부는 1개월 이내의 시간범위 내에서 가예산을 지출할 수 있으며 국회의 의결은 불필요하다. ( )
5. 국회가 회계연도 개시 30일 전까지 다음 연도의 예산을 확정하지 못하면, 정부는 준예산을 편성하여 집행한다. ( )
6. 정부는 회계연도 개시 전까지 예산안이 의결되지 못한 때에는 전년도 예산에 준해 모든 예산을 편성해 운영할 수 있다. ( )
7. 새로운 회계연도가 개시될 때까지 국회에서 예산안이 의결되지 못한 때에는 정부에서 공무원 인건비, 추진이 시급한 신규 국책사업 등을 준예산으로 집행할 수 있다. ( )
8. 준예산은 사용기간이 무제한이다. ( )
9. 준예산은 우리나라 중앙정부 차원에서 한 번도 사용한 적이 없으며, 국회 사전동의가 필요하지 않다. ( )
10. 준예산, 가예산 및 잠정(답습)예산은 모두 사전의결의 원칙에 대한 예외이다. ( )

O·X 정답 1. × 2. × 3. ○ 4. × 5. × 6. × 7. × 8. ○ 9. ○ 10. ×

### 2. 예산집행 절차에 따른 종류(예산 불성립 시의 예산집행)

예산이 회계연도 개시일 전까지 국회에서 통과되지 못하는 경우에도 정부활동은 계속되어야 하므로 필요한 경비를 지출할 수 있는 제도가 마련되어야 한다. 이와 관련한 제도로 잠정예산, 가예산, 준예산, 답습예산 등이 있다.

(1) 잠정예산

① 의의: 새로운 회계연도가 개시될 때까지 예산안이 국회를 통과하지 못한 경우 국회의 의결로 일정 기간 동안 예산의 국고지출을 잠정적으로 허용하는 예산을 말한다.

② 특 징

㉠ 예산이 성립되면 잠정예산의 유효기간이나 지출 잔액 유무와 관계없이 본예산에 흡수된다.

㉡ 수정 통과가 거의 없는 미국, 영국, 일본, 캐나다와 같은 나라에서 상례적으로 잠정예산이 사용되고 있으며, 우리나라는 채택한 적이 없다.

㉢ 잠정예산을 사용하는 대부분의 국가에서는 사용기간을 한정하고 있지 않으나, 미국에서는 예산 의결 시 사용기간을 설정하기도 한다(최초 3~4개월분).

(2) 가예산

① 의의: 새로운 회계연도가 개시될 때까지 예산안이 국회를 통과하지 못한 경우 최초 1개월분을 국회에서 심의·의결하여 집행하는 예산을 말한다.

② 특 징

㉠ 잠정예산과 유사하지만 사용기간이 1개월 이내로 국한된다는 점에 차이가 있다.

㉡ 우리나라는 제1공화국 때 가예산제도를 채택하였으며, 1949년부터 1955년까지 거의 매년 가예산이 편성되었다.

(3) 준예산

① 의의: 새로운 회계연도가 개시될 때까지 예산안이 국회에서 의결되지 못한 때에 의회의 승인 없이 전년도 예산에 준하여 경비를 지출할 수 있는 예산을 말한다. 우리나라는 3차 개헌(1960년, 2공화국 이후) 이후부터 준예산을 채택하고 있다.

② 특 징

㉠ 기간의 제한이 없고 국회의 의결도 필요 없으며, 해당 연도의 예산이 성립할 때까지 일정 경비에 대하여 제한 없이 사용할 수 있다.

㉡ 준예산에 의하여 집행된 예산은 해당 연도의 예산이 확정된 때에는 그 확정된 예산에 따라 집행된 것으로 본다.

㉢ 준예산은 사전의결의 원칙의 예외이다.

③ 준예산제도가 적용되는 경비(「헌법」 제54조)

㉠ 「헌법」이나 법률에 의하여 설치된 기관 또는 시설의 유지·운영

㉡ 법률상 지출의무의 이행

㉢ 이미 예산으로 승인된 사업의 계속

④ 우리나라: 3차 개헌 이후 준예산을 채택하고 있으나, 지금까지 국가 차원에서는 단 한 번도 편성된 적이 없다. 다만, 지방정부 차원에서는 여러 번 편성된 바 있다.

(4) 답습예산

회계연도 개시 전까지 예산이 확정되지 않았을 때 상·하원의 의결을 통해 전년도 예산을 그대로 답습하는 제도이다.

예산 불성립 시의 예산집행방법

| 종 류 | 기 간 | 국회의 의결 | 지출항목 | 채택국가 |
|---|---|---|---|---|
| 준예산 | 제한 없음. | 불필요 | 한정적 | 한국, 독일 |
| 잠정예산 | 제한 없음. | 필요 | 전반적 | 영국, 미국, 일본, 캐나다 |
| 가예산 | 최초 1개월 | 필요 | 전반적 | 프랑스, 한국의 제1공화국 |

### 3. 조세지출예산제도

(1) 의 의

① **조세지출의 개념**: 정부가 민간부문의 특정 목적을 달성하기 위하여 조세상의 특혜를 부여하는 데서 생기는 조세수입의 상실분을 의미한다(예 비과세, 면세, 소득공제, 세액공제, 세액감면, 특혜세율, 세부담 이연 등).

② **조세지출예산의 개념**: 조세지출이 세출예산상의 보조금과 같은 경제적 효과를 가져오기 때문에 보조금 예산과 마찬가지로 이를 지출예산의 형태로 편성하여 매년 국회의 심의를 받도록 하는 제도이다.

(2) 목적 및 도입

① **목적**: 국회 차원에서 조세감면내역을 관리·감독하도록 하여 재정민주주의를 확립하고자 하는 목적에서 도입되었다.

② **연원**: 1959년 서독에서 최초로 도입하였다.

③ **도입**: 우리나라는 중앙정부의 경우 2011년부터 조세지출예산제도를 편성하였고, 지방정부의 경우 2010년부터 지방세지출예산제도를 편성하였다.

④ **법적 근거(「조세특례제한법」 제142조의2)**: 기획재정부장관은 조세감면·비과세·소득공제·세액공제·우대세율적용 또는 과세이연 등 조세특례에 따른 재정지원의 직전 연도 실적과 해당 연도 및 다음 연도의 추정금액을 기능별·세목별로 분석한 보고서를 작성하여야 한다.

(3) 조세지출의 특징

① **숨겨진 보조금**: 조세감면은 정부가 징수해야 할 조세를 받지 않고 그만큼 보조금으로 지급한 것과 같은 경제적 효과를 내므로 형식은 조세이지만 실질은 지출이다. 이에 조세지출을 숨겨진 보조금, 간접지출, 합법적 탈세라고 한다.

② **합법적인 세수손실**: 조세지출은 합법적인 세수손실만을 의미하며, 불법적인 탈세 등은 포함되지 않는다.

③ **조세지출의 높은 경직성**: 조세지출은 법률에 따라 집행될 뿐만 아니라 눈에 잘 띄지 않아 예산지출에 비하여 지속성과 경직성이 높다.

④ **정치적 상호작용**: 조세지출은 일종의 조세특혜 내지는 합법적 탈세이므로 특정 집단 간 복잡한 이해관계가 형성되고 정치적 관심대상이 된다.

**O·X 문제**

1. 조세지출예산제도는 세금을 징수하기 위해 지출한 예산을 통합적으로 관리하기 위한 예산제도이다. ( )
2. 조세지출예산제도는 각종 사회경제적 목적을 달성하기 위해 정부가 세금을 줄여 주거나 받지 않는 등의 재정지원을 예산지출로 인정하는 제도이다. ( )
3. 조세지출예산제도의 주된 분류방법은 세목별 분류로서 의회의 예산심의를 완화하기 위한 제도이다. ( )
4. 세금 자체를 부과하지 않은 비과세는 조세지출의 방법으로 볼 수 없다. ( )
5. 국세의 경우에는 조세감면이 인정되지만, 지방세의 경우에는 조세감면이 인정되지 않는다. ( )
6. 조세지출은 형식은 조세이지만 실질은 보조금과 같은 경제적 효과를 발생한다. ( )
7. 예산지출이 직접적 예산 집행이라면 조세지출은 세제상의 혜택을 통한 간접지출의 성격을 띤다. ( )
8. 조세지출은 행정부에 의해 탄력적으로 운영될 여지가 많다. ( )

O·X 정답 **1.** × **2.** ○ **3.** × **4.** × **5.** × **6.** ○ **7.** ○ **8.** ×

PART · 06

O·X 문제

1. 조세지출은 조세감면이 법적 근거 없이 공무원의 재량으로 집행되기 때문에 문제가 된다. ( )

O·X 문제

2. 조세지출예산은 과세의 수직적·수평적 형평성을 파악할 수 있기 때문에 세수인상을 위한 정책판단의 자료가 된다. ( )

3. 조세지출예산제도는 조세지출의 투명성과 항구성·지속성을 제고하는 장점이 있다. ( )

O·X 문제

4. 조세지출은 숨겨진 보조금적 성격을 띠므로 예산서에 명시될 경우 개방화된 자유무역환경하에서 무역마찰의 발생가능성이 있다. ( )

O·X 문제

5. 자본예산은 복식예산의 일종으로서, 정부예산을 경상지출과 자본수지로 구분한다. ( )

6. 자본예산제도는 예산이란 경기 순환기를 중심으로 균형이 이루어지면 된다는 논리이다. ( )

7. 자본예산제도는 자본적 지출에 충당하기 위한 공채의 발행은 정부재정의 건전성 요구에 위배된다는 점을 전제로 한다. ( )

O·X 정답 1. × 2. ○ 3. × 4. ○ 5. ○ 6. ○ 7. ×

⑤ **특정 산업의 육성**: 조세지출은 특정 사업을 육성하기 위한 유효한 정책수단 중에 하나이다.

⑥ **조세지출의 자의성**: 조세감면의 근거법에 집행사항을 행정부에 위임할 경우 조세지출에 있어 관료들의 자의적인 판단이 개입될 수 있다.

⑦ **저소득층에 불리**: 조세지출은 조세납부액이 적은 저소득층에게 더 불리할 수 있다.

(4) 조세지출예산제도의 필요성 – 조세지출에 대한 통제

① **재정민주주의의 실현**: 조세지출에 대한 국회의 통제권이 확보되어 재정민주주의 실현에 기여할 수 있다.

② **과세의 수직적·수평적 형평성 확보 및 자원배분의 효율성 제고**: 조세지출에 대한 국회의 통제권 행사 과정에서 조세정의가 실현되고 과세의 형평성을 확보할 수 있을 뿐만 아니라 비효율적인 조세지출을 축소하고 자원배분의 효율성을 제고할 수 있다.

③ **국민의 조세부담에 대한 정보제공**: 조세지출에 대한 정보를 제공함으로써 법정세율과 실효세율의 차이가 파악되어 국민의 조세부담에 대한 정확한 판단이 가능해진다.

④ **각종 정책수단의 효과성 파악**: 조세지출예산은 조세 감면의 정책효과에 대한 정보를 제공함으로써 직접지출의 정책효과와 비교를 통해 정책수단(직접지출과 조세지출) 간의 상대적 유용성을 평가할 수 있는 정보를 제공한다.

(5) 한 계

① **국제 무역마찰 우려**: 조세지출은 보조금의 성격을 지니며, 조세지출예산은 이를 알 수 있는 근거자료를 제공하므로 개방된 국제무역 환경에서 불공정 무역거래의 자료로 활용되어 무역마찰을 야기할 소지가 있다.

② **조세지출의 경직성**: 조세지출은 법률에 따라 집행되므로 경기변동 상황에 대응한 신축적인 조세정책 구현이 곤란하다.

③ **조세지출예산 작성의 어려움**: 조세지출예산은 포함시켜야 할 조세 감면의 범위 설정이 어렵고, 조세감면의 경제적 효과분석이 기술적으로 곤란하다.

### 4. 자본예산

(1) 의 의

자본예산이란 복식예산의 일종으로 정부예산을 경상지출과 자본지출로 구분하고, 경상지출(운영비)은 경상수입으로 충당시켜 수지균형을 이루도록 하지만, 자본지출은 적자재정과 공채발행으로 충당케 함으로써 불균형예산을 편성하는 제도를 말한다.

(2) 특성 및 편성 방법

① **전제**: 자본적 지출에 충당하기 위한 공채발행은 정부재정의 건전성 요구에 위배되지 않는다는 점을 전제로 하며, 예산은 회계연도를 초월하여 경기 순환기를 중심으로 균형이 이루어지면 된다는 논리이다. 따라서 자본예산은 장기적 균형을 중시한다.

② **대상**: 자본예산은 사회간접자본 등 지역사회에 미치는 외부효과가 큰 사업을 대상으로 하는 것이 바람직하다.

③ **경상지출과 자본지출의 구별 필요성**: 자본지출은 회계연도를 초월하여 집행하려는 의도를 가지고 있기 때문에 장기적인 계획 수립이 필요하며, 지출의 효과, 미래의 운영비에 미치는 영향, 편익의 발생기간, 지출결정에 요구되는 자료, 재원조달방법의 차이 등이 경상지출과 다르기 때문에 경상지출과 구별해야 한다고 본다.

④ **절차**: ㉠ 종합계획의 수립, ㉡ 사업계획의 수립, ㉢ 다년도 자본투자사업과 투자예산의 편성 순으로 이루어진다.

⑤ **분류**: 자본예산은 사업별 분류가 일반적이며, 기능별 분류나 조직별 분류의 세부 분류로 사용되기도 한다.

(3) 자본예산제도의 발달

① **스웨덴(효시)**: 1930년대 경제대공황에 대처하기 위해 미르달(Myrdal, G)의 제안에 의해 1937년에 채택되었다. 스웨덴에서의 자본예산은 국가적 차원에서 불경기와 실업을 타개할 목적으로 순환적 균형예산에 입각하여 편성되었다(경제안정화 기능 수행).

② **미국**: 미국에서 발달한 자본예산은 지방(시)정부의 공채발행을 통해 시의 공공사업에 대한 투자재원 확보를 목적으로 시행되었다(단순한 투자재원 확보).

③ **개발도상국가**: 경제성장을 위한 투자재원 확보를 위해 도입되어 시행되었다는 점에서 미국이나 스웨덴의 도입배경과 차이가 있다.

(4) 장 점

① **투자분석(자본지출 분석) 및 장기적 재정계획 수립 용이**: 자본예산은 자본적 지출에 대한 투자분석을 용이하게 한다. 자본적 지출에 대한 투자분석은 의사결정자의 장기적 재정계획 수립에 도움을 주며, 정부의 신용도를 높이는 데 기여한다.

② **부담의 불공평성 완화(수익자 부담의 원칙 확립)**: 자본예산으로 국공채 발행을 통해 시행된 사업은 그 사업이 완공된 후 편익을 얻게 되는 자가 비용을 부담하게 되기 때문에 세대 간 또는 지역 간 이동에 따른 부담의 형평성을 확보할 수 있다.

③ **정부 순자산상태의 변동파악 가능**: 자본예산을 통해 자본시설에 대한 자산의 감모분(減耗分) 및 잔존가치(감가상각)를 쉽게 알 수 있기 때문에 정부의 순자산상태의 변동을 파악할 수 있다.

④ **경제불황 극복수단**: 자본예산을 통해 경제적 불황기에 적자예산을 편성할 경우, 총수요의 확장효과(유효수요와 고용 증대)를 가져올 수 있어 경기회복에 도움을 줄 수 있다.

⑤ **일관성 있는 조세 정책 구현**: 자본예산을 통해 세출규모의 변동을 장기적 관점에서 조정함으로써 주민 조세부담의 기복과 지출의 기복을 조절할 수 있다.

⑥ **경제정책의 도구**: 자본예산은 경기불황기에 국가의 경제안정화를 위한 재정정책의 도구로 활용될 수 있다.

(5) 단 점

① **자본지출 대상 결정의 곤란성**: 자본지출 대상을 자본 수명 5년으로 할 것인가 또는 10년으로 할 것인가, 유형의 고정자산만을 대상으로 할 것인가 또는 무형의 고정자산까지 포함할 것인가 등에 대한 명확한 기준이 없다.

② **경상경비의 적자은폐 수단**: 자본지출 대상 범위를 넓게 인식할 경우 경상지출마저도 자본지출로 파악하여 경상경비의 적자를 은폐하는 수단으로 악용될 수 있다.

PART · 06

**O·X 문제**

1. 자본예산제도는 비용부담자와 편익수혜자를 일치시켜 재정부담의 공평화에 기여한다. ( )

2. 자본예산제도는 국가 또는 지방자치단체의 순자산상황의 변동과 사회자본의 축적 · 유지의 추이를 나타내는 데는 사용할 수 없다. ( )

3. 자본예산제도는 경기침체 시 흑자예산을, 경기과열 시 적자예산을 편성하여 경기변동의 조절에 도움을 준다. ( )

**O·X 정답** 1. ○ 2. × 3. ×

O·X 문제

1. 자본예산제도에서 경상경비와 자본적 경비는 명확하게 구분이 가능하다. ( )

2. 자본예산제도는 재정의 안정효과를 강화하고 인플레이션으로 인한 문제를 해결할 수 있다는 장점이 있다. ( )

3. 자본예산은 선심성 사업을 줄인다. ( )

③ **인플레이션 가속화**: 중앙정부가 자본예산을 사용하는 경우에 정부지출의 증가로 통화량이 증가하여 인플레이션이 발생할 가능성이 있다.

④ **자원배분의 불합리성 야기(자본축적에만 치중)**: 자본예산은 정부가 자본재의 축적 또는 수익사업에만 치중하게 하고 사회복지사업 등은 등한시하게 할 위험성이 있다.

⑤ **선심성 사업 남발**: 자본예산에 의한 자본적 지출은 적자재정을 정당화하기 때문에 선심성 사업이 남발될 수 있다.

⑥ **미래세대에게 과도한 운영비 부담**: 자본예산은 현세대의 의사결정에 대한 비용부담을 미래세대에게 전가할 위험성이 있다.

⑦ **경제안정 저해**: 자본예산은 건전재정의 전통이 약한 나라의 경우 적자재정의 편성으로 경제안정을 해칠 위험성이 있다.

## 제 3 절 계획과 예산, 예산과 법률

### 01 계획과 예산

#### 1. 의 의

예산 없는 계획은 비현실적이며, 계획 없는 예산은 낭비적이다. 이에 쉬크(Schick)는 "예산과 계획은 불가분적 상호관계에 있다."라고 하였다. 그러나 현실적으로 양자는 그 접근방법·내용·목적 등의 속성상 괴리를 빚기 쉽다.

#### 2. 계획과 예산의 차이

| 구 분 | 계 획 | 예 산 |
|---|---|---|
| 대상 범위 | 공공부문과 민간부문 | 공공부문에 한정 |
| 기 간 | 장기적 | 주로 1년 단위로 단기적 |
| 접근방법 | 개념적 접근✢: 경제·사회에 대한 미래상을 설계하는 사고과정 | 실용적 접근✢: 각 부처의 자금 사용을 통제하는 실질적인 운영서류 |
| 이용시각 | 전략적 선택(미래의 비전제시에 초점) | 운영적 선택(구체적 재원배분에 초점) |

✢ 개념적 접근과 실용적 접근

| | |
|---|---|
| 계획 | 경제·사회부문에 대한 미래상을 설계하고 이를 달성하기 위한 추상적인 개념적 접근 |
| 예산 | 각 부처의 자금 사용 및 계약을 통제해야 하는 실질적이고 구체적인 실용적 접근 |

#### 3. 계획과 예산의 괴리 및 연계방안

(1) 계획과 예산의 괴리 원인

① **환경적 요인**: 행정능력·예측능력이 낮거나 정치적 불안 등 사회적 불확실성이 높은 사회에서는 계획과 예산이 형식적으로 운영되어 괴리를 빚는다.

② **구조적 요인**

㉠ **계획의 추상성**: 계획은 추상적이고 거시적이므로 이를 구체화하는 과정에서 예산과 괴리가 발생할 수 있다.

㉡ **재원의 부족**: 재원의 부족으로 예산이 계획을 뒷받침하지 못하는 경우 예산과 계획은 괴리를 빚는다.

O·X 정답 1. × 2. × 3. ×

㉢ **예산과정의 정치성**: 계획을 구체화하는 예산과정에서 각종 이익집단·의원·관료의 정치적 영향력으로 예산과 계획이 불일치할 수 있다.

㉣ **계획 및 예산제도의 결함**: 계획이 너무 장기적이거나 고정적일 때, 계획의 신축성이 결여될 때, 예산이 너무 통제적이거나 점증적일 때, 예산의 결과가 환류되지 못할 때 등 계획과 예산이 자체적으로 결함을 가지고 있을 때 계획과 예산은 괴리된다.

㉤ **기획기관과 예산기관과의 연계 부족**: 기획기관은 총량지표만 개발하고 과다지출을 요구하는 반면, 예산기관은 기획을 비현실적인 것으로 경시하면서 절약에만 관심을 가질 경우 계획과 예산은 괴리된다.

③ **행태적 요인**: 계획담당자는 주로 미래지향적·발전지향적·쇄신적·소비지향적 성향을 지니는 반면, 예산담당자는 주로 현상유지적·보수적·비판적·부정적·저축지향적 성향을 지니기 때문에 계획과 예산은 괴리된다.

⑵ 계획과 예산의 연계방안

① **계획기구와 예산기구의 통합**: 계획기구와 예산기구를 일원화할 필요가 있다. 우리나라의 기획재정부는 형식상으로는 일원화된 모습을 지니고 있다.

② **담당자 간 인사교류와 공동교육훈련**: 기획담당자와 예산담당자 간 이해를 촉진하기 위해 인사교류 및 공동교육훈련이 필요하다.

③ **연동계획의 수립**: 중장기계획의 하위계획으로 연차계획을 세워 연동하고 이러한 연차계획이 예산에 반영되도록 해야 한다. 우리나라의 국가재정운용계획은 이러한 목적에서 운영되고 있다.

④ **합리적인 예산제도의 도입**: 통제 중심의 품목별 예산제도를 지양하고 계획과 예산의 연계를 전제로 하는 계획예산제도의 도입이 요구된다.

⑤ **심사평가 및 결산의 강화**: 계획집행에 대한 심사평가를 강화하고 예산집행 후의 결산제도의 운영을 내실화하여 그 결과를 새로운 예산편성과 계획수립에 반영할 필요가 있다.

## 02 예산과 법률

### 1. 예산의 형식

⑴ 예산법률주의와 예산의결주의

① **예산법률주의**: 예산을 법률의 형식으로 국회의 의결을 얻는 것으로 세입예산과 세출예산 모두 법적 구속을 받는다(영미법계).

② **예산의결주의**: 예산을 예산서 형태로 국회의 의결을 얻는 것으로 세출예산은 대정부 구속력을 지니나, 세입예산은 구속력을 갖지 못한다(대륙법계).

**O·X 문제**

1. 계획의 미래지향성과 예산의 현상유지성으로 인해 괴리와 갈등이 발생한다. ( )

2. 일반적으로 계획담당자는 비판적, 보수적, 부정적, 저축지향적이며, 예산담당자는 미래지향적, 발전지향적, 쇄신적, 소비지향적이다. ( )

O·X 정답 1. ○ 2. ×

PART · 06

③ 예산법률주의와 예산의결주의의 비교

| 구 분 | 예산법률주의 | 예산의결주의 |
|---|---|---|
| 의 의 | 예산을 법률의 형식으로 국회의 의결을 얻는 것 | 예산을 법률보다 하위의 예산서의 형식으로 국회의 의결을 얻는 것 |
| 채택국가 | 영국, 미국 | 한국, 일본, 대륙법계 국가 |
| 특 징 | 세입과 세출예산 모두 매년 국회가 법률로 확정(세입과 세출 모두 법적 구속력을 지님) | 행정부가 편성한 예산을 매년 의회가 의결(세출은 대정부 구속력, 세입은 참고자료) |
| 대통령의 거부권 | 원칙적으로 거부권 행사 가능 | 거부권 행사 불가능 |
| 조 세 | 1년세주의 | 영구세주의 |

(2) 우리나라 예산의 형식

우리나라는 예산의결주의에 의해 예산이 성립되며, 예산서는 예산총칙, 세입세출예산, 계속비, 명시이월비, 국고채무부담행위로 구성된다.

## 2. 예산과 법률의 비교 및 관계

(1) 예산과 법률의 비교

예산의결주의에 의할 때 예산과 법률은 별개이며, 그 성질·절차·효력이 상이하다.

| 구 분 | 예 산 | 법 률 |
|---|---|---|
| 성 질 | 행정부에 대한 국회의 의사표시 | 국민에 대한 국가의 의사표시 |
| 제출권자 | 정부 | 정부와 국회 |
| 제출기한 | 회계연도 개시 120일 전 | 제한 없음. |
| 심의기한 | 회계연도 개시 30일 전 | 제한 없음. |
| 심의범위 | 정부동의 없이 증액 및 새 비목 설치 불가 | 자유로운 수정 가능 |
| 거부권 행사 | 대통령의 거부권 행사 불가 | 대통령의 거부권 행사 가능 |
| 공 포 | 공포 불요, 의결로 확정 | 공포해야 효력 발생 |
| 시간적 효력 | 회계연도에 국한 | 폐지 전까지 계속적 효력 발생 |
| 대인적 효력 | 국가기관만 구속 | 국가기관과 국민 모두 구속 |
| 지역적 효력 | 국내·외 효력 발생(해외공관 등) | 원칙상 국내만 효력 발생 |
| 형식적 효력 | 예산으로 법률 개폐 불가 | 법률로 예산변경 불가 |

(2) 예산과 법률의 관계

예산으로 성립되어도 이에 대한 법적 근거가 없으면 정부는 지출할 수 없으며, 법률에 지출근거가 있어도 실행할 수 있는 예산이 없으면 실제의 지출행위를 할 수 없다. 다만, 예산 성립 이전에 예산을 필요로 하는 법률을 제정한 경우 국회의 예산심의권은 법률에 의해 제한된다.

**심화학습**

**미국의 예산항목별 거부권**

미국은 클린턴 정부 시절 예산에 대한 대통령의 항목별 거부권을 인정하였으나 현재 「예산항목별거부권법」의 위헌판결로 대통령의 세출예산에 대한 항목별 거부권 행사는 불가능하다.

**O·X 문제**

1. 우리나라 예산제도는 세입과 세출예산을 매년 의회가 법률로서 확정하므로 세입과 세출이 모두 구속력을 지닌다. ( )
2. 우리나라의 경우 법률안과 달리 예산안은 정부만이 편성하여 제출할 수 있으며, 국가기관만을 구속한다. ( )
3. 우리나라의 예산은 행정부가 제출하고 국회가 심의·확정하지만, 미국과 같은 세출예산법률의 형식은 아니다. ( )
4. 우리나라의 경우 국회가 의결한 법률안과 예산안에 대하여 대통령은 거부권을 행사할 수 있다. ( )
5. 국회는 발의·제출된 법률안을 수정·보완할 수 있지만, 제출된 예산안은 정부의 동의 없이는 수정할 수 없다. ( )
6. 국회에 제출된 법률안은 의결기한에 제한이 없으나, 예산안은 매년 12월 2일까지 예산결산특별위원회의 심사를 마쳐야 한다. ( )
7. 법률안과 예산안은 국회에서 의결된 후 공포 절차를 거쳐야 효력이 발생한다. ( )
8. 예산은 국회의 의결로 성립하지만 정부의 수입, 지출의 권한과 의무는 별도의 법률로 규정된다. ( )
9. 예산으로 법률의 개폐가 불가능하지만 법률로는 예산을 변경할 수 있다. ( )
10. 대통령은 국회가 의결한 법률안에 대해 재의 요구를 할 수 있으나, 국회는 정부가 제출한 예산안에 대한 심의·의결 자체를 거부할 수 있다. ( )

O·X 정답 1. × 2. ○ 3. ○ 4. × 5. × 6. × 7. × 8. ○ 9. × 10. ×

### 3. 예산관계법규

(1) 「헌법」

① 의의 : 국가의 근본법인 「헌법」은 국가예산의 운영과 통제를 위하여 국회의 예산심의권, 준예산, 계속비, 예비비, 추가경정예산, 예산 증액 및 새 비목 설치 제한, 국채 및 국고부담행위 제한 등 다양한 예산 관련 조항을 규정하고 있다.

② 예산 관련 「헌법」 규정

㉠ 국회의 예산심의권과 준예산(제54조)

ⓐ 국회는 국가의 예산안을 심의·확정한다.

ⓑ 정부는 회계연도마다 예산안을 편성하여 회계연도 개시 90일 전까지 국회에 제출하고, 국회는 회계연도 개시 30일 전까지 이를 의결하여야 한다.

ⓒ 새로운 회계연도가 개시될 때까지 예산안이 의결되지 못한 때에는 정부는 국회에서 예산안이 의결될 때까지 일정경비는 전년도 예산에 준하여 집행할 수 있다.

㉡ 계속비와 예비비(제55조)

ⓐ 한 회계연도를 넘어 계속하여 지출할 필요가 있을 때에는 정부는 연한을 정하여 계속비로서 국회의 의결을 얻어야 한다.

ⓑ 예비비는 총액으로 국회의 의결을 얻어야 한다. 예비비의 지출은 차기 국회의 승인을 얻어야 한다.

㉢ 추가경정예산(제56조) : 정부는 예산에 변경을 가할 필요가 있을 때에는 추가경정예산안을 편성하여 국회에 제출할 수 있다.

㉣ 예산 증액 및 새 비목 설치 제한(제57조) : 국회는 정부의 동의 없이 정부가 제출한 지출예산 각 항의 금액을 증가하거나 새 비목을 설치할 수 없다.

㉤ 국채 및 국고채무부담행위(제58조) : 국채를 모집하거나 예산 외에 국가의 부담이 될 계약을 체결하려 할 때에는 정부는 미리 국회의 의결을 얻어야 한다.

㉥ 조세법정주의(제59조) : 조세의 종목과 세율은 법률로 정한다.

㉦ 감사원의 세입·세출 결산 검사(제99조) : 감사원은 세입·세출의 결산을 매년 검사하여 대통령과 차년도 국회에 그 결과를 보고해야 한다.

(2) 「국가재정법」

'효율적이고 성과지향적'이며 '투명한' 재정운용과 '건전재정'의 기틀을 확립하고 재정운용의 '공공성'을 증진하기 위하여 국가의 예산·기금·결산·성과관리 및 국가채무 등 재정에 관한 사항을 정할 목적으로 제정된 법률이다(2020년 개정으로 공공성 추가).

(3) 「국가회계법」

일반회계·특별회계·기금과 관련된 국가회계를 투명하게 처리하고, 재정에 관한 유용하고 적정한 정보를 생산·제공하기 위하여 국가회계에 관한 기본적인 사항(복식부기·발생주의, 국가회계의 처리기준, 결산보고서 등)을 정할 목적으로 제정된 법률이다.

심화학습

「국고금관리법」의 주요 내용

| | |
|---|---|
| 전자송달 | 수입징수관은 납세의무자 등이 신청하는 경우 납입고지서를 정보통신망을 이용하여 송달할 수 있다. |
| 계좌이체 | 지출원인행위에 따라 지출관이 지출을 하려는 경우에는 채권자 등의 계좌로 이체하여 지급하여야 한다(국고수표발행제도 폐지). |
| 관서운영경비 | 중앙관서의 장 등은 관서운영경비(파출소, 재외관서 등)의 경우 필요한 자금을 출납공무원으로 하여금 지출관으로부터 교부받아 지급하게 할 수 있다(정부구매카드 사용, 불가피한 경우 현금지급). |

(4) 「국고금관리법」

일반회계・특별회계・기금과 관련된 국고금을 효율적이고 투명하게 관리하기 위하여 국고금 관리에 필요한 사항(전자송달제도, 계좌이체제도, 관서운영경비 등)을 정할 목적으로 제정된 법률이다.

(5) 「정부기업예산법」

① 목적: 정부기업의 경영을 합리화하고 운영의 투명성을 제고하기 위하여 정부기업별로 특별회계를 설치하고, 그 예산 등의 운용에 관한 사항을 규정할 목적으로 제정되었다.

② 대상: 정부기업(양곡관리・우편・우체국예금・조달)과 특별회계책임운영기관

③ 운영 및 관리: 특별회계(기업특별회계)로 운영되며, 중앙관서의 장이 관리・운용

④ 주요 내용: 수입금마련지출제도, 전용의 자율성, 이익 및 손실의 자기처분, 회전자금의 보유 및 운용, 자금의 차입, 자금의 선지급 등

(6) 「공공기관의 운영에 관한 법률」

공공기관의 경영을 합리화하고 운영의 투명성을 제고함으로써 대국민서비스의 증진에 기여하기 위하여 공공기관의 운영에 관한 기본적인 사항과 자율경영 및 책임경영체제의 확립에 관하여 필요한 사항(성과관리, 독립채산제 등)을 정할 목적으로 제정되었다.

(7) 「지방공기업법」

지방공기업(지방직영기업, 지방공사 및 지방공단)의 경영을 합리화함으로써 지방자치의 발전과 주민의 복리증진에 기여하기 위하여 필요한 사항을 정할 목적으로 제정되었다.

(8) 「지방재정법」

① 목적: 지방재정의 건전하고 투명한 운용과 자율성을 보장하기 위하여 지방자치단체의 재정 및 회계에 관한 기본원칙을 정할 목적으로 제정되었다.

② 지방재정의 특징

㉠ 지방재정은 중앙정부의 지원금에 대한 의존도가 높다.

㉡ 지방재정은 국가재정보다 예산결정의 불확실성이 높고, 추가경정예산의 편성 빈도가 높다.

㉢ 지방의회의 예산결산특별위원회는 중앙정부와 달리 상설화되어 있지 않다.

㉣ 기초자치단체의 지방의회는 상임위원회가 설치되어 있지 않은 경우도 있어 예산심의 시에 예비심사가 필수적으로 실시되는 것은 아니다.

### ③ 국가재정과 지방재정의 비교

| 구 분 | 국가재정 | 지방재정 |
|---|---|---|
| 예산제출시한 | 회계연도 개시 120일 전 | **광역**: 50일 전, **기초**: 40일 전 |
| 예산의결시한 | 회계연도 개시 30일 전 | **광역**: 15일 전, **기초**: 10일 전 |
| 출납정리기한 | 12월 31일까지 | |
| 출납기한 | 2월 10일까지 | |
| 예산의 구성 | 예산총칙, 세입세출예산, 계속비, 명시이월비 | |
| | 국고채무부담행위 | 채무부담행위 |
| 추가경정예산 | 편성사유 제한 있음. | 편성사유 제한 없음. |
| 통합재정 | 정부통합재정통계 작성 | 지역통합재정통계 작성 |
| 특별회계 | 법률로 설치 | 법률 또는 조례로 설치(목적세는 특별회계로 운영, 특별회계일몰제 도입) |
| 편성과정에서의 주민(국민)참여 | 국민참여예산제(2018년 도입) | 주민참여예산제(2011년 도입, 필수사항) |
| 불법재정지출에 대한 주민(국민)감시 | 예산성과금제 도입 | 예산성과금제 도입 |
| 성인지 예·결산제도 | 시행(2010년) | 시행(2013년) |
| 성과계획서 및 성과 보고서 제출 | 실시 | 실시 |
| 총액배분자율편성예산 | 도입 | 미도입 |
| 재정운용계획 | 국가재정운용계획 수립 | 중기지방재정운용계획 수립 |
| 조세지출예산서 | 실시 | 실시 |
| 총액계상예산 | 도입 | 미도입 |
| 재정분석 및 재정진단 | 미도입 | 도입 |
| 재정영향평가제도 | 미도입 | 도입(지방재정영향평가제도) |
| 발생주의·복식부기 | 실시 | 실시 |
| 납세자소송제도 | 미도입 | 도입 |
| 예비비 반영 | 일반회계 예산총액의 1/100 이내로 계상할 수 있음(재량). | 일반회계와 교육비특별회계는 1/100 이내로 계상해야 하고(의무), 그 밖의 특별회계는 1/100 이내로 계상할 수 있음(재량). |
| 상임위의 예비심사 | 필수 | 생략되는 기초의회도 있음. |
| 예산결산특별위원회 | 상설 | 비상설 |

**O·X 문제**

1. 「국가재정법」상 정부예산은 회계연도 개시 120일 전까지 예산안을 국회에 제출해야 하며, 「지방자치법」상 지방예산은 광역자치단체의 경우에는 회계연도 개시 50일 전까지, 기초자치단체의 경우 40일 전까지 지방의회에 제출해야 한다. ( )
2. 주민참여예산제도가 지방자치단체에 도입되었고 중앙정부에도 국민참여예산제도가 도입되어 있다. ( )
3. 지방자치단체의 예비비는 일반회계의 경우 예산총액의 100분의 1 이내의 금액을 예비비로 계상하여야 한다. ( )
4. 총액배분·자율편성 예산제도가 중앙정부는 물론 지방자치단체에도 도입되어 있다. ( )
5. 납세자 소송제도가 지방자치단체에만 주민소송의 형태로 도입되었고, 중앙정부에는 아직 도입되지 않았다. ( )

PART · 06

O·X 정답 1. ○ 2. ○ 3. ○ 4. × 5. ○

# 제 4 절 예산의 분류와 예산과목

## 01 예산의 분류

### 1. 의 의

(1) 개 념

예산의 분류란 세입과 세출의 내용을 일정한 기준에 따라 체계적으로 배열하는 것을 말한다. 예산의 분류방식에는 기능별 분류, 조직별 분류, 품목별 분류, 경제성질별 분류 등이 있다. 그러나 이러한 분류방식이 절대적인 것은 아니며 교차분류방식에 의해 혼합적으로 이용되기도 하고, 필요에 따라 전혀 새로운 분류방식이 개발될 수도 있다.

예산의 분류방식과 초점

| 분류방식 | 초 점 |
|---|---|
| 기능별 분류 | 정부가 무슨 일을 하는 데 얼마를 쓰느냐 |
| 조직별 분류 | 누가 얼마를 쓰느냐 |
| 품목별 분류 | 정부가 무엇을 구입하는 데 얼마를 쓰느냐 |
| 경제성질별 분류 | 국민경제에 미치는 총체적인 효과가 어떠한가 |

(2) 예산분류의 목적

① 사업계획의 수립 및 예산심의 용이(예 기능별 · 사업별 분류)
② 예산집행의 효율화와 자원의 신축적 운용 도모(예 조직별 분류)
③ 회계책임의 명확화(예 품목별 분류)
④ 국민경제에 미치는 경제적 효과에 대해 정확한 분석 · 파악(예 경제성질별 분류)
⑤ 예산에 필요한 정보 제공

### 2. 예산분류방식의 구체적 고찰

(1) 기능별 분류(classification by function)

① 의의: 정부가 수행하는 기능을 중심으로 예산을 분류하는 방식이다. 기능별 분류는 정부의 활동영역별 예산배분현황을 보여주어 정책의 우선순위를 파악하게 해주는 정보이다.

② 특 징

㉠ 기능별 분류는 세출예산에만 적용이 가능하다.
㉡ 기능별 분류의 대항목은 어느 한 부처의 예산에 소속되지 않고 여러 부처로 분산되어 있다.
㉢ 기능별 분류는 시민이 국가예산을 잘 이해할 수 있도록 한다는 점에서 '시민을 위한 분류'라고도 한다.
㉣ 기능별 분류는 사업별 · 활동별 분류와 연계된다는 점에서 성과주의 예산에 가장 적합한 분류방식이다.

심화학습

정부기능연계모델(BRM)

| 구분 | 내용 | |
|---|---|---|
| 의의 | 정부가 수행하고 있는 모든 기능들을 개별 부처 관점이 아닌 동일한 목적 달성을 위한 기능의 관점에서 체계적으로 정리한 모형 | |
| 목적 | • 이음매 없는 행정 구현<br>• 재정운영의 효율성 증진 | |
| 우리나라 정부의 기능분류 | 16분야 75부문 | |
| | 010. 일반공공행정<br>011. 입법 | 050. 교육<br>051. 유아교육 |
| | 080. 사회복지<br>081. 기초생활보장 | 140. 국토개발<br>141. 수자원 |

ⓜ 기능별 분류는 예산의 전체 윤곽을 밝히는 데 유용하여 미국과 우리나라의 예산 개요(나라살림)의 작성에 활용되고 있다.

ⓑ 일반행정비는 국민을 위한 국가기능이 아니므로 가능한 한 적게 책정되는 것이 바람직하다.

③ **장 · 단점**

| 장 점 | 단 점 |
|---|---|
| • 행정수반의 예산정책 수립 용이<br>• 정부활동의 우선순위 파악 용이<br>• 장기간에 걸친 정부활동 분석 용이<br>• 국민의 정부활동에 대한 이해 용이<br>• 국회의 예산심의 용이<br>• 총괄계정에 적합 | • 회계책임 확보 곤란(입법통제 곤란)<br>• 기관별 예산의 흐름(정부예산의 유통과정) 파악 곤란<br>• 예산의 국민경제적 효과 파악 곤란<br>• 특정 사업이 두 개 이상의 기능에 속하는 경우 많음. |

④ **한국의 기능별 분류** : 현행 예산과목체계에서는 '장(章)'과 '관(款)'이 기능별 분류에 해당한다. 우리나라의 기능별 분류는 국가재정운용계획에 의해 작성되며, 16분야 75부문으로 구성된다.

**(2) 조직별 분류(소관별 분류 : organizational classification)**

① **의의** : 예산을 편성하고 집행하는 정부의 조직단위에 따라 분류하는 방식이다. 이때의 정부조직단위는 독립적인 예산의 편성 및 집행단위로 제도단위의 기준이 된다.

② **장 · 단점**

| 장 점 | 단 점 |
|---|---|
| • 입법부의 예산통제 용이<br>• 경비지출의 책임소재 분명<br>• 예산과정의 단계를 명백히 함.<br>• 국회의 예산심의 용이<br>• 비교적 총괄계정에 적합<br>• 주체별 구분으로 예산집행 용이 | • 경비지출의 목적 파악 곤란<br>• 예산의 경제적 효과 파악 곤란<br>• 조직 활동의 성과 파악 곤란<br>• 사업계획의 효과 평가 곤란<br>• 사업의 우선순위 파악 곤란 |

③ **한국의 조직별 분류**

㉠ 우리나라의 조직별 예산편성단위는 「국가재정법」상 중앙관서이다.

㉡ 「국가재정법」상 중앙관서의 수와 「정부조직법」상 중앙행정기관의 수는 일치하지 않는다. 「국가재정법」상 중앙관서는 「정부조직법」에 따라 설치된 중앙행정기관뿐만 아니라 국회, 대법원, 헌법재판소, 선거관리위원회 등 「헌법」상 독립기관도 포함되기 때문에 「정부조직법」상의 중앙행정기관보다 넓은 개념이다.

㉢ 세출예산서상 중앙관서의 수와 세입예산서상 중앙관서의 수는 일치하지 않는다. 이는 국가인권위원회, 국정원 등 세입이 전혀 없는 중앙관서도 있기 때문이다.

**(3) 품목별 분류(classification by object)**

① **의의** : 예산을 지출 대상(품목)별로 분류하는 방식이다. 품목별 분류는 예산액을 지출 대상별로 한계를 정해 배정함으로써 관료의 권한과 재량을 제한하고 회계 책임을 명확히 할 수 있는 통제지향적 분류방법이다.

**O·X 문제**

1. 예산의 기능별 분류의 장점은 국민이 정부 예산을 이해하기 쉽다는 점이다. ( )
2. 기능별 분류는 세출예산에만 적용되며, 시민을 위한 분류라고도 한다. ( )
3. 기능별 분류는 성과주의 예산제도에 가장 적합하다. ( )
4. 기능별 예산분류제도는 회계책임이 명확하지 않다. ( )
5. 기능별 예산분류제도는 예산에 대한 입법부의 효율적 통제가 어렵다. ( )

**O·X 문제**

6. 조직별 분류는 부처 예산의 전모를 파악할 수 있어 지출의 목적이나 예산의 성과파악이 용이하다. ( )
7. 예산을 조직별(또는 소관별)로 분류하면 모든 중앙관서는 세입예산을 가진다. ( )
8. 조직별 분류의 단위는 중앙관서로서 회계책임을 확보하기 위해 세입예산과 세출예산상 관서의 수는 일치하도록 한다. ( )

O·X 정답 1. ○ 2. ○ 3. ○ 4. ○ 5. ○ 6. × 7. × 8. ×

PART · 06

② 특 징

㉠ 행정학 성립 초기 태프트(Taft)위원회(절약과 능률에 관한 대통령 위원회)에서 강조했던 분류방식이다.

㉡ 세계적으로 가장 많이 활용되는 분류방식이다.

㉢ 보통 다른 분류방식과 병행하여 활용된다.

③ 장 · 단점

| 장 점 | 단 점 |
|---|---|
| • 예산집행자의 회계책임 명확<br>• 인건비가 하나의 항목으로 구성되어 있어 인사행정에 대한 유용한 정보 제공<br>• 지출의 합법성에 치중하는 회계검사에 용이<br>• 행정의 재량범위를 줄여 행정통제 용이<br>• 명세계정에 적합 | • 정부지출의 전체규모 · 지출목적 · 사업의 우선순위 파악 곤란<br>• 예산집행의 신축성 저해<br>• 국민들의 이해 곤란<br>• 총괄계정에 부적합<br>• 지나친 세분류로 번문욕례 초래<br>• 사업의 성과파악 곤란<br>• 새로운 사업의 창안이나 촉진 곤란 |

④ **한국의 품목별 분류**: 「국가재정법」상의 성질별 분류가 품목별 분류에 해당한다. 「국가재정법」상의 성질별 분류는 경제적 성질에 따른 분류가 아니라 경비의 성질에 따른 분류이기 때문이다. 또한, 예산과목체계 중 '목'이 품목별 분류에 해당한다.

(4) 경제성질별 분류(economic character classification)

① **의의**: 예산이 국민경제에 미치는 영향을 분석 · 평가하기 위해 예산을 경제적 성질에 따라 분류하는 방법이다.

② 특 징

㉠ 재정정책의 수립과 집행에 필요한 정보를 제공하는 데 유용하다.

㉡ 정부 고위층에 예산정보를 제공하기 위한 목적에서 편성되는 예산제도로 언제나 다른 예산분류방법과 함께 이용되어야만 한다.

③ 장 · 단점

| 장 점 | 단 점 |
|---|---|
| • 경제정책의 수립을 위한 기초자료 제공<br>• 국가 간 예산 경비의 비중 비교<br>• 예산의 국민경제적 효과 파악 용이<br>• 정부거래의 경제적 효과 분석 용이 | • 경제적 영향의 일부만 측정 가능<br>• 다른 분류방법과 병행하여 사용해야 함.<br>• 하위직 공무원에게는 유용하지 않음.<br>• 소득배분 · 산업부문별 영향분석 등은 불가능 |

④ **한국의 경제성질별 분류**: 현재 재정정책 수립을 위한 유용한 정보로서 활용되는 경제성질별 분류로는 통합예산, 재정충격지표✣, 국민경제예산✣, 완전고용예산✣ 등이 있다.

(5) 기타 분류

① **사업별 분류**: 기능별 분류의 세분화로 각 부처의 업무를 몇 개의 사업으로 나누고, 그에 따라 예산을 분류하는 방법

② **활동별 분류**: 사업별 분류를 다시 세분류한 분류방법

③ **성과별 분류**: 기능과 활동을 기초로 예산지출에 의한 사업성과에 중점을 두고 예산을 분류하는 방법

**O·X 문제**

1. 품목별 분류는 사업의 지출성과와 결과에 대한 측정이 곤란하다. ( )

2. 품목별 분류는 예산집행기관의 재량을 확대하는 데 유용하다. ( )

3. 품목별 분류는 예산의 전체 윤곽을 밝히는 데 유용하며 미국 '예산개요(The Budget in Brief)'의 작성에 주로 활용되고 있다. ( )

**O·X 문제**

4. 경제성질별 분류는 국민경제활동의 구성과 수준에 미치는 영향을 파악하고, 고위정책결정자들에게 유용한 정보를 제공해 주는 예산의 분류이다. ( )

✣ 재정충격지표
정부의 수입과 지출이 거시경제에 미치는 영향을 파악하고자 하는 지표

✣ 국민경제예산
정부의 수입과 지출이 국민경제에 어떠한 영향을 미치고 있는가를 파악하고자 하는 예산

✣ 완전고용예산
경제가 완전고용상태에 도달할 경우 세수가 얼마나 되고, 예산적자가 얼마나 될 것인가를 보여 주는 예산

O·X 정답 1. ○ 2. × 3. × 4. ○

**핵심정리 | 예산분류 기준의 쟁점**

1. **시민을 위한 분류**: 기능별 분류
2. **총괄예산에 가장 적합한 분류**: 기능별 분류, 조직별 분류
3. **국회의 예산심의가 가장 용이한 분류**: 조직별 분류, 기능별 분류
4. **회계책임 확보 및 재정통제가 가장 용이한 분류**: 품목별 분류, 조직별 분류
5. **다른 분류기법과 병행되어야 하는 분류**: 경제성질별 분류, 품목별 분류
6. **다른 분류기법과 병행되는 빈도가 높은 분류**: 품목별 분류
7. **역사상 가장 오래된 분류**: 조직별 분류

## 02 예산과목

### 1. 의 의

예산과목이란 예산의 내용을 명백히 하기 위해 일정한 기준에 의해 구분해 놓은 것이다. 예산과목을 구분하는 목적은 복잡하고 광범위한 예산을 통일적으로 분류해 그 성질과 내용을 명백히 함으로써 국회의 의결 및 예산 집행을 용이하게 하기 위한 것이다. 현재 우리나라는 소관별, 기능별, 품목별 분류에 따라 각각의 부호 체계를 갖고 있다.

### 2. 예산과목의 분류체계

#### (1) 세입예산과목의 분류

세입예산과목은 그 내용을 성질별로 관(款)·항(項)·목(目)으로 구분한다. 이때 관·항은 입법과목, 목은 행정과목이다. 세입예산은 세법 등 타 법령에 의해 결정되므로 입법과목과 행정과목 간 분류의 실익이 크지 않다.

세입예산과목 체계

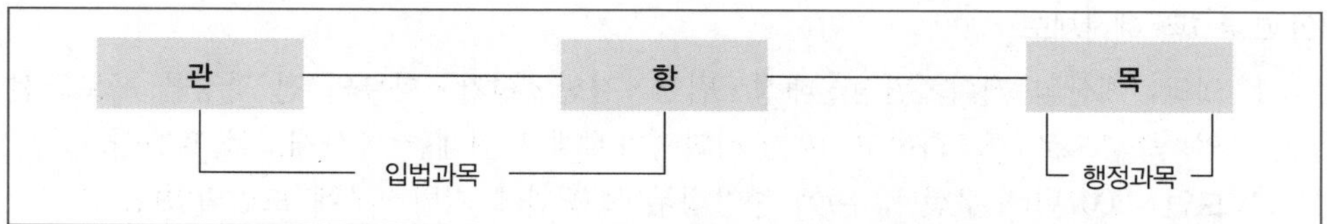


#### (2) 세출예산과목의 분류

세출예산과목은 그 내용을 기능별·성질별·기관별로 장(章)·관(款)·항(項)·세항(細項)·목(目)으로 구분한다. 이때 장·관·항은 입법과목, 세항·목은 행정과목이다.

세출예산과목 체계

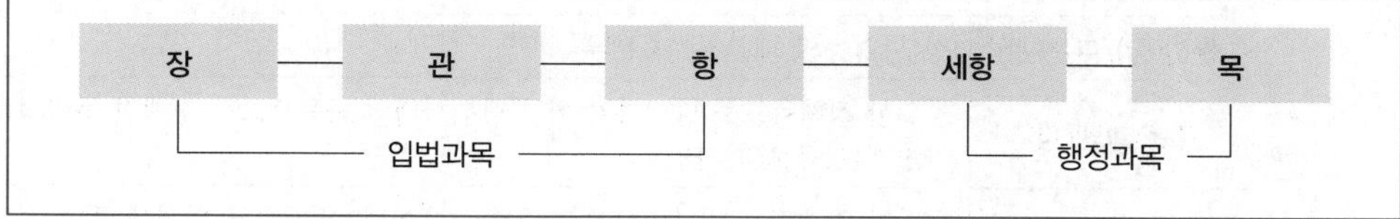


**심화학습**

**세입세출예산의 구분(「국가재정법」 제21조)**

① 세입세출예산은 필요한 때에는 계정으로 구분할 수 있다.
② 세입세출예산은 독립기관 및 중앙관서의 소관별로 구분한 후 소관 내에서 일반회계·특별회계로 구분한다.
③ 세입예산은 제2항의 규정에 따른 구분에 따라 그 내용을 성질별로 관·항으로 구분하고, 세출예산은 제2항의 규정에 따른 구분에 따라 그 내용을 기능별·성질별 또는 기관별로 장·관·항으로 구분한다.
④ 예산의 구체적인 분류기준 및 세항과 각 경비의 성질에 따른 목의 구분은 기획재정부장관이 정한다.

**O·X 문제**

1. 세입예산은 관·항·목으로 구분한다. ( )
2. 세출예산의 장(章), 관(款), 항(項)은 행정과목으로 예산의 전용(轉用)이 가능하다. ( )
3. 우리나라 예산은 장, 관, 항, 세항, 목 등의 예산과목으로 분류되는데, 이 중에서 관 이상을 입법과목이라 한다. ( )

O·X 정답 | 1. ○ 2. × 3. ×

**핵심정리 | 입법과목과 행정과목**

1. **입법과목**
국회의 심의·의결 대상이 되는 예산과목으로 과목 상호 간의 융통은 물론 신설 또는 변경에 대해 국회의 제한을 받는다. 입법과목은 「국가재정법」에 의거하여 구분된다.

2. **행정과목**
입법과목의 하위 체계로 일정한 요건하에 행정부의 재량에 의해 운용되는 예산과목이다. 따라서 과목 상호 간의 융통은 물론 신설 또는 변경에 대해 국회의 제한을 받지 않는다. 행정과목은 기획재정부장관이 구분한다.

## 3. 프로그램 예산제도

### (1) 프로그램과 프로그램 예산서

① 의 의

㉠ **프로그램**: 동일한 정책목표를 달성하기 위한 단위사업의 묶음이며, 정책적으로 독립성을 지닌 최소 단위를 말한다. 우리나라의 예산과목체계 중 '항'이 프로그램에 해당한다.

㉡ **프로그램 예산서**: 예산서에 제시된 숫자의 정보를 품목이 아닌 정책사업(프로그램)별로 배열하는 예산서를 말한다. 프로그램 예산서는 과거 미국에서 성과주의 예산(PBS)과 계획예산(PPBS)에서 활용되었다.

② **특징**: 품목별 예산서는 지출대상별로 예산을 배열하기 때문에 사업의 목적이나 성과를 파악하기 곤란하다. 반면, 프로그램 예산서는 정부의 기능을 정책사업(프로그램)별로 조직화하기 때문에 사업의 목적, 성과평가, 사업별 총원가 파악이 용이하다. 이에 프로그램 예산서는 최근 강조되고 있는 신성과주의 예산의 기반이 되고 있다.

### (2) 프로그램 예산제도

① **의의**: 예산의 계획·편성·배정·집행·결산·평가·환류의 전 과정을 프로그램(사업) 중심으로 구조화하고, 이를 성과평가체계와 연계한 예산제도를 말한다.

② **도입**: 2007년(노무현 정부)에 중앙정부, 2008년에 지방정부에 도입되었다.

③ **예산체계 및 작성**

㉠ **예산체계**: 기능별 분류인 '분야(기능) – 부문(정책)', 프로그램 구조인 '프로그램(정책사업) – 단위사업 - 세부사업', 품목별 분류인 '편성비목 – 통계비목'의 계층구조로 구성된다.

🗀 프로그램 예산체계

| 분야(장)/부문(관) | 정부 기능의 대분류, 중분류 |
|---|---|
| 프로그램(항) | 동일한 정책목표를 달성하기 위한 단위사업의 묶음으로서 정책적 독립성을 가진 일정규모의 사업 |
| 단위사업(세항) | 원가가 집계되는 원가대상이자 중간 묶음이며, 정책목표 달성을 위한 수단으로서의 사업 |
| 세부사업(세세항) | 투입품목과 단가를 기준으로 편성되는 재정사업의 기초단위로서 단위사업을 구성하는 사업 내역 |

**O·X 문제**

1. 프로그램 예산에서 프로그램은 동일한 정책을 수행하는 단위사업의 묶음이다. ( )

**O·X 문제**

2. 프로그램 예산제도는 예산 전과정을 프로그램 중심으로 구조화하고 성과평가체계와 연계시킨다. ( )

3. 프로그램 예산분류(과목) 체계는 분야 – 부문 – 프로그램 – 단위사업 – 세부사업 등으로 구성된다. ( )

4. 프로그램 예산제도는 유사 정책을 시행하는 사업의 묶음인 프로그램별로 예산을 편성하는 제도로 우리나라의 경우 중앙정부와 지방정부 모두 도입하고 있다. ( )

O·X 정답 | 1. ○ 2. ○ 3. ○ 4. ○

㉡ 작성: '분야 – 부문'은 5년 단위의 국가재정운용계획에 의해, '프로그램 – 단위사업 – 세부사업'은 국가재정운용계획을 구체화한 1년 단위의 프로그램 예산에 의해 편성된다. 또한 단위사업이나 세부사업의 하위체제인 '편성비목 – 통계비목'은 지나친 세분화를 지양하고 통폐합을 통해 비목(품목)의 개수를 대폭 축소하여 작성된다.

🗀 우리나라의 예산과목

| 입법과목 | | | | 행정과목 | | | |
|---|---|---|---|---|---|---|---|
| 소 관 | 장 | 관 | 항 | 세 항 | 세세항 | 목 | 세 목 |
| 중앙관서 | 분야 | 부문 | 프로그램 | 단위사업 | 세부사업 | 편성비목 | 통계비목 |
| | 기능 | 정책 | 정책사업 | | | 인건비 등 | 운영비 등 |
| 60개 | 16개 | 75개 | 651개 | 2,758개 | 8,516개 | 27개 | 114개 |
| 조직별 분류 | 기능별 분류 | | 프로그램 구조<br>(사업별 분류 – 활동별 분류) | | | 품목별(성질별) 분류 | |

④ 프로그램 예산제도의 역할 – 제도적 허브

㉠ 각종 제도의 중심점: 프로그램은 성과관리, 발생주의회계, 총액배분자율편성 등 각종 예산제도의 중심점이 된다.

㉡ 예산과정의 중심점: 프로그램은 예산편성단계에서 전략적 배분 단위, 총액배분자율편성의 한도액 설정 단위, 예산사정단계에서 사정 단위, 심의단계에서 심의 단위, 집행단계에서 이용 단위, 결산단계에서 성과평가 단위 및 결산보고 단위가 된다.

㉢ 원가계산의 중심점: 프로그램은 회계차원에서 일반회계, 특별회계, 기금을 포괄하여 설계되므로 프로그램(사업)별 총원가 산정의 중심점이 된다.

㉣ 조직단위의 중심점: 조직단위와 프로그램 단위가 연계되도록 설계(중앙정부: 1실·국당 1프로그램, 지방정부: 1과당 1프로그램)되어 프로그램은 조직차원에서 조직단위의 자율 중심점, 책임 중심점, 관리 중심점, 정보공개 중심점 등이 된다.

⑤ 프로그램 예산제도의 특징

㉠ 성과 중심 예산: 품목에 초점을 둔 투입과 통제 중심의 예산에서 프로그램별 성과평가에 초점을 둔 자율과 성과 중심의 예산으로 변화를 가져온다.

㉡ 장기적·하향식 예산: 5년 단위의 국가재정운용계획에 의해 작성된 기능과 정책을 프로그램과 단위사업으로 연계한 하향식 예산제도로 장기적 관점에서 계획적인 예산운영이 가능하다.

㉢ 총체적 재정배분 파악: 일반회계, 특별회계, 기금이 모두 포괄적으로 표시됨으로써 총체적 재정배분의 내용을 파악할 수 있어 투명성이 제고된다.

㉣ 프로그램별 총원가 산정: 세부업무와 단가가 아닌 프로그램별로 총원가를 산정하기 때문에 효율적인 재원배분의 기초정보를 제공하고, 성과측정을 용이하게 한다.

㉤ 기타: 중앙정부 예산분류와 지방정부 예산분류의 연계, 국민 이해의 용이성 등

🗀 보건복지부 프로그램 구조(예)

| 분 야 | 부 문 | 프로그램 | (회계·기금) | 단위사업 |
|---|---|---|---|---|
| 사회복지 | 기초생활 보장 | ▲기초생활 급여지원 | (일반회계) | 기초생활 급여지원 |
| | | | (일반회계) | 의료급여 지원 |
| | 취약계층 지원 | | | |

**O·X 문제**

1. 우리나라 정부예산의 과목구조는 기능을 중심으로 장은 부문, 관은 분야, 항은 프로그램, 세항은 단위사업을 의미한다. ( )

2. 우리나라 예산은 소관별로 구분한 후 목별로 분류되고 마지막으로 기능을 중심으로 분류한다. ( )

3. 프로그램 예산에서 '프로그램 – 단위사업 – 세부사업'은 품목별 예산체계의 '항 – 세항 – 세세항'에 해당한다. ( )

4. 우리나라는 총액배분자율편성예산제도, 디지털예산회계시스템 등과 같은 예산개혁의 실효성을 확보하기 위한 제도적 기반으로서 프로그램 예산제도가 도입되었다. ( )



**O·X 문제**

5. 프로그램 예산제도는 예산 운용의 초점을 투입 중심보다는 성과 중심에 둔다. ( )

6. 프로그램 예산제도는 세부업무와 단가를 통해 예산금액을 산정하는 상향식 방식을 사용하고 단년도 중심의 예산이다. ( )

7. 프로그램 예산제도는 일반회계, 특별회계, 기금이 포괄적으로 표시되어 총체적 재정배분 파악이 가능하다. ( )

O·X 정답 1. × 2. × 3. ○ 4. ○ 5. ○ 6. × 7. ○

CHAPTER 02

# 예산이론과 예산제도의 변화

## 제 1 절 예산이론

### 01 예산결정이론 – 합리주의와 점증주의

**1. 키(V. O. Key)의 질문**

키(Key)는 "어떠한 근거로 X달러를 B사업 대신 A사업에 배분하도록 결정하는가?"라는 질문을 통해 예산결정이론의 필요성을 역설하였다. 이에 대해 루이스(Lewis)와 쉬크(Schick)는 합리주의(총체주의)적 예산결정으로, 버크헤드(Burkhead)와 윌다브스키(Wildavsky)는 점증주의적 예산결정으로 답한 바 있다.

**O·X 문제**

1. 린드블롬(Lindblom)은 "어떠한 근거로 X달러를 B사업 대신 A사업에 배분하도록 결정하는가?"라는 질문을 통해 예산결정이론의 필요성을 역설하였다. ( )

**2. 합리주의(총체주의)적 예산결정 – 포괄적 · 분석적 · 체계적 · 이상적 접근**

(1) 의 의

① 과정 측면에서 합리주의

㉠ 가정 – 전지전능인과 합리적 경제인: 예산결정자는 사회후생함수 및 문제해결과 관련된 모든 요소를 검토할 수 있는 완전한 지식과 정보를 가지고 있으며, 합리적으로 행동한다고 가정한다.

㉡ 예산결정과정: ⓐ 사회문제의 확인 및 명확한 목표의 정의 ⇨ ⓑ 목표달성을 위한 모든 대안의 탐색 · 개발 ⇨ ⓒ 각 대안이 초래할 명확한 결과 예측 ⇨ ⓓ 대안 결과의 평가 및 비교 ⇨ ⓔ 최적 대안의 선택 ⇨ ⓕ 선택된 대안(사업)에 예산배분

② 결과 측면에서 합리주의

㉠ 의의: 사회후생 극대화에 입각한 최적자원배분을 지향한다.

㉡ 거시적 배분과 미시적 배분

ⓐ 거시적 배분: 공공부문과 민간부문 간의 자원배분을 의미하며, 정부예산의 적정규모와 관련된다. 합리주의는 공공부문과 민간부문 간의 최적자원배분을 지향한다.

ⓑ 미시적 배분: 주어진 예산총액의 범위 내에서 각 사업 간의 자원배분을 의미한다. 합리주의는 '한계효용균등의 원리(효용을 극대화하는 재화량을 결정하는 원리)'를 통해 최적자원배분을 지향한다.

**O·X 문제**

2. 총체주의적 예산결정방식은 각 대안으로부터 발생할 모든 비용과 편익을 검토한다. ( )

3. 거시적 배분은 민간부문과 공공부문 간의 자원배분에 관한 결정이다. ( )

4. 미시적 배분은 주어진 예산의 총액 범위 내에서 각 대안 간에 자금을 배분하는 것이다. ( )

O·X 정답 1. × 2. ○ 3. ○ 4. ○

(2) 이론의 전개

① 루이스(Lewis)의 대안적 예산제도

㉠ 의의: 루이스는 상대적 가치, 증분분석(한계분석), 상대적 효과성이라는 경제학적 명제를 통해 합리적으로 예산을 편성해야 한다고 보았다.

㉡ 경제학적 명제

ⓐ 상대적 가치: 자원은 희소하기 때문에 자금의 대체적 용도에서 얻을 결과의 상대적 가치(기회비용)를 비교해야 한다.

ⓑ 증분분석(한계분석): 상이한 목표달성을 위한 대안들은 한계효용체감 현상 때문에 증분분석(추가적 지출로부터 생기는 추가적 가치의 분석)이 이루어져야 한다.

ⓒ 상대적 효과성: 동일한 목표달성을 위한 대안들은 효과성에 의해서 상대적 가치를 비교해야 한다.

② 쉬크(Schick)의 체제예산

㉠ 쉬크는 예산제도에 관한 이론과 실제를 '합리성'을 추구하는 개혁의 과정으로 인식하였다. 쉬크는 예산개혁이 통제 · 관리 · 계획의 세 단계를 거쳐 왔으며, 그중에서 가장 중시되어야 할 가치는 계획이라고 보고, 계획과 예산을 제도적으로 연결하는 계획예산(PPBS)이 최선의 예산제도라고 주장하였다.

㉡ 계획예산(PPBS)은 '과정'에 대응해 '체제' 개념을 예산운영에 도입한 것으로 '체제예산(system budgeting)'이라 불리며, 예산결정의 합리성을 위해 비용편익분석, 관리과학 등의 경제적 · 합리적 분석기법을 중시한다.

(3) 특 징

① 인간에 대한 가정 – 전지전능인: 예산결정자를 완전한 정보를 지닌 전지전능인으로 가정하기 때문에 사회적 목표 및 사회적 후생함수를 명확히 알고 있다고 본다.

② 추구하는 합리성 – 경제적 합리성: 예산결정자를 경제적 합리인으로 가정하기 때문에 정부사업의 비용극소화와 편익극대화를 추구한다고 본다.

③ 목표수단분석: 목표가 명확하게 정의된다고 보고, 주어진 목표하에서 최적의 수단을 선택하고자 한다(목표와 수단의 상호유기적 관계 불인정).

④ 총체적 · 체제적 최적화: 결정에 관한 모든 요소를 종합적으로 검토하여 최적의 대안을 선택한다는 점에서 총체적 · 체제적 최적화를 추구한다.

⑤ 계량적 · 연역적 분석: 체제분석(비용 – 편익분석), 관리과학(OR) 등의 수리적 · 계량적 · 연역적 분석기법을 활용하여 합리적 대안을 선택하는 것을 강조한다.

⑥ 거시적 · 하향적 결정: 자원의 한계(총액의 제한)를 인식하는 닫힌 접근법으로 거시적 · 하향적 예산결정을 강조한다.

⑦ 집권적 예산결정: 전문적인 참모기관에 의한 분석적 작업을 중시하며, 이에 근거한 집권적 예산결정이 이루어진다.

⑧ 규범적 성격: 예산결정과정을 합리화하여 예산상의 편익을 극대화하고자 하는 결정방식으로 규범적 성격이 강하다.

**O·X 문제**

1. 루이스(Lewis)가 제시한 상대적 가치, 증분분석, 상대적 효과성의 명제는 총체주의 예산결정의 하나의 예가 될 수 있다. ( )

2. 총체주의에서 예산은 한계효용 개념을 이용한 상대적 가치에 의해서 결정된다. ( )

3. 총체주의는 목표 달성과 관련하여 가능한 모든 대안을 종합적으로 도출하려고 하고, 우선순위에 따른 사업의 재검토를 중시한다. ( )

4. 합리모형에서 예산의 규모는 사회후생 극대화 기준에 의해서 결정된다. ( )

5. 예산결정의 합리주의는 목표와 수단의 상호유기적 관계를 인정한다. ( )

6. 총체주의는 관리과학적인 분석기법 등을 사용하여 종합적 · 계량적으로 분석하여 결정한다. ( )

7. 총체주의는 합리적 · 분석적 의사결정과 최적의 자원배분을 전제로 한다. ( )

8. 합리모형은 예산상의 편익을 극대화하기 위한 결정방식이지만 규범적 성격은 약하다. ( )

PART · 06

O·X 정답 1. ○ 2. ○ 3. ○ 4. ○ 5. × 6. ○ 7. ○ 8. ×

**O·X 문제**

1. 총체주의는 과거에 투입한 매몰비용을 중요하게 고려하지 않는 입장이다. ( )
2. 총체주의는 목표에 대한 사회적 합의가 도출되지 않은 경우에도 적용할 수 있다는 장점을 가지고 있다. ( )
3. 합리적 모형을 적용하면 계획 기능이 강화되는 효과를 창출하는데 이는 집권화의 병리를 초래할 위험이 있다. ( )
4. 합리모형은 예산과정을 행정부와 의회의 선형적 함수관계로 파악한다. ( )

(4) 한 계

① **비현실성**: 인간의 인지능력상의 한계, 결정비용의 과다, 상황의 불확실성 등의 제약조건으로 인하여 합리주의적 예산결정은 현실적으로 불가능하다.

② **목표수단분석 곤란**: 사회 현실에서는 문제나 목표가 불명확하거나 상호 모순되는 경우가 많아 목표수단분석을 적용하기 곤란하다.

③ **사회후생함수 도출 곤란**: 시민들의 공공재에 대한 선호표출 메커니즘이 결여되어 있기 때문에 사회후생함수를 찾아내는 것은 현실적으로 불가능하다.

④ **정치적 합리성 무시**: 경제적 분석만을 중시함으로써 다양한 이해관계의 조정 등 예산의 정치적 요소를 무시하고, 의회의 예산심의 기능을 약화시킨다.

⑤ **예산결정의 집권화**: 전문적인 참모기관에 의한 분석적 작업을 중시하고 이에 근거한 예산결정을 강조한다는 점에서 예산결정의 집권화를 초래한다.

⑥ **예산과정의 복잡성**: 폭넓은 대안의 탐색 및 각 대안이 초래할 명확한 미래예측을 위해 다양한 분석기법이 활용되어 예산과정의 복잡성을 야기한다.

⑦ **예산담당자의 보수적 행태**: 예산담당자가 보수적 성향을 지닐 경우 합리주의는 현실적으로 적용되기 곤란하다.

⑧ **기타**: 그 밖에도 매몰비용 불고려, 자료개발과 분석가 확보 곤란 등의 문제가 있다.

### 3. 점증주의적 예산결정 – 점증적 · 정치적 · 단편적 접근

(1) 의 의

① 과정 측면에서 점증주의

㉠ **미시적 과정(개인적 차원) – 연속적이고 제한된 비교**: 인간의 제한된 합리성을 인정하고 결정상황을 제약하는 비용 · 시간 등의 요소를 고려하여 예산결정자는 제한된 수의 대안을 연속적으로 비교하여 결정하는 방식을 취하며 한계적 변화만을 시도한다고 본다(전략적 점증주의).

㉡ **거시적 과정(체제적 차원) – 상호조정**: 행정부 · 입법부 · 행정부 내의 여러 부서 · 이익집단 등 준자율적 의사결정점들이 참여적 과정을 통해 자신들의 이해관계를 상호조정하는 과정에서 예산이 결정된다고 본다(분할적 점증주의).

② 결과 측면에서 점증주의

㉠ **의의**: 전년도 예산을 기준으로 예산의 '소폭적 변화(증감)'만을 추구한다(단순 점증주의).

㉡ 점증성의 대상

ⓐ **총예산 규모**: "금년도 예산규모는 전년도 예산규모의 함수"이다(점증성).

ⓑ **기관 간 관계**: "행정부의 예산 요구액과 의회의 전년도 예산 승인액 간에는 선형적 · 안정적 함수관계"이다(점증성).

ⓒ **사업별 예산**: 경직성 경비와 비경직성 경비를 구분하고, 경직성 경비와 관련된 사업별 예산은 점증성이 나타나지만 비경직성 경비와 관련된 사업별 예산은 점증성이 나타나지 않는다고 본다(비점증성).

**심화학습**

경직성 경비

| 의의 | 예산내용 중 의무적 · 지속적 지출 항목 | |
|---|---|---|
| 종류 | 절차적 경직성 경비 | 지출에 대해 여러 기관이 관여하기 때문에 어느 한 기관이 지출을 통제할 수 없는 경비(예 재정차입) |
| | 실질적 경직성 경비 | 특정 목적을 위해 지출하도록 외부의 요인에 의해 제한을 받고 있는 경비(예 공적부조, 연금, 의료보호 등의 사회보장적 지출, 인건비, 이자, 교부금 등) |

O·X 정답 1. ○ 2. × 3. ○ 4. ×

(2) 이론의 전개

① **버크헤드(Burkhead)**: 정치적 측면에서 예산결정을 고찰한 초기의 대표적 학자이다. 그는 예산 규모 및 세입과 세출의 배분에 관한 결정은 공식적인 정부기구와 그 속의 관료 및 의원들, 그리고 관련 집단 간의 상호관계에서 나타나는 정치적 결정이라고 하였다.

② **윌다브스키(Wildavsky)**

㉠ 예산결정의 점증주의를 집대성한 학자이다. 그는 '현년도 예산은 전년도 예산의 함수'로 보았으며, 예산을 '기초액(전년도 예산)과 공평한 몫의 배분'으로 정의하였다.

㉡ 윌다브스키는 '예산과정은 점증주의적인 방식으로 이루어질 수밖에 없다.'라는 경험적 측면뿐만 아니라 '좋은 예산은 점증적으로 변화하는 예산이다.'라고 주장하면서 규범적 측면까지도 강조하였다.

(3) 특 징

① **인간에 대한 가정 – 제한된 합리성**: 인간을 인지능력상의 한계를 지닌 제한된 합리성을 지닌 존재로 본다.

② **추구하는 합리성 – 정치적 합리성**: 다양한 행위자들의 참여적 과정을 중시하며, 참여자들 간 협상·타협 등 상호조정에 의한 정치적 합리성을 중시한다(과정지향적 예산).

③ **목표수단분석 불인정**: 수단에 의해 목표가 변화되는 목표와 수단의 상호유기적 연쇄관계를 인정하므로 목표수단분석이 불가능하다.

④ **부분적 최적화**: 예산결정은 보수적이고 단편적이며, 전체(총액)보다는 부분(세부사업)에 초점을 맞춘다고 보았다.

⑤ **소폭적·점증적 변화**: 현년도 예산은 전년도 예산을 기준으로 소폭적이고 점증적인 변화가 나타난다고 보았다.

⑥ **비합리적·비포괄적·무계획적 과정**: 예산과정은 이전투구의 과정으로 비합리적·비포괄적·무계획적으로 이루어진다고 보았다.

⑦ **상향적·미시적 결정**: 부분에서 전체로 향하는 한계적 예산 조정 과정에 역점을 두기 때문에 예산은 상향적이고 미시적으로 결정된다고 보았다.

⑧ **실증적·경험적 분석**: 다원주의적 사회나 보수주의적 사회의 자료를 바탕으로 예산과정과 흐름을 설명한다는 점에서 실증적·경험적 분석이 활용된다.

⑨ **입법기관의 지지**: 예산과정의 권력중심을 정치적 상호작용을 중시하는 입법기관으로 옮겨주기 때문에 입법기관의 지지를 받기 용이하다.

⑩ **예산과정의 단순화**: 포괄적 탐색이 아닌 부분적·한계적 탐색에 그치기 때문에 예산과정이 단순화되어 대안의 분석에 소요되는 비용을 줄일 수 있다.

**O·X 문제**

1. 점증모형은 결정자의 인식능력의 한계를 전제로 하며, 결정과 관련된 모든 요소를 검토할 수 없다고 보고, 좋은 결정이란 관련자들의 포괄적 참여와 합의에 기초한 결정이라고 한다. ( )

2. 점증주의적 예산결정은 다수의 참여자들 간 고리형의 상호작용을 통한 합의를 중시하는 합리주의와는 달리 선형적 과정을 중시한다. ( )

3. 점증주의에서 예산분석은 예산변동분에 초점을 맞추는 것이 원칙이며 예산요구의 심사는 포괄적이 아니라 부분적이다. ( )

4. 점증주의는 결정 상황을 제약하는 비용, 시간 등의 요소를 감안하여 결정의 복잡한 문제를 단순화시키자는 것이다. ( )

5. 점증주의적 예산결정은 지출대안의 탐색과 분석에 소요되는 비용을 줄일 수 있다. ( )

6. 예산결정에서 기존 사업에 대한 당위적 예산 배분을 제어할 수 있다는 점은 점증모형의 유용성이다. ( )

7. 점증주의는 정치환경이 가변적이고 사회적 불안정이 지속되는 국가의 예산결정을 설명하기 위한 이론으로는 적합하지 않다. ( )

O·X 정답 1. ○ 2. × 3. ○ 4. ○ 5. ○ 6. × 7. ○

(4) 점증주의의 타당성

① 권력이 분산되어 있는 경우 정치적 상호작용을 중시하는 점증주의의 타당성이 높아진다.

② 가용재원의 여유가 크지 않을 때 예산의 점증적 변화가 나타나므로 점증주의의 타당성이 높아진다.

③ 예산주기가 단기적일 때 예산변동의 폭이 좁기 때문에 점증주의의 타당성이 높아진다.

④ 미래에 대한 불확실성이 클 때 점증주의가 추구하는 소폭적 변화는 잘못을 최소화함으로써 불확실성을 극복할 수 있는 훌륭한 전략이 될 수 있다.

⑤ 예산결정에 대한 이론이 없거나 이론에 대한 불신이 클 때 활용되기 용이하다.

⑥ 품목별 예산제도와 결합된 점증주의는 예산결정을 간결하게 하고 그에 대한 책임성을 확보하는 데 유리하다.

⑦ 재정사업의 안정성을 확보하기 위해서는 전년도 예산을 기준으로 삼는 점증주의가 유리하다.

**핵심정리 | 점증주의의 타당성을 저해하는 사유**

1. 자원이 부족한 경우 예산증액이 곤란하여 점증주의 적용이 곤란하다.
2. 통일성의 원칙의 예외인 특별회계와 목적세가 많을 때 점증주의의 타당성을 인정하기 곤란하다. 통일성의 원칙의 예외 장치들은 수입이 지출을 결정하기 때문이다.

(5) 한 계

① **규범적 처방 곤란**: 예산결정과정을 실증적·경험적으로 설명할 뿐 예산개혁을 위한 처방을 제시해 주지 못한다.

② **보수주의적 성격(기득권 보호)**: 정치적 실현가능성과 정책결정 체제의 안정성만을 중시하기 때문에 기득권을 옹호하는 보수주의적 성격을 지닌다.

③ **점증성 의미의 모호성**: 점증성의 판단대상 및 점증적인 변화의 정도에 대한 합의가 존재하지 않는다. 윌다브스키는 예산총액을 기준으로 30% 이내의 증감을 점증으로 보고 있지만 모든 점증주의자들이 이에 동의하고 있는 것은 아니다.

④ **이론적 설명 결여**: 점증적 변화가 보편적 현상인 이유에 대한 설명이 결여되어 있으며, 예산감축을 지향하는 최근의 거시적 예산결정을 설명하지 못한다.

⑤ **예산의 재정정책적 기능 약화**: 경직된 예산구조를 야기하여 예산의 경기변동조절기능(재정정책적 기능)이 약화된다.

⑥ **자원배분의 불공평 초래**: 정치적 경쟁과정을 중시하므로 권력이나 영향력이 강한 집단에게 유리하고 조직화되지 못한 일반이익 및 사회적 약자의 이익이 고려되지 못해 자원배분의 불공평성이 초래될 위험성이 있다.

⑦ **기타**: 그 밖에도 전년도 기준이 부적합할 경우 오류의 지속성이 야기될 수 있다는 점, 전년도 기준을 중시할 뿐 외부적(환경적) 요인은 과소평가한다는 점, 예산의 근본적 변화가 없어 경직성 경비의 비중이 지속적으로 높아질 수 있다는 점 등이 문제로 지적되고 있다.

**O·X 문제**

1. 점증주의적 예산결정은 예산과정 참여자들의 역할과 기대를 안정시켜 예산과정의 예측가능성을 높인다. ( )
2. 점증주의적 예산결정은 예산과정의 권력중심을 입법기관으로 옮겨주기 때문에 입법기관의 지지를 받을 수 있다. ( )
3. 점증주의적 예산과정은 예산결정에 있어서 관련된 이론이 없거나 이론에 대한 불신이 클 때 많이 사용된다. ( )
4. 점증주의적 예산결정은 특별회계나 목적세 등 통일성의 원칙의 예외가 많을 때에 타당성이 높아진다. ( )
5. 점증주의적 예산결정은 외부적 요인의 영향 결여, 가용재원의 여유가 크지 않을 때 타당성이 높아진다. ( )
6. 점증주의적 예산결정은 예산을 탄력적으로 활용하여 경기변동에 대응하는 재정정책적 기능을 수행할 수 있다. ( )
7. 점증모형은 현실설명력은 높지만 본질적인 문제해결방식이 아니며 보수적이다. ( )
8. 점증주의적 예산결정은 자원이 부족한 경우 소수 기득권층의 이해를 먼저 반영하게 되어 사회적 불평등을 야기할 우려가 있다. ( )
9. 점증주의 예산방식은 예산의 배정이 불안정하며 예산투쟁이 격화될 수 있다. ( )
10. 예산담당관이 보수적 성향을 가질 경우 점증주의 모형에 따른 예산결정은 현실적으로 힘들어지고, 정치적 합리성의 가치를 간과하기 쉽다. ( )

O·X 정답 | 1. ○ 2. ○ 3. ○ 4. × 5. ○ 6. × 7. ○ 8. ○ 9. × 10. ×

### 4. 합리주의와 점증주의의 비교

| 구 분 | 합리주의(총체주의) | 점증주의 |
|---|---|---|
| 인 간 | 전지전능성과 경제적 합리인 | 제한된 합리성을 지닌 존재 |
| 강조점 | 경제원리(과학성) | 정치원리(정치성) |
| 합리성 | 경제적 합리성 | 정치적 합리성 |
| 미시적 과정 | 총체적 · 체계적 분석 | 연속적이고 제한된 비교분석 |
| 거시적 과정 | 제도화된 프로그램 예산편성 | 당파적 상호조정 |
| 기 준 | 사회후생 극대화(파레토 최적) | 분배의 형평성 |
| 결 과 | 신규사업, 대폭적 · 체계적 변화 | 전년도 예산의 소폭적 변화 |
| 목표수단분석 | 가능(목표는 주어진 것) | 불가능(목표의 빈번한 수정) |
| 대안고려 수준 | 모든 대안의 고려(전체적 분석) | 한정적 대안만 고려(부분적 분석) |
| 예산결정 방향 | 거시적(하향적 결정) | 미시적(상향적 결정) |
| 분석수준 | 총액지향적 | 세부사업지향적 |
| 초 점 | 체제예산 | 과정예산 |
| 결정방식 | 체계적 · 포괄적 · 분석적 결정 | 계속적 · 분할적 · 분산적 결정 |
| 성 격 | 닫힌 예산(집권성) | 열린 예산(분권성) |
| 관련 제도 | PPBS, ZBB | PBS, LIBS |
| 성 향 | 개혁성(쇄신적 예산결정) | 보수성(현상유지성향) |
| 이론구성 | 연역적 이론 구성 | 귀납적 이론 구성 |

미시적 예산결정이 모두 점증주의적 성격을 지니는 것은 아니다. ZBB는 미시적 예산결정의 과정을 가지면서도 합리주의적 예산결정방식이다.

## 02 기타 예산결정이론

### 1. 공공선택론

(1) 의 의

공공선택론은 개인이익극대화를 추구하는 합리적 경제인에 초점을 두고 정부의 예산과정을 개인의 선호 · 의도 · 선택에 기초하여 설명한다. 공공선택론은 합리모형에 입각해 있으며, 보수적 방식보다는 본질적인 문제해결을 통해 예산의 경제적 합리성을 제고할 수 있다고 본다.

(2) 주요 이론

① 관료와 예산: 니스카넨(Niskanen)의 예산극대화 모형 등

② 선거와 예산: 노드하우스(Nordhaus)의 정치적 경기순환이론 등

**O·X 문제**

1. 총체주의는 계획예산(PPBS), 영기준예산(ZBB)과 같은 예산제도 개혁을 설명하기에 적합한 이론이다. ( )
2. 점증주의는 거시적 예산결정과 예산삭감을 설명하기에 적합한 이론이다. ( )

**O·X 문제**

3. 예산결정에 대한 공공선택론적 관점은 본질적 문제해결보다는 보수적 방식을 통해 예산의 정치적 합리성이 제고될 수 있다고 본다. ( )
4. 공공선택론적 관점에 의하면 정치인과 관료들은 개인효용함수에 따라 권력이나 예산규모의 극대화를 추구한다. ( )

O·X 정답 1. ○ 2. × 3. × 4. ○

PART · 06

심화학습

루빈(Rubin)의 '실시간 예산운영(Real Time Budgeting)모형'

| 의사결정 흐름 | 정치 | 관심 |
|---|---|---|
| 세입흐름 | 설득의 정치 | 세입원의 기술적 추계 |
| 세출흐름 | 선택의 정치 | 기준예산의 기술적 추계 |
| 예산균형 흐름 | 제약조건의 정치 | 정부의 범위와 역할에 대한 결정 |
| 예산집행 흐름 | 책임성의 정치 | 집행의 수정 및 일탈의 허용범위 |
| 예산과정 흐름 | 누가 예산을 결정하는가의 정치 | 결정권한의 균형 |

O·X 문제

1. 다중합리성모형은 정부예산의 결과론적 접근방법에 근거한다. ( )
2. 다중합리성모형은 정부예산의 성공을 위해서는 예산 과정 각 단계에서 예산 활동 및 행태를 구분해야 함을 강조한다. ( )
3. 다중합리성모형 관점에서 예산과정은 하나의 관점에서 일관성 있게 전개되기보다는 예산과정의 다양한 단계별 특성들이 복합적으로 작용한 결과로서 실제 예산배분이 결정된다. ( )
4. 다중합리성모형은 미시적 수준의 예산상의 의사결정을 설명하고 탐구한다. ( )
5. 다중합리성모형의 근간이 되는 루빈(Rubin)의 실시간 예산운영모형에서 다섯 가지의 의사결정 흐름은 느슨하게 연계된 상호의존성을 가지고 있다. ( )
6. 루빈(Rubin)의 실시간 예산운영모형에서 예산균형 흐름에서의 의사결정은 기술적 성격이 강하며, 책임성의 정치적 특징을 갖는다. ( )

O·X 정답 1. × 2. ○ 3. ○ 4. ○ 5. ○ 6. ×

### 2. **다중합리성모형**[서메이어와 윌로비(Thumaire & Willoughby)]

(1) 의 의

① 예산과정에서 관료들의 의사결정은 예산과정의 다양한 시점별로 각기 다른 합리성 기준이 적용되는 다중적 결정으로 구성된다고 보는 모형이다(과정론적 접근).

② 이 모형은 정부예산의 성공을 위해서는 예산과정의 각 단계에서 예산행태 및 활동을 구분해야 함을 강조하며, 세입은 '설득의 합리성', 세출은 '선택의 합리성', 예산균형은 '제약조건의 합리성', 예산집행은 '책임성의 합리성', 예산과정은 '누가 예산을 결정하는가의 합리성'이 적용된다고 본다.

③ 이 모형은 '킹던(Kingdon)의 정책결정모형'과 '루빈(Rubin)의 실시간 예산운영모형(세입, 세출, 균형, 예산집행, 예산과정 등과 관련된 의사결정 흐름 개념 활용)'을 통합한 모형이다.

(2) 평 가

① **미시적 분석**: 예산운영자들의 다중 합리성과 기회주의적 예산전략에 기초를 두고 미시적으로 예산과정을 분석한다.

② **예산결정 행태 분석**: 다양한 역할 지향성을 지닌 예산운영자들의 의사결정 행태를 해석하는데 도움을 준다.

### 3. **모호성모형**[밀러(Gerald J. Miller)]

(1) 의 의

① 계층제적 위계질서가 없고, 여러 독립적인 조직들이 느슨하게 연결되어 있는 조직에서의 예산결정은 해결해야 할 문제, 해결책, 참여자, 결정의 기회(선택기회) 등의 요소가 우연히 서로 결합될 때 이루어진다고 보는 모형이다.

② 이 모형은 의향의 모호성(일관된 목표나 선호의 부존재), 이해의 모호성(원인－결과에 대한 기술 결여), 역사의 모호성(과거 및 역사에 대한 해석의 상이성), 조직의 모호성(수시적 참여자)을 전제로 한다.

③ 이 모형은 조직화된 무정부상태에서의 비합리적 의사결정모형인 쓰레기통모형을 예산에 적용한 모형이다.

(2) 평 가

① **계층제 조직에 적용 곤란**: 계층제적 질서가 없는 조직화된 무정부상태에서만 적용 가능한 모형이므로 계층제적 질서를 지닌 행정조직에는 적용상 한계가 있다.

② **주관적 · 사후적 분석**: 합리적 예산결정과 점증적 예산결정을 모두 부정하고 결정의 우연성과 결정의 시기만을 강조하며, 결정의 우연성과 시기에 대한 설명이 주관적이고 사후적이다.

③ **보수성**: 무질서와 모호성을 구실로 기득권자들의 비합리적 예산결정을 정당화하는 수단으로 악용될 수 있다.

### 4. **단절**(중단적)**균형모형**[바움가트너와 존스(Baumgartner & Jones)]

(1) 의 의

진화론적 생물학이론을 정책 및 예산과정에 적용한 이론으로, 정책이나 예산은 안정(균형)을 유지하다가 급격한 변동(단절, 중단)이 이루어지며, 이후 새롭게 도입된 정책이나 예산의 안정(균형)이 유지된다고 보는 이론이다.

(2) 평 가

① **급진적 예산변동**: 이 모형은 예산이 전년 대비 일정 정도의 변화(안정, 균형)에 그친다고 보고 점증주의를 비판하면서 급진적 예산변동을 설명하였다.

② **사후적 분석**: 이 모형은 현실에서 사후적 분석에는 적절하지만, 단절균형이 발생할 수 있는 시점을 예측하지 못한다는 점에서 미래지향성 측면에는 한계가 있다.

**O·X 문제**

1. 단절균형모형 관점에서 예산결정의 참여자들은 점증적인 예산결정 행태를 보이다가, 특정 사건이나 상황이 발생하면 자신들의 예산결정 패턴을 급격히 변화시킨다. ( )

2. 단절적 균형이론은 예산의 배분 형태가 항상 일정한 것은 아니라고 보기 때문에 점진적 변동에 따른 안정을 다루지 않는다. ( )

3. 단절균형모형은 예산의 단절균형 발생 시점을 예측할 수 있기 때문에 미래지향성을 지닌다. ( )

## 03 예산의 경제원리와 정치원리

### 1. 의 의

예산의 경제원리는 "어떻게 예산상의 이득을 극대화할 것인가(효율적인 자원배분)"에 초점이 있으며, 예산의 정치원리는 "예산상의 이득을 누가 얼마만큼 향유할 것인가(공정한 몫의 배분)"에 초점이 있다.

### 2. 예산의 경제원리와 정치원리의 비교

| 구 분 | 경제원리 | 정치원리 |
|---|---|---|
| 초 점 | 지출가치의 극대화 | 예산상 편익의 공정한 배분 |
| 목 적 | 효율적인 자원배분(파레토 최적 실현) | 공정한 몫의 배분(정치적 균형의 실현) |
| 행 태 | 사회후생 극대화 | 몫(득표, 예산, 재량)의 극대화 |
| 원 리 | **시장감각**: 최적화의 원리 | **게임감각**: 균형화의 원리 |
| 기 준 | 경제적 합리성 | 정치적 합리성 |
| 결 정 | 분석적 · 계획적 · 체계적 결정 | 정치적 · 탐색적 · 단편적 결정 |
| 이 론 | 총체주의(합리주의) | 점증주의 |
| 제 도 | PPBS, ZBB | PBS, LIBS |
| 개혁목표 | 합리적 예산배분(효율성) | 재정민주주의의 구현(민주성) |
| 적용분야 | 순수공공재, 분배정책, 신규사업 | 준공공재, 재분배정책, 계속사업 |

**O·X 문제**

4. 예산배분결정에 관한 '경제원리'를 반영하고 있는 예산제도는 계획예산과 영기준예산이다. ( )

O·X 정답 | 1. ○ 2. × 3. × 4. ○

## 04 미시적 예산결정과 거시적 예산결정

### 1. 미시적 예산결정(micro-budgeting) – 정치적 합리성

(1) 의 의

각 부처의 예산요구에서 시작하여 위로 올라가는 상향식(bottom-up) 예산편성방식을 말한다.

(2) 특징 – 행위자들 간의 전략적 상호작용

① 관점 – 행태적 관점: 예산의 주창자와 옹호자 간에 대립과 협상을 통해 예산이 결정되는 행태적 관점을 중시한다.

② 초점 – 사업 수준: 각 부처가 예산을 요구하는 사업에 관심을 두며, 선택된 사업대안에 소요되는 비용을 계산하여 화폐적 수치를 부여하는 데 초점이 있다.

③ 속성 – 팽창지향적 속성: 각 부처는 예산요구 시 기존예산을 증액하거나 신규사업을 추가함으로써 팽창지향적 속성을 지닌다.

### 2. 거시적 예산결정(macro-budgeting) – 경제적 합리성

(1) 의 의

중앙예산기관과 행정수반이 예산편성의 주도권을 장악하고 아래로 내려오는 하향식(top-down) 예산편성방식을 말한다.

(2) 특 징

① 관점 – 체제적 관점: 과거의 세입·세출 규모, 미래에 예상되는 세입·세출 규모, 경제전망, 정부의 계획 등을 기초로 국가 전체적 관점에서 예산이 결정되는 체제적 관점을 중시한다.

② 초점 – 예산총액: 정부예산의 총액에 관심을 두며, 정부 기능의 범위와 수준을 고려한 정부규모를 결정하는데 초점이 있다.

③ 속성 – 감축지향적 속성: 중앙예산기구는 계획된 예산총액을 준수하기 위해 예산편성지침의 시달과 각 부처의 예산요구에 대한 사정을 통해 통제를 가하는 감축지향적 속성을 지닌다.

### 3. 미시적 예산결정과 거시적 예산결정의 비교

| 구 분 | | 미시적 예산결정 | 거시적 예산결정 |
|---|---|---|---|
| 의 의 | | 상향식(bottom-up) 예산편성 | 하향식(top-down) 예산편성 |
| 합리성 | | 정치적 합리성 | 경제적 합리성 |
| 특 징 | 관 점 | 행태적 관점(경쟁, 대립, 협상 등) | 체제적 관점 |
| | 초 점 | 사업 수준 | 예산총액 |
| | 절차와 속성 | 예산요구와 팽창지향적 속성 | 사정과 감축지향적 속성 |
| 예산 편성 | 주요 행위자 | 각 부처와 사정관 | 행정수반, 중앙예산기관의 장 |
| | 예산과정 | 분산적·상향적 예산과정 | 집권적·하향적 예산과정 |
| 예산 심의 | 주요 행위자 | 국회의 상임위원회 | 국회의 예산결산특별위원회 |
| | 심의대상 | 각 부처의 예산안 심사 | 정부예산의 한도액 |
| 관련된 예산제도 | | MBO, ZBB | PPBS, 신성과주의 예산 |

심화학습

**영기준예산(ZBB)과 미시적 예산결정**

① 일반적으로 합리적 예산제도는 거시적 예산결정과정을 갖는다.
② 다만, ZBB는 합리적 예산제도이면서도 미시적 예산결정과정이다.
③ 따라서 합리적 예산제도가 모두 거시적 예산결정과정이라고 볼 수는 없다.

## 05 예산결정유형론과 예산문화론

### 1. 예산결정유형론 – 쉬크(A. Schick)

(1) 과정예산과 체제예산

쉬크는 1960년대 초에 예산을 과정예산과 체제예산으로 구분하고, 과정예산을 대표하는 점증주의 예산을 비판하면서 체제예산인 계획예산(PPBS)을 지지했다.

과정예산과 체제예산

| 구 분 | 과정 중심 | 체제 중심 |
|---|---|---|
| 예산모형 | 점증주의 | 합리주의 |
| 예산제도 | 품목별 예산제도(LIBS) | 계획예산제도(PPBS) |
| 초 점 | 다원주의(타협과 협상) | 과학적 분석 |
| 시 계 | 과거지향적 | 미래지향적 |
| 분석범위 | 부분적, 지엽적 | 총체적, 포괄적 |

(2) 점증주의와 점감주의

쉬크는 영기준예산이 나타난 1980년대 이후에는 계획예산(PPBS)이 결과적으로 예산확대 수단으로 전락했다고 비판하면서, 예산을 점증주의 예산과 점감주의 예산으로 구분하고 점감주의를 지지하였다.

점증주의와 점감주의

| 구 분 | 점증주의 | 점감주의 |
|---|---|---|
| 시 대 | 성장시대 | 경기침체시대 |
| 예산제도 | 품목별 예산에서 계획예산까지 | 영기준예산 |

### 2. 예산문화론 – 윌다브스키(Wildavsky)

(1) 의 의

윌다브스키는 예산행태에 영향을 미치는 요인으로 경제력, 재정의 예측가능성, 예산규모, 정치구조와 정치지도자들의 가치관 등을 들면서 재정에 대한 예측가능성, 경제력 등에 따라 다음 4가지의 예산행태(문화)가 나타난다고 주장하였다.

(2) 예산문화의 유형

| 구 분 | | 국가의 재정력 | |
|---|---|---|---|
| | | 부 유 | 빈 곤 |
| 재정의 예측력 | 높 음 | • 점증적 예산<br>• 선진국(미국연방정부) | • 양입제출적(세입적) 예산<br>• 미국의 지방정부 |
| | 낮 음 | • 보충적 예산<br>• 행정능력이 낮은 경우<br>• 중동의 산유국 | • 반복적 예산<br>• 후진국 |

**심화학습**

로젠블룸(D. Rosenbloom)의 행정의 접근법과 예산

| | |
|---|---|
| 관리적 접근법 | 가장 고전적인 접근법으로 행정의 능률성을 중요한 가치로 삼고 비용편익분석 등에 의한 합리주의 예산을 강조 |
| 법적 접근법 | 개인에 대한 법적 권리보호를 강조하는 입장으로 국민의 권리나 요구가 예산에 반영되는 권리기초예산(rights funding)을 강조 |
| 정치적 접근법 | 능률성보다는 행정의 대표성, 반응성, 책임성 등의 정치적 가치를 중시하는 입장으로 점증주의 예산을 강조 |

**O·X 문제**

1. 윌다브스키의 예산결정문화론에서는 예측력이 높고 경제력이 풍부한 경우 점증주의 예산이 나타난다. ( )

2. 윌다브스키가 부와 재정의 예측성을 기준으로 분류한 예산과정형태 중에서, 경제력은 낮으나 재원의 예측가능성이 높은 경우로서 미국의 지방정부에서 많이 발견되는 형태는 점증예산이다. ( )

O·X 정답 1. ○ 2. ×

# 제 2 절 예산제도의 변화

## 01 예산제도의 지향

### 1. 의 의

쉬크(A. Schick)는 미국 예산제도의 발전 단계를 그 지향에 따라 통제지향, 관리지향, 기획지향으로 구분하였다. 또한 1980년대 이후에는 최근의 재정환경에 대응하기 위해 쉬크의 논의와 별개로 감축지향, 참여지향, 결과지향 등의 예산제도가 발전하고 있다.

### 2. 예산제도의 지향 변화

(1) 통제지향

정부의 예산지출은 의회에서 승인한 세출 권한 내에서 합법적으로 운영되어야 한다. 미국 초기의 예산제도인 품목별 예산(LIBS)은 예산운영의 합법성에 초점을 둔 통제지향의 예산제도이다.

(2) 관리지향

예산은 정부사업을 수행하기 위한 투입수단으로 이를 통해서 어떠한 성과를 창출했는가가 중요하다. 성과주의 예산(PBS)은 정부가 수행하는 사업의 성과관리에 초점을 둔 관리지향의 예산제도이다.

(3) 기획지향

예산은 기존 사업의 계속 또는 새로운 사업의 개발 등에 대한 계획기능을 수행한다. 계획예산(PPBS)은 예산의 목표설정에 초점을 둔 기획지향의 예산제도이다.

(4) 감축지향

1970년대 정부실패 이후 저성장에 따른 세입감소에 대응할 수 있는 감축관리가 요구되었다. 영기준예산(ZBB)은 평가에 초점을 둔 감축지향의 예산제도이다.

(5) 참여지향

최근 민주주의의 발전에 따라 참여지향의 예산제도가 활성화되고 있다. 조직 내부 구성원의 참여를 강조하는 목표관리예산(MBO)과 납세자주권을 강조하는 주민참여예산은 모두 참여지향의 예산제도이다. 과거에는 목표관리예산(MBO)이 강조되었으나 최근에는 주민참여예산이 강조되고 있다.

(6) 결과지향

최근 서구 선진국의 예산개혁은 투입통제가 아닌 결과(성과)통제를 강조하고 있다. 성과관리예산, 지출통제예산, 총괄경상비제도 등 최근 서구 선진국에서 활용하고 있는 예산제도는 모두 성과에 초점을 둔 결과지향예산이다.

## 02 품목별 예산제도(LIBS : The Line Item Budgeting System)

### 1. 의 의

(1) 개 념

품목별 예산제도(LIBS)는 예산을 지출대상별(기본급 · 수당 · 관서운영비 등)로 분류하여 그 한계를 규정함으로써 예산통제를 기하려는 제도이다. 품목별 예산제도는 재정민주주의에 입각한 통제지향적 예산이다.

(2) 발 달

1912년 '능률과 절약을 위한 대통령위원회(Taft위원회)'의 권고에 의해 1921년 「예산회계법」에 의해 도입되었다. 품목별 예산제도는 여러 단점에도 불구하고 최근까지 계속 유지되고 있는데 그 이유는 통제의 필요성 때문이다.

### 2. 편성방법 및 특징

(1) 편성방법

인건비(기본급, 수당 등), 물건비(관서운영비, 업무추진비, 여비 등), 경상이전비(보상금, 배상금, 출연금 등), 자본지출비(토지매입비 등), 융자금 및 출자금, 보전지출, 장부내부거래, 예비비 및 기타 등의 항목으로 편성되며, 우리나라 예산편성과목 중 목(目)에 해당한다.

(2) 특 징

① **통제지향 예산**: 지출 한계를 준수케 하기 위한 예산제도이며, 회계자료의 확보가 용이한 통제지향적 예산이다.

② **투입 중심 예산**: 단년도 지출(투입)에 초점을 두는 예산제도로 관리나 계획에 대한 관심은 적다.

③ **점증주의적 예산**: 주로 전년도 지출수준과 비교해 타당성을 판단하므로 의사결정이 점증적으로 이루어진다.

④ **상향적 · 미시적 예산**: 예산편성은 상향적 흐름을 지니는 미시적 예산결정이다.

⑤ **다른 예산제도와 병용**: 모든 예산제도의 기초가 되는 예산제도로 어떤 예산제도를 택하더라도 필수적으로 병용된다.

⑥ **통제책임의 집중화**: 통제책임은 집중화되지만, 관리책임과 계획책임은 분산적이다.

⑦ **필요지식 – 회계학**: 예산제도의 목적이 회계책임 확보에 있기 때문에 예산담당 공무원에게 회계학적 지식이 요구된다.

### 3. 장 · 단점

(1) 장 점

① **재정민주주의 확립**: 입법부에 의한 통제가 용이하여 행정권의 남용을 억제하고 재정민주주의의 확립에 기여한다.

② **회계책임의 명확화**: 예산집행에 대한 회계책임을 명확히 할 수 있어 관료통제가 용이하다.

③ **편성의 능률성**: 예산편성이 간단하고 용이하여 예산편성에 소요되는 인적 · 물적 자원과 시간을 절약한다.

**O·X 문제**

1. 품목별 예산제도는 예산 집행의 책임성을 확보할 수 있는 통제지향 예산제도이다. ( )
2. 재정통제와 관련하여 재정민주주의 실현에 가장 효율적인 예산제도는 품목별 예산제도이다. ( )
3. 통제지향적 예산은 하향적 의사결정구조를 가지며 활동에 정보의 초점이 있다. ( )
4. 품목별 예산제도는 정부의 지출을 체계적으로 구조화한 최초의 예산제도로서 지출대상별 통제를 용이하게 할 뿐 아니라 지출에 대한 근거를 요구하고 확인할 수 있다. ( )
5. 어떠한 예산제도를 채택하더라도 품목별 예산제도가 최소한 병용될 필요가 있다. ( )
6. 품목별 예산제도에서 예산담당 공무원들에게 필요한 핵심적 기술은 회계기술이다. ( )

O·X 정답 1. ○ 2. ○ 3. × 4. ○ 5. ○ 6. ○

PART · 06

④ **자원배분 시 적은 마찰과 갈등**: 조직의 생존을 위협하는 사업폐지 등이 없어 예산삭감 시 이익집단의 저항이 적으며, 자원배분 시 마찰과 갈등이 적다.

⑤ **인사행정에 대한 유용한 자료 제공**: 인건비가 따로 하나의 항목으로 설정되어 있어 인사행정에 대한 유용한 자료를 제공한다.

⑥ **통제에 초점**: 통제 중심 예산으로, 비능률적 지출이나 불법적인 지출을 억제하는 데 초점이 있다.

⑦ **지출항목의 일목요연성**: 인건비, 물건비 등으로 지출항목이 일목요연하다.

⑧ **점증주의적 예산**: 현년도 예산이 다음 연도 예산편성에 유용한 자료를 제공하는 점증주의적 예산이다.

(2) 단 점

① **예산집행의 경직성 초래**: 예산집행의 통제에 역점을 두므로 집행의 신축성을 저해하고 경직성을 초래한다.

② **정부활동 파악 곤란**: 지출의 세부적인 항목에만 중점을 두므로 정부활동의 전체적인 상황을 알 수 없다.

③ **정책의 우선순위 파악 곤란**: 각각의 예산항목만 강조하여 그것으로 수행되는 정책의 우선순위를 경시한다.

④ **사업의 목표 및 성과(생산성)파악 곤란**: 투입과 산출의 연계가 없고 정부사업의 목표나 성격을 알지 못하기 때문에 사업성과를 평가할 수 없다.

⑤ **동조과잉과 번문욕례 야기**: 합법성 위주의 재정운영으로 과다한 문서를 생산하여 동조과잉이나 번문욕례를 야기한다.

⑥ **자원낭비의 우려**: 체계적인 분석 없이 예산이 배분되므로 예산이 필요 이상으로 과다 배분되는 등 자원낭비의 우려가 있다.

⑦ **국민경제에 미치는 영향 파악 곤란**: 예산이 국민경제에 미치는 영향을 파악하기 곤란하다.

⑧ **부처 간의 상황차이 무시**: 같은 품목에 대한 동일한 통제로 인하여 부처 간의 상황차이가 무시된다.

⑨ **신규사업 창안 곤란**: 전년도 예산(base)을 기준으로 예산이 편성되므로 신규사업을 창안하고 시행하는 데 적합하지 않다.

⑩ **계획과 예산의 연계 미흡**: 구체적인 지출항목에만 초점이 있어 계획과 예산의 연계가 미흡하다.

**O·X 문제**

1. 품목별 예산제도는 지출항목을 엄격히 분류하므로 사업성과와 정부생산성을 정확하게 평가할 수 있다. ( )
2. 품목별 예산제도는 각 항목에 의한 예산배분으로 조직 목표 파악이 쉽다. ( )
3. 품목별 예산제도는 왜 돈을 지출해야 하는지, 무슨 일을 하는지에 대하여 구체적인 정보를 제공하는 장점이 있다. ( )
4. 품목별 예산제도는 예산지출에 대한 통제와 담당 공무원의 책임성을 확보하는 데 유리하다. ( )
5. 품목별 예산제도는 의회의 예산심의 및 회계검사를 용이하게 할 수 있다. ( )
6. 품목별 예산제도는 인사행정에 유용한 자료를 제공하며, 이익집단의 저항회피라는 정치적 이점이 있다. ( )
7. 품목별 예산제도는 관심의 대상에는 투입과 산출이 함께 포함된다. ( )
8. 품목별 예산제도는 일에 대한 정보를 제공하며, 세입과 세출의 유기적 연계를 고려한다. ( )
9. 품목별 예산제도는 정부 활동에 대한 총체적인 사업계획과 우선순위 결정에 유리하다. ( )
10. 품목별 예산제도는 회계책임을 명백히 할 수 없기 때문에 예산의 유용이나 남용을 방지할 수 없다. ( )

O·X 정답 1. × 2. × 3. × 4. ○ 5. ○ 6. ○ 7. × 8. × 9. × 10. ×

## 03 성과주의 예산제도(PBS : Performance Budgeting System)

### 1. 의 의

(1) 개 념

성과주의 예산제도(PBS)는 정부의 사업 및 활동을 중심으로 예산을 분류·편성하는 제도이다. 성과주의 예산제도는 품목별 예산(LIBS)의 결함을 극복하기 위해 등장하였으며, 정부가 수행하는 사업의 관리에 중점을 둔다는 점에서 관리지향적 예산이다.

(2) 발 달

① 미국에서 1949년 제1차 후버(Hoover)위원회의 권고를 수용한 「예산회계절차법」을 통해 도입되었으며, 트루먼(Truman) 대통령이 최초로 성과주의 예산안을 의회에 제출하였다.

② 우리나라는 1961년 국방부에서 최초로 채택하였으며, 이후 농림부·건설부 등 일부 부처의 일부 사업에 확대 적용되었으나, 1964년 폐지되었다.

③ 성과주의 예산제도는 1980년대 이후 신공공관리론적 행정개혁과 함께 다시 전 세계적으로 부활하고 있다.

### 2. 편성방법 및 특징

(1) 편성방법

① 의의: 성과주의 예산서는 품목별이 아닌 프로그램(사업)별로 작성된다. 성과주의 예산서에는 사업의 목적과 목표에 대한 기술서, 달성해야 할 업무량(고객 수, 수배자 수), 업무가 완료될 경우 효율성[비용(단위원가): 고객당 비용, 수배자당 비용], 사업의 효과성[성과(실적): 시민만족, 재범률] 등이 포함된다.

② 업무단위의 개발: 예산편성의 기본단위는 업무단위(측정단위)이다. 업무단위는 하나의 사업을 수행하는 과정에서의 활동(예 경찰긴급출동사업의 경우 경찰의 출동) 또는 최종산물(예 도로건설사업의 경우 건설된 도로)로 구성된다.

③ 예산액의 산정방법: 업무단위가 개발되면 단위원가(업무단위당 소요되는 비용)와 업무량(업무단위의 수)을 파악하고 '단위원가×업무량=예산액'으로 예산을 편성한다.

④ 성과주의 예산편성의 예

| 사업명 | 사업목적 | 측정단위 | 단위원가 | 실 적 | 금 액 | 변동률 |
|---|---|---|---|---|---|---|
| 긴급출동 | 비상시 6분 내 현장까지 출동 | 출동횟수 | $100 | 1,904건 | $190,400 | +10.0% |
| 일반순찰 | 24시간 계속 순찰 | 순찰시간 | $25 | 2,232시간 | $55,800 | +7.8% |
| 범죄예방 | 강력범죄발생률의 10% 감소 | 투입시간 | $30 | 2,327시간 | $69,810 | +26.7% |

**O·X 문제**

1. 관리지향적 예산관리를 위해 성과주의 예산제도가 제안되었다. ( )

2. 성과주의 예산은 1990년대 이후 미국 클린턴 행정부에서 목표관리, 총체적 품질관리 등과 같은 혁신적인 방안이 추진되면서 부활된 제도이다. ( )

3. 성과주의 예산제도는 사업별, 활동별로 예산을 편성하고, 성과평가를 통하여 행정통제를 합리화할 수 있다. ( )

4. 성과주의 예산제도가 성공적으로 도입·운영되기 위해서는 사업원가의 도출이 중시되어야 한다. ( )

5. 성과주의 예산제도에서는 사업의 단위원가를 기초로 예산을 편성한다. ( )

**심화학습**

**업무단위 구비요건**

① 동질성
② 측정(계산)가능성
③ 영속성
④ 완결된 업무표시 가능성
⑤ 이해의 용이성
⑥ 가능한 한 단수

O·X 정답 1. ○ 2. ○ 3. ○ 4. ○ 5. ○

(2) 특 징

① **능률지향적 예산**: 각 사업마다 업무단위를 선정하여 업무를 양적으로 표시하고 원가에 의해 과학적·합리적으로 예산을 편성하는 능률지향적 예산이다.

② **관리지향적 예산**: 관리자에게 산출물 기준으로 관련 사업에서 무엇이 기대되는지 알려 준다는 점에서 운영관리를 위한 지침으로 효과적인 예산이다.

③ **상향적·미시적 예산결정**: 예산편성은 상향적 흐름을 지니는 미시적 예산결정이다.

④ **점증주의적 성격**: 전년도 성과(실적, 업무량)에 기반을 둔 점증주의 예산이다.

⑤ **관리책임의 집중화**: 관리책임은 집중화되지만, 통제책임과 계획책임은 사업단위별로 분산적이다.

⑥ **단위사업 중심**: 계속사업 중심의 예산이며, 단위사업을 중심으로 예산이 편성된다.

⑦ **예산의 추가투입액 파악 용이**: 전년도 산출을 기준으로 하는 점증주의 예산으로 다음 연도의 산출 증가에 따른 예산의 추가투입액 파악이 용이하다.

⑧ **입법통제 약화·내부통제 강화**: 의회에 의한 입법통제(외부통제)를 줄이고 대신 내부통제를 강화하려는 예산제도이다.

### 3. 장·단점

(1) 장 점

① **국민의 이해와 예산심의 용이**: 일반 국민이나 국회가 정부 각 기관의 사업과 목적을 이해하기가 용이하며, 국회의 예산심의에 효과적이다.

② **재정사업의 투명성 제고**: 사업 또는 활동별로 예산이 편성되기 때문에 재정사업의 투명성을 제고할 수 있다.

③ **능률적 행정관리**: 예산편성에서 과학적이고 합리적 분석이 이루어지므로 자원배분의 합리화에 기여하고 능률적인 행정관리가 이루어진다.

④ **예산집행의 신축성 확보**: 지출항목과 그 한계가 구체적으로 설정되지 않기 때문에 예산집행의 신축성 확보가 용이하다.

⑤ **예산 환류의 강화**: 예산집행의 실적을 객관적으로 측정하여 실적 분석결과를 다음연도 예산편성에 반영하므로 예산 환류 기능이 강화된다.

⑥ **성과 중심의 예산**: 사업을 중심으로 예산을 편성하고 그 성과를 평가하여 다음연도 예산에 반영하는 성과 중심의 예산이다.

⑦ **사업과 예산의 연계 강화**: 예산배정 과정에서 필요사업량이 제시되므로 사업계획과 예산을 연계할 수 있다.

⑧ **관리층에게 효과적인 관리수단 제공**: 실·국 단위의 예산편성에 도움을 주는 예산제도로 행정기관의 관리층에게 효과적인 관리수단을 제공한다.

(2) 단 점

① **총괄계정에 부적합**: 실(室)·국(局) 중심의 세부사업 단위 중심으로 예산이 편성되므로 총괄계정에 적합하지 못하다.

② **회계책임 확보 곤란**: 품목이 아닌 사업을 중심으로 예산이 편성되므로 재정사용 파악이 어려워 입법부의 세출통제 및 회계책임 확보가 곤란하다.

**O·X 문제**

1. 성과주의 예산은 관리지향성을 지니며 예산관리를 포함하는 행정관리작용의 능률을 지향한다. ( )

2. 성과주의 예산은 예산을 사업별로 편성하여, 사업 수행의 최종산출물을 강조하였다. ( )

3. 성과주의 예산은 예산관리기능의 집권화를 추구한다. ( )

4. 성과주의 예산은 운영관리를 위한 지침으로 효과적이다. ( )

5. 성과주의 예산은 구체적으로 완성한 이후의 모습을 보여줌으로써, 재원과 사업을 직접적으로 연계시키는 예산제도이다. ( )

6. 성과주의 예산은 하향적 의사결정에 따라 권한이 상부에 집중되는 경향이 있다. ( )

7. 성과주의 예산제도에서는 국민과 의회가 정부의 사업 내용과 목적을 이해하는 데 편리하다. ( )

8. 성과주의 예산은 정부의 지출대상이나 지출금액이 명확하여 회계책임과 예산통제를 용이하게 할 수 있다. ( )

9. 성과주의 예산은 예산절감 및 감축 관리기능을 중시한다. ( )

10. 성과주의예산제도는 산출 이후의 성과에 관심을 가지며 예산집행의 재량과 결과에 대한 책임을 강조하는 제도로서 1950년대 연방정부를 비롯해 지방정부에 확산되었다. ( )

O·X 정답 | 1. ○ 2. ○ 3. ○ 4. ○ 5. ○ 6. × 7. ○ 8. × 9. × 10. ×

③ **전략적 목표의식의 결여**: 장기적이고 거시적인 계획보다는 단위사업이나 세부사업을 중시한다는 점에서 전략적인 목표의식이 결여될 수 있다.

④ **점증주의적 성격**: 예산의 절약보다는 사업의 성과를 중시하고, 전년도 투입액을 기준으로 조금의 증가를 추구하는 점증주의적 성격을 지닌다.

⑤ **성과의 질적 측면 파악 곤란**: 업무단위가 최종적인 결과물이 아니라 중간산출물인 경우가 많아 성과의 질적 측면을 파악하기 곤란하다.

⑥ **사업의 우선순위 파악 곤란**: 이미 결정된 사업에 한정하여 사업비용의 합리적 책정에 치중하므로 사업의 우선순위 파악이나 정책대안의 선택에는 도움을 주지 못한다('how to do' – 관리과학과 연계).

⑦ **현금주의와 부조화**: 사업별 총원가를 파악하기 위해 회계학적 지식(간접비 산출, 감가상각 등)이 필요하며, 현금주의 방식에서는 사용하기 곤란하다.

⑧ **측정단위 선정 및 단위원가 계산 곤란**: 공공행정은 그 무형성으로 인해 측정단위의 선정이 곤란하고 단위원가 계산이 어렵다.

⑨ **적용영역의 제한성**: 정부영역은 사업의 성과를 명확하게 명시할 수 있는 영역이 한정적이므로 적용할 수 있는 영역이 제한적이다.

## 04 계획예산제도(PPBS : Planning Programming Budgeting System)

### 1. 의 의

#### (1) 개 념

계획예산제도(PPBS)는 장기적인 계획과 단기적인 예산을 프로그램 작성을 통해 유기적으로 연계하여 예산을 편성하는 제도이다. 계획예산제도는 자원배분에 관한 정부의 의사결정을 일관성있고 합리적으로 행하고자 하는 계획지향적 예산이다.

#### (2) 발 달

① **발달요인(Schick)**: 경제학의 발전, 경제분석 · 체제분석 · 관리과학 등의 합리적 의사결정기법의 발달, 계획과 예산의 연계 필요성 등이 도입에 영향을 미쳤다.

② **도입**: 미국에서 랜드(RAND) 연구소의 노빅(Novick), 히치(Hitch), 맥킨(McKean) 등의 제안에 따라 국방장관이었던 맥나마라(McNamara)에 의해 국방성에 처음 도입되었다(1961). 이후 1965년 존슨(Johnson) 대통령에 의해 연방정부에 도입되었으나 1971년에 중단되었다.

③ **평 가**

㉠ 점증주의자인 윌다브스키(Wildavsky)는 계획예산제도는 예산과정의 정치성을 감안할 때 출발부터 잘못된 제도라고 비판하였다.

㉡ 총체주의자인 쉬크(Schick)는 계획예산제도가 제도의 설계나 준비과정이 미흡하여 그 성과를 거두지 못하였지만, 이를 보완하면 효과적인 예산제도라고 옹호하였다.

**O·X 문제**

1. 성과주의 예산제도는 예산배정 과정에서 필요 사업량이 제시되지 않아서 사업계획과 예산을 연계할 수 없다. ( )

2. 성과주의 예산은 평가대상 업무단위가 중간 산출물인 경우가 많아 예산성과의 질적인 측면까지 평가할 수 있다. ( )

3. 성과주의 예산은 예산집행의 신축성이 떨어진다. ( )

4. 성과주의 예산은 총괄예산계정에 적합하지 않고 입법부의 재정통제가 곤란하다. ( )

5. 성과주의 예산제도는 장기적인 계획과의 연계보다는 단위사업만을 중시하기 때문에 전략적인 목표의식이 결여될 수 있다. ( )

6. 성과주의 예산은 정부사업에 대한 회계책임을 묻는 데 용이하다. ( )

**O·X 문제**

7. 계획예산제도에서는 장기적인 기획과 단기적인 예산편성을 연계하여 합리적 예산 배분을 시도한다. ( )

8. 계획예산제도는 당시 미국의 국방장관이었던 맥나마라(McNamara)에 의해 국방부에 처음 도입되었고, 국방부의 성공적인 예산개혁에 공감한 존슨(Johnson) 대통령이 1965년에 전 연방정부에 도입하였다. ( )

O·X 정답 1. × 2. × 3. × 4. ○ 5. ○ 6. × 7. ○ 8. ○

## 2. 편성방법 및 특성

### (1) 편성방법

① 과 정

㉠ **장기계획의 수립(planning)**: 조직목표를 설정하고 이에 근거하여 중기적 관점(주로 5년의 연동계획)에서 정책의 우선순위를 결정하는 단계이다.

㉡ **사업구조(프로그램 구조)의 형성(programming)**

ⓐ 계획예산제도의 기본 토대인 프로그램 구조를 형성하는 단계이다.

ⓑ 프로그램 구조는 목표달성을 위한 대안을 체계적으로 검토하여 반영한 사업계획이다.

ⓒ 프로그램 구조는 시스템 분석을 통해 상하로 연계된 하나의 시스템(프로그램 범주 – 하위 범주 – 프로그램 요소)으로 구성된다.

ⓓ 프로그램 구조를 형성하는 과정에서는 여러 대안을 체계적으로 분석하는 과학적 · 계량적 기법(체제분석, 관리과학)이 활용된다.

ⓔ **프로그램 구조**

- **프로그램 범주(program category)**: 각 기관의 목표나 임무를 나타내는 프로그램 체계의 최상위 수준의 분류항목
- **하위 범주(program sub-category)**: 프로그램 범주를 세분화한 중간 수준의 분류항목
- **프로그램 요소(program element)**: 프로그램 구조의 기본단위로 최종산물을 생산하는 구체적인 활동

㉢ **예산편성(budgeting)**: 프로그램 구조에 근거하여 1회계연도의 실행예산을 편성하는 단계이다.

② 사업구조의 예

| 목 표 | 주요 사업 | 세부 사업 | 세세부 사업 | 사업 요소 |
|---|---|---|---|---|
| 국방목표의 달성 | 전선방위 | 지상작전 | 보병부대 | 전선사단 |
| | | | 포병부대 | 곡사포부대 |
| | | 해상작전 | | |
| | 후방방위 | | | |

### (2) 특 성

① **목표지향적 예산**: 목표달성에 적합한 프로그램 형성을 중시하는 목표지향적 예산이다.

② **장기적 예산**: 보통 5년 이상의 장기적인 목표를 추구하는 장기적 예산이다.

③ **하향적 · 거시적 예산**: 예산편성은 하향적 흐름을 지니는 거시적 예산결정이다.

④ **합리주의적 예산**: 과학적 · 분석적 기법에 의한 합리적 예산편성을 지향한다.

⑤ **계획책임의 집중화**: 계획책임은 집중화되고 통제책임과 관리책임은 분권화된다.

⑥ **효과성 · 능률성**: 목표중심의 예산으로 효과성을 중시하며, 체제분석 · 관리과학 등을 활용한 능률성을 지향한다.

⑦ **과학성 · 객관성**: 체제분석 · 관리과학 등 과학적이고 객관적인 분석기법을 활용한다.

⑧ **개방체제적 성격**: 부처의 경계를 뛰어넘어 체제적 관점에서 예산을 편성한다.

**O·X 문제**

1. 계획예산제도는 장기적 계획, 사업, 예산을 연결시키는 제도로서 미국에서 베트남 전쟁, 위대한 사회 프로그램 등 정부예산이 팽창하던 1960년대에 도입 · 운영되었다. ( )
2. 계획예산제도는 목표의 구조화, 체계적인 분석, 재원배분을 위한 정보체계 등을 강조하는 예산제도이다. ( )
3. 계획예산제도는 기획, 사업구조화, 그리고 예산을 연계시킨 시스템적 예산제도이다. ( )

**O·X 문제**

4. 계획예산제도는 경제적 합리성을 중시하는 합리주의 예산으로서 비용편익분석과 같은 체제분석을 통하여 사업을 평가하며 단기적 계획을 예산에 반영한다. ( )
5. 계획예산은 목표달성을 위한 대안을 비교 · 평가하여 효과성이 높은 대안을 선택한다. ( )

O·X 정답 1. ○ 2. ○ 3. ○ 4. × 5. ○

⑨ **전문가의 역할 중시**: 과학적 · 분석적 기법이 중시되므로 전문가의 권한이 강화되는 반면, 관료의 영향력은 감소된다.

⑩ **정책별 예산배분**: 예산을 부서별로 배분하지 않고 정책별로 배분한다.

⑪ **무엇을 할 것인지(what to do)에 관심**: '어떻게 할 것인지(how to do)'에 관심을 두는 성과주의 예산제도와는 달리, '무엇을 할 것인지(what to do)'에 관심을 둔다.

## 3. 장 · 단점

### (1) 장 점

① **최고관리층의 의사결정에 도움**: 의사결정절차의 일원화로 최고관리층의 합리적 의사결정에 도움을 준다.

② **자원배분의 합리성 제고**: 과학적 · 객관적 분석기법의 활용을 통해 자원배분의 합리화를 가져올 수 있다.

③ **전략적 예산체계**: 중장기적 전략기획에 따라 모든 사업이 목표달성을 위해 유기적으로 연계되는 전략적 예산체계이다.

④ **체제적 관점**: 조직 간 장벽을 제거한 상태에서 대안의 분석 · 검토를 통해 국가전체적 관점에서 합리적으로 예산이 운영된다.

⑤ **객관적인 의사결정**: 체제분석, 관리과학 등의 과학적 분석을 통해 예산결정자의 주관을 배제하고 객관적인 의사결정이 가능하다.

⑥ **목표 · 계획 · 사업의 유기적 연계**: 조직의 목표와 프로그램을 연계함으로써 목표 · 계획 · 사업 등이 유기적으로 연계된다.

⑦ **연동계획과 연계 시 신축성 제고**: 장기계획을 연동계획으로 수립할 경우 환경변화에 따른 신축적 운영이 가능하다.

### (2) 단 점

① **목표설정 곤란**: 공공의 목표는 무형적이고 다양해서 명확한 목표설정이 곤란하다.

② **중앙집권화**: 조직의 상층에서 예산이 결정되고 하급공무원의 참여가 배제되기 때문에 집권화가 야기된다.

③ **환산작업의 복잡성**: 사업구조와 예산과목 구조의 불일치로 환산작업이 복잡하다. 특히, 간접비나 공통비의 배분 시 환산작업이 더욱 복잡해진다.

④ **재정민주주의와 충돌**: 과학적 · 객관적 분석기법이 활용되고 정치적 이해관계가 배제되기 때문에 국회의 지위가 약화되어 재정민주주의가 위협받을 수 있다.

⑤ **환경변화에의 적응 곤란**: 장기계획을 고정계획으로 수립할 경우 장기계획에 의한 구속으로 환경변화에 적응이 곤란하고 경직성을 지닌다.

⑥ **과도한 문서와 정보량**: 비용 · 편익분석, 관리과학 등의 분석기법의 활용으로 과도한 문서와 정보가 양산된다.

⑦ **지출내역 파악 곤란**: 예산이 계획이나 프로그램 중심으로 제시되기 때문에 지출내역을 항목별로 파악하기 곤란하다.

**O·X 문제**

1. 계획예산은 기획의 책임이 중앙에 집중되어 있다. ( )

2. 계획예산은 품목별 예산과는 달리 정책별로 예산을 배분하지 않고 부서별로 예산을 배정한다. ( )

3. 계획예산제도는 각 행정기관 중심의 할거주의를 지양하고 국가적 차원에서 재원배분이 이루어진다. ( )

4. 기획예산제도는 모든 사업이 목표달성을 위해 유기적으로 연계되어 있어 부처 간의 경계를 뛰어넘는 자원배분의 합리화를 가져올 수 있다. ( )

5. 계획예산제도는 중장기적 전략기획에 따라 일관성 있게 예산이 뒷받침되는 전략예산체계를 지향한다. ( )

6. 계획예산은 도입 초기 행정부에 대한 의회의 통제력을 강화시킨다는 점에서 의회의 지지를 받았으나 이를 뒷받침하는 예산분석 능력이 미비하여 큰 효과를 거두지 못하였다. ( )

7. 계획예산제도는 계획과 예산을 연계시키고 있으나 예산과정의 객관성보다 주관적 효율성을 추구한다. ( )

8. 계획예산제도는 목표 · 계획 · 사업의 연계성을 높일 수 있으나, 과도한 정보를 필요로 한다는 단점이 있다. ( )

9. 계획예산제도의 단점으로는 의사결정이 지나치게 집권화되고 전문화되어 외부통제가 어렵다는 점과 대중적인 이해가 쉽지 않아 정치적 실현가능성이 낮다는 점이 있다. ( )

O·X 정답 | 1. ○ 2. × 3. ○ 4. ○ 5. ○ 6. × 7. × 8. ○ 9. ○

## 05 목표예산제도(MBO : Management By Objective)

### 1. 의 의

(1) 개 념

목표예산제도(MBO)는 조직구성원들의 참여를 통하여 목표를 설정하고 설정된 목표에 따라 자원을 배분하는 예산제도이다. 목표예산제도는 목표와 성과(산출과 결과)를 중시한다는 점에서 계획예산제도와 성과주의 예산제도의 특성을 결합한 예산제도이다.

(2) 발 달

목표예산(MBO)은 미국에서 닉슨(Nixon) 대통령에 의해 1973년 연방정부에 도입되었으나, 닉슨의 사임과 공화당 재집권의 실패로 인하여 1977년에 폐지되었다. 그러나 여전히 지방정부 차원에서는 많이 활용되고 있다.

### 2. 특성 및 장 · 단점

(1) 특 성

① **신축적인 단기예산**: 1년 단위의 단기목표를 중시하는 예산으로 신축성을 지닌다.
② **대내지향적 예산**: 조직 내부의 산출량에 치중하는 대내지향적 예산이다.
③ **참여지향적 예산**: 구성원들의 참여를 중시하는 참여지향적 예산이다.
④ **결과지향적 예산**: 목표달성도를 강조하는 결과지향적 예산이다.
⑤ **상향적 · 미시적 예산**: 예산의 흐름이 상향적인 미시적 예산이다.
⑥ **정책집행 중시**: 정책결정 못지않게 정책집행이 중요하다는 점을 강조한다.
⑦ **목표 간 조화 추구**: 조직 전체의 목표와 하위목표의 조화를 중시한다.

(2) 장 점

① **분권적 관리**: 예산결정과정에 중 · 하위직 관리자의 참여가 보장된다는 점에서 분권적이다.
② **사업운영의 효율화**: 사업수행과정에서 대안의 대체가 가능하고 관리자는 그 결과에 대해 책임을 지도록 하고 있어 사업운영의 효율화를 가져온다.
③ **대통령의 공약 제시 용이**: 목표중심의 예산으로 대통령의 공약을 국민에게 설명할 수 있는 능력이 향상된다.

(3) 단 점

① **목표설정 및 계량화 곤란**: 공공의 목표는 무형성과 추상성을 지니므로 목표설정 및 계량화가 곤란하고 성과측정이 용이하지 않다.
② **경직성 경비로 인한 한계**: 정부사업의 경우 목표와 수단이 법으로 정해져 있는 법정경비(경직성 경비)가 다수를 차지해 자유로운 목표설정이나 수단선택이 곤란하다.
③ **단기목표 중시**: 1년 단위의 단기목표를 중시한다는 점에서 국가의 장기적 계획과 괴리를 빚을 수 있다.
④ **업무의 복잡성**: 목표의 계량화 · 의사통로의 개발 등으로 업무가 복잡해진다.

**O·X 문제**

1. 목표관리(MBO)는 상위목표와 하위목표의 연계를 중시한다. ( )
2. 목표관리(MBO)는 대외적 · 종합적 자원배분에 치중한다. ( )
3. 목표관리예산은 구성원의 참여에 의해 예산을 편성하며 단기목표를 강조한다. ( )
4. 목표관리(MBO)는 결과지향적 · 계량적 목표를 중시한다. ( )
5. 목표관리예산은 부처별 기본목표에 따라 하향식 방식으로 중장기 계획을 수립한다. ( )
6. 목표관리예산제도(MBO)에서 참여과정을 통한 예산관리는 시간과 노력을 단축시킨다. ( )
7. 목표관리예산제도의 도입 취지는 불요불급한 지출을 억제하고 감축관리를 지향하는 데 있다. ( )

O·X 정답 1. ○ 2. × 3. ○ 4. ○ 5. × 6. × 7. ×

### 3. 목표관리(MBO)와 계획예산제도(PPBS)의 비교

| 분류기준 | 목표관리(MBO) | 계획예산제도(PPBS) |
|---|---|---|
| 기본방향 | 관리기술의 일환 | 예산제도의 일환 |
| 기획기간 | 부분적이며 보통 1년, 때로는 5년 | 종합적이며 보통 5년 |
| 권위구조 | 분권적 · 상향적(계선 중시) | 집권적 · 하향적(막료 중시) |
| 관 리 | 참여에 의한 관리, 상식에 의한 관리(일반 관리기술 중시) | 고차원적 분석기법을 활용한 분석적 관리(세련된 분석기술 중시) |
| 중 점 | 최종산출의 경험적 평가에 중점 | 비용 · 편익분석에 중점 |
| 관리기술 | 내적이고 산출량 중시 | 외적이고 비용편익분석 중시 |
| 예산범위 | 부분적 · 개별적 자원배분 | 종합적 자원배분 |
| 환 경 | 폐쇄적 | 개방적 |
| 지 향 | 결과지향적, 목표달성 및 정책집행 중시(단기목표 중시) | 목표지향적, 목표설정 및 정책결정 중시(장기목표 중시) |
| 구조와 절차 | 공식적인 기구나 절차 불필요 | 공식적인 기구(지휘본부) 필요 |
| 책임과 환류 | • 환류 중시<br>• 일선관리자의 책임 강조 | • 환류 미흡<br>• 상위층의 책임 강조 |

## 06 영기준예산제도(ZBB : Zero-Base Budgeting)

### 1. 의 의

#### (1) 개 념

영기준예산제도(ZBB)는 행정기관의 모든 사업과 활동을 전년도 예산을 고려하지 않고 영기준에서 축소 · 계속 · 확대 여부를 평가하고, 우선순위가 높은 사업과 활동을 선택하여 예산을 편성하는 제도이다. 영기준예산제도는 불필요한 사업의 존속이나 확대를 막기 위한 감축지향적 예산제도이다.

#### (2) 발 달

영기준예산제도는 1970년대 정부기능의 확대로 재정적자가 일상화되고 납세자의 저항이 커지자 카터(Carter) 대통령이 감축관리(긴축재정정책)의 일환으로 도입하였다. 우리나라 역시 1983년에 부분적이지만 공식적으로 도입한 바 있다.

### 2. 편성방법 및 특징

#### (1) 편성방법

① **목표설정**: 영기준예산은 목표수단분석을 전제로 하기 때문에 목표설정이 선행되어야 한다.

② 의사결정단위(decision unit)의 선정

㉠ 개념: 의사결정단위는 조직의 활동을 상호비교하고 평가할 수 있도록 나눈 개개의 활동단위이며, 사업수행에 소요되는 비용을 산출하는 예산단위이다.

㉡ 선정: 의사결정단위는 매년 사업별로 선정되며, 실 · 국이나 과(조직단위)가 선정될 수도 있고, 팀(사업단위)이 선정될 수도 있다.

**O·X 문제**

1. MBO는 계선 중심이지만 PPBS는 막료 중심이다. ( )
2. PPBS는 MBO에 비해 고도의 분석기술과 전문기술이 필요하다. ( )
3. MBO는 단기적이나 PPBS는 장기적이다. ( )

**O·X 문제**

4. 영기준예산은 전년도 예산을 기준으로 하여 점진적으로 예산을 결정하는 데 따른 폐단을 시정하기 위한 목적에서 도입되었다. ( )
5. 영기준예산제도는 1970년대 미국 카터(Carter) 대통령이 당시 긴축재정정책의 일환으로 도입하였다. ( )
6. 영기준예산제도는 기존 사업과 새로운 사업을 구분하지 않고 사업의 목적, 방법, 자원에 대한 근본적인 재평가를 바탕으로 예산을 편성하는 제도이다. ( )
7. 우리나라는 정부예산에 영기준예산제도를 적용한 경험이 있다. ( )
8. 영기준예산제도의 예산편성 기본 단위는 의사결정 단위(decision unit)이며 조직 또는 사업 등을 지칭한다. ( )

O·X 정답 1. ○ 2. ○ 3. ○ 4. ○ 5. ○ 6. ○ 7. ○ 8. ○

PART · 06

**O·X 문제**

1. 영기준예산제도는 예산 편성에서 의사결정단위 설정, 의사결정 패키지 작성 등이 필요하다. ( )

2. 의사결정단위의 선정은 우선순위가 높은 것부터 의사결정패키지를 배열하는 과정을 말한다. ( )

3. 의사결정단위는 관리자가 사업계획, 활동수준, 재원요구에 관한 판단을 하는 데 필요한 정보를 기재한 문서이다. ( )

③ 의사결정패키지(decision package)의 작성

㉠ 개념: 의사결정패키지란 사업과 활동에 대한 분석 및 평가결과를 명시해 놓은 표이다. 의사결정단위는 매년 의사결정패키지를 작성하는데, 의사결정패키지는 사업대안패키지와 금액대안패키지로 구성된다.

㉡ 사업대안패키지: 의사결정단위의 목표를 달성하기 위한 여러 사업대안들을 탐색하고, 비용편익분석을 활용하여 최선의 사업대안을 선택한 결과를 담은 정보이다.

㉢ 금액(증액)대안패키지: 선정된 사업대안에 대한 예산투입의 수준별 대안을 검토한 정보이다. 즉, 사업대안에 대해 예산투입액을 증액시켜 보면서 그 한계효과를 검토하는 것으로 일반적으로 기본수준, 현재수준, 개선수준으로 구성된다. 금액대안패키지는 공공서비스의 수준이 다른 한 개 이상의 개선 패키지가 제시되어야 한다.

**참고** 의사결정패키지의 구성

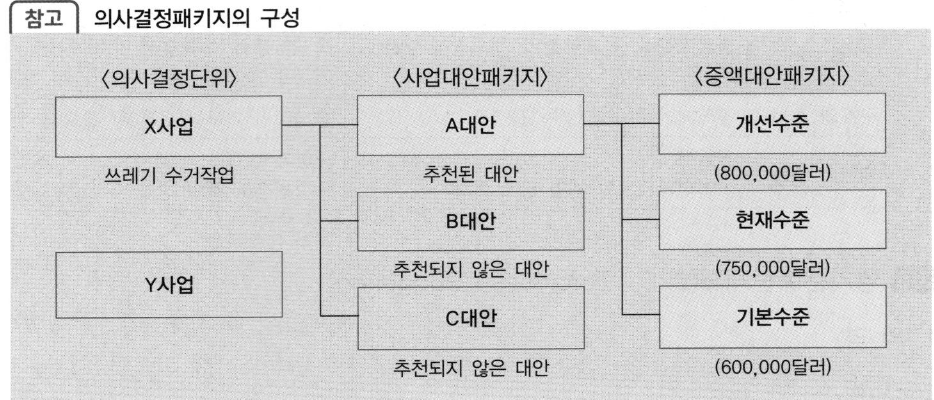


**O·X 문제**

4. 영기준예산은 동일 사업에 대해 예산배분 수준별로 예산이 편성된다. ( )

5. 영기준예산은 어떤 수준에서 각 사업 혹은 활동이 수행되어져야만 하는가를 결정한다. ( )

6. 영기준예산은 사업을 우선순위에 따라 상향적으로 예산화해 나간다. ( )

7. 영기준예산은 우선순위가 높은 사업에 재원을 융통할 수 있다. ( )

8. 영기준예산은 사업의 우선순위를 설정할 때 의사결정자들의 주관적 판단이 개입될 여지가 있다. ( )

④ 패키지에 대한 우선순위결정(ranking of decision package): 우선순위결정은 금액대안패키지를 대상으로 각 사업대안의 점증적 수준 간에 우선순위를 정하는 과정이다. 우선순위결정은 아래에서 최고결정자에 이르기까지 상향적·단계적으로 올라가며, 의사결정자의 주관적 판단에 의한다.

⑤ 실행예산의 편성: 배정된 예산범위 내에서 우선순위에 따라 예산이 편성된다. 만약 아래의 표와 같이 한 부서에서 A, B, C의 사업을 수행하고 예산총액이 500만원이라면, 우선순위에 따라 A사업은 현행수준, B사업은 증액수준, C사업은 최저수준에서 예산이 편성된다.

| 순 위 | 의사결정패키지 | 예산액 | 예산누계액 |
|---|---|---|---|
| 1 | B－1 | 100만원 | 100만원 |
| 2 | A－1 | 60만원 | 160만원 |
| 3 | C－1 | 140만원 | 300만원 |
| 4 | B－2 | ＋50만원 | 350만원 |
| 5 | A－2 | ＋50만원 | 400만원 |
| 6 | B－3 | ＋100만원 | 500만원 |
| 7 | C－2 | ＋70만원 | 570만원 |
| 8 | C－3 | ＋100만원 | 670만원 |

O·X 정답 1. ○ 2. × 3. × 4. ○ 5. ○ 6. ○ 7. ○ 8. ○

(2) 특 징

① 품목별 예산제도(점증주의)와 영기준예산제도(점감주의)의 비교

| 품목별 예산제도(LIBS) | 영기준예산제도(ZBB) |
|---|---|
| • 전년도 예산 기준으로 한다.<br>• 기득권을 인정한다.<br>• 새로운 운영방법을 개발하지 않는다. | • 전년도 예산을 영(零)으로 간주한다.<br>• 기득권을 인정하지 않는다.<br>• 새로운 운영방법을 개발한다. |
| 신규사업만 비용·편익분석을 한다. | 계속사업도 비용·편익분석을 한다. |
| 내용검토보다 예산요구액 검토가 먼저 이루어지며, 예산책정에 이어 사업계획을 수립한다. | 예산요구액 검토보다 내용 검토가 먼저 이루어지며, 예산편성과 사업계획수립이 동시에 이루어진다. |
| 상황변동에 대한 대처가 어렵다. | 상황변동에 신축적인 대응이 가능하다. |
| 화폐·품목 중심이다. | 목표·활동 중심이다. |
| 의사전달이 제약된다. | 상·하 간의 의사전달이 활발하다. |

② 계획예산제도와 영기준예산제도의 비교

㉠ 차이점

| 분류기준 | 계획예산제도(PPBS) | 영기준예산제도(ZBB) |
|---|---|---|
| 예산의 중점 | 정책수립 또는 목표설정 | 사업평가를 통한 예산의 감축 |
| 핵심 행위자 | 최고관리자와 참모 | 상·하 관리자 |
| 예산의 기능 | 계획 중시(새로운 정책의 형성) | 조정·평가 중시(기존 정책의 평가) |
| 책 임 | • 기획책임 집권화<br>• 관리책임 분권화 | • 기획책임 분권화<br>• 관리책임 집권화 |
| 분 석 | 시스템분석과 비용편익분석 | 비용편익분석 |
| 조직 간 관계 | 개방체제(조직 간 구분 없음) | 폐쇄체제(조직 간 구분 중시) |
| 결정의 흐름 | 거시적·하향적(집권) | 미시적·상향적(분권) |
| 예산의 지향 | 기획지향적 | 평가지향적 |
| 사업의 초점 | 정책지향적(거시적 정책 중시) | 사업지향적(미시적 사업 중시) |
| 예산의 초점 | 사업대안 | 사업대안과 금액대안 |
| 관심 대상 | 신규사업에만 관심 | 기존사업과 신규사업 모두 분석 |
| 결정의 시각 | 객관적 시각 | 주관적 시각 |
| 필요 지식 | 경제정책 | 관리능력 |
| 모 형 | 합리모형과 점증모형의 혼합 | 완전한 합리모형 |
| 시간관 | 장기적(5년) | 단기적(1년) |
| 기 준 | 전년도 예산 기준 | 영점부터 시작 |

㉡ 공통점: 두 제도는 모두 합리모형에 입각해 있어 자원의 합리적 배분에 기여한다. 다만, 두 제도는 모두 엄청난 작업량을 요구함으로써 공무원 조직으로부터 환영받지 못하였다.

**O·X 문제**

1. 객관적 기준을 사용하는 계획예산제도와는 달리 영기준예산제도는 우선순위를 설정할 때 의사결정자들의 주관적 판단에 많이 의존한다. ( )
2. PPBS는 상향적 결정, ZBB는 하향적 결정이다. ( )
3. PPBS가 정책정향적이고 계획정향적인 성격을 강하게 띠고 있을 때에 ZBB는 사업정향적 성격을 강하게 띠고 있다. ( )
4. 기획예산은 조직 간의 장벽을 없애려고 하지만 영기준예산은 조직 간의 구분을 중시한다. ( )
5. 영기준예산은 비용편익분석과 시스템분석을 주요 수단으로 활용한다. ( )
6. PPBS, ZBB 등 대대적 예산개혁은 엄청난 작업량과 정보를 요구함으로써 공무원 조직으로부터 크게 환영받지 못하였다. ( )

O·X 정답 1. ○ 2. × 3. ○ 4. ○ 5. × 6. ○

### 3. 장 · 단점

(1) 장 점

① **예산팽창 억제**: 사업의 전면적인 재평가를 통해 점증주의적 예산편성의 폐단을 극복하고 감축관리를 추구할 수 있다.

② **재정운영의 효율성 제고**: 사업대안의 분석 · 평가와 우선순위 결정과정을 통하여 재정운영의 효율적 · 탄력적 운영이 가능하다.

③ **분권적 예산결정(계층 간의 단절 방지)**: 각 수준의 관리자가 참여하여 분권적 예산결정이 이루어지며, 하의상달이 활성화된다.

④ **계층상의 융통성 부여**: 의사결정단위가 사업단위 또는 조직단위가 될 수 있어 계층상의 융통성을 부여할 수 있다.

⑤ **과학적 분석기법의 활용**: 사업대안패키지를 작성하는 과정에서 최적 대안의 선택을 위해 비용편익분석 등의 과학적 분석 기법이 사용된다.

⑥ **의사결정지향성**: 합리적 · 체계적 의사결정을 강조하므로 의사결정지향적이다.

⑦ **적절한 정보의 제시**: 기대되는 계획과 목표를 달성하는 데 필요한 정책대안과 지출을 묶어 모든 활동들을 평가하고 실체를 상세히 규명한다.

⑧ **합리적 예산결정**: 과학적인 분석과정을 통해 합리적인 자원배분이 가능하다.

⑨ **참여지향**: 예산을 매개로 조직내부 구성원들의 참여를 통해 다양한 의견을 수용한다.

(2) 단 점

① **기득권자의 저항 발생**: 사업의 폐지나 감축의 우려로 인하여 기득권자의 저항이 발생할 가능성이 높다.

② **시간과 노력 과다 요구**: 모든 사업이나 대안을 총체적으로 분석하므로 시간이 많이 걸리고 노력이 과중할 뿐만 아니라 과도한 문서자료가 요구된다.

③ **전체적 · 장기적 시야 결여**: 예산편성이 아래에서 위로 진행되기 때문에 예산 전체에 대한 조망이 부족하고 예산시스템이 파편화되어 장기적 목표를 경시하게 된다.

④ **예산의 정치적 성격 불고려**: 예산의 정치적 측면이나 비경제적 요소를 고려하지 못하고 있다.

⑤ **의사결정의 주관성 개입**: 우선순위의 결정에 의사결정자의 주관이 개입된다.

⑥ **외부의 영향 불고려**: 의사결정패키지의 순위매김 과정에만 너무 초점을 두어 외부의 영향을 고려하는 데 실패했다.

⑦ **소규모 조직의 배제 가능성**: 의사결정 단위의 선정과정에서 배제되는 조직이 생겨날 수 있다.

⑧ **계속사업의 분석에 초점**: 계속사업과 신규사업 모두를 분석단위로 하지만, 상대적으로 신규사업의 개발보다는 계속사업의 지속 여부를 분석하는 데 초점을 둔다.

⑨ **점증주의 극복에 대한 의문**: 우선순위 선정의 현실적 어려움으로 인해 점증주의 요소를 완전히 불식시키지 못했다는 비판을 받는다.

⑩ **실제적 효과에 의문**: 법률적 지출의무가 있는 경직성 경비는 검토대상에서 제외되어 실질적으로 축소 · 폐지가 곤란하기 때문에 큰 효과를 거두지 못하였다.

**O·X 문제**

1. 영기준예산은 계속사업의 예산이 점증적으로 증가하는 과정에서 발생하는 비효율을 개선한다. ( )
2. 영기준예산은 관리지향적이며 하급자들의 의견이 존중된다. ( )
3. 영기준예산은 자원배분에 관한 합리적 · 체계적 의사결정을 강조하기 때문에 의사결정지향적이다. ( )
4. 영기준예산은 매우 유동적이며 또한 사업평가에 근거하고 있으므로 조직이 변동하는 상황에 적응할 수 있게 한다. ( )
5. 영기준 예산제도는 예산편성과정에서 중간관리층을 포함한 구성원의 참여 및 이들의 상향적 의사소통 통로가 확대된다. ( )
6. 영기준예산은 예산과정에서 정치적 고려 및 관리자의 가치관이 반영될 가능성이 높다. ( )
7. 영기준예산은 현 시점 위주로 분석하므로 장기적인 목표가 경시될 수 있다. ( )
8. 영기준예산은 시간과 노력이 과중하고 소규모 조직이 희생당할 가능성이 높다. ( )
9. 영기준예산은 연구와 예산준비에 과다한 노력을 필요로 한다는 단점에도 불구하고 실제 적용에 있어서 점증주의를 극복하게 하였다는 평가를 받았다. ( )
10. 영기준예산은 인건비나 임대료 등 경직성 경비의 비중이 높은 사업에 특히 효과적이다. ( )
11. 영기준예산은 집권화된 관리체계를 갖기 때문에 예산편성 과정에 소수의 조직구성원만이 참여하게 된다. ( )

O·X 정답 1. ○ 2. ○ 3. ○ 4. ○ 5. ○ 6. × 7. ○ 8. ○ 9. × 10. × 11. ×

### 4. 유사제도 – 일몰법(Sunset laws)

(1) 의 의

① **개념**: 의회가 정부사업이나 조직을 일정 기간마다 재검토하여 존속을 인정하지 않으면 자동적으로 폐지토록 하는 입법을 의미한다. 일몰법은 불필요한 사업이나 조직의 무기한적인 존속을 막기 위한 감축관리기법이다.

② **대두배경**: 일몰법은 영기준예산이 정부 중심 예산이어서 예산편성과정에 의회나 시민들의 의견이 전혀 반영되지 못하는 것에 대한 대안으로 미국 콜로라도 주에서 시민운동의 일환으로 등장하였다. 현재 미국의 일부 주에서 채택하고 있으나 연방정부 차원에서는 도입되어 있지 않다.

(2) 영기준예산(ZBB)과 일몰법의 비교

① 차이점

| 구 분 | 영기준예산(ZBB) | 일몰법 |
|---|---|---|
| 사용처 | 행정부의 예산편성(행정과정) | 입법부의 예산심의(입법과정) |
| 심사대상 | 모든 정책 | 최상위 정책 |
| 목 적 | 효율적인 자원배분, 회계책임성 확보 | 사업성과 제고, 행정책임, 규제완화 |
| 운영단계 | 중하위 관리자를 위한 관리도구 | 상위 정책결정자를 위한 정책도구 |
| 관심의 초점 | 예산의 관리기능 | 법과 사업의 자동적 종결 |
| 운영방식 | 상향식(하의상달식 수행) | 하향식(상위 이슈에서 특정 문제로) |
| 시 계 | 단기적(1년 단위의 예산활동) | 장기적[다년도(3~7년)의 정책활동] |
| 적용범위 | 예산(경직성 경비 제외) | 예산, 법규, 사업 |
| 참 여 | 관리자 | 국회와 일반 시민(공청회 등의 개최) |

② **공통점**: 영기준예산(ZBB)과 일몰법은 모두 자원난 시대의 재정적자에 대응하기 위한 감축관리기법으로 자원의 합리적 배분에 기여한다.

③ **ZBB와 일몰법의 조화**: 일몰법은 매년 반복되는 단기적 예산심사로 장기적인 시야가 결여되어 있는 영기준예산(ZBB)을 보완할 수 있다. 반면, 영기준예산(ZBB)은 일몰법에 의한 사업의 장기적 권한부여에 있어 실질적인 정보를 제공해 줄 수 있다.

**O·X 문제**

1. 일몰법은 입법부가 행정기관을 실질적으로 감시할 수 있도록 하는 효과적인 수단이다. ( )

2. 일몰법은 성격상 합리주의적 예산제도와 배치되는 면이 존재하므로 병행 사용할 수 없다. ( )

3. 일몰법과 영기준예산은 사업의 능률성과 효과성을 검토하여 사업의 계속 여부를 결정하기 위한 재심사의 성격을 갖는다. ( )

4. 영기준예산은 모든 정책이 심사대상이고, 일몰법은 최상위 정책이 심사대상이다. ( )

5. 일몰법은 조직의 최상위 계층부터 중·하위 계층 모두와 관련되어 있는 반면, 영기준예산은 조직의 최상위 계층과 관련이 있다. ( )

6. 영기준예산은 매년 실시되므로 단기적인 성격을 띠지만, 일몰법은 검토의 주기가 3~7년이므로 장기적인 성격을 띤다. ( )

O·X 정답 1. ○ 2. × 3. ○ 4. ○ 5. × 6. ○

O·X 문제

1. 예산기관의 역할을 보면 품목별 예산에서는 통제와 감시에, 계획예산제도에서는 정책에 관심을 두고 있다. ( )

2. 성과주의 예산은 단년도로 편성되고, 계획예산은 다년도로 편성된다. ( )

3. 성과주의 예산은 책임이 집중되고, 계획예산은 책임이 분산된다. ( )

4. 성과주의 예산과 목표관리예산은 모두 관리에 초점이 맞추어져 있다. ( )

5. 품목별 예산과 영기준예산은 기획책임이 집권적이다. ( )

6. 결정의 흐름은 품목별 예산과 성과주의 예산은 상향적이며 위로 통합되고 있으나 계획예산제도는 하향적이다. ( )

O·X 정답 1. ○ 2. ○ 3. × 4. ○ 5. × 6. ○

## 07 예산제도의 변화 정리

| 구 분 | 통제지향 | 관리지향 | 계획지향 | 감축지향 |
|---|---|---|---|---|
| 예산제도 | 품목별 예산(LIBS) | 성과주의 예산(PBS) | 계획예산(PPBS) | 영기준예산(ZBB) |
| 주된 관심 | 무엇을 구입할 것인가? | 어떻게 할 것인가? | 무엇을 할 것인가? | 어떤 수준으로 할 것인가? |
| 정보의 초점 | 품목 | 활동 | 목표 | 평가 |
| 주요 관심 | 지출의 합법성 | 능률성 | 효과성 | 경제적 합리성 |
| 결정이론 | 점증주의 | 점증주의 | 합리주의 | 합리주의 |
| 의사결정 | 상향적 | 상향적 | 하향적 | 상향적 |
| 책 임 | 통제책임의 집중 | 관리책임의 집중 | 계획책임의 집중 | 관리책임의 집중 |
| 예산편성단위 | 품목 | 업무측정단위 | 프로그램 요소 | 의사결정단위 |
| 필요지식 | 회계학 | 행정학, 경영학 | 경제학 | 행정학, 기획론 |
| 예산과 조직 | 직접적 연결 | 직접적 연결 | 간접적 연결 | 간접적 연결 |

감축지향 예산인 영기준예산은 의사결정단위와 조직구조가 반드시 일치하지는 않아 세출예산과 조직의 연결이 간접적이다.

CHAPTER 03

# 예산과정론

## 제 1 절 예산과정론의 기초

### 01 예산주기(예산순기)

#### 1. 의 의

예산과정은 예산편성, 심의, 집행, 결산 및 회계검사의 과정으로 이루어져 있으며, 예산주기는 일반적으로 3년이다. 즉, 예산의 편성과 심의는 전년도에 이루어지고, 예산의 집행은 해당 연도, 그리고 결산 및 회계검사는 다음 연도에 수행된다.

#### 2. 중첩된 예산주기(예산순기 : scrambled budget cycles)

예산주기는 일반적으로 연속적이면서 중첩되어 진행된다. 이를 중첩된 예산주기라고 부른다. 즉, 2024년에는 2025년 예산의 편성과 심의가 이루어지고, 2024년의 예산이 집행되며, 2023년 예산의 결산과 회계검사가 진행된다.

### 02 회계연도

#### 1. 의 의

회계연도란 회계사무를 명확히 구분·정리하기 위해 설정한 기간을 의미한다. 회계연도는 각 연도의 수지상황을 명확히 하여 적정한 재정통제를 실현할 목적으로 설정된다. 우리나라의 회계연도는 매년 1월 1일에 시작하여 12월 31일에 종료한다.

#### 2. 회계연도 독립의 원칙

회계연도 독립의 원칙이란 각 회계연도의 경비는 그 연도의 수입으로 충당하여야 함을 의미한다. 우리나라의 「국가재정법」 역시 "각 회계연도의 경비는 그 연도의 세입 또는 수입으로 충당하여야 한다."는 회계연도 독립의 원칙을 규정하고 있다.

**O·X 문제**

1. 예산의 편성 및 의결, 집행, 그리고 결산 및 회계검사의 단계가 일정한 주기로 반복되는 것을 예산주기 또는 예산순기라고 하는데 우리나라의 경우 통상 1년이다. ( )

2. 예산주기에 비추어 볼 때 2021년도에 감사원의 2021년도 예산에 대한 결산검사보고서 작성이 이루어진다. ( )

**심화학습**

**각국의 회계연도**

① **1월 1일~12월 31일** : 한국, 독일, 프랑스 등
② **4월 1일~3월 말** : 영국, 일본 등
③ **10월 1일~9월 말** : 미국 등

O·X 정답 1. × 2. ×

# 제 2 절 예산과정

## 01 예산편성

### 1. 의 의

예산편성이란 정부가 다음 회계연도의 세입과 세출을 계획하고 예정하는 과정이다. 즉, 예산편성은 정부가 수행하고자 하는 계획과 사업을 구체화하는 과정이라 할 수 있다.

### 2. 행정부제출예산제도

(1) 의 의

① 개념: 예산편성의 권한이 행정부에 있는 예산제도를 말한다. 대부분의 국가들은 행정부제출예산제도를 활용하고 있는데, 이는 행정국가의 출현으로 행정기능이 전문화됨에 따라 국가사업을 담당하는 행정부가 예산편성을 맡는 것이 합리적이라는 데 기인한다. 예산이 법률의 형식인 경우(영국, 미국)에도 외형상으로 입법예산제도의 형식을 갖추고 있지만 실질적으로는 행정부제출예산제도이다.

② 예산편성기구: 우리나라는 예산편성 담당기구로 행정부에 기획재정부를 두고 있으며, 미국은 행정부에 관리예산처(OMB)를 두고 있다.

(2) 장 · 단점

| 장 점 | 단 점 |
|---|---|
| • 국회의 예산심의 용이<br>• 예산편성의 전문성 제고<br>• 관련 정보 · 자료 관리 용이<br>• 행정수요의 객관적 판단 · 반영 용이<br>• 집행을 담당하는 행정부가 직접 편성하므로 정책 결정과 집행의 유기적 연결 용이 | • 국민에 대한 책임성 확보 곤란<br>• 예산통제 곤란<br>• 의회의 기능 약화 |

**O·X 문제**

1. 예산을 행정부가 편성하여 입법부에 제출하는 것이 현대국가의 추세이다. ( )

### 3. 우리나라 예산편성 절차

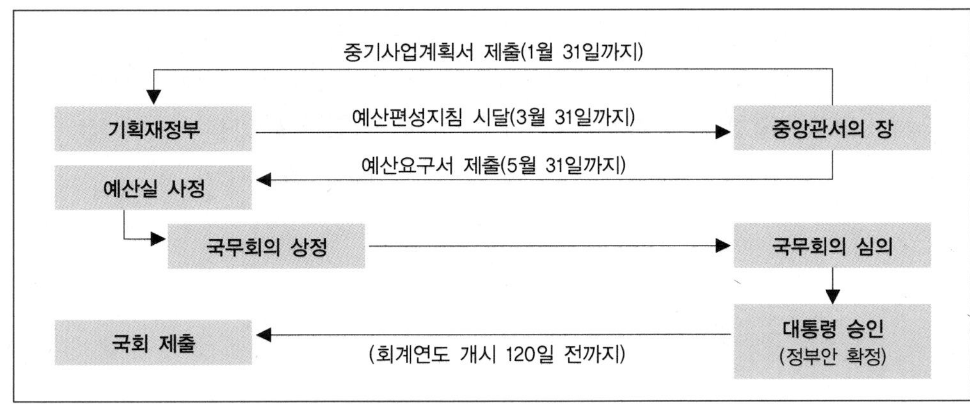


**O·X 문제**

2. 우리나라의 예산편성 과정은 사업계획서 제출 ⇨ 예산요구서 작성 및 제출 ⇨ 예산편성지침 시달 ⇨ 예산의 사정 ⇨ 국무회의의 심의와 국회 제출 순이다. ( )

O·X 정답 1. ○ 2. ×

(1) 중기사업계획서의 제출과 국가재정운용계획의 수립

① 중기사업계획서의 제출(「국가재정법」 제28조)

㉠ 절차: 각 중앙관서의 장은 매년 1월 31일까지 해당 회계연도부터 5회계연도 이상의 기간 동안의 신규사업 및 기획재정부장관이 정하는 주요 계속사업에 대한 중기사업계획서를 기획재정부장관에게 제출해야 한다.

㉡ 활용: 중기사업계획서는 국가재정운용계획과 다음 연도 예산안 및 기금운용계획안 수립을 위한 분야별·부처별 지출한도 설정 작업의 기초자료로 활용된다. 중기사업계획서는 일반회계뿐만 아니라 특별회계와 기금을 포함하여 작성한다.

② 국가재정운용계획의 수립

㉠ 절차: 정부는 재정운용의 효율화와 건전화를 위하여 매년 해당 회계연도부터 5회계연도 이상의 기간에 대한 국가재정운용계획을 수립하여 회계연도 개시 120일 전까지 국회에 제출해야 한다.

㉡ 내용: 국가재정운용계획은 각 부처의 중·장기계획이 전체 국가정책의 우선순위와 재원능력 범위 내에서 추진될 수 있도록 전문가 공개토론회를 거쳐 5개년 연동계획으로 수립되며, 국무회의의 심의를 거쳐 국회에 제출된다.

(2) 예산안편성지침의 통보(「국가재정법」 제29조~제30조)

① 기획재정부장관은 국무회의의 심의를 거쳐 대통령의 승인을 얻은 다음 연도의 예산안편성지침을 매년 3월 31일까지 각 중앙관서의 장에게 통보해야 한다.

② 기획재정부장관은 국가재정운용계획과 예산편성을 연계하기 위하여 예산안편성지침에 중앙관서별 지출한도를 포함하여 통보할 수 있다. 이때 지출한도는 일반회계·특별회계·기금을 포괄하여 설정한다.

③ 기획재정부장관은 각 중앙관서의 장에게 통보한 예산안편성지침을 국회 예산결산특별위원회에 보고해야 한다.

(3) 예산요구서의 제출(「국가재정법」 제31조)

각 중앙관서의 장은 지출한도와 편성기준에 따라 다음 연도의 세입세출예산·계속비·명시이월비 및 국고채무부담행위 등에 관한 예산요구서를 작성하여 매년 5월 31일까지 기획재정부장관에게 제출해야 한다.

(4) 예산안의 사정(예산협의)

① 기획재정부는 각 중앙관서의 예산요구서를 다음 해 예산규모의 전망과 가용자원을 고려하여 종합적으로 분석·검토한다. 이 과정에서 기획재정부의 예산사정관과 각 부처의 예산담당관 사이에 의사전달과정이 이루어지는데 이를 '예산협의'라 한다.

② 예산협의과정에서 분석·검토의 대상은 각 중앙관서의 예산요구가 지출한도와 편성기준을 준수했는지 여부, 국가재정운용계획의 정책방향과 우선순위에 부합되는지 여부, 각 중앙관서 간 형평성 및 사업의 중복 여부, 재정낭비요인의 존재 여부 등이다.

③ 기획재정부장관은 제출된 예산요구서가 예산안편성지침에 부합하지 아니하는 때에는 기한을 정하여 이를 수정 또는 보완하도록 요구할 수 있다.

**O·X 문제**

1. 각 중앙관서의 장은 매년 1월 31일까지 해당 회계연도부터 5회계연도 이상의 기간 동안의 계속사업에 대한 중기사업계획서를 국무회의에 보고해야 한다. ( )

2. 기획재정부는 매년 해당 연도부터 5회계연도 이상의 기간에 대한 재정운용계획을 수립하여 회계연도 개시 120일 전까지 국회에 제출하여야 한다. ( )

3. 기획재정부장관은 대통령의 승인을 얻은 다음 각 중앙관서의 장에게 예산안편성지침을 통보하고 이 지침을 국회 상임위원회에 보고하여야 한다. ( )

4. 기획재정부장관은 국가재정운용계획과 예산편성을 연계하기 위하여 예산안편성지침에 중앙관서별 지출한도를 포함하여 통보할 수 있다. ( )

5. 예산안편성지침은 부처의 예산편성을 위한 것이기 때문에 국무회의의 심의를 거쳐 대통령의 승인을 받아야 하지만 국회 예산결산특별위원회에 보고할 필요는 없다. ( )

6. 각 중앙관서의 장은 예산안편성지침에 따라 그 소관에 속하는 다음 연도의 세입세출예산·계속비·명시이월비 및 국고채무부담행위 요구서를 작성하여 매년 5월 31일까지 기획재정부장관에게 제출하여야 한다. ( )

O·X 정답 1. × 2. ○ 3. × 4. ○ 5. × 6. ○

PART · 06

**O·X 문제**

1. 예산안편성지침에 중앙관서별 지출한도를 포함하여 통보할 수 있는 총액배분자율편성제도가 도입되어서, 기획재정부의 사업별 예산통제 기능이 상실되었다. ( )

2. 우리나라는 각 중앙부처가 총액 한도를 지정한 후에 사업별 예산을 편성하고 있어 기획재정부의 사업별 예산통제 기능은 미약하다. ( )

3. 「국가재정법」상 예산편성 시 정부가 세출예산요구액을 감액하는 경우 해당 기관의 장의 의견을 구하여야 하는 기관으로 감사원, 중앙선거관리위원회, 국회, 공정거래위원회 등이 있다. ( )

4. 정부가 예산안 편성 시 감사원의 세출예산요구액을 감액하고자 할 때에는 국무회의에서 감사원장의 의견을 구하여야 한다. ( )

5. 「국가재정법」에 의하면 정부는 대통령의 승인을 얻은 예산안을 회계연도 개시 90일 전까지 국회에 제출하여야 한다. ( )

6. 정부는 회계연도마다 예산안을 편성하여 회계연도 90일 전까지 국회에 제출하도록 「헌법」에 규정되어 있다. ( )

**심화학습**

세입 · 세출의 추계

| | | |
|---|---|---|
| 성격 | 세입 예측은 경기변동과 같은 외부요인에 의해 좌우되는 데 반해, 세출 예측은 편성권자의 의지에 따라 조정할 수 있는 통제가능한 성격을 가진다. | |
| 관료 행태 | 적자재정을 막기 위하여 세입은 과소평가하고 세출은 과대평가하는 세입 · 세출 예측의 보수적 행태를 보인다. | |
| 세입 추계의 방법 | 전년도 원칙 | 전년도 세입을 기준으로 예측 |
| | 평균법 | 3~5년 평균치를 기준으로 예측 |
| | 직접 평가법 | 각종 추정수단을 통해 직접 전망하여 예측 |
| | 아리마 모형 짓기 기법 | 과거 몇 년간의 추세를 토대로 향후 세입을 예측하는 통계적 기법 |

O·X 정답 1. × 2. × 3. × 4. ○ 5. × 6. ○

④ 프로그램 예산제도 도입 이후 예산사정은 프로그램(정책사업) 중심으로 이루어지고 있다. 또한 총액배분자율편성예산제도의 도입으로 각 부처의 예산요구가 감소하면서 예산삭감보다는 사업의 타당성을 중심으로 사정하는 경향이 나타나고 있으며, 재정사업 성과관리가 시행되면서 성과평가의 결과를 다음 연도 예산편성에 반영하는 환류 기능이 강화되고 있다.

⑤ 「국가재정법」상 독립기관(국회, 대법원, 헌법재판소, 중앙선거관리위원회)의 예산도 기획재정부와의 예산협의(사정)과정을 거친다. 다만, 정부는 해당 독립기관의 장의 의견을 최대한 존중해야 하며, 독립기관의 세출예산요구액을 감액하고자 할 때에는 국무회의에서 해당 독립기관의 장의 의견을 들어야 하고, 독립기관의 세출예산요구액을 감액한 때에는 그 규모 및 이유, 감액에 대한 독립기관의 장의 의견을 국회에 제출해야 한다.

⑥ 정부는 감사원의 세출예산요구액을 감액하고자 할 때에는 국무회의에서 감사원장의 의견을 들어야 한다.

### (5) 예산안의 국무회의 심의 및 대통령의 승인(「국가재정법」 제32조)

기획재정부장관은 예산요구서에 따라 예산안을 편성하여 국무회의의 심의를 거친 후 대통령의 승인을 얻어야 한다.

### (6) 예산안의 국회 제출(「국가재정법」 제33조)

① 「국가재정법」에 의하면 정부는 대통령의 승인을 얻은 예산안을 회계연도 개시 120일 전까지 국회에 제출하여야 한다(「헌법」상 예산안의 국회 제출 시한은 회계연도 개시 90일 전까지).

② 국회에 제출되는 예산안 첨부서류는 세입세출예산 총계표 및 순계표, 세입세출예산사업별 설명서, 국고채무부담행위 설명서, 세입예산 추계분석보고서, 성과계획서, 성인지 예산서, 온실가스감축인지 예산서, 조세지출 예산서 등 19가지가 있다.

## 4. 예산서의 구성(「국가재정법」 제19조~제25조)

### (1) 예산총칙

세입 · 세출예산, 명시이월비, 계속비, 국고채무부담행위에 관한 총괄적 규정 외에 국채 또는 차입금의 한도액, 재정증권의 발행과 일시차입금의 최고액, 이용허가범위, 그 밖에 예산집행에 관하여 필요한 사항 등을 규정한다.

### (2) 세입 · 세출예산

한 회계연도의 모든 수입과 지출 예정액이 구체적으로 표시된 수입 · 지출의 추계를 규정한다. 예비비도 여기에 포함된다.

### (3) 계속비

완성에 수년이 필요한 공사나 제조 및 연구개발사업의 경우 경비의 총액과 연부액을 정하여 미리 국회의 의결을 얻는 범위에서 수년도에 걸쳐서 지출하도록 하는 경비인 계속비를 규정한다.

### (4) 명시이월비

세출예산 중 연도 내에 지출을 필하지 못할 것이 예측될 경우 미리 국회의 승인을 얻어 다음 연도에 이월하여 사용할 수 있는 경비인 명시이월비를 규정한다.

(5) 국고채무부담행위

법률에 의한 것과 세출예산금액 또는 계속비 총액의 범위 안에서 지출할 경비 외에 국가가 별도로 채무를 부담하는 행위인 국고채무부담행위를 규정한다.

## 5. 예산편성의 행위자 및 전략과 문제점

(1) 예산편성과정의 행위자

① 예산 행위자

| 행위자 | 역 할 | 성 향 | 행 태 |
|---|---|---|---|
| 주창자(spender) | 지출에 더 많은 관심 | 사업지향적 | 증액지향적 |
| 옹호자(saver) | 수입에 더 많은 관심 | 재정지향적 | 삭감지향적 |
| 수문장(gate keeper) | 수입과 지출 모두 고려 | 사업 · 재정지향적 | 균형지향적 |

② 예산 행위자의 역할

㉠ 중앙예산기관은 대부분 재정지향성을 지니지만, 예외적으로 대통령의 공약사항이나 정책의지를 반영하는 정책에 대해서는 사업지향성을 지니기도 한다.

㉡ 각 부처의 장은 대통령에 대해서는 사업지향성을, 하급기관에 대해서는 재정지향성을 보인다.

㉢ 각 부처의 예산담당자는 기획재정부에는 사업지향성을, 부처 내의 각 국 · 과에 대해서는 재정지향성을 보인다.

(2) 예산전략 – 예산확보전략과 예산사정전략

① 의의: 예산전략이란 예산과정의 참여자(주창자와 옹호자)들이 자신들의 목표를 달성하기 위해 동원하는 수단을 의미한다.

② 예산확보전략 – 각 중앙관서의 요구 전략

㉠ 관련 단체 및 후견인을 동원하는 방법: 관련 단체의 시위를 통해 또는 힘 있는 국회의원과 같은 후견인을 동원하여 예산기관을 압박한다.

㉡ 역점사업을 활용하는 방법: 대통령의 국정과제이거나 장관의 역점사업임을 강조하여 예산기관을 압박한다.

㉢ 맹점을 이용하는 방법: 예산기관의 정보와 지식 부족을 이용하거나 엄청난 자료를 제시하여 검토할 엄두를 내지 못하게 한다.

㉣ 사업의 우선순위를 조정하는 방법: 인기 있는 사업은 우선순위를 낮추고, 인기 없는 사업의 우선순위는 높여 두 사업의 예산을 모두 확보한다.

㉤ 위기 시에 새로운 사업을 시작하는 방법: 위기 때 평소에 통과하기 어려운 사업들을 시작한다.

㉥ 기타: 평소에 인간적 유대를 형성하여 신뢰를 확보하는 방법, 새롭거나 문제 있는 사업을 인기 있는 사업과 결합하여 예산을 요구하는 방법, 적은 예산을 배정받더라도 일단 새로운 프로그램을 시작한 후 나중에 프로그램의 완성을 위해 엄청난 예산을 요구하는 방법 등이 있다.

심화학습

**예산사정관**

| | |
|---|---|
| 의의 | 예산과정의 참여자 중에서 유일한 예산 분야의 전임직 종사자로 정치적 역할보다 전문직업적 역할을 수행한다. |
| 전문지식 | 예산사정관의 전문직업적 역할을 위한 전문지식으로 과거에는 회계학적 지식이 강조되었지만, 현재는 경제학적 지식이 강하게 요구된다. |

③ 예산사정전략 – 중앙예산기관의 대응전략

㉠ **무제한예산법**: 중앙예산기관이 각 중앙관서의 예산요구에 어떠한 제한도 두지 않는 방법이다. 이 방법은 각 중앙관서가 원하는 사업의 종류나 규모를 파악하는데 도움을 주지만, 중앙예산기관이 예산삭감에 대한 모든 부담을 져야 한다.

㉡ **한도액설정예산법**: 중앙예산기관이 각 중앙관서의 예산요구에 한도액을 미리 설정해 주는 방법이다. 이 방법은 예산절감을 가져올 수 있지만, 중앙예산기관이 각 중앙관서의 구체적인 사업을 잘 모르는 상태에서 예산규모(한도액)를 결정함으로써 현실회피형 예산을 야기할 수 있다(총액배분자율편성예산).

㉢ **증감분석**: 중앙예산기관이 전년도 예산과 대비하여 증감된 예산요구 항목만을 중점적으로 사정하는 방법이다. 이 방법은 대부분의 국가에서 주로 활용하는 방법이지만, 기존사업에 대한 재검토가 전면적으로 이루어지기 어렵다.

㉣ **우선순위표시법**: 각 중앙관서가 예산항목 또는 사업 간의 우선순위를 명시하여 예산을 요구하도록 하는 방법이다(영기준예산).

㉤ **항목별 통제 방법**: 각 중앙관서가 항목별로 예산을 요구하도록 하는 방법이다(품목별 예산).

㉥ **단위원가계산법**: 각 중앙관서가 사업별로 사업단위를 개발하고 단위원가를 결정하여 예산을 요구하도록 하는 방법이다(성과주의 예산).

(3) 우리나라 예산편성과정의 문제점

① **관료정치적 현상**: 예산편성과정에서 예산을 확보하기 위한 관료정치적 현상(앨리슨모형 Ⅲ)으로 시간과 노력의 낭비가 발생하고 있다.

② **재정의 권력분립 미확보**: 입법부나 사법부의 예산도 기획재정부가 총괄 조정하고 있어 재정상 권력분립이 확보되지 못하고 있다.

③ **국회의 예산심의를 활용한 예산확보**: 국회의원들의 관심이 높은 사업을 일부러 소규모화하거나 우선순위를 낮게 설정해 예산을 편성하고, 이후 예산심의 과정에서 국회의원들을 통해 증액을 유도해 나가는 전략이 자주 활용되고 있다.

④ **예산사정과정의 비공개**: 개별부처가 요구한 예산사업은 나름대로의 필요성이 있고 정책과정에서 중요한 자료이지만 공개되지 않고 있다.

## 02 예산심의

### 1. 의 의

예산심의는 행정부에서 제출한 예산안을 국회가 검토하고 의결하여 예산을 확정하는 과정이다. 예산심의는 국민의 대표기관인 국회가 행정부에 대해 재정동의권을 부여하는 재정민주주의의 실현과정이며, 국민주권의 실현과정이다.

## 2. 기능과 한계

(1) 기 능

① **정책형성기능**: 예산심의는 예산서상의 사업이나 정책을 국회가 검토하여 폐지 또는 삭감 등을 하는 것으로 정책형성기능을 수행한다.

② **행정부에 대한 감시·통제기능**: 예산심의는 국민의 대표기관인 국회가 행정부의 재정활동을 감시·통제하여 재정민주주의를 실현하는 기능을 수행한다.

③ **기타**: 예산심의는 한정된 가용자원의 합리적 배분 수단이자 의원들의 당파적 이익이나 지역적 이익을 실현하는 수단이다.

(2) 한 계

① **한계적 조정과 수동적 역할**: 국회는 정책이나 사업의 근본적 변경보다 예산금액의 한계적 조정에 치중하기 때문에 예산결정에 수동적 역할만을 수행한다. 예산심의로 인한 예산변동의 폭은 대부분 1% 이하이다. 우리나라 역시 3% 이상 삭감된 적이 없다.

② **선형성과 점증성**: 행정부의 예산요구액과 의회의 전년도 예산 승인액 간에는 높은 상관관계를 지니며 선형성을 띤다. 즉, 점증주의적 성향이 강하게 나타난다.

**O·X 문제**

1. 예산심의는 재정민주주의를 실현하는 과정이다. ( )

2. 당파적 이익이나 지역적 이익을 옹호하는 수단 역시 의회의 예산심의 기능에 해당한다. ( )

3. 우리나라는 예산안 심의가 정치적 협상의 대상이 됨으로써 수정비율이 크다. ( )

## 3. 우리나라 예산심의의 절차

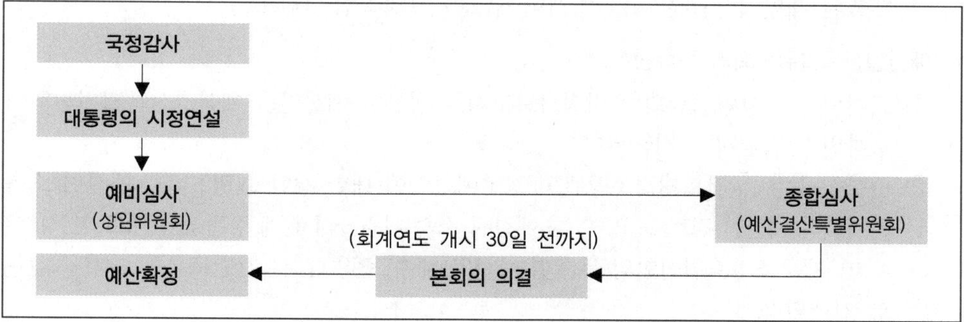


(1) 국정감사

① 국회는 국정 전반에 관하여 소관 상임위원회별로 매년 정기회 집회일 이전에 감사 시작일부터 30일 이내의 기간을 정하여 감사를 실시한다. 다만, 본회의 의결로 정기회 기간 중에 감사를 실시할 수 있다.

② 국정감사는 예산심의와 직접적으로 관련되는 것은 아니지만 이를 통해서 예산에 반영할 정책 자료를 획득하고 행정의 위법·부당한 사항을 미리 파악함으로써 예산심의 활동에 도움을 줄 수 있다.

**심화학습**

우리나라의 국정감사

| | |
|---|---|
| 연혁 | 제헌헌법에서부터 규정된 국정감사는 국회의 권한이 위축되었던 제4, 5공화국「헌법」에서 폐지되었다가 제6공화국「헌법」에서 부활되었다. |
| 평가 | 국정감사는 국회의 대행정부 통제와 관련하여 중요한 의미를 지니고 있지만, 문제해결 지향적이라기보다는 폭로 지향적이고 과도한 자료요구로 행정업무의 과중을 야기한다. |

(2) 예산안 및 기금운용계획안 제출에 즈음한 대통령 시정연설

① 예산안이 국회에 제출되면 본회의에서 대통령의 시정연설이 이루어진다.

② 대통령의 시정연설은 정치·경제·사회 등 국정 전반에 관한 대통령의 시각과 정책의지가 담겨져 있으며, 예산 및 기금운영에 대한 간단한 설명이 포함되어 있다.

③ 시정연설의 내용은 추상적으로 표현되고 구속력은 갖지 않는다. 대통령의 시정연설은 예산심의과정에서 정부의 국정운영방향에 대한 참고자료로 활용된다.

O·X 정답 1. ○ 2. ○ 3. ×

**심화학습**

국회의 위원회

| | |
|---|---|
| 상임위원회 | 그 소관에 속하는 의안과 청원 등의 심사, 기타 법률에서 정하는 직무를 행하는 상설화된 위원회 |
| 특별위원회 | 수개의 상임위원회 소관과 관련되거나 특히 필요하다고 인정한 안건을 효율적으로 심사하기 위하여 본회의의 의결로 설치한 임시위원회 |

**O·X 문제**

1. 정기국회가 개회되면 대통령의 시정연설을 듣고 난 후 국정감사가 시작된다. ( )
2. 예결위의 종합심사를 마친 예산안은 소관 상임위에 회부되어 세부심사에 착수한다. ( )
3. 세목 또는 세율과 관계있는 법률의 제정 또는 개정을 전제로 하여 미리 제출된 세입예산안은 소관 상임위원회에서 심사한다. ( )
4. 예산결산특별위원회 위원장은 결산을 소관 상임위원회에 회부할 때에 심사기간을 정할 수 있으며, 상임위원회가 이유 없이 그 기간 내에 심사를 마치지 아니한 때에는 이를 바로 예산결산특별위원회에 회부할 수 있다. ( )
5. 예산결산특별위원회는 그 활동기한을 1년으로 한다. ( )
6. 예산결산특별위원회를 구성할 때에는 그 활동기한을 정하여야 한다. 다만, 본회의 의결로 그 기간을 연장할 수 있다. ( )
7. 예산결산특별위원회의 종합심사가 완료된 예산안은 국회 본회의에 상정되어 정책질의와 찬반투표를 거쳐 회계연도 개시 30일 전에 의결해야 한다. ( )
8. 예산결산특별위원회는 예산안과 결산뿐 아니라 관계 법령에 따라 제출·회부된 기금운용계획안도 심사한다. ( )
9. 우리나라 국회에서의 예산심의 기간은 「헌법」상 120일이다. ( )

O·X 정답 1. × 2. × 3. × 4. × 5. × 6. × 7. ○ 8. ○ 9. ×

(3) 상임위원회의 예비심사

① 예산안과 결산은 소관 상임위원회에 회부하고, 소관 상임위원회는 예비심사를 하여 그 결과를 의장에게 보고한다.

② 상임위원회의 예비심사는 ㉠ 소관부처장관의 예산안 제안 설명 ⇨ ㉡ 상임위원회 소속 전문위원의 예산안 검토 보고 ⇨ ㉢ 상임위원회 소속 의원들의 장관에 대한 정책질의 ⇨ ㉣ 상임위원회 소속 소위원회 심사 및 계수조정 ⇨ ㉤ 국회의장에게 예비심사 결과 보고의 순으로 진행된다.

③ 국회의장은 예산안과 결산을 소관 상임위원회에 회부할 때에는 심사기간을 정할 수 있으며, 상임위원회가 이유 없이 그 기간 내에 심사를 마치지 아니한 때에는 이를 바로 예산결산특별위원회에 회부할 수 있다.

④ 상임위원회는 본래 예산심의를 위한 기구는 아니지만 현재 소관부처에 대한 예비심사를 행하고 있다. 상임위원회는 국민의 인기를 위해 일반적으로 세입예산에 대해서는 재정지향성(삭감지향)을, 세출예산에 대해서는 사업지향성(팽창지향)을 띤다.

⑤ 특히, 상임위원회와 부처는 세출예산에 대하여 예산팽창에 대한 연대의식을 가지고 있으며, 비영합게임의 관계(협력관계)를 형성한다.

⑥ 상임위원회는 세목 또는 세율과 관계있는 법률의 제정 또는 개정을 전제로 하여 미리 제출된 세입예산안은 이를 심사할 수 없다(「국회법」 제84조).

(4) 예산결산특별위원회의 종합심사

① 국회의장이 상임위원회 예비심사보고서를 첨부한 예산안을 예산결산특별위원회에 회부하면 종합심사가 시작된다.

② 종합심사는 ㉠ 기획재정부장관의 정부예산안에 대한 제안 설명 ⇨ ㉡ 예결위 소속 전문위원의 예산안 검토 보고 ⇨ ㉢ 예결위 소속 의원들의 관계 장관을 상대로 한 정책질의 ⇨ ㉣ 계수조정소위원회의 부처별 심사와 계수 조정 ⇨ ㉤ 찬반토론을 거쳐 표결 순으로 진행된다.

③ 예산결산특별위원회는 여야의원 50인으로 구성되는 특별위원회로 의원의 임기는 1년으로 하며, 위원장은 표결로 선출한다.

④ 예산결산특별위원회는 특별위원회이지만 상설위원회로 활동기간을 정하지 아니한다. 「국회법」에 의하면 예산결산특별위원회의 회의는 공개를 원칙으로 한다.

(5) 본회의 의결

① 예산안이 본회의에 회부되면 예산결산특별위원회 위원장의 심사보고에 이어 정책질의와 찬반투표를 거쳐 의결로 예산이 확정된다. 예산은 법률이 아니므로 공포절차는 불필요하다.

② 「헌법」은 회계연도 개시 90일 전까지 정부가 제출한 예산안을 회계연도 개시 30일 전까지 국회가 의결해야 한다고 규정하고 있다. 그러나 「국가재정법」은 회계연도 개시 120일 전까지 정부가 국회에 예산안을 제출하도록 규정하고 있어 국회의 최장 예산심의기간은 「헌법」상 60일이며, 「국가재정법」상 90일이다.

(6) 예산과 국회의결

| 사전의결 필요 | 사전의결 불필요 | 사후승인 필요 |
|---|---|---|
| • 세입세출예산<br>• 계속비<br>• 명시이월<br>• 국고채무부담행위<br>• 예비비의 설치<br>• 이용<br>• 기금 | • 준예산<br>• 긴급재정경제명령<br>• 사고이월<br>• 예비비의 지출<br>• 전용<br>• 이체 | • 세입세출결산<br>• 계속비 결산(완성연도)<br>• 예비비 지출 |

## 4. 예산심의의 특징 및 예산심의에 영향을 미치는 요인

(1) 우리나라 예산심의의 특징

① **대통령제의 예산심의**: 의원내각제는 의회의 다수파가 집행부를 구성하기 때문에 예산심의가 엄격하지 않지만, 대통령제는 여소야대의 상황 등으로 인해 예산심의가 엄격하다. 우리나라는 대통령제라는 정치체제의 성격으로 예산심의가 엄격한 편이다.

② **위원회 중심 예산심의**: 우리나라의 예산심의는 본회의보다는 상임위원회와 예산결산특별위원회 중심으로 이루어지며, 그중에서도 예결위가 중요한 역할을 수행한다. 본회의는 예산의 내용을 전체 의원들에게 알린다는 의미가 강하며 형식적으로 운영된다.

③ **예비심사와 종합심사의 관계**: 일반적으로 상임위원회의 예비심사는 팽창지향적 속성을, 예산결산특별위원회의 종합심사는 감축지향적 속성을 지닌다. 다만, 「국회법」은 "예산결산특별위원회는 소관 상임위원회의 예비심사내용을 존중해야 하며, 소관 상임위원회에서 삭감한 세출예산 각 항의 금액을 증가하게 하거나 새 비목을 설치할 경우에는 소관 상임위원회의 동의를 얻어야 한다."고 규정하고 있다.

④ **예산의결주의**: 우리나라 예산은 영미와 달리 예산의결주의에 입각하여 예산의 형식으로 의결된다는 점에서 법률보다 하위의 효력을 지닌다.

⑤ **예산 및 기금의 수정 권한**: 국회는 정부의 동의 없이 지출예산 각 항의 금액 증가나 새 비목을 설치하지 못한다. 또한 정부가 제출한 기금운용계획안의 주요항목 지출 금액을 증액하거나 새 과목을 설치하고자 하는 때에는 미리 정부의 동의를 얻어야 한다. 따라서 우리나라 국회는 정부의 동의가 없는 경우 폐지·삭감권만 갖는다. 그러나 미국과 일본은 정부의 동의없이 국회가 새 비목을 설치할 수도 있고 증액도 가능하다.

⑥ **심의과정에서 예산 증액**: 국회는 정부예산을 통제·감독하는 기능을 수행해야 하지만 예산심의과정에서 상임위원회가 소관 부처의 이해관계를 대변함으로써 정부예산안보다 증액되는 경우가 많다.

⑦ **심의기간 도과**: 「헌법」에 의하면 국회는 회계연도 개시 30일 전까지 예산을 의결해야 하지만 예산안이 야당의 정치적 투쟁을 위한 수단으로 활용되고 있어 「헌법」상 심의기간을 도과하는 경우가 빈번하다.

**O·X 문제**

1. 국회의 의결을 필요로 하는 예산 집행의 신축성 확보 방안으로는 이용, 이체, 명시이월, 계속비, 국고채무부담행위 등이 있다. ( )

**O·X 문제**

2. 우리나라는 정치 체계의 성격상 예산심의 과정이 의원내각제에 비해 상대적으로 엄격하지 않다. ( )

3. 우리나라는 일반적으로 예산의 심의에서 본회의는 형식적인 경우가 많다. ( )

4. 우리나라의 예산심의는 본회의가 아닌 상임위원회와 예결위 중심으로 이루어지고 있다. ( )

5. 예산결산특별위원회는 소관 상임위원회의 동의 없이 상임위원회에서 삭감한 세출예산 각 항의 금액을 증액할 수 있다. ( )

6. 예산결산특별위원회는 소관 상임위원회의 동의 없이 새 비목을 설치할 수 있다. ( )

7. 국회는 정부의 동의 없이 정부가 제출한 지출예산 각 항의 금액을 증가하거나 새 비목을 설치할 수 없다. ( )

8. 예산심의과정에서 국회 상임위원회가 소관 부처의 이해관계를 대변하는 경우가 많다. ( )

9. 국회 심의과정에서 증액된 부분은 부처별 한도액 제한을 받는다. ( )

O·X 정답 1. × 2. × 3. ○ 4. ○ 5. × 6. × 7. ○ 8. ○ 9. ×

PART · 06

심화학습

**예산심의와 선거구제**

소선거구제는 농민의 이익을 과소 대표하고 도시 주민의 이익을 과다 대표한다. 또한 비례대표제를 확대할 경우 특수계층에 대한 배려가 더 많아진다.

(2) 예산심의에 영향을 미치는 요인

| 환경적 요인 | 경제 환경, 행정부와 입법부의 관계, 정당 내 권력구조의 집권화 수준 등 |
|---|---|
| 의회의 구조적 요인 | 의회 위원회의 특성, 의회의 당파성, 선거구민 대변방식, 예산심의의 절차, 예산심의의 기간, 예산심의의 보좌기관, 의회를 구성하는 정당의 성향 등 |
| 의원 개인의 특성 | 의원의 전문성, 의원의 이념적 성향 등 |
| 예산내용의 특성 | 경직성 경비, 칸막이 예산 등 |

## 03 예산집행

### 1. 의 의

(1) 개 념

예산집행이란 국회에서 예산이 확정된 후 이에 따라 국가가 수입과 지출을 실행하는 모든 행위를 말한다. 예산집행은 단순히 예산에 정해진 금액을 국고에 수납하고 국고로부터 지불받는 행위뿐만 아니라 국고채무부담행위와 지출원인행위도 포함하는 국가의 모든 수입 및 지출과 관련된 행위이다.

(2) 중요성

예산의 전 과정 중에서 예산집행이 가장 중요한 예산절차라고 할 수 있다. 이는 예산집행에 앞서 예산편성이나 심의 절차가 아무리 훌륭한 것이라 할지라도 예산집행이 잘못되면 소기의 성과나 목적을 달성할 수 없기 때문이다.

### 2. 예산집행의 절차

우리나라는 현재 기획재정부장관이 예산배정계획과 자금배정계획을 수립해 국무회의 심의와 대통령의 승인을 얻은 후 예산집행이 시작된다.

| 예산 배정<br>(지출원인행위) | 자금 배정<br>(지출행위) |
|---|---|

(1) 예산의 배정

① 의의: 기획재정부장관이 각 중앙관서의 장에게 분기별로 예산지출 권한을 부여하여 집행할 수 있는 금액과 책임소재를 명확히 해주는 것을 말한다. 예산배정은 지출원인행위의 근거가 된다.

② 절 차

㉠ 기획재정부장관은 매년 예산집행에 관한 지침을 작성하여 매년 1월 말까지 각 중앙관서의 장에게 통보해야 한다.

㉡ 각 중앙관서의 장은 예산이 확정된 후 사업운영계획 및 이에 따른 세입세출예산 · 계속비와 국고채무부담행위를 포함한 예산배정요구서를 기획재정부장관에게 제출해야 한다.

O·X 문제

1. 기획재정부장관은 매년 2월 말까지 예산집행지침을 각 중앙관서의 장과 국회예산정책처에 통보하여야 한다. ( )

O·X 정답 1. ×

㉢ 기획재정부장관은 예산배정요구서에 따라 분기별 예산배정계획을 작성하여 국무회의의 심의를 거친 후 대통령의 승인을 얻어야 한다.

㉣ 기획재정부장관은 각 중앙관서의 장에게 예산을 배정하고 이를 감사원에 통지해야 한다.

(2) 예산의 재배정

① 의의: 기획재정부장관이 각 중앙관서의 장에게 배정한 예산을 각 중앙관서의 장이 재무관별·월별로 다시 배정하는 것을 말한다.

② 절차: 중앙관서의 장은 재무관으로 하여금 지출원인행위를 하게 할 때에는 배정된 세출예산의 범위 안에서 재무관별로 세출예산 재배정계획서를 작성하고 이에 따라 세출예산을 재배정해야 한다.

(3) 자금의 배정

① 의의: 예산이 확정된 후 지출원인행위에 따라 실제 지출할 수 있는 근거를 밝히는 것을 말한다.

② 절 차

㉠ 중앙관서의 장은 수입·지출의 전망, 그 밖에 자금의 출납에 관한 사항을 종합적으로 고려한 월별 자금계획서를 작성해 기획재정부장관에게 제출한다.

㉡ 기획재정부장관은 이를 종합해 월별 자금계획을 작성하여 국무회의의 심의와 대통령의 승인을 얻는다.

㉢ 중앙관서의 장은 대통령의 승인을 얻은 월별 자금계획에 따라 월별 세부자금계획서를 작성해 매월 기획재정부장관에게 제출한다.

㉣ 기획재정부장관은 중앙관서의 장이 제출한 월별 세부자금계획서를 종합해 월별 세부자금계획을 작성하고 이를 중앙관서의 장 및 한국은행에 통지한다.

㉤ 각 중앙관서의 장은 월별 세부자금계획에 따라 자금을 집행한다.

## 3. 예산집행 사무 – 수입사무와 지출사무

(1) 수입사무

① 의의: 수입이란 조세, 기타 세입을 법령에 의해 징수⁺ 또는 수납⁺하는 것을 말한다. 수입사무에는 징수와 수납이 있다.

② 수입의 원칙

㉠ 수입은 법령에서 정하는 바에 따라 징수하거나 수납하여야 한다.

㉡ 수입은 국고에 납입하여야 하며 이를 직접 사용하지 못한다.

㉢ 해당 회계연도 내의 수입이어야 한다.

③ 수입의 특례

㉠ 수입대체경비: 중앙관서의 장은 「국가재정법」 규정에 따른 수입대체경비에 대해서는 그 수입이 확보되는 범위에서 지출할 수 있다.

㉡ 지난 연도 수입: 출납이 완결된 연도에 속하는 수입은 모두 현 연도의 수입에 편입해야 한다.

**O·X 문제**

1. 기획재정부장관은 예산배정요구서에 따라 반기별 예산배정계획을 작성하여 국회의 심의를 거친 후 대통령의 승인을 얻어야 한다. ( )

2. 기획재정부장관은 각 중앙관서의 장에게 예산을 배정한 때에는 감사원에 통지하여야 한다. ( )

3. 중앙관서의 장에게 자금을 사용할 수 있는 권한을 부여하는 것을 예산 재배정이라고 한다. ( )

⁺ 징수와 수납

| | |
|---|---|
| 징수 | 수입 조치해야 할 금액을 조사·결정해 이를 납부할 자에게 통지하는 행위 |
| 수납 | 납부의무자가 납부하는 현금을 수령하는 행위 |

**심화학습**

수입대체경비의 이해

지출의 특례로 보는 견해도 있으나 「국고금관리법」은 수입의 특례로 규정하고 있다.

O·X 정답 1. × 2. ○ 3. ×

PART · 06

㉢ **과오납금의 반환**: 과오납된 수입금이 있는 경우에는 세출예산 또는 기금운용계획과 관계없이 대통령령으로 정하는 바에 따라 반환해야 한다.

㉣ **수입금의 환급**: 수입으로서 납입된 금액 중 법률에 따라 환급할 금액이 있을 때에는 세출예산 또는 기금운용계획과 관계없이 대통령령으로 정하는 바에 따라 환급해야 한다.

㉤ **선사용자금**: 「정부기업예산법」에 따른 특별회계는 수입금을 국고에 납입하기 전에 미리 사용하고 지출금으로 대체납입하는 선사용자금으로 운용할 수 있다.

④ **과정**: 수입의 징수는 징수결정 ⇨ 납입고지 ⇨ 수납 ⇨ 독촉 ⇨ 강제집행 순으로 진행된다. 수입금은 이를 수납하는 출납공무원이 아니면 수납할 수 없으며, 출납공무원이 수입금을 수납한 때에는 지체 없이 수납금을 한국은행 등에 납입하여야 한다.

⑤ **수입사무기관**

㉠ **수입사무관리기관**: 기획재정부장관은 수입에 관한 사무를 총괄하고, 각 중앙관서의 장은 소관 수입사무를 관리한다.

㉡ **수입의 징수기관**: 원칙적으로 중앙관서의 장이나 실질적으로는 수입의 징수사무를 위임받은 공무원이다.

㉢ **수입의 수납기관**: 수납기관으로는 출납공무원, 한국은행 및 금고은행(특별회계 또는 기금의 출납사무를 취급하는 금융기관) 등이 있다.

㉣ **겸임 금지**: 수입징수관과 수입금 출납공무원의 직무는 원칙적으로 서로 겸임할 수 없다.

(2) **지출사무**

① **의의**: 지출은 세출예산 및 기금운용계획의 집행에 따라 국고에서 현금 등이 지급되는 것을 말한다.

② **지출의 원칙**

㉠ 해당 연도 세입예산으로 지출해야 한다.

㉡ 회계연도 개시 후에 지출해야 한다.

㉢ 채무액이 확정되고 이행기가 도래했을 때 지출해야 한다.

㉣ 월별 세부자금계획의 범위 안에서 지출해야 한다.

㉤ 계좌이체로 지급해야 한다.

③ **지출의 특례**

㉠ **관서운영경비**: 관서를 운영하는 데 드는 경비로서 그 성질상 법적 절차에 따라 지출할 경우 업무수행에 지장을 초래할 우려가 있는 경비를 말한다. 관서운영경비는 필요한 자금을 지출관으로부터 교부받아 출납공무원으로 하여금 지급하게 할 수 있다.

㉡ **회계연도 개시 전 자금 교부**: 중앙관서의 장 등은 관서운영경비의 경우에 회계연도가 시작되기 전에 필요한 자금을 관서운영경비출납공무원으로 하여금 지출관으로부터 교부받아 지급하게 할 수 있다.

㉢ **지난 연도 지출**: 지난 연도에 속하는 채무확정액으로서 지출하지 아니한 경비는 현연도 세출예산에서 지출한다.

**심화학습**

**관서운영경비 대상**

① 특수활동비 및 업무추진비 중 일정금액 이하의 경비
② 외국에 있는 채권자가 외국에서 지급받고자 하는 경우에 지급되는 경비
③ 여비
④ 비정규직 보수 등

㉣ **지출금의 반납**: 지출된 금액이 반납되는 경우에는 대통령령으로 정하는 바에 따라 각각 그 지출한 과목에 반납해야 한다.

㉤ **조체급(操替給) 보전**: 지출관이 소요경비를 현금으로 지급할 필요가 있을 때 출납공무원으로 하여금 그가 소지하고 있는 자금 중에서 지급하게 하고 후일 이에 상당한 금액의 자금을 해당 출납공무원에게 교부할 수 있다.

㉥ **선급금⁺과 개산금**: 지출관은 운임, 용선료, 공사·제조·용역 계약의 대가, 그 밖에 대통령령으로 정하는 경비로서 그 성질상 미리 지급하지 아니하거나 개산하여 지급하지 아니하면 해당 사무나 사업에 지장을 가져올 우려가 있는 경비의 경우에는 이를 미리 지급하거나 개산하여 지급할 수 있다.

㉦ **상계**: 채무와 채권이 동일인에게 귀속되는 경우 상계 처리할 수 있다.

④ **과정**: 지출은 예산배정 ⇨ 재무관의 지출원인행위 ⇨ 지출관의 지출행위 ⇨ 지급기관의 지급순으로 진행된다.

⑤ **지출사무기관**

㉠ **지출관리기관**: 기획재정부장관은 국가의 지출사무를 총괄하며, 각 중앙관서의 장은 각 소관 부서의 지출원인행위와 지출에 관한 업무를 관리한다.

㉡ **재무관**: 지출원인행위를 담당하는 공무원으로 원칙적으로 각 중앙관서의 장이나 실질적으로는 이를 위임받은 공무원이다.

㉢ **지출관**: 재무관으로부터 지출원인행위 관계 서류를 송부 받고 지출을 명하는 기관이다.

㉣ **출납기관**: 지출관의 지출명령에 따라 현금의 지급을 행하는 집행기관이며, 한국은행·관서운영경비 출납공무원 등이 있다.

㉤ **겸임 금지**: 재무관·지출관·출납공무원의 직무는 서로 겸할 수 없다.

⑥ **지급**: 지급기관(출납기관)이 지급한다. 지급기관은 지출관의 지출명령에 따라 현금의 지급을 행하는 집행기관이며 한국은행, 체신관서, 관서운영경비 출납공무원 등이 있다.

## 4. 예산집행의 통제와 신축성

### (1) 의 의

① 예산집행은 한편으로는 재정민주주의를 확립하고 입법부의 의도를 구현하기 위한 재정통제가 필요하며, 또 다른 한편으로는 예산 성립 후에 여건이나 정세변화가 일어났을 때 이에 적절히 대처하기 위한 신축성 확보가 필요하다.

② 예산집행은 통제와 신축성이라는 상충적 목표를 추구해야 한다. 일반적으로 통제적 집행이 주된 목표이고, 신축적 집행이 보완적 목표이다. 다만, 최근의 예산개혁은 유동적인 행정환경에 대응하기 위해 대부분 신축적 집행을 위한 방안 마련에 초점을 두고 있다.

### (2) 예산집행의 통제 제도

① 예산의 배정과 예산의 재배정

㉠ 의 의

ⓐ **예산의 배정**: 기획재정부장관이 각 중앙관서의 장에게 분기별로 예산지출 권한을 부여하여 집행할 수 있는 금액과 책임소재를 명확히 해주는 것을 말한다.

**심화학습**

**지출금의 반납의 이해**

수입의 특례로 보는 견해도 있으나 「국고금관리법」은 지출의 특례로 규정하고 있다.

**+ 선급금과 선수금**

| | |
|---|---|
| 선급금 | 제품이나 용역 등을 거래당사자에게 제공받기 전에 미리 대가를 지불하는 것 |
| 선수금 | 제품이나 용역 등을 거래당사자에게 제공하기 전에 그 대가를 지급받은 것 |

**O·X 문제**

1. 재무관은 지출원인행위를 담당한다. ( )

2. 재무관과 지출관은 원칙적으로 겸직할 수 없다. ( )

**O·X 문제**

3. 예산집행은 재정통제와 재정신축성이라는 상반된 목표를 동시에 추구한다. ( )

O·X 정답 1. ○ 2. ○ 3. ○

PART · 06

**O·X 문제**

1. 예산의 재배정은 행정부처의 장이 실무부서에게 지출을 할 수 있는 권한을 부여하는 것을 의미한다. ( )

2. 예산의 배정은 국가예산을 회계체계에 따라 질서 있게 집행하도록 하기 위한 내부통제의 기능을 수행한다. ( )

**심화학습**

**긴급배정(회계연도 개시 전 배정) 대상 경비**

① 외국에서 지급하는 경비
② 선박의 운영·수리 등에 소요되는 경비
③ 교통이나 통신이 불편한 지역에서 지급하는 경비
④ 각 관서에서 필요한 부식물의 매입경비
⑤ 범죄수사 등 특수활동에 소요되는 경비
⑥ 여비
⑦ 경제정책상 조기집행을 필요로 하는 공공사업비
⑧ 재해복구사업에 소요되는 경비

**O·X 문제**

3. 긴급배정은 계획의 변동이나 여건의 변화로 인하여 당초의 연간정기배정계획보다 지출원인행위를 앞당길 필요가 있을 때, 해당 사업에 대한 예산을 분기별 정기 배정계획과 관계없이 앞당겨 배정하는 제도이다. ( )

O·X 정답 1. ○ 2. ○ 3. ×

ⓑ **예산의 재배정**: 기획재정부장관이 각 중앙관서의 장에게 배정한 예산을 각 중앙관서의 장이 재무관별·월별로 다시 배정하는 것을 말한다.

㉡ **성격**: 예산의 배정과 재배정은 확정된 예산을 각 중앙관서 또는 산하기관이 집행할 수 있도록 예산을 사용할 수 있는 권리를 부여하는 것으로 지출원인행위의 근거가 된다.

㉢ **목적**: 예산의 배정은 예산집행을 분기별·월별로 통제함으로써 자금이 일시에 집중적으로 지출되는 것을 막아 수입과 지출의 균형을 유지하고 자금 흐름과 사업진도를 일치시키기 위한 것이다.

㉣ **우리나라**: 기획재정부장관은 예산의 배정과 재배정을 통해 예산을 분기별·월별로 통제하고, 월별 자금계획을 수립해 실제 자금을 지출기관에 교부함으로써 예산집행을 통제한다.

㉤ **정기배정의 예외(신축적 예산배정제도)**

ⓐ **조기배정**: 경제정책상의 필요에 의해 사업을 조기집행하고자 할 때 연간 정기배정계획 자체를 1/4·2/4분기에 집중 배정하는 제도

ⓑ **긴급배정**: 회계연도 개시 전에 예산을 배정하는 제도

ⓒ **당겨배정**: 사업의 실제 집행과정에서 계획의 변동이나 여건변화 등으로 예산을 분기별 정기배정계획에 관계없이 앞당겨 배정하는 제도

ⓓ **수시배정**: 예산편성 시 사업계획이 미확정된 경우 정기배정과 관계없이 수시배정의 요구를 받아 예산을 배정하는 제도

ⓔ **감액배정**: 이미 배정된 예산에 대하여 사업계획의 변동이나 차질이 생겼을 경우 재정운영상의 필요에 의하여 배정을 감액하는 제도

㉥ **예산배정의 유보 및 보류**: 기획재정부장관이 재정수지의 적정한 관리 및 예산사업의 효율적인 집행관리 등을 위하여 예산액 중 일부를 배정하지 않고 유보하거나 이미 배정된 예산의 집행을 보류하는 것을 말한다.

② **지출원인행위에 대한 통제**: 지출원인행위란 국가의 지출원인이 되는 계약 또는 기타의 행위를 말한다. 지출원인행위는 재무관이, 배정된 예산 또는 기금운용계획 금액의 범위 내에서, 회계연도 내에 행해져야 한다. 따라서 다음 연도에 걸친 지출원인행위는 원칙적으로 할 수 없지만 명시이월비와 계속비는 예외이다.

③ **정원과 보수에 대한 통제**: 공무원의 정원과 보수는 공무원정원령과 공무원보수규정에 의하여 행해져야 하며, 이의 변경이 요청될 때는 중앙인사기관의 장 및 중앙예산기관의 장과 협의해야 한다(경직성 경비에 대한 통제). 다만, 최근 총액인건비제도를 도입하여 인건비 총액범위 내에서 각 부서의 정원과 보수에 대한 자율성을 제고하였다.

④ **회계기록 및 보고제도**: 각 중앙관서는 자체의 수입 및 지출을 회계 처리해 기록해야 하며, 기획재정부에 월별·분기별·회계연도별로 결산보고를 해야 한다.

⑤ **계약의 통제**: 「국가를 당사자로 하는 계약에 관한 법률」에 계약의 방법과 절차를 규정하고 일정액 이상의 계약에 대해서는 상급기관의 승인을 얻도록 하여 수입과 지출의 균형을 유지하고 사업품질을 통제한다.

⑥ 총사업비관리제도

㉠ 의의: 완성에 2년 이상이 소요되는 사업으로서 대통령령으로 정하는 대규모사업에 대하여는 중앙관서의 장이 그 사업규모·총사업비 및 사업기간을 정하여 미리 기획재정부장관과 협의하도록 하는 제도이다.

㉡ 목적: 대규모사업의 무분별한 착수를 방지하고, 시작된 대형사업에 대한 총사업비를 관리해 재정지출의 생산성을 제고할 목적으로 도입되었다(1994년 도입).

㉢ 관리: 대상사업은 사업비의 총액뿐만 아니라 공정·단위사업별 사업비도 관리되기 때문에 불합리하게 해당 사업비를 증가시킬 수 없다.

⑦ 예비타당성조사

㉠ 의의: 일정액 이상의 대규모사업에 대해 중앙예산당국(기획재정부)이 예산편성 전에 대상사업의 경제성과 정책성을 분석하는 제도이다.

㉡ 목적: 신규사업의 무분별한 착수를 막기 위한 목적에서 도입되었다(1999년 도입).

㉢ 대 상

ⓐ 기준: 기획재정부장관은 총사업비가 500억원 이상이고 국가의 재정지원 규모가 300억원 이상인 신규사업 중 대상사업에 해당하는 대규모사업에 대한 예산을 편성하기 위해 미리 예비타당성조사를 실시하고, 그 결과를 요약하여 국회 소관 상임위원회와 예산결산특별위원회에 제출해야 한다.

ⓑ 대상사업: i) 건설공사가 포함된 사업, ii) 「지능정보화기본법」에 따른 지능정보화 사업, iii) 「과학기술기본법」에 따른 국가연구개발사업, iv) 그 밖에 사회복지, 보건, 교육, 노동, 문화 및 관광, 환경 보호, 농림해양수산, 산업·중소기업 분야의 사업(재정지출이 500억원 이상 수반되는 신규사업으로 함)

ⓒ 대상사업의 선정: 예비타당성조사 대상사업은 기획재정부장관이 중앙관서의 장의 신청에 따라 또는 직권으로 선정할 수 있다. 또한 국회가 그 의결로 요구하는 사업에 대하여는 예비타당성조사를 실시해야 한다.

㉣ 분석 – 경제성 분석과 정책성 분석

ⓐ 경제성 분석: 비용편익비, 순현재가치, 내부수익률, 민감도 분석 등

ⓑ 정책성 분석: 지역경제 파급효과, 균형발전을 위한 낙후도 평가, 정책의 일관성 및 추진의지, 사업에서의 위험요인, 상위계획과 관계, 환경 영향 등

㉤ 타당성조사와 예비타당성조사 비교

| 구 분 | 타당성조사 | 예비타당성조사 |
|---|---|---|
| 대 상 | 모든 사업 | 대통령령으로 정하는 대규모사업 |
| 주 체 | 주무사업부 | 중앙예산기관 |
| 조사의 초점 | 기술성 분석 | 경제성·정책성 분석 |
| 조사의 범위 | 해당 사업 | 국가재정 전반적 관점 |
| 특 징 | 사후적·세부적 | 사전적·개략적 |
| 조사기간 | 장기 | 단기 |

**심화학습**

**총사업비관리대상사업(대통령령)**

① 건설공사가 포함된 사업(건축사업 제외), 「지능정보화기본법」에 따른 지능정보화사업, 그 밖에 사회복지, 보건, 교육, 노동, 문화 및 관광, 환경 보호, 농림해양수산, 산업·중소기업 분야의 사업으로서 총사업비가 500억원 이상인 사업
② 건축사업 또는 연구개발사업으로서 총사업비가 200억원 이상인 사업

**심화학습**

**예비타당성조사 제외사업**

① 공공청사, 교정시설, 초·중등 교육시설의 신·증축 사업
② 국가유산 복원사업
③ 국가안보, 보안이 필요한 국방사업
④ 남북교류협력, 국가 간 협약·조약에 따른 사업
⑤ 도로 유지보수, 노후 상수도 개량 등 단순개량 및 유지보수사업
⑥ 재난복구 지원, 시설 안전성 확보, 보건·식품 안전 문제 등으로 시급한 추진이 필요한 사업
⑦ 재난예방을 위하여 시급한 추진이 필요한 사업
⑧ 법령에 따라 추진해야 하는 사업
⑨ 출연·보조기관의 인건비 등 예비타당성조사의 실익이 없는 사업
⑩ 지역 균형발전, 긴급한 경제·사회적 상황 대응 등을 위해 국가 정책적으로 추진이 필요한 사업 등

**O·X 문제**

1. 총사업비관리제도는 시작된 대형사업에 대한 총사업비를 관리해 재정지출의 생산성 제고를 도모한다. ( )

2. 예비타당성조사는 대규모 신규사업에 대한 예산편성 및 기금운용계획을 수립하기 위하여 기획재정부장관 주관으로 실시하는 사전적인 타당성 검증·평가제도이다. ( )

3. 신규사업 중 총사업비가 300억원 이상인 사업은 예비타당성조사대상에 포함된다. ( )

4. 예비타당성조사는 경제적, 재정적, 기술적 측면에서 타당성을 검토하는 것이다. ( )

5. 예비타당성조사는 대규모 건설사업, 지능정보화사업, 연구개발사업 등을 대상으로 하며, 교육·보건·환경 분야 등에는 아직 적용되지 않고 있다. ( )

6. 예비타당성조사는 타당성조사에 비해 조사기간이 장기적이다. ( )

O·X 정답 1. ○ 2. ○ 3. × 4. × 5. × 6. ×

### (3) 예산집행의 신축성 제도

① 총액계상예산(총괄예산)

㉠ 의의: 세부내용을 미리 확정하기 곤란한 일부사업에 대하여 예산결정단계에서 예산지출의 구체적 용도를 정하지 아니하고 총액으로만 계상하여 예산집행단계에서 포괄적 지출(자율적 집행)을 허용하는 제도이다.

㉡ 근거(「국가재정법」 제37조): 기획재정부장관은 대통령령으로 정하는 사업으로서 세부내용을 미리 확정하기 곤란한 사업의 경우에는 이를 총액으로 예산에 계상할 수 있다.

㉢ 원칙: 명확성의 원칙의 예외이다.

② 예산의 전용(轉用)

㉠ 의의: 행정과목(세항・목) 간의 상호융통을 말한다.

㉡ 근 거

ⓐ 예산의 목적외 사용금지(「국가재정법」 제46조): 각 중앙관서의 장은 세출예산이 정한 목적 외에 경비를 사용할 수 없다.

ⓑ 예산의 전용(「국가재정법」 제46조)

- 각 중앙관서의 장은 예산의 목적범위 안에서 재원의 효율적 활용을 위하여 대통령령으로 정하는 바에 따라 기획재정부장관의 승인을 얻어 각 세항 또는 목의 금액을 전용할 수 있다.
- 각 중앙관서의 장은 회계연도마다 기획재정부장관이 위임하는 범위 안에서 각 세항 또는 목의 금액을 자체적으로 전용할 수 있다.

㉢ 전용할 수 없는 사유: 당초 예산에 계상되지 아니한 사업을 추진하는 경우, 국회가 의결한 취지와 다르게 사업 예산을 집행하는 경우에는 전용할 수 없다.

㉣ 원칙: 사전의결의 원칙 및 목적(질적) 한정성의 원칙의 예외이다.

③ 예산의 이용(移用)

㉠ 의의: 입법과목(장・관・항) 간의 상호융통을 말한다.

㉡ 근거(「국가재정법」 제47조): 각 중앙관서의 장은 예산이 정한 각 기관 간 또는 각 장・관・항 간에 상호 이용할 수 없다. 다만, 일정한 경우에 한정하여 미리 예산으로써 국회의 의결을 얻은 때에는 기획재정부장관의 승인을 얻어 이용하거나 기획재정부장관이 위임하는 범위 안에서 자체적으로 이용할 수 있다.

㉢ 원칙: 목적(질적) 한정성의 원칙의 예외이다.

④ 이체(移替)

㉠ 의의: 정부조직 등에 관한 법령의 변화로 인하여 그 직무와 권한에 변동이 있을 때에 기관 간 예산을 변동시키는 제도를 말한다.

㉡ 근거(「국가재정법」 제47조): 기획재정부장관은 정부조직 등에 관한 법령의 제정・개정 또는 폐지로 인하여 중앙관서의 직무와 권한에 변동이 있는 때에는 그 중앙관서의 장의 요구에 따라 그 예산을 상호 이용하거나 이체할 수 있다.

㉢ 원칙: 사전의결의 원칙의 예외이다(반대견해 있음).

---

**심화학습**

**총액계상사업**

① 도로보수사업
② 도로안전 및 환경개선사업
③ 항만시설 유지보수사업
④ 수리시설 개보수사업
⑤ 수리부속지원사업
⑥ 문화재 보수정비사업
⑦ 그 외의 대규모 투자 또는 보조사업

**O·X 문제**

1. 총괄예산제도는 예산집행의 구체적 용도를 제한하지 아니하고 포괄적인 지출을 허용하는 제도로서 지방교부세 등 포괄보조금과 같은 형식이다. ( )
2. 세출예산의 항(項) 간 전용은 국회의결 없이 기획재정부장관의 승인을 얻어서 할 수 있다. ( )
3. 각 중앙관서의 장은 회계연도마다 기획재정부장관이 위임하는 범위 안에서 각 세항 또는 목의 금액을 자체적으로 전용할 수 있다. ( )
4. 각 중앙관서의 장은 당초 예산에 계상되지 아니한 사업을 추진하는 경우에도 예산을 전용할 수 있다. ( )
5. 장, 관, 항은 행정과목으로서 이들 과목 간 융통은 국회의 승인을 얻어 이용가능하다. ( )
6. 이용은 입법과목 사이의 상호 융통으로 국회의 의결을 얻으면 기획재정부장관의 승인이나 위임 없이도 할 수 있다. ( )

**심화학습**

**이용이 가능한 경우**

① 법령상 지출의무의 이행을 위한 경비 및 기관운영을 위한 필수적 경비의 부족액이 발생하는 경우
② 환율변동・유가변동 등 사전에 예측하기 어려운 불가피한 사정이 발생하는 경우
③ 재해대책 재원 등으로 사용할 시급한 필요가 있는 경우
④ 그 밖에 대통령령으로 정하는 경우

**O·X 문제**

7. 기관(機關) 간 이용도 가능하다. ( )
8. 예산의 이체는 정부조직 등에 관한 법령의 제정・개정・폐지로 인하여 중앙관서의 직무와 권한에 변동이 있을 때 이루어지는 것으로 국회의 승인이 있어야 한다. ( )

O·X 정답 1. ○ 2. × 3. ○ 4. × 5. × 6. × 7. ○ 8. ×

⑤ 이월(移越)

㉠ 의의: 해당 회계연도 예산의 일정액을 다음 연도에 넘겨서 사용하는 것을 말한다.

㉡ 종 류

ⓐ **명시이월**: 세출예산 중 경비의 성질상 연도 내에 지출을 끝내지 못할 것이 예측될 때에는 그 취지를 세입세출예산에 명시하여 미리 국회의 승인을 얻어 다음 연도로 넘겨 사용하는 것을 말한다.

ⓑ **사고이월**: 연도 내에 지출원인행위를 하고 불가피한 사유로 인하여 연도 내에 지출하지 못한 경비와 지출원인행위를 하지 아니한 그 부대경비를 다음 연도로 넘겨 사용하는 것을 말한다.

㉢ **재이월 허용 여부**: 명시이월은 1차에 한하여 사고이월이 가능하지만, 사고이월은 재이월이 허용되지 않는다.

㉣ **특징**: 추가경정예산이나 계속비·예비비도 요건을 갖출 경우 이월이 가능하다. 다만, 이월액은 다른 용도로 사용할 수 없다.

㉤ **근거(「국가재정법」 제48조)**: 매 회계연도의 세출예산은 다음 연도에 이월하여 사용할 수 없다. 다만, 명시이월비, 사고이월비 등은 다음 회계연도에 이월하여 사용할 수 있다. 이 경우 이월액은 다른 용도로 사용할 수 없으며, 사고이월비의 금액은 재이월할 수 없다.

㉥ **원칙**: 명시이월과 사고이월은 시기(기간) 한정성의 원칙의 예외이다. 또한 사고이월은 사전의결의 원칙의 예외에도 해당한다.

⑥ 계속비(「국가재정법」 제23조)

㉠ **의의**: 완성에 수년이 필요한 공사나 제조 및 연구개발사업의 경우 그 경비의 총액과 연부액을 정하여 미리 국회의 의결을 얻은 범위 안에서 수년도에 걸쳐서 지출할 수 있는 자금을 말한다.

㉡ **연한**: 계속비의 연한은 그 회계연도부터 5년 이내로 한다. 다만, 사업규모 및 국가재원 여건을 고려하여 필요한 경우에는 예외적으로 10년 이내로 할 수 있다. 또한, 기획재정부장관은 필요하다고 인정하는 때에는 국회의 의결을 거쳐 지출연한을 연장할 수 있다.

㉢ **관리**: 매년의 연부액에 대해서는 다시 국회의 의결을 얻어 지출해야 한다.

㉣ **체차이월**: 계속비의 연도별 연부액 중 해당 연도에 지출하지 못한 금액은 계속비 사업의 완성연도까지 계속 이월하여 사용할 수 있다.

㉤ **원칙**: 시기(기간) 한정성의 원칙의 예외이다.

㉥ **평가**: 사업의 일관성 있는 추진이 가능하나, 재정운영의 경직성을 초래할 위험성이 있다.

⑦ 예비비

㉠ **의의**: 예측할 수 없는 예산 외 지출 또는 예산초과지출에 충당하기 위하여 일반회계 예산총액의 100분의 1 이내의 금액을 세입세출예산에 계상한 자금을 말한다(일반 예비비).

**O·X 문제**

1. 예산의 이월은 해당 회계연도에 집행되지 않은 예산을 다음 연도의 예산으로 사용하는 것으로 각 중앙관서의 장은 자유롭게 이월 및 재이월할 수 있다. ( )

2. 명시이월이란 세출예산 중 경비의 성질상 연도 내에 지출을 끝내지 못할 것이 예측되는 때에 이용하는 제도로, 이월 이후에 반드시 국회의 의결을 얻어야 한다. ( )

3. 사고이월은 연도 내의 지출을 필할 것으로 예상되었으나 부득이한 사유에 의하여 지출을 필하지 못한 경비나, 연도 내에 지출원인행위를 하지 못한 부대경비를 다음 회계연도에 사용하는 것으로 다음 회계연도에 재차 이월이 가능하다. ( )

PART · 06

**O·X 문제**

4. 계속비는 경비총액과 연부액에 대하여 미리 국회의 의결을 얻은 것이므로, 매년의 연부액에 대해서는 국회의 의결을 얻지 않고 지출할 수 있다. ( )

5. 계속비의 경우, 국가가 지출할 수 있는 연한은 그 회계연도로부터 5년 이내이나, 사업규모 및 국가재원 여건을 고려하여 필요한 경우에는 예외적으로 10년 이내로 할 수 있다. ( )

6. 계속비는 원칙상 5년 이내로 국한하지만 기획재정부장관이 필요하다고 인정하는 때에는 국회의 의결을 거쳐 연장할 수 있다. ( )

7. 계속비는 공사나 제조 및 연구개발사업 등 대상이 한정되어 있다. ( )

**O·X 문제**

8. 예비비는 예측할 수 없는 예산 외의 지출 또는 예산초과지출에 충당하기 위하여 특별회계 예산총액의 100분의 1 이내의 금액을 세입세출예산에 계상한 것이다. ( )

O·X 정답 | 1. × 2. × 3. × 4. × 5. ○ 6. ○ 7. ○ 8. ×

ⓛ 유 형

ⓐ **일반 예비비**: 국가의 일반적인 지출소요에 충당하기 위한 예비비로 구체적인 용도가 지정되지 않은 예비비

ⓑ **목적 예비비**: 예산총칙 등에 따라 미리 사용목적을 지정해 놓은 예비비(봉급 예비비, 공공요금 예비비, 재해대책 예비비, 급량비 예비비, 사전조사 예비비 등)

ⓒ 사용의 제한

ⓐ 예산총칙 등에 따라 미리 사용목적을 지정해 놓은 예비비(목적 예비비)는 일반 예비비와 별도로 세입세출예산에 계상할 수 있다. 다만, 공무원의 보수 인상을 위한 인건비 충당을 위하여는 예비비의 사용목적을 지정할 수 없다(「국가재정법」 제22조).

ⓑ 국회에서 부결한 용도, 국회 개회 중 거액의 지출(개회 중에는 추가경정예산 사용), 예산 성립 전부터 존재하던 사태에 대한 사용은 자제해야 한다.

ⓔ 관리와 사용(「국가재정법」 제51조)

ⓐ 예비비는 기획재정부장관이 관리한다.

ⓑ 각 중앙관서의 장은 예비비의 사용이 필요한 때에는 그 이유 및 금액과 추산의 기초를 명백히 한 명세서를 작성하여 기획재정부장관에게 제출해야 한다(대규모 재난에 따른 긴급구호 등의 경우 개산하여 신청 가능).

ⓒ 기획재정부장관은 예비비 신청을 심사한 후 필요하다고 인정하는 때에는 이를 조정하고 예비비사용계획명세서를 작성한 후 국무회의의 심의를 거쳐 대통령의 승인을 얻어야 한다.

ⓜ **통제**: 예비비의 설치 시 총액으로 국회의 의결을 거치며, 예비비의 지출은 차기 국회의 승인을 요한다.

ⓑ **예비금 제도**: 국회, 법원, 헌법재판소, 중앙선거관리위원회 등 「헌법」상 독립기관은 예비비와 별도로 예비금제도가 인정된다.

ⓢ **원칙**: 규모(양적) 한정성의 원칙, 명확성의 원칙, 사전의결의 원칙의 예외이다. 주의할 점은 예비비의 설치는 사전의결의 원칙에 반하지 않으나, 예비비의 지출은 사전의결의 원칙의 예외이다.

⑧ 국고채무부담행위(「국가재정법」 제25조)

ⓐ **의의**: 국가가 법률에 따른 것과 세출예산금액 또는 계속비의 총액의 범위 안의 것 외에 채무를 부담하는 행위(외상공사 등 장래 국고부담이 예견되는 행위)를 말한다.

ⓛ **방식**: 국고채무부담행위는 사항마다 그 필요한 이유를 명백히 하고 그 행위를 할 연도 및 상환연도와 채무부담의 금액을 표시하여야 한다.

ⓒ **통제**: 국고채무부담행위는 미리 예산으로써 국회의 의결을 얻어야 한다.

ⓔ **국회의결의 성격**: 국고채무부담행위에 대한 국회의 의결은 국회가 채무를 부담할 권한만 부여한 것이지 지출할 수 있는 권한까지 부여한 것은 아니므로 지출을 하려면 다시 국회의 의결을 얻어 예산으로 성립하여야 한다. 따라서 실제 지출은 해당 연도가 아닌 다음 회계연도부터 예산에 계상하여 의회의 별도 승인을 얻어 이루어진다.

**O·X 문제**

1. 기획재정부장관은 예비비의 사용이 필요한 때에는 그 이유 및 금액과 추산의 기초를 명백히 한 명세서를 작성하여 국회에 제출하여야 한다. ( )

2. 예비비는 각 중앙관서의 장이 관리한다. ( )

3. 예비비의 지출은 다음 국회의 승인을 얻어야 한다. ( )

4. 예비비로 공무원의 보수 인상을 위한 인건비를 충당하기 위해서는 예산총칙 등에 따라 미리 사용 목적을 지정하여야 한다. ( )

**O·X 문제**

5. 국고채무부담행위는 법률에 따른 것과 세출예산금액 또는 계속비의 총액의 범위 이내로 한정한다. ( )

6. 국고채무부담행위는 법률에 의한 것, 세출예산금액, 그리고 계속비 범위 이외의 것에 한하여 사전에 국회의 의결을 얻어 지출할 수 있는 권한이다. ( )

7. 국고채무부담행위에 대한 국회의 의결은 다음 회계연도 이후의 채무부담과 지출권한에 대한 것이다. ( )

8. 국고채무부담행위는 국가가 금전급부 의무를 부담하는 행위로서 그 채무 이행의 책임은 다음 연도 이후에 부담됨을 원칙으로 한다. ( )

**심화학습**

**재해복구와 국고채무부담행위**

국가는 재해복구를 위하여 필요한 때에는 회계연도마다 국회의 의결을 얻은 범위 안에서 채무를 부담하는 행위를 할 수 있다. 이 경우 그 행위는 일반회계 예비비의 사용절차에 준하여 집행한다.

O·X 정답 | 1. × 2. × 3. ○ 4. × 5. × 6. × 7. × 8. ○

㉤ 세출예산, 계속비, 국고채무부담행위의 비교

| 구 분 | 지출권한 | 용 도 | 기 간 | 이 월 | 목 적 |
|---|---|---|---|---|---|
| 세출예산 | 있음. | 제한 없음. | 1년 | 명시이월, 사고이월 | 일반지출 |
| 계속비 | 잠정적 | 제한 있음<br>(공사·제조 등). | 5년 | 체차이월<br>(완성연도까지) | 재원의 안정적 확보 |
| 국고채무<br>부담행위 | 없음. | 제한 없음. | 제한<br>없음. | 이월 불가 | 사업의 탄력적 운영 |

⑨ 수입대체경비(「국가재정법」 제53조)

㉠ 의의: 중앙관서의 장이 용역 및 시설을 제공해 발생하는 수입과 관련되는 경비로서 대통령령으로 정하는 경비를 말한다.

㉡ 수입대체경비에 해당하는 경비

ⓐ 국가가 특별한 용역 또는 시설을 제공하고 그 제공을 받은 자로부터 비용을 징수하는 경우의 당해 경비로서 기획재정부장관이 정하는 경비

ⓑ 수입의 범위 안에서 관련 경비의 총액을 지출할 수 있는 경우의 당해 경비로서 기획재정부장관이 정하는 경비

㉢ 관리: 수입대체경비에 있어 수입이 예산을 초과하거나 초과할 것이 예상되는 때에는 그 초과수입에 직접 관련되는 경비 및 이에 수반되는 경비에 초과지출할 수 있다.

㉣ 원칙: 국고통일주의(통일성의 원칙) 및 예산총계주의(완전성의 원칙)의 예외이다.

㉤ 수입금마련지출제도와 비교

| 구 분 | 수입대체경비 | 수입금마련지출제도 |
|---|---|---|
| 근 거 | 「국가재정법」 | 「정부기업예산법」 |
| 사 용 | 초과수입을 직·간접비에 사용 | 초과수입을 직접비에 사용 |
| 범 위 | 제한적(적용경비 제한) | 무제한적(제한규정 없음) |
| 공통점 | 통일성의 원칙(국고통일주의)의 예외 | |

**핵심정리 | 예산총계주의와 예산총계주의의 예외**

1. **예산총계주의**(「국가재정법」 제17조)
   ① 한 회계연도의 모든 수입을 세입으로 하고, 모든 지출을 세출로 한다.
   ② 제53조에 규정된 사항을 제외하고는 세입과 세출은 모두 예산에 계상하여야 한다.
2. **예산총계주의 원칙의 예외**(「국가재정법」 제53조)
   ① 각 중앙관서의 장은 용역 또는 시설을 제공하여 발생하는 수입과 관련되는 경비로서 대통령령으로 정하는 경비(수입대체경비)의 경우 수입이 예산을 초과하거나 초과할 것이 예상되는 때에는 그 초과수입을 대통령령으로 정하는 바에 따라 그 초과수입에 직접 관련되는 경비 및 이에 수반되는 경비에 초과지출할 수 있다.
   ② 국가가 현물로 출자하는 경우와 외국차관을 도입하여 전대(轉貸)하는 경우에는 이를 세입세출예산 외로 처리할 수 있다.
   ③ 차관물자대(借款物資貸)의 경우 전년도 인출예정분의 부득이한 이월 또는 환율 및 금리의 변동으로 인하여 세입이 그 세입예산을 초과하게 되는 때에는 그 세출예산을 초과하여 지출할 수 있다.
   ④ 전대차관을 상환하는 경우 환율 및 금리의 변동, 기한 전 상환으로 인하여 원리금 상환액이 그 세출예산을 초과하게 되는 때에는 초과한 범위 안에서 그 세출예산을 초과하여 지출할 수 있다.

**심화학습**

**초과수입에 직접 관련되는 경비 및 이에 수반되는 경비**

① 업무수행과 직접 관련된 자산취득비·국내여비·시설유지비 및 보수비
② 일시적인 업무급증으로 사용한 일용직 임금
③ 초과수입 증대와 관련 있는 업무를 수행한 직원에게 지급하는 보상적 경비
④ 그 밖에 초과수입에 수반되는 경비로서 기획재정부장관이 정하는 경비

PART · 06

**O·X 문제**

1. 수입대체경비는 국가가 특별한 용역 또는 시설을 제공하고 그 제공을 받은 자로부터 비용을 징수하는 경우의 해당 경비로서 기획재정부장관이 정하는 경비를 의미하며, 「국가재정법」상 예산총계주의의 예외로 규정되어 있다. ( )

2. 수입대체경비는 지출이 직접 수입을 수반하는 경비로서 기획재정부장관이 지정하는 것을 의미하며 전통적 예산원칙 중 통일성의 원칙의 예외에 해당한다. ( )

**O·X 문제**

3. 외국차관을 도입하여 전대(轉貸)하는 경우는 예산총계주의 원칙의 예외에 해당한다. ( )

O·X 정답 1. ○ 2. ○ 3. ○

⑩ 장기계속계약제도

㉠ 의의: 단년도 예산이 지니는 한계를 극복하기 위하여 임차·운송·보관·전기·가스·수도의 공급 등 이행에 장기간이 소요되는 공사나 물품의 제조로서 전체 사업내용과 연차별 사업계획이 확정된 경우에는 총공사 또는 총제조의 금액을 부기하고 해당 연도 예산의 범위 내에서 분할 공사 또는 제조의 발주를 허용하는 제도를 말한다.

㉡ 계속비와 비교

| 구 분 | 계약기간 | 사업내용 | 총예산 | 사업중단 가능성 | 계약방식 |
|---|---|---|---|---|---|
| 계속비 | 1년 이상 | 확정 | 확보 | 낮음. | 총공사비로 계약 |
| 장기계속 계약 | 1년 이상 | 확정 | 미확보 | 높음. | 총공사비로 입찰하되, 각 회계연도 예산범위 내 계약 |

⑪ 국고여유자금의 활용: 국고금의 출납상 지장이 없다고 인정되는 때에는 그 회계연도 내에 한하여 정부 각 회계 또는 계정의 여유자금을 세입세출예산 외로 일시적으로 운용할 수 있다.

⑫ 조상충용: 해당 연도 세입으로 세출을 충당하지 못한 경우 다음 연도의 세입을 미리 앞당겨 사용하는 것을 말한다(시기 한정성의 예외). 조상충용은 과거 지방정부에서 활용되었으나 현재는 폐지되었다.

⑬ 기타: 수입과 지출의 특례, 정기배정의 예외(조기배정, 긴급배정, 당겨배정 등), 대통령의 긴급재정명령권(사전의결의 원칙의 예외), 준예산(사전의결의 원칙의 예외), 추가경정예산(한정성·단일성의 원칙의 예외) 등이 있다.

(4) 예산집행의 통제 제도와 신축성 제도

| 통제 제도 | 신축성 제도 |
|---|---|
| • 예산배정과 재배정<br>• 지출원인행위에 대한 통제<br>• 정원·보수에 대한 통제<br>• 회계기록 및 보고제도<br>• 계약의 통제<br>• 총사업비관리제도<br>• 예비타당성조사<br>• 조세지출예산<br>• 통합재정 | • 총액예산<br>• 이용과 전용, 이체, 이월<br>• 계속비, 예비비, 국고채무부담행위<br>• 수입대체경비, 장기계속계약제도<br>• 국고여유자금의 활용<br>• 수입과 지출의 특례<br>• 정기배정의 예외(조기배정, 당겨배정, 긴급배정, 수시배정, 감액배정 등)<br>• 대통령의 긴급재정명령권<br>• 준예산, 추가경정예산<br>• 조상충용 |

### 5. 조달(구매)행정과 정부계약

(1) 조달(구매)행정

① 의의: 조달이란 물품 및 용역 등을 계약을 통해 구매하여 정부서비스 제공에 필요한 자원을 획득하는 것으로 예산집행과정의 중요한 절차이다.

② 조달(구매)의 유형

㉠ 집중조달: 필요한 재화를 중앙구매기관이 한꺼번에 구입한 후 이를 각 수요기관에 공급해 주는 방식을 말한다.

㉡ 분산조달: 필요한 재화를 각 수요기관에서 직접 구입하는 방식을 말한다.

O·X 문제

1. 재무행정에서 총괄예산, 이용, 전용, 예비비, 이체와 같은 제도적 장치를 두고 있는 목적은 예산집행과정에서 행정부의 신축성 확보를 위해서이다. ( )

2. 예산집행의 신축성을 확보하기 위한 장치로는 회계연도 개시 전 예산배정, 국고채무부담행위, 예산배정 등이 있다. ( )

3. 총사업비관리제도와 예비타당성조사는 예산집행의 신축성을 확보하기 위하여 도입되었다. ( )

O·X 정답 1. ○ 2. × 3. ×

③ 집중조달의 장 · 단점

| 집중조달의 장점(분산조달의 단점) | 집중조달의 단점(분산조달의 장점) |
|---|---|
| • 다량구매를 통한 비용 절감<br>• 조달업무의 전문성 확보<br>• 조달물품 및 절차의 표준화<br>• 조달업무의 통제 및 조정 용이<br>• 장기적 · 종합적 조달정책 수립 용이<br>• 대기업체(공급업자)에 유리<br>• 긴급수요나 예상 외의 수요에 신속한 대응 | • 조달행정절차의 관료화(red tape) 및 복잡화로 인한 행정비용 증가<br>• 적시공급 불능<br>• 물품조달 시 중소기업에게 불리<br>• 책임회피수단으로 악용<br>• 특수품목 구입에 불편 |

④ 조달운영방식의 변화: 집중조달과 분산조달은 양자선택의 문제가 아니라 양자 배합의 문제이다. 다만, 집중조달이 원칙이며, 분산조달은 보완적 원칙이다. 과거 행정국가시대에는 조달행정의 전문성이 강조되어 집중조달이 중시됐지만, 최근에는 각 기관의 자율성이 중시되면서 분산조달이 중시되는 추세이다.

⑤ 우리나라의 조달행정

㉠ 국가종합전자조달시스템 – 나라장터: 구매요청 · 입찰 · 계약 · 검수 · 대금지급 등 조달 관련 모든 절차를 온라인화하고, 조달정보를 일괄 제공하는 전자조달시스템이다.

㉡ 중앙구매기관 – 조달청

ⓐ 조달청은 정부가 행하는 물자의 구매 · 공급 및 관리에 관한 사무와 정부의 주요 시설공사계약에 관한 사무를 관장한다.

ⓑ 조달청은 중앙정부와 지방정부의 모든 기관과 공공기관 및 정부투자기관 등의 물자를 구매한다.

(2) 정부계약

① 의의: 국가가 사인과 대등한 지위에서 체결하는 사법적 계약을 말한다. 정부계약은 계약자유의 원칙이 적용된다.

② 종 류

㉠ 일반경쟁방식: 계약대상 물품 및 조건을 공개하고 불특정 다수에 대해 공개 입찰하여 이 중 가장 유리한 적격자를 선정해 계약을 체결하는 방식이다. 이 방식은 공정성과 경제성을 확보할 수 있으나, 부적격업체의 입찰로 시간 · 비용 · 경비가 과다하게 발생할 수 있다.

㉡ 지명경쟁방식: 기술력 · 신용 등을 기준으로 지명된 특정 몇몇 기업에게만 입찰이 가능토록 하는 방식이다. 이 방식은 시간 · 비용 · 경비의 절감을 가져올 수 있지만, 경쟁자들 간 담합의 가능성이 있다.

㉢ 제한경쟁방식: 일반경쟁방식과 지명경쟁방식의 절충 방식으로 경쟁참가자의 자격을 일정한 기준(실적, 기술보유상황 등)에 의해 제한하는 방식이다. 이 방식은 불성실하거나 능력이 없는 자를 입찰에 참가하지 못하도록 함으로써 공정성 · 경제성을 확보할 수 있으나, 담합가능성이 높다.

㉣ 수의계약: 특정 상대를 임의로 선정하여 계약을 체결하는 방식이다. 이 방식은 특정한 사유로 인하여 입찰자 간 경쟁이 곤란한 경우 사용할 수 있고 경비의 절약을 가져올 수 있으나, 부패 발생가능성이 매우 높다.

**O·X 문제**

1. 집중조달은 특수품목 구입과 구매업무의 전문화를 가능하게 해준다. ( )

2. 집중구매는 구매조직의 관료화를 방지하고 중소기업보호 측면에서 유리하다. ( )

3. 집중구매는 부패나 부당거래 통제에 용이하고 재정적 통제체계를 향상시킬 수 있다. ( )

4. 집중구매는 중앙구매기관을 경유하여 구매해야 하므로 구입절차가 복잡하고 적기에 물품을 공급하기 어렵다. ( )

5. 집중구매는 긴급수요나 예상 외의 수요에 신속히 대처할 수 있다. ( )

**심화학습**

**구매절차**

① 수요판단 ⇨ ② 구매계약 ⇨ ③ 검사와 수납 ⇨ ④ 인도 및 보관 ⇨ ⑤ 대금지불

O·X 정답 1. × 2. × 3. ○ 4. ○ 5. ○

ⓜ **입찰참가자격 사전심사제**: 입찰참가 희망업체의 업무수행능력을 종합적으로 심사·평가하여 일정한 자격이 있는 자에게만 입찰자격을 부여하는 제도이다.

ⓑ **일괄입찰제(turnkey방식)**: 신기술이나 신공법이 요구되는 공사의 경우에 한 업체에게 설계나 시공을 일괄적으로 맡기는 입찰제도이다. 이 방식은 대기업에게 유리하다.

ⓢ **최저가 낙찰제**: 최저가격으로 낙찰하는 방식이다. 이 방식은 지나친 과다경쟁으로 인한 조달물품의 품질 저하를 야기할 위험성이 있다.

ⓞ **적격심사낙찰제(PQ : Pre－Qualification)**: 예정가격 이하 최저가로 입찰한 자순으로 계약 이행 능력을 심사하여 낙찰자를 결정하는 방식이다. 이 방식은 최저가 낙찰제를 보완하여 민간기업의 경쟁성과 공공의 품질 확보를 동시에 추구할 수 있다.

ⓙ **다수공급자계약제도**: 품질·성능·효율성이 유사한 물품들을 생산하는 다수의 공급자와 정부가 복수로 계약을 체결한 뒤 개별 수요기관이 공급할 업체를 직접 선택하도록 하는 방식이다.

③ **우리나라의 정부계약 － 적격성 심사제**: 우리나라의 정부계약은 '계약이행능력이 있다고 인정되는 자로서 최저 가격으로 입찰한 자'를 낙찰자로 한다고 정함으로써 적격성 심사제에 입각한 최저가 낙찰제를 채택하고 있다.

## 04 결 산

### 1. 의 의

#### (1) 개 념

① 결산은 1회계연도 동안의 국가의 수입과 지출의 실적을 확정적 계수로 표시하여 검증하는 행위이다.

② 결산은 예산집행의 적정성과 합법성, 예산과 결산의 일치 여부 등을 심의하여 예산집행에 대한 사후감독을 실현하려는 것이다.

**O·X 문제**

1. 결산이란 한 회계연도에서 국가의 수입과 지출의 실적을 예정적 계수로서 표시하는 행위이다. ( )

2. 예산과 결산은 반드시 일치하는 것은 아니다. ( )

#### (2) 성 격

① **예산주기의 최종과정**: 정부예산은 국회의 사전심의가 있어야 비로소 성립하고, 최종적으로 결산에 의한 사후감독을 받아야 비로소 완전한 것이 될 수 있다.

② **예산과 결산의 불일치**: 예산과 결산은 원칙적으로 일치해야 하지만 전년도 이월, 해당연도의 불용액, 예비비 지출, 다음 연도로 이월 등 신축적인 예산집행으로 인해 완전히 일치하지는 않는다.

#### (3) 기 능

① **재정정보산출 및 환류기능**: 결산은 사후적 재정보고서로 예산집행의 적법성 및 효율성에 대한 정보를 산출하고, 산출된 정보를 차기예산편성에 환류하는 기능을 수행한다.

② **재정통제기능**: 결산은 국회가 지출의 적법성을 확인하는 과정으로 예산심의와 함께 행정부에 대한 중요한 재정통제 수단이다.

③ **세입과 세출의 기록**: 결산은 1회계연도 내의 세입·세출의 실적을 예산과 대비하는 과정일 뿐만 아니라 세입·세출의 실적을 일정한 형식에 따라 계산·정리한 기록이다.

O·X 정답 1. × 2. ○

(4) 효 과

① **정치적 성격**: 결산은 정부의 예산집행의 결과가 정당한 경우 집행 책임을 해제하는 법적 효과를 지니나, 정부의 위법·부당한 지출이 있더라도 그 지출행위를 무효·취소시키는 법적 효력을 지니지 못한다. 즉, 결산의 효과는 실질적으로 법적인 것이 아니라 정치적(정치적·도의적) 책임인 것에 불과하며, 결산심의가 형식화되는 원인이 된다.

② **공무원의 책임**: 국회의 결산확정으로 정부의 예산집행에 대한 책임은 해제되나, 관계 공무원의 부정행위에 대한 형사책임 및 변상책임까지 해제되는 것은 아니다.

## 2. 우리나라 결산의 절차

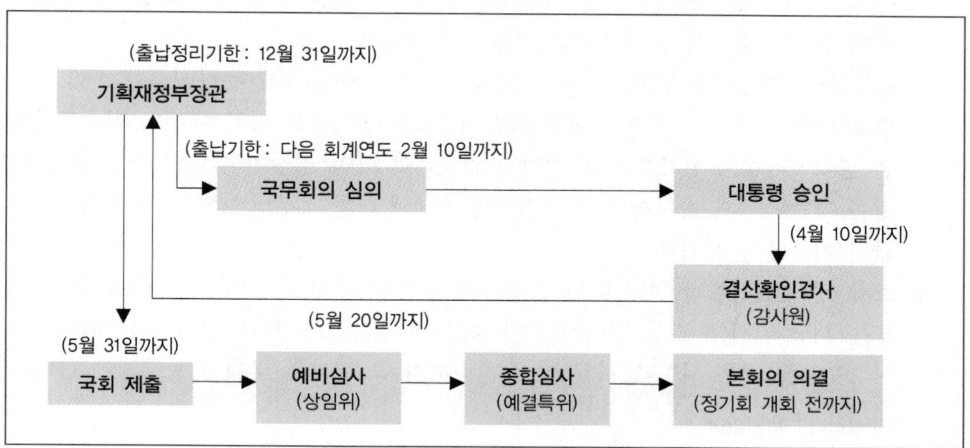


(1) 출납사무의 완결 – 결산의 전제

① **출납정리기한**: 한 회계연도의 출납 자체를 인정하는 출납폐쇄기간을 말한다. 출납정리기한은 원칙상 해당 회계연도 말일(12월 31일)이다.

② **출납기한**: 출납의 장부정리를 마감해야 하는 기간(주계부의 마감기한)을 말한다. 세입세출의 출납 사무는 다음 연도 2월 10일까지 완결해야 한다(「국고금관리법」 제4조의2). 주계부의 마감으로 국가의 결산은 부동의 것이 되고 그 뒤에 정정은 인정되지 않는다.

(2) 결산보고서 및 결산서의 작성

① **중앙관서결산보고서 작성·제출**: 중앙관서의 장은 회계연도마다 그 소관에 속하는 일반회계·특별회계 및 기금을 통합한 결산보고서(세입결산보고서, 세출결산보고서, 계속비결산보고서, 성인지결산서)를 작성하여 다음 연도 2월 말까지 기획재정부장관에게 제출하여야 한다.

② **국가결산보고서의 작성·제출**: 기획재정부장관은 매 회계연도마다 중앙관서별 결산보고서를 종합하여 국가결산보고서를 작성하고 국무회의의 심의를 거친 후 대통령의 승인을 얻어 다음 연도 4월 10일까지 감사원에 제출하여야 한다.

③ **결산보고서의 구성**: 결산보고서는 ㉠ 결산 개요, ㉡ 세입세출결산(기금의 수입지출결산 포함), ㉢ 재무제표(재정상태표, 재정운영표, 순자산변동표), ㉣ 성과보고서의 서류로 구성된다.

(3) 결산검사

감사원은 결산보고서와 첨부서류를 검사하고 그 보고서를 다음 연도 5월 20일까지 기획재정부장관에게 송부하여야 한다.

**O·X 문제**

1. 결산은 정부의 예산집행의 결과가 정당한 경우 집행 책임을 해제하는 법적 효과를 가진다. ( )
2. 결산의 결과 정부지출에 의한 위법한 지출이 있는 경우 그것을 무효로 하거나 취소할 수 있다. ( )

PART · 06

**심화학습**

결산의 조제(調製)

| | |
|---|---|
| 세입결산 보고서 | 미수납액 = 징수결정액 – 수납액 – 불납결손액 |
| 세출결산 보고서 | • 예산현액 = 세출 예산액 + 전년도 이월액 + 예비비 사용액 + 전용 등 증감액<br>• 불용액 = 예산현액 – 지출액 – 다음 연도 이월액 |

**O·X 문제**

3. 정부의 세입·세출에 대한 출납사무는 다음 연도 2월 10일까지 완결해야 한다. ( )
4. 각 중앙관서의 장은 회계연도마다 소관 기금의 결산보고서를 중앙관서결산보고서에 통합하여 작성하여야 한다. ( )

O·X 정답 1. ○ 2. × 3. ○ 4. ○

#### (4) 결산의 국회 제출

정부는 감사원의 검사를 거친 결산보고서 및 첨부서류를 다음 연도 5월 31일까지 국회에 제출해야 한다. 결산보고서의 국회제출기한 제한은 전년도 결산서를 다음 연도의 예산서보다 먼저 제출케 함으로써 국회의 결산심의를 강화하고 그 결과를 다음 연도 예산심의에 환류하기 위한 것이다.

#### (5) 국회의 결산심의

① **예비심사**: 국회에 제출된 결산보고서는 소관 상임위원회의 예비심사를 받는다. 상임위는 국정감사 실시 전에 소관부처에 대한 결산예비심사를 완료하고 국정감사를 통해 예산이 현장에서 어떻게 집행되고 있는가를 평가한다.

② **종합심사**: 예산결산특별위원회는 정부의 결산 전체에 대해 종합심사를 한다.

③ **본회의 의결**: 결산은 국회의 본회의의 의결로 최종적으로 확정된다. 국회의 결산에 대한 심의·의결은 정기회 개회 전까지 완료해야 하며, 결산이 본회의에서 의결되면 의장은 이를 정부에 송부한다. 이로써 예산집행에 대한 정부의 책임은 면제되고 해당 예산의 기능은 완결된다.

④ **조치**: 결산심사결과 위법 또는 부당한 사항이 있는 때에 국회는 본회의 의결 후 정부 또는 해당 기관에 변상 및 징계조치 등 그 시정을 요구하고, 정부 또는 해당 기관은 시정요구를 받은 사항을 지체 없이 처리하여 그 결과를 국회에 보고해야 한다.

**핵심정리 | 세계잉여금**

**1. 의 의**

① **개념**: 매 회계연도 세입세출의 결산상 생긴 잉여금으로, 결산 시 세입액에서 세출액을 차감한 잔액이다.

② **대상**: 세계잉여금은 일반회계와 특별회계에 대한 것이며, 기금은 제외된다. 기금은 계속 적립하여 운용되기 때문이다.

③ **발생원인**: 세입에서는 초과액이, 세출에서는 이월액과 불용액이 발생원인이다. 특히, 우리나라의 경우 세입추계가 과학적이지 못해 대부분 세입 초과에 기인하고 있다.

**2. 특 징**

① **적자국채와 관계**: 적자국채는 매년 예산안 편성시 예산의 세입부족을 보전하기 위하여 국채 발행을 통해 조달하는 재원이다. 적자국채는 세입에 포함되므로 적자국채를 발행하면 세입이 증가하며, 적자국채 발행 규모가 클수록 세계잉여금(세입-세출)이 증가하게 된다[정(+)의 관계].

② **재정건전성과의 관계**: 적자국채의 발행을 통해서도 세계잉여금이 증가할 수 있기 때문에 세계잉여금의 규모가 크다고 해서 국가의 재정건전성이 향상되는 것은 아니다.

**3. 처리용도의 법정화**(「국가재정법」 제90조)

① 일반회계 예산의 세입 부족을 보전하기 위한 목적으로 해당 연도에 이미 발행한 국채의 금액 범위에서는 해당 연도에 예상되는 초과 조세수입을 이용하여 국채를 우선 상환할 수 있다.

② 지방교부세 및 지방교육재정교부금의 정산 ⇨ 공적자금상환기금에 출연 ⇨ 기타 채무(국채 또는 차입금의 원리금, 확정된 국가배상금 등) 상환 ⇨ 추가경정예산편성안의 편성 순으로 사용가능하다.

③ 세계잉여금 중 사용하거나 출연한 금액을 공제한 잔액은 다음 연도의 세입에 이입하여야 한다.

**4. 사용절차 및 사용시기**

① **사용절차**: 국무회의의 심의를 거쳐 대통령의 승인을 얻어 사용한다.

② **사용시기**: 대통령의 전년도 결산 승인 이후 사용가능하다.

③ **사용계획**: 정부는 매년 국가결산보고서의 국회 제출 전까지 직전 회계연도에 발생한 세계잉여금의 내역을 산출하고 그 사용계획을 수립하여야 한다.

**O·X 문제**

1. 국회는 회계기록의 회계검사와 결산보고서의 심의·의결을 통해 행정부의 예산집행이 예산안에 반영된 입법부의 의도를 충실히 따랐는지를 확인한다. ( )
2. 전년도 결산안은 익년도 예산안보다 먼저 국회에 제출된다. ( )
3. 정부는 감사원의 검사를 거친 국가결산보고서를 국회에 제출하여야 한다. ( )
4. 「국가재정법」은 감사원의 결산검사를 거친 결산 및 첨부서류를 다음 연도 5월 31일까지 국회에 제출하여야 한다고 규정하고 있다. ( )
5. 국회는 감사원이 검사를 완료한 국가결산보고서를 정기회 개회 전까지 심의·의결을 완료해야 한다. ( )

**O·X 문제**

6. 세계잉여금은 세입수납액에서 세출지출액을 공제한 것이다. ( )
7. 세계잉여금에는 일반회계, 특별회계가 포함되고 기금은 제외된다. ( )
8. 세계잉여금은 적자국채 발행 규모와 부(−)의 관계이며, 국가의 재정건전성을 파악하는데 효과적이다. ( )
9. 결산의 결과 발생한 세계잉여금은 전액 추가경정예산에 편성하여야 한다. ( )
10. 우리나라 세계잉여금 중 사용하거나 출연한 금액을 공제한 잔액은 다음 연도의 세입에 이입하여야 한다. ( )
11. 세계잉여금의 사용순서는 지방교부세 및 지방교육재정교부금의 정산 ⇨ 공적자금상환기금에 출연 ⇨ 기타 채무 상환 ⇨ 추가경정예산편성 ⇨ 다음 연도 세입에 이입 순이다. ( )
12. 우리나라 세계잉여금의 사용 또는 출연은 국회의 사전동의를 받아야 한다. ( )

**O·X 정답** 1. × 2. ○ 3. ○ 4. ○ 5. ○ 6. ○ 7. ○ 8. × 9. × 10. ○ 11. ○ 12. ×

## 05 회계검사

### 1. 의 의

#### (1) 개 념

회계검사란 제3의 회계기관이 행정기관의 수입·지출의 결과에 관한 사실을 검증하거나 확인하기 위하여 장부 및 기록을 체계적으로 검사하는 과정을 말한다.

#### (2) 목 적

① 지출의 합법성 확보를 일차적 목적으로 한다.
② 재정낭비의 방지 및 부정을 적발·시정하기 위한 것이다.
③ 회계검사의 결과를 행정관리개선과 정책수립에 반영하기 위한 것이다.

#### (3) 성 격

① 대상: 회계기록을 대상으로 한다.
② 주체: 제3자에 의해 행해져야 하며, 자율적 검사는 회계검사에 포함되지 않는다.
③ 내용: 회계기록의 정확성 및 검증결과에 대해 감사인의 의견이 표시되는 비판적 검증 활동이다.

### 2. 종 류

#### (1) 감사의 초점에 따른 분류

① 합법성 감사(회계검사): 지출의 합법성 여부를 검증하는 감사를 말한다.
② 성과감사(업무감사, 정책감사): 경제성(economy), 능률성(efficiency), 효과성(effectiveness) 여부를 검증하는 감사를 말한다.
③ 합법성 감사와 성과감사의 비교

| 구 분 | 합법성 위주의 회계검사 | 성과감사 |
|---|---|---|
| 목 적 | 통제(비판기능 중시) | 자문(재정 환류기능 중시) |
| 감사근거 | 법규(합법성) | 성과(경영성과, 시민만족) |
| 대 상 | 개인 | 사업, 팀(조직) |
| 결 과 | 개인의 처벌 및 포상 | 사업과 권한의 축소·폐지 및 확대 |
| 성과와의 관계 | 과정적 성과: 법·절차지향 | 결과적 성과: 서비스지향 |
| 검사 기법 | 서류 감사 위주 | 전산 감사 위주 |

#### (2) 감사의 목적에 따른 분류

① 일반적 검사: 공무원의 회계책임 및 비리를 규명하는 검사를 말한다(정부기관에서 활용).
② 상업식 검사: 손익계산서, 대차대조표 등 재정기록의 정확성과 타당성을 분석하고 경영의 성과를 확인하는 검사를 말한다(민간기업, 공기업 등에서 활용).
③ 종합적 검사: 회계기법·절차·프로그램·법령·제도 등의 적정성에 대한 전반적 검사를 말한다(정부기관에서 활용).

**O·X 문제**

1. 회계검사는 재정에 관한 입법부의 의도 실현 여부를 검증하는 성격을 지닌다. ( )

**심화학습**

기타 회계검사의 분류

| | | |
|---|---|---|
| 방식에 따른 분류 | 서면검사 | 각 기관에서 제출한 서류에 대한 검사 |
| | 실지검사 | 직원을 현장에 파견하여 현장을 확인하는 검사 |
| 시기에 따른 구분 | 사전검사 | 지출이 있기 전 또는 진행 중에 이루어지는 검사 |
| | 사후검사 | 지출이 종결된 이후에 이루어진 검사 |
| 검사 범위에 따른 구분 | 정밀검사 | 모든 수입과 지출을 세밀하게 검사 |
| | 발췌검사 | 표본을 추출하여 선택적으로 검사 |

PART · 06

O·X 정답 1. ○

(3) 감사 방향의 변화

회계감사는 최근 ① 통제 중심의 합법성 감사에서 효율성 중심의 성과감사로, ② 처벌 중심의 감사에서 대안제시 위주의 감사로, ③ 외부감사 중심에서 내부감사 중심으로, ④ 거래 위주의 정밀검사에서 시스템감사와 전산감사로 변화하고 있다.

## 3. 회계검사기관

(1) 유 형

① 소속별 유형

㉠ **입법부형**: 입법부에 소속(미국의 회계검사원, 영국의 회계검사원 등)

㉡ **행정부형**: 행정부에 소속(우리나라, 포르투갈 등)

㉢ **독립형**: 행정부 · 입법부 · 사법부의 어느 하나에도 속하지 않는 독립된 기관으로 설치(독일 · 프랑스 · 일본 등)

② 형태별 유형

㉠ **단독제**: 영국과 미국

㉡ **합의제**: 우리나라(감사위원회의)

(2) 우리나라의 회계검사기관(감사원)

① **지위**: 헌법기관이며 대통령의 직속의 합의제 의사결정기구로 직무 · 인사 · 예산 · 규칙제정상 독립성이 인정된다.

② 조 직

㉠ 감사원장을 포함하는 7인의 감사위원으로 구성된 감사위원회와 사무처로 구성되어 있다.

㉡ 감사원장은 국회의 동의를 얻어 대통령이 임명하며, 감사위원은 감사원장의 제청으로 대통령이 임명한다.

③ 기 능

㉠ **회계검사 및 결산확인**: 모든 국가기관(국가, 지방자치단체, 공공기관)의 회계검사를 통해 국가의 세입 · 세출결산을 확인한다.

㉡ **직무감찰**: 행정부 소속 공무원에 대한 직무감찰을 수행한다. 직무감찰은 회계검사와 달리 국회, 법원, 헌법재판소, 선거관리위원회 소속 공무원은 제외되며, 행정부 소속 공무원만을 대상으로 한다.

㉢ **검사결과의 처리**: 검사결과에 따라 변상책임의 판정, 징계 및 시정 등의 요구, 고발 등의 조치를 취한다. 그러나 직접 취소 · 정지권은 없다.

㉣ **의견진술**: 국가의 각 기관은 회계관계법령을 제정 · 개정할 경우 또는 해석에 관한 의문이 있는 경우 감사원의 의견을 구해야 한다.

㉤ **심사청구의 심리 · 결정**: 심사청구를 받은 경우 이를 심리하여 그 결정 결과를 심사청구자와 관계기관의 장에게 각각 통지한다.

**O·X 문제**

1. 우리나라의 회계검사기관은 입법부 소속으로 되어 있지 않다. ( )

**심화학습**

감사원의 독립성

| | |
|---|---|
| 직무상 독립성 | 직무를 수행함에 있어서 정치적 간섭을 받지 않는다. |
| 인사상 독립성 | 감사원장과 감사위원은 4년의 임기 동안 신분을 보장받는다. |
| 예산상 독립성 | 감사원의 세출요구액을 감액할 때는 감사원장의 의견이 필요하다. |
| 규칙 제정상 독립성 | 감사원은 감사절차와 내부 규율에 관한 규칙을 제정할 수 있다. |

**O·X 문제**

2. 감사원이 국가결산보고서의 위법 또는 부당한 내용을 발견하면 이를 무효로 하거나 취소할 수 있다. ( )

O·X 정답 1. ○ 2. ×

CHAPTER

# 04 최근의 재정개혁

## 제 1 절 서구 선진국의 재정개혁

### 01 재정개혁의 배경과 패러다임 변화

#### 1. 재정개혁의 배경과 방향

(1) 배경 – 정부실패

1970년대 후반 이후 정부실패로 인해 각국 정부는 막대한 재정적자와 공공부채의 확대를 경험하게 되었다. 이에 각국 정부는 '지출가치 극대화를 통한 재정건전화'를 핵심과제로 재정개혁을 추진하고 있다.

(2) 재정개혁의 일반적인 방향

전 세계적 재정개혁은 신공공관리론에 입각한 결과지향적 예산개혁운동으로 전개되고 있다. 결과지향적 예산개혁운동은 ① 전략기획의 강조(정책과 예산의 연계), ② 사업타당성 평가의 강화, ③ 인센티브 제공 등을 통한 동기부여의 강조, ④ 자율과 책임의 조화, ⑤ 투명성의 강화 등을 특징으로 한다.

#### 2. 재무행정 패러다임 변화

(1) '투입 – 통제' 중심에서 '성과 – 평가' 중심으로

최근 재정개혁의 핵심은 지출가치의 극대화(효율성)에 있다. 지출가치의 극대화는 예산을 투입 중심에서 성과 중심으로 전환하는 성과주의 예산제도로 구현되고 있으며, 이를 위해 프로그램예산제도에 입각한 예산과목체계의 재형성이 이루어지고 있다.

(2) 유량(flow) 중심에서 유량 및 저량(stock) 중심으로

성과주의 예산제도의 정착을 위해서는 자산과 부채까지 인식하여 정확한 성과평가가 가능한 '복식부기-발생주의' 회계제도의 도입이 필요하다. 이에 유량 중심(단식부기-현금주의)의 재정운영이 유량 및 저량 중심의 재정운영(복식부기-발생주의)으로 전환되고 있다.

(3) 아날로그 정보시스템에서 디지털 정보시스템으로

최근의 재정개혁은 재정운영의 효율성과 투명성을 위해 정보통신기술(ICT)을 통하여 예산편성에서부터 회계 및 결산에 이르기까지 재정업무의 전 과정을 논스톱으로 연계처리할 수 있는 재정운영체제의 구축을 지향하고 있다.

(4) 관리자(managers) 중심에서 납세자 주권(taxpayer)으로

최근의 재정개혁은 기존의 관리자 중심에서 납세자인 시민이 주체가 되는 방향으로 전환되고 있다. 이와 관련하여 재정민주주의 개념도 과거에는 "대표 없이는 과세 없다."라는 협의의 개념으로 인식되다가 최근에는 '납세자 주권'을 강조하는 광의의 개념으로 확대되고 있다.

(5) 몰성인지적 관점에서 성인지적 관점으로

최근의 재정개혁은 양성불평등을 초래할 위험성이 있는 성중립성 관점을 비판하고 예산과정에 성주류화를 적용하고자 한다. 성주류화란 정부의 모든 정책을 '젠더(성: gender)'의 관점에서 살피며, 남녀차별 철폐적 관점에서 정책이 제대로 만들어져서 성과를 내고 있는지 검토하는 것을 말한다.

재무행정 패러다임의 변화

| 종전의 패러다임 | 새로운 패러다임 |
|---|---|
| 투입-통제 중심 | 성과-평가 중심 |
| 유량 중심 | 유량 및 저량 중심 |
| 아날로그 정보시스템 | 디지털 정보시스템 |
| 관리자 중심 | 납세자 주권 중심 |
| 몰성인지적 관점 | 성인지적 관점 |

### 3. 미국의 재정개혁

(1) 미국은 과거의 선례 및 다른 국가들의 사례를 비교하여 통합성과관리체제를 개발하였다. 이를 제도화한 것이 클린턴 정부의 「정부성과 및 결과에 관한 법」(GPRA: Government Performance and Results Act)이다.

(2) 여기에 부시 정부는 재정사업의 성과관리체제를 강화하기 위해 프로그램 평가 등급 기법(PART: Program Assessment Rating Tool)을 도입해 GPRA를 보완하였다. 대통령 소속의 예산관리처(OMB)가 운영하는 PART는 사업의 성과측정 및 평가 도구로 프로그램 목적과 디자인, 전략기획, 프로그램 관리, 프로그램 결과와 책임성 등을 점검하고 평가결과를 다섯 등급으로 분류한다.

(3) GPRA는 우리나라의 「국가재정법」에 영향을 주었으며, PART는 우리나라의 재정사업자율평가제도에 영향을 주었다.

**심화학습**

「정부성과 및 결과에 관한 법」(GPRA)의 특징

① **기존 예산제도의 장점 수용**: 예산제안서와 성과의 연계는 PBS를, 성과측정지표와 부서 간 비교평가는 PPBS를, 결과물과 산출물에 대한 관심은 MBO를 반영
② **예산과 사업의 성과정보 통합**: 부서별 연간 성과계획서와 예산요구서에 개별 프로그램 활동을 포함하도록 하고, 사업부서가 예산항목과 프로그램 구조를 연계·조정할 수 있도록 재량 부여
③ **행정부의 성과관리와 입법부의 예산심의 과정 통합**: 목표설정, 성과측정지표, 예산요구 형식 등을 의회와 협의하여 구성하고, GPRA를 의회 감사국(GAO)에서 총괄하도록 하여 행정부의 성과관리와 입법부의 예산심의 과정을 통합
④ 산출물의 주기적 평가 강조
⑤ 시범사업기간을 인정하여 사업부서들에게 충분한 준비기간 부여

**O·X 문제**

1. 재정사업 자율평가는 미국 관리예산처(OMB)의 PART(Program Assessment Rating Tool)를 우리나라 실정에 맞게 도입한 제도이다. ( )

## 02 신성과주의 예산(결과지향적 예산)

### 1. 의 의

(1) 개 념

① 신성과주의 예산은 예산집행 결과에 따른 성과를 측정하고 이를 기초로 책임을 묻거나 보상을 하는 결과(성과)지향적 예산제도를 말한다.
② 신성과주의 예산은 성과계획 수립, 예산편성 및 집행, 성과 측정·평가, 평가결과에 따른 제재와 보상의 기본구조를 가지고 있다.

(2) 대두배경 - 정부실패와 신공공관리론

정부실패로 인한 재정난에 대응하기 위해 1980년대 후반부터 영미권 국가들은 신공공관리론에 입각한 다양한 예산개혁을 추구하였다. 각 국가의 예산개혁의 공통점은 재정사업이 수행된 이후 확인되는 '결과'에 초점을 둔 결과(성과)지향적 예산을 추구한다는 점이다.

**O·X 문제**

2. 신성과주의 예산은 성과계획 수립, 예산편성 및 집행, 성과 측정·평가의 기본구조를 가지고 있다. ( )

O·X 정답 1. ○ 2. ○

## 2. 특징과 운영방식

### (1) 특 징

① **운영과정과 기능 중시**: 과거의 예산제도와는 달리 새로운 예산서의 형식이나 회계제도의 개발이 아닌 재정사업의 운영과정이나 기능에 초점을 두고 예산과정에서의 성과정보 활용을 강조한다. 따라서, 프로그램 구조와 회계제도에 미치는 영향이 적고 제한적이다.

② **집행의 재량과 결과의 책임 중시**: 예산을 요구할 때 달성해야 할 구체적인 성과(산출물)를 제시하며, 집행에 대해서는 더 많은 권한을 주는 대신 결과에 대해서는 책임을 지도록 하는 분권화된 인센티브 체제를 강조한다.

③ **통합성과관리체제 구축**: 예산서의 재무관리 정보와 정책과 사업의 성과관리정보를 연계해 예산을 성과에 대한 계약으로 활용한다. 즉, 예산을 정책이나 사업의 성과관리와 책임경영을 강화하는 핵심요소로 활용한다.

④ **시장주의의 적용**: 부처 간 업무 관계에 수익자부담의 원칙을 적용하여 특정 사업부서가 다른 부서에 대한 업무 지원의 대가를 시장가격 수준에서 징수하도록 하는 등 가격과 경쟁요소의 도입을 중시한다.

⑤ **총액 통제와 지출재량 교환**: '총괄경상비 제도' 등을 통해 경상비 총액한도를 설정하여 예산총액에 대해서는 강력하게 통제하는 반면, 지출에 대해서는 집행 재량을 확대해 나간다.

### (2) 운영원리 – 쉬크(A. Schick)의 논의를 중심으로

① **총량에 대한 중앙통제 – 중앙집권적 속성**: 예산의 지출총액과 국가의 기능별 지출한도액 및 우선순위에 대한 강한 통제가 이루어진다.

② **예산편성에서의 자율성**: 배정된 예산총액 범위 또는 지출한도 내에서 자율적인 편성권을 부여한다.

③ **예산운영에서의 신축성 – 예산운영의 분권화**: 다년도 예산, 광범위한 이월의 허용 등 예산집행에 광범위한 재량이 부여된다. 심지어 호주 정부는 다음 연도 예산을 미리 사용하는 후방이월까지 허용하고 있다.

④ **결과·성과에 대한 책임**: 성과계약의 체결을 통해 설정된 성과목표를 달성했는지를 평가하고 이에 따른 책임과 인센티브를 부여한다.

⑤ **회계제도의 개혁 – 발생주의와 복식부기**: 정책과 사업의 총원가에 대한 정확한 회계 정보를 제공하는 발생주의·복식부기 회계를 도입하여 공정하고 정확한 성과평가의 기반으로 삼는다.

**O·X 문제**

1. 20세기 후반부터 주요 국가들이 재정사업의 운영과정이나 기능에 초점을 두고 새로운 성과주의 예산체계를 도입하기 시작했다. ( )

2. 신성과주의 예산은 예산집행에서의 자율성을 부여하되, 성과평가와의 연계를 통해 책임성을 확보하고자 한다. ( )

3. 결과지향적 예산제도는 재정사업의 목표, 결과, 재원을 연계하여 예산을 '성과에 대한 계약'의 개념으로 활용한다. ( )

4. 신성과주의 예산은 성과관리를 위해 발생주의 회계제도를 사용한다. ( )

O·X 정답 1. ○ 2. ○ 3. ○ 4. ○

### 3. (구)성과주의 예산과 (신)성과주의 예산의 차이점

| 구 분 | (구)성과주의 예산 | (신)성과주의 예산 |
|---|---|---|
| 시 대 | 1950년대(행정국가) | 1980년대 이후(신행정국가) |
| 예산초점 | 예산편성과정의 합리화: 예산의 형식 변화, 회계제도의 개혁 | 예산에 담겨질 성과정보: 성과정보의 예산과정에의 활용 |
| 성과연계 | 사업·활동과 비용정보 연계 | 사업·활동과 성과(결과) 연계 |
| 개혁범위 | 넓음(예산서의 형식 및 회계제도 개혁에 초점). | 좁음(사업의 운영과정과 기능에 초점). |
| 연계범위 | 예산편성과정에 국한 | 국정 전반(조직, 인사, 정책, 감사 등)의 성과관리에 연계 |
| 성과정보 | 투입과 산출 중시: 능률성 중시 | 결과 중시: 효과성 중시 |
| 성과책임 | 정치적·도의적 책임 | 구체적·보상적 책임 |
| 성과관점 | 정부(공무원) 관점 | 고객 관점 |
| 결정흐름 | 상향식(분권) | 하향식(집권과 분권의 조화) |
| 회계방식 | 불완전한 발생주의 | 완전한 발생주의 |
| 원가중심 | 개별단위사업 | 프로그램(정책사업) |
| 경로가정 | 투입이 자동적으로 성과로 이어진다는 '단선적 가정' | 투입이 반드시 성과를 보장해 주지 않는다는 '복선적 가정' |

### 4. 장·단점

| 장 점 | 단 점 |
|---|---|
| • 책임성 향상: 성과에 대한 책임강조로 관료의 책임성 향상<br>• 대응성 향상: 성과를 주로 고객만족도로 파악하므로 행정의 대응성 향상<br>• 효율성(성과) 향상 | • 성과목표설정 및 성과지표 설정 곤란<br>• 성과측정 및 성과비교 곤란<br>• 성과를 '결과'로 인식하기 때문에 억울한 책임 야기<br>• 정보의 과다 현상 |

### 5. 구체적인 제도의 고찰

(1) 지출통제예산제도(봉투예산: Expenditure Control Budget)

① 의의: 예산편성단계에서 중앙예산기관이 구체적인 지출항목 없이 예산의 총액만 정해주고 예산집행단계에서 구체적 항목별 지출은 각 개별부서가 총액범위 내에서 재량적으로 행하는 성과지향적 예산으로 총괄예산(Lump-Sum Budget) 또는 실링예산(Ceiling Budget)으로 불린다.

② 각국의 예: 미국은 지방정부에서 도입하였으며, 뉴질랜드는 「재정책임법」에 이러한 정신을 반영하고 있다.

③ 우리나라 – 총액계상예산: 「국가재정법」 제37조에 의하면 기획재정부장관은 대통령령으로 정하는 사업으로서 세부내용을 미리 확정하기 곤란한 경우에는 이를 총액으로 예산에 계상할 수 있다. 이에 따라 우리나라는 도로보수사업, 도로안전 및 환경개선사업, 항만시설 유지보수사업 등에 제한적으로 활용하고 있다.

**O·X 문제**

1. 신성과주의 예산은 과거의 성과주의 예산과 비교하여 프로그램 구조와 회계제도에 미치는 영향이 훨씬 광범위하고 포괄적이다. ( )

**O·X 문제**

2. 신성과주의 예산은 중간목표가 아니라 사업이나 서비스의 최종 소비자인 국민을 중심으로 성과를 접근하기 때문에 국민의 요구에 대한 대응성을 높일 수 있다. ( )

3. 모든 조직에 공통적으로 적용할 수 있는 표준적 성과측정지표를 개발하기 어렵다는 점은 신성과주의 예산제도의 단점으로 지적된다. ( )

4. 결과기준 예산제도는 억울한 책임을 야기한다. ( )

**O·X 문제**

5. 지출통제예산은 예산의 구체적인 항목별 지출에 대해 통제하는 예산이다. ( )

6. 지출통제예산제도는 결과지향적 예산제도이다. ( )

7. 지출통제예산제도는 성과관리 체계가 자동적으로 확보 가능하여 재정민주주의를 제고한다. ( )

O·X 정답 1. × 2. ○ 3. ○ 4. ○ 5. × 6. ○ 7. ×

④ 특 징

㉠ 구체적 항목에 대한 사정과정이 없어 예산결정과정이 단순화되고 의사결정 비용이 감소한다.

㉡ 집행단계에 지출의 자율성을 부여하여 예산의 신축적 운용이 가능하다.

㉢ 지출의 자율성을 부여하는 대신 각 부처가 예산절약을 추구하도록 효율성 배당제도(efficiency dividend)와 연계하여 활용된다.

㉣ 성과평가와 연계하여 활용함으로써 자율과 책임의 조화를 추구한다.

⑤ **관련 제도 – 효율성배당제도(efficiency dividend)** : 각 행정부서에 예산운영(집행)의 자율성을 부여하고 효율적인 관리의 결과 예산절약이 이루어지면 일정 부분만 정부가 회수하고 나머지는 효율적 관리를 행한 부서에서 소유하도록 하는 제도이다. 호주의 경우 절약된 예산의 3.75%를 정부가 회수하고 나머지는 행정부서가 자유롭게 소유하도록 하고 있다.

### (2) 총괄경상비제도(OB : Operating Budget, 운영예산)

총괄경상비제도는 예산을 크게 경상비(running cost)와 사업비(program cost)로 구분하고, 경직성 경비(봉급, 공공요금, 여비)인 경상비를 세부적으로 예산 배분하고 통제하기보다는 단일비목으로 편성하여 경상비의 상한선 내에서 관리자에게 그 운영에 자율성을 부여하는 제도이다. 우리나라의 총액인건비제도와 유사하다.

### (3) 다년도 예산제도

① **의의** : 최소 3년 이상의 장기적 안목에서 정책을 결정한 후 이를 기초로 여러 해에 걸친 예산을 편성할 수 있게 하는 제도로 미국, 영국, 독일, 호주 등에서 활용되고 있다.

② **특징** : 이 제도는 원래 미래의 예산 수요를 예측해 사업계획을 미리 확정해 두는 수단으로 활용되었으나, 최근에는 사업의 확장으로 인한 예산 증액을 막기 위한 제약 수단으로 그 성격이 변화되어 운영되고 있다.

### (4) 산출예산제도(OB : Output Budget, 계약예산제도)

① **의의** : 뉴질랜드 정부에서 실시한 제도로 재화 및 서비스의 산출에 초점을 맞춰 예산을 편성하는 제도이다.

② **특징** : 이 제도에 의하면 각 부처별로 장관과 사무차관 사이에 구체적인 성과계약을 체결하고 이에 근거하여 산출물별로 구매계약서가 작성된다. 이때 예산은 장관 입장에서는 사무차관으로부터 산출물을 사들이는 비용으로 지급하는 것이며, 사무차관 입장에서는 산출물 제공을 약속하고 받은 수입이 된다.

**O·X 문제**

1. 지출통제예산제도는 예산결정과정을 단순화시켜 의사결정 비용이 감소한다. ( )

2. 지출통제예산은 구체적 항목별 지출에 대한 집행부의 재량행위를 통제하기 위한 예산이다. ( )

**심화학습**

**정치관리형 예산**

| | |
|---|---|
| 의의 | 행정수반이 각 부처의 지출한도와 목표를 국회의 동의를 구해 설정해 주고 재원을 배분하면 그 한도 내에서 각 부처가 효과적인 방식으로 목표를 달성하는 하향식 예산제도(목표중심예산, 표적예산) |
| 도입 | 미국에서 레이건 행정부가 의회우위를 확보하기 위해 도입 |
| 특징 | ① 대통령의 권한강화와 하향식 예산편성<br>② 중앙예산기관(OMB)의 기능 강화<br>③ 의회와의 공조 강화(의회의 설득 강조)<br>④ 예산의 연속성과 자율성 확보(이월 등 신축적이고 자율적인 예산운영 중시)<br>⑤ 점증주의의 탈피와 목표중심 예산(총지출에 대한 엄격한 통제를 통한 점증주의 탈피) |

PART · 06

O·X 정답 1. ○ 2. ×

# 제 2 절 우리나라의 재정개혁

## 01 4대 재정개혁 및 재정건전성 관리

### 1. 의 의

우리나라가 추진한 4대 재정개혁은 국가재정운용계획, 총액배분자율편성(Top-Down)예산, 성과관리예산, 디지털예산회계시스템 구축이다. 이들 제도개혁들은 서로 연계되어 있으며, 그중에서 디지털예산회계시스템은 다른 재정개혁(국가재정운용계획, 총액배분자율편성 예산, 성과관리예산)들의 제도적 기반(인프라)으로 작용한다.

### 2. 국가재정운용계획(중기재정계획 : MTEF)

(1) 의 의

① **개념**: 기획재정부가 중기적 관점(5년 단위)에서 정책우선순위에 따라 편성한 정부예산의 사전 예측치로 연동계획으로 작성되는 제도이다(2004년에 도입).

② **대두배경**: 국가재정운용계획은 단년도 예산제도 방식의 한계를 극복하고 중장기적 국가발전전략을 예산과 연계하기 위한 제도이다.

(2) 주요 절차

① **수립**: 기획재정부장관은 각 중앙관서가 제출한 중기사업계획서상의 사업계획을 기초로 연차별 재정규모와 분야별·중앙관서별 지출한도를 국무회의에 제출하고, 국무회의는 국정목표와 우선순위에 따라 5개년의 국가재정운용계획을 확정·공표한다.

② **국회에 제출 등(「국가재정법」 제7조)**

㉠ 정부는 재정운용의 효율화와 건전화를 위하여 매년 해당 회계연도부터 5회계연도 이상의 기간에 대한 재정운용계획을 수립하여 회계연도 개시 120일 전까지 국회에 제출해야 한다.

㉡ 기획재정부장관은 40회계연도 이상의 기간을 대상으로 5년마다 장기 재정전망을 실시하여야 한다.

㉢ 기획재정부장관은 수정예산안 및 추가경정예산안이 제출될 때에는 재정수지, 국가채무 등 국가재정운용계획의 재정총량에 미치는 효과 및 그 관리방안에 대하여 국회에 보고하여야 한다.

(3) 운영방식

① 국가재정운용계획은 추상적인 투자방향이 아닌 재정관련 총량에 대한 연도별·분야별 구체적인 재원배분계획을 제시하고 있다.

② 국가재정운용계획은 재정운영의 비공식적 내부 기초자료가 아니라 단년도 예산 및 기금운용계획의 기본 틀로 활용되고 있다.

③ 국가재정운용계획은 관계부처, 전문가, 이해관계자 등이 폭넓게 참여하도록 공개토론회를 개최하고 언론공개와 함께 국회에 제출함으로써 그 실효성을 담보하고 있다.

④ 국가재정운용계획은 대통령의 정책우선순위를 반영하며 매년 대통령 주재 재원배분회의에서 확인된다.

---

**O·X 문제**

1. 성과관리제도는 국가재정운용계획, 총액배분자율편성제도, 디지털예산회계시스템 구축과 함께 재정개혁 과제의 하나로 연계·추진되었다. ( )

2. 디지털예산회계시스템은 국가재정운용계획과 연계되어 있다. ( )

3. 「국가재정법」은 재정운용의 효율화와 건전화를 위하여 매년 당해 회계연도부터 5회계연도 이상의 기간에 대한 국가재정운영계획을 수립하여 회계연도 개시 120일 전까지 국회에 제출하여야 한다고 규정하고 있다. ( )

4. 국회는 국가재정운용계획과 예산안을 함께 심의하여 확정한다. ( )

**심화학습**

**국가재정운용계획의 내용 및 첨부서류**

|  |  |
|---|---|
| 내용 | ① 재정운용의 기본방향과 목표<br>② 중기 재정전망 및 그 근거<br>③ 분야별 재원배분계획 및 투자방향<br>④ 재정규모 증가율 및 그 근거<br>⑤ 의무지출의 증가율 및 산출내역<br>⑥ 재량지출의 증가율에 대한 분야별 전망과 근거 및 관리계획<br>⑦ 세입·세외수입·기금수입 등 재정수입의 증가율 및 그 근거<br>⑧ 조세부담률 및 국민부담률 전망<br>⑨ 통합재정수지 전망과 관리계획<br>⑩ 그 밖의 대통령령으로 정하는 사항 |
| 첨부서류 | ① 전년도에 수립한 국가재정운용계획 대비 변동사항, 변동요인 및 관리계획 등에 대한 평가·분석보고서<br>② 중장기 기금재정관리계획<br>③ 국가채무관리계획<br>④ 중장기 조세정책운용계획<br>⑤ 장기재정전망 결과 |

O·X 정답 1. ○ 2. ○ 3. ○ 4. ×

(4) 특 징

① **건전재정 및 중기적 거시경제 조절 기능**: 경기예측을 통해 다년간 경기의 호·불황을 따져 예산규모를 여러 해에 걸쳐 적절히 배분함으로써 건전재정을 확보하고 예산의 경기조절능력을 향상시킨다.

② **전략적 자원배분 기능**: 국가의 정책우선순위를 명확히 하고 우선순위에 따라 재원을 배분한다는 점에서 전략적 자원배분 기능을 수행한다.

③ **일관되고 안정적인 예산 공급**: 특정 부문에 대한 기준지출금액을 미리 정하므로 특정 부문에 대하여 정부의 지출재원을 일관되고 안정적으로 확보할 수 있다.

④ **재정규모와 구조의 정확한 파악**: 일반회계, 특별회계, 기금을 포괄하는 통합재정으로 작성되어 재정규모와 구조를 정확하게 파악할 수 있다.

⑤ **재정의 투명성 제고**: 수립 시 국정토론회를 통해 민간전문가의 의사를 반영하고, 국회에 보고하며, 국민에게 공개하므로 재정 투명성을 제고한다.

⑥ **다른 제도와 연계성 강화**: 국가재정운용계획에 근거한 프로그램 예산서를 통해 예산재원의 효율적 배분 및 성과관리와 유기적 연계가 이루어진다.

## 3. **총액배정자율편성**(Top-Down) **예산제도**

(1) 의 의

① **개념**: 기획재정부가 국가재정운용계획에 근거해 연도별 재정규모, 분야별·부문별·중앙관서별 지출한도를 제시하고 각 중앙관서가 이 지출 상한선 안에서 정책의 우선순위에 입각해 자율적으로 재원을 배분하도록 하는 제도이다(2004년 도입).

② **대두배경**: 총액배정자율편성예산제도는 미시적·상향식 예산제도 방식의 한계를 극복하기 위한 거시적·하향식 예산제도이다.

③ **국가재정운용계획과 관계**: 총액배정자율편성제도는 국가재정운용계획에 근거하여 편성되므로 국가재정운용계획은 총액배정자율편성예산의 전제가 된다.

(2) 주요 절차

① **지출한도의 설정**: 기획재정부장관은 국무회의의 심의를 거쳐 대통령의 승인을 얻은 다음 연도의 예산안편성지침 및 기금운용계획안을 각 중앙관서의 장에게 통보할 때 중앙관서별 지출한도 및 기금별 지출한도를 포함하여 통보할 수 있다.

② **중앙관서의 예산요구**: 각 중앙관서는 지출한도와 편성기준에 따라 각 중앙관서의 우선순위를 반영하는 예산요구서를 작성하여 기획재정부에게 제출하여야 한다.

③ **예산안의 확정**: 기획재정부는 각 중앙관서의 예산요구가 지출한도와 편성기준을 준수하였는지 여부와 국가재정운용계획의 정책방향과 우선순위에 부합되는지를 확인하여 최종적으로 예산안을 편성하여 확정한다.

**O·X 문제**

1. 국가재정운용계획은 다년간의 재정수요와 가용재원을 예측하여 거시적 관점에서 기획과 예산을 연계함으로써 합리적으로 자원을 배분하기 위한 제도로서 연동계획으로 작성된다. ( )

2. 국가재정운용계획은 중·장기적 국가비전과 정책 우선순위를 고려한 계획으로 단년도 예산편성의 기본 틀이 된다. ( )

3. 중기재정계획은 단년도 예산의 장점인 안정성과 일관성보다는 재정건전성 등 중장기적 거시 재정목표의 효과적인 추구를 위해 도입되었다. ( )

**O·X 문제**

4. 총액배분자율편성제도에서 각 중앙부처는 소관 정책과 우선순위에 입각해 연도별 재정규모, 분야별·부문별 지출한도를 제시한다. ( )

5. 총액배정자율편성제도는 국가재정운용계획을 참조하지 않고 각 부처별 지출한도를 설정하는 제도이다. ( )

6. 예산총액배분자율편성제도에서는 정책조정기능은 강화되고, 각 부처의 재량권이 확대되므로 예산편성은 상향적 흐름을 지닌다. ( )

7. 총액배분자율편성제도는 중기적 재정운영보다는 단년도 재정운영과 잘 어울리는 경향이 있어 개별 사업위주의 분석에 적합하다. ( )

8. 총액배분자율편성 예산제도는 기획재정부가 부문별·부처별로 예산 상한을 할당하는 집권화된 예산편성 방식으로, 부처의 사업별 재원 배분에 대한 보다 세밀한 관리·통제 필요성에 따라 도입되었다. ( )

O·X 정답 1. ○ 2. ○ 3. × 4. × 5. × 6. × 7. × 8. ×

**O·X 문제**

1. 총액배분자율편성제도는 국가 재원의 전략적 배분을 강조하고 그에 필요한 중앙통제를 인정한다. ( )
2. 총액배분자율편성제도는 지출 한도가 사전에 제시됨에 따라 부처의 전문성을 활용하여 사업별 예산 규모를 결정할 수 있어 책임성과 권한이 강화된다. ( )
3. 총액배분자율편성 예산제도는 재정운용의 집권과 분권의 조화를 추구하는 하향적 예산편성 방식이다. ( )
4. 총액배분자율편성제도는 전략기획과 분권 확대를 예산편성 방식에 도입하기 위해 실시하고 있다. ( )
5. 총액배분자율편성제도로 부처의 재량을 확대하였지만 기획재정부는 사업별 예산통제 기능을 유지하고 있다. ( )

**O·X 문제**

6. 성과관리제는 각 행정부처의 예산편성 자율권을 확대하는 한편 재정집행에 대한 부처의 책임성을 제고하기 위한 제도이다. ( )
7. 성과관리적 요소가 강화된 배경은 지출의 합법성 제고 및 오류방지 요구 증대에 있다. ( )
8. 성과관리제는 사업계획의 효과와 비용을 계량적·체계적 분석방법에 의하여 대비시켜 목표달성을 위한 합리적인 대안선택과 자원배분을 모색하는 제도이다. ( )
9. 재정사업 성과관리의 내용은 성과목표관리와 성과평가로 구성된다. ( )

O·X 정답 1. ○ 2. ○ 3. ○ 4. ○ 5. ○ 6. ○ 7. × 8. × 9. ○

(3) 특징 – 집권과 분권의 조화

① **총량에 대한 재정규율(집권)**: 기획재정부가 분야별·부문별·중앙관서별 지출한도의 설정해 줌으로써 예산총량에 대한 재정규율이 강화된다. 이를 통해 중앙관서의 과도한 예산요구 관행을 줄일 수 있다.

② **자율편성권의 보장(분권)**: 각 중앙관서에게 지출한도 내에서 사업별 재원배분에 대한 자율편성권의 보장되므로 각 중앙관서는 사업별 자원배분 권한과 이에 따른 책임이 강화된다.

③ **역할 분담**: 기획재정부는 국가 전체의 재원배분 전략기획을 수립하고 이에 따른 전략적 자원배분 및 중앙통제를 수행하고, 각 중앙관서는 담당업무의 전문성에 근거하여 자율적으로 사업별 예산을 편성하는 역할분담이 이루어진다.

④ **성과통제 강화**: 총액배분자율편성제도는 각 중앙관서에 부여된 예산편성 상의 자율성이 도덕적 해이를 야기하지 않도록 성과평가를 기반으로 하는 재정사업 성과관리와 연계되어 활용된다. 따라서 기획재정부는 재정사업 성과관리를 통해 여전히 사업별 예산에 대한 통제기능을 유지하고 있다.

## 4. 성과관리 예산제도

(1) 의 의

① **개념**: 재정사업별로 성과목표를 설정하여 예산을 배분·집행하고 사후에 이의 달성여부를 측정·평가하여 재정운영에 환류하는 제도이다. 즉, 설정된 성과목표를 달성할 경우 예산·보수상의 인센티브를 부여하고, 성과목표에 미달할 경우 성과이행계획 제출과 이에 상응하는 책임을 지도록 하는 제도이다.

② **대두배경**: 성과관리예산제도는 투입 위주의 재정운영 한계를 극복하기 위한 성과(결과) 위주의 예산제도이다.

(2) 우리나라의 재정사업 성과관리(「국가재정법」 제85조의2~제85조의12)

① **재정사업의 성과관리**: 정부는 성과중심의 재정운용을 위해 성과목표관리 및 성과평가를 내용으로 하는 재정사업 성과관리를 시행한다.

㉠ **성과목표관리**: 재정사업에 대한 성과목표, 성과지표 등의 설정 및 그 달성을 위한 집행과정·결과의 관리

㉡ **성과평가**: 재정사업의 계획 수립, 집행과정 및 결과 등에 대한 점검·분석·평가

② **성과목표관리 – 성과계획서 및 보고서의 작성 및 제출**: 각 중앙관서의 장 및 기금관리주체는 재정사업 성과목표관리를 위해 매년 예산 및 기금에 관한 성과목표·성과지표가 포함된 다음 연도 성과계획서 및 전년도 성과보고서를 작성해야 하며, 예산요구서나 기금운용계획안을 제출할 때 함께 기획재정부장관에게 제출해야 한다.

③ 성과평가 – 재정사업자율평가와 재정사업심층평가

㉠ **재정사업자율평가**: 각 중앙관서의 장 및 기금관리주체는 매년 예산 또는 기금이 투입되는 모든 재정사업을 사업별 체크리스트를 활용하여 성과평가한다. 재정사업자율평가는 미국 관리예산처(OMB)의 PART(Program Assessment Rating Tool)를 우리나라의 실정에 맞게 도입한 제도이다.

㉡ **재정사업심층평가**: 기획재정부장관은 대통령령으로 정하는 바에 따라 재정사업에 대한 성과평가를 실시할 수 있다. 대통령령에는 ⓐ 재정사업자율평가 결과 추가적인 평가가 필요하다고 판단되는 사업, ⓑ 부처 간 유사·중복 사업이나 비효율적인 사업추진으로 예산낭비의 소지가 있는 사업, ⓒ 향후 지속적 재정지출 급증이 예상되어 객관적 검증을 통해 지출 효율화가 필요한 사업, ⓓ 그 밖에 심층적인 분석·평가를 통해 사업추진 성과를 점검할 필요가 있는 사업 등에 대하여 효과성과 운영의 적정성을 평가하도록 규정하고 있다.

㉢ **국고보조금운용평가**: 기획재정부는 재정사업자율평가 대상사업 중 보조사업에 대하여 실효성 및 지원 필요성 등을 평가하고 그 존속 여부를 결정한다. 이를 위하여 보조사업평가단을 운영하며 평가결과는 예산안과 함께 국회에 제출한다.

④ **재정사업 성과관리 결과의 반영 등**: 기획재정부장관은 매년 재정사업의 성과목표관리 결과를 종합하여 국무회의에 보고해야 하며, 성과평가 결과를 재정운용과 조직·예산·인사 및 보수체계에 연계·반영할 수 있고, 재정사업 성과관리 결과 등이 우수한 중앙관서 또는 공무원에게 표창·포상 등을 할 수 있다.

⑤ **성과정보의 관리 및 공개**: 기획재정부장관은 재정사업 성과목표관리 및 성과평가 결과 등 성과정보가 체계적으로 관리될 수 있도록 재정사업 성과정보관리시스템을 구축·운영해야 하며, 성과정보가 공개될 수 있도록 필요한 조치를 마련해야 한다.

⑥ **재정사업 성과관리 기본계획 및 재정사업 성과관리 추진계획**: 기획재정부장관은 재정사업 성과관리를 효율적으로 실시하기 위해 5년마다 재정사업 성과관리 기본계획을 수립하고, 이에 기초하여 매년 재정사업 성과관리 추진계획을 수립해야 한다.

⑦ **재정사업 성과관리 추진체계**

㉠ 각 중앙관서의 장은 재정사업 성과관리 중 성과목표관리를 책임지고 담당할 공무원(재정성과책임관), 재정성과책임관을 보좌할 담당 공무원(재정성과운영관) 및 개별 재정사업이나 사업군에 대한 성과목표관리를 담당할 공무원(성과목표담당관)을 지정하여 재정사업 성과목표관리 업무를 효율적으로 수행하도록 해야 한다.

㉡ 기획재정부장관은 재정사업 성과목표관리 등을 위해 대통령령으로 정하는 바에 따라 재정성과평가단을 구성·운영할 수 있다.

**O·X 문제**

1. 각 중앙관서의 장은 예산요구서를 제출할 때에 다음 연도 예산의 성과계획서 및 전년도 예산의 성과보고서를 기획재정부장관에게 함께 제출하여야 한다. ( )

2. 재정사업 심층평가 결과 기획재정부장관이 필요하다고 판단하면 재정사업 자율평가를 실시할 수 있다. ( )

3. 재정사업 성과평가 결과는 지출 구조조정 등의 방법으로 재정운용에 반영될 수 있다. ( )

O·X 정답 1. ○ 2. × 3. ○

## 5. 디지털예산회계시스템(dBrain+)

### (1) 의 의

① **개념**: 재정운용계획, 예산편성, 재정집행, 회계·결산, 성과관리 등 정부 재정의 전 과정을 온라인으로 수행하고, 국가재정정보를 연계·분석하는 통합재정정보시스템을 말한다.

② **기능**: dBrain+은 재정범위의 재설정, 프로그램 예산, 복식부기·발생주의 회계제도 등 우리나라 재정제도의 혁신성과를 모두 반영하여 재정을 더욱 세밀하게 관리·분석하고 합리적인 정책수립을 지원한다.

③ **도입 및 발전**: 2004년 노무현 정부에서 통합재정정보시스템 구축을 국정과제로 선정하였으며, 2007년 디지털예산회계시스템(dBrain)이 개통되었다. dBrain은 2013년에 UN 공공행정상을 수상하는 등 전 세계적으로 호평을 받고 있으며, 2022년에는 차세대 디브레인(dBrain+)을 전면 개통하였다. 반면, 지방정부는 e-호조 시스템(지방재정관리시스템)을 통해 재정정보를 관리하고 있다.

### (2) 내 용

① **재정범위의 재설정**: 중앙, 지방, 교육재정의 통합 및 각종 재정제도에 대한 소프트웨어적 개혁과 정보시스템의 하드웨어가 결합되어 있다.

② **프로그램 예산**: 국가재정운용계획, 총액배분자율편성예산, 성과관리 예산 등의 재정개혁을 지원하기 위해 사업단위 예산체계인 프로그램 예산체제에 기반하고 있다.

③ **복식부기·발생주의 회계**: 자금과 자산·부채를 연계관리하고 재무정보를 정확하게 산출하기 위해 복식부기·발생주의 회계와 연계되어 있다.

④ **통합재정정보시스템**: 정부의 세입, 예산편성, 집행·결산·평가 등 국가재정 활동의 정보를 실시간으로 분석하여 제공하고, 정부의 예산 편성과 집행, 자금관리, 국유재산물품관리, 채권·채무, 회계·결산 등을 하나의 시스템에서 처리하는 통합재정정보시스템에 기반하고 있다.

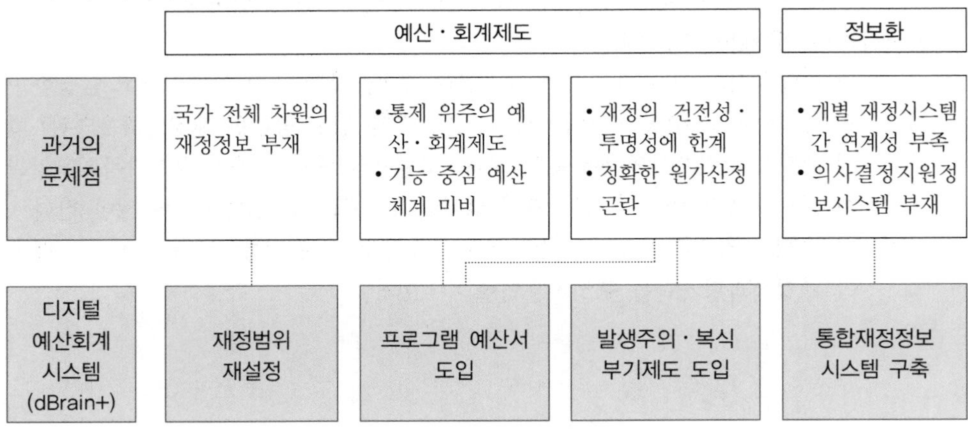


**O·X 문제**

1. dBrain System은 예산편성, 집행, 결산, 사업관리 등 재정업무 전반을 종합적으로 연계처리하도록 하는 통합재정정보시스템이다. ( )

2. 디지털예산회계시스템은 성과 중심형 예산시스템으로 발생주의·복식부기 회계제도를 기반으로 한 과학적 예산관리제도이다. ( )

3. dBrain System은 노무현 정부 당시 재정개혁의 일환으로 구축이 추진되었다. ( )

O·X 정답 1. ○ 2. ○ 3. ○

## 6. 재정건전성 관리(채무관리)와 재정개혁

### (1) 의 의

재정난으로 인한 정부실패 이후 재정건전성을 위한 노력이 전 세계적으로 진행되고 있다. 우리나라도 「국가재정법」에 재정건전성의 원칙을 명시하고 있다.

### (2) 쉬크(A. Schick)의 건전재정을 위한 규범(신예산기능론, '좋은 예산'을 위한 규범)

① 의의: 쉬크는 재정난 시대에 건전재정을 위한 새로운 예산기능을 제시하였다. 쉬크는 이러한 예산의 기능이 모두 잘 수행될 때 '좋은 예산'이라고 보았다.

② 건전재정을 위한 규범

㉠ **총량적 재정규율(거시적 예산결정, 예산총량의 효과적 통제)**: 한 국가의 재정총액은 일정한 한도에서 효과적으로 통제해야 한다는 규범이다. 즉, 예산총량은 개별사업에 대한 예산결정이 이루어지기 전에 중기재정의 틀 안에서 국가의 경제 상태 등을 고려하여 미리 설정되어야 하며, 설정된 예산총량은 반드시 지켜지도록 통제되어야 함을 의미한다.

㉡ **배분적 효율성(부문 간 효율성, 예산배분에서 파레토 최적 달성)**: 정부예산은 정부의 정책 우선순위에 따라 각 정책분야 간에 전략적으로 배분하여 국가재정의 총체적 효율성을 달성해야 한다는 규범이다. 즉, 우선순위가 높은 정책에 더 많은 예산을 배정하고, 우선순위가 낮은 정책에 예산배정을 줄여야 함을 의미한다.

㉢ **기술적(생산적·운영적) 효율성(부문 내 효율성, 재정지출의 효율성)**: 정부기관의 예산지출은 최소의 비용으로 최대의 효과를 가져올 수 있도록 효율적으로 운영되어야 한다는 규범이다. 이를 위해서는 수행하는 사업에 대한 전문성을 보유하고 있는 각 부처에게 예산운영에 대한 자율성과 재량을 부여해야 한다.

### (3) 건전재정을 위한 방안 - 재정준칙

① 의의: 재정지출·재정수입·재정수지·국가채무 등와 같은 재정총량지표에 대해 목표치를 설정하고 법적 구속력을 갖게 하여 정부의 재정건전성을 확보해 나가는 것을 말한다.

② 구성요소: 재정준칙은 ㉠ 총량적 재정목표 설정, ㉡ 법적 토대에 기반한 강제력, ㉢ 준칙 위반시 제재조치를 구성요소로 한다.

③ 재정준칙의 유형별 고찰

㉠ 재정수지준칙

ⓐ 개념: 정부 재정수입과 지출 사이의 재정수지 적자 목표치를 설정하는 방식을 말한다.

ⓑ 장점: 재정수지의 균형 또는 소폭 흑자를 유지하도록 하여 국가부채를 안정적 수준으로 유지 또는 감소할 수 있어 재정건전성 제고에 효과적이다.

ⓒ 단점: 경기호황기에는 재정지출이 증가하고, 경기불황기에는 재정지출이 감소하는 경기순행적 성질로 인해 경기안정화 기능을 저해할 수 있다. 또한 재정수지는 경기변동에 큰 영향을 받기 때문에 정부통제가 곤란하며, 준칙을 지키지 못한 경우에도 경기상황을 이유로 책임을 회피하고자 하는 유인이 존재한다.

**O·X 문제**

1. 총량적 재정규율은 예산총액의 효과적인 통제를 의미한다. ( )
2. 총량적 재정규율은 예산운영 전반에 대한 미시적 예산결정을 토대로 이루어져야 한다. ( )
3. 배분적 효율성이 부문 내의 배분을 중시하는 효율성이라면, 운영상 효율성은 부문 간의 효율성을 말한다. ( )
4. 배분적 효율성은 정부예산을 국가 우선순위에 따라 각 정책분야 간에 전략적으로 배분하여 국가재정의 총체적 효율성을 달성해야 한다는 규범이다. ( )
5. 운영효율성을 높이기 위해서는 투입에 대한 산출의 비율을 높여야 한다. ( )
6. 운영적 효율성은 각 사업부문에 투입된 예산으로 공공서비스의 산출을 최대한으로 달성하는 것을 말하며, 이를 위해 정부는 불용액의 이월을 엄격히 통제하여야 한다. ( )

**심화학습**

쉬크(A. Schick)의 나쁜 예산

| | |
|---|---|
| 비현실 예산 | 정부의 세입능력을 초과해서 세출규모를 설정한 예산 |
| 숨겨진 예산 | 예산정보를 소수의 관계자만 알고 있는 예산 |
| 선심성 예산 | 재원조달 방안이 불명확함에도 대규모 공공지출을 발표한 예산 |
| 반복적 예산 | 추경예산을 수시로 편성하는 예산 |
| 저금통 예산 | 예산서의 계획과 무관하게 정부수입이 증가하면 많이 지출하고, 감소하면 지출하지 않는 예산 |
| 현실 회피 예산 | 정부가 반드시 지출해야 할 것을 지출하지 않는 예산 |

O·X 정답 1. ○ 2. × 3. × 4. ○ 5. ○ 6. ×

PART · 06

**O·X 문제**

1. 국가채무준칙은 재정 건전성을 확보하기 위해 국가채무 규모에 상한선을 설정한다. ( )
2. 재정수지준칙은 경기변동과 무관하게 설정되므로 경제 안정화를 오히려 저해할 수 있다. ( )
3. 재정지출준칙은 경제성장률이나 재정적자 규모의 예측에 의존하지 않는다. ( )
4. 재정수입준칙은 조세지출을 우회적으로 활용함으로써 재정건전성이 훼손될 가능성이 있다. ( )

O·X 정답 1. ○ 2. ○ 3. ○ 4. ×

㉡ 국가채무준칙

ⓐ **개념**: GDP 대비 국가채무 비율 상한선을 설정하는 방식을 말한다. 이 방식은 재정수입 혹은 지출에 대한 직접적 통제가 아닌 그 결과로써 최종적으로 나타나는 국가채무를 관리하는 방식이다.

ⓑ **장점**: 국가채무를 직접 관리한다는 측면에서 재정건전성을 제고하는 데 효과적이다. 또한 목표변수가 단순하기 때문에 정부통제가 용이하며, 준칙을 지키지 못한 경우 책임회피 가능성이 낮다.

ⓒ **단점**: 국가채무를 일정수준으로 유지하기 위해서는 재정수지를 균형으로 유지해야 하기 때문에 경기호황기에는 재정지출이 증가하고, 경기불황기에는 재정지출이 감소하는 경기순행적 성질로 인해 경기안정화 기능을 저해할 수 있다. 또한 국가채무의 범위와 최적의 채무수준을 설정하기 곤란하다.

㉢ 재정수입준칙

ⓐ **개념**: 재정수입을 늘리기 위하여 세입의 하한 목표치를 설정하거나, 과도한 조세부담을 방지하기 위하여 세입의 상한 목표치를 설정하는 방식을 말한다.

ⓑ **장점**: 지출 측면을 고려하지 않기 때문에 경기호불황에 따라 정부지출을 조정하여 재정의 경기안정화기능을 수행할 수 있다.

ⓒ **단점**: 지출 측면을 고려하지 않기 때문에 채무관리가 곤란하고 재정건전성을 확보하기 곤란하다.

㉣ 재정지출준칙

ⓐ **개념**: 정부의 총지출, 총지출 증가율, GDP 대비 총지출 비율 등에 제약조건을 부여하는 방식을 말한다.

ⓑ **장점**: 재정수입 측면을 고려하지 않기 때문에 경기호불황에 따른 재정수입의 증가 또는 감소로 인해 재정의 자동안정화 기능을 수행할 수 있다. 즉, 경기불황시 재정수입은 자연스럽게 감소하지만 정부지출은 일정한 수준을 유지한다면 적자재정이 편성되어 경제안정화를 가져올 수 있다. 또한 정부통제가 용이하며, 준칙을 지키지 못한 경우 책임회피 가능성이 낮다.

ⓒ **단점**: 재정수입 측면을 고려하지 않기 때문에 채무관리가 곤란하고 재정건전성을 확보하기 곤란하다.

④ **전 세계적 현황**: 현재 전 세계적으로 105개국이 재정준칙을 도입하고 있으며, OECD국가 중에서는 우리나라와 튀르기예를 제외한 36개국이 모두 재정준칙을 도입하고 있다. 특히, 미국은 지출증가나 재정수입 감소를 수반하는 법률안 입법시 이에 상응하는 세입증가나 다른 의무지출 감소 등과 같은 재원조달방안을 동시에 입법하도록 의무화하는 제도인 페이고(PAYGO: pay-as-you-go)제도를 시행하고 있다.

⑤ **우리나라**: 현재 재정준칙을 법제화하기 위한 노력을 하고 있으나 법제화되지는 못하였다(2024년 6월 1일 기준). 현재 추진 중인 재정준칙은 재정수지준칙과 국가채무준칙을 기준으로 하며, 통합재정수지가 아닌 관리재정수지를 기준으로 2022년 기준 GDP대비 5%인 관리재정수지를 3%로 개선하여 국가채무를 안정적으로 관리하는 것을 목표로 한다.

(4) 우리나라의 건전재정을 위한 제도적 장치

① **재정부담을 수반하는 법령의 제정 및 개정(법률안 재정 소요 추계제도)**: 정부는 재정지출 또는 조세감면을 수반하는 법률안을 제출하고자 하는 때에는 법률이 시행되는 연도부터 5회계연도의 재정수입·지출의 증감액에 관한 추계자료와 이에 상응하는 재원조달방안을 그 법률안에 첨부하여야 한다(「국가재정법」 제87조).

② **의안에 대한 비용추계 자료 등의 제출**: 의원이나 위원회가 예산상 또는 기금상의 조치를 수반하는 의안을 발의하는 경우에는 그 의안의 시행에 수반될 것으로 예상되는 비용에 관한 국회예산정책처의 추계서 등을 함께 제출하여야 하며, 정부가 예산상 또는 기금상의 조치를 수반하는 의안을 제출하는 경우에는 그 의안의 시행에 수반될 것으로 예상되는 비용에 관한 추계서와 이에 상응하는 재원조달방안에 관한 자료를 의안에 첨부하여야 한다(「국회법」 제79조의2).

③ **국세감면의 제한**: 기획재정부장관은 대통령령으로 정하는 해당 연도 국세 수입총액과 국세감면액 총액을 합한 금액에서 국세감면액 총액이 차지하는 비율(국세감면율)이 대통령령으로 정하는 비율 이하가 되도록 노력하여야 한다(「국가재정법」 제88조).

④ **추가경정예산안의 편성사유 제한**(「국가재정법」 제89조)

⑤ **세계잉여금 처리용도 제한**(「국가재정법」 제90조)

⑥ **금전채무에 대한 국가채무관리계획 수립 및 국회 제출**(「국가재정법」 제91조)

⑦ **국고채무부담행위나 보증채무부담행위 시 국회의 사전 동의**(「국가재정법」 제92조)

⑧ **총사업비관리제도와 예비타당성조사**(「국가재정법」 제38조, 제50조)

⑨ **국가재정운용계획의 국회 제출**(「국가재정법」 제7조)

(5) 우리나라의 채무관리(「국가재정법」 제91조)

① **의의**: 정부는 건전재정을 유지하고 국가채권을 효율적으로 관리하며 국가채무를 적정 수준으로 유지하도록 노력해야 한다(「국가재정법」 제86조).

② **국가채무에 포함되는 금전채무**

㉠ 국가의 회계 또는 기금이 발행한 채권

㉡ 국가의 회계 또는 기금의 차입금

㉢ 국가의 회계 또는 기금의 국고채무부담행위

㉣ 그 밖에 ㉠ 및 ㉡에 준하는 채무로서 대통령령으로 정하는 채무[국가보증채무 중 정부의 대지급(代支給)✣ 이행이 확정된 채무]

③ **국가채무에 포함되지 않는 것**

㉠ 「국고금관리법」에 따른 재정증권 또는 한국은행으로부터의 일시차입금

㉡ 채권 중 국가의 회계 또는 기금이 인수 또는 매입하여 보유하고 있는 채권

㉢ 차입금 중 국가의 다른 회계 또는 기금으로부터의 차입금

**O·X 문제**

1. 「국가재정법」은 재정지출 또는 조세감면을 수반하는 법률안을 제출하고자 하는 때에는 법률이 시행되는 연도부터 5회계연도의 재정 수입, 지출의 증감액에 관한 추계자료와 이에 상응하는 재원조달방안을 그 법률안에 첨부하여야 한다고 규정하고 있다. ( )

2. 의원이 예산 또는 기금상의 조치를 수반하는 의안을 발의하는 경우에는 그 의안의 시행에 수반될 것으로 예상되는 비용에 대한 재정소요를 추계하여야 한다. ( )



**O·X 문제**

3. 국가채무는 국가의 회계가 발행한 채권을 포함하며, 모든 기금이 발행한 채권은 제외된다. ( )

4. 국가의 회계 또는 기금의 국고채무부담행위는 국가채무에 해당한다. ( )

5. 정부의 대지급 이행이 확정된 채무의 경우 국공채 및 차입금이 아니더라도 국가채무에 포함시킨다. ( )

✣ **대지급**(代支給)
정부가 지급보증을 통하여 특정업자의 지급신용을 책임진 후 그 특정업자가 기일 내에 지급을 불이행하였을 때 정부에서 대신 지급해 주는 것

O·X 정답 1. ○ 2. ○ 3. × 4. ○ 5. ○

**O·X 문제**

1. 기획재정부장관은 국가채무관리계획을 수립하여야 한다. ( )
2. 「국가재정법」에는 국가채무관리계획의 국회 제출이 규정되어 있다. ( )
3. 「국가재정법」은 재정건전화를 위하여 국가보증채무부담 시 국회의 사후승인을 의무화하고 있다. ( )
4. 우리나라의 GDP 대비 국가채무비율은 일본과 미국보다 낮은 상태이다. ( )
5. 국채를 발행하고자 할 때에는 국회의 의결을 얻어야 한다. ( )

④ **국가채무의 관리**: 기획재정부장관은 국가의 회계 또는 기금이 부담하는 금전채무에 대하여 매년 국가채무관리계획을 수립해야 하며, 국가재정운용계획에 첨부하여 국회에 제출해야 한다.

⑤ **국가보증채무의 관리**: 국가가 보증채무를 부담하고자 하는 때에는 미리 국회의 동의를 얻어야 한다. 또한 기획재정부장관은 매년 국가보증채무의 부담 및 관리에 관한 국가보증채무관리계획을 작성해야 한다.

⑥ **우리나라의 현황**: 현재 우리나라의 GDP 대비 국가채무비율은 46%로, 일본(235%)과 미국(74%)보다 낮은 상태이다(2017년 GDP 대비 공공부채비율 기준).

**참고** **국 채**

**1. 의 의**
정부가 공공목적에 필요한 자금의 확보 등을 위하여 발행하는 채권을 말한다.

**2. 종 류**
(1) **국고채**: 공공자금관리기금의 부담으로 발행하는 국채
(2) **재정증권**: 일시적 자금부족 충당을 위해 발행하는 유가증권
(3) **국민주택채권**: 국민주택사업에 필요한 자금을 조달하기 위해 발행하는 국채
(4) **보상채권**: 공공용지보상을 위한 채권

**3. 발행절차**
국회의 의결을 받아 기획재정부장관이 발행한다.

## 02 재정민주주의와 재정개혁

### 1. 예산정보의 공개와 재정 투명성

(1) 의 의

예산정보의 공개란 시민들에게 적시에 적극적으로 재정정보를 공개해 시민이 정부의 재정상태와 재정성과를 이해하고 이를 통해 예산에 대한 적극적인 감시자가 되도록 하는 것을 말한다.

(2) 정보공개와 예산성과금 제도 등

① 주요 재정정보의 공표(「국가재정법」 제9조)

㉠ 정부는 예산, 기금, 결산, 국채, 차입금, 국유재산의 현재액, 통합재정수지 및 일반정부 및 공공부문 재정통계, 그 밖에 대통령령이 정하는 국가와 지방자치단체의 재정에 관한 중요한 사항을 매년 1회 이상 정보통신매체·인쇄물 등 적당한 방법으로 알기 쉽고 투명하게 공표하여야 한다.

㉡ 각 중앙관서의 장은 해당 중앙관서의 세입·세출예산 운용상황을, 각 기금관리주체는 해당 기금의 운용상황을 인터넷 홈페이지에 공개하여야 한다.

**O·X 문제**

6. 「국가재정법」에서는 공공부문을 제외한 일반정부의 재정통계를 매년 1회 이상 투명하게 공표하도록 규정하고 있다. ( )

O·X 정답 1. ○ 2. ○ 3. × 4. ○ 5. ○ 6. ×

② 예산성과금 제도(「국가재정법」 제49조)

㉠ 의의: 각 중앙관서의 장은 예산의 집행방법 또는 제도의 개선 등으로 인하여 수입이 증대되거나 지출이 절약된 때에는 이에 기여한 자에게 성과금을 지급할 수 있으며, 절약된 예산을 다른 사업에 사용할 수 있다.

㉡ 과정: 각 중앙관서의 장은 성과금을 지급하거나 절약된 예산을 다른 사업에 사용하고자 하는 때에는 예산성과금심사위원회의 심사를 거쳐야 한다.

㉢ 지급액: 예산성과금심사위원회는 기여자의 창의성과 노력 정도, 재정 개선 효과 및 파급효과 등을 고려해 사례별로 등급에 따라 지급액을 결정한다. 예산절감과 수입증대의 경우 절감된 사업비 또는 증대된 수입액의 10%까지 지급이 가능하다.

③ 불법재정지출에 대한 국민감시제도(「국가재정법」 제100조)

㉠ 의의: 국가의 예산 또는 기금을 집행하는 자, 재정지원을 받는 자, 각 중앙관서의 장(그 소속기관의 장 포함) 또는 기금관리주체와 계약 그 밖의 거래를 하는 자가 법령을 위반함으로써 국가에 손해를 가하였음이 명백한 때에는 누구든지 집행에 책임 있는 중앙관서의 장 또는 기금관리주체에게 불법지출에 대한 증거를 제출하고 시정을 요구할 수 있다.

㉡ 예산성과금: 중앙관서의 장 등은 그 처리결과를 시정요구를 한 자에게 통지해야 하며, 처리결과에 따라 수입 증대 또는 지출이 절약된 때에는 시정요구를 한 자에게 예산성과금을 지급할 수 있다.

㉢ 예산낭비신고센터: 중앙관서의 장 또는 기금관리주체는 예산·기금의 불법지출에 대한 국민의 시정요구, 예산낭비신고, 예산절감과 관련된 제안 등을 접수·처리하기 위해 예산낭비신고센터를 설치·운영해야 한다.

㉣ 현황: 우리나라는 현재 중앙정부와 지방정부에 예산성과금제도와 불법재정지출에 대한 국민감시제도를 도입하고 있다. 특히, 예산낭비신고센터 설치·운영은 민간 시민단체의 예산감시운동을 중앙정부 차원에서 공식적으로 대응한 사례이다.

## 2. 참여예산제도

(1) 의 의

① 개념: 집행부가 독점적으로 권한을 행사해 왔던 예산편성 등 예산과정에 시민들이 직접 참여하는 제도이다. 참여예산제도는 재정민주주의를 확립하기 위한 거버넌스의 제도적 장치로 민주적·참여적 과정을 중시한다.

② 대두배경: 브라질 포르투 알레그레(Porto Alegre) 시의 참여예산제도가 최초이며, 유엔(UN)에 의해 세계 40대 시민제도로 뽑혀 전 세계적인 도입이 추진되고 있다.

(2) 우리나라의 참여예산제도

① 국민참여예산제도

㉠ 개념: 재정운영의 민주성과 투명성을 제고하기 위하여 국민이 예산사업의 제안, 심사, 우선순위 결정 과정에 참여하는 제도이다.

㉡ 도입: 우리나라는 2019년 예산편성부터 도입·시행되었다.

**O·X 문제**

1. 우리나라에서는 지방예산이 절약되거나 수입이 증대된 경우 그 일부를 기여자에게 보상으로 지급하는 예산성과금제도가 시행되고 있다. ( )
2. 예산성과금은 수입이 증대되거나 지출이 절약된 때에 이에 기여한 자에게 지급할 수 있으며 절약된 예산은 다른 사업에 사용할 수 없다. ( )
3. 각 중앙관서의 장은 직권으로 성과금을 지급하거나 절약된 예산을 다른 사업에 사용할 수 있다. ( )
4. 기획재정부는 정부예산 및 기금의 불법지출에 대한 국민감시를 위해 예산낭비신고센터를 운영하고 있다. ( )

**O·X 문제**

5. 주민참여예산은 재정민주주의를 강화하는 방안 중 하나이다. ( )
6. 참여예산제는 과정적 측면보다는 결과적 측면의 이념을 지향한다. ( )
7. 브라질의 포르투 알레그레(Porto Alegre) 시는 주민참여예산제도를 가장 먼저 실시한 도시이다. ( )
8. 우리나라의 국민참여예산제도는 2019년도 예산편성부터 시행되었다. ( )

O·X 정답 | 1. ○ 2. × 3. × 4. ○ 5. ○ 6. × 7. ○ 8. ○

㉢ 법적 근거(「국가재정법」 제16조 제4호, 「국가재정법 시행령」 제7조의2)

ⓐ 「국가재정법」 제16조 제4호: 정부는 예산과정의 투명성과 예산과정에의 국민참여를 제고하기 위하여 노력하여야 한다.

ⓑ 「국가재정법 시행령」 제7조의2: 정부는 예산과정의 투명성과 국민참여를 제고하기 위하여 필요한 시책을 시행하여야 한다. 정부는 예산과정에의 국민참여를 통하여 수렴된 의견을 검토하여야 하며, 그 결과를 예산편성 시 반영할 수 있다.

㉣ 절차: 사업제안(제안 및 제안사업 적격성 점검) ⇨ 참여단 논의(예산국민참여단 구성 및 숙의) ⇨ 선호도 조사(국민 선호도 조사, 예산국민참여단 선호도 조사) ⇨ 정부예산안에 반영 ⇨ 국회의 심의·의결 순으로 진행된다.

② 주민참여예산제도

㉠ 개념: 예산편성 등 예산과정에 해당 주민들이 직접 참여하도록 하는 제도이다.

㉡ 도입과정: 기초자치단체로는 광주광역시 북구에서, 광역자치단체로는 전라북도에서 최초로 도입하였다. 그러나 현재는 「지방재정법」의 개정을 통해 모든 지방정부가 의무적으로 시행하도록 제도화되었다.

㉢ 법적 근거(「지방재정법」 제39조)

ⓐ 단체장은 대통령령으로 정하는 바에 따라 지방예산 편성 등 예산과정(예산의 심의, 결산의 승인 등 「지방자치법」에 따른 지방의회의 의결사항은 제외)에 주민이 참여할 수 있는 제도를 마련하여 시행하여야 한다.

ⓑ 지방예산 편성 등 예산과정의 주민 참여와 관련되는 사항을 심의하기 위하여 단체장 소속으로 주민참여예산위원회 등 주민참여예산기구를 둘 수 있다.

ⓒ 지방자치단체의 장은 주민참여예산제도를 통하여 수렴한 주민의 의견서를 지방의회에 제출하는 예산안에 첨부하여야 한다.

ⓓ 행정안전부장관은 지방자치단체의 재정적·지역적 여건 등을 고려하여 대통령령으로 정하는 바에 따라 지방자치단체별 주민참여예산제도의 운영에 대하여 평가를 실시할 수 있다.

ⓔ 주민참여예산기구의 구성·운영과 그 밖에 필요한 사항은 해당 지방자치단체의 조례로 정한다.

(3) 장점과 한계

| 장 점 | 한 계 |
|---|---|
| • 재정민주주의의 구현 및 관료실패의 시정<br>• 지방의회의 예산감시 한계 극복 | • 집단이기주의의 폐단 야기<br>• 주민의 대표기관과 마찰 우려 |

(4) 관련 제도 – 납세자소송제도

① 의 의

㉠ 납세자소송제도는 납세자인 시민이 직접 국가 또는 자치단체의 재정지출과 관련된 부정과 낭비를 감시하고 문제점이 발견될 경우에 시정을 요구할 권리를 행사하는 제도이다.

㉡ 시민들의 예산참여는 예산감시와 납세자 소송운동에서 시작하여 직접 예산을 편성하는 참여예산제도로 발전하였다.

**O·X 문제**

1. 지방자치단체 중 최초로 주민참여예산조례를 제정한 곳은 광주광역시 북구이다. ( )
2. 주민참여예산제도는 2011년 「지방자치법」의 개정으로 모든 지방자치단체가 의무적으로 이행해야 하는 제도가 되었다. ( )
3. 참여예산제도는 주로 예산심의 과정에 주민들을 참여시켜 재정민주주의를 구현하기 위한 제도이다. ( )
4. 예산의 심의, 결산의 승인 등 지방의회의 의결사항은 주민참여예산의 관여 범위가 아니다. ( )
5. 「지방재정법」은 예산과정의 주민참여 범위를 예산편성으로 제한하고 있다. ( )
6. 우리나라의 주민참여예산제도에 의하면 지방자치단체장은 예산안을 지방의회에 제출할 때 주민의 의견을 수렴해야 하며, 수렴된 주민 의견서를 예산안에 첨부해야 한다. ( )
7. 기획재정부장관은 대통령령으로 정하는 바에 따라 지방자치단체별 주민참여예산제도의 운영에 대한 평가를 실시할 수 있다. ( )
8. 주민참여예산제도의 구체적인 내용은 대통령령으로 정한다. ( )

O·X 정답 1. ○ 2. ○ 3. × 4. ○ 5. × 6. ○ 7. × 8. ×

② **현황**: 미국은 「연방부정청구법」에서, 우리나라는 「지방자치법」에서 주민소송제도를 입법화하였다. 그러나 중앙정부를 대상으로 하는 국민소송제는 현재 도입되어 있지 않다.

③ **주민참여예산과 비교**: 납세자소송제도는 사후적 참여제도인 데 반해 주민참여예산제도는 사전적 참여제도이다.

## 03 인지 예산 · 결산제도

### 1. 성인지 예산 · 결산제도(GRB: Gender Responsive Budget)

(1) 의 의

성인지 예산 · 결산제도는 세입 · 세출예산이 남성과 여성에게 미치는 영향이 서로 다를 수 있다는 것을 전제로 예산이 남녀에게 어떠한 영향을 미치는지에 대한 효과를 평가하고, 이를 세입 · 세출 예산에 반영하여 남녀평등을 구현하려는 예산이다. 이 제도는 성별영향평가제도(「여성발전기본법」)와 함께 남녀평등을 구현하려는 우리나라 성 주류화(gender mainstreaming)✢ 정책의 핵심제도이다.

(2) 도 입

① **외국**: 호주 정부가 1984년에 처음으로 채택하였고, 그 후 영국 · 독일 등 40여 개국에서 도입하였다.

② **우리나라**

㉠ **중앙정부**: 최초로 국가재정에 관한 기본법인 「국가재정법」에 근거를 두고, 2010 회계연도부터 성인지 예산서 및 결산서를 작성하여 국회에 제출하도록 하였다.

㉡ **지방정부**: 「지방재정법」에 근거를 두고 2013 회계연도부터 지방자치단체의 장이 성인지 예산서 및 결산서를 작성하여 지방의회에 제출하도록 하였다.

(3) 법적 근거(「국가재정법」 제26조, 제57조, 제68조의2, 제73조의2)

① 성인지 예산서와 성인지 기금운용계획서

㉠ 정부는 예산과 기금이 여성과 남성에게 미칠 영향을 미리 분석한 보고서를 작성하여야 한다.

㉡ 성인지 예산서와 성인지 기금운용계획서에는 성 평등 기대효과, 성과목표, 성별 수혜분석 등을 포함하여야 한다.

㉢ 국회에 제출되는 예산안과 기금운용계획안은 성인지 예산서와 성인지 기금운용계획서를 첨부하여야 한다.

② 성인지 결산서와 성인지 기금결산서

㉠ 정부는 여성과 남성이 동등하게 예산과 기금의 수혜를 받고 예산과 기금이 성차별을 개선하는 방향으로 집행되었는지를 평가하는 보고서를 작성하여야 한다.

㉡ 성인지 결산서와 성인지 기금결산서에는 집행실적, 성 평등 효과분석 및 평가 등을 포함하여야 한다.

③ 작 성

㉠ 성인지 예산서는 기획재정부장관이 여성가족부장관과 협의하여 제시한 작성기준 및 방식 등에 따라 각 중앙관서의 장이 작성한다.

**O·X 문제**

1. 납세자소송제도는 민중소송 및 공익소송의 일종이며, 우리나라에서도 중앙정부를 대상으로 한 국민소송제를 도입 · 시행 중이다. ( )

✢ **성 주류화(gender mainstreaming)**
정부의 모든 정책을 '젠더(성: gender)'의 관점에서 살피며, 양성평등적 관점에서 정책이 형성되어 성과를 내고 있는지 검토하는 것을 말한다.

**O·X 문제**

2. 성인지 예산은 예산과정에 성 주류화의 적용을 의미한다. ( )

3. 성인지 예산은 성 중립적 관점에서 출발한다. ( )

4. 성인지 예산제도는 호주에서 1984년 처음 시작되어 많은 OECD 국가들이 채택하고 있는 제도이다. ( )

5. 성인지예산제도의 목적은 여성성을 지원하는 것이다. ( )

6. 중앙부처 및 지방자치단체는 공히 성인지 결산서를 작성하여야 한다. ( )

7. 우리나라 성인지예산제도는 예산사업만을 대상으로 하고 기금사업을 제외한다. ( )

8. 성인지 예산서에는 성인지 예산의 개요, 규모, 성 평등 기대효과, 성과목표 및 성별 수혜분석 등의 내용이 포함되어야 한다. ( )

O·X 정답 1. × 2. ○ 3. × 4. ○ 5. × 6. ○ 7. × 8. ○

PART · 06

**O·X 문제**

1. 성인지 예산서는 기획재정부장관이 각 중앙관서의 장과 협의하여 제시한 작성기준 및 방식 등에 따라 여성가족부장관이 작성한다. ( )
2. 성인지 예산제도는 각 지출부처가 기획재정부와 여성가족부의 지휘 아래 대부분의 재정사업에 대해 성인지 예산서·결산서를 작성하도록 하고 있다. ( )
3. 국회는 성인지 예산서와 결산서를 예산안이나 결산서와는 독립적인 안건으로 상정하여 심사를 진행하여야 한다. ( )
4. 정부는 예산이 온실가스를 감축하는 방향으로 집행되었는지를 평가하는 보고서를 작성하여야 한다. ( )
5. 정부의 기금은 온실가스감축인지 예산제도의 대상에 포함되지 않는다. ( )

O·X 정답 1. × 2. × 3. × 4. ○ 5. ×

㉡ 성인지 예산서는 일부 재정사업에만 적용되며, 부처 성 평등 목표달성에 직접적으로 기여하는 사업(직접목적 사업)과 간접적으로 기여하는 사업(간접목적 사업)으로 구분하여 작성한다.

## 2. 온실가스감축인지 예산 · 결산제도

### (1) 의 의

온실가스감축인지 예산 · 결산제도는 국가재정이 온실가스감축에 미칠 영향을 분석하여 그 결과를 예산편성에 반영하고 결산시 적정하게 집행되었는지를 평가 · 환류하는 제도이다. 이 제도는 기후위기 극복을 위해 탄소중립을 구현하려는 정책의지를 예산과정에 명시적으로 도입한 예산제도로 '녹색예산'의 일종이다.

### (2) 도 입

① **외국**: 가장 선도적인 국가인 프랑스를 비롯하여 OECD 국가들을 중심으로 온실가스 감축을 목표로 한 녹색예산제도가 도입되었다.

② 우리나라

㉠ **중앙정부**: 「국가재정법」에 근거를 두고 2023 회계연도부터 온실가스감축인지 예산서 및 결산서를 작성하여 국회에 제출하도록 하였다.

㉡ **지방정부**: 서울특별시는 '기후예산제'의 도입을 통해, 경기도는 '탄소인지예산'의 도입을 통해 선제적으로 대응하고 있다.

### (3) 법적 근거(「국가재정법」 제27조, 제57조의2, 제68조의3, 제73조의3)

① 온실가스감축인지 예산서와 온실가스감축인지 기금운용계획서

㉠ 정부는 예산과 기금이 온실가스 감축에 미칠 영향을 미리 분석한 보고서를 작성하여야 한다.

㉡ 온실가스감축인지 예산서와 온실가스감축인지 기금운용계획서에는 온실가스 감축에 대한 기대효과, 성과목표, 효과분석 등을 포함하여야 한다.

㉢ 국회에 제출되는 예산안과 기금운용계획안은 온실가스감축인지 예산서와 온실가스감축인지 기금운용계획서를 첨부하여야 한다.

② 온실가스감축인지 결산서와 온실가스감축인지 기금결산서

㉠ 정부는 예산과 기금이 온실가스를 감축하는 방향으로 집행되었는지를 평가하는 보고서를 작성하여야 한다.

㉡ 온실가스감축인지 결산서와 온실가스감축인지 기금결산서에는 집행실적, 온실가스 감축 효과분석 및 평가 등을 포함하여야 한다.

③ 작 성

㉠ 각 중앙관서의 장은 기획재정부장관이 환경부장관과 협의하여 제시한 작성기준 및 방식에 따라 온실가스감축인지 예산서를 작성해야 한다.

㉡ 온실가스감축인지 예산서는 국가 탄소중립정책과 연관된 사업(전기차 보급, 산림흡수원 확대, 녹색금융, 스마트공장 구축, 건물 그린 리모델링, 수소시범도시 인프라 기술개발 등)을 대상으로 한다.

## 04 회계제도의 개혁

### 1. 의 의

(1) 개 념

정부회계란 정부조직의 경제적 사건을 분석·기록·요약·평가·해석하고 그 결과를 보고하는 기술이다.

(2) 목적과 특징

① 목적: 정부수입과 지출이 예산과 법규에 충실했는지 여부에 대한 판단, 국민에게 경제적 정보의 보고, 정보이용자의 경제적 의사결정에 유용한 정보 제공 등을 목적으로 한다.

② 특징: 정부회계는 기업회계와 비교해서 ㉠ 주주의 이익이 아닌 국민의 복리후생 증진에 초점을 두고 있다는 점, ㉡ 손익의 측정이 곤란하다는 점, ㉢ 재무의 원천이 국민의 세금이라는 점, ㉣ 예산상 법적 절차 준수의 강조로 합법성이 강하게 요구된다는 점 등에 차이가 있다.

### 2. 현금주의와 발생주의

(1) 의의 – 거래의 인식시점

① **현금주의**: 현금을 수불하는 시점을 기준으로 거래를 인식하는 방식이다.

② **발생주의**: 자산과 부채에 미치는 사건을 중심으로 거래를 인식하는 방식이다.

(2) 주요 특징

① **회계정리**: 현금주의는 미지급비용이나 미수수익은 기록되지 않기 때문에 채권이나 채무가 장부에 기록되지 않지만, 발생주의는 미지급비용과 미수수익 등이 명확히 부채와 자산으로 장부에 기록된다.

② **단식부기·복식부기와의 친화성**: 현금주의는 단식부기와 친화성이 있는 반면, 발생주의는 복식부기와 친화성이 있다. 다만, 시중은행의 예에서 보듯이 현금주의를 취하면서도 복식부기를 사용할 수도 있다(현금기준 재무상태변동표). 그러나 발생주의를 취하면서 단식부기를 사용하는 것은 현실적으로 불가능하다.

③ **간편성과 복잡성**: 현금주의는 장부작성 시 간편하고 이해와 통제가 용이하다. 반면 발생주의는 거래 기재가 복잡하여 의회 통제의 회피수단으로 악용될 수 있다.

④ **책임의 명확성 여부**: 현금주의에서 정부관료는 지불행위의 시점을 늦추거나 앞당김으로써 자신의 결정이 미치는 영향력을 과장 또는 은폐할 수 있다. 이에 반해 발생주의는 수입이나 지출의 원인이 발생한 시점에 회계정보를 기재하므로 의사결정자의 책임성이 명백하게 드러난다.

⑤ **발생주의의 인식대상**: 자산의 정당한 가치를 반영하기 위한 평가성 충당금(감가상각충당금, 대손충당금), 미래의 대규모 지출에 대비해 현금이 지출되지 않았더라도 특정 기간의 비용으로 인식·설정되는 부채성 충당금(퇴직급여충당금, 제품보증비), 미래에 지출·수입의 가능성이 있는 손해배상 등의 우발채무, 미지급금·미수금의 채권·채무 등을 인식한다.

**O·X 문제**

1. 현금주의는 현금을 수취했을 때 수익으로 인식하고 현금을 지불했을 때 비용으로 인식하는 회계기준이다. ( )

2. 발생주의 회계방식은 자산의 변동 및 증감의 발생사실에 따라 회계를 정리한다. ( )

3. 발생주의는 채무가 발생하였을 때 지출로 기록하고, 세입의 징수결정이 이루어졌을 때 수입으로 기록한다. ( )

4. 발생주의는 미래의 현금지출에 대한 정보나 자산·부채를 정확하게 파악할 수 있어 실질적인 재정건전성 평가에 유용하다. ( )

5. 발생주의에서는 복식부기를 사용할 수 있으나 현금주의에서는 복식부기를 사용할 수 없다. ( )

6. 발생주의에서 인정되는 계정과목에는 감가상각충당금, 대손충당금이 포함된다. ( )

O·X 정답 1. ○ 2. ○ 3. ○ 4. ○ 5. × 6. ○

**O·X 문제**

1. 감가상각과 대손상각은 발생주의에서 비용으로 인식된다. ( )

2. 현금주의 회계방식은 손해배상 비용이나 부채성 충당금 등에 대한 인식이 어렵지만, 발생주의 회계방식은 미지급비용과 미수수익을 각각 부채와 자산으로 인식한다. ( )

**심화학습**

각국의 발생주의 도입 현황

| | |
|---|---|
| 뉴질랜드 | 최초로 발생주의 회계 도입 |
| 영국 | 1993년 이후 발생주의 회계 적용 |
| 미국 | 수입은 현금주의, 지출은 발생주의로 처리하는 수정발생주의 적용 |

O·X 정답 1. ○ 2. ○

### (3) 현금주의와 발생주의의 비교

| 구 분 | 현금주의 | 발생주의 |
|---|---|---|
| 거래의 해석과 분류 | 현금 수불의 측면 | 쌍방 흐름(이원거래 개념) 측면 |
| 수익비용의 인식 기준 | 현금의 수취 · 지출 | 수익의 획득/비용의 발생 |
| 선급비용 · 선급수익 | 비용과 수익으로 인식 | 자산과 부채로 인식 |
| 미지급 비용 · 미수수익 | 인식 안 됨. | 부채와 자산으로 인식 |
| 감가상각 · 대손상각 · 제품보증비 · 퇴직급여충당금 | 인식 안 됨. | 비용으로 인식 |
| 상환이자지급액 | 지급시기에 비용으로 인식 | 기간별 인식 |
| 무상거래 | 인식 안 됨. | 이중거래로 인식 |
| 정보활용원 | 개별자료 우선 | 통합자료 우선 |
| 추가 정보 요구 | 별도 작업 필요 | 기본 시스템에 존재 |
| 적용 예 | 가계부, 비영리공공부문 | 기업, 일부 비영리부문 |

**참고 수정현금주의와 수정발생주의**

1. **의 의**

회계처리의 인식시점에 따른 구분은 완전 현금주의와 완전 발생주의를 양 극단으로 한 연속선상에 여러 기준이 존재한다. 이와 관련하여 국제회계연맹은 현금기준, 수정현금기준, 수정발생기준, 발생기준으로 구분하고 있다.

2. **수정현금주의**

현금주의를 원칙으로 하나 회계기간이 끝난 후에도 얼마간의 유예기간을 두어 회계기간 중에 마치지 못한 지출 또는 수입에 대해 지출과 수납을 허용하는 제도를 말한다(과거 우리나라).

3. **수정발생주의**

발생주의를 원칙으로 하나 일부거래는 발생주의 회계를 적용하지 않는 제도를 말한다. 예컨대, 미국은 비용을 발생주의로 처리하나 수익은 현금주의로 처리하며, 캐나다는 지정된 기간 내에 징수 또는 지불이 가능한 비용과 수익만 발생주의로 처리한다.

4. **채무부담주의**

채무부담(지출원인행위)이 발생한 시점을 기준으로 기록 · 보고하는 회계방식을 의미한다. 발생주의가 채무부담의무가 발생한 시점(구매 시 물건이 인도되는 시점)을 중심으로 거래를 인식한다면, 채무부담주의는 채무부담이 발생한 시점(구매계약이 체결된 시점)을 중심으로 거래를 인식한다. 이 제도는 물품구매나 공사 등 주문이나 계약에 유용하며, 예산 초과 지출을 억제하는 예산통제기능을 한다. 채무부담주의는 넓은 의미에서 발생주의에 속한다.

(4) 현금주의와 발생주의의 장·단점

| | | |
|---|---|---|
| 현금주의 | 장 점 | •회계처리의 객관성이 확보되어 집행통제 용이<br>•현금흐름 파악이 용이하며, 이해하기 쉬움.<br>•절차와 운용이 간편하여 운영경비가 절감되며, 기록보존 용이<br>•통화부문에 대한 재정의 영향 파악 용이 |
| | 단 점 | •자산·부채를 비망기록으로 관리하므로 재정성과 파악 곤란<br>•자산·부채·현금수지 등이 독립적인 대장에 기록되어 연계성 부족<br>•채무(부채)에 대한 정보를 제공하지 않아 가용재원에 대한 과대평가<br>•감가상각 등을 반영하지 못해 거래의 실질 및 원가 파악 곤란<br>•단식부기와 연계되어 조작가능성 높음.<br>•기록의 정확성을 확인하기 곤란하므로 회계책임 확보 곤란 |
| 발생주의 | 장 점 | •투입비용에 대한 정확한 정보(원가계산, 제품보증비 등) 제공<br>•자산과 부채 등 종합적인 재무정보를 제공하여 책임성 및 건전성 확보<br>•자기검증기능을 지닌 복식부기와 연계되어 재정투명성 및 신뢰성 확보<br>•원가 파악이 용이하여 정부서비스의 정확한 가격 산정(비용편익분석 적용 용이) 및 재정성과 측정 용이<br>•자동이월기능으로 출납폐쇄기한 불필요<br>•산출물에 대한 원가산정이 가능하므로 분권화된 조직의 자율과 책임 구현 |
| | 단 점 | •절차가 복잡하여 작성비용이 많이 듦.<br>•부실채권마저 미수수익으로 인식하여 수익의 과대평가 가능성<br>•자산가치·감가상각 및 채권·채무의 자의적 추정(회계처리의 주관성)<br>•의회통제 회피를 위한 수단으로 악용가능성<br>•현금흐름 파악 곤란 |

## 3. 단식부기와 복식부기

(1) 의의 – 장부기록방식(회계처리방식)

① 단식부기: 현금, 특정 재산, 채무 등을 중심으로 거래의 일면만을 수입과 지출로 기록하는 방식이다. 현금이 수입되면 현금출납장에 기재하고 수입에 대한 반대급부 내역은 장부의 비고란에 기재한다.

② 복식부기: 거래의 이중성에 따라 거래의 인과관계를 회계 처리에 반영하여 기록하는 방식이다. 즉, 복식부기는 하나의 거래를 대차평균의 원리에 따라 차변과 대변에 이중 기록한다.

(2) 복식부기의 우월적 특징

복식부기는 단식부기와 달리 ① 총량데이터 작성에 유리하다는 점, ② 자산, 부채, 자본을 인식하여 거래의 이중성에 따라 대차평균의 원리에 의해 차변과 대변에 이중 기록함으로써 자기검증기능을 갖는다는 점(데이터의 신뢰성 확보), ③ 결산과 회계감사의 효율성과 효과성을 높일 수 있다는 점, ④ 회계정보의 이해 가능성이 증대되어 대국민 신뢰성을 확보할 수 있다는 점 등에서 우월성을 지닌다.

**O·X 문제**

1. 현금주의는 기록의 보존과 관리가 간편하며 현금흐름 파악이 용이하다. ( )
2. 현금주의 회계방식은 의회통제를 회피하기 위해 악용될 가능성이 있으며, 발생주의 회계방식 또한 의회통제와는 거리가 있다. ( )
3. 발생주의 회계제도는 자산과 부채를 측정함으로써 재정상태를 포괄적으로 이해가 가능하다. ( )
4. 발생주의 회계는 행정의 성과평가에 필요한 재무정보를 획득하는 데 유리하다. ( )
5. 발생주의에서는 출납폐쇄기한이 불필요하다. ( )
6. 발생주의 회계는 기관별 성과의 비교가 가능하다. ( )
7. 현금주의는 비용편익분석을 적용하기 용이하다. ( )
8. 발생주의 회계제도는 회수가 불가능한 부실채권이나 지불이 불필요한 채무 등의 기록에 있어 정보의 왜곡이 있을 수 있다. ( )
9. 발생주의 회계는 자의적 회계처리가 불가능하여 통제가 용이하다. ( )
10. 발생주의 회계는 교량, 박물관, 체육관 등 가시적 치적 쌓기에 관심이 있는 정치인들이 선호하는 회계제도이다. ( )

O·X 정답 1. ○ 2. × 3. ○ 4. ○ 5. ○ 6. ○ 7. × 8. ○ 9. × 10. ×

**O·X 문제**

1. 단식부기는 발생주의 회계와, 복식부기는 현금주의 회계와 서로 밀접한 연계성을 갖는다. ( )
2. 단식부기는 현금의 수지와 같이 단일 항목의 증감을 중심으로 기록하는 방식이다. ( )
3. 단식부기에서는 상당액의 부채가 존재해도 세입세출결산서상 재정이 건전한 상태인 것처럼 보일 수 있다. ( )
4. 복식부기는 하나의 거래를 대차평균의 원리에 따라 차변과 대변에 동시에 기록하는 방식이다. ( )
5. 복식부기는 거래의 이중성에 따라 거래의 인과관계를 기록한다. ( )
6. 복식부기에서는 계정 과목 간에 유기적 관련성이 있기 때문에 상호 검증을 통한 부정이나 오류의 발견이 쉽다. ( )
7. 복식부기는 대차평균의 원리에 입각한 자기검증기능을 가지고 있으므로 내부통제기능이 우수하다. ( )
8. 복식부기를 도입하면 성과주의 예산, 성과감사 등 비용과 성과 개념에 입각한 성과 중심의 정부개혁이 가능하다. ( )
9. 복식부기에서 자산의 증가, 부채의 감소, 비용의 발생은 차변에 기입해야 한다. ( )
10. 정부회계를 복식부기의 원리에 따라 기록할 경우 차변에 위치할 항목은 차입금의 감소이다. ( )
11. 정부회계를 복식부기의 원리에 따라 기록할 경우 차변에 위치할 항목은 순자산의 증가이다. ( )

O·X 정답 1. × 2. ○ 3. ○ 4. ○ 5. ○ 6. ○ 7. ○ 8. ○ 9. ○ 10. ○ 11. ×

(3) 단식부기와 복식부기의 비교

| 구 분 | 단식부기 | 복식부기 |
|---|---|---|
| 개 념 | 현금수지에 대해 각각의 대장에 거래의 일면만을 기록 | 차변과 대변으로 나누어 거래의 양면을 기록 |
| 정확성 | 오류의 검증기능이 없어 채무 및 손익파악이 불완전 | 이중적 회계작성을 통한 오류의 검증기능이 있어 채무 및 손익파악이 완전 |
| 기록범위 | 현금수지, 채권·채무만 기록 | 자산, 부채, 자본 등 모든 재산변화 기록 |
| 기록방법 | • 상식에 의한 기장<br>• 경영활동의 일부만을 기록하는 불완전한 부기방식 | • 일정한 원리에 의한 기장<br>• 경영활동의 전부를 기록하는 완전한 부기 방식 |
| 적 용 | 소규모 기업에서 주로 활용 | 대규모 기업에서 주로 활용 |
| 장 점 | • 단순하고 작성 및 관리 용이<br>• 관리비용 저렴 | • 대차평균의 원리에 의하므로 총량 데이터 확보 및 데이터 신뢰성 확보<br>• 책임성과 투명성 확보<br>• 회계정보의 이해가능성 증진<br>• 사업의 원가 파악이 용이하여 성과예산제도의 전제가 됨. |
| 단 점 | • 이익과 손실의 원인 파악 곤란<br>• 자동검증장치의 결여 | • 회계처리비용 과다<br>• 전문적 회계지식 필요 |

(4) 복식부기의 방법

① 거래의 이중성 인식: 모든 경제적 거래에는 원인과 결과라는 거래의 이중성이 있다. 예컨대 상품을 판매하고 현금 10만원을 받았다면 원인은 상품판매이며, 결과는 현금 10만원을 받는 것이다. 복식부기는 원인과 결과라는 거래의 이중성을 인식하고 이를 차변(왼쪽)과 대변(오른쪽)으로 나누어 동시에 기록한다.

② 거래의 8요소

㉠ 자산: 과거의 거래나 사건의 결과로 특정 개인이나 법인이 획득하거나 통제하고 있는 미래의 경제적 효능(예 현금, 예금, 주식, 상품, 제품, 부동산, 영업권, 특허권 등)

㉡ 부채: 과거의 거래나 사건의 결과로 특정 개인이나 법인이 다른 개인이나 법인에게 제공해야 하는 의무(예 미지급금, 지급어음, 차입금 등)

㉢ 자본: 자산에서 부채를 차감하고 남는 부분으로 순자산(예 자본금, 자본잉여금, 이익잉여금 등)

㉣ 수익과 비용

③ 분 개

| 차 변 | 대 변 |
|---|---|
| 자산의 증가 | 자산의 감소 |
| 부채의 감소 | 부채의 증가 |
| 자본의 감소 | 자본의 증가 |
| 비용의 발생 | 수익의 발생 |

**참고** **단식부기와 복식부기의 적용**

- **사례 1**: [자산의 취득] 정부가 1,000억원의 자금을 투입해 청사 건물을 신축한 경우의 회계 처리
  **〈단식부기〉** 공사비의 지출은 '시설비 및 부대비'와 같은 세출예산의 집행으로 처리
  **〈복식부기〉** 건물이라는 자산의 증가와 자금의 지출이라는 두 가지 측면으로 기록
  **[차변]** 건물 1,000억(자산증가)
  **[대변]** 현금 및 현금성 자산 1,000억(자산감소)
- **사례 2**: [자산의 처분] 취득가액이 200억원인 잡종재산을 300억원에 매각하는 경우의 회계 처리
  **〈단식부기〉** 자산의 매각은 '재산매각수입'과 같은 세입 과목에 계상
  **〈복식부기〉** 당초의 취득가액과 매각 차액을 구분해 세 가지 측면으로 기록
  **[차변]** 현금 및 현금성 자산 300억(자산증가)
  **[대변]** 토지 200억(자산감소), 고정자산 처분이익 100억(수익발생)

## 4. 우리나라의 정부회계

### (1) 현 황

예산회계(일반회계, 특별회계)는 현금 수입과 현금 지출의 균형을 위해 '단식부기와 현금주의 방식'이, 재무회계는 「국가회계법」과 「지방회계법」에 근거하여 중앙정부와 지방정부 모두 자산과 부채가 파악 가능한 '복식부기와 발생주의 방식'이 적용되고 있다.

### (2) 「국가회계법」상 재무회계의 처리기준

① **원칙**: 「국가회계법」에 의하면 국가의 재정활동에서 발생하는 경제적 거래 등을 발생 사실에 따라 복식부기 방식으로 회계처리하는 데에 필요한 기준(국가회계기준)은 기획재정부령으로 정한다.

② 국가재무보고서(정부재무제표)

㉠ 의의: 정부의 거래를 측정·기록·분류·요약해 작성하는 회계보고서를 말한다. 재무제표는 국가결산보고서에 포함되어 국회에 제출된다.

㉡ 원 칙

ⓐ **통합재무제표의 작성 원칙**: 재무제표는 정부 전체의 재정을 파악하기 위해 개별 회계단위의 재무제표를 연결한 통합재무제표를 작성한다.

ⓑ **회계연도 간 비교의 원칙**: 재무제표는 해당 회계연도분과 직전 회계연도분을 비교하는 형식으로 작성되어야 한다.

ⓒ **계속성의 원칙**: 재무제표는 적용범위, 회계정책, 회계규칙 등이 일관성을 유지해야 한다.

ⓓ **내부거래 상계의 원칙**: 통합재무제표를 작성할 경우 회계 간 내부거래는 상계하여 작성해야 한다(예산순계로 작성).

㉢ 재무제표의 구성

ⓐ **재정상태표**: 특정 시점의 정부 재정상태(정부의 자산·부채·자본의 상태)를 나타내는 저량개념의 재무제표(기업의 대차대조표와 유사)

ⓑ **재정운영표**: 한 회계연도 동안의 운영성과를 알려주는 유량개념의 재무제표(수익과 비용의 운영차액을 명시한 일정 기간 동안 정부의 경영성과표로 기업의 손익계산서와 유사)

ⓒ **순자산변동표**: 자산에서 부채를 차감한 잔여액인 순자산의 증감내역을 보여 주는 재무제표

**O·X 문제**

1. 우리나라 중앙정부는 복식부기를 채택하고 있지만 지방정부의 복식부기는 법률에 규정되어 있지 않다. ( )
2. 재무제표는 국가결산보고서에 포함되어 국회에 제출하도록 하고 있다. ( )

**심화학습**

**통합재무제표**

현금주의는 개별재무제표를 작성하는 반면 복식부기는 통합(연결)재무제표를 작성한다.

**심화학습**

**현금흐름표**

| 의의 | 현금흐름을 나타내는 표 |
|---|---|
| 내용 | 일정 기간의 현금의 원천(유입)과 사용(지출)을 표시 |
| 우리나라 | 중앙정부의 재무제표에는 포함되지 않으며, 지방정부의 재무제표에만 포함됨. |

**O·X 문제**

3. 재무제표는 재정상태표, 재정운영표, 순자산변동표로 구성되며, 재무제표에 대한 주석을 포함한다. ( )
4. 재정상태표에는 현금주의와 단식부기가, 재정운영표에는 발생주의와 복식부기가 각각 적용되고 있다. ( )
5. 재정상태표는 재정상태표일 현재의 자산과 부채의 명세 및 상호관계 등 재정상태를 나타내는 재무제표로서 자산, 부채 및 순자산으로 구성된다. ( )
6. 정부의 재정운영보고서는 일정 시점의 자산과 부채 및 순자산 현황을 나타낸 것이다. ( )

**O·X 정답** 1. × 2. ○ 3. ○ 4. × 5. ○ 6. ×

PART · 06

## 05 「국가재정법」의 주요 내용

### 1. 목 적

이 법은 국가의 예산・기금・결산・성과관리 및 국가채무 등 재정에 관한 사항을 정함으로써 효율적이고 성과 지향적이며 투명한 재정운용과 건전재정의 기틀을 확립하고 재정운용의 공공성을 증진하는 것을 목적으로 한다(2020년 공공성 증진 추가).

### 2. 주요 내용

| 구 분 | 현 재 |
|---|---|
| 재정의 효율성 | • 회계 및 기금 간 자유로운 전・출입 허용<br>• **예・결산 순기**: 예산 국회제출 – 회계연도 개시 120일 전, 결산 국회제출 – 5월 31일<br>• 성과계획서 및 보고서 작성 및 국회 제출 |
| 재정의 투명성 | • **재정정보의 공표제도**: 중앙정부 및 지방자치단체의 재정정보 공표<br>• 불법재정지출에 대한 국민감시제 |
| 재정의 건전성 | • 법률안 재정 소요 추계제도<br>• 국세감면의 제한<br>• 추가경정예산 편성사유 제한<br>• 세계잉여금 처리용도 제한<br>• 국가채무관리계획 수립 및 국회 제출<br>• 국고채무부담행위나 보증채무부담행위 시 국회의 사전 동의<br>• 총사업비관리제도와 예비타당성조사<br>• 국가재정운용계획의 국회 제출 |

MEMO

이명훈 하이패스 행정학

합격까지 박문각

PART

# 07

# 지방행정론

CHAPTER 01

# 지방행정의 기초

## 제 1 절 지방행정

### 01 지방행정의 개념

#### 1. 지방행정 개념의 다양성

지방행정이란 전국을 대상으로 수행되는 중앙행정에 대응하는 개념으로 다음과 같이 다양한 의미로 활용된다.

(1) 광 의

지방행정의 주체와 내용에 관계없이 일정한 지역 내에서 수행되는 일체의 행정(자치행정+위임행정+관치행정)

(2) 협의(일반적 의미)

일정한 지역에서 수행되는 행정 중에서 자치단체가 처리하는 행정(자치행정+위임행정)

(3) 최협의

일정한 지역에서 수행되는 행정 중에서 지역주민들이 지역적 사무를 자기들의 의사와 책임하에 스스로 또는 대표자를 통하여 처리하는 행정(자치행정만으로 한정)

심화학습

지방행정의 개념

| 광의의 지방행정 | | |
|---|---|---|
| 협의의 지방행정 | | 관치행정 |
| 최협의 | 위임행정 | |
| 자치 행정 | 자치단체 또는 단체장에게 위임하여 처리하는 행정 | 국가의 일선 기관에 의한 행정 |

#### 2. 유사개념과 비교

(1) 지방자치

지방자치는 지역주민들이 지역적 사무를 자기들의 의사와 책임하에 스스로 또는 대표자를 통하여 처리하는 행정을 의미한다. 일반적 의미의 지방행정은 자치행정뿐만 아니라 위임행정을 포함하므로 지방행정이 지방자치(자치행정)보다 넓은 개념이다. 따라서 지방행정은 반드시 지방자치를 수반하는 것이 아니며 지방자치와 관계없이 이루어질 수 있다.

(2) 지방정부

지방정부란 중앙정부와 대비되는 개념으로 지방행정(집행부, 관료제)에 한정되지 않고 지방의 정치(선거, 입법), 정책, 사법까지를 포함하는 보다 넓은 의미의 개념이다. 따라서 지방정부는 지방행정보다 넓은 개념이다.

O·X 문제

1. 지방자치제가 실시되지 않는 곳에서도 지방행정은 존재한다. ( )
2. 지방행정은 지방자치를 반드시 수반된다. ( )
3. 지방정부는 지방행정에 한정하지 않고 지방의 정치, 정책기능까지 포함하는 개념이다. ( )

O·X 정답 1. ○ 2. × 3. ○

#### 3. 지방행정의 존재형태

(1) 의 의

지방행정의 존재형태로는 자치단체에 의한 행정(자치행정과 위임행정)과 국가의 일선기관에 의한 행정(관치행정)이 있다.

(2) 자치행정과 관치행정의 비교

| 구 분 | 자치행정 | 관치행정 |
|---|---|---|
| 주 체 | 주민(지방자치단체) | 국가(특별지방행정기관) |
| 성 격 | 종합행정, 다양성 · 탄력성 · 개별성 | 전문행정, 통일성 · 관료적 · 타율성 |
| 평가기준 | 민주성 | 능률성 |
| 공개성 | 공개 | 비공개 |
| 변 동 | 점증적 | 혁신적 |
| 중점기능 | 권고 · 유인(비권력적) | 통제 · 규제(권력적) |
| 통제주체 | 주민통제(주민에 의한 통제) | 중앙통제(중앙정부에 의한 통제) |

## 02 지방행정의 특징과 이념

### 1. 지방행정의 특징

(1) 지역(개별)행정

지방행정은 국가 내의 일정한 지역을 단위로 그 지역이 가진 특수한 조건에 따라 개별적 · 다원적으로 실시된다.

(2) 일선(대화 · 참여)행정

지방행정은 주민들과 접촉하여 그들의 의견을 청취하고 이를 바탕으로 정책을 결정 · 집행해 나간다.

(3) 생활(급부 · 현지)행정

지방행정은 지역주민의 일상생활에 직결되는 사무와 복리증진에 관한 사무를 처리한다.

(4) 종합행정

지방행정은 지역적 범위가 한정적이나 그 지역 안에서 일어나는 모든 행정수요에 포괄적으로 대응하는 종합행정의 성격을 지닌다.

(5) 자치행정

지방행정은 일정한 지역을 기초로 지역적 사무를 지역주민의 의사에 따라 자주재원을 가지고 처리하는 자치행정을 주로 수행한다.

(6) 비권력적 행정

지방행정은 지역주민에 대한 조언, 권고, 지원 등 비권력적 수단을 통한 행정을 수행한다.

### 2. 지방행정의 이념

(1) 지방행정의 민주성(참여 · 공개 · 책임)

지방행정은 행정과정의 민주화를 통해 주민의 의사를 존중하고 반영함으로써 지역주민에게 책임을 지는 행정을 수행해야 한다.

(2) 지방행정의 능률성과 경영성

지방행정은 주민이 부담하는 지방세를 보다 능률적 · 합리적으로 사용해야 한다.

심화학습

**지방행정방식**

| 관치적 지방행정 | 반자치적 지방행정 | 자치적 지방행정 |
|---|---|---|
| 일선기관을 통해 지방행정 수행 | 자치단체의 자치권 범위 협소 | 자치단체의 자치권 범위 광범위 |
| 중앙집권적 · 비민주적 행정 | 사무의 대부분이 위임사무 | 사무의 대부분이 자치사무 |
| 국가공무원에 의한 행정 | 자치단체에 국가공무원도 존재 | 자치단체에 국가공무원이 없음. |
| 관료적 · 타율적 행정 | 지방제도가 획일적 · 정형적 · 고정적 | 지방제도가 다양하고 탄력적 · 개별적 |
| 지역주민의 참여 불인정 | 지역주민의 제한적 참여 | 지역주민의 폭넓은 참여 |
| 지방행정기관은 국가에 예속 | 중앙정부에 의한 엄격한 통제와 감독을 받음. | 자치단체는 국가로부터 행 · 재정상의 독립성을 지님. |

심화학습

**자치단체의 사무(생활행정)**

도시계획, 주택, 상하수도, 도로, 교통, 보건위생, 청소, 교육, 문화, 생활보호 등

심화학습

**비권력 행정의 「헌법」적 근거**

지방자치단체는 주민의 복리에 관한 사무를 처리하고 재산을 관리하며 법령의 범위 내에서 자치에 관한 규정을 제정할 수 있다(「헌법」 제117조 제1항).

(3) 지방행정의 합법성과 대응성

지방행정도 당연히 법에 의한 행정이 이루어져야 하지만 지역주민과 직접 접촉하는 대민행정의 성격상 지나친 법규만능주의적 사고를 지양하고 합법성과 대응성의 적절한 조화를 추구해야 한다.

## 제 2 절 지방자치

### 01 지방자치의 의의

#### 1. 개 념

(1) 지방자치의 개념

지방자치란 국토의 일정한 지역을 대상으로 주민들이 스스로 또는 대표자를 구성하여 지역의 문제를 결정하고 처리하는 것을 말한다.

(2) 지방자치의 개념적 요소

① **주체 – 지역주민**: 지방자치는 지역주민이 직접투표에 의해 선출한 대표자를 통해 또는 스스로의 참여에 의해 이루어진다.

② **대상 – 일정한 지역**: 지방자치는 국토 전체가 아니라 일정한 지역을 중심으로 이루어지기 때문에 원칙적으로 지방의 문제에 한정해 자치권을 행사한다.

③ **중앙정부와 관계**: 지방자치는 국가의 통치영역 범위 안에서 이루어지므로 자치권을 가지면서도 국가의 유지와 통치를 위해 일정한 제약과 간섭을 받는다.

#### 2. 지방자치의 필요성과 한계 및 저해요인

(1) 지방자치의 필요성과 한계

| 필요성 | | 한 계 |
|---|---|---|
| 정치적 필요성 | 행정적 · 기술적 필요성 | |
| • 대의 민주주의 한계 극복 및 풀뿌리 민주주의의 실현<br>• 민주시민을 육성하기 위한 시민교육(민주주의의 훈련장)<br>• 중앙과 지방 간의 권력분립을 통한 개인의 자유와 인권보장<br>• 향토애와 공동체 의식 강화<br>• 중앙의 독재정치를 방어하는 방파제 역할<br>• 중앙정국의 변동에 의한 영향의 최소화(중앙의 정치적 혼란에 대한 완충장치)<br>• 중앙정치에서의 다수의 횡포에 따른 불평등의 해소 | • 중앙과 지방의 기능적 분업을 통한 능률 향상(중앙 – 결정, 지방 – 집행)<br>• 정책의 지역적 실험(시뮬레이션)을 통한 시행착오의 최소화<br>• 인적 · 물적 자원의 집중화 방지를 통한 자원의 효율적 배분<br>• 재난 · 재해 등에 대한 위기 대응 능력 개선<br>• 중앙정부의 업무부담 경감<br>• 지방정부 간 경쟁 촉진을 통한 효율성 증진(티부가설)<br>• 지방공무원의 능력발전과 사기 진작<br>• 종합행정의 강화를 통한 부처이기주의 극복<br>• 지역적 특성에 부합한 행정 및 다양한 소비자 선호의 충족<br>• 주민의 참여 · 통제(주민의 생산적 관여)를 통한 행정의 능률성 향상 | • 규모의 경제 실현 저해<br>• 지역이기주의 초래(NIMBY, PIMFY 현상 등) 및 국론의 통합 저해<br>• 광역행정에 대한 대응 곤란<br>• 균형적 발전 저해<br>• 행정서비스의 균질화(형평성)에 대한 요구 저해 |

O·X 문제

1. 지방자치의 장점은 규모의 경제 실현에 있다. ( )
2. 지방자치는 지역 간 형평성을 증진한다. ( )
3. 지방자치는 국론의 통합을 가져온다. ( )
4. 지방자치는 공공서비스의 균질화를 가져온다는 점에서 의의가 있다. ( )

O·X 정답 1. × 2. × 3. × 4. ×

(2) 저해요인

① 현대국가에서 실제 지방정부의 운영은 지역주민이 아닌 전문직업관료에 의해 수행(직업공무원제)되므로 지방자치의 필요성이 낮아진다.

② 지방정부의 빈약한 기술력과 전문성으로 인하여 지방자치는 낭비와 비능률을 야기할 위험성이 있다.

③ 국민적 최저*실현 및 균등한 서비스 제공에 대한 요구는 지방자치의 필요성을 약화시킨다.

④ 생활권의 확대로 인한 공동체 의식의 상실 및 향토애 약화 현상은 지방자치의 필요성을 약화시킨다.

## 3. 지방자치의 이론적 근거 – 티부(Tiebout)의 '발로 하는 투표' 가설

(1) 의 의

① 다수의 지방정부로 구성된 분권화체제에서 완전경쟁시장의 가정하에 주민들이 자신의 선호에 맞는 재정프로그램을 제공하는 지방정부를 선택하여 자유롭게 이동하는 '발로 하는 투표(vote by foot)'가 이루어진다면, 주민을 유치하기 위한 지방정부 간 경쟁으로 지방정부의 경영이 보다 건전화·효율화된다고 보는 이론이다.

② 이 모형은 공공선택론적 접근을 통해 경제적(효율성) 측면에서 지방자치의 당위성을 강조하는 재정 논리이다.

(2) 배경 – 사무엘슨(Samuelson) 이론에 대한 반론

사무엘슨은 "공공재는 분권적인 배분체제가 효율적이지 못하기 때문에 국민의 선호와 관계없이 정치적 과정(중앙집권적·일방적 과정)을 통하여 공급될 수밖에 없다."고 주장한다. 티부가설은 이러한 사무엘슨 이론에 대한 반론으로 제기되었다.

(3) 기본가정 – 완전경쟁시장의 가정

① **다수의 지방정부**: 주민들이 선택할 수 있는 상이한 지방공공서비스를 제공하는 다수의 지방정부가 존재한다.

② **완전한 정보**: 주민들은 각 지방정부의 재정프로그램(지방공공서비스와 지방세 수준)에 대해 정확히 알고 있다.

③ **지역 간 완전한 이동**: 지역 간 이동에 필요한 거래비용(이사비용 등)이 발생하지 않아 아무런 제약 없이 지역 간 이동이 가능하다.

④ **단위당 평균비용 동일**: 공공재 생산을 위한 단위당 평균비용이 동일한 '규모수익 불변의 원리'를 전제로 한다.

⑤ **외부효과의 부존재**: 해당 지역 정책의 이익은 해당 지역 주민들에게만 돌아가며 이웃지역의 주민들에게 영향을 주지 않는다.

⑥ **국고보조금의 부재**: 재원은 해당 지역 주민들의 조세로 충당되는 것으로 가정하며 국고보조금 등은 존재하지 않는다.

⑦ **최적규모의 추구**: 모든 지방정부는 최적규모(최저평균비용으로 공공재를 생산할 수 있는 인구 규모)를 추구하기 위해 노력한다. 따라서 모든 지방정부가 인구유입을 위해 노력하는 것은 아니며 오히려 최적규모보다 인구가 많은 지방정부는 혼잡비용 징수 등을 통해 인구감소를 추구한다.

---

* **국민적 최저**
국가구성원으로서 향유해야 할 최소한의 복지수준

**O·X 문제**

1. 티부의 '발에 의한 투표' 가설은 지방분권화의 효율성을 주장하는 재정 논리이다. ( )
2. 티부의 '발에 의한 투표' 가설은 시장기구 논리와 같이 지방정부 간의 자유로운 경쟁을 유도한다. ( )
3. 티부가설은 다수의 이질적인 지방정부가 존재한다고 가정한다. ( )
4. 티부의 '발로 하는 투표'에서 주민들은 완전한 정보가 주어진다는 전제하에 자신들의 선호에 따라 지역 간 이동을 한다. ( )
5. 티부가설은 지방자치단체에서 생산하는 지방공공재를 생산하는 데 드는 단위당 평균비용은 모두 동일하다고 가정한다. ( )
6. 티부가설에서 지방자치단체의 주된 재원은 지방소비세가 되어야 한다. ( )
7. 티부가설은 지방자치단체에서 생산하는 지방공공재는 원칙적으로 외부효과가 있다고 가정한다. ( )
8. 티부가설은 적정수준의 지방자치단체가 될 때까지 주민구성의 재분류가 일어난다고 지적한다. ( )
9. 티부모형은 정보의 불완전성, 다수의 지방정부, 고정적 생산요소의 존재, 배당수입에 의한 소득을 전제로 한다. ( )
10. 티부모형은 고용기회와 관련된 제약조건은 거주지 의사결정에 왜곡을 초래할 수 있으므로 고려하지 않아야 한다고 가정한다. ( )

O·X 정답 1. ○ 2. ○ 3. ○ 4. ○ 5. ○ 6. × 7. × 8. ○ 9. × 10. ○

PART · 07

⑧ **고정적 생산요소의 존재**: 지방정부는 최소한 한 가지 이상의 고정적 생산요소를 가진다.
⑨ **배당수입에 의한 소득**: 모든 시민은 근로소득이 아닌 배당수입에 의존하여 생계를 유지한다. 이는 거주지 선정에 고용기회가 아무런 영향을 미치지 못하도록 하기 위한 조건이다.
⑩ **지방정부의 재원 – 재산세**: 지방정부의 재원은 재산세(그 지역 내에서 주택을 보유하고 있는 사람들이 내는 세금)에 의해 충당되는 것으로 전제한다.

(4) 모형의 결론

① **효율적인 자원배분**: 각 개인들은 자기의 선호에 가장 부합하는 '공공서비스 – 조세부담'의 조합을 제공하는 지방정부로 이주함으로써 자신의 선호를 표출하게 되고, 각 지방정부는 경쟁을 통해 적정한 수준의 지방공공재를 공급하게 되어 효율적인 자원배분(파레토최적)이 이루어지게 된다.
② **유사한 선호를 가진 사람들의 공간적 집적현상**: '높은 재정부담 – 질 좋은 서비스'를 선호하는 사람들이 사는 부유지역과 '낮은 재정부담 – 질 낮은 서비스'를 선호하는 사람들이 사는 빈곤지역으로 지역이 자연스럽게 분화된다.

(5) 한 계

① **지역 간 이질성 심화로 인한 형평성 저하**: '지역 내 동질성'은 높아지지만 지역 간 빈부격차가 심해져 '지역 간 이질성'은 더욱 심해진다. 이로 인해 지방공공재 공급의 '효율성'은 증진되지만 '지역 간 형평성'이 저하된다.
② **주민 요구에 대한 대응성 불고려**: 주민 요구에 대한 대응성 측면보다는 시장경제원리(경쟁)에 의한 공공재의 효율적인 공급만을 강조한다.
③ **가정의 비현실성**: 완전경쟁시장의 가정을 그대로 받아들여 비현실적이다.

(6) 정책적 함의

① 중앙정부의 개입을 통한 인위적인 행정구역 통합이나 보조금의 확대는 효율성이라는 티부가설의 효용을 상실하게 하며, 중앙정부가 개입하지 않고 그대로 두는 것은 형평성 저하라는 티부가설의 한계를 야기한다.
② 최근 정보통신의 발달과 생활의 광역화는 정보의 불완전성을 완화하고 이전비용을 감소시킨다는 점에서 티부가설의 설득력을 높인다.

**참고** **오츠(Oates)의 분권화정리**

**1. 의 의**

(1) 지방공공재를 어느 단계의 정부가 생산하든 동일한 비용이 든다면, 중앙정부보다는 각 지방정부가 지방공공재를 생산하는 것이 효율적임을 경제학적으로 증명한 이론이다.
(2) 이 모형은 티부(Tiebout)가설과 마찬가지로 공공선택론적 접근을 통해 경제적(효율성) 측면에서 지방자치의 당위성을 강조하는 재정논리이다.

**2. 논의의 전개**

중앙정부는 지역고유의 특성이나 지역주민의 수요를 잘 알지 못해 획일적으로 공공서비스를 제공하나, 지방정부는 이를 잘 알고 있기 때문에 주민의 선호에 입각한 공공서비스를 제공할 수 있어 지방정부에 의한 공공서비스 공급이 보다 효율적이다.

**O·X 문제**

1. 정보통신 발달 및 생활광역화는 '발로 하는 투표'의 설득력을 높인다. ( )

**O·X 문제**

2. 오츠(Oates)의 분권화정리가 성립하기 위해서는 중앙정부의 공공재 공급 비용이 지방정부의 공공재 공급 비용보다 더 적게 든다는 조건이 충족되어야 한다. ( )

3. 오츠(Oates)의 분권화정리가 성립하기 위해서는 공공재의 지역 간 외부효과가 없다는 조건이 충족되어야 한다. ( )

O·X 정답 1. ○ 2. × 3. ○

**3. 전제조건(가정)과 평가**

(1) 이 모형은 지방공공재 공급주체와 상관없이 공급비용이 동일하다는 가정에서 유도된 결론이다. 실제로는 정부의 크기에 따라 지방공공재의 공급비용은 달라진다. 즉, 지방공공재를 중앙정부가 생산한다면 규모의 경제로 공급비용이 낮아지나 지방정부가 생산한다면 규모의 경제를 저해하여 공급비용은 증가한다. 즉, 정부의 크기에 따른 공급비용의 차이를 고려한다면 중앙정부에 의한 지방공공재 공급이 효율적일 수 있다.

(2) 이 모형은 지역간 외부효과가 없다는 가정에서 유도된 결론이다. 현실적으로는 지역 간 외부효과가 존재하며, 이 경우 외부효과를 내부화할 수 있는 중앙정부에 의한 지방공공재 공급이 효율적일 수 있다.

### 4. 지방자치의 구성요소

지방자치의 3대 구성요소는 구역(자치권이 미치는 지역적 범위), 자치권(자주적 통치권), 주민(자치구역 내의 인적 구성요소)이다. 그 밖에도 사무(고유사무와 위임사무), 지방정부(집행기관과 의결기관) 등이 있다.

## 02 지방자치의 유형

### 1. 의 의

지방자치는 국가와 자치단체와의 관계 측면에서 단체자치의 요소를, 자치단체와 주민과의 관계 측면에서 주민자치의 요소를 가지고 있다. 즉, 지방자치는 위로부터(국가와 자치단체와의 관계 측면)의 분권과 아래로부터(자치단체와 주민과의 관계 측면)의 참여를 그 핵심으로 한다. 프랑스·독일을 중심으로 발전된 대륙형 지방자치는 단체자치를 강조하며, 영국에서 발달한 영미형 지방자치는 주민자치를 강조한다.

주민자치와 단체자치

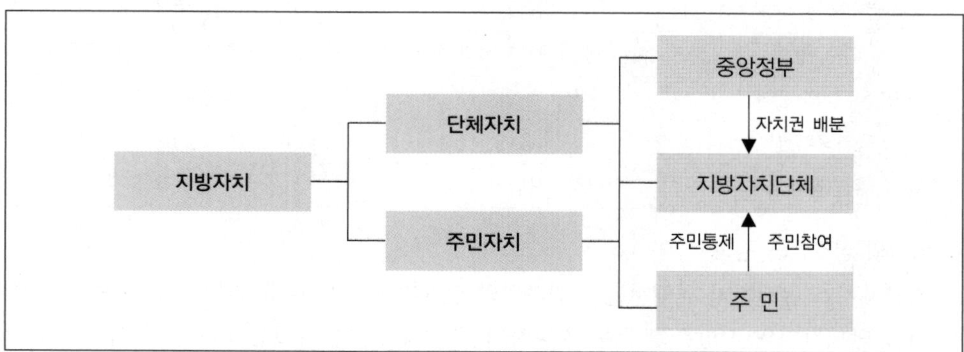


### 2. 유 형

(1) 주민자치(영미형) – 정치적 의미의 지방자치

① 영국·미국은 역사적으로 지방정부가 중앙정부보다 먼저 발달함으로써 지방자치를 기초로 민주정치가 형성되었다.

② 영미형 주민자치는 주민의 일상생활에 관련된 지방행정사무를 중앙의 간섭과 감독을 받지 아니하고 그 지역주민들의 의사와 책임하에 스스로 처리하는 것을 강조한다. 즉, 영미형의 주민자치는 주민참여에 초점이 있는 정치적 의미의 지방자치이다.

**O·X 문제**

1. 주민자치는 자치정부에의 주민참여를 강조하는 반면, 단체자치는 지방자치단체의 중앙정부로부터의 독립을 강조한다. ( )

2. 주민자치는 프랑스, 독일 등을 중심으로 하는 대륙형 지방자치이고, 단체자치는 영미형 지방자치이다. ( )

3. 주민자치는 법적 성격을, 단체자치는 정치적 성격을 지닌다. ( )

4. 주민자치가 지방자치의 형식적·법제적 요소라고 한다면, 단체자치는 지방자치를 실현하기 위한 내용적·본질적 요소라고 할 수 있다. ( )

O·X 정답 1. ○ 2. × 3. × 4. ×

PART · 07

(2) 단체자치(대륙형) — 법률적 의미의 지방자치

① 프랑스·독일 등 대륙법계에서는 절대군주의 전제적 전통이 강하여 중앙정부의 권력에 항거하는 의미의 지방자치가 형성·발달하였다.

② 대륙형의 단체자치는 국가와는 별개로 법인격을 가지는 지역단체가 국가로부터 상대적으로 독립된 지위와 권한을 부여받아 일정한 범위 내에서 독자적으로 행정을 처리하는 것을 강조한다. 즉, 대륙형의 단체자치는 중앙정부와 자치단체 간의 자치권 배분(분권)에 초점이 있는 법률적 의미의 지방자치이다.

(3) 비 교

| 구 분 | 주민자치 | 단체자치 |
|---|---|---|
| 의 미 | 정치적 의미(민주주의의 원리) | 법률적 의미(지방분권의 원리) |
| 국 가 | 영국·미국 | 독일·프랑스 |
| 자치권의 인식 | 자연적·천부적 권리 | 국가에서 전래된 권리 |
| 자치권의 범위 | 광범위함. | 협소함. |
| 자치권의 중점 | 지방정부와 주민과의 관계<br>(주민참여에 초점) | 중앙정부와 지방정부와의 관계<br>(사무배분에 초점) |
| 권한부여방식 | 개별적 수권주의 | 포괄적 수권주의 |
| 지방정부 구성형태 | 기관통합형(의회우월형) | 기관대립형(집행기관우월형) |
| 사무구분 | 고유사무와 위임사무 미구분 | 고유사무와 위임사무 구분 |
| 조세제도 | 독립세(자치단체가 과세주체) | 부가세(국가가 과세주체) |
| 중앙과 지방의 관계 | 기능적 상호협력관계 | 권력적 감독관계 |
| 자치단체의 지위 | 순수한 자치단체 | 이중적 지위(자치단체+일선기관) |
| 특별지방행정기관 | 많음. | 적음. |
| 통 제 | 주민통제(아래로부터의 통제) | 중앙통제(위로부터의 통제) |
| 민주주의와 관계 | 상관관계 인정설 | 상관관계 부정설 |
| 국가공무원 | 없음. | 있음. |
| 위법통제 | 입법적·사법적 통제 | 행정적 통제 |

(4) 양자의 상호접근 경향

지방자치가 발전하기 위해서는 주민자치와 단체자치가 모두 요구된다. 주민자치의 주민참여와 단체자치의 지방분권 모두 지방자치 확립에 필수불가결한 요소이기 때문이다. 이에 단체자치가 발달된 대륙법계 국가들은 주민자치의 요소를, 주민자치가 발달된 영미법계 국가들은 단체자치의 요소를 보완하여 단체자치와 주민자치의 조화를 추구하고 있다.

(5) 우리나라

우리나라의 지방자치는 단체자치적 요소[자치권의 성격(제도적 보장설), 포괄적 수권주의, 행정적 통제 강조 등]가 강하지만 이를 보완하기 위하여 각종 주민참여제도(주민투표제, 주민조례 제·개폐 청구제, 주민감사청구제, 주민소송제 등), 독립세주의 등의 주민자치적 요소를 가미하고 있다.

**O·X 문제**

1. 단체자치는 자치권을 전래적 권리로 인식하고, 주민자치는 자치권을 고유권으로 인식한다. ( )
2. 권한부여 방법에서 주민자치는 포괄적 위임주의이고, 단체자치는 개별적 지정주의이다. ( )
3. 사무구분에서 주민자치에서는 자치사무와 위임사무로 구분하지만, 단체자치에서는 이를 엄격하게 구분하지 않는다. ( )
4. 주민자치에서의 중앙정부의 통제는 주로 행정적 통제이고, 단체자치에서의 중앙정부의 통제는 주로 입법적 통제이다. ( )
5. 중앙정부와 지방정부의 관계의 경우 주민자치는 기능적 협력관계, 단체자치는 권력적 감독관계의 성격이 강하다. ( )
6. 주민자치에서 지방자치단체는 지방의 자치행정기관으로서 이중적 지위를 갖는다. ( )
7. 단체자치에서는 법률에 의해 권한이 명시적·한시적으로 규정되어 사무를 자주적으로 처리할 수 있는 재량의 범위가 크다. ( )
8. 주민자치는 지방분권의 이념을, 단체자치는 민주주의 이념을 강조한다. ( )
9. 주민자치는 의결기관과 집행기관을 분리하여 대립시키는 기관분리형을 채택하는 반면, 단체자치는 의결기관이 집행기관도 되는 기관통합형을 채택한다. ( )

O·X 정답 1. ○ 2. × 3. × 4. × 5. ○ 6. × 7. × 8. × 9. ×

## 03 지방자치와 민주주의

### 1. 상관관계인정설 – 자연적 고유권설에 기반한 영·미의 주민자치

(1) 의 의

상관관계인정설은 지방자치를 국민의 자유와 권리를 신장하기 위해 도입된 정치조직의 원리(주민참여의 원리)로 인식한다. 이 시각은 절대군주체제에 대항하기 위해 확립되었던 지방자치의 역사적 사실과 권력분립을 중시한다.

(2) 구체적인 근거

① 방파제설: 지방자치는 전제정치시대는 물론 민주화된 현대국가에서도 중앙의 정국 혼란이 지방으로 확산되는 것을 방지하여 지방행정의 안정성을 확보해 주므로 국가 전체의 민주화에 기초가 된다는 견해이다.

② 독립설: 지방자치에 의한 다양성과 지방적 이익의 실현이 민주주의의 본질이라는 견해이다.

### 2. 상관관계부정설 – 전래권설에 근거를 둔 대륙형 단체자치

(1) 의 의

상관관계부정설에 의하면 과거 지방자치는 절대왕정의 극복이라는 시대적 요청에 의해 민주주의와 높은 연관성을 지녔다 하더라도 이미 민주주의가 확립된 현대 자유민주주의 국가에서는 지방자치와 민주주의의 관계는 허구에 지나지 않는다고 본다. 이 시각에 의하면 현대의 지방자치는 민주주의의 요구에 기인한 것이 아니라 행정적 능률과 주민복지향상을 위한 지역발전 측면에 기인한 것으로 본다.

(2) 구체적 근거

① 사적 변모설: 절대왕정시대와 달리 근대자유주의 국가 이후에는 행정서비스의 균등화가 민주주의의 핵심요소이므로 다양성을 전제로 하는 지방자치가 오히려 민주주의를 저해할 수 있다고 보는 견해이다.

② 한정적 부정설: 순수하게 지방적·지역적 문제에 대해서는 지방자치와 민주주의가 상관성이 있지만, 지방적 문제 이외의 사항에 대하여 지방자치를 실시하는 것은 지역이기주의를 초래하기 때문에 오히려 반민주주의라고 보는 견해이다.

### 3. 상관관계인정설과 상관관계부정설의 비교

(1) 상관관계인정설의 주장

① 토크빌(Tocqueville): 지방자치는 자유국민을 형성하므로 국가는 지방자치가 없어도 자유정부를 수립할 수 있을지 모르나 자유의 정신을 가질 수는 없다.

② 브라이스(J. Bryce): 민주주의의 모태는 지방의 민회이며, 지방자치는 민주주의 최량의 학교이자 민주정치 성공을 위한 최량의 담보이다.

③ 라스키(H. Laski): 민주적 지방정부는 민주적 중앙정부의 꼭 필요한 동반자이다.

(2) 상관관계부정설의 주장

① 벤슨(Benson): 역사상 지방자치가 행정의 민주성에 기여했지만 근대화 이후 새로운 행정수요에 지방정부가 대응하지 못함으로써 지방자치는 민주주의의 장애가 되며 오히려 중앙집권화가 유용하다.

**심화학습**

**랭로드·팬터–브릭·뮬린의 논쟁**

| | |
|---|---|
| 랭로드의 부정론 | 민주주의는 국가 전체의 균일성·평등성·다수적 제도 등을 전제로 하므로 필연적으로 중앙집권화의 경향을 수반한다. 따라서 민주주의는 지방분권·특수성·부분성을 중심으로 하는 지방자치와 상반된다. |
| 팬터–브릭의 반론 | 민주주의의 핵심적 요소는 랭로드가 제시한 바와 같은 기계적 평등성과 균일성이 아니라 개인이나 지역의 다양성 존중에 있다. 따라서 민주주의는 지방자치와 상관성을 지닌다. |
| 뮬린의 랭로드 옹호 | 지방정부는 좁은 지방적·개인적 이익의 방어를 위한 훈련장일 뿐 국가의 높은 차원의 이익을 간과한다고 보아 랭로드의 견해를 옹호한다. |

② 켈젠(Kelsen): 지방정부는 지역적 이익을 위해 중앙의회에서 의결된 법률에 의식적으로 대립된 행동을 보이기 때문에 민주주의를 저해한다.

(3) 상관관계인정설과 상관관계부정설의 정리

| 구 분 | 학 자 | 관련 학설 | 계 보 | 관련 국가 |
|---|---|---|---|---|
| 상관관계 인정설 | 팬터-브릭, 브라이스, 토크빌, 라스키 등 | 방파제설, 독립설 | 주민자치 | 영국, 미국 |
| 상관관계 부정설 | 랭로드, 켈젠, 벤슨, 뮬린 등 | 사적 변모설, 한정적 부정설 | 단체자치 | 독일, 프랑스 |

## 04 자치권

### 1. 의 의

자치권이란 자치단체가 그 존립목적을 달성하기 위하여 가지는 일정한 범위의 권능이다. 자치권은 (1) 예속성(국가주권에의 예속), (2) 자주성(독립성 · 자기책임성: 국가로부터 어느 정도의 독립성), (3) 포괄성(보편성 · 일반성: 관할구역 내의 인적 · 물적 요소에 대한 포괄적인 지배력), (4) 배분성(지방정부가 처리하는 공공사무의 범위가 법률에 의해 배분 · 결정되는 특성)의 특징을 지닌다.

### 2. 자치권의 본질

(1) 고유권설 — 영 · 미의 주민자치의 입장

① 의의: 고유권설은 자치권을 자연법사상과 역사적 유래관에 입각한 지방정부의 고유한 권리라고 보는 입장이다.

② 내 용

㉠ 역사적 유래관에 근거한 고유권설에 의하면 지방정부는 국가 성립 이전에 형성된 것이므로 지방정부가 국가로부터 권리를 부여받은 것이 아니라 국가가 지방정부로부터 권리를 인수한 것으로 본다.

㉡ 자연법사상을 토대로 하는 고유권설은 인간이 천부의 인권을 가지고 태어난 것처럼 지방정부도 천부의 자치권을 지니고 있으므로 국가권력이 자치권을 침범할 수 없다고 본다.

㉢ 중앙정부의 전제적 군주정치가 대의제 민주정치로 대체됨에 따라 지방권 사상에 기초를 둔 고유권설은 주장의 필요성이 점차 약화되어 퇴조하게 되었다.

(2) 전래권설 — 대륙법계의 단체자치의 입장

① 의의: 전래권설은 자치권을 국가의 필요에 따라 법률에 의하여 국가로부터 전래된 권리로 보는 입장이다.

② 내용: 전래권설은 국가가 필요에 따라 법률을 통해 자치권의 내용을 바꾼다 하더라도 지방자치의 기본취지에 반하지 않는다고 본다.

(3) 제도적 보장설 – 우리나라의 통설

① 의의 : 전래권설의 변형이라 할 수 있는 제도적 보장설은 지방자치의 고유권을 부정하고 국가를 전제로 하여 지방자치의 본질을 이해한다는 측면에서 전래권설과 입장을 같이한다. 다만, 자치권을 하나의 권리가 아니라 「헌법」에 의해 보장된 역사적 · 전통적 공법상 제도에 불과한 것으로 본다.

② 내용 : 자치권을 제도적 보장으로 이해할 경우 지방자치제도의 폐지나 본질을 훼손하지 않는 범위 내에서 정부는 지방자치제도의 내용 형성에 광범위한 입법의 자유를 누린다.

## 3. 자치권의 내용

자치권에는 자치입법권, 자치행정권(자치조직권, 자치재정권) 등이 있다. 우리나라는 자치사법권(자치단체 스스로 법규위반행위에 대해 형을 정하고 집행하는 권한)을 인정하지 않는다. 다만, 영 · 미 국가에서는 일정한 범위 내에서 자치사법권이 인정된다. 또한 국방과 외교 역시 국가의 권한이므로 자치국방권, 자치외교권은 인정되지 않는다.

(1) 자치입법권 – 조례와 규칙

① 의의 : 자치단체가 사무처리에 필요한 법규를 자주적으로 제정할 수 있는 권한을 말한다. 자치입법에는 조례와 규칙이 있다.

② 조 례

㉠ 개념 : 지방의회가 「헌법」과 법령의 범위 내에서 제정하는 자치법규를 말한다.

㉡ 성질 : 일반적으로 대외적 구속력을 갖는 법규의 성질을 지닌다(행정규칙의 성질을 갖는 조례도 있음).

㉢ 제정범위

ⓐ 지방자치단체는 법령의 범위 안에서 그 사무(자치사무 · 단체위임사무)에 관하여 조례를 제정할 수 있다. 다만, 주민의 권리 제한 또는 의무부과에 관한 사항이나 벌칙을 정할 때에는 법률의 위임이 있어야 한다.

ⓑ 법령에서 조례로 정하도록 위임한 사항은 그 법령의 하위 법령에서 그 위임의 내용과 범위를 제한하거나 직접 규정할 수 없다.

ⓒ 기관위임사무는 지방자치단체의 사무가 아니므로 원칙적으로 조례제정범위에서 제외된다[예외적으로 개별 법률에서 기관위임사무를 조례로 규정하도록 하는 경우 조례로 규정할 수 있음(위임조례)].

㉣ 제정절차(「지방자치법」 제32조 등)

ⓐ 조례안이 지방의회에서 의결되면 지방의회의 의장은 의결된 날부터 5일 이내에 그 단체장에게 이송하여야 한다.

ⓑ 단체장은 조례안을 이송받으면 20일 이내에 공포하여야 한다.

ⓒ 단체장은 이송받은 조례안에 대하여 이의가 있으면 20일의 기간에 이유를 붙여 지방의회로 환부하고 재의를 요구할 수 있다. 이 경우 단체장은 조례안의 일부에 대하여 또는 조례안을 수정하여 재의를 요구할 수 없다.

**O·X 문제**

1. 우리나라는 자치입법권, 자치조직권, 자치재정권, 자치사법권을 인정하고 있다. ( )

**O·X 문제**

2. 자치입법권은 지방의회만이 행사할 수 있는 전속적 권한이다. ( )

3. 기관위임사무에 관한 것도 조례 제정이 가능하다. ( )

4. 「헌법」은 법률의 범위 내에서 지방자치에 관한 규정을 제정할 수 있다고 하면서 자치입법권을 보장하고 있다. ( )

5. 주민의 권리 제한 또는 의무부과에 관한 사항이나 벌칙을 정할 때는 법률의 위임이 있어야 한다. ( )

6. 지방의회에서 의결된 조례안은 10일 이내에 지방자치단체의 장에게 이송되어야 한다. ( )

PART · 07

O·X 정답 1. × 2. × 3. × 4. × 5. ○ 6. ×

**O·X 문제**

1. 재의요구를 받은 조례안은 재적의원 과반수의 출석과 출석의원 과반수의 찬성으로 재의요구를 받기 전과 같이 의결되면, 조례로 확정된다. ( )

2. 지방자치단체의 장은 재의결된 조례를 이송받은 후 5일 이내에 공포하지 않을 경우 의장이 공포한다. ( )

3. 조례는 특별한 규정이 없으면 공포한 날로부터 15일이 지나면 효력이 발생한다. ( )

ⓓ 지방의회는 재의요구를 받으면 조례안을 재의에 부치고 재적의원 과반수의 출석과 출석의원 3분의 2 이상의 찬성으로 전과 같은 의결을 하면 그 조례안은 조례로서 확정된다.

ⓔ 단체장이 20일의 기간에 공포하지 아니하거나 재의요구를 하지 아니하더라도 그 조례안은 조례로서 확정된다.

ⓕ 단체장은 확정된 조례를 지체 없이 공포하여야 한다. 조례가 확정된 후 또는 확정조례가 단체장에게 이송된 후 5일 이내에 단체장이 공포하지 아니하면 지방의회의 의장이 공포한다.

ⓖ 단체장이 조례를 공포하였을 때에는 즉시 해당 지방의회의 의장에게 통지하여야 하며, 지방의회의 의장이 조례를 공포하였을 때에는 그 사실을 즉시 해당 단체장에게 통지하여야 한다.

ⓗ 조례는 특별한 규정이 없으면 공포한 날부터 20일이 지나면 효력을 발생한다.

ⓘ 조례나 규칙을 제정하거나 개정하거나 폐지할 경우 조례는 지방의회에서 이송된 날부터 5일 이내에, 규칙은 공포 예정일 15일 전에 시·도지사는 행정안전부장관에게, 시장·군수 및 자치구의 구청장은 시·도지사에게 그 전문을 첨부하여 각각 보고하여야 하며, 보고를 받은 행정안전부장관은 이를 관계 중앙행정기관의 장에게 통보하여야 한다.

**O·X 문제**

4. 지방자치단체는 조례를 위반한 행위에 대하여 조례로써 1천만원 이하의 벌금을 정할 수 있다. ( )

ⓜ 조례위반행위에 대한 통제(「지방자치법」 제34조)

ⓐ 자치단체는 조례를 위반한 행위에 대하여 조례로써 1천만원 이하의 과태료를 정할 수 있다.

ⓑ 과태료는 해당 단체장이나 그 관할 구역 안의 단체장이 부과·징수한다.

ⓗ 한 계

ⓐ **법령우위의 원칙**: 조례는 법령의 범위 안에서 제정할 수 있다.

ⓑ **개별법 우선 적용의 원칙**: 「지방자치법」에 자치단체의 사무로 규정된 사무라도 다른 법률에 이와 다른 규정이 있으면 조례로 정하지 못한다.

ⓒ **자기사무의 원칙**: 조례는 국가사무나 타 자치단체의 사무에 대해 제정할 수 없다. 또한 기초단체가 광역단체의 사무에 관하여 조례를 제정할 수 없으며, 광역단체가 기초단체의 사무에 관하여 조례를 제정할 수 없다.

ⓓ **상급기관 조례·규칙우위의 원칙**: 시·군 및 자치구의 조례나 규칙은 시·도의 조례나 규칙을 위반해서는 아니 된다(「지방자치법」 제30조).

③ 규 칙

㉠ **개념**: 단체장이 법령 또는 조례의 범위에서 제정하는 자치법규를 말한다.

㉡ **성질**: 일반적으로 대외적 구속력이 없는 행정규칙의 성질을 지닌다(법규명령의 성질을 갖는 경우도 있음).

**O·X 문제**

5. 지방자치단체의 장은 법령이나 조례의 범위에서 그 권한에 속하는 사무에 관하여 규칙을 제정할 수 있다. ( )

㉢ 제정범위

ⓐ 단체장은 법령 또는 조례의 범위에서 그 권한에 속하는 사무에 관하여 규칙을 제정할 수 있다.

ⓑ 규칙은 조례의 하위규정으로 고유사무와 단체위임사무를 규정할 수 있을 뿐만 아니라 국가의 일선행정기관으로의 지위에서 기관위임사무에 대해서도 규정할 수 있다.

O·X 정답 1. × 2. ○ 3. × 4. × 5. ○

㉣ **효력**: 규칙은 특정한 규정이 없으면 공포한 날로부터 20일이 지나면 효력을 발생한다.

㉤ **한계**: 규칙으로는 벌칙을 제정할 수 없다. 또한 규칙은 법령 또는 조례의 구체적인 위임이 없는 한 주민의 권리와 의무에 관한 사항을 제정할 수 없다.

④ 조례와 규칙의 관계

㉠ 조례와 규칙의 비교

| 구 분 | 조 례 | 규 칙 |
|---|---|---|
| 제 정 | 지방의회 | 지방자치단체장 |
| 사 무 | 자치사무+단체위임사무 | 자치사무+단체위임사무+기관위임사무 |
| 범 위 | 법령의 범위 안에서 제정 | 법령 또는 조례의 범위에서 제정 |
| 벌 칙 | 규정 가능 | 규정 못함. |

㉡ 관 계

ⓐ 조례와 규칙은 일반적으로 효력이 동등하다. 다만, 양자의 내용 간에 모순이 있을 때에는 조례가 우선한다.

ⓑ 조례로 대강을 정하고 규칙으로 세부시행에 관한 사항을 정하는 것이 원칙이나 주민의 권리와 의무에 관한 사항은 조례로만, 기관위임사무는 규칙으로만 정할 수 있다.

ⓒ 조례로 규정할 사항을 규칙으로 규정한다든지, 규칙으로 규정할 사항을 조례로 규정하면 무효이다.

(2) 자치행정권

① 자치조직권

㉠ 의의: 자치단체의 기구와 정원을 자주적으로 구성할 수 있는 권한을 말한다.

㉡ **기준인건비제에 의한 제한**: 행정기구의 설치와 지방공무원의 정원은 인건비 등 대통령령으로 정하는 기준에 따라 그 자치단체의 조례로 정한다(「지방자치법」 제125조). 따라서 지방정부는 중앙정부가 제시한 기준인건비에 따른 일정한 제약하에서 기구와 정원을 자율적으로 운영할 수 있다(기준인건비제⁺).

② 자치재정권

㉠ 의의: 자치단체가 재원을 자주적으로 조달하고 관리할 수 있는 권한을 말한다. 자치재정권은 지방자치의 실질적 보장을 위한 가장 핵심적인 요건이다.

㉡ **조세법률주의에 의한 제한**: 조세의 종목과 세율은 법률로 정한다(「헌법」 제59조). 따라서 지방세라 하더라도 자치단체가 스스로 세목을 개발하거나 세율을 결정할 수 없다. 또한 자치단체는 법률이 정하는 바에 따라 지방세를 부과·징수할 수 있다(「지방자치법」 제152조).

㉢ **특징**: 우리나라의 경우 세입은 조세법률주의에 의한 강한 제한을 받으므로 세입분권은 미약하나, 세출분권은 어느 정도 확립되어 있다.

**⁺ 기준인건비제도**

중앙당국은 자치단체가 행정여건의 변화에 탄력적으로 대응할 수 있도록 자치단체가 자율적으로 운영할 수 있는 인건비의 범위(기준인건비)를 설정해 주고 자치단체는 기구와 정원을 기준인건비를 기준으로 자율적으로 관리하는 제도

**O·X 문제**

1. 우리나라는 대통령령에 의해 지방자치단체의 행정기구와 정원에 대한 제약을 가하고 있어 자치조직권에 제약을 주고 있다. ( )
2. 행정기구의 설치는 대통령령으로 정하는 범위 안에서 지방자치단체의 조례로 정한다. ( )
3. 지방의회는 조례를 통하여 지방세의 종목과 세율을 자체적으로 결정할 수 있다. ( )
4. 우리나라는 자치재정권이 인정되므로 조례를 통한 독립적인 지방세목을 설치할 수 있다. ( )
5. 지방자치단체는 지방고유사무와 관련된 영역에 한해 법령의 근거 없이 스스로 세목을 개발하고 지방세를 부과·징수할 수 있다. ( )
6. 지방자치단체는 조례로 정하는 바에 따라 지방세를 부과·징수한다. ( )

O·X 정답 1. ○ 2. ○ 3. × 4. × 5. × 6. ×

PART · 07

# 제 3 절 중앙집권과 지방분권, 신중앙집권과 신지방분권

## 01 중앙집권과 지방분권

### 1. 의의 ― 정치상 집 · 분권

(1) 중앙집권 ― 절대군주국가

지방행정에 관한 의사결정권한이 중앙정부에 집중되어 있고 중앙정부가 자치단체에 대하여 강력한 지휘 · 감독권을 행사하며, 자치단체의 자주성 및 독립성이 약한 체제를 말한다.

(2) 지방분권 ― 근대입법국가

지방행정에 관한 의사결정의 권한이 자치단체에 분산되어 있고 중앙정부의 자치단체에 대한 지휘 · 감독권이 약하며, 자치단체의 자주성 및 독립성이 높은 체제를 말한다.

### 2. 유사개념과 비교 ― 행정상 집 · 분권과 비교

행정상 집 · 분권이란 동일조직 내 상하계층 간 권한의 집중과 분산 정도 또는 상 · 하급 행정기관 간 권한의 집중과 분산 정도를 의미한다. 따라서 지방자치와 관련된 정치상 집 · 분권(중앙집권과 지방분권)과 구별된다.

### 3. 중앙집권과 지방분권의 촉진요인

| 중앙집권의 촉진요인 | 지방분권의 촉진요인 |
|---|---|
| • 중복방지를 통한 경제적 · 기계적 능률 제고<br>• 국가 위기상황에서의 신속한 대응<br>• 국민적 최저수준 복지 실현(사회복지 수요)<br>• 새로운 정책의 채택 용이<br>• 규모의 경제 실현<br>• 행정의 통일성 · 안정성 · 획일성 유지<br>• 주민의 생활권 확대 및 광역적 행정 수요 증가<br>• 특정 관리기능의 전문화(기능별 전문화)<br>• 균형적 지역개발 도모<br>• 정책의 강력한 추진<br>• 과학기술과 교통 · 통신의 발달<br>• 공공재정의 비중 확대<br>• 신생국가에 유리<br>• 국민적 최저(national minimum) 실현 | • 민주적 통제를 통한 사회적 능률 제고<br>• 유동적인 환경에 대한 신속한 대응<br>• 주민의 복리 증진<br>• 새로운 정책의 지역적 실험 용이<br>• 국가의 통치영역 확대<br>• 지역적 실정에 맞는 현지성 있는 행정<br>• 지역단위의 종합행정 실현<br>• 정보처리능력 향상<br>• 중앙정부의 업무부담 경감<br>• 지방관료의 능력발전 · 사기앙양 및 관리자 양성<br>• 세수입의 효과적인 활용<br>• 협력과 네트워크의 경제성 확보<br>• 도시화의 진전<br>• 시민적 최저(civil minimum) 실현 |

**O·X 문제**

1. 지방분권은 국가적인 총체적 위기에 처했을 때 대처하기 용이하다. ( )
2. 지방분권은 규모의 법칙 등을 통한 행정의 기계적 능률성 확보에 유리하다. ( )
3. 지방분권은 기능적 전문화의 심화를 가져온다. ( )
4. 지방분권은 불확실한 환경에 신속하게 대응하기 용이하다. ( )
5. 지방분권은 정책의 지역적 실험이 용이하고 정보처리능력의 향상을 가져온다. ( )

O·X 정답 1. × 2. × 3. × 4. ○ 5. ○

## 4. 중앙집권과 지방분권의 측정지표

### (1) 측정지표

| 측정지표 | 중앙집권 | 지방분권 |
|---|---|---|
| 지방자치단체의 조례제정 범위 | 좁음. | 넓음. |
| 지방자치단체 중요 직위의 선임방식 | 중앙 임명 | 자체 선출 |
| 국가공무원과 지방공무원 수의 대비 | 국가직이 많음. | 지방직이 많음. |
| 특별행정기관의 종류와 수 | 많음. | 적음. |
| 지방자치단체의 사무구성 비율 | 위임사무가 많음. | 자치사무가 많음. |
| 민원사무의 비율 | 중앙정부가 담당 | 지방정부가 담당 |
| 국가재정과 지방재정규모의 대비 | 국가재정이 큼. | 지방재정이 큼. |
| 지방정부의 자체수입의 비율 | 자체수입 적음. | 자체수입 많음. |
| 국세와 지방세의 세원배분 비율 | 국세 비중 높음. | 지방세 비중 높음. |
| 지방정부의 재원 중 보조금의 비율 | 높음. | 낮음. |
| 지방채 발행에 대한 통제 정도 | 높음. | 낮음. |
| 중앙정부의 지방예산 · 지방조직 · 지방인사 통제 정도 | 높음. | 낮음. |
| 감사 및 보고의 횟수 정도 | 많음. | 적음. |

### (2) 측정지표가 될 수 없는 것

① 지방자치단체장의 선출 방식
② 단체위임사무와 기관위임사무의 비율
③ 지방자치단체의 기관구성 형태
④ 중앙선거와 지방선거의 정당관여의 정도
⑤ 중앙선거와 지방선거의 투표율
⑥ 지방정부의 공무원의 조직운영 능력
⑦ 중앙과 지방의 인사교류 범위

**참고** 지방분권의 방식

1. **이양**(devolution)
중앙정부가 자치단체에 권한을 넘겨 권한의 책임소관을 근본적으로 변경시키는 것으로 중앙정부가 그 사무와 관련하여 자치단체를 감독할 권한을 갖지 못한다.

2. **위임**(delegation)
중앙정부가 궁극적인 책임을 지면서 제한된 자율성을 지닌 관리권을 지방정부에 넘기는 것으로 중앙정부는 지방정부에 대한 지휘 · 감독권을 갖는다.

3. **우리나라**
지금껏 중앙정부가 지방에 권한을 이양하기보다는 위임함으로써 지방정부의 자주성이 저해되고 중앙통제가 강화되어 왔다.

**O·X 문제**

1. 지방자치단체 중요 직위의 선임방식은 중앙집권과 지방분권의 측정지표이다. ( )
2. 특별지방행정관서의 종류와 수는 중앙집권과 지방분권의 측정지표이다. ( )
3. 지방자치단체의 사무구성 비율은 중앙집권과 지방분권의 측정지표이다. ( )
4. 국가와 지방자치단체의 민원사무 처리의 비율은 중앙집권과 지방분권의 측정지표이다. ( )
5. 지방자치단체의 기관구성 형태는 중앙집권과 지방분권의 측정지표이다. ( )

O·X 정답 1. ○ 2. ○ 3. ○ 4. ○ 5. ×

PART · 07

## 02 신중앙집권화와 신지방분권화

### 1. 신중앙집권화(new centralization)

(1) 의 의

① **개념**: 지방자치를 발전시켜 왔던 근대민주국가(영 · 미)에서 행정환경의 변화와 행정의 전문화 · 복잡화 현상으로 인해 중앙의 지방에 대한 지원과 통제가 강화되고 지방기능이 중앙으로 이관되는 등 새로운 중앙집권화의 흐름을 말한다.

② 성 격

㉠ **전제로서 지방분권**: 지방자치의 불필요성이나 불신에서 나온 것이 아니라 지방분권을 전제로 하면서 교통 · 통신의 발달 및 복지국가의 등장 등 변화된 행정환경에 대응하려는 중앙과 지방 간의 새로운 협력관계이다.

㉡ **지방분권 확립 이후의 현상**: 지방분권이 확립된 영미국가에서 나타난 현상으로 지방분권의 역사를 경험하지 못한 대륙법계 국가나 우리나라의 집권화는 신중앙집권화라 할 수 없다.

(2) 촉진요인 – 행정국가화 현상

① **과학 · 기술의 고도화**: 과학 · 기술의 발달에도 불구하고 지방정부는 전문지식과 기술을 보유하는 데 한계가 있어 신중앙집권화가 촉진되었다.

② **교통 · 통신의 발달**: 교통 · 통신의 발달로 신속한 의사소통과 즉각적인 지시 · 통제가 가능해짐에 따라 중앙정부의 권한이 강화되었다.

③ **광역적 행정수요 증대**: 국민생활권의 확대로 광역적 행정수요가 증대됨에 따라 신중앙집권화가 초래되었다.

④ **국제 정세의 불안정과 긴장 고조**: 냉전체제로 인한 국제적 긴장의 가속화는 위기에의 신속한 대응을 위해 중앙정부의 권한을 강화시켰다.

⑤ **지방재정의 중앙재정에 대한 의존 증대**: 지방정부의 행정수요와 재정능력 간의 불균형을 해소하기 위해 중앙정부의 지원과 통제가 확대됨에 따라 신중앙집권화가 초래되었다.

⑥ **공공재정의 역할 및 비중 증대**: 경제의 안정화를 위한 총수요관리정책 등 공공재정의 계획적 운영이 요구되면서 중앙정부의 지방재정에 대한 관여가 확대되었다.

⑦ **국민적 최저수준의 확보**: 국민적 최저실현을 위한 복지정책의 강화 필요성이 중앙정부의 권한을 강화시켰다.

⑧ **행정국가화 현상의 심화**: 행정사무의 양적 증대와 질적 심화, 행정사무의 전문화 · 복잡화 경향, 행정사무의 전국화 · 광역화 등으로 인하여 중앙정부의 권한이 증대되었다.

(3) 특 징

① **목적**: 행정의 민주성과 능률성의 조화를 위한 것이다.

② **내용**: 밀(J. S. Mill)에 의하면 신중앙집권화는 '권력은 분산하되, 지식과 기술은 집중'하고자 하는 것으로 지방분권을 부정하는 것이 아닌 기능적 협력관계를 지향한다.

③ **과거의 중앙집권과 비교**: 과거의 중앙집권이 권력적 · 권위적 · 지배적 · 윤리적 · 후견적 집권성을 띤다면, 신중앙집권은 사회적 · 비권력적 · 지도적 · 협동적 · 지식적 · 기술적 집권성을 띤다.

**O·X 문제**

1. 신중앙집권화는 지방자치가 발달한 나라에서 행정국가의 등장과 함께 나타난 현상이다. ( )
2. 신중앙집권화는 지방자치의 불필요성이나 불신에서 나온 것은 아니다. ( )
3. 신중앙집권화 현상은 지방분권화가 지니고 있는 문제점에 대한 반발로서 대두된 현상이다. ( )

**O·X 문제**

4. 행정의 전문성 및 복잡성의 증대로 인하여 신중앙집권화가 촉진되었다. ( )
5. 신중앙집권화는 국민생활권의 확대와 행정의 국민적 최저수준 유지의 필요성에 의해 촉진되었다. ( )

**O·X 문제**

6. 신중앙집권화는 세계화의 추세에 따라 지방자치의 필요성이 점차 소멸해 가는 경향을 반영한다. ( )
7. 신중앙집권화는 중앙정부와 지방정부의 기능적 협력관계를 지향한다. ( )
8. 신중앙집권화는 권력은 분산하나 지식과 기술은 집중함으로써 지방자치의 민주화와 능률화의 조화를 추구한다. ( )

O·X 정답 | 1. ○ 2. ○ 3. × 4. ○ 5. ○ 6. × 7. ○ 8. ○

(4) 양 태

① **광역행정과 중앙정부의 기획기능 증대**: 소규모 자치단체의 통폐합, 중심부와 주변부의 통합 등으로 자치구역이 확장되고 지역 개발에 대한 광역적 접근이 확산되면서, 중앙정부의 기획기능이 증대되었다.

② **공동사무와 위임사무의 증대**: 많은 지방사무가 중앙정부와 지방정부의 공동사무로 전환되었고, 지방정부의 사무 중 위임사무의 비중이 커지면서 중앙정부의 지원과 통제가 확대되었다.

③ **사무의 상향적 이관 및 중앙정부의 일선기관 증설**: 기초단체의 사무는 광역단체로, 광역단체의 사무는 국가의 사무로 흡수되었고, 중앙정부의 지방일선기관이 증가하였다.

④ **사무의 재구성**: 지방자치에서 수행할 수 없는 업무를 중앙정부가 처리 가능한 단계까지 재구성한 후 다시 지방자치에게 위임하는 현상이 나타났다.

## 2. 신지방분권화(new decentralization)

(1) 의 의

① **개념**: 세계화, 민주화, 지식정보화 등 최근의 행정환경과 동시에 나타나는 현상으로 집권적 경향이 강한 대륙법계 국가뿐만 아니라 신중앙집권의 경향을 띠고 있었던 영미계 국가에서도 최근 시도되고 있는 새로운 지방분권화의 흐름을 말한다.

② 성 격

㉠ 신지방분권화는 상급자치단체의 하급자치단체에 대한 감독의 대폭 완화 및 지방자치단체의 권리와 자유를 보호하는 데 주안점을 두고 있다.

㉡ 영미계 국가들이 '중앙집권 ⇨ 지방분권 ⇨ 신중앙집권 ⇨ 신지방분권' 순의 역사적 발전과정을 거치고 있다면, 대륙계 국가들은 '중앙집권 ⇨ 신지방분권' 순의 역사적 전개과정을 거치고 있다.

(2) 촉진요인 – 신행정국가화 현상

① **중앙집권화의 폐해 극복**: 중앙집권적 국정운영이 지역 간 불균형 및 인구와 자본의 중앙으로의 집중현상을 야기함에 따라 이를 시정하기 위해 신지방분권화가 대두되었다.

② **대중사회의 획일화에 대한 반발**: 지방의 특수성을 말살하고 획일화된 사회를 초래한 대중사회에 대한 반발로 신지방분권화가 촉진되었다.

③ **세계화로 인한 경쟁적 환경에의 대응**: 세계화로 인한 경쟁의 심화로 중앙과 지방 간 기능적 분업화를 통한 경쟁력 향상이 요구되면서 신지방분권화가 촉진되었다.

④ **도시화의 가속**: 도시화의 가속화가 오히려 인구와 자본의 도심에서 교외지역으로 분산을 가져옴에 따라 신지방분권화가 촉진되었다.

⑤ **정보화의 확산**: 정보화의 진전은 재택근무 등을 통한 지역사회의 정주를 가능케 하고 지방정부의 정보처리능력을 향상시켜 신지방분권화를 촉진하였다.

⑥ **제3의 민주화 물결**: 1980년대 이후 전 세계적인 민주화의 물결은 시민사회의 직접참여 욕구를 증대하여 신지방분권화를 촉진하였다.

⑦ **신공공관리의 확산**: 신공공관리의 대두로 지방정부 재정사업의 재량은 확대하되 성과에 대해 책임을 묻는 정부 간 계약 체계가 확산되면서 신지방분권화가 촉진되었다.

**O·X 문제**

1. 국민적 최저수준 유지의 필요성은 신지방분권화의 촉진요인이다. ( )

2. 신지방분권화의 촉진요인으로는 탈냉전체제로의 국제정세 변화 등이 있다. ( )

3. 대량문화에 따른 개성상실의 회복 지향은 신지방분권화의 촉진요인이다. ( )

O·X 정답 1. × 2. ○ 3. ○

PART · 07

⑧ 기타: 탈냉전체제로 인한 국제적 긴장 해소, 다품종 소량생산체제에의 대응, 거버넌스의 등장(시민공동체 가치의 재발견), 중앙정부의 재정적자 심화로 인한 지방정부의 권한과 책임 강화 등

(3) 특 징

① 목적: 행정의 민주성과 능률성의 조화를 위한 것이다.

② 내용: 신중앙집권과 모순되는 지방분권이 아닌 신중앙집권에 조화·적응해 나가는 의미의 지방분권으로 신중앙집권과 신지방분권은 상호 보완관계에 있다.

③ 과거의 지방분권과 비교: 신지방분권은 과거의 분권과 달리 절대적 분권이 아닌 상대적 분권, 행정적 분권이 아닌 참여적 분권, 배타적 분권이 아닌 협조적 분권, 소극적 분권이 아닌 적극적 분권을 특징으로 한다.

(4) 양 태

① 중간사무의 증대: 전국적인 성격을 가지면서 동시에 지방적 이해를 갖는 사무가 증가하였다.

② 국가정책에 대한 지방정부의 참여: 자치단체의 이해와 관련된 국가의 정책결정에 자치단체의 참여권을 보장하였다.

③ 정부 간 협력네트워크 강화: 지방정부 간 자주적 연합체와 협력적 조직이 형성되었다.

④ 중앙과 지방 간의 병립적 대등관계: 중앙정부의 지방정부에 대한 관여 수단으로 조언, 정보제공 등의 협력적 방안이 활용되었다.

⑤ 국민적 최저수준과 시민적 최저수준의 동시 확보 추구

(5) 각국의 신지방분권화 경향

① 프랑스: 1982년 '미테랑 정부'는 중앙집권체제를 유지해 왔던 프랑스에 대대적인 지방행정개혁을 단행하여 ㉠ 지방재정제도 개혁, ㉡ 국가임명 도지사 제도의 폐지 및 지방의회에서 집행기관 선출, ㉢ 중앙정부의 지방정부에 대한 감독의 대폭 완화, ㉣ 중앙과 지방 간 사무권한의 재배분 등을 추진하였다.

② 미국: 미국은 도시의 자치발전을 획득하려는 분권화 운동으로 1875년 미주리 주에서 처음 성공한 '홈룰운동'이 1950년대 이후에 다시 일어났고, 1982년 이후에는 중앙정부의 권한을 지방정부에 반환하는 것을 내용으로 하는 레이건의 '신연방주의'가 추진되었다.

③ 지방의제 21(리우선언): 1992년 유엔환경개발회의에서 채택된 유엔의 '리우선언'을 실현하기 위해 세계 각국의 자치단체별로 지역주민, 기업, 지방정부가 수평적 연계망을 구성하여 마련한 환경보존계획인 '지방의제 21'은 신지방분권화의 대표적인 사례이다.

④ 기타: 북유럽의 'Free Local Government', 일본의 「지방분권추진법」 등도 지방정부의 기능과 역할을 확대하기 위한 신지방분권화의 사례들이다.

**O·X 문제**

1. 유엔의 '리우선언'(1992)에 따른 환경보존행동계획은 신지방분권화의 촉진요인이다. ( )

**심화학습**

미국의 신지방분권화 경향

| | |
|---|---|
| 홈룰 운동 | **자치헌장제정운동**: 과거 주의회가 지방도시를 통제할 목적으로 제정해 왔던 도시헌장으로부터 도시 자신의 자치발전을 획득하고자 도시정부 스스로 헌장을 제정하기 위한 운동이다. 1875년 미주리 주에서 처음으로 성공하였으나 신중앙집권화 현상으로 그 열기가 식었다가 1950년대 이후 재개되어 현재 거의 과반수 주에서 채택하고 있다. |
| 신연방주의 | **연방정부·주정부·지방정부 간의 권력의 균형**: 1982년 레이건 대통령이 발표한 분권화 정책으로 연방의 개입을 약화시키고 주정부의 권한과 책임을 강화하기 위하여 연방 소관의 교육, 지역개발, 교통, 사회복지 등 43개의 권한을 주에 반환하고 세원·회계 등을 재조정하였다. |

O·X 정답 1. ○

### 3. 신중앙집권화와 신지방분권화의 비교

| 구 분 | 신중앙집권화(행정국가) | 신지방분권화(신행정국가) |
|---|---|---|
| 개 념 | 지방분권을 전제로 변화된 행정환경에 대응하려는 중앙과 지방의 새로운 협력관계로써 중앙통제가 강화되는 현상 | 세계화 · 민주화 · 지식정보화라는 최근의 행정환경과 동시에 나타나는 현상으로 전 세계적인 새로운 지방분권화의 흐름 |
| 촉진요인 | • 과학 · 기술의 고도화<br>• 교통 · 통신의 발달<br>• 국민생활권의 확대<br>• 국제 정세의 불안정과 긴장 고조<br>• 지방재정의 취약성<br>• 공공재정의 비중과 역할 증대<br>• 국민적 최저수준의 확보<br>• 행정국가화 현상의 심화 | • 정보화, 세계화, 제3의 민주화 물결의 확산 및 도시화의 가속<br>• 신공공관리와 뉴거버넌스의 대두<br>• 지역 간 불균형 발전 시정<br>• 국제적 긴장 해소<br>• 중앙정부의 재정적자 심화<br>• 대중사회의 획일화에 대한 대응<br>• 다품종 소량생산체제에의 대응 |
| 양 태 | • 광역행정 및 중앙정부의 기획기능 증대<br>• 중앙과 지방의 공동사무 및 국가위임사무 증대로 중앙정부의 지원과 통제 강화<br>• 사무의 상향적 이관 및 중앙정부의 일선기관 증설<br>• 사무의 재구성 | • 국가정책에 대한 지방정부의 참여권 보장<br>• 지방정부 간 협력네트워크 강화(지방정부 간 자주적 연합체와 협력적 조직 형성)<br>• 중앙과 지방 간의 병립적 대등관계<br>• 중간사무의 증대<br>• 국민최저수준과 시민최저수준의 동시 확보 |
| 특 징 | 권력적 · 지배적 · 윤리적 · 후견적 집권이 아닌 사회적 · 비권력적 · 지도적 · 협동적 · 지식적 · 기술적 집권 | 절대적 · 행정적 · 배타적 · 소극적 분권이 아닌 상대적 · 참여적 · 협조적 · 적극적 분권 |
| 이 념 | 능률성과 민주성의 조화 | |

## 03 우리나라의 지방자치

### 1. 우리나라 지방자치의 역사

#### (1) 지방자치의 역사적 전통

| 고려시대 | • **사심관 제도**: 공신들을 출신 지방으로 보내 그 지역주민들을 통치케 한 봉건적 지방제도<br>• **향직제도**: 지방호족에게 호장, 부호장 등의 직위를 부여하고 징수, 징발 등의 일정한 사무를 담당케 한 봉건적 지방제도 |
|---|---|
| 조선시대 | • **향청**: 국가에서 임명한 수령을 보좌하는 자문기관(좌수와 별감으로 구성 – 명예직으로 주민의 추천에 의해 선임)<br>• **향약**: 지방의 양반 계급을 중심으로 전개된 주민자치규약(자발적 민간교화운동)<br>• **민회**: 민중의 의사표명 및 관료에게 저항하기 위해 농민을 중심으로 형성된 기구<br>• **집강소**: 동학농민운동 당시 농민을 중심으로 형성된 행정기구<br>• **향회**: 갑오개혁으로 법제화된 기구로 지방행정에 주민의 참여를 보장한 최초의 근대적 의미의 지방자치제도(군 · 면 · 리에 그 지역주민으로 구성된 군회 · 면회 · 리회를 둠)<br>• **면 · 동 · 리제**: 조선시대 주민자치적으로 운영된 지방행정단위 |
| 일제시대 | • **도 · 부 · 읍 · 면제**: 도 · 부 · 읍에 의결기관인 도회 · 부회 · 읍회 설치<br>• **면의 지위 강화**: 면을 지정면(도시형태의 면)과 일반면으로 구분하고, 지정면은 읍으로 전환하고 일반면은 면협의회(자문기구) 설치 |

심화학습

**단체장에 대한 불신임 의결 및 의회 해산권**

단체장을 간선제나 임명제로 할 경우에는 단체장에 대한 불신임 의결 및 의회 해산권을 인정하였으나, 단체장을 직선제로 할 경우에는 단체장에 대한 불신임 의결 및 의회 해산권을 인정하지 않음.

**O·X 문제**

1. 「지방자치법」 제정(1949) 이래로 지방자치단체장 불신임권과 지방의회 해산권이 인정되고 있지 않다. ( )
2. 이승만 정부에서 처음으로 시·읍·면 의회의원을 뽑는 지방선거가 실시되었다. ( )
3. 1960년 지방선거에서는 서울특별시장·도지사 선거는 실시되었으나, 시·읍·면장 선거는 실시되지 않았다. ( )
4. 박정희 정부부터 노태우 정부 시기까지는 지방선거가 실시되지 않았다. ( )
5. 지방자치단체장과 지방의회의원을 동시에 뽑는 선거는 김대중 정부에서 처음으로 실시되었다. ( )
6. 1991년 지방선거에서 지방의회의원을 선출하였으나, 지방자치단체장 선거는 실시되지 않았다. ( )
7. 1995년부터 주민직선제에 의한 시·도교육감 선거가 실시되면서 실질적 의미의 교육자치가 시작되었다. ( )

O·X 정답 1. × 2. ○ 3. × 4. × 5. × 6. ○ 7. ×

### (2) 대한민국 수립 이후 지방자치제도

| 구분 | 내용 |
|---|---|
| 제1공화국 | • 제헌헌법에 근거해 1949년 「지방자치법」 제정<br>• 정부 직할로 서울특별시와 도를, 도의 관할로 시·읍·면을 둠.<br>• 정국불안과 한국전쟁으로 1952년에서야 지방의회 구성(최초의 지방의회 선거)<br>• 시장과 도지사는 대통령이 임명하고, 시장·읍장·면장은 지방의회에서 간선(부분적 지방자치). 이후 일시적으로 시장·읍장·면장의 주민직선제가 실시되었다가 다시 임명제로 전환됨.<br>• 단체장에 대한 불신임 의결 및 의회 해산권 인정(인정하지 않은 시기도 있었음) |
| 제2공화국 | • 1960년 「지방자치법」 개정을 통해 주민자치형 지방자치제에 대한 법적 근거 마련<br>• 지방의회의원 및 자치단체장(서울특별시장·도지사, 시·읍·면장) 주민직선(완전한 지방자치)<br>• 단체장에 대한 불신임 의결 및 의회 해산권 불인정 |
| 제3공화국 | • 「지방자치에 관한 임시조치법」 제정 – 읍·면 자치제 폐지와 군 자치제 실시, 지방의회 해산, 단체장 임명제(지방자치 전면 중단)<br>• 「헌법」 부칙에 "최초의 지방의회 구성 시기에 관하여는 법률로 정한다."고 규정하고 법률을 제정하지 않아 지방자치제도를 실시하지 않음. |
| 제4공화국 | 「헌법」 부칙에 "지방의회는 조국 통일이 이루어질 때까지 구성하지 아니한다."고 규정하고 지방자치제도를 실시하지 않음. |
| 제5공화국 | 「헌법」 부칙에 "지방의회는 지방자치단체의 재정자립도를 감안하여 순차적으로 구성하되 구성 시기는 법률로 정한다."고 규정하고 지방자치제도를 실시하지 않음. |
| 노태우 정부 | • 제5공화국 「헌법」 부칙의 지방의회 구성 유보조항 삭제(지방자치 실시 기반 마련)<br>• 특별시·직할시·도(광역)와 시·군·자치구(기초)를 자치계층으로 지정<br>• 1990년 「지방자치법」 개정을 통해 지방의회의원 및 자치단체장 주민직선을 규정<br>• 1991년 지방의회의원 선거는 실시하였으나, 자치단체장 선거는 실시하지 않음. |
| 김영삼 정부 | • 「공직선거 및 선거부정방지법」에 지방의회의원 및 자치단체장 주민직선을 규정<br>• 지방의회의원 및 자치단체장 동시 직접 선거(최초 전국 동시 지방선거) 실시 |
| 김대중 정부 | • 선(先) 지방 육성 – 후(後) 지방 자율화 정책<br>• 「중앙행정권한의 지방이양 촉진 등에 관한 법률」 제정 |
| 노무현 정부 | • 「지방분권특별법」 제정 – 정부혁신지방분권위원회(대통령 소속)<br>• 2007년 시·도교육감 주민직선(교육자치) |
| 이명박 정부 | • 「지방분권 촉진에 관한 특별법」 제정 – 지방분권촉진위원회(대통령 소속)<br>• 「지방행정체제 개편에 관한 특별법」 제정 – 지방행정체제개편추진위원회(대통령 소속) |
| 박근혜 정부 | 「지방분권 및 지방행정체제 개편에 관한 특별법」 제정 – 지방자치발전위원회(대통령 소속) |
| 문재인 정부 | 「지방자치분권 및 지방행정체제 개편에 관한 특별법」 개정 – 자치분권위원회(대통령 소속) |
| 윤석열 정부 | 「지방자치분권 및 지역균형발전에 관한 특별법」 제정 – 지방시대위원회(대통령 소속) |

## 2. 「지방자치분권 및 지역균형발전에 관한 특별법」

(1) 목적과 적용

① 목적: 이 법은 지역 간 불균형 해소, 지역의 특성에 맞는 자립적 발전 및 지방자치분권을 통하여 지역이 주도하는 지역균형발전을 추진함으로써 국민 모두가 어디에 살든 균등한 기회를 누리는 지방시대를 구현하는 것을 목적으로 한다.

② 적용: 이 법은 지방자치분권 및 지방행정체제 개편에 관하여 다른 법률에 우선하여 적용한다.

(2) 지방시대위원회(대통령 소속) 등의 설치

① 지방시대위원회: 지방자치분권 및 지역균형발전을 추진하기 위해 대통령 소속으로 지방시대위원회를 둔다. 지방시대위원회는 이 법 시행일부터 5년간 존속한다.

② 시·도 지방시대위원회 등

㉠ 시·도지사는 해당 자치단체와 관련된 지방자치분권 및 지역균형발전에 관한 사항을 심의하기 위해 시·도 지방시대위원회를 설치·운영해야 하며, 이를 지원하기 위해 시·도 지방시대지원단을 둔다.

㉡ 시장·군수·구청장은 해당 자치단체와 관련된 지방자치분권 및 지역균형발전에 관한 사항의 협의 등을 위해 시·군·구 지방시대위원회를 설치·운영할 수 있다.

(3) 지방시대 종합계획 등의 수립 및 시행 등

① 지방시대 종합계획의 수립: 지방시대위원회는 5년을 단위로 하는 지방시대 종합계획을 수립한다. 지방시대 종합계획은 국무회의의 심의를 거쳐 대통령의 승인을 받아야 하며, 국회에 보고해야 한다.

② 시·도 지방시대 계획 및 시행계획의 수립: 시·도지사는 시·도 지방시대위원회의 심의·의결을 거쳐 5년을 단위로 하는 시·도 지방시대 계획을 수립하고, 매년 시·도 지방시대 시행계획을 수립·시행하여야 한다.

③ 부문별 계획 및 시행계획의 수립: 중앙행정기관의 장은 5년을 단위로 하는 부문별 계획을 수립하고, 매년 부문별 시행계획을 수립·시행하여야 한다.

④ 초광역권발전계획 및 시행계획의 수립: 초광역권을 설정한 2개 이상의 자치단체 또는 특별지방자치단체의 장은 지방시대위원회의 심의·의결을 거쳐 5년을 단위로 하는 초광역권발전계획을 수립할 수 있으며, 이 경우 매년 초광역권발전시행계획을 수립해야 한다.

⑤ 시행계획의 평가: 지방시대위원회는 매년 시·도 시행계획, 부문별 시행계획 및 초광역권발전시행계획의 추진실적을 평가해야 한다.

⑥ 지방자치분권 및 지역균형발전 정책의 시범실시: 국가는 지방자치분권 및 지역균형발전 정책을 추진하면서 필요한 경우에는 지방자치단체의 실정에 맞게 시범적으로 실시할 수 있다(차등적 분권).

⑦ 지역균형발전특별회계의 설치: 지방시대 종합계획 및 지역균형발전시책 지원 관련 사업을 효율적으로 추진하기 위해 지역균형발전특별회계를 설치한다.

**O·X 문제**

1. 지방자치분권 및 지역균형발전을 추진하기 위하여 국무총리 소속으로 지방시대위원회를 둔다. ( )

**O·X 문제**

2. 「지방자치분권 및 지역균형발전에 관한 특별법」에 의하면 국가는 자치분권정책을 추진할 때 어떠한 경우에도 지방자치단체 간에 차등을 두어서는 아니 된다. ( )

O·X 정답 1. × 2. ×

(4) 지방자치분권의 추진과제

① 권한이양 및 사무구분체계의 정비 등

㉠ 국가의 권한 및 사무를 사무배분원칙에 따라 자치단체로 적극 이양

㉡ 단체장에게 위임된 사무(기관위임사무)의 원칙적 폐지 및 자치사무와 국가사무로 이분화

② 특별지방행정기관의 정비 등

㉠ 특별지방행정기관의 사무 중 자치단체가 수행하는 것이 보다 효율적인 경우 자치단체가 담당

㉡ 특별지방행정기관 신설 시 자치단체의 기능과 중복(유사) 금지

㉢ 교육자치와 지방자치의 통합을 위한 노력

㉣ 지방행정과 치안행정의 연계성 확보를 위한 자치경찰제 실시

③ 지방재정의 확충 및 건전성 강화

㉠ 국가: 지방세의 새로운 세목 확보, 낙후지역에 대한 재정조정책임 강화

㉡ 자치단체: 지방재정의 안정성 및 예산지출의 합리성 확보 등

④ 지방의회의 활성화 및 지방선거제도의 개선

㉠ 자치입법권 강화를 위한 필요조치 마련(예 조례제정범위 확대 등)

㉡ 지방의회의 권한 강화방안 마련(예 지방의회의 심의·의결권 확대 등)

㉢ 지방의원의 전문성 향상 및 지방의회의장의 지방의회 소속 공무원 인사권 강화

㉣ 지방선거의 선출방법 개선, 선거구의 합리적 조정, 선거공영제 확대 등

⑤ 주민참여의 확대

㉠ 주민투표·주민소환·주민소송·주민발의 등 주민직접참여제도 강화

㉡ 주민의 자원봉사활동 지원 및 주민의 참여의식 향상 방안 마련

⑥ 자치행정역량의 강화

㉠ 자치단체: 책임성과 효율성 강화를 위한 필요조치 이행

㉡ 국가: 자치단체의 행·재정상 운영에 관한 평가기준 마련 및 진단·평가

㉢ 국가 및 자치단체: 공무원 인사교류 활성화 및 교육훈련제도의 개선

⑦ 국가와 지방자치단체의 협력체제 정립

㉠ 협의체의 적극 지원 및 협의체와 자치단체의 의견을 국정에 적극 반영

㉡ 국가와 자치단체 간, 자치단체 상호 간 분쟁조정기구의 기능 활성화

㉢ 특별지방자치단체의 적극적인 도입 및 활용

CHAPTER

# 02 지방자치단체의 조직 · 기관구성 · 사무 

## 제 1 절 지방자치단체의 조직

### 01 지방자치단체의 의의와 유형

#### 1. 지방자치단체의 의의

(1) 개 념

지방자치단체란 일정한 지역적 범위를 구역으로 하여 그 구역 안의 주민들에 의해 구성된 기관으로, 국가로부터 상대적으로 독립하여 자주적으로 지방적 사무를 처리할 권능을 지닌 법인격이 있는 공공단체이다. 지방자치단체는 구역, 주민, 자치권을 구성요소로 한다.

(2) 특 성

① **법인**: 국가와는 별개의 독립된 법인격을 지닌 독자적인 권리와 의무의 주체
② **공법인**: 지방의 공공사무를 처리하기 위해 설립된 공공단체
③ **지역단체**: 일정한 지역 내의 공공문제를 자치적으로 처리하기 위한 지역단체
④ **통치단체**: 지역 내의 주민과 사물에 대하여 지배권을 행사하는 단체
⑤ **「헌법」상 기관**: 「헌법」에 의하여 그 권능을 보장받는 기관

(3) 유 형

① 우리나라 「헌법」은 "지방자치단체의 종류는 법률로 정한다."라고 규정하고 있다. 이에 따라 우리나라는 「지방자치법」에서 지방자치단체의 종류를 명시하고 있다.
② 우리나라 지방자치단체는 목적에 따라 일반지방자치단체와 특별지방자치단체로 구분되며, 일반지방자치단체는 계층에 따라 광역자치단체와 기초자치단체로 구분된다.

지방자치단체의 유형

| 일반지방자치단체 | | 특별지방자치단체 |
|---|---|---|
| 광역자치단체(17개) | 기초자치단체(226개) | |
| • 특별시(1개)<br>• 광역시(6개)<br>• 특별자치시(1개)<br>• 도(7개)<br>• 특별자치도(2개) | • 시: 도의 관할구역 안에 둠.<br>• 군: 광역시나 도의 관할구역 안에 둠.<br>• 자치구: 특별시나 광역시의 관할구역 안에 둠. | 2개 이상의 자치단체가 공동으로 특정 목적을 위하여 광역적으로 사무를 처리할 필요가 있을 때 법인으로 설치된 자치단체 |

광역자치단체나 기초자치단체는 「지방자치법」상의 법률상 명칭이 아니다. 우리나라 「지방자치법」은 광역자치단체를 특별시 · 광역시 · 특별자치시 · 도 · 특별자치도로, 기초자치단체를 시 · 군 · 구로 표현한다.

## 2. 일반지방자치단체

### (1) 광역자치단체(특별시 · 광역시 · 특별자치시 · 도 · 특별자치도)

① 의의: 정부의 직할로 두고 있는 보충적 · 보완적 자치계층을 말한다.

② 특 징

㉠ 광역자치단체에는 특별시, 광역시, 특별자치시, 도, 특별자치도가 있다.

㉡ 특별시, 광역시, 특별자치시, 도, 특별자치도는 「지방자치법」에 지정에 관한 특별한 요건을 정하고 있지 않기 때문에 개별 법률을 통해 특정 지역을 특별시, 광역시, 특별자치시, 도, 특별자치도로 지정할 수 있다.

㉢ 광역자치단체들은 정부 직할 자치단체로서 원칙적으로 법적 지위는 동일하다. 다만, 서울특별시는 수도로서의 특수성을 고려하여, 세종특별자치시와 제주특별자치도는 행정체제의 특수성을 고려하여 지위 · 조직 및 행정 · 재정 등의 운영에 대해서 법률로 정하는 바에 따라 특례를 둘 수 있다.

㉣ 최근 「강원특별자치도 설치 등에 관한 특별법」의 제정으로 강원도가 강원특별자치도로 전환되었으며, 행 · 재정상의 특별한 지원을 받을 수 있는 근거를 마련하였다.

③ 종 류

㉠ 도: 일반적인 광역자치단체

㉡ 특별시: 나라의 수도로서 수행되는 행정의 특수성을 고려하여 그 지위 · 조직 · 운영에 있어 법률로 정하는 바에 따라 특례를 인정받는 광역자치단체

㉢ 광역시: 대도시 가운데 법률에 의하여 도(道)로부터 분리되어, 도와 동격의 지위를 갖는 광역자치단체

㉣ 특별자치도: 도(道) 중에서 자치권이 특별히 광범위하게 인정되고 그 지방사업에 국가로부터 특별지원을 받는 광역자치단체

㉤ 특별자치시: 시 중에서 자치권이 특별히 광범위하게 인정되고 그 지방사업에 국가로부터 특별지원을 받는 광역자치단체

**심화학습**

**「서울특별시 행정특례에 관한 법률」상 특례**

① **일반행정 운영상의 특례**: 행정안전부장관이 서울특별시의 지방채 발행의 승인 여부를 결정하려는 경우에는 국무총리에게 보고하여야 하며, 행정안전부장관이 서울특별시의 자치사무에 관한 감사를 하려는 경우에는 국무총리의 조정을 거쳐야 한다.

② **수도권 광역행정 운영상의 특례**: 수도권 지역에서 서울특별시와 관련된 도로 · 교통 · 환경 등에 관한 계획을 수립하고 그 집행을 할 때 관계 중앙행정기관의 장과 서울특별시장의 의견이 다른 경우에는 다른 법률에 특별한 규정이 없으면 국무총리가 이를 조정한다.

**참고** **제주특별자치도와 세종특별자치시의 특례**

**1. 「제주특별자치도 설치 및 국제자유도시 조성을 위한 특별법」**

| | |
|---|---|
| 제정 목적 | 고도의 자치권이 보장되는 제주특별자치도를 설치하여 실질적인 지방분권을 보장하고, 국제자유도시를 조성함으로써 국가발전에 이바지함을 목적으로 한다. |
| 설 치 | 정부의 직할로 제주특별자치도를 설치한다. |
| 자치조직권<br>(조직특례) | ① 자치도는 그 관할구역에 자치단체인 시와 군을 두지 아니하고 자치단체가 아닌 시(행정시)를 두며, 행정시에는 도시의 형태를 갖춘 지역에는 동을, 그 밖의 지역에는 읍 · 면을 둔다(단층제).<br>② 행정시의 시장은 일반직 지방공무원으로 보하되, 도지사가 임명한다.<br>③ 행정시의 폐지 · 설치 · 분리 · 합병, 명칭 및 구역은 도조례로 정한다.<br>④ 의회사무처에 두는 사무직원의 임용과 절차, 부지사의 정수와 사무분장, 행정기구의 설치 · 운영 기준, 지방공무원의 정원기준, 직속기관 · 사업소 · 출장소의 설치요건, 하부 행정기구의 설치 등은 도조례로 정할 수 있다. |
| 자치재정권<br>(재정특례) | ① 도지사는 도세 및 시 · 군세의 세목을 자치도세의 세목으로 부과 · 징수한다.<br>② 행안부장관은 자치도에 보통교부세 총액의 3/100을 보통교부세로 교부한다.<br>③ 국가는 자치도의 발전을 위한 안정적인 재정확보를 위하여 지역발전특별회계에 별도 계정을 설치하여 지원할 수 있다.<br>④ 도지사는 도의회의 의결을 마친 후 외채 발행과 지방채 발행 한도액의 범위를 초과한 지방채 발행을 할 수 있다. |

| | |
|---|---|
| 감사위원회<br>(감사특례) | ① 자치감사를 수행하기 위하여 도지사 소속으로 감사위원회를 둔다.<br>② 중앙행정기관의 장은 감사위원회의 자치감사 대상기관에 대해서는 감사를 실시할 수 없으며, 국가사무와 국가의 보조를 받는 사업에 대한 감사가 필요하다고 인정하면 감사위원회에 감사를 의뢰하여야 한다. |
| 자치경찰제 | ① 자치경찰사무를 처리하기 위해 자치경찰위원회 소속으로 자치경찰단을 둔다.<br>② 자치경찰단장은 도지사가 임명하며, 자치경찰위원회의 지휘・감독을 받는다. |
| 특별지방행정<br>기관 | ① 자치도에 특별지방행정기관을 새로 설치할 수 없다(예외규정 있음).<br>② 이미 설치된 특별지방행정기관의 사무는 자치도에 이관・위임・위탁한다. |
| 기 타 | 제주특별자치도 지원위원회 설치(국무총리 소속), 중앙행정기관의 권한 이양 및 규제자유화의 추진, 주민참여의 확대, 도의회의 기능 강화, 자치조직 및 인사제도・운영의 자율성 증진, 교육자치 등 |

**2. 「세종특별자치시 설치 등에 관한 특별법」**

| | |
|---|---|
| 목 적 | 행정중심복합도시인 세종특별자치시를 설치함으로써 수도권의 과도한 집중에 따른 부작용을 시정하고 지역개발 및 국가 균형발전과 국가경쟁력 강화에 이바지함을 목적으로 한다. |
| 설 치 | 정부의 직할로 세종특별자치시를 설치한다. |
| 자치조직권<br>(조직특례) | ① 자치시의 관할구역에는 자치단체를 두지 아니하며, 도시의 형태를 갖춘 지역에는 동을, 그 밖의 지역에는 읍・면을 둔다(단층제).<br>② 자치시에 두는 행정기구의 설치와 지방공무원의 정원은 대통령령으로 정하는 바에 따라 시조례로 정할 수 있다. |
| 재정특례 | 시장은 광역시세 및 구세 세목을 자치시세의 세목으로 부과・징수한다. |
| 기 타 | 세종특별자치시지원위원회의 설치(국무총리 소속), 감사위원회의 설치(시장 소속 – 자치감사 수행) |

(2) 기초자치단체(시・군・자치구)

① 의의: 주민과 직접 접촉하는 본래적 자치계층을 말한다.

② 종 류

㉠ 시: 도시의 형태를 갖추고 인구 5만 이상인 지역에 설치되는 기초자치단체

㉡ 군: 주로 농촌 지역에 설치되는 기초자치단체

㉢ 자치구: 특별시와 광역시 관할구역 안에 있는 기초자치단체

③ 특 징

㉠ 시는 도 또는 특별자치도의 관할구역 안에, 군은 광역시・도 또는 특별자치도의 관할 구역 안에 두며, 자치구는 특별시와 광역시의 관할구역 안에 둔다. 다만, 특별자치도의 경우에는 법률이 정하는 바에 따라 관할구역 안에 시 또는 군을 두지 아니할 수 있다.

㉡ 시는 그 대부분이 도시의 형태를 갖추고 인구 5만 이상이 되어야 한다. 시와 군을 통합한 지역이나 인구 5만 이상의 도시의 형태를 갖춘 지역이 있는 군 등은 도농복합형태의 시로 할 수 있다.

㉢ 지방자치단체인 구(자치구)는 특별시와 광역시의 관할구역 안의 구만을 말하며, 자치구의 자치권의 범위는 법령으로 정하는 바에 따라 시・군과 다르게 할 수 있다. 즉, 자치구는 법령에 의하여 자치권을 제한할 수 있어 시・군에 비하여 자치권의 범위가 협소하고 지방세목의 수도 적다.

**O·X 문제**

1. 광역시는 자치구와 군을 둘 수 있으나 특별시는 자치구만을 둔다. ( )

2. 우리나라의 특별자치시와 특별자치도에는 자치구를 두고 있다. ( )

3. '세종특별자치시'와 제주특별자치도의 '제주시'는 기초자치단체로서 자치권을 가지고 있다. ( )

4. 지방자치단체인 구는 특별시와 광역시의 관할구역 안의 구만을 말한다. ( )

5. 자치구의 자치권 범위는 시・군의 경우와 같다. ( )

O·X 정답 1. ○ 2. × 3. × 4. ○ 5. ×

**O·X 문제**

1. 특별시 또는 광역시가 아니더라도 인구 50만 이상의 시(市)는 자치구를 둘 수 있다. ( )

2. 인구 50만 이상의 시(市)가 자치구가 아닌 구를 가질 경우에는 도(道)의 일부 사무를 직접 처리할 수 있다. ( )

㉣ 특별시·광역시 및 특별자치시가 아닌 인구 50만 이상의 시에는 자치구가 아닌 구(행정구)를 둘 수 있으며, 행정, 재정 운영 및 국가의 지도·감독에 대해서는 그 특성을 고려하여 관계 법률로 정하는 바에 따라 특례를 둘 수 있다. 또한 도가 처리하는 사무의 일부를 직접 처리하게 할 수 있다.

㉤ 특별시·광역시 및 특별자치시를 제외한 ⓐ 인구 100만 이상 대도시(특례시)와 ⓑ 실질적인 행정수요, 지역균형발전 및 지방소멸위기 등을 고려하여 대통령령으로 정하는 기준과 절차에 따라 행정안전부장관이 지정하는 시·군·구의 행정, 재정 운영 및 국가의 지도·감독에 대해서는 그 특성을 고려하여 관계 법률로 정하는 바에 따라 추가로 특례(사무특례, 재정특례 등)를 둘 수 있다.

㉥ 군에는 읍·면을 두며, 시와 구에는 동을, 읍·면에는 리를 둔다. 다만, 도농복합형태의 시에는 도시의 형태를 갖춘 지역에는 동을, 그 밖의 지역에는 읍·면을 두되, 자치구가 아닌 구를 둘 경우에는 그 구에 읍·면·동을 둘 수 있다. 이때 읍은 그 대부분이 도시의 형태를 갖추고 인구 2만 이상이 되어야 한다.

(3) 광역자치단체와 기초자치단체와의 관계

① **원칙적 대등관계**: 광역자치단체와 기초자치단체는 원칙적으로 법상 대등관계이다.

② **부분적 상하관계**: ㉠ 기초자치단체의 조례와 규칙이 광역자치단체의 조례와 규칙을 위반해서는 아니 되며, ㉡ 시·도지사는 시·군·자치구에 대하여 지도·감독, 단체장의 명령·처분 등에 대한 시정명령 및 취소·정지, 위임사무에 대한 이행명령 및 대집행, 단체장에 대하여 지방의회의 의결에 대한 재의요구 지시 및 제소 지시 등을 할 수 있다는 점에서 부분적으로 상하관계에 있다.

## 3. 특별지방자치단체

(1) 의 의

① **개념**: 2개 이상의 자치단체가 공동으로 특정한 목적을 위하여 광역적으로 사무를 처리할 필요가 있을 때 법인으로 설치된 자치단체를 말한다(「지방자치법」 제199조).

② **일반지방자치단체와 비교**

| 구 분 | 일반지방자치단체 | 특별지방자치단체 |
|---|---|---|
| 기능 및 목적 | 일반적·종합적 | 특정적·한정적 |
| 존 재 | 보편적 | 이차적·예외적(편의적) |
| 구성원 | 주민 | 지방자치단체 |
| 권 능 | 포괄적 | 개별적 |
| 설립 및 해산 | 법정설립 및 법정해산 | 임의설립 및 임의해산 |

**O·X 문제**

3. 2개 이상의 지방자치단체가 공동으로 특정한 목적을 위하여 광역적으로 사무를 처리할 필요가 있을 때에는 특별지방자치단체를 설치할 수 있다. ( )

4. 2개 이상의 지방자치단체가 특별지방자치단체를 설치하는 경우 구성하는 지방자치단체의 지방의회 의결을 거쳐 국무총리의 승인을 받아야 한다. ( )

(2) 설 치

① **설립절차**: 특별지방자치단체를 설치하려면 특별지방자치단체를 구성하는 자치단체(구성 자치단체)는 상호 협의에 따른 규약을 정하여 구성 자치단체의 지방의회 의결을 거쳐 행정안전부장관의 승인을 받아야 하며, 승인을 받았을 때에는 규약의 내용을 지체 없이 고시해야 한다.

② **설치권고 등**: 행정안전부장관은 공익상 필요하다고 인정할 때에는 관계 자치단체에 대하여 특별지방자치단체의 설치, 해산 또는 규약 변경을 권고할 수 있다.

O·X 정답 1. × 2. ○ 3. ○ 4. ×

③ **구역**: 구성 자치단체의 구역을 합한 것으로 한다(사무가 구역의 일부에만 관계되는 경우에는 일부만을 구역으로 할 수 있음).

⑶ 규약과 기관 구성

① **규약 등**: 특별지방자치단체의 규약에는 특별지방자치단체의 목적·명칭·구성 자치단체·관할구역·사무소의 소재지·사무 등의 사항이 포함되어야 한다. 구성 자치단체의 장은 규약을 변경하려는 경우에는 구성 자치단체의 지방의회 의결을 거쳐 행정안전부장관의 승인을 받아야 한다.

② **기본계획 등**: 특별지방자치단체의 장은 소관 사무를 처리하기 위한 기본계획을 수립하여 특별지방자치단체 의회의 의결을 받아야 한다. 기본계획을 변경하는 경우에도 또한 같다.

③ **지방의회**: 특별지방자치단체의 의회는 규약으로 정하는 바에 따라 구성 자치단체의 의회의원으로 구성한다(구성 자치단체 의원이 특별지방자치단체 의회의원을 겸함).

④ **집행기관**: 특별지방자치단체의 장은 규약으로 정하는 바에 따라 특별지방자치단체의 의회에서 선출한다. 구성 자치단체의 장은 특별지방자치단체의 장을 겸할 수 있다.

⑷ 운 영

① 경비의 부담

㉠ 특별지방자치단체의 운영 및 사무처리에 필요한 경비는 구성 자치단체의 인구, 사무처리의 수혜범위 등을 고려하여 규약으로 정하는 바에 따라 구성 자치단체가 분담한다.

㉡ 구성 자치단체는 경비에 대하여 특별회계를 설치하여 운영해야 한다.

② **사무처리상황 등의 통지**: 특별지방자치단체의 장은 대통령령으로 정하는 바에 따라 사무처리상황 등을 구성 자치단체의 장 및 행정안전부장관(시·군 및 자치구만으로 구성하는 경우에는 시·도지사 포함)에게 통지하여야 한다.

③ 가입 및 탈퇴

㉠ 특별지방자치단체에 가입하거나 탈퇴하려는 자치단체의 장은 해당 지방의회의 의결을 거쳐 특별지방자치단체의 장에게 가입 또는 탈퇴를 신청하여야 한다.

㉡ 가입 또는 탈퇴의 신청을 받은 특별지방자치단체의 장은 특별지방자치단체 의회의 동의를 받아 신청의 수용 여부를 결정하되, 특별한 사유가 없으면 가입하거나 탈퇴하려는 자치단체의 의견을 존중하여야 한다.

④ 해 산

㉠ 구성 자치단체는 특별지방자치단체가 그 설치 목적을 달성하는 등 해산의 사유가 있을 때에는 해당 지방의회의 의결을 거쳐 행정안전부장관의 승인을 받아 특별지방자치단체를 해산하여야 한다.

㉡ 구성 자치단체는 특별지방자치단체를 해산할 경우에는 상호 협의에 따라 그 재산을 처분하고 사무와 직원의 재배치를 해야 하며, 국가 또는 시·도 사무를 위임받았을 때에는 관계 중앙행정기관의 장 또는 시·도지사와 협의해야 한다. 다만, 협의가 성립하지 아니할 때에는 당사자의 신청을 받아 행정안전부장관이 조정할 수 있다.

⑤ **규정의 준용**: 시·도, 시·도와 시·군 및 자치구 또는 2개 이상의 시·도에 걸쳐 있는 시·군 및 자치구로 구성되는 특별자치단체는 시·도에 관한 규정을, 시·군 및 자치구로 구성하는 특별자치단체는 시·군 및 자치구에 관한 규정을 준용한다.

**심화학습**

**규약에 포함되어야 할 사항**

특별지방자치단체의 ① 목적, ② 명칭, ③ 구성 지방자치단체, ④ 관할 구역, ⑤ 사무소의 위치, ⑥ 사무, ⑦ 사무처리를 위한 기본계획에 포함되어야 할 사항, ⑧ 지방의회의 조직, 운영 및 의원의 선임방법, ⑨ 집행기관의 조직, 운영 및 장의 선임방법, ⑩ 운영 및 사무처리에 필요한 경비의 부담 및 지출방법, ⑪ 사무처리 개시일, ⑫ 그 밖에 특별지방자치단체의 구성 및 운영에 필요한 사항

**O·X 문제**

1. 특별지방자치단체는 보통의 지방자치단체와 같이 법인격을 갖는다. ( )

2. 특별지방자치단체의 의회는 규약으로 정하는 바에 따라 구성 지방자치단체의 의회의원으로 구성한다. ( )

3. 특별지방자치단체의 장은 규약으로 정하는 바에 따라 특별지방자치단체의 의회에서 선출한다. ( )

4. 구성 지방자치단체의 장은 「지방자치법」상 겸임 제한 규정에 의해 특별지방자치단체의 장을 겸할 수 없다. ( )

5. 특별지방자치단체의 사무가 구성 지방자치단체 구역의 일부에만 관계되는 등 특별한 사정이 있을 때에는 해당 지방자치단체 구역의 일부만을 구역으로 할 수 있다. ( )

O·X 정답 1. ○ 2. ○ 3. ○ 4. × 5. ○

## 02 지방자치단체의 계층구조

### 1. 의 의

계층이란 중앙정부와 자치단체 간의 연결구조를 말한다. 계층에는 행정계층과 자치계층이 있다. 행정계층은 전국을 효율적으로 통치하려는 차원에서 편의상 분할한 것으로 관리의 효율성을 고려하여 구성되며, 자치계층은 주민공동체의 정책결정 및 집행의 단위로 정치적 민주성을 고려하여 구성된다.

**O·X 문제**

1. 행정계층은 행정적 효율성을 중심으로 하는 개념이며, 자치계층은 정치적 민주성을 중심으로 하는 개념이다. ( )
2. 자치계층은 주민공동체의 정책결정 및 집행의 단위로서 정치적 민주성 가치가 중요시된다. ( )

### 2. 자치계층구조의 유형 – 단층제와 중층제

(1) 의 의

① 개념: 자치단체의 자치계층구조는 각 국가의 정치형태, 면적, 인구 등에 따라 다양한 형태를 지니며 단층제와 중층제로 구분된다.

② 단층제: 관할구역 안에 자치단체가 하나만 존재하는 구조를 말한다.

③ 중층제(다층제): 하나의 자치단체가 다른 일반자치단체를 그 구역 내에서 포괄하여 자치단체가 중첩되어 있는 구조를 말한다.

(2) 단층제와 중층제(다층제)의 장 · 단점

| 구 분 | 단층제 | 중층제(다층제) |
|---|---|---|
| 장 점 | • 이중행정으로 인한 지연 및 낭비를 방지하여 신속하고 능률적인 행정 수행<br>• 행정의 책임 소재 명확화<br>• 지역의 특수성 · 개별성 존중<br>• 중앙정부와 주민 간 의사소통 원활화(지역주민의 의사를 중앙정부에 신속하게 전달하고, 중앙정부의 정책을 주민에게 명확히 주지시키기 용이함) | • 국가의 직접적 개입을 차단하여 민주주의의 원리 확산<br>• 기초와 광역 간의 분업적 업무수행을 통한 효율성 증진<br>• 중앙정부의 감독기능의 실효성 확보(이중감독을 통한 효과적인 통솔)<br>• 중앙정부의 과도한 확산 방지<br>• 자치단체 간 협력 증진 및 분쟁 조정 용이<br>• 기초자치단체의 능력을 보완하여 대규모 사업 수행 용이 |
| 단 점 | • 중앙정부의 직접적인 지시와 감독으로 중앙집권화 야기<br>• 중앙정부의 비대화 야기<br>• 중앙정부의 통솔범위가 지나치게 확장되어 중앙정부의 감독기능 확보 곤란<br>• 대규모 사업 수행 곤란<br>• 자치단체 간 분쟁 조정 곤란<br>• 국토가 넓고 인구가 많은 나라에서 채택 곤란 | • 이중행정으로 인한 낭비와 지연<br>• 행정책임 불명확<br>• 중앙정부와 주민 간 의사소통 왜곡<br>• 기초자치단체와 광역자치단체 간 갈등<br>• 광역자치단체가 주도적 역할을 수행할 경우 각 지역의 특성 경시 |

**O·X 문제**

3. 단층제는 이중행정과 이중감독의 폐단을 방지하고 신속한 행정을 도모한다. ( )
4. 단층제는 각 기초자치단체의 자치권이나 지방의 특수성 및 개별성을 존중한다. ( )
5. 단층제는 중앙정부의 비대화를 억제한다. ( )
6. 단층제는 국가의 감독기능을 유지할 수 있다. ( )
7. 중층제는 단층제보다 행정책임을 보다 명확하게 할 수 있다. ( )
8. 중층제보다 단층제에서 중앙정부의 직접적인 통솔범위가 좁아진다. ( )
9. 중층제는 업무수행의 신속성을 확보할 수 있다. ( )

O·X 정답 1. ○ 2. ○ 3. ○ 4. ○ 5. × 6. × 7. × 8. × 9. ×

## 3. 우리나라의 계층구조

### (1) 자치계층과 행정계층

① **자치계층**: 일반적으로 동일한 구역 내에 두 개의 자치계층(광역과 기초)을 두는 중층제의 구조를 띠고 있다. 다만, 세종특별자치시와 제주특별자치도는 예외적으로 단층제의 구조를 띠고 있다.

② **행정계층**: 두 개의 자치계층 외에도 읍·면·동의 행정계층을 두고 있으므로 행정계층으로는 2~4개의 계층을 두고 있다(행정계층에 자치계층이 포함됨).

우리나라의 자치계층과 행정계층

| 행정계층(2~4계층) | | | |
|---|---|---|---|
| 자치계층(1~2계층) | | 자치계층 외의 행정계층(1~2계층) | |
| 광역자치단체 | 기초자치단체 | | |
| 특별시(1) | 자치구 | 동 | |
| 광역시(6) | 자치구 | 동 | |
| | 군 | 읍·면 | |
| 도(8) | 인구 50만 이상의 시 | 행정구 | 읍·면·동 |
| | 시 | 읍·면·동 | |
| | 군 | 읍·면 | |
| 특별자치도(2) | – | 행정시 | 읍·면·동 |
| | 시·군 | 읍·면·동 | |
| 특별자치시(1) | – | 읍·면·동 | |

**핵심정리 | 자치계층이 아닌 지방행정계층**

1. **행정시**: 제주특별자치도에 두는 시(시장은 도지사가 임명하는 일반직 또는 정무직 지방공무원)
2. **행정구**: 인구 50만 이상의 시에 두는 구(구청장은 시장이 임명하는 일반직 지방공무원)
3. **읍·면**: 군에 두는 행정계층(읍장·면장은 군수가 임명하는 일반직 지방공무원)
4. **동**: 시 또는 구에 두는 행정계층(동장은 시장 또는 구청장이 임명하는 일반직 지방공무원)

### (2) 문제점

① **계층 수의 과다**: 자치계층은 1~2계층이나 행정계층은 2~4계층으로 계층 수가 과다하여 책임회피, 마찰, 행정낭비 등을 초래한다.

② **불명확한 기능분리**: 도와 시·군 간 불명확한 기능분리로 행정의 비효율성을 야기한다.

③ **행정기관의 난립**: 동일 지역 내 행정기관의 난립으로 행정사무의 중첩 및 낭비·지체·비능률을 초래하고, 행정책임을 저해한다.

④ **수직적 상하관계 형성**: 국가·광역자치단체·기초자치단체 간 수직적 상하관계를 형성하고 있다.

## 4. 각 나라의 자치계층구조

| 구 분 | 한 국 | 미 국 | 일 본 | 프랑스 |
|---|---|---|---|---|
| 자치계층 | 2층제(예외 있음) | 단층제 또는 2층제 | 2층제(예외 있음) | 3층제 또는 2층제 |
| 광 역 | 특별시·광역시·도 등 | 카운티 | 도·도·부·현 | 레죵 |
| | | | | 데파르트망 |
| 기 초 | 시·군·자치구 | 타운십 등 | 시·정·촌 등 | 꼬뮌 |

**O·X 문제**

1. 우리나라 자치계층구조는 예외 없이 중층제로 되어 있다. ( )
2. 제주특별자치도는 자치계층 측면에서 단층제로 운영되고 있다. ( )
3. 세종특별자치시의 관할구역으로 자치구를 둘 수 있다. ( )
4. 자치계층으로 군을 두고 있는 광역시가 있다. ( )

**O·X 문제**

5. 자치구가 아닌 구의 구청장은 일반직 지방공무원으로 보하되, 시장이 임명한다. ( )
6. 우리나라는 동일 지역 내 행정기관의 난립으로 인해 책임성의 확보가 어렵다. ( )
7. 우리나라는 도와 시·군 간 엄격한 기능분리로 인해 행정의 비효율성이 발생한다. ( )
8. 우리의 행정계층구조는 다층구조로 인해 행정비용이 증대되고 의사전달 왜곡이 발생한다. ( )

**심화학습**

각 나라의 자치계층의 특징

| | |
|---|---|
| 미국 | 주에 따라, 지역에 따라 다양한 모습을 보이나 일반적으로 대도시는 이층제를, 농촌지역은 약 50%는 이층제를, 나머지는 단층제의 모습을 지니고 있다. |
| 영국 | 다양하나 잉글랜드의 경우 이층제가 일반적이다. |
| 프랑스 | 레죵 – 도(데파르트망) – 꼬뮌 3개의 자치계층으로 구성되어 있다. |

O·X 정답 1. × 2. ○ 3. × 4. ○ 5. ○ 6. ○ 7. × 8. ○

PART · 07

## 03 지방자치단체의 구역

### 1. 의 의

(1) 개 념

자치단체의 구역은 자치권이 미치는 지역적 범위를 말하며, 행정상 편의를 위해 인위적으로 설정된 행정구역과 달리 공동사회적 단위를 중심으로 획정된다.

(2) 구역의 성격

① **기능과 관련성**: 자치단체가 주민과의 대화행정 및 민주행정 기능을 중시할 경우 구역을 소규모화하는 것이 바람직하며, 광역적인 조정·개발기능 및 효율성을 중시할 경우 구역을 대규모화하는 것이 바람직하다.

② **계층구조와 역관계**: 관할구역이 좁아지면 계층이 늘어나고, 관할구역이 넓어지면 계층이 줄어든다(구역과 계층구조의 역관계).

### 2. 구역설정기준

(1) 이론적 기준

| 휘슬러(J. Fesler)의 견해 | 밀스포우(A. Millspaugh)의 견해 |
|---|---|
| • 자연적·지리적 조건<br>• 행정의 능률적 수행을 위한 적정규모<br>• 자주적 재원조달능력<br>• 효과적인 주민통제가 용이한 적정규모 | • 공동사회적 요소<br>• 적정한 서비스(행정) 단위<br>• 자주적 재원조달 단위<br>• 행정적 편의성 |

(2) 일반적 구역설정기준

| 기초자치단체 구역설정기준 | 광역자치단체 구역설정기준 |
|---|---|
| • 자연지리적 조건과 전통요소<br>• 공동생활권 및 지역공동체 개발의 단위<br>• 민주성과 능률성의 조화<br>• 재정수요와 재정조달능력<br>• 행정편의성 및 주민접근성 | • 기초자치단체 행정기능의 효과적 조정<br>• 효과적인 지역개발의 추진<br>• 도·농 행정기능의 효율적 수행<br>• 기초자치단체의 행정기능 지원·보완 |

✎ 우리나라는 행정계층이나 구역설정에서 인구를 가장 중요한 기준으로 삼고 있다.

### 3. 우리나라 지방자치단체의 명칭 및 구역변경·폐치·분리·합병

(1) 지방자치단체의 명칭 및 구역변경 등(「지방자치법」 제5조)

① 자치단체의 명칭과 구역을 바꾸거나 자치단체를 폐지하거나 설치하거나 나누거나 합칠 때에는 법률로 정한다.

② 자치단체의 구역변경 중 관할구역 경계변경과 한자명칭의 변경은 대통령령으로 정한다.

③ 자치단체를 폐지하거나 설치하거나 나누거나 합칠 때, 구역을 변경할 때(경계변경 제외), 명칭을 변경할 때(한자명칭 변경 포함)에는 관계 지방의회의 의견을 들어야 한다. 다만, 주민투표를 한 경우에는 그러하지 아니하다.

**심화학습**

**구역획정방식**

| 구분 | 내용 |
|---|---|
| 도농 분리형 | 동일한 생활권 안에 있는 일정지역의 인구가 일정기준을 초과할 경우 이를 독립적인 단일의 행정구역으로 설정하는 방식[과거 우리나라 – 동일생활권 내 특정지역의 인구가 2만 이상일 경우 읍(邑)으로, 5만 이상일 경우 시(市)로 승격] |
| 도농 통합형 | 도농분리형의 구역획정방식의 한계를 극복하기 위해 지역 정주생활권역과 자치구역을 일치시키는 구역획정방식(현재 추진되고 있는 도·농 복합형태의 시) |

**O·X 문제**

1. 기초지방자치단체 구역설정 시 재원조달능력, 주민 편의성, 노령화지수 등을 고려해야 한다. ( )

2. 우리나라에서 행정계층이나 구역설정은 인구를 가장 중요한 기준으로 삼고 있다. ( )

**심화학습**

**자치단체의 경계변경 절차 신설(「지방자치법」 제6조)**

① 관계 자치단체 등 당사자 간 경계변경에 관한 사항을 효율적으로 협의할 수 있도록 '경계변경자율협의체'를 구성·운영하고, 협의체의 의견을 반영하여 경계변경에 관한 대통령령안을 입안한다.

② 행안부장관은 관계 자치단체가 '경계변경자율협의체'를 구성하지 못하거나, 합의를 하지 못한 경우 지방자치단체중앙분쟁조정위원회의 심의·의결을 거쳐 경계변경에 대해 조정할 수 있다.

O·X 정답 1. × 2. ○

(2) 지방자치단체의 명칭 및 구역변경 등의 정리

| 구 분 | 내 용 |
|---|---|
| 광역 및 기초자치단체 | • 명칭 · 구역변경 · 폐지 · 설치 · 분리 · 합병: 지방의회의 의견청취 또는 주민투표 실시 후 법률로 정함.<br>• 경계변경 및 한자명칭의 변경: 대통령령으로 정함(다만, 한자명칭 변경은 지방의회의 의견청취 또는 주민투표 실시 후 대통령령으로 정함). |
| 행정구와 읍 · 면 · 동 | • 폐지 · 설치 · 분리 · 합병: 행정안전부장관의 승인을 받아 조례로 정함.<br>• 명칭 및 구역변경: 조례로 정하고, 그 결과를 광역자치단체장에게 보고 |
| 리 | 명칭 · 구역변경 · 폐지 · 설치 · 분리 · 합병: 조례로 정함. |
| 사무소의 소재지 | 변경 또는 새로 설정: 조례로 정함. |

## 4. 우리나라의 지방행정체제 개편 – 기초자치단체의 광역화

(1) 「지방자치분권 및 지역균형발전에 관한 특별법」

① 지방행정체제 개편의 기본방향

㉠ 지방행정체제 개편은 ⓐ 지방자치 및 지방행정계층의 적정화, ⓑ 주민생활 편익증진을 위한 자치구역의 조정, ⓒ 자치단체의 규모와 자치역량에 부합하는 역할과 기능의 부여, ⓓ 주거단위의 근린자치 활성화 등이 반영되도록 추진해야 한다.

㉡ 특별시 및 광역시는 자치단체로서 존치하되, 지방시대위원회는 특별시 및 광역시의 관할 구역 안에 두고 있는 구와 군의 지위, 기능 등에 관한 개편방안을 마련해야 하며, 특별시 및 광역시의 관할구역 안에 두고 있는 구 중에서 인구 또는 면적이 과소한 구는 적정규모로 통합한다.

㉢ 도는 자치단체로서 존치하되, 지방시대위원회는 이 법에 따른 시 · 군의 통합 등과 관련하여 도의 지위 및 기능 재정립 등을 포함한 도의 개편방안을 마련해야 한다.

㉣ 국가는 시 · 군 · 구의 인구, 지리적 여건, 생활권 · 경제권, 발전가능성, 지역의 특수성, 역사적 · 문화적 동질성 등을 종합적으로 고려하여 통합이 필요한 지역에 대해서는 지방자치단체 간 통합을 지원해야 한다. 이 경우 시 · 군 · 구의 통합에 관하여는 시 · 도 및 시 · 군 · 구 관할 구역의 경계에 제한을 받지 아니한다.

② **통합지방자치단체**: 통합자치단체는 시 · 군 · 구로 설치하고, 통합으로 인하여 폐지되는 자치단체의 구역에는 자치구가 아닌 구 또는 출장소 등을 둘 수 있다.

③ **주민자치회의 설치**: 풀뿌리 자치의 활성화와 민주적 참여의식 고양을 위해 읍 · 면 · 동에 해당 행정구역의 주민으로 구성되는 주민자치회를 둘 수 있다.

④ **대도시에 대한 특례**: 특별시와 광역시가 아닌 인구 50만 이상 대도시 및 인구 100만 이상 대도시의 행 · 재정 운영 및 지도 · 감독에 대하여는 그 특성을 고려하여 관계 법률에서 정하는 바에 따라 특례를 둘 수 있다.

(2) 광역화 중심의 지방행정체제 개편에 대한 평가

① **긍정적 측면**: 규모의 경제에 의한 행정의 효율성 증진, 지방의 자치역량 강화, 국가의 경쟁력 제고 등을 기대할 수 있다.

② **부정적 측면**: 규모의 확대가 주민과 행정 간의 거리를 멀게 해 민주성을 훼손할 수 있다.

**O·X 문제**

1. 자치단체의 명칭과 구역을 변경하거나 자치단체를 폐치 · 분합할 때에는 법령으로써 정하되, 시 · 군 및 자치구의 관할구역 경계변경은 대통령령으로 정한다. ( )

2. '○○광역시'의 명칭을 '△△광역시'로 바꾸려고 한다. 이를 위한 현 행법령의 절차로서 ○○광역시 주민투표로 확정하여 대통령령으로 정한다. ( )

3. 읍 · 면 · 동의 명칭과 구역을 변경하거나 폐치 · 분합할 때에는 법률에 의한다. ( )

**O·X 문제**

4. 특별시나 광역시의 관할구역 안에 있는 구가 인구 또는 면적이 과소한 구는 적정한 규모로 통합한다. ( )

5. 적정규모로 통합한 읍 · 면 · 동의 경우에만 풀뿌리 자치의 활성화와 민주적 참여의식 고양을 위해 주민자치회를 설립한다. ( )

6. 주민자치회는 「지방자치법」에 설치 근거를 두고 있다. ( )

O·X 정답 1. × 2. × 3. × 4. ○ 5. × 6. ×

# 제 2 절 지방자치단체의 기관구성

## 01 기관구성의 형태

### 1. 의 의

자치단체의 기관은 의사결정을 담당하는 지방의회와 이를 집행하는 집행기관으로 구분된다. 자치단체의 기관구성의 형태는 각국의 역사적 전통과 지방의 특수성에 따라 다양하게 발전하고 있다.

### 2. 기관통합형 – 권력통합주의

(1) 의 의

자치단체의 의결기능과 집행기능 모두를 지방의회라는 단일기관에 귀속시키는 형태이다. 이 경우 지방의회가 실질적인 행정권을 관장한다.

(2) 유 형

주로 영미법계의 주민자치형 국가에서 채택하고 있다. 영국의 의회형, 미국의 위원회형, 프랑스의 의회의장형이 이에 속한다.

① **영국의 의회형**: 지방의회가 정책을 결정하고 지방의회의 각 분과위원회가 소속 공무원을 지휘하여 구체적인 집행을 수행하는 형태이다. 이 유형에서는 시장이 있는 경우라도 의회에서 선출되며 자치단체를 의례적으로 대표하는 상징적인 존재에 불과하다.

② **미국의 위원회형**: 주민에 의해 선출된 위원들이 정책을 결정하고, 선출된 위원 중 1인이 시장으로 지명되며 다른 위원들 역시 그 시의 행정부서를 나누어 맡아 행정을 수행하는 형태이다.

③ **프랑스의 의회의장형**: 지방의회 의장이 집행기관의 장을 겸하는 형태이다(프랑스의 데파르트망과 레종).

### 3. 기관대립형 – 권력분립주의

(1) 의 의

자치단체의 결정기능을 담당하는 의회와 집행기능을 담당하는 집행기관을 분리시키고, 이들 상호 간의 견제와 균형에 의하여 자치행정을 운영하는 형태이다.

(2) 유 형

주로 대륙법계의 단체자치형 국가에서 채택하고 있다. 미국, 독일, 프랑스의 일부 지방자치단체와 일본의 지방자치단체가 이에 속한다.

① 선임방식에 따른 유형

㉠ **집행기관 직선형**: 집행기관의 장을 주민이 직접 선출하는 유형으로 약시장형, 강시장형(오늘날 일반적인 유형)이 있다.

㉡ **집행기관 간선형**: 시장을 지방의회가 선출하는 유형이다. 간선형은 의결기관과 집행기관 간의 긴밀한 협력체제를 유지할 수 있다는 장점이 있다.

㉢ **집행기관 임명형(관리형)**: 시장을 중앙정부가 임명하는 유형이다. 이 유형은 진정한 의미의 자치단체라 할 수 없다.

**O·X 문제**

1. 기관통합형은 지방의회에서 의결기능과 집행기능을 모두 수행하는 형태로, 영국의 의회형이 대표적이다. ( )
2. 기관통합형은 주민 직선으로 지방의회를 구성하고 의회의장이 단체장을 겸하는 방식이다. ( )
3. 미국의 위원회형은 기관대립형의 특수한 형태로 볼 수 있다. ( )
4. 위원회 형태의 기관구성에서는 주민 직선으로 선출된 의원들이 집행부서의 장을 맡는다. ( )

**심화학습**

기타 기관구성의 형태

| | |
|---|---|
| 절충형(의회–집행위원회형) | 의결기관과 집행기관을 분리시키지만 집행기관을 합의제로 하는 점에서 기관대립형과 구별되며, 집행위원회가 의결기관인 의회를 모체로 구성되지만 별개의 독립된 집행기관으로 기능하고 있는 점에서 기관통합형과도 구별되는 형태(예 노르웨이, 네덜란드, 스웨덴, 오스트리아 등) |
| 주민총회형 | 직접민주주의 방식으로 일정 수의 주민이 직접 참여하여 주요 안건을 결정하고 이를 나누어서 직접 집행하는 형태 |

O·X 정답 1. ○ 2. ○ 3. × 4. ○

② 의결기관과 집행기관의 권한에 따른 유형

㉠ 강시장 – 의회형

ⓐ 의의: 시장의 권한이 강화된 유형으로 시장은 지방행정에 대한 전적인 책임과 통제권을 부여받는다. 즉, 시장은 부서장에 대한 인사권, 예산안제출권, 의회 의결거부권 등을 보유하며, 자치단체의 내·외부에서 강력한 리더십을 행사한다.

ⓑ 강시장 – 수석행정관제(총괄관리관형): 강시장형에서 시정 전반에 대한 전문지식을 지닌 수석행정관을 시장이 임명하는 체제를 말한다.

㉡ 약시장 – 의회형

ⓐ 의의: 의회의 권한이 강화된 유형으로 시장은 예산편성권, 재의요구권 등이 없으며, 의회는 고위직 공무원에 대한 동의권과 행정운영에 관한 감독권을 지닌다.

ⓑ 의회 – 시지배인형: 의결기관과 집행기관이 분리되어 있으나 의회가 집행기관을 실질적으로 총괄하는 시지배인을 선임하는 유형이다. 이 유형에서 시지배인은 실질적인 행정의 총책임자가 되어 의회가 결정한 정책을 집행한다. 반면, 시장은 주민에 의해 직선되는 경우도 있으나 일반적으로 의원들 가운데 선출되며 어떤 경우이든 의례적이고 명목적인 기능만 수행한다.

## 4. 기관통합형과 기관대립형의 장·단점

| 비 교 | 기관통합형(의원내각제형) | 기관대립형(대통령중심제형) |
|---|---|---|
| 장 점 | • 지방의회에 권한과 책임이 집중되어 책임행정 구현 용이<br>• 의결기관과 집행기관 간 갈등과 대립이 적어 지방행정의 안정성 및 신속성·능률성 제고<br>• 의결기관과 집행기관의 단일화로 결정과 집행의 유기성 확보<br>• 다수의 의원에 의한 의사결정으로 신중성과 공정성 확보<br>• 주민이 선출한 의원들이 행정을 담당하기 때문에 지방행정에 주민의 의사 반영 용이<br>• 소규모 기초자치단체에 적합 | • 견제와 균형을 통한 권력남용 방지 및 민주정치가능성 제고<br>• 전문적인 행정기구를 통한 행정의 전문성 향상<br>• 집행기관에 단일 지도자가 존재하여 행정책임 소재 명확<br>• 행정부서 간 분파주의 극복을 통한 행정의 종합성 제고<br>• 집행기관 직선형의 경우 주민통제가 용이하고, 강력한 정책추진이 가능하며, 국민의 대응성 증진 |
| 단 점 | • 견제와 균형에 의한 권력남용 방지 곤란<br>• 전문성이 약한 지방의회에 행정이 종속되어 행정의 전문성 저해<br>• 집행기관에 단일의 지도자가 없어 책임소재 불분명<br>• 행정부서 간 분파주의로 행정의 종합성 저해<br>• 지방행정에 정치적 요소 개입<br>• 공무원의 재량범위 협소<br>• 위원회형의 경우 대도시의 다양한 이익집단과 계층의 대표성 확보 곤란 | • 집행기관과 의결기관의 갈등과 대립으로 지방행정의 안정성 및 신속성·능률성 저해<br>• 민주적 정당성의 이원화로 책임행정 저해<br>• 단일의 지도자에게 의사결정권한이 집중되어 신중한 의사결정 저해<br>• 집행기관 직선형의 경우 표를 의식한 인기영합적 정책 양산 |

**O·X 문제**

1. 강시장–의회 형태에서는 시장이 강력한 정치적 리더십을 행사한다. ( )
2. 기관대립형 중 약시장–의회형은 시장의 고위직 지방공무원인사에 대해서 의회의 동의를 요하는 반면, 시장은 지방의회의결에 대한 거부권을 가진다. ( )
3. 의회–시지배인 형태에서는 시지배인이 의례적이고 명목적인 기능을 수행한다. ( )

**O·X 문제**

4. 기관통합형은 의결기관과 집행기관이 단일기관으로 되어 있어 행정의 안정성과 능률성을 기대할 수 있다. ( )
5. 기관통합형은 지방자치정부 조직에 있어서 권력남용의 방지, 행정의 전문화, 행정책임의 명백화를 기할 수 있는 장점을 가지고 있다. ( )
6. 기관통합형은 정책결정과 집행의 유기적 관련성을 제고시킨다. ( )
7. 기관통합형은 행정에 주민들의 의사를 보다 정확하게 반영할 수 있다는 장점이 있다. ( )
8. 기관분립형은 기관통합형에 비해 행정부서 간 분파주의를 배제하는 데 유리하다. ( )
9. 기관분립형은 기관통합형에 비해 집행기관 구성에서 주민의 대표성을 확보할 수 있으나 행정의 전문성이 결여될 수 있다. ( )
10. 기관대립형은 행정책임의 소재가 분명하다는 장점이 있다. ( )

O·X 정답 1. ○ 2. × 3. × 4. ○ 5. × 6. ○ 7. ○ 8. ○ 9. × 10. ○

### 5. 각국의 지방자치단체 기관구성 형태

(1) 우리나라

① **전개**: 우리나라는 기본적으로 집행기관과 의결기관이 분리된 기관대립형이며, 강시장 – 약의회형을 취하고 있다. 다만, 최근 「지방자치법」의 개정을 통해 기관구성 형태를 다원화하기 위한 법적 근거를 마련하였다(중요 개정사항).

② 지방자치단체의 기관구성 형태의 특례(「지방자치법」 제4조)

㉠ 지방의회와 집행기관에 관한 이 법의 규정에도 불구하고 따로 법률로 정하는 바에 따라 단체장의 선임방법을 포함한 자치단체의 기관구성 형태를 달리할 수 있다(추후 여건 성숙도, 주민요구 등을 감안하여 별도 법 제정 추진).

㉡ 지방의회와 집행기관의 구성을 달리하려는 경우에는 주민투표를 거쳐야 한다.

(2) 외 국

① **영국**: 전통적으로 의회가 모든 지방행정을 책임지는 기관통합형의 의회형이 지배적이었으나, 최근에는 기관구성 형태가 다양화되고 있는 추세이다(기관구성 형태를 자치단체별로 선택).

② **프랑스**: 레죵과 데파르트망은 주민의 직선에 의해 지방의회를 구성하고, 의회의장이 집행권을 갖는 기관통합형의 기관구성 형태를 지니고 있다.

③ **미국**: 기관대립형인 시장 – 의회형을 주로 채택하고 있으나, 일부 카운티에서는 위원회형, 의회 – 시지배인형, 시장 – 수석관리관형 등 다양한 형태의 기관구성 형태를 지니고 있다.

④ **일본**: 획일적으로 시장 – 의회형의 기관대립형을 채택하고 있다.

## 02 의결기관: 지방의회

### 1. 의 의

(1) 개 념

지방의회는 자치단체의 의결기관으로 주민에 의해 선출된 의원을 구성원으로 하여 성립된 합의제 기관이다.

(2) 지 위

① 주민의 의사를 전달하는 주민의 대표기관

② 자치단체의 중요정책을 결정하는 의사결정기관

③ 단체장의 활동을 감시하고 통제하는 행정감시기관

### 2. 지방의회의 구성

(1) 지방의회 의원

① **신분**: 임기 4년의 지방 정무직 공무원, 명예직 규정 삭제(2003년 개정)

② **보수**: 무급직에서 유급직으로 전환(회의수당이 월정수당으로 전환)하여 의정활동에 필요한 실비(의정활동비, 월정수당, 여비)를 지급한다.

**O·X 문제**

1. 우리나라는 기본적으로 기관대립형이며 중앙통제형 강시장-약의회의 구도를 취하고 있다. ( )
2. 우리나라는 따로 법률로 정하는 바에 따라 주민투표를 거쳐 지방자치단체의 기관구성 형태를 달리할 수 있다. ( )

**심화학습**

**지방의회의원의 의무**

① 성실의무
② 청렴의 의무와 품위유지의무
③ 지위남용 금지의무
④ 관련 자치단체 등과 영리목적 거래금지 의무
⑤ 소관 상임위원회의 직무와 관련된 영리행위금지 의무

**O·X 정답** 1. ○ 2. ○

③ **의원의 정책지원 전문인력**: 지방의회의원의 의정활동을 지원하기 위하여 지방의회의원 정수의 2분의 1 범위에서 해당 자치단체의 조례로 정하는 바에 따라 지방의회에 지방공무원으로 보하는 정책지원 전문인력을 둘 수 있다(2023년까지 단계적 도입－중요 개정사항).

④ **사직**: 지방의회는 그 의결로 지방의회의원의 사직을 허가할 수 있다. 다만, 폐회 중에는 지방의회의 의장이 허가할 수 있다.

⑤ **퇴직**: 지방의회의 의원이 ㉠ 겸할 수 없는 직에 취임할 때, ㉡ 피선거권이 없게 될 때(자치단체의 구역 밖으로 주민등록을 이전하였을 때를 포함), ㉢ 징계에 따라 제명될 때 지방의회의원의 직에서 퇴직한다.

⑥ **자격심사**: 지방의회의원은 다른 의원의 자격에 대하여 이의가 있으면 재적의원 4분의 1 이상의 찬성으로 지방의회의 의장에게 자격심사를 청구할 수 있다. 자격상실 의결은 재적의원 3분의 2 이상의 찬성이 있어야 한다.

⑦ **징계**: 지방의회는 지방의회의원이 「지방자치법」이나 자치법규에 위배되는 행위를 하면 윤리특별위원회의 심사를 거쳐 의결로써 징계할 수 있다. 징계의 종류에는 ㉠ 공개회의에서의 경고, ㉡ 공개회의에서의 사과, ㉢ 30일 이내의 출석정지, ㉣ 제명이 있다. 다만, 제명에는 재적의원 3분의 2 이상의 찬성이 있어야 한다.

### (2) 지방의회의 의장·부의장과 사무기구 및 직원 등

① **의장·부의장의 선거와 임기**

㉠ 지방의회는 지방의회의원 중에서 시·도의 경우 의장 1명과 부의장 2명을, 시·군 및 자치구의 경우 의장과 부의장 각 1명을 무기명투표로 선출하여야 한다.

㉡ 의장과 부의장의 임기는 2년으로 하며, 의장·부의장이 궐위된 때에는 보궐선거를 실시하고 임기는 전임자 임기의 남은 기간으로 한다.

② **의장의 위원회 출석과 발언**: 지방의회의 의장은 위원회에 출석하여 발언할 수 있다.

③ **의장 불신임의 의결**

㉠ 지방의회의 의장이나 부의장이 법령을 위반하거나 정당한 사유 없이 직무를 수행하지 아니하면 지방의회는 불신임을 의결할 수 있다.

㉡ 불신임의결은 재적의원 4분의 1 이상의 발의와 재적의원 과반수의 찬성으로 하며, 불신임의결이 있으면 의장이나 부의장은 그 직에서 해임된다.

④ **사무처 등의 설치**

㉠ 지방의회에는 사무를 처리하기 위하여 조례로 정하는 바에 따라 사무처(시·도의회)나 사무국·사무과(시·군·자치구의회)를 둘 수 있으며, 사무처 등에는 지방공무원으로 보하는 사무처장(국장·과장)과 직원을 둔다.

㉡ 지방의회에 두는 사무직원의 수는 인건비 등 대통령령으로 정하는 기준에 따라 조례로 정한다.

㉢ 지방의회의 의장은 지방의회 사무직원을 지휘·감독하고 법령과 조례·의회규칙으로 정하는 바에 따라 그 임면·교육·훈련·복무·징계 등에 관한 사항을 처리한다(중요 개정사항).

---

**심화학습**

**지방의회의원의 겸직금지 대상**

① 국회의원, 다른 지방의회의 의원
② 헌법재판소재판관, 각급 선거관리위원회 위원
③ 국가공무원과 지방공무원
④ 공공기관의 임직원
⑤ 지방공사와 지방공단의 임직원
⑥ 농업협동조합 등의 임직원과 이들 조합·금고의 중앙회장이나 연합회장
⑦ 정당의 당원이 될 수 없는 교원
⑧ 다른 법령에 따라 공무원의 신분을 가지는 직
⑨ 그 밖에 다른 법률에서 겸임할 수 없도록 정하는 직

**심화학습**

**지방의회의원의 겸직신고 내역 공개 의무화(신설)**

지방의회의장은 지방의회의원의 겸직신고를 받으면 그 내용을 연 1회 이상 해당 지방의회의 인터넷 홈페이지에 게시하거나 자치단체의 조례로 정하는 방법에 따라 공개해야 한다.

**O·X 문제**

1. 우리나라 지방의회의 기능 또는 권한으로 정책의 심의 및 결정, 예산안 의결, 집행부 견제 및 감시 등이 있다. ( )
2. 정책지원 전문인력인 정책지원관 제도는 지방자치단체장의 정책기능을 강화하기 위해 도입되었다. ( )
3. 지방의회는 의원 정수의 3분의 2 범위에서 정책지원 전문인력을 충원할 수 있다. ( )
4. 지방의회는 그 의결로 소속의원의 사직을 허가할 수 있다. 다만, 폐회 중에는 의장이 허가할 수 있다. ( )
5. 의회 의원의 자격상실 결정은 재적의원 과반수 출석과 출석의원 3분의 2 이상 찬성이 필요하다. ( )
6. 지방의회의 사무직원의 수는 지방의회가 조례로 정하고, 사무직원은 지방의회의 의장이 임명한다. ( )
7. 지방의회 소속 사무직원의 임용권은 지방자치단체장에게 있다. ( )

O·X 정답 | 1. ○ 2. × 3. × 4. ○ 5. × 6. ○ 7. ×

PART · 07

(3) 지방의회 위원회

① **설치**: 지방의회는 조례로 정하는 바에 따라 위원회를 둘 수 있다.

② 종 류

㉠ **상임위원회**: 소관의안과 청원 등을 심사·처리하는 위원회

㉡ **특별위원회**: 특정한 안건을 심사·처리하는 위원회

③ **윤리특별위원회**: 지방의회의원의 윤리강령과 윤리실천규범 준수 여부 및 징계에 관한 사항을 심사하기 위하여 윤리특별위원회를 둔다(의무사항). 윤리특별위원회는 심사하기 전에 민간전문가로 구성된 윤리심사자문위원회의 의견을 들어야 하며 그 의견을 존중하여야 한다.

④ **개회**: 위원회는 본회의의 의결이 있거나 지방의회 의장 또는 위원장이 필요하다고 인정할 때, 재적위원 3분의 1 이상의 요구가 있는 때에 개회한다. 폐회 중에는 단체장도 의장 또는 위원장에게 이유서를 붙여 위원회 개회를 요구할 수 있다.

⑤ **전문위원**: 위원회에는 위원장과 위원의 자치입법활동을 지원하기 위하여 의원이 아닌 전문지식을 가진 위원(전문위원)을 둔다.

⑥ **위원회에서의 방청**: 해당 지방의회의원이 아닌 자는 위원회의 위원장의 허가를 받아 방청할 수 있다.

## 3. 지방의회의 권한과 의무

(1) 의결권

① **의의**: 의결권은 지방의회의 가장 중요한 권한이다. 지방의회는 「지방자치법」에 열거된 사항을 반드시 의결해야 하며(개괄적 열거주의), 자치단체는 열거된 사항 외에도 지방의회에서 의결되어야 할 사항을 따로 정할 수 있다.

② 필요적 의결사항

㉠ 조례의 제정·개정 및 폐지

㉡ 예산의 심의·확정(시·도는 회계연도 개시 15일 전까지, 시·군·자치구는 회계연도 개시 10일 전까지 예산을 의결해야 함)

㉢ 결산의 승인

㉣ 법령에 규정된 것을 제외한 사용료·수수료·분담금·지방세 또는 가입금의 부과와 징수

㉤ 기금의 설치·운용

㉥ 대통령령으로 정하는 중요 재산의 취득·처분

㉦ 대통령령으로 정하는 공공시설의 설치·처분

㉧ 법령과 조례에 규정된 것을 제외한 예산 외의 의무부담이나 권리의 포기

㉨ 청원의 수리와 처리

㉩ 외국 지방자치단체와의 교류·협력

㉪ 그 밖에 법령에 따라 그 권한에 속하는 사항

(2) 서류제출 요구

지방의회의 본회의나 위원회는 그 의결로 안건의 심의와 직접 관련된 서류의 제출을 해당 자치단체의 장에게 요구할 수 있다.

**O·X 문제**

1. 지방의회는 조례로 정하는 바에 따라 위원회를 둘 수 있으며, 위원회의 종류는 상임위원회와 특별위원회로 한다. ( )

**심화학습**

윤리심사자문위원회

① 지방의회의원의 겸직 및 영리행위 등에 관한 지방의회의 의장의 자문과 윤리특별위원회의 자문에 응하기 위하여 윤리특별위원회에 윤리심사자문위원회를 둔다.

② 윤리심사자문위원회의 위원은 민간전문가 중에서 지방의회의 의장이 위촉한다.

**O·X 문제**

2. 법령에 규정된 수수료의 부과 및 징수는 지방의회의 의결사항이다. ( )

3. 외국 지방자치단체와의 교류·협력에 관한 사항은 지방의회의 필수적 의결사항에 해당한다. ( )

4. 예산심의·확정, 조례의 제정·개정 및 폐지, 기금의 설치·운용, 결산의 승인 등은 지방의회의 의결사항이다. ( )

5. 대통령령으로 정하는 중요 재산의 취득·처분, 청원의 수리와 처리, 재의요구 등은 지방의회의 의결사항이다. ( )

O·X 정답 1. ○ 2. × 3. ○ 4. ○ 5. ×

(3) 행정사무감사 및 조사권

① 행정사무감사권

㉠ 지방의회는 매년 1회 그 자치단체의 사무에 대하여 시・도에서는 14일의 범위에서, 시・군 및 자치구에서는 9일의 범위에서 감사를 실시한다.

㉡ 행정사무감사는 자치단체의 조례에서 정하는 바에 따라 매년 1차 또는 2차 정례회의 회기 내에 한다.

㉢ 자치단체 및 그 장이 위임받아 처리하는 국가사무와 시・도의 사무에 대하여 국회와 시・도의회가 직접 감사하기로 한 사무 외에는 그 감사를 각각 해당 시・도의회와 시・군 및 자치구의회가 할 수 있다.

② 행정사무조사권: 자치단체의 사무 중 특정 사안에 관하여 본회의 의결로 본회의나 위원회에서 조사하게 할 수 있다. 조사를 발의할 때에는 이유를 밝힌 서면으로 하여야 하며, 재적의원 3분의 1 이상의 찬성이 있어야 한다.

(4) 행정사무처리상황의 보고와 질문응답

자치단체의 장이나 관계 공무원은 지방의회나 그 위원회에 출석하여 행정사무의 처리상황을 보고하거나 의견을 진술하고 질문에 답변할 수 있으며, 지방의회나 그 위원회의 요구가 있으면 출석・답변하여야 한다.

(5) 청 원

① 청원서의 제출: 지방의회에 청원을 하려는 자는 지방의회의원의 소개를 받아 청원서를 제출하여야 한다.

② 청원의 불수리: 재판에 간섭하거나 법령에 위배되는 내용의 청원은 수리하지 아니한다.

③ 청원의 심사: 지방의회의 의장은 청원서를 접수하면 소관 위원회나 본회의에 회부하여 심사를 하게 한다.

④ 청원의 이송과 처리보고: 지방의회가 채택한 청원으로서 그 자치단체의 장이 처리하는 것이 타당하다고 인정되는 청원은 의견서를 첨부하여 자치단체의 장에게 이송한다.

(6) 인사청문회

① 단체장은 정무직 국가공무원으로 보하는 부시장・부지사, 제주특별자치도의 행정시장, 지방공단의 이사장, 지방자치단체 출자・출연 기관의 기관장의 직위 중 조례로 정하는 직위의 후보자에 대하여 지방의회에 인사청문을 요청할 수 있다.

② 지방의회의 의장은 인사청문 요청이 있는 경우 인사청문회를 실시한 후 그 경과를 자치단체의 장에게 송부해야 한다.

③ 그 밖에 인사청문회의 절차 및 운영 등에 필요한 사항은 조례로 정한다.

(7) 지방의회 규칙

지방의회는 내부운영에 관해 이 법에서 정한 것 외에 필요한 사항을 규칙으로 정할 수 있다.

(8) 지방의회의 의무

① 지방의회는 지방의회의원이 준수하여야 할 지방의회의원의 윤리강령과 윤리실천규범을 조례로 정하여야 한다.

② 지방의회는 소속 의원들이 의정활동에 필요한 전문성을 확보하도록 노력하여야 한다.

O·X 문제

1. 지방의회는 집행기관의 행정사무 처리사항을 조사 및 감사할 권한을 가진다. ( )

2. 지방의회는 매년 2회 정례회의 개최 시마다 해당 지방자치단체의 사무에 대해 행정사무감사를 실시한다. ( )

3. 국회의원과 달리 지방의회의원은 불체포특권이나 면책특권을 갖지 않는다. ( )

4. 지방의회의원이 준수하여야 할 지방의회의원의 윤리강령과 윤리실천규범은 「공직자윤리법」에 따르도록 「지방자치법」에 규정되어 있다. ( )

5. 지방의회에 청원을 할 때에는 지방의회 의원의 소개를 받아 청원서를 제출하여야 한다. ( )

O·X 정답 1. ○ 2. × 3. ○ 4. × 5. ○

### 4. 지방의회의 운영

(1) 지방의회의 소집과 회기

① **정례회**: 매년 2회 개최한다(1차: 6~7월 중에 개최하며 결산 승인이 주요의제, 2차: 11~12월 중에 개최하며 예산안 의결이 주요의제).

② **임시회**: 의회의장은 자치단체의 장이나 조례로 정하는 수 이상의 지방의회의원이 요구하면 15일 이내에 임시회를 소집하여야 한다(단, 총선거 후 최초로 집회되는 임시회는 지방의회 사무처장 등이 지방의회의원 임기개시일부터 25일 이내에 소집함).

③ **개회·휴회·폐회와 회의일수**: 지방의회의 개회·휴회·폐회와 회기는 지방의회가 의결로 정한다. 연간 회의 총일수와 정례회 및 임시회의 회기는 해당 자치단체의 조례로 정한다(연간 총일수 제한 폐지).

(2) 회 의

① **의사정족수**: 재적의원 3분의 1 이상의 출석으로 개의한다. 회의 참석 인원이 정족수에 미치지 못할 때에는 지방의회의 의장은 회의를 중지하거나 산회를 선포한다.

② **의결정족수**: 「지방자치법」에 특별히 규정된 경우 외에는 재적의원 과반수의 출석과 출석의원 과반수의 찬성으로 의결한다. 또한 지방의회의 의장은 표결권을 가지며, 찬성과 반대가 같으면 부결된 것으로 본다.

③ **표결방법**: 본회의에서 표결할 때에는 조례 또는 회의규칙으로 정하는 표결방식에 의한 기록표결(표결실명제)로 가부를 결정한다(원칙). 다만, 일정한 경우에는 무기명투표로 표결한다(중요 개정사항).

④ **특별의결정족수**

| 대상 | 정족수 |
|---|---|
| ㉠ 의장단 불신임 의결<br>㉡ 자치단체 사무소 소재지의 변경·신설 조례 | 재적의원 4분의 1 이상의 발의와 재적의원 과반수의 찬성으로 의결 |
| ㉢ 재의요구에 대한 재의결<br>㉣ 의회의 비공개 의결 | 재적의원 과반수의 출석과 출석의원 3분의 2 이상의 찬성으로 의결 |
| ㉤ 행정사무 조사 | 재적의원 3분의 1 이상의 발의와 일반의결정족수에 의한 의결 |
| ㉥ 의원의 자격상실 또는 제명의결 | 재적의원 3분의 2 이상의 찬성으로 의결 |

⑤ **의안의 발의**: 단체장이나 조례로 정하는 수 이상의 지방의회의원의 찬성으로 발의한다. 또한 위원회는 그 직무에 속하는 사항에 관하여 의안을 제출할 수 있다.

⑥ **회의의 원칙**

㉠ **회의공개의 원칙**: 지방의회의 회의는 공개한다. 다만, 의원 3명 이상이 발의하고 출석의원 3분의 2 이상이 찬성한 경우 또는 의장이 사회의 안녕질서 유지를 위하여 필요하다고 인정하는 경우에는 공개하지 아니할 수 있다.

㉡ **회기계속의 원칙**: 지방의회에 제출된 의안은 회기 중에 의결되지 못한 것 때문에 폐기되지 아니한다. 다만, 지방의회의원의 임기가 끝나는 경우에는 그러하지 아니한다.

㉢ **일사부재의의 원칙**: 지방의회에서 부결된 의안은 같은 회기 중에 다시 발의하거나 제출할 수 없다.

㉣ **의사제척의 원칙**: 지방의회의 의장이나 의원은 본인·배우자·직계존비속 또는 형제자매와 직접 이해관계가 있는 안건에 관하여는 그 의사에 참여할 수 없다.

**O·X 문제**

1. 지방의회는 매년 1회 정례회를 개최한다. ( )
2. 지방의회는 임시회의 소집요구권이 없다. ( )

**O·X 문제**

3. 지방의장은 의결에서 표결권을 가지지 못하며, 찬성과 반대가 같으면 부결된 것으로 본다. ( )

**심화학습**

**무기명투표 표결 대상**

① 의장·부의장 선거
② 임시의장 선출
③ 의장·부의장 불신임 의결
④ 자격상실 의결
⑤ 징계 의결
⑥ 재의 요구에 관한 의결
⑦ 그 밖에 지방의회에서 하는 각종 선거 및 인사에 관한 사항

**O·X 문제**

4. 지방자치단체 사무소의 소재지를 변경할 경우에는 해당 지방의회의 재적의원 과반수의 찬성을 받아야 한다. ( )

**O·X 문제**

5. 지방의회에서 부결된 의안은 같은 회기 중에 다시 발의하거나 제출할 수 없다. ( )
6. 지방의회의원은 이해관계가 있는 안건에는 참여가 금지되어 있다. ( )

O·X 정답 1. × 2. × 3. × 4. ○ 5. ○ 6. ○

## 03 집행기관

### 1. 의 의

집행기관이란 의결기관이 결정한 사항을 집행하고 자치단체의 사무를 처리하는 기관을 말한다. 「지방자치법」에 규정하고 있는 집행기관의 범주는 다음과 같다.

| 단체장 | 특별시장 · 광역시장 · 도지사 · 시장 · 군수 · 자치구청장 |
|---|---|
| 보조기관 | ① 부지사 · 부시장 · 부군수 · 부구청장, ② 행정기구(국 · 과 · 팀), ③ 지방공무원 |
| 소속 행정기관 | ① 직속기관(소방 · 교육훈련 · 보건치료 · 시험연구 · 중소기업지도기관 등), ② 사업소, ③ 출장소, ④ 합의제 행정기관, ⑤ 자문기관의 설치 등 |
| 하부행정기관(장) | 자치시가 아닌 시(시장) · 자치구가 아닌 구(구청장) · 읍(읍장) · 면(면장) · 동(동장) |
| 교육 · 과학 · 체육 기관 | 지방자치단체의 교육 · 과학 및 체육에 관한 사무를 분장하기 위하여 설치한 별도의 기관 |

### 2. 지방자치단체의 장

(1) 의 의

① 개념: 단체장은 자치단체의 최고집행기관으로서 자치단체를 외부에 대표하는 기능, 자치단체의 사무를 통할하는 기능, 국가위임사무를 집행하는 기능을 수행한다.

② 지위: 단체장은 ㉠ 주민의 대표기관, ㉡ 자치단체의 대표기관, ㉢ 종합행정기관, ㉣ 자치단체의 집행기관, ㉤ 국가일선기관 등의 지위를 갖는다.

(2) 단체장의 임기와 신분

① 임기: 임기는 4년이며, 3기 내에서만 계속 재임할 수 있다.

② 신분: 지방 정무직 공무원

(3) 단체장의 권한

① 의의: 단체장은 지방자치단체를 대표하고, 그 사무를 총괄한다. 단체장의 권한은 지방의회와 달리 열거주의에 의하지 않고 개괄주의에 의하기 때문에 지방의회보다 광범위하다. 단체장의 권한을 살펴보면 다음과 같다.

② 지방의회의 의결에 대한 재의요구와 제소(「지방자치법」 제120조, 제121조)

㉠ 재의요구 사유: 자치단체의 장은 ⓐ 지방의회의 의결이 월권이거나 법령에 위반되거나 공익을 현저히 해친다고 인정될 때, ⓑ 지방의회의 의결이 예산상 집행할 수 없는 경비를 포함하고 있다고 인정될 때, ⓒ 지방의회가 법령에 따라 자치단체에서 의무적으로 부담하여야 할 경비나 비상재해로 인한 시설의 응급 복구를 위하여 필요한 경비를 줄이는 의결을 할 때 그 의결사항을 이송받은 날부터 20일 이내에 이유를 붙여 재의를 요구할 수 있다.

㉡ 확정: 재의요구에 대하여 지방의회가 재의한 결과 재적의원 과반수의 출석과 출석의원 3분의 2 이상의 찬성으로 전과 같은 의결을 하면 그 의결사항은 확정된다.

㉢ 제소: 자치단체의 장은 재의결된 사항이 법령에 위반된다고 인정되면 재의결된 날로부터 20일 내에 대법원에 소를 제기할 수 있다.

**O·X 문제**

1. 현행 「지방자치법」상 지방자치단체의 장의 보조기관은 부단체장이다. ( )

2. 지방자치단체가 설치한 출장소는 「지방자치법」상 보조기관이다. ( )

**심화학습**

**단체장의 겸직금지, 사임, 퇴직**

| 겸직금지 | ① 대통령, 국회의원, 헌법재판소 재판관, 각급 선거관리위원회 위원, 지방의회의원<br>② 국가공무원과 지방공무원<br>③ 다른 법령에 따라 공무원의 신분을 가지는 직<br>④ 공공기관의 임직원<br>⑤ 협동조합 및 새마을금고의 임직원<br>⑥ 교원<br>⑦ 지방공사와 지방공단의 임직원<br>⑧ 그 밖에 다른 법률에서 겸임할 수 없도록 정하는 직 |
|---|---|
| 사임 | 단체장은 그 직을 사임하려면 지방의회의 의장에게 미리 사임일을 적은 서면으로 알려야 하며, 단체장은 사임통지서에 적힌 사임일에 사임한다. |
| 퇴직 | 단체장은 ① 단체장이 겸임할 수 없는 직에 취임할 때, ② 피선거권이 없게 될 때, ③ 자치단체의 폐지 · 설치 · 분리 · 합병으로 단체장의 직을 상실할 때에는 그 직에서 퇴직된다. |

**O·X 문제**

3. 지방자치단체의 장은 지방의회의 의결이 월권인 경우에는 재의를 요구할 수 없다. ( )

4. 지방의회가 의결한 조례안이 월권 또는 법령에 위반되거나 공익을 현저히 해한다고 인정되는 때에 지방자치단체의 장은 제소권을 행사할 수 있다. ( )

O·X 정답 1. ○ 2. × 3. × 4. ×

PART · 07

③ 단체장의 선결처분(「지방자치법」 제122조)

㉠ **선결처분 사유**: 자치단체의 장은 지방의회가 지방의회의원이 구속되는 등의 사유로 의결정족수에 미달될 때와 지방의회의 의결사항 중 주민의 생명과 재산 보호를 위하여 긴급하게 필요한 사항으로서 지방의회를 소집할 시간적 여유가 없거나 지방의회에서 의결이 지체되어 의결되지 아니할 때에는 선결처분을 할 수 있다.

㉡ **효력**: 선결처분은 지체 없이 지방의회에 보고하여 승인을 받아야 하며, 승인을 받지 못하면 그 선결처분은 그때부터 효력을 상실한다.

㉢ **예산에 대한 선결처분(예산 불성립 시 예산집행)**: 지방의회에서 새로운 회계연도가 시작될 때까지 예산안이 의결되지 못하면 자치단체의 장은 지방의회에서 예산안이 의결될 때까지 ⓐ 법령이나 조례에 따라 설치된 기관이나 시설의 유지·운영, ⓑ 법령상 또는 조례상 지출의무의 이행, ⓒ 이미 예산으로 승인된 사업의 계속 등의 목적을 위한 경비를 전년도 예산에 준하여 집행할 수 있다.

④ **자치단체의 통할대표권**: 자치단체의 장은 자치단체를 대표하고 그 사무를 총괄한다(개괄주의).

⑤ **사무의 관리 및 집행권**: 자치단체의 장은 그 자치단체의 사무와 법령에 따라 그 자치단체의 장에게 위임된 사무를 관리하고 집행한다.

⑥ **사무위임권**: 자치단체의 장은 조례나 규칙으로 정하는 바에 따라 그 권한에 속하는 사무의 일부를 보조기관, 소속행정기관 또는 하부행정기관에 위임할 수 있다.

⑦ **직원에 대한 임면권 등**: 자치단체의 장은 소속직원을 지휘·감독하고 법령과 조례·규칙으로 정하는 바에 따라 그 임면·교육훈련·복무·징계 등에 관한 사항을 처리한다.

⑧ **지휘·감독권**: 자치단체의 장은 그 자치단체 및 소속행정청을 지휘·감독한다.

⑨ **규칙제정권**: 자치단체의 장은 그 권한에 속하는 사무에 관하여 규칙을 제정한다.

⑩ **기타**: 자치단체의 장은 지방의회의 임시회 및 위원회 소집 요구권, 의안 발의권, 지방채 발행권, 예산안 및 결산안 편성제출권 등이 있다.

## 3. 보조기관

### (1) 지방자치단체의 부단체장

① **의의**: 부단체장은 해당 단체장을 보좌하여 사무를 총괄하고, 소속직원을 지휘·감독한다.

② **부단체장의 권한**

㉠ 권한대행

ⓐ 의의: 단체장의 권한을 부단체장이 유효하게 행사하는 것을 말한다. 단체장의 권한을 대행하는 부단체장은 법령과 해당 자치단체의 조례와 규칙이 정하는 바에 의하여 해당 단체장의 권한에 속하는 사무를 처리한다.

ⓑ 권한대행 사유

- 단체장이 궐위된 경우
- 단체장이 공소제기된 후 구금상태에 있는 경우
- 단체장이 의료기관에 60일 이상 계속하여 입원한 경우
- 단체장이 그 직을 가지고 그 지방자치단체의 장 선거에 입후보한 경우(단체장이 예비후보자 또는 후보자로 등록한 날부터 선거일까지)

**O·X 문제**

1. 지방자치단체장은 지방의회의 의결사항 중 주민의 생명과 재산보호를 위하여 긴급하게 필요한 사항으로서 지방의회를 소집할 시간적 여유가 없거나 지방의회에서 의결이 지체되어 의결되지 아니할 때 선결처분권을 가진다. ( )
2. 지방자치단체장은 고유사무와 단체 및 기관위임사무도 처리하기 때문에 지방자치단체의 사무보다 더 광범위한 사무를 관장하고 있다. ( )
3. 지방자치단체장은 지방의회에 조례안·예산안을 제출하며, 기타 지방의회의 의결사항에 관하여 의안을 제안하는 발의권을 가진다. ( )
4. 지방의회의 임시회 소집요구권은 지방자치단체장의 권한이다. ( )
5. 지방자치단체장은 통할대표권이 있다. ( )
6. 지방자치단체장은 예산 불성립 시 일정 사항에 대하여 예산을 집행할 수 있다. ( )
7. 지방자치단체의 장이 그 권한에 속하는 사무의 일부를 소속행정기관에 위임할 때는 개별적인 법령의 근거가 필요하지 않다. ( )
8. 지방자치단체의 장의 권한에는 사무의 위임·위탁, 직원(지방의회의 사무직원은 제외)에 대한 임면, 선결처분 등이 있다. ( )

O·X 정답 1. ○ 2. ○ 3. ○ 4. ○ 5. ○ 6. ○ 7. ○ 8. ○

㉡ 직무대리: 자치단체의 장이 출장·휴가 등 일시적 사유로 직무를 수행할 수 없으면 부단체장이 그 직무를 대리한다.

③ 설치·정수·신분·선임방식

㉠ 설치: 특별시·광역시 및 특별자치시에 부시장, 도와 특별자치도에 부지사, 시에 부시장, 군에 부군수, 자치구에 부구청장을 둔다.

㉡ 정 수

ⓐ 특별시의 부시장의 수: 3명을 넘지 아니하는 범위에서 대통령령으로 정한다.

ⓑ 광역시와 특별자치시의 부시장 및 도와 특별자치도의 부지사의 수: 2명(인구 800만 이상의 광역시나 도는 3명)을 넘지 아니하는 범위에서 대통령령으로 정한다.

ⓒ 시의 부시장, 군의 부군수 및 자치구의 부구청장의 수: 1명(인구 100만명 이상의 대도시는 2명)으로 한다.

㉢ 단체장과 부단체장 등

| 구 분 | | 정수 | 종 류 | 신 분 | 선임방식 |
|---|---|---|---|---|---|
| 장 | 단체장 | 1인 | | 정무직 지방공무원 | 주민직선 |
| | 읍·면·동장 | | | 일반직 지방공무원 | 임명직 |
| 부단체장 | 서울특별시 | 3인 이내 | 행정부시장(2인) | 정무직·일반직 국가공무원 | 시·도지사의 제청으로 대통령이 임명 |
| | | | 정무부시장(1인) | 정무직·일반직·별정직 지방공무원 | 단체장이 임명 |
| | 광역시·특별자치시·도·특별자치도 | 2인 이내 | 행정부시장·부지사 | 정무직·일반직 국가공무원 | 시·도지사의 제청으로 대통령이 임명 |
| | | | 정무부시장·부지사 | 정무직·일반직·별정직 지방공무원 | 단체장이 임명 |
| | 기초자치단체 | 1인 | 부시장, 부군수, 부구청장 | 일반직 지방공무원(2~4급) | 단체장이 임명 |

(2) 행정기구 및 지방공무원

① 설치: 자치단체는 그 사무를 분장하기 위하여 필요한 행정기구와 지방공무원을 둔다.

② 기준 및 규정: 행정기구의 설치와 지방공무원의 정원은 인건비 등 대통령령으로 정하는 기준에 따라 그 자치단체의 조례로 정한다(기준인건비제).

③ 자치단체에서 근무하는 국가공무원: 자치단체에는 법률로 정하는 바에 따라 국가공무원을 둘 수 있다.

④ 지방공무원 임용권자: 자치단체의 장(시·도의 교육감) 및 지방의회의장은 그 소속 공무원의 임명·휴직·면직과 징계를 하는 권한(임용권)을 가진다.

⑤ 전입: 자치단체의 장 또는 지방의회의장은 공무원을 전입시키려고 할 때에는 해당 공무원이 소속된 자치단체의 장 또는 지방의회의장의 동의를 받아야 한다.

⑥ 인사위원회

㉠ 설치: 자치단체에 임용권자별로 인사위원회를 두되, 시·도지사나 교육감 소속으로 인사위원회를 두는 경우에는 필요하면 제1인사위원회와 제2인사위원회를 둘 수 있다.

**O·X 문제**

1. 특별시의 부시장의 정수는 3명을 넘지 아니하는 범위에서 대통령령으로 정한다. ( )

2. 인구 500만 이상의 광역시나 도는 3명을 초과하지 아니하는 범위에서 부시장 및 부지사를 둘 수 있다. ( )

**O·X 문제**

3. 지방공무원의 정원은 인건비 등 행정안전부령으로 정하는 기준에 따라 그 지방자치단체의 조례로 정한다. ( )

O·X 정답 1. ○ 2. × 3. ×

PART·07

ⓛ **위원장**: 위원장은 시·도의 국가공무원으로 임명하는 부시장·부지사·부교육감, 시·군·구의 부시장·부군수·부구청장, 시·군·구의회의 사무국장 또는 사무과장이 된다. 부단체장 등을 인사위원회의 위원장으로 하는 이유는 단체장의 인사권 남용을 억제하기 위한 것이다.

ⓒ **위원회의 구성**: 인사위원회는 16명 이상 20명 이하의 위원으로 구성되며, 민간전문가로 위촉되는 위원이 전체 위원의 2분의 1 이상이어야 한다. 다만, ⓐ 공무원이 될 수 없는 결격사유를 가진 사람, ⓑ 「정당법」에 따른 정당의 당원, ⓒ 지방의회의원은 위원으로 위촉될 수 없다.

⑦ **소청심사위원회**: 자치단체의 장 소속 공무원의 징계, 그 밖에 그 의사에 반하는 불리한 처분이나 부작위에 대한 소청을 심사·결정하기 위하여 시·도에 임용권자별로 지방소청심사위원회 및 교육소청심사위원회를 둔다. 지방의회의 의장 소속 공무원의 소청도 지방소청심사위원회에서 담당한다.

심화학습

**인사위원회의 구성**

단체장과 지방의회의 의장은 각각 소속 공무원 및 다음 각 호에 해당하는 사람으로서 인사행정에 관한 학식과 경험이 풍부한 사람 중에서 위원을 임명하거나 위촉한다.

① 법관·검사 또는 변호사 자격이 있는 사람
② 대학에서 조교수 이상으로 재직하거나 초등학교·중학교·고등학교 교장 또는 교감으로 재직하는 사람
③ 공무원(국가공무원 포함)으로서 20년 이상 근속하고 퇴직한 사람
④ 「비영리민간단체 지원법」에 따른 비영리민간단체에서 10년 이상 활동하고 있는 지역단위 조직의 장
⑤ 상장법인의 임원 또는 「공공기관의 운영에 관한 법률」에 따라 지정된 공기업의 지역단위 조직의 장으로 근무하고 있는 사람

## 4. 소속행정기관, 하부행정기관, 교육·과학 및 체육에 관한 기관

### (1) 소속행정기관

① **직속기관**: 자치단체는 소관사무의 범위 안에서 필요하면 대통령령이나 대통령령으로 정하는 범위에서 그 자치단체의 조례로 자치경찰기관(제주특별자치도만 해당), 소방기관, 교육훈련기관, 보건진료기관, 시험연구기관 및 중소기업지도기관 등을 직속기관으로 설치할 수 있다.

② **사업소**: 자치단체는 특정업무를 효율적으로 수행하기 위하여 필요하면 대통령령으로 정하는 범위에서 그 자치단체의 조례로 사업소를 설치할 수 있다.

③ **출장소**: 자치단체는 외진 곳의 주민의 편의와 특정지역의 개발 촉진을 위하여 필요하면 대통령령으로 정하는 범위에서 그 자치단체의 조례로 출장소를 설치할 수 있다.

④ **합의제 행정기관**: 자치단체는 소관사무의 일부를 독립하여 수행할 필요가 있으면 법령이나 그 자치단체의 조례로 정하는 바에 따라 합의제 행정기관을 설치할 수 있다.

⑤ **자문기관의 설치 등**: 자치단체는 소관사무의 범위에서 법령이나 그 자치단체의 조례로 정하는 바에 따라 자문기관(심의회·위원회 등)을 설치·운영할 수 있다.

### (2) 하부행정기관

① **하부행정기관의 장**: 자치구가 아닌 구에 구청장, 읍에 읍장, 면에 면장, 동에 동장을 둔다. 이 경우 면·동은 행정면·행정동을 말한다.

② **하부행정기관의 장의 임명**: 자치구가 아닌 구의 구청장은 일반직 지방공무원으로 보하되 시장이 임명하며, 읍장·면장·동장은 일반직 지방공무원으로 보하되 시장·군수 또는 자치구의 구청장이 임명한다.

③ **하부행정기관의 장의 직무권한**: 자치구가 아닌 구의 구청장은 시장, 읍장·면장은 시장이나 군수, 동장은 시장이나 구청장의 지휘·감독을 받아 소관 국가사무와 자치단체의 사무를 맡아 처리하고 소속직원을 지휘·감독한다.

④ **하부행정기구**: 자치단체는 조례로 정하는 바에 따라 자치구가 아닌 구와 읍·면·동에 소관 행정사무를 분장하기 위하여 필요한 행정기구를 둘 수 있다.

(3) 교육 · 과학 및 체육에 관한 기관

자치단체의 교육 · 과학 및 체육에 관한 사무를 분장하기 위하여 별도의 기관을 둔다.

## 04 지방의회와 자치단체장과의 관계

### 1. 지방의회와 자치단체장 상호 간의 권한

| 의회의 권한 | 지방자치단체장의 권한 |
|---|---|
| 조례 제정권 | 조례 공포권 |
| 예산의 심의 · 확정 및 결산의 승인권 | 예산안 및 결산안 편성 · 제출권 |
| 의결권, 재의결권, 선결처분승인권 | 재의요구권 및 제소권, 선결처분권 |
| 단체장의 출석답변 요구권 | 단체장 및 공무원의 출석답변권 |
| 행정사무 감사 및 조사권 | 임시회 소집 요구권, 위원회 개최 요구권 |
| 단체장에 대한 불신임의결권 없음. | 단체장의 의회해산권 없음. |

### 2. 지방의회의원과 지방자치단체장의 비교

| 구 분 | 지방의회의원 | 지방자치단체장 |
|---|---|---|
| 임기와 연임 | 4년(연임제한 없음) | 4년(연임은 3회까지 가능) |
| 겸직금지 규정 | 있음. | 있음. |
| 영리행위 제한규정 | 있음(약함). | 있음(강함). |
| 보 수 | 유급(수당) | 유급(연봉) |
| 정당공천 | 인정 | 인정 |

## 05 지방 4대 동시선거의 기본적인 선거관리제도

### 1. 주요 특징

| 구 분 | 광역단체장 | 기초단체장 | 광역의원 | 기초의원 |
|---|---|---|---|---|
| 임기와 연임 여부 | 4년(단체장은 3회까지 연임 가능, 지방의원은 연임제한 없음) | | | |
| 보궐 · 재선거 임기 | 전임자의 잔임기간 | | | |
| 선거권 | 18세 이상 | | | |
| 피선거권 | 25세 이상(선거일 현재 60일 이상 관할구역에 주민등록된 자) | | | |
| 정당공천 | 전부 인정 | | | |
| 비례대표 | 광역의회, 기초의회 모두 인정(비례대표 후보자의 50%, 그리고 순번의 홀수 번호를 여성 후보에게 할당) | | | |
| 선거구제 | 광역의회의원 – 소선거구제, 기초의회의원 – 중선거구제, 광역단체장 · 기초단체장 – 상대적 다수대표제 | | | |

O·X 문제

1. 「지방자치법」상 자치단체장은 지방의회와 자치단체장이 대립, 갈등하는 경우에 직무이행명령을 행사할 수 있다. ( )

2. 지방의회와 자치단체장의 권한 중 상호 견제와 균형을 위한 수단으로 재의요구권 및 대집행권이 있다. ( )

3. 우리나라는 기관대립형을 채택하고 있기 때문에 의회의 지방자치단체장에 대한 불신임권이 인정되고 있다. ( )

4. 우리나라 지방의회는 선결처분권이 있다. ( )

5. 지방자치단체의 예산안 편성권은 지방자치단체장에 속한다. ( )

PART · 07

O·X 문제

6. 광역의회의 지역구 선거는 기본적으로 중선거구제를 채택하고 있다. ( )

7. 기초의회 지역구 선거는 기본적으로 소선거구제를 채택하고 있다. ( )

8. 현재 광역 – 기초자치단체장 및 광역 – 기초의회 의원 선거 모두에 정당공천제가 허용되고 있다. ( )

O·X 정답 1. × 2. × 3. × 4. × 5. ○ 6. × 7. × 8. ○

O·X 문제

1. 우리나라는 대체로 대통령이나 국회의원 선거에 비해 지방선거에서 높은 투표율을 보여 지방자치가 정착되고 있다. ( )

2. 정당공천제를 찬성하는 입장에서는 정당의 참여가 투표율을 높여 지방정부의 정당성과 대표성을 높일 수 있다고 주장한다. ( )

3. 정당공천제를 찬성하는 입장에서는 지방선거에 정당이 개입하면 지역분할 구도가 혁신되어 국정의 통합성 유지를 용이하게 한다고 주장한다. ( )

### 2. 지방선거에 대한 정당참여 논쟁

| 찬성론 | 반대론 |
|---|---|
| • 지방정부의 사무는 정당의 정치이념에 따라 달라지는 정치성을 띠는 문제이다.<br>• 정당공천 금지는 주민의 후보자 선택을 곤란케 하여 지방선거에 대한 관심을 저하시킨다.<br>• 정당 중심의 선거는 책임정치를 구현하는 데 용이하다.<br>• 정당참여는 투표율을 높여 결과적으로 지방정부의 대표성과 정당성 확보에 기여한다.<br>• 정당공천 금지는 「헌법」의 평등원칙에 반하며 토호세력의 발호로 참신한 인재의 의회 진출을 곤란케 한다. | • 지방정부의 사무는 정당의 정치이념과 관련없는 실용성을 띠는 문제이다.<br>• 정당참여는 지방정치의 중앙정치화를 야기하고 선거의 혼탁과 과열을 야기한다.<br>• 정당참여는 인물 중심의 선거가 아닌 정당 중심의 선거를 가져와 질이 낮은 인물이 당선될 가능성을 높인다.<br>• 정당참여는 지역분할 구도를 더욱 강화하여 국정의 통합성 유지를 곤란케 한다.<br>• 정당참여는 사실상 공천권을 지닌 지역 국회의원에 대한 예속이 심화되고 중앙정치의 정쟁이 파급되어 생활정치가 곤란하다. |

## 제 3 절 지방자치단체의 사무(기능)

### 01 사무(기능)배분의 의의와 이론적 접근법

#### 1. 의 의

(1) 개 념

사무(기능)배분이란 사무들을 분류하여 국가와 자치단체 간, 자치단체 상호 간 기능을 분담하는 것을 의미한다.

(2) 목 적

사무배분은 ① 누가 그 사무를 처리할 권한이 있는가라는 자치권한에 대한 규명, ② 특정 사무에 대하여 누가 비용을 지불할 것인가에 대한 비용부담의 규명, ③ 누가 특정 사무에 대하여 책임을 질 것인가에 대한 행정책임 소재의 규명에 그 목적이 있다.

#### 2. 이론적 접근법

(1) 입헌적 접근법 – 법률적 접근

지방정부를 법률적 측면에서 이해하여 의회의 창조물로 인식하는 시각이다. 즉, 지방정부는 중앙정부의 정책에 따라 특정한 목적을 달성하기 위해 형성된 법률적 존재에 불과하며, 사무배분은 의회의 의사에 입각한 법률규정에 의한 것이라고 본다.

(2) 다원주의적 접근법 – 정치적 접근

전통적인 행정학 관점에서 현재의 사무배분은 행정적 합리성을 기준으로 역사적으로 오랜 진화과정을 거치면서 점진적으로 제도화되어 온 것으로 보는 시각이다. 이때 행정적 합리성은 중복 배제, 책임성 증진, 최적규모단위(규모의 경제), 시민참여의 촉진 및 분권화, 중앙정부의 과부하 방지, 중앙정부에 의한 통제가능성 등을 기준으로 한다.

O·X 문제

4. 다원주의적 관점에서는 자본주의 국가 내부의 정부수준 간 기능배분에 관한 구체적인 기준에는 바로 관심을 기울이지 않는다. ( )

5. 다원주의적 관점에서는 정부수준 간 기능배분에 관한 이원국가론(dual state thesis)을 주장하고 있다. ( )

O·X 정답 1. × 2. ○ 3. × 4. × 5. ×

### (3) 신우파적 접근법 – 공공선택론적 접근

① 의의: 합리적 인간관과 엄격한 방법론적 개체주의 입장에서 기능배분은 개인의 후생을 극대화하고자 하는 시민과 공직자 개개인들의 합리적 선택행동에서 비롯된 것으로 보는 시각이다.

② 기능배분: 비용 극소화, 효용 극대화를 위한 연역적 추론을 통해 재분배정책은 중앙정부가, 할당정책(도시의 현상유지를 위해 일상적으로 행해지는 정책 – 치안, 소방, 쓰레기 수거 등)은 지방정부가, 개발정책은 지방정부 또는 중앙정부가 수행하는 것이 바람직하다고 본다.

### (4) 엘리트주의적 접근법 – 이중국가론(Saunders & Cawson)

① 의의: 엘리트론의 대표적인 모형인 이중국가론은 지방정부의 본질을 이해하기 위해 지방정부와 중앙정부를 조직적 · 기능적 · 정치적 · 이데올로기적 관점에서 비교한다.

② 중앙정부와 지방정부의 비교

| 구 분 | 중앙정부 | 지방정부 |
|---|---|---|
| 조직적 관점 | 권력 – 단일의 집단(엘리트주의) | 권력 – 여러 집단이 경쟁(다원주의) |
| 기능적 관점 | 사회적 생산(투자)기능 수행 – 도로, 철도, 항만 등 사회간접자본 제공 | 사회적 소비기능 수행 – 교육, 보건, 주택 등 제공 |
| 정치적 관점 | 조합주의적 이익중재방식 | 다원주의적 이익중재방식 |
| 이데올로기 | 경제적 능률성, 시장경제의 활성화 추구 | 주민의 요구에 대응하는 서비스 제공 추구 |

### (5) 마르크스주의적 접근법 – 계급정치론

계급정치론은 정부 간 기능배분 문제는 지배계급들이 자신들의 이익을 추구하기 위한 계급 간 갈등에 불과하다고 본다. 따라서 자본주의 국가 내부의 정부수준 간 기능배분에 관한 구체적인 기준에 관심을 기울이지 않는다.

**핵심정리 | 피터슨(Peterson)의 도시한계론**

**1. 도시정부의 제약조건 – 경제구조적 제약**

(1) 지방정부는 주어진 정책자율성에도 불구하고 중앙정부와 달리 노동과 자본의 타(他)지방정부로의 이동을 통제할 수 없고, 필요한 재원을 스스로 조달해야 하는 경제구조적 제약하에 있다.

(2) 경제구조적 제약에 처해 있는 지방정부에 있어서 정책선호를 결정하는 가장 중요한 변수는 정책의 경제적 영향력이다.

**2. 도시정부의 정책과 도시정부의 정책선호**

(1) 피터슨은 지역경제에 미치는 영향을 기준으로 지방정부의 정책을 개발정책, 재분배정책, 할당(배당)정책으로 구분하였다.

(2) 피터슨에 의하면 지방정부는 시장경제적 제약조건으로 인해 생산적 자본과 노동(새로운 사업 및 타지역 주민)을 역내로 유입하는 데 도움을 주는 개발정책은 적극적으로 추구하는 반면, 생산적 자원을 유출시키고 빈민을 유입하는 데 기여하는 재분배정책은 기피할 수밖에 없다.

**O·X 문제**

1. 신우파론적 관점에서 보면 정부의 기능배분은 역사적으로 오랜 시일 진화과정을 거치면서 점진적으로 제도화되어 온 것이다. ( )

2. 신우파적 관점에 의하면 재분배정책을 통하여 주민들에게 제공되는 편익은 그들의 조세부담과는 역으로 결정되며, 주로 지방정부에서 담당해야 한다. ( )

**O·X 문제**

3. 피터슨(Peterson)의 저서 『도시한계(City Limits)』에 따르면, 개방체제로서의 지방정부는 재분배정책보다 개발정책을 추구하는 경향이 있다. ( )

O·X 정답 1. × 2. × 3. ○

🗁 도시정부의 정책과 도시정부의 정책선택

| 구분 | 개발정책 | 할당(배당)정책 | 재분배정책 |
|---|---|---|---|
| 의 의 | 생산적 자본과 노동의 유입에 도움을 주는 정책 | 도시의 현상유지를 위해 일상적으로 행해지는 정책 | 고소득층의 세금으로 저소득층의 편익을 향상시켜주는 정책 |
| 경제 효과 | 생산적 자원을 유입시켜 지방세원의 확대 및 지역경제의 활성화 촉진 | 지역경제에 미치는 효과는 대체로 중립적 | 저소득층의 유입 및 생산적 자원의 유출을 촉진하여 지역경제에 부정적 영향 |
| 예 | 관광개발, 교통 · 도로개발, 경제하부구조 개발 등 | 치안, 소방, 쓰레기 수거 등 | 사회복지시설, 소득지원 프로그램, 임대주택사업 등 |
| 정책 선호도 | 적극 추진 | 중립 | 기피 |

## 02 사무(기능)배분의 방식과 원칙

### 1. 사무배분의 방식

(1) 개별적 열기주의

① 개념: 중앙정부가 제정하는 특별법에 의해 자치단체가 자치적으로 수행할 수 있는 사무를 개별적으로 지정하는 방식을 말한다. 개별적 열기주의는 주로 주민자치 국가에서 활용된다.

② 장 · 단점

| 장 점 | 단 점 |
|---|---|
| • 사무구분이 명확하기 때문에 책임한계 명확<br>• 중앙정부의 간섭을 배제하고 철저한 자치권 부여<br>• 각 자치단체별 특수성 고려 용이 | • 운영상 유연성 · 융통성 결여로 행정수요에 탄력적 대응 곤란<br>• 법 제정에 따른 업무상의 부담 증대<br>• 지나친 특수성 강조로 인한 통일성 저해 |

(2) 포괄적 예시주의

① 개념: 법률로 금지한 사항이나 국가 또는 타 자치단체에 배타적으로 주어진 사무를 제외하고는 모든 지방적 행정기능과 사무를 「헌법」이나 법률에 의해 일괄적으로 배분하는 방식을 말한다. 포괄적 예시주의는 주로 단체자치 국가에서 활용된다.

② 장 · 단점

| 장 점 | 단 점 |
|---|---|
| • 법 제정에 따른 업무상 부담이 적고 배분방식이 간편<br>• 운영상 유연성 · 융통성 확보로 행정수요에 탄력적 대응<br>• 지방사무의 통일성 확보 용이 | • 사무구별이 모호하여 사무처리의 중복이 발생하고 책임한계 불명확<br>• 중앙정부가 자치사무 영역을 침해할 가능성 높음.<br>• 각 자치단체별 특수성 고려 곤란 |

(3) 우리나라

우리나라는 포괄적 예시주의에 입각하여 자치단체의 사무를 배분하고 있다. 한편, 「지방자치법」에 예시된 사무마저도 "법률에 이와 다른 규정이 있는 경우 그러하지 아니하다."라는 예외규정을 두고 있어 다른 법률에 의해 언제든지 사무처리 주체를 변경할 수 있다.

**O·X 문제**

1. 포괄적 사무배분방식은 실제에 있어 개별적 사무배분방식보다 지방자치단체 사무를 더 폭 넓게 보장해 주는 경향이 있다. ( )
2. 개별적 배분방식은 사무의 내용을 구체적으로 명시함으로써 배분받은 사무에 대한 중앙정부 및 상위 지방자치단체의 감독과 관여를 용이하게 한다. ( )
3. 포괄적 사무배분방식은 사무배분의 방식이 간편하고, 상황에 따른 사무처리 주체의 유연한 결정이 가능하다. ( )
4. 포괄적 사무배분방식에서는 국가사무와 자치사무의 구분이 모호한 경우가 있다. ( )

O·X 정답 1. × 2. × 3. ○ 4. ○

## 2. 사무배분의 원칙

(1) 일반적인 원칙

① **현지성의 원칙(기초자치단체 우선의 원칙)**: 주민통제가 용이한 기초정부에 가능한 한 많은 사무가 배분되어야 한다는 원칙이다.

② **보충성의 원칙**

㉠ **소극적 의미(일반적 의미)**: 가능한 한 많은 사무를 기초정부에게 부여하여야 하며, 기초정부가 수행하기 어려운 사무는 광역정부가, 광역정부도 수행하기 어려운 사무는 중앙정부가 처리해야 한다.

㉡ **적극적 의미**: 상급정부는 자치정부가 일차적으로 활동할 수 있는 조건(재정적 여건 등)을 갖출 수 있도록 지원해 주어야 한다.

③ **경제성(능률성)의 원칙**: 각 자치단체의 규모, 행·재정능력, 인구수 등을 고려하여 최소의 비용으로 최대의 효과를 도모할 수 있는 자치단체에 사무를 배분해야 한다는 원칙이다.

④ **공평성의 원칙**: 사무배분이 자치단체 간에 형평성을 확보하는 방향으로 이루어져야 한다는 원칙이다.

⑤ **책임명확화(불경합, 이중배분 금지)의 원칙**: 국가와 각 지방정부가 사무를 처리함에 있어서 서로 경합하지 아니하도록 그 권한과 책임을 명확히 구분하여 사무를 배분해야 한다는 원칙이다.

⑥ **종합성의 원칙**: 사무를 종합적으로 처리하기 위하여 국가의 특별지방행정기관보다는 일반지방자치단체에 사무를 집중적으로 배분해야 한다는 원칙이다.

⑦ **지역특수성의 원칙(이해관계귀속의 원칙)**: 특정 지역의 이해관계에 국한되는 사무는 그 지역자치단체의 책임으로 하고, 전국적 이해관계가 있는 사무는 중앙정부가 담당하도록 사무를 배분해야 한다는 원칙이다.

⑧ **계획·집행 분리의 원칙**: 계획 및 정책결정사무는 중앙정부에, 정책집행사무는 자치단체에 배분되어야 한다는 원칙이다.

⑨ **경비부담능력의 원칙**: 지방에 사무를 배분할 때에는 반드시 사무처리를 위한 재원도 동시에 지방에 배분되어야 한다는 원칙이다.

(2) 「지방자치법」상 사무배분 및 사무처리의 기본원칙(「지방자치법」 제11조~제12조)

① 사무배분의 기본원칙

㉠ **중복배분금지의 원칙**: 국가는 자치단체가 사무를 종합적·자율적으로 수행할 수 있도록 국가와 자치단체 간 또는 자치단체 상호 간의 사무를 주민의 편익증진, 집행의 효과 등을 고려하여 서로 중복되지 아니하도록 배분해야 한다.

㉡ **보충성의 원칙**: 국가는 사무를 배분하는 경우 지역주민생활과 밀접한 관련이 있는 사무는 원칙적으로 시·군 및 자치구의 사무로, 시·군 및 자치구가 처리하기 어려운 사무는 시·도의 사무로, 시·도가 처리하기 어려운 사무는 국가의 사무로 각각 배분해야 한다.

㉢ **포괄적 배분의 원칙**: 국가가 자치단체에 사무를 배분하거나 자치단체가 사무를 다른 자치단체에 재배분할 때에는 사무를 배분받거나 재배분받는 자치단체가 그 사무를 자기의 책임하에 종합적으로 처리할 수 있도록 관련 사무를 포괄적으로 배분해야 한다.

**O·X 문제**

1. 지방사무의 기능배분의 원칙으로 특별지방행정기관 우선의 원칙과 경제성의 원칙이 있다. ( )

2. 보충성의 원칙에 의하면 중앙이 먼저 책임지고 중앙정부가 하기 곤란한 것은 지방정부가 담당한다. ( )

3. 보충성의 원칙에 의하면 시·군·자치구와 시·도 간 사무 경합 시 기초자치단체에 업무를 최소한으로 분배해야 한다. ( )

**O·X 문제**

4. 광역자치단체와 기초자치단체 간 기능배분은 책임명확화의 원칙과 비경합의 원칙에 의해 이루어져야 한다. ( )

O·X 정답 1. × 2. × 3. × 4. ○

PART · 07

② 사무처리의 기본원칙

㉠ 자치단체는 사무를 처리할 때 주민의 편의와 복리증진을 위하여 노력하여야 한다.

㉡ 자치단체는 조직과 운영을 합리적으로 하고 규모를 적절하게 유지하여야 한다.

㉢ 자치단체는 법령을 위반하여 사무를 처리할 수 없으며, 시·군 및 자치구는 해당 구역을 관할하는 시·도의 조례를 위반하여 사무를 처리할 수 없다.

## 03 지방자치단체 사무의 종류와 우리나라의 사무배분

### 1. 지방자치단체 사무의 종류

(1) 의 의

① 지방자치단체의 사무는 자치단체의 존립을 목적으로 하는 자치사무와 국가정책의 지역적 구체화를 위한 위임사무로 구분되며, 위임사무는 다시 단체위임사무와 기관위임사무로 구분된다.

② 「지방자치법」은 “자치단체는 관할 구역의 자치사무와 법령에 따라 자치단체에 속하는 사무를 처리한다(「지방자치법」 제13조).”고 규정하여 자치사무와 단체위임사무의 근거를 두고 있으며, “시·도와 시·군 및 자치구에서 시행하는 국가사무는 시·도지사와 시장·군수 및 자치구의 구청장에게 위임하여 수행하는 것을 원칙으로 한다(「지방자치법」 제115조).”고 규정하여 기관위임사무의 근거를 두고 있다.

(2) 지방자치단체의 사무

| 구 분 | 고유(자치)사무 | 단체위임사무 | 기관위임사무 |
|---|---|---|---|
| 개 념 | 자치단체가 자치권에 근거하여 자기의 의사와 책임하에 자주적으로 처리하는 자치단체의 존립 목적에 속하는 본래적 사무 | 전국적 이해와 지방적 이해를 동시에 가지는 사무로서 개개의 법령에 의하여 자치단체에 위임된 사무(결정은 의회, 집행은 단체장) | 직접적으로 지방적 이해관계가 없는 국가사무를 법령에 의해 단체장에게 위임한 사무(결정은 중앙정부, 집행은 지방정부) |
| 특 징 | 자주성이 강함. | 중앙의 통제 약함. | 중앙의 통제 강함. |
| 재 정 | • 자주재원과 지방교부세<br>• 국고보조금은 장려적 보조금 | • 국가가 사업비 일부 보조<br>• 국고보조금은 부담금 | • 국가가 전액 부담<br>• 국고보조금은 지방재정법상 교부금 또는 강학상 위탁금 |
| 의회관여 | 지방의회의 통제대상 | | 원칙적 배제 |
| 국가관여 | 합법적·사후적 감독(사전적, 합목적적 통제 불가) | 사후적·합법적·합목적적 감독(사전적 통제 불가) | 사전적·사후적 통제, 합법적·합목적적 통제 가능 |
| 배상책임 | 자치단체 책임 | 국가·자치단체 공동책임 | 국가책임 |
| 위임근거 | 자치단체의 고유사무(포괄적 예시주의) | 개별적인 법적 근거 필요 | 「지방자치법」에 포괄적 위임 규정을 두고 있음. |
| 구체적인 예 | • 자치단체의 존립·유지에 관한 사무(주민등록 사무 등)<br>• 지방의 공동복리에 관한 사무(학교, 병원 및 도서관의 설치·관리, 도로의 건설 및 관리, 상·하수도 사업, 주택사업, 오물처리, 교통, 도시계획, 소방, 지역 민방위 등) | • 생활보호 사무, 의료보호(보건소 설치 및 운영, 예방접종 사무)<br>• 시·도의 재해 구호<br>• 하천 및 국도의 유지 및 수선 사무<br>• 시·군의 국세 징수 및 수수료 징수, 점용료 징수, 공과금 징수 | • 대통령·국회의원 선거사무<br>• 인구조사, 국세조사, 산업통계 등 전국적 통계사무<br>• 지적, 공유수면매립<br>• 경찰사무<br>• 병사사무<br>• 도량형<br>• 가족관계등록사무 |

**O·X 문제**

1. 단체위임사무는 법령에 의하여 국가 또는 상급 지방자치단체로부터 지방자치단체에 위임된 사무이고, 기관위임사무는 법령 등에 의하여 국가 또는 상급 지방자치단체로부터 지방자치단체의 장에게 위임된 사무이다. ( )
2. 자치사무에 대한 국가의 감독에서 적극적 감독, 즉 예방적 감독과 합목적성의 감독은 배제되는 것이 원칙이다. ( )
3. 자치사무는 지방의회의 관여(의결, 사무감사 및 사무조사) 대상이지만, 단체위임사무와 기관위임사무는 관여 대상이 아니다. ( )
4. 지방정부의 사무 중 기관위임사무는 국가적 차원의 이해관계가 크게 걸려 있는 사무로 지방의회는 이러한 사무의 처리에서 배제된다. ( )
5. 중앙정부는 단체위임사무에 대해 사전적 통제보다 사후적 통제를 주로 한다. ( )
6. 지방의회는 단체위임사무의 처리 과정에 관한 조례를 제정할 수 있다. ( )
7. 기관위임사무의 처리에 드는 경비는 중앙정부와 지방정부가 공동 부담하는 것이 원칙이다. ( )
8. 단체위임사무의 예로는 예방접종, 보건소의 운영 등이 있고, 기관위임사무의 예로는 국민투표 사무, 선거사무, 병역자원의 관리업무 등이 있다. ( )
9. 단체위임사무의 예로서 시·군의 재해구호, 도의 국도 유지 및 보수에 관한 사무 등이 있다. ( )

O·X 정답 1. ○ 2. ○ 3. × 4. ○ 5. ○ 6. ○ 7. × 8. ○ 9. ○

### (3) 기관위임사무의 기능과 한계

| | |
|---|---|
| 기 능 | • 특별지방행정기관을 설치하지 않고 국가사무를 처리할 수 있어 행정의 효율성 제고<br>• 지역적 특수성을 인정하면서도 전국적 통일성을 기할 수 있음. |
| 한 계 | • 자치단체가 국가하급기관으로 전락되어 국가로부터 강력한 통제를 받음.<br>• 획일적이고 명령지시적 행정으로 지방의 창의성 저해<br>• 지방의회의 관여와 주민참여를 배제함으로써 지방자치 저해(지방자치의 공동화 초래)<br>• 중앙정부와 지방정부 간 책임소재 불분명<br>• 지방재정을 약화시켜 중앙의존적인 행정가속화 |

## 2. 우리나라의 사무배분

### (1) 자치단체의 사무범위(「지방자치법」 제13조)

자치단체의 사무를 예시하면 다음과 같다(포괄적 예시주의). 다만, 법률에 이와 다른 규정이 있으면 그러하지 아니하다.

① 자치단체의 구역, 조직, 행정관리 등(예 공유재산관리, 주민등록 관리 등)

② 주민의 복지증진(예 사회복지시설 및 공공보건진료기관의 설치 · 운영 및 관리, 감염병과 그 밖의 질병의 예방과 방역, 묘지 · 화장장 및 봉안당의 운영 · 관리, 청소 · 생활폐기물의 수거 및 처리, 지방공기업의 설치 및 운영 등)

③ 농림 · 수산 · 상공업 등 산업 진흥(예 농산물 · 임산물 · 축산물 · 수산물의 생산 및 유통 지원, 공유림 관리, 가축전염병 예방, 소비자 보호 및 저축 장려, 중소기업의 육성 등)

④ 지역개발과 자연환경보전 및 생활환경시설의 설치 · 관리(예 주거생활환경 개선의 장려 및 지원, 자연보호활동, 상 · 하수도의 설치 및 관리, 주차장 · 교통표지 등 교통편의시설의 설치 및 관리, 재해대책의 수립 및 집행 등)

⑤ 교육 · 체육 · 문화 · 예술의 진흥(예 각종 학교의 설치 · 운영 · 지도, 도서관 · 운동장 · 광장 · 체육관 · 박물관 · 공연장 등 공공교육 · 체육 · 문화시설의 설치 및 관리 등)

⑥ 지역민방위 및 지방소방(예 지역의 화재예방 · 경계 · 진압 · 조사 및 구조 · 구급 등)

⑦ 국제교류 및 협력(예 외국 지방자치단체와의 교류 · 협력 등)

### (2) 자치단체의 종류별 사무배분 기준(「지방자치법」 제14조)

① 시 · 도(제한적 열거주의)

㉠ 행정처리 결과가 2개 이상의 시 · 군 및 자치구에 미치는 광역적 사무

㉡ 시 · 도 단위로 동일한 기준에 따라 처리되어야 할 성질의 사무

㉢ 지역적 특성을 살리면서 시 · 도 단위로 통일성을 유지할 필요가 있는 사무

㉣ 국가와 시 · 군 및 자치구 사이의 연락 · 조정 등의 사무

㉤ 시 · 군 및 자치구가 독자적으로 처리하기 어려운 사무

㉥ 2개 이상의 시 · 군 및 자치구가 공동으로 설치하는 것이 적당하다고 인정되는 규모의 시설을 설치하고 관리하는 사무

② **시 · 군 및 자치구(포괄적 예시주의)**: 시 · 도가 처리하는 것으로 되어 있는 사무를 제외한 사무를 담당한다. 다만, 인구 50만 이상의 시에 대하여는 도가 처리하는 사무의 일부를 직접 처리하게 할 수 있다.

③ 시 · 도와 시 · 군 및 자치구는 사무를 처리할 때 서로 겹치지 아니하도록 하여야 하며, 사무가 서로 겹치면 시 · 군 및 자치구에서 먼저 처리한다.

**O·X 문제**

1. 기관위임사무는 국가와 지방자치단체 사이의 행정적 책임의 소재를 명확하게 해준다. ( )

**심화학습**

가족관계등록사무

과거 「지방자치법」에는 가족관계등록사무가 자치사무로 예시되어 있었으나, 개정된 「지방자치법」에는 제외되었다.

**O·X 문제**

2. 주민의 등록관리, 공유재산의 관리, 상하수도사업 등은 자치사무에 속한다. ( )
3. 도시계획사업의 시행, 소비자 보호 및 저축 장려는 자치사무이다. ( )
4. 주민의 복지증진에 관한 사무는 자치사무이다. ( )
5. 농림 · 상공업 등 산업 진흥에 관한 사무는 자치사무이다. ( )
6. 국제교류 및 협력에 관한 사무는 지방자치단체의 사무이다. ( )
7. 지방자치단체의 구역, 조직, 행정관리 등은 시 · 도와 시 · 군 및 자치구에 공통된 사무이다. ( )

**심화학습**

국제교류 · 협력 신설(「지방자치법」 제193조 ~ 제195조)

① 자치단체는 국가의 외교 · 통상 정책과 배치되지 아니하는 범위에서 국제교류 · 협력, 통상 · 투자유치를 위하여 외국의 자치단체, 민간기관, 국제기구와 협력을 추진할 수 있다.
② 자치단체는 국제기구 설립 · 유치 또는 활동 지원을 위하여 국제기구에 공무원을 파견하거나 운영비용 등 필요한 비용을 보조할 수 있다(국제기구 지원).
③ 자치단체는 국제교류 · 협력 등의 업무를 원활히 수행하기 위하여 필요한 곳에 단독 또는 자치단체 간 협력을 통해 공동으로 해외사무소를 설치할 수 있다(해외사무소 설치 · 운영).

O·X 정답 1. × 2. ○ 3. ○ 4. ○ 5. ○ 6. ○ 7. ○

PART · 07

**O·X 문제**

1. 인구 30만 이상의 시에 대해서는 도가 처리하는 사무의 일부를 직접 처리하게 할 수 있다. ( )

2. 연락, 보완적 사무는 광역자치단체가 수행한다. ( )

3. 시·군 및 자치구가 독자적으로 처리하기 어려운 사무는 시·도의 사무이다. ( )

4. 농산물·임산물·축산물·수산물의 수급조절에 관한 사무는 자치사무이다. ( )

5. 주차장·교통표지 등 교통편의시설의 설치 및 관리는 지방자치단체가 수행할 수 없는 국가사무이다. ( )

6. 자연보호활동, 원자력 개발, 항공관리는 지방자치단체가 처리할 수 없는 국가사무이다. ( )

**O·X 문제**

7. 우리나라의 중앙정부와 지방정부의 기능배분방식은 포괄적 예시형 기능배분방식을 적용하고 있어 중앙기능의 지방이양률이 매우 높은 편이다. ( )

8. 「지방자치법」에서 지방자치단체의 사무를 예시하고 있지만, 법률에 이와 다른 규정이 있으면 그렇지 않다. ( )

O·X 정답 | 1. × 2. ○ 3. ○ 4. × 5. × 6. × 7. × 8. ○

(3) 국가사무의 처리제한(「지방자치법」 제15조)

지방자치단체는 다음의 국가사무를 처리할 수 없다. 다만, 법률에 이와 다른 규정이 있는 경우에는 국가사무를 처리할 수 있다.

① 외교, 국방, 사법(司法), 국세 등 국가의 존립에 필요한 사무
② 물가정책, 금융정책, 수출입정책 등 전국적으로 통일적 처리를 할 필요가 있는 사무
③ 농산물·임산물·축산물·수산물 및 양곡의 수급조절과 수출입 등 전국적 규모의 사무
④ 국가종합경제개발계획, 국가하천, 국유림, 국토종합개발계획, 지정항만, 고속국도·일반국도, 국립공원 등 전국적 규모나 이와 비슷한 규모의 사무
⑤ 근로기준, 측량단위 등 전국적으로 기준을 통일하고 조정하여야 할 필요가 있는 사무
⑥ 우편, 철도 등 전국적 규모나 이와 비슷한 규모의 사무
⑦ 고도의 기술이 필요한 검사·시험·연구, 항공관리, 기상행정, 원자력개발 등 지방자치단체의 기술과 재정능력으로 감당하기 어려운 사무

(4) 우리나라 기능배분의 문제점

① **과다한 기관위임사무**: 기관위임사무가 많아 지방행정의 자율적 발전을 저해한다.
② **권한과 책임의 불일치**: 위임사무의 경우 책임은 수임기관에 위임되지만, 권한은 위임기관이 갖게 되어 권한과 책임의 불균형을 초래한다.
③ **자의적인 사무위임**: 기관위임사무의 경우 포괄적 위임규정에 의하여 일반통첩이나 예규에 의한 위임이 이루어지므로 국가나 상급자치단체의 재량이 지나치게 작용한다.
④ **과도한 지휘·감독**: 자치사무에 대한 통제는 사후적·합법적 방법으로 행해져야 하는 것이 원칙이나 현실은 과도한 지휘와 감독이 이루어지고 있다.
⑤ **기능배분에 대한 불명확한 기준**: 포괄적 예시주의 방식을 취하고 있어 국가와 자치단체 간, 광역과 기초 간, 위임사무와 고유사무 간 기능배분이 모호하다.
⑥ **획일적인 기능배분**: 대도시 특례 등 일부 예외규정을 두고 있지만, 여전히 획일적인 사무배분이 이루어지고 있다.
⑦ **기능배분과 재원배분의 불일치**: 중앙과 지방 간 기능배분과 재원배분의 불일치로 인하여 자치단체의 사무처리에 재정적 어려움이 있다.
⑧ **사무처리주체 변경 가능성**: 「지방자치법」에 "법률에 이와 다른 규정이 있는 경우 그러하지 아니하다."는 예외규정을 두어 다른 법률에서 「지방자치법」에 예시된 사무처리주체를 변경할 수 있다는 한계가 있다.

## 04 교육자치와 자치경찰

### 1. 교육자치

(1) 의 의

교육자치란 교육행정에서 지방분권주의를 원칙으로 주민의 참여와 교육행정의 제도적인 조직을 통해 교육의 자주성, 전문성 및 지방교육의 특수성을 보장하려는 제도이다. 교육자치는 지방자치(중앙정부로부터의 자치)와 교육자치(일반행정으로부터의 자치: 기능상 자치)의 두 요소를 포함하고 있다.

(2) 교육자치의 원리

① **지방분권의 원리**: 국가에 의한 획일적인 지시와 통제를 지양하고 지방의 실정과 특수성을 고려하여 정책을 수립하고 집행해야 한다.

② **주민에 의한 통제의 원리**: 교육정책의 심의 · 결정 · 집행 과정에 주민참여가 보장되어야 한다.

③ **분리 · 독립의 원리**: 교육은 일반행정으로부터 분리되어 그 독자성을 보장받아야 한다.

④ **전문적 관리의 원리**: 교육은 전문지식과 기술을 갖춘 교육전문가에 의하여 관리되어야 한다.

(3) 교육자치의 유형

① **분리형**: 지방교육조직을 일반행정조직과 분리하여 운영하는 제도이다.

② **통합형**: 지방교육조직을 일반행정조직과 통합시켜 교육행정과 일반행정이 밀접한 연계를 가지도록 하는 제도이다.

③ **절충형**: 지방교육조직에서 의결기관 또는 집행기관 중 어느 하나를 일반지방자치단체와 분리시켜 지방교육의 특수성을 살리는 제도이다(우리나라).

(4) 한국의 교육자치 – 절충형

① **자치단위**: 자치단체의 교육 · 과학 · 기술 · 체육 그 밖의 학예에 관한 사무는 시 · 도의 사무로 한다(광역자치단체 단위).

② **교육자치조직**: 의결기관 – 교육위원회, 집행기관 – 교육감

㉠ **의결기관(교육위원회)**: 시 · 도의 교육 · 학예에 관한 의안 등을 심의하기 위한 교육위원회를 시 · 도의회 내 상임위원회로 둔다. 교육위원회는 시 · 도의회의원으로 구성하되, 시 · 도의회의 교육 · 학예에 관한 사무를 처리하기 위하여 조례로 정하는 바에 따라 시 · 도의회의 사무처에 지원조직과 사무직원을 둔다.

㉡ **집행기관(교육감)**: 집행기관으로서 시 · 도 교육감과 하급교육행정기관인 지역교육청을 둔다. 교육감은 주민직선으로 선출하며, 임기는 4년으로 하고, 계속 재임은 3기에 한정한다.

㉢ **주민 통제 – 주민소환제**: 주민은 교육감을 소환할 권리를 가진다.

㉣ **정치적 중립성**: 정당은 교육감후보자를 추천할 수 없고, 후보자도 특정 정당으로부터 지지 · 추천받고 있음을 표방할 수 없다.

**O·X 문제**

1. 우리나라는 지방자치단체와 교육자치기구가 분리되어 있다. ( )
2. 우리나라는 교육집행기관과 교육의결기관이 분리되어 있다. ( )
3. 교육감은 법령과 조례의 범위 안에서 교육행정에 관한 규칙을 제정할 수 있다. ( )

O·X 정답 1. ○ 2. ○ 3. ○

PART · 07

**O·X 문제**

1. 시·도는 지방교육세를 매 회계연도 일반회계예산에 계상하여 교육비특별회계로 전출하여야 한다. ( )

③ 교육자치의 재정

㉠ **지방교육세**: 지방교육재정에 충당하기 위하여 시·도는 목적세로서 지방교육세를 부과·징수한다. 시·도는 지방교육세를 매 회계연도 일반회계예산에 계상하여 교육비특별회계로 전출하여야 한다.

㉡ **교육비특별회계**: 시·도의 교육·학예에 관한 경비를 따로 경리하기 위하여 해당 지방자치단체에 교육비특별회계를 둔다.

㉢ **지방교육재정교부금**: 지방교육양여금을 폐지하고 지방교육재정교부금에 통합하여 재원을 교부한다.

④ 교육자치에 대한 지도·감독

㉠ 교육부장관은 시·도의 교육·학예사무에 관하여 조언·권고·지도할 수 있다.

㉡ 교육부장관은 교육감의 명령·처분에 대하여 시정명령 및 취소·정지권을 갖는다. 단, 자치사무에 대해서는 법령을 위반한 경우에 한한다.

㉢ 교육감은 국가의 위임사무에 관해서 직무상 이행명령 등 교육부장관의 지도·감독을 받는다.

## 2. 자치경찰

(1) 의 의

경찰기능을 국가가 수행하는지 자치단체가 수행하는지는 각국의 전통에 따라 다양하다. 영미법계에서는 자치경찰제를 발전시켰고 대륙법계에서는 국가경찰제를 발전시켰는데, 오늘날에는 국가경찰과 자치경찰을 병존시키는 것이 일반적인 현상이다.

(2) 경찰제도의 유형

① 국가경찰 중심형과 자치경찰 중심형

| 구 분 | 국가경찰 중심형 | 자치경찰 중심형 |
|---|---|---|
| 특 징 | 사회안전·질서유지, 방범·교통 등 전반적인 사무 일체를 국가경찰에 의해 집행 | 사회안전기능과 개인안전기능 중 주민복리와 관련된 개인안전기능을 자치단체가 수행 |
| 장 점 | • 강력한 집행력 확보<br>• 국가긴급사태에 효율적으로 대처<br>• 치안행정의 능률성·통일성 확보<br>• 광역적인 협조체계의 구축 | • 생활치안의 책임성 있는 실현<br>• 민·경 간의 협조체제 구축<br>• 국가경찰의 업무부담 경감<br>• 명확한 책임한계<br>• 지역실정과 지역치안 수요에 부합 |
| 단 점 | • 경찰행정의 관료화와 정치화의 우려<br>• 지방의 특성 무시<br>• 개인안전기능의 소홀 | • 경찰행정의 일반행정에의 예속<br>• 경찰서비스 격차의 발생<br>• 광역적 사건 처리의 비능률<br>• 조직의 유지관리 비용 증대<br>• 지역의 유력자와 경찰 간의 결탁 |
| 채택국가 | 대륙법계 국가(프랑스, 독일 등) | 영미계 국가 |

② **절충형**: 국가경찰과 자치경찰의 균형과 조화를 이루는 제도이다. 예컨대, 일본에서는 경찰기능은 광역자치단체에서 수행하고, 국가는 긴급사태를 제외하고는 직접 경찰권을 행사하지 않으나 성격상 통일적 업무처리가 요구되는 사항에 대해서는 지방경찰을 지휘·감독할 수 있다.

**O·X 문제**

2. 자치경찰제는 경찰업무의 통일성과 효율성을 높일 수 있다. ( )

3. 국가경찰제는 전국적 사태나 광역적 사건에 효율적으로 대처할 수 있으며, 자치경찰제는 주민의 권리보호와 생활치안 확보에 유리하다. ( )

4. 자치경찰제는 지역적 특성에 맞는 치안행정을 구현할 수 있어 경찰행정의 대응성을 제고할 수 있다. ( )

O·X 정답 1. ○ 2. × 3. ○ 4. ○

### (3) 한국의 경찰제도

① 형태: 2021년 1월 1일부터 「국가경찰과 자치경찰의 조직 및 운영에 관한 법률」을 시행함으로써 절충형의 형태로 운영되고 있다. 또한, 제주특별자치도의 경우 2006년 7월부터 도지사 소속하에 자치경찰단이 설치되어 운영되고 있다.

② 경찰사무

㉠ **경찰의 임무**: ⓐ 국민의 생명·신체 및 재산의 보호, ⓑ 범죄의 예방·진압 및 수사, ⓒ 범죄피해자 보호, ⓓ 경비·요인경호 및 대간첩·대테러 작전수행, ⓔ 공공안녕에 대한 위험의 예방과 대응을 위한 정보의 수집·작성 및 배포, ⓕ 교통의 단속과 위해의 방지, ⓖ 외국 정부기관 및 국제기구와의 국제협력, ⓗ 그 밖에 공공의 안녕과 질서유지 등

㉡ **국가경찰사무**: 경찰의 임무를 수행하기 위한 사무(자치경찰사무 제외)

㉢ **자치경찰사무**: 경찰의 임무범위에서 관할지역 내의 생활안전·교통·경비(지역 내 다중운집행사 관련)·수사(학교폭력, 가정폭력, 아동학대범죄 등) 등에 관한 사무

③ 경찰조직

㉠ **국가경찰위원회**: 국가경찰행정에 관한 사항을 심의·의결하기 위해 행정안전부에 국가경찰위원회를 두며, 국가경찰위원회의 사무는 경찰청에서 수행한다.

㉡ **경찰청 및 시·도경찰청**: 행정안전부장관 소속으로 경찰청을 두며, 시·도에 시·도경찰청을, 시·도경찰청장 소속으로 경찰서를 둔다.

㉢ **시·도자치경찰위원회**: 자치경찰사무를 관장하게 하기 위해 시·도지사 소속으로 시·도자치경찰위원회를 둔다. 시·도자치경찰위원회는 합의제 행정기관으로서 그 권한에 속하는 업무를 독립적으로 수행한다.

㉣ **제주특별자치도의 자치경찰단**: 자치경찰위원회 소속으로 자치경찰단을 둔다. 자치경찰단장은 도지사가 임명하며, 자치경찰위원회의 지휘·감독을 받는다.

④ 업무수행

㉠ 시·도경찰청장은 국가경찰사무에 대해서는 경찰청장의 지휘·감독을, 자치경찰사무에 대해서는 시·도자치경찰위원회의 지휘·감독을 받아 관할구역의 소관사무를 관장하고 소속공무원 및 소속경찰기관의 장을 지휘·감독한다.

㉡ 수사에 관한 사무에 대해서는 국가수사본부장(경찰청 소속)의 지휘·감독을 받아 관할구역의 소관사무를 관장하고 소속공무원 및 소속경찰기관의 장을 지휘·감독한다.

**O·X 문제**

1. 자치경찰사무를 관장하기 위하여 광역자치단체에 시·도자치경찰위원회를 둔다. ( )
2. 시·도자치경찰위원회는 합의제 행정기관으로서 그 권한에 속하는 업무를 독립적으로 수행한다. ( )
3. 시·도자치경찰위원회는 특별시장·광역시장·특별자치시장·도지사·특별자치도지사 소속으로 자치경찰사무를 관장한다. ( )
4. 제주도 자치경찰단장은 자치경찰위원회가 임명하고 도지사의 지휘·감독을 받는다. ( )

PART · 07

O·X 정답 1. ○ 2. ○ 3. ○ 4. ×

CHAPTER 03

# 지방재정

## 제 1 절 지방재정의 기초

### 01 지방재정의 의의

#### 1. 지방재정의 개념

지방재정이란 자치단체가 행정서비스를 수행하기 위하여 필요한 재원을 획득하고 지출하며 관리하는 계속적인 경제활동의 총체를 말한다. 지방재정의 확립(자주재정권의 확립)은 성공적인 지방자치의 가장 기본적이고 중요한 선결과제이다.

#### 2. 지방재정의 특징

(1) 일반적 특징

① **지역재정의 다양성(재정주체의 복수성)**: 지방재정은 국가재정과 달리 단일주체의 재정이 아니라 다수 자치단체(250여 개)의 재정을 총칭한다.

② **지방재정의 의존성(종속성, 타율성, 제약성)**: 지방재정의 상당부분이 중앙정부의 이전재원이기 때문에 지방재정은 국가재정에 의존성을 띤다.

③ **지방재정의 지역성**: 자치단체의 활동범위는 관할구역 내에 한정되기 때문에 지방재정의 범위도 그 지역적 경계를 초월할 수 없다.

④ **지방재정의 응익성(수수료, 분담금)**: 지방재정은 재정지출과 비용부담의 연계(응익성)가 국가재정보다 강하다. 이는 지방정부의 공공서비스는 수익자가 명확하고 한정적이기 때문이다.

⑤ **지방재정의 정치성**: 지방재정은 지역주민의 의사와 밀접한 관련이 있어 재정지출의 우선순위가 경제적 합리성보다는 이익집단의 요구와 정경유착으로 인한 정치적 요인에 의해 결정될 가능성이 크다.

⑥ **지방재정의 복잡성**: 자치단체의 계층구조가 2계층으로 구성되어 있을 뿐만 아니라 광역과 기초 간 재원배분구조가 달라 지방재정구조는 복잡성을 띤다.

(2) 국가재정과의 비교

| 구 분 | 국가재정 | 지방재정 |
|---|---|---|
| 서비스 성격 | 순수공공재 공급<br>(국방, 외교, 사법 등) | 준공공재 공급<br>(도로 등 SOC건설) |
| 재정의 기능 | 포괄적<br>(경제안정 기능, 소득재분배 기능,<br>자원배분 기능 모두 수행) | 자원배분 기능을 주로 수행 |
| 재정의 초점 | 전략적 정책 기능 | 전술적 집행 기능 |
| 평가 기준 | 공평성 | 효율성 |
| 부담 구조 | 응능주의<br>(가격원리 적용 곤란, 일반적 보상관계) | 응익주의<br>(가격원리 적용 용이, 개별적 보상관계) |
| 경쟁 여부 | 비경쟁성 | 지방정부 간 경쟁성 |
| 선호 반영 | 주민선호에 대한 민감도 낮음. | 주민선호에 대한 민감도 높음. |
| 세 원 | 지역 간 이동성 없음. | 지역 간 이동성 높음. |
| 재원조달방식 | 주로 조세에 의존 | 다양한 세입원에 의존<br>(국가로부터의 의존재원, 세외수입 등) |
| 재정관행 | **양출제입(量出制入)**: 세입결정권한 있음. | **양입제출(量入制出)**: 세입결정권한 없음. |
| 대표성 | 일반적 대표성 | 지역적 대표성 |

## 3. 지방재원의 구분

(1) **자주재원과 의존재원**: 수입의 조달방법에 따른 분류

① **자주재원**: 자치단체가 법령의 범위 안에서 독자적으로 부과·징수하는 재원(예 지방세, 세외수입 등)

② **의존재원**: 국가나 광역자치단체가 결정하여 기초자치단체에 이전하는 재원(예 국고보조금, 지방교부세, 조정교부금 등)

(2) **일반재원과 특정재원**: 지출용도에 따른 분류

① **일반재원**: 어떤 경비에도 자유롭게 충당할 수 있는 수입(예 지방세, 세외수입, 지방교부세 중 보통교부세와 부동산교부세 등)

② **특정재원**: 지출해야 하는 용도가 특정되어 있는 수입(예 국고보조금, 지방교부세 중 특별교부세와 소방안전교부세 등)

(3) **경상수입과 임시수입**: 수입의 안정성과 규칙성에 따른 분류

① **경상수입**: 회계연도마다 계속적·안정적으로 확보할 수 있는 수입(예 지방세, 사용료·수수료, 보통교부세, 이자수입, 사업수입 등)

② **임시수입**: 회계연도마다 불규칙적·임시적으로 확보할 수 있는 수입(예 특별교부세, 부동산 매각수입, 지방채 수입 등)

**O·X 문제**

1. 재원조달방식에 있어 중앙정부는 지방정부에 비해 조세 이외의 보다 다양한 세입원에 의존하고 있다. ( )

2. 국가재정은 순수공공재적 성격이 강한 재화나 서비스를 공급하는 데 비해, 지방재정이 공급하는 재화나 서비스는 순수공공재적 성격이 약하다. ( )

3. 공평성과 효율성이라는 이념에 비추어 본다면 국가재정은 상대적으로 효율성을 더 강조하는 데 비해 지방재정은 공평성을 더 강조한다. ( )

4. 국가재정은 지방재정에 비해 조세에 대한 의존도가 높다. ( )

5. 지방재정은 중앙재정에 비해 자원배분 기능, 소득재분배 기능, 지역경제 안정화 기능 등 더 포괄적인 기능을 수행한다. ( )

6. 지방재정은 중앙재정에 비해 수익자부담주의(응익주의)에 입각한 재정운영이 쉽다. ( )

7. 지방재정은 중앙재정에 비해 외부효과로 인해 자원배분의 비효율이 발생할 가능성이 높다. ( )

O·X 정답 1. × 2. ○ 3. × 4. ○ 5. × 6. ○ 7. ○

## 02 우리나라의 지방재정 체계

### 1. 지방재정 체계

| | | | |
|---|---|---|---|
| 자주재원 | 지방세 | 보통세 | 전체세입으로 전체세출에 충당하는 일반용도의 조세(현재 9개 세목) |
| | | 목적세 | 특정세입으로 특정세출에 충당하는 특정용도의 조세(현재 2개 세목) |
| | 세외수입 | 경상적 세외수입 | 규칙적 세외수입(수수료, 사용료 등) |
| | | 임시적 세외수입 | 불규칙적 세외수입(분담금, 전입금 등) |
| 의존재원 | 지방교부세 | 보통교부세 | 재정력 지수가 낮은 자치단체에 지급 |
| | | 특별교부세 | 특별한 재정수요나 지역적 현안에 지급 |
| | | 부동산교부세 | 종토세 감면분에 대한 보전 |
| | | 소방안전교부세 | 자치단체의 소방 및 안전시설 확충, 안전관리 강화 등을 위해 지급 |
| | 국고보조금 | 장려적 보조금 | 장려목적으로 자치사무에 대한 경비 지원 |
| | | 부담금 | 단체위임사무에 대한 비용의 일부 지원 |
| | | 교부금 | 기관위임사무에 대한 비용의 전부 지원 |
| | 조정교부금 | 시·도가 소속 시·군·자치구에게 지원(일반조정교부금, 특별조정교부금) | |
| 지방채 | | 과세권을 담보로 증서차입 또는 증권발행을 통해 부족한 재원을 충당하는 채무부담행위(자주재원에서 제외) | |

### 2. 우리나라의 지방재정

(1) 현 황

① 세입 측면: 의존재원이 약 45%가량을 차지하고 있어 세입분권이 취약한 상태이다. 또한 지방채 비중은 전체 예산의 3% 이내에 불과하다.

② 세출 측면: 사회복지비 지출비중이 높은 편이며, 국고보조금의 지방비 부담금을 마련하기 위해 '기타' 항목✣의 비중이 높다. 이로 인해 지방세출에서 자율성·안정성·예측가능성·계획성이 약화되고 있다.

(2) 문제점

① 낮은 재정지위: 국가재정 위주로 편성되어 있어 지방재정은 매우 낮은 재정지위를 확보하고 있다(국가재정 66%, 지방재정 34%).

② 사무분담과 경비분담의 불일치: 사무는 자치단체에 과다배분된 반면 재원은 자치단체에 과소배분되어 있다.

③ 재정운영상의 한계: 중앙정부의 재정통제는 강한 반면, 지역주민의 재정통제는 취약하다.

④ 낮은 신장성: 국세는 소득과 소비과세 중심으로, 지방세는 재산과세 중심으로 구성되어 있어 지방재정의 신장성이 낮다.

⑤ 지역 간의 재정불균형: 자치단체 간 재정력 격차가 커 불균형 발전이 야기된다.

**심화학습**

**지방재정 운용의 원칙**

| | |
|---|---|
| 수지균형의 원칙 | 자치단체는 수입과 지출의 균형을 유지해야 한다. |
| 재정구조의 탄력성 확보의 원칙 | 자치단체는 신축적인 재정구조를 확보하여 지역사회의 여건 변화에 대응해야 한다. |
| 행정수준의 확보·향상의 원칙 | 자치단체는 주민이 요청하는 행정수요의 양과 질을 충실히 뒷받침할 수 있는 행정수준을 확보하고 향상시켜 나가야 한다. |
| 재정운영 공정성의 원칙 | 자치단체는 예산편성, 집행, 결산, 재산 및 자금관리의 적법화 등의 제도적 보장을 통해 재정운영의 공정성을 확보해야 한다. |
| 재정운영 효율화의 원칙 | 자치단체는 최소경비로 최대서비스를 제공하여야 한다. |
| 장기적 재정안정의 원칙 | 자치단체는 장기적 안목에서 지방재정 계획을 수립하고 다음 연도의 재정운영을 고려해야 한다. |
| 재정부담 적정화의 원칙 | 국가·자치단체·주민 간 경비부담이 적정하게 이루어지도록 해야 한다. |
| 재정자주성의 원칙 | 국가는 지방재정의 자주성과 건전한 운영을 조장해야 하며, 국가의 부담을 자치단체에 전가해서는 아니 된다. |

✣ **기타 항목**

중앙정부의 예산심의·확정 기간과 지방정부의 예산심의·확정 기간이 중복되므로 중앙정부의 각종 보조사업이 확정되기 전에 지방정부는 잠정적인 상황을 예측해 지방비 부담금을 미리 준비해야 한다. 이러한 예산은 기타 항목으로 분류된다.

⑥ **과세주권 결여**: 조세법정주의로 인하여 지방정부의 독자적인 과세주권이 결여되어 있을 뿐만 아니라 세목과 세율이 획일화되어 있다.

⑦ **낮은 재정자립도**: 자주재원의 비율이 낮고 의존재원의 비율이 높아 자치단체의 재정분권이 취약하다.

⑧ **의존재원 배분의 불합리성**: 지방교부세는 교부세율이 낮고 유인지향적 배분이 미흡하며, 국고보조금은 강력한 중앙정부의 재정통제 및 재정불균형 심화를 야기하고 있다.

⑨ **경상적 재정지출의 과다**: 세출 측면에서 경상지출이 차지하는 비율이 높고, 자본지출이 차지하는 비율이 낮아 자치단체의 발전을 어렵게 한다.

(3) 발전방향

① 국가재정 위주의 재정체계를 지방재정 위주의 체제로 재편

② 법정외 조세 인정 또는 탄력세율제도의 확대를 통한 과세자주권 강화

③ 지방교부세율의 현실화와 지방교부세의 차등교부를 통한 유인지향적 배분

④ 국고보조금 지원에 있어서 자치단체의 재량권 확대(포괄보조금 확대)

⑤ 중앙정부의 통제를 완화하는 대신 주민통제 강화

## 제 2 절 지방자치단체의 자주재원

### 01 지방세

#### 1. 의 의

(1) 개 념

자치단체가 재정수입을 조달하기 위하여 자치재정권에 의거하여 그 주민 또는 이와 동일한 지위에 있는 자로부터 반대급부 없이 강제적으로 징수하는 재원이다.

(2) 특 징

① **법률에 근거한 강제적 부과·징수**: 법률에 근거한 강제 징수이다.

② **일반적 경비의 조달**: 자치단체의 일반적 경비조달(일반재원)을 목적으로 한다.

③ **금전으로 표시·납부**: 원칙적으로 금전으로 표시되고 징수되어야 한다.

④ **직접적인 대가성 없는 징수**: 개별적인 반대급부가 없는 재원이다.

⑤ **독립세주의**: 중복과세금지의 원칙에 따라 국세와 지방세의 세원이 분리되어 있다.

⑥ **분리과세주의**: 자치단체별로 독립적인 분리과세가 원칙이다. 다만, 서울특별시는 재산세에 대해 공동과세제도를 도입하여 활용하고 있다.

**O·X 문제**

1. 지방자치단체의 세입재원 중 자주재원에는 지방세와 세외수입이 있고, 의존재원에는 국고보조금과 지방교부세 등이 있다. ( )

2. 지방수입에 있어서 자주재원의 핵심은 지방세와 세외수입으로 지방세는 법률이 정하는 바에 따라 강제적으로 징수하고, 세외수입은 지방세 외의 모든 수입을 포함하는 개념이다. ( )

3. 재산임대수입과 조정교부금은 자주재원에 속한다. ( )

4. 의존재원의 비중이 높아지면 재정분권이 취약해질 수 있다. ( )

5. 자치단체 지방수입의 구조에서 가장 두드러진 특징 중 하나는 자주재원에 비해 의존재원이 매우 많다는 점으로, 지방자치단체의 국가재정에 대한 의존도가 상당히 크다 할 수 있다. ( )

O·X 정답 1. ○ 2. ○ 3. × 4. ○ 5. ○

PART · 07

**참고** **공동과세제도**(「지방세기본법」 제9조~제10조)

**1. 의 의**

기초자치단체의 특정 세목에 대한 조세를 광역자치단체가 공동으로 징수한 다음, 해당 세수입을 일정한 기준에 따라 광역자치단체와 기초자치단체 상호 간에 배분하는 과세방식을 말한다. 현재 우리나라는 서울특별시의 자치구세인 재산세를 공동과세하고 있다.

**2. 특별시의 관할구역 재산세의 공동과세**(「지방세기본법」 제9조)

① 특별시 관할구역에 있는 구의 경우에 재산세는 특별시세 및 구세인 재산세로 한다.
② 특별시세 및 구세인 재산세 중 특별시분 재산세와 구(區)분 재산세는 각각 산출된 재산세액의 50%를 그 세액으로 한다.
③ 이 경우 특별시분 재산세는 보통세인 특별시세로 보고 구분 재산세는 보통세인 구세로 본다.

**3. 특별시분 재산세의 교부**(「지방세기본법」 제10조)

① 특별시장은 특별시분 재산세 전액을 관할구역의 구에 교부하여야 한다.
② 특별시분 재산세의 교부기준 및 교부방법 등 필요한 사항은 구의 지방세수 등을 고려하여 특별시의 조례로 정한다. 다만, 교부기준을 정하지 아니한 경우에는 구에 균등 배분하여야 한다(현재 균등배분하고 있음).
③ 특별시로부터 교부받은 재산세는 해당 구의 재산세 세입으로 본다.

**4. 평 가**

공동과세는 자치구 간의 재정 불균형을 해소할 수 있는 장점이 있는 반면, 비용부담과 편익의 연계성 악화로 인한 재정수요 팽창이 야기될 위험성이 있다.

**O·X 문제**

1. 특별시의 재산세는 특별시분과 자치구분으로 구분하고, 특별시분은 구의 지방세수 등을 고려하여 자치구에 차등 분배하고 있다. ( )

## 2. 지방세의 원칙

### (1) 재정수입 측면

① **균형성(보편성)의 원칙**: 세원이 특정 지역에 편재되어서는 아니 되며, 각 자치단체 간에 골고루 분포되어 있어야 한다.
② **안정성의 원칙**: 지방세수의 연도별 격차가 크지 않고 안정적으로 확보되어야 한다.
③ **충분성의 원칙**: 지방세수가 지방정부의 기초적인 재정수요를 충족할 수 있을 만큼 충분히 확보되어야 한다.
④ **신장성(신축성)의 원칙**: 지방세수가 증가하는 행정수요에 대응할 수 있도록 지속적(탄력적·신축적)으로 증가해야 한다.

**O·X 문제**

2. 지방세의 세원이 특정 지역에 편재되어 있지 않고 고루 분포되어 있어야 한다는 지방세의 원칙은 보편성의 원칙이다. ( )

**핵심정리 | 안정성의 원칙과 신장성(신축성)의 원칙과의 관계**

안정성의 원칙과 신장성(신축성)의 원칙은 상호 충돌한다. 지방세목의 안정성이 높다는 것은 사회경제의 성장에 따른 탄력적인 신장성이 결여되어 있다는 것을 의미하기 때문이다. 지방재정은 안정성을 기본으로 하면서도 어느 정도 신장성을 가질 수 있는 세목을 가미하여 구성하는 것이 바람직하다.

### (2) 주민부담 측면

① **부담분임의 원칙(분담성의 원칙)**: 자치단체의 경비는 가능한 한 많은 구성원이 균등하게 분담해야 한다. 우리나라의 현행 지방세 중 주민세 균등할이 부담분임의 원칙에 가장 충실한 세목이다(주민참여를 실현하는 원칙).
② **응익성의 원칙**: 주민이 향유하는 편익에 비례하여 비용을 부담하여야 한다.

**O·X 문제**

3. 부담보편의 원칙은 동등한 지위에 있는 자에게는 동등하게 과세하고 조세감면의 폭이 너무 넓어서는 안 된다는 원칙이다. ( )

4. 지방세 원칙 중 하나인 부담분임의 원칙을 가장 잘 충족시키고 있는 것은 재산세이다. ( )

5. 지방세는 납세자의 지불능력보다 공공서비스의 수혜 정도를 기준으로 하여야 한다는 원칙은 응익성의 원칙이다. ( )

O·X 정답 | 1. × 2. ○ 3. ○ 4. × 5. ○

(3) 세무행정(징세행정) 측면

① 편의 및 최소비용의 원칙: 징세가 용이하고 징세비가 절감되어야 한다.

② 지역성(국지성, 정착성)의 원칙: 지방세의 세원이 가급적 어느 하나의 지역에 정착되는 것이어야 한다. 이 원칙에 의할 때 보유과세를 중심으로 한 재산과세가 바람직하다.

③ 자주성의 원칙: 중앙정부로부터 독자적인 과세주권이 확립되어야 한다.

④ 확실성의 원칙: 징세가 확실히 실행되어야 한다.

### 3. 지방세의 종류

(1) 용도에 따른 구분

① 보통세: 전체 세입으로 전체 세출에 충당하기 위하여 용도 구분 없이 징수하는 조세(예 취득세, 등록면허세, 레저세, 담배소비세, 지방소비세, 주민세, 지방소득세, 재산세, 자동차세)

② 목적세: 특정한 세출에 충당하기 위하여 특별히 부과하는 조세(통일성 원칙의 예외)(예 지역자원시설세, 지방교육세)

(2) 과세대상에 따른 구분

| 재산과세 | 재산보유과세 | 재산세, 자동차세 등 |
|---|---|---|
| | 재산거래과세 | 취득세, 등록면허세 등 |
| 소득과세 | | 지방소득세 |
| 소비과세 | | 레저세, 담배소비세, 지방소비세 등 |

(3) 독립세와 부가세

① 의의: 독립세란 자치단체가 국가 또는 다른 자치단체와 독립하여 독자적인 세원을 보유하고 독자적인 과세표준에 의해 부과할 수 있는 세원을 말한다. 반면, 부가세란 국가 또는 다른 자치단체의 과세표준 또는 세액에 대하여 일정한 정률을 부가하여 부과할 수 있는 세원을 말한다.

② 장·단점: 부가세는 세무행정을 간소화하는 장점이 있지만, 국가의 일방적인 국세제도의 개정에 의해 지방세가 영향을 받게 되어 자치재정 측면에서 바람직하지 못하다.

③ 우리나라: 현재 우리나라의 지방세는 독립세 중심이다. 한편, 지방소득세는 과거 국세인 소득세와 법인세의 10%를 부과하도록 하여 부가세의 형태를 띠었으나, 현재는 독립세화하고 국세인 소득세와 법인세의 과표는 공유하되 세율과 감면기준 등은 자치단체가 자율적으로 정하도록 하였다.

**O·X 문제**

1. 국지성의 원칙은 지방세의 과세 객체는 가능한 한 자치단체 간의 이동이 적고 그 자치단체의 관할구역 내에 지역화되어야 한다는 원칙이다. ( )

**O·X 문제**

2. 지방자치단체의 목적세로는 주행세, 도시계획세, 지방교육세 등이 있다. ( )

3. 지방세 중 통일성 원칙의 예외와 관련된 세목은 지역자원시설세와 지방소비세이다. ( )

O·X 정답 1. ○ 2. × 3. ×

PART · 07

(4) 종가세와 종량세

① 의의: 종가세는 과세표준을 화폐단위로 표시된 과세물건의 가격으로 하는 것을 말한다. 반면, 종량세는 과세표준을 과세물건의 수량·용량 등(산출단위)으로 하는 것을 말한다.

② 장·단점: 과세표준을 가격으로 할 경우 과세의 공평을 기할 수 있으나 과세물건의 가치 평가의 어려움이 문제점으로 지적된다. 반면, 과세표준을 물건의 수량이나 용량으로 할 경우 과세의 평가는 용이하지만 부담의 불공평성이 야기될 수 있다.

③ 우리나라: 부가가치세, 주세, 취득세, 등록면허세 등은 종가세로 운영되고 있으며, 담배소비세, 자동차세(배기량) 등은 종량세로 운영되고 있다.

(5) 정액세와 정률세

① 의의: 정액세는 세액이 과세표준에 상관없이 일정하게 정해져 있는 조세를 말한다. 반면 정률세는 세율이 과세표준의 일정비율로 정해져 있는 조세를 말한다. 정률세는 다시 과세표준의 크기와 관계없이 세율이 일정한 비례세와 과세표준의 크기가 증가함에 따라 세율이 증가하는 누진세로 구분된다.

② 우리나라: 지방세 중 주민세(균등할)는 정액세에 해당하고, 취득세와 등록면허세는 비례세에 해당하며, 재산세는 누진세에 해당한다.

(6) 직접세와 간접세

① 의의: 직접세는 납세의무자와 담세자가 일치하는 조세를 말한다. 반면 간접세는 납세의무자와 담세자가 일치하지 않는 조세를 말한다.

② 장·단점: 간접세 중심의 재정구조는 주민들의 조세저항을 막을 수 있지만 지방정부의 재정팽창을 야기할 위험성이 있다.

③ 우리나라: 대부분의 지방세는 직접세의 형태를 띠고 있지만 담배소비세, 주세 등은 간접세의 형태를 띠고 있다.

### 4. 우리나라의 지방세 체계

(1) 구성 – 보통세 9개, 목적세 2개(총 11개 세목)

| 구 분 | 특별시·광역시 / 자치구 | | 도 / 시·군 | |
|---|---|---|---|---|
| | 특별시·광역시세 | 자치구세 | 도 세 | 시·군세 |
| 보통세 | • 주민세<br>• 취득세<br>• 담배소비세<br>• 레저세<br>• 지방소비세<br>• 지방소득세<br>• 자동차세 | • 등록면허세<br>• 재산세 | • 취득세<br>• 등록면허세<br>• 지방소비세<br>• 레저세 | • 주민세<br>• 재산세<br>• 자동차세<br>• 담배소비세<br>• 지방소득세 |
| 목적세 | • 지역자원시설세<br>• 지방교육세 | | • 지역자원시설세<br>• 지방교육세 | |

**O·X 문제**

1. 지방세 중 목적세로는 지방교육세와 지방소비세가 있다. ( )

2. 현재 우리나라의 지방세는 보통세 8개와 목적세 3개의 세목으로 간소화되었다. ( )

3. 시·군의 지방세 세목에는 담배소비세, 주민세, 지방소득세, 재산세, 자동차세가 있다. ( )

4. 등록면허세는 특별/광역시세이다. ( )

O·X 정답 1. × 2. × 3. ○ 4. ×

(2) 특 징

① 지방세는 소득과세나 소비과세가 아닌 재산과세 중심으로 구성되어 있어 안정성은 높으나 신장성과 탄력성은 낮다.

② 지방세는 재산보유에 대한 과세보다 재산거래에 대한 과세의 비중이 상대적으로 높다.

③ 재산보유과세는 주로 기초자치단체의 세목으로, 재산거래과세는 주로 광역자치단체의 세목으로 구성되어 있다.

④ 광역시 안에 군을 두고 있는 경우 도세를 광역시세로 본다.

⑤ 광역시의 경우에는 주민세(개인분, 사업소분, 종업원분) 중 주민세 사업소분 및 종업원분은 구세로 한다.

⑥ 분리과세가 원칙이나 특별시 관할구역 안에 있는 자치구의 재산세는 공동과세하고 있다.

⑦ 내국세인 부가가치세의 21%를 특별시·광역시·도세인 지방소비세로 한다.

⑧ 주민세(소득할)와 사업소세(종업원할)를 통합하여 특별시·광역시세이면서 시·군세인 지방소득세로 한다.

⑨ 과거 지방세인 경주·마권세가 명칭이 변경되어 레저세가 되었다.

⑩ 농·축산업의 경쟁력 강화를 위해 농업소득세와 도축세는 폐지되었다.

## 5. 문제점 및 발전방안

(1) 문제점

① **지방세원의 빈약**: 국세의 비중에 비해 지방세의 비중이 지나치게 낮다(국세 79%, 지방세 21%).

② **세원의 지역적 편재**: 세원이 서울 및 대도시 중심으로 편재되어 있어 보편성의 원칙에 위배된다.

③ **지방세수의 신장성 저조**: 지방세의 세목이 재산과세 중심으로 구성되어 있을 뿐만 아니라, 물가상승률을 반영할 수 없는 정액세 중심의 과세로 세수의 신장성이 저조하다.

④ **획일적 세제 운영**: 지역적 특성에 대한 고려 없이 획일적인 지방세제 운영이 이루어지고 있다.

⑤ **독자적 과세주권 결여**: 조세법률주의에 의해 자치단체에 의한 법정 외 세목 설정을 일체 금지하고 있어 과세주권이 결여되어 있다.

⑥ **환경변화에 낮은 적응성**: 지방세제의 경직성으로 인하여 경제여건 변화에 대한 낮은 적응성을 보이고 있다.

(2) 발전방안

① **국세와 지방세 간 합리적 조정**: 재산과세 위주의 현행 지방세 체계는 늘어나는 재정수요에 부응하기 곤란하다. 따라서 소득과세와 소비과세의 일부를 지방세로 전환할 필요가 있다.

국세와 지방세의 적합조건

| 국세 적합조건 | 지방세 적합조건 |
|---|---|
| • 재분배 목적의 누진세 성격이 강한 세목<br>• 특정 지역에 세원이 편중되어 있는 세목<br>• 세원의 지역 간 이동이 가능한 세목 | • 세수가 안정적이면서도 탄력성이 높은 세목<br>• 편익과 부담이 일치하는 세목<br>• 지역적 보편성을 갖춘 세목 |

**O·X 문제**

1. 지방세는 재산과세의 비중이 높으며 중앙정부의 부동산 정책과 지역경제 상황에 따라 영향을 받는다. ( )

2. 지방소비세는 특별시·광역시·도세이며, 지방소득세는 시·군·구세이다. ( )

3. 재산과세 중 거래과세로 분류되는 취득세는 특별시·광역시·도세이며, 등록면허세는 시·군·구세이다. ( )

4. 지방소비세는 국세인 부가가치세의 일부를 일정한 기준에 따라 광역지방자치단체에 이전하는 일종의 세원공유 방식의 지방세이다. ( )

5. 기초자치단체는 목적세를 부과할 수 없다. ( )

6. 광역시의 군지역은 광역시세와 자치구세의 세목 구분이 적용되지 않고 도세와 시·군세의 세목 구분이 적용된다. ( )

**O·X 문제**

7. 보편성과 관련하여 우리나라 지방세는 수도권과 비수도권의 세원이 심각하게 불균형적이라는 문제점이 있다. ( )

8. 안정성과 관련하여 우리나라 지방세는 소득과세 중심으로 세원 확보가 매우 불안정하다는 문제점을 지닌다. ( )

9. 법정 외 조세의 운용은 우리나라 지방세제의 문제점이다. ( )

10. 지역 간 이동성은 지방세의 적합조건 중에 하나이다. ( )

PART · 07

O·X 정답 | 1. ○ 2. × 3. × 4. ○ 5. ○ 6. ○ 7. ○ 8. × 9. × 10. ×

② **신세원 개발**: 중앙정부 특별회계의 세입원으로 활용되고 있는 각종 부담금을 지방세원화하여 지방재정을 확충해 나갈 필요가 있다(환경부담금의 지방환경세로 전환 등).

③ **과세 자주권 강화**

㉠ **법정 외 세목 설치(지방세조례주의)**: 조세법률주의를 완화하여 지방세조례주의를 채택하고 지방정부의 의사에 따른 독자적인 세목 설정을 가능케 할 필요가 있다.

㉡ **탄력세율제도**: 표준세율만 법령으로 정하고 자치단체 조례로 그 비율을 가감할 수 있는 탄력세율제도를 적극적으로 활용할 필요가 있다.

**참고** **지방세 탄력세율제도**

**1. 의 의**
법령에 명확히 세율을 규정하는 법정세율제도의 경직성을 타파하기 위하여 각 자치단체가 법령으로 정한 탄력세율의 범위 내에서 자율적으로 세율을 정할 수 있도록 하여 세수 확보에 신축성을 부여한 제도

**2. 대 상**
취득세, 등록면허세, 주민세, 재산세, 지방소득세, 자동차 소유에 따른 자동차세, 지역자원시설세, 지방교육세

**3. 적용 제외 세목**: 레저세, 지방소비세, 담배소비세, 자동차 주행에 대한 자동차세

※ 담배소비세와 자동차 주행에 대한 자동차세는 법률로 표준세율을 정하고 조례가 아닌 대통령령으로 그 비율을 정하도록 하고 있어 자치단체의 의사가 반영되는 지방세 탄력세율제도는 아니다.

**O·X 문제**

1. 지방세 탄력세율제도는 지방세 일부 세목의 세율에 대해 일정 범위 내에서 지방자치단체가 자율적으로 결정할 수 있도록 하는 제도이다. ( )
2. 주민세, 재산세 등은 현재 탄력세율제도가 적용되고 있다. ( )
3. 레저세, 지방소비세는 탄력세율이 적용되지 않는다. ( )

## 02 세외수입

### 1. 의 의

(1) 개 념

세외수입이란 자치단체의 자체 세입원 중에서 지방세 수입을 제외한 나머지 수입을 말한다.

(2) 특 성

① **자주재원**: 자치단체의 독자적 노력과 절차에 의해 조성되는 자주재원이다.

② **잠재재원**: 자치단체 스스로의 노력에 따라 확대 · 개발이 용이한 잠재수입원이다.

③ **일반재원**: 일반적으로 사용 용도가 지정되지 않는 일반재원에 해당한다.

④ **응익적 · 대상적 성격**: 특정 서비스에 대한 반대급부로서 응익적 요소를 내포하고 있기 때문에 재원조달에 있어 마찰이나 저항이 적다.

⑤ **불규칙 · 불균등성**: 지역 간 · 회계연도 간 분포상황 및 구조가 불규칙적이고 불균등한 경우가 많다.

⑥ **다양성**: 수입의 근거나 종류 및 형태가 다양하다.

**O·X 문제**

4. 세외수입은 연도별 신장률이 안정적이며 그 종류와 형태가 다양하다. ( )

**O·X 정답** 1. ○ 2. ○ 3. ○ 4. ×

## 2. 세외수입의 구성

### (1) 세외수입의 체계

| | | |
|---|---|---|
| 일반회계 | 경상적 수입 | 재산임대수입, 사용료, 수수료, 사업수입(경영수입사업), 이자수입, 징수교부금 |
| | 임시적 수입 | 재산매각수입, 잉여금, 이월금, 전입금, 예탁금 및 예수금, 융자금원금수입, 분담금, 부담금, 잡수입, 지난 연도 수입 |
| 특별회계 | 사업 수입 | 상수도사업, 하수도사업, 지하철, 주택사업, 공영개발사업, 기타특별회계 |
| | 사업외 수입 | 이월금, 융자금, 전입금, 잡수입, 지난 연도 수입, 기타 |

### (2) 경상적 수입(계속적 · 안정적 수입)

① **재산임대수입**: 자치단체가 소유하는 잡종재산의 임대에 의한 수입

② **사용료**: 자치단체가 공공시설의 이용 또는 재산의 사용에 대하여 부과하는 공과금(예 운동장 이용료 등)

③ **수수료**: 자치단체가 특정인에게 제공한 사무(서비스)에 대하여 그 비용의 전부 또는 일부를 부과하는 공과금(예 종량제봉투 판매수입 등)

④ **사업수입**: 자치단체가 사업을 운영하거나 공공부존자원을 효율적으로 활용하여 얻은 수입

⑤ **징수교부금**: 국세나 시 · 도세 등의 징수를 시 · 군 · 자치구가 위임받아 징수할 경우 징수위임기관인 국가나 시 · 도에서 수임기관인 해당 시 · 군 · 자치구에게 교부하는 자금

⑥ **이자수입**: 자치단체가 여유자금 등을 예치 · 관리하는 과정에서 발생하는 과실수입

### (3) 임시적 수입(일시적 · 불규칙적 수입)

① **재산매각수입**: 자치단체의 잡종재산을 매각하여 얻은 수입

② **분담금**: 자치단체의 재산 또는 공공시설의 설치로 주민의 일부가 특히 이익을 받으면 이익을 받는 자로부터 그 이익의 범위에서 징수하는 공과금

③ **부담금**: 자치단체의 장 등 부과권자가 분담금, 부과금, 기여금, 그 밖의 명칭에도 불구하고 재화 또는 용역의 제공과 관계없이 특정 공익사업과 관련하여 법률에서 정하는 바에 따라 부과하는 조세 외의 금전지급의무(「부담금관리기본법」 제2조 ; 수익자부담금, 손상자부담금, 원인자부담금 등)

④ **이월금**: 전년도에 생긴 잉여금 중에서 현년도로 이월된 금액

⑤ **전입금**: 다른 회계 또는 기금으로부터의 자금이동으로 생기는 수입

⑥ **과징금 및 과태료**: 행정법상 의무불이행이나 의무위반에 대하여 부과하는 금전적 제재

⑦ **잡수입**: 변상금 및 위약금, 예금이자, 기타의 잡다한 수입

**심화학습**

**사용료의 징수조례 등(「지방자치법」 제156조)**

사용료 · 수수료 또는 분담금의 징수에 관한 사항은 조례로 정한다. 다만, 국가가 자치단체나 그 기관에 위임한 사무와 자치사무의 수수료 중 전국적으로 통일할 필요가 있는 수수료에 관한 사항은 다른 법령의 규정에도 불구하고 대통령령으로 정하는 표준금액으로 징수하되, 지방자치단체가 다른 금액으로 징수하고자 하는 경우에는 표준금액의 50퍼센트 범위에서 조례로 가감 조정하여 징수할 수 있다.

**O·X 문제**

1. 수수료는 지방자치단체가 특정인에게 제공한 행정 서비스에 의해 이익을 받는 자로부터 그 비용의 전부 또는 일부를 반대급부로 징수하는 수입이다. ( )

2. 사용료는 자치단체의 재산 또는 공공시설의 설치로 인해 주민의 일부가 특별히 이익을 받을 때 그 비용의 일부를 부담시키기 위해 그 이익을 받는 자로부터 수익의 정도에 따라 징수하는 공과금이다. ( )

3. 부담금은 특정의 공공서비스를 창출하거나 바람직한 행위를 유도하기 위해 사용된다. ( )

4. 부담금은 수익자 부담의 원칙이 적용된다. ( )

5. 지방자치단체의 운동장 이용료와 쓰레기 종량제봉투 판매수입은 모두 사용료 수입에 해당한다. ( )

O·X 정답 1. ○ 2. × 3. ○ 4. ○ 5. ×

## 03 지방채

### 1. 의 의

#### (1) 개 념

지방채란 자치단체가 그 재정상의 필요에 의해 발행하는 공채로 과세권을 담보로 증서차입 또는 증권발행을 통하여 부족한 재원을 충당하는 채무부담행위이다.

#### (2) 특 성

① **성격 – 무담보·무보증의 채무**: 자치단체의 미래의 과세권을 담보로 하므로 별도의 실질적인 담보를 제공하지 않는 채무이다.
② **목적 – 장기자금 조달**: 일시 차입금이 아닌 장기자금 조달을 목적으로 한다.
③ **대상 – 항구적으로 이익이 되는 사업**: 공공시설의 유지보수비 등 항구적으로 자금이 소요되는 사업이 아닌 공공시설의 건설비, 출자금 등 항구적으로 이익이 되는 사업을 대상으로 한다.
④ **용도 – 특정재원**: 특정 사업에 필요한 경비를 충당하려는 특정재원이다.
⑤ **재정자립도에 미포함**: 지방채 수입을 자치재정권의 당연한 내용인 기채권에 근거한 것으로 보아 자주재원으로 보는 견해도 있으나, 우리나라 「지방자치법 시행령」은 지방재정자립도 산정 시 자주재원에 지방채를 포함시키지 않고 있다.
⑥ **기타**: 지방채는 채권발행 또는 증서차입의 형태를 취하며, 복수회계연도(2년 이상)에 거쳐 상환된다.

#### (3) 국공채와 차이점

국채는 민간의 자금을 모집하고 이 자금을 대규모 공사에 활용함으로써 국가의 경기불황을 극복하기 위한 수단으로 활용된다(케인즈의 거시경제이론에 의한 국가의 재정정책수단). 그러나 지방채는 경기조절적 기능을 수행하지 못하며, 투자재원 확보 등 지방재정의 재원을 보충하는 수단에 불과하다.

### 2. 지방채의 종류

#### (1) 발행형식에 따른 구분

① **증서차입채**: 자치단체가 대부자와 대차계약을 맺고, 차입증서를 제출하여 기채하는 방식이다. 기명채권으로 시장융통성이 없다(우리나라의 일반적 형태).
② **증권발행채**: 일정한 차입선에 대하여 증권을 발행·교부하여 기채하는 방식이다. 무기명채권으로 시장융통성이 있다.

#### (2) 발행방법에 따른 구분

① **모집공채**: 신규로 발행하는 지방채 증권에 대해 불특정 다수를 대상으로 투자자를 모집한 후 현금의 납입을 받고 증권을 발행하여 자금을 조달하는 방식이다.
② **매출공채**: 지방정부로부터 인·허가나 차량등록 등 특정 서비스를 제공받는 주민 등을 대상으로 원인행위에 첨가하여 강제로 소화시키는 방식이다. 우리나라에 가장 많이 활용되는 방식으로 지방채 자본시장이 발달하지 못하고 투자의욕이 약한 경우에 이용되나 강제성을 띤다는 문제점이 있다.

**O·X 문제**

1. 지방채는 주민과 밀접한 관계에 있으므로 국채에 비해 통화신용창출 등 거시경제적 대책기능이 강하다. ( )

**심화학습**

상환방식에 따른 구분

| | |
|---|---|
| 일시 상환제 | 원리금을 만기일에 전액 상환하는 채권 |
| 분할 상환제 | 원리금을 수회에 걸쳐 상환하는 채권 |

**O·X 문제**

2. 매출공채는 지방자치단체가 토지매입, 공사대금 지불 시에 현금 대신 발행하는 지방채를 뜻한다. ( )

3. 교부공채는 지방정부가 채권을 발행하여 차량이나 주택구입 및 인·허가자에게 강제로 구입하도록 하는 채권이다. ( )

O·X 정답 1. × 2. × 3. ×

③ 교부공채: 자치단체가 토지매입, 공사대금 등 현금을 지급해야 하는 경우에 현금지급 대신 후일지급을 약속하는 증권을 교부하는 방식이다.

### 3. 지방채의 법적 근거

(1) 법적 근거 –「지방재정법」 제11조

① 자치단체의 장은 소관 재정투자사업과 그에 직접적으로 수반되는 경비의 충당, 재해예방 및 복구사업, 천재지변으로 발생한 예측할 수 없었던 세입결함의 보전, 지방채의 차환 등을 위한 자금 조달에 필요할 때에는 지방채를 발행할 수 있다.

② 자치단체의 장은 지방채를 발행하려면 재정 상황 및 채무 규모 등을 고려하여 대통령령으로 정하는 지방채 발행 한도액의 범위에서 지방의회의 의결을 얻어야 한다.

(2) 기채승인권 폐지와 예외

① 행정안전부장관의 기채승인권(지방채 발행 시 승인권)은 폐지되었다(원칙).

② 지방채 발행 한도액 범위더라도 외채를 발행하는 경우에는 지방의회의 의결을 거치기 전에 행정안전부장관의 승인을 받아야 한다.

③ 자치단체조합의 장은 지방채를 발행할 수 있으며, 이 경우 행정안전부장관의 승인을 받은 범위에서 조합의 구성원인 각 자치단체 지방의회의 의결을 얻어야 한다.

④ 자치단체의 장은 대통령령으로 정하는 바에 따라 행정안전부장관과 협의한 경우에는 그 협의한 범위에서 지방의회의 의결을 얻어 지방채 발행 한도액의 범위를 초과하여 지방채를 발행할 수 있다.

**O·X 문제**

1. 지방자치단체의 지방채 발행은 행정안전부장관의 승인을 얻어야 한다. ( )
2. 이미 발행한 지방채의 차환을 위해서 지방자치단체의 장은 지방채를 발행할 수 없다. ( )
3. 지방자치단체조합의 장은 지방채를 발행할 수 없다. ( )
4. 지방자치단체의 장은 대통령령으로 정하는 지방채 발행 한도액의 범위를 초과하여 지방채를 발행하기 위해서는 행정안전부장관의 승인을 받아야 한다. ( )
5. 지방채 발행 한도액 범위더라도 외채를 발행하는 경우에는 지방의회의 의결을 거치기 전에 행정안전부장관의 승인을 받아야 한다. ( )

### 4. 지방채의 기능과 한계

(1) 기 능

① 재원조달기능: 지방채는 대규모 투자사업을 위한 자본적 지출이나 예측할 수 없는 자연재해의 복구비용을 조달하는 기능을 수행한다.

② 부담의 공평화 기능: 지방채는 현 세대와 미래세대 간, 특정 자치단체의 전·출입자 간 비용부담자와 편익향유자의 괴리를 방지하는 기능을 수행한다.

③ 적자재정 보전기능: 지방채는 지방정부의 재정적자가 누적되어 지방재정에 압박을 줄 때 이를 보전하는 수단으로 활용된다.

④ 자원배분기능: 지방채는 도로, 주택 등 사회간접자본 확충을 위한 재원에 충당되므로 효율적인 자원배분에 기여한다.

⑤ 응급적인 재원보전 수단: 지방채는 지방정부 재원부족의 긴급사태에 탄력적으로 대응하는 수단이 된다.

**O·X 문제**

6. 지방채는 내구연수가 긴 공공시설의 건설에 소요되는 재원을 조달할 때 주로 사용되므로 세대 간 공평한 부담을 실현할 수 있다. ( )

O·X 정답 1. × 2. × 3. × 4. × 5. ○ 6. ○

PART · 07

(2) 한 계

① **재정수지의 건전성 저해**: 지방채는 발행된 채무의 원금상환과 이자지불로 인해 재정수지의 건전성을 저해하고 주민부담을 가중시킬 수 있다.

② **차세대에 대한 일방적인 재정부담**: 지방채의 발행은 현세대가 재정지출결정권을 가지는 데 반해, 차세대는 아무런 결정권도 없이 재정부담만을 강요받게 될 수 있다.

③ **민간채권시장 위축**: 지방채의 발행은 자본시장에서 안정성이 높은 지방채만 거래되게 하여 민간채권의 거래를 감소시킬 수 있다.

④ **경기조절 기능 미흡**: 지방채는 국채와 달리 투자재원 확보에만 목적이 있을 뿐 경제조절 기능이 미흡하다.

## 제 3 절 지방자치단체의 의존재원(지방재정조정제도)

### 01 의존재원 일반론

#### 1. 지방재정조정제도의 의의

(1) 개 념

지방재정조정제도란 정부 간 재정력 격차를 시정하고 지방정부의 부족재원을 보충하기 위해 중앙정부와 지방정부 간(지방교부세, 국고보조금) 또는 지방정부 상호 간(조정교부금) 재정을 조정하는 제도를 말한다.

(2) 기 능

① **가치재의 급부수준 향상**: 재정지원을 통해 가치재의 과소공급을 막고 급부수준을 향상시키는 기능을 수행한다.

② **국가적 최저 표준수준의 서비스 제공**: 재정지원을 통해 국민최저수준의 서비스 제공 또는 지역 간 서비스를 평준화·균질화하는 기능을 수행한다.

③ **수직적·수평적 재정불균형 시정**: 재정지원은 중앙정부와 지방정부 간의 수직적 재정불균형 및 자치단체 간의 수평적 재정불균형을 시정하는 기능을 수행한다.

④ **외부효과의 내부화 기능**: 재정지원은 자치단체가 사회적 최적 수준의 외부경제효과와 외부불경제효과를 생산하도록 유인하는 기능을 수행한다.

⑤ **행정효율성 향상 기능**: 재정지원과 함께 국가가 수행할 사무를 자치단체에 위임함으로써 행정의 효율성을 향상시키는 기능을 수행한다.

⑥ **국가적 통합성 유지 기능**: 중앙정부의 재정지원은 자치단체에 대한 유도나 조정을 통한 국가 차원의 통합성을 유지하는 기능을 수행한다.

#### 2. 지방재정조정제도의 유형

(1) 수직적 재정조정제도와 수평적 재정조정제도

① **수직적 재정조정제도**: 국가와 자치단체 간 재정불균형을 시정하는 제도이다.

② **수평적 재정조정제도**: 자치단체 간 재정불균형을 시정하는 제도이다.

③ **우리나라**: 국고보조금은 수직적 재정조정기능을, 지방교부세는 수직적·수평적 재정조정기능을 수행한다.

**O·X 문제**

1. 지방재정조정제도는 지방채 발행을 통하여 자치단체의 재정자율성을 강화하는 것을 말한다. ( )

2. 지방재정조정제도는 기본적인 공공서비스의 최저 표준수준을 보장한다. ( )

3. 의존재원은 지방자치단체의 다양성과 지방분권화를 촉진하는 기능을 수행한다. ( )

4. 의존재원은 자치단체에 대한 유도·조정을 통한 국가 차원의 통합성을 유지하는 기능을 수행한다. ( )

5. 의존재원은 지방교부세, 국고보조금, 조정교부금, 지방채로 구성되며, 지방자치단체에서 필요로 하거나, 부족한 재원을 외부에서 조달한다는 특징이 있다. ( )

**심화학습**

**끈끈이 효과(flypaper effect)**

| | | |
|---|---|---|
| 의의 | | 정부지원금의 증가가 조세감면을 통해 지역주민의 후생증대를 가져오지 못하고 지방정부의 재정지출만 더 증가시키는 현상(의존재원의 비효율적 사용에 대한 공공선택론적 접근) |
| 발생 원인 | 관료 측면 | 이전재원에 대한 정보 통제 및 예산극대화 행태 |
| | 주민 측면 | 재정착각으로 인한 과다한 공공서비스 제공 요구 |
| | 중앙 정부 측면 | 중앙정부가 의도한 공공지출에 활용되도록 통제 |

O·X 정답 1. × 2. ○ 3. × 4. ○ 5. ×

(2) 특정지원금, 일반지원금, 포괄지원금

① **특정지원금(선택적 · 조건부 보조금)**: 국가가 지원금의 사용용도를 지정하여 지원하는 보조금을 말한다.

② **일반지원금(비선택적 · 비조건부 보조금)**: 국가가 지원금의 사용용도를 지정하지 않고 지원하는 보조금으로 지방정부의 재량으로 지출할 수 있는 지원금을 말한다.

③ **포괄지원금**: 보조금의 총량을 설정하고 대상 사업의 범위와 사용용도를 포괄적으로 규정하여, 보조금의 총량 및 포괄적인 대상 사업의 범위와 사용용도의 범위 내에서 자치단체가 재량적으로 지원금을 활용할 수 있도록 하는 보조금을 말한다. 포괄지원금은 일반지원금과 특정지원금의 중간적 성격을 지닌다.

④ **우리나라**: 국고보조금은 특정지원금이며, 지방교부세는 일반지원금이다. 또한 광역 · 지역발전특별회계*는 포괄지원금으로 운영된다.

(3) 대응지원금과 무대응지원금

① **대응지원금**: 상위정부의 지원금에 대해서 지방정부가 특별한 대응재원을 마련할 의무가 있는 지원금을 말한다(국가 또는 상위정부가 선호).

② **무대응지원금**: 상위정부의 지원금에 대해서 지방정부가 특별한 대응재원을 마련할 의무가 없는 지원금을 말한다(하위정부가 선호).

③ **우리나라**: 국고보조금은 대응지원금의 성격을, 지방교부세는 무대응지원금의 성격을 갖는다.

## 02 지방교부세

### 1. 의 의

(1) 개 념

경제력을 달리하는 자치단체 간의 재정력의 격차를 시정하기 위해 국세의 일부로서 징수한 재원을 일정기준에 따라 자치단체에 배분함으로써 자치단체 간의 재정력 격차를 완화 · 조정하여 주는 제도이다.

(2) 성 격

① **수평적 · 수직적 재정조정제도**: 지방교부세는 국세의 일부를 자치단체에 교부한다는 점에서 수직적 재정조정제도이면서, 재정력이 취약한 자치단체에 보다 많은 교부가 이루어진다는 점에서 수평적 재정조정제도이다.

② **공유된 독립재원**: 지방교부세는 내국세 총액의 19.24%와 종합부동산세 전액 및 담배에 부과되는 개별소비세 총액의 45% 전액을 반드시 자치단체에 교부하도록 법정화되어 있는 재원으로 모든 자치단체가 공유하는 독립재원이다.

③ **일반재원**: 지방교부세는 대부분 용도제한이 없는 일반재원이다. 다만, 특별교부세와 소방안전교부세는 특정재원이다.

④ **무대응지원금**: 지방교부세는 무대응지원금으로 자치단체의 재정 자율성 보장 기능을 수행한다.

심화학습

**포괄지원금의 유형**

| | |
|---|---|
| 관리 혁신형 | 소규모 영세 보조사업들을 통합해 분야별로 포괄적으로 지방재정을 지원하는 보조금 |
| 감축 관리형 | 개별 보조사업을 묶어 총액 규모를 축소하는 대신 사업 재량을 대폭 확대해주는 보조금 |
| 정부 간 계약형 | 중앙과 지방 간 성과계약방식을 적용해 평가결과에 따라 차등보조와 집행재량을 확대해주는 보조금 |

*** 광역 · 지역발전특별회계**

광역 · 지역발전특별회계는 지역개발계정, 광역발전계정, 제주특별자치도계정으로 구성되며, 지역개발계정은 포괄보조로 운영된다. 즉, 지출대상사업군이 문화관광체육기반과 낙후지역 개발 등으로 한정되어 있지만 지역별 한도액 내에서는 자치단체의 자율적인 재원배분이 허용된다.



O·X 문제

1. 지방교부세는 국가의 사무를 지방자치단체에 위임하고 중앙이 그 경비를 지급하는 것이다. ( )

2. 지방교부세는 본질적으로 지방자치단체의 공유적 독립재원에 속한다. ( )

3. 지방교부세는 지방자치단체 간 재정불균형의 조정은 가능하나 중앙정부와 지방자치단체 간 수직적 재정균형 기능은 미흡하다. ( )

4. 지방교부세의 재원에는 내국세 총액의 19.24%, 종합부동산세 총액, 담배에 부과하는 개별소비세 총액의 45%가 포함된다. ( )

5. 지방교부세는 지방자치단체의 의사결정에 따라 지출의 용도가 자유로운 일반보조금으로서 지방자치단체의 세출 재량권이 상당히 보장된다. ( )

O·X 정답 1. × 2. ○ 3. × 4. ○ 5. ○

### 2. 종 류

#### (1) 보통교부세

① 의의: 자치단체가 자주적으로 사용할 수 있는 재원이 되는 교부세로 용도의 제한이 없는 일반재원이며, 조건이 없는 무대응지원금이다.

② 재원: 내국세 총액의 19.24% 중 100분의 97을 재원으로 한다.

③ 교부기준: 해마다 기준재정수입액이 기준재정수요액에 못 미치는 자치단체에 그 미달액(재정부족액)을 기초로 법률로 정해진 보통교부세 총액의 범위 내에서 조정하여 교부한다.

④ 주요 내용

㉠ 자치구의 경우에는 기준재정수요액과 기준재정수입액을 각각 해당 특별시 또는 광역시의 기준재정수요액 및 기준재정수입액과 합산하여 산정한 후, 그 특별시 또는 광역시에 교부한다.

㉡ 재정력 지수가 1 이상인 자치단체에는 교부되지 않는다. 현재 재정력 지수가 높은 서울 · 경기 · 수원 · 성남 · 안양 · 과천 · 용인 · 고양 · 부천 · 안산 등 10여 개 자치단체는 보통교부세를 교부받지 않고 있다.

㉢ 자치단체의 건전재정운영을 유도 · 촉진하기 위하여 기준재정수요액과 기준재정수입액을 산정함에 있어 자치단체별로 건전재정운영을 위한 자체노력의 정도를 반영할 수 있다(지방재정인센티브제도의 활용).

㉣ 보통교부세는 행정안전부장관이 1년을 4기(분기별)로 나누어 교부한다.

#### (2) 특별교부세

① 의의: 특별한 지역적 현안이나 재정수요 또는 재정수입의 감소가 있는 경우 등에 있어서 이를 보충해 주기 위해 교부되는 특정재원이다.

② 재원: 내국세 총액이 19.24% 중 100분의 3을 재원으로 한다.

③ 지급 사유

㉠ 기준재정수요액의 산정방법으로는 파악할 수 없는 지역 현안에 대한 특별한 재정수요가 있는 경우(특별교부세 재원의 40%)

㉡ 보통교부세의 산정기일 후에 발생한 재난을 복구하거나 재난 및 안전관리를 위한 특별한 재정수요가 생기거나 재정수입이 감소한 경우(특별교부세 재원의 50%)

㉢ 국가적 장려사업, 국가와 자치단체 간에 시급한 협력이 필요한 사업, 지역 역점시책 또는 지방행정 및 재정운용 실적이 우수한 자치단체에 재정 지원 등 특별한 재정수요가 있을 경우(특별교부세 재원의 10%)

④ 절차: 행정안전부장관은 단체장이 특별교부세의 교부를 신청하는 경우에는 이를 심사하여 특별교부세를 교부한다. 다만, 행정안전부장관이 필요하다고 인정하는 경우에는 신청이 없는 경우에도 일정한 기준을 정하여 특별교부세를 교부할 수 있다.

⑤ 주요 내용

㉠ 행정안전부장관은 특별교부세의 사용에 관하여 조건을 붙이거나 용도를 제한할 수 있다(특정재원).

**심화학습**

**보통교부세 산정방법**
재정부족액이 있는 각 자치단체의 재정부족액의 합산액이 보통교부세 총액을 초과하는 경우에는 각 자치단체의 재정부족액 총액과 보통교부세 총액이 일치되도록 조정률을 구해 각 자치단체의 재정부족액에 조정률을 곱하여 보통교부세액을 배정한다.

**O·X 문제**

1. 보통교부세는 해마다 기준재정수입액이 기준재정수요액에 못 미치는 지방자치단체에 그 미달액을 기초로 교부하는 것이 원칙이다. ( )
2. 중앙정부가 자치단체별로 지방교부세를 교부할 때 사용하는 기준지표는 지방재정자립도이다. ( )
3. 현재 보통교부세의 산정에는 부동산 교부세액, 기준재정수요액, 기준재정수입액, 관계 내국세 총액, 조정률이 필요하다. ( )
4. 보통교부세는 재정적 결함이 있는 지방자치단체를 지원하는 데에 목적을 두며, 재원은 용도가 지정되어 있지 않은 일반재원의 성격을 갖는다. ( )
5. 지방교부세는 모두 일반재원의 성격을 가지고 있다. ( )
6. 행정안전부장관은 지방재정분석 결과 건전성과 효율성 등이 우수한 지방자치단체라 하더라도 특별교부세를 별도로 교부할 수 없다. ( )
7. 보통교부세의 산정기일 후에 발생한 재난을 복구하거나 재난 및 안전관리를 위한 특별한 재정수요가 생기거나 재정수입이 감소한 경우 특별교부세를 교부할 수 있다. ( )
8. 행정안전부장관이 필요하다고 인정하는 경우에는 지방자치단체장의 신청이 없는 경우에도 일정한 기준을 정하여 특별교부세를 교부할 수 있다. ( )

O·X 정답 | 1. ○ 2. × 3. × 4. ○ 5. × 6. × 7. ○ 8. ○

㉡ 특별교부세는 사유가 발생한 경우 행정안전부장관이 연중 수시로 교부할 수 있으며, 보통교부세를 받지 못한 자치단체도 특별교부세는 교부받을 수 있다. 다만, 민간에 지원하는 보조사업에 대하여는 교부할 수 없다.

㉢ 단체장이 교부조건의 변경이 필요하거나 용도를 변경하여 특별교부세를 사용하고자 하는 때에는 미리 행정안전부장관의 승인을 받아야 한다.

㉣ 행정안전부장관은 단체장이 교부조건이나 용도를 위반하여 특별교부세를 사용한 때에는 위반하여 사용한 금액의 반환을 명하거나 다음 연도에 교부할 지방교부세에서 이를 감액할 수 있다.

(3) 부동산교부세

① 의의: 지방세인 종합토지세가 폐지되고 대신 국세인 종합부동산세가 신설됨에 따라 종합부동산세의 세수전액을 자치단체에 교부하여 자치단체의 세수감소분을 보전하고 지방재정확충재원으로 사용하도록 하는 일반재원이다.

② 재원: 종합부동산세 총액을 재원으로 한다.

③ 교부기준: 행정안전부장관이 1년을 4기(분기별)로 나누어 교부하며, 자치단체의 재정여건이나 지방세 운영상황 등을 고려하여 지급한다(재정여건 50%, 사회복지 25%, 지역교육 20%, 부동산 보유세 규모 5%).

④ 특징: 용도가 정해져 있지 않은 일반재원이며, 보통교부세를 교부받지 못한 자치단체도 교부받을 수 있다.

(4) 소방안전교부세

① 의의: 자치단체의 소방 및 안전시설 확충, 안전관리 강화 등을 위하여 교부하는 특정재원이다.

② 재원: 담배에 부과하는 개별소비세 총액의 45%에 해당하는 금액을 재원으로 한다.

③ 교부기준: 행정안전부장관이 1년을 4기(분기별)로 나누어 교부하며, 교부기준은 자치단체의 소방 인력, 소방 및 안전시설 현황, 소방 및 안전시설 투자 소요, 재난예방 및 안전강화 노력, 재정여건 등을 고려하여 대통령령으로 정한다. 다만, 소방안전교부세 중 담배에 부과하는 개별소비세 총액의 20%를 초과하는 부분은 소방 인력의 인건비로 우선 충당하여야 한다.

④ 특 징

㉠ 특별시 · 광역시 · 특별자치시 · 도 및 특별자치도에 교부한다.

㉡ 소방안전교부세를 사용할 수 있는 대상사업은 소방 분야(소방 인력, 소방시설 확충 및 소방안전관리 강화), 안전 분야(안전시설 확충 및 안전관리 강화)이다(특정재원).

## 3. 지방교부세제도의 문제점과 발전방향

(1) 문제점

① 지방정부의 도덕적 해이 야기: 중앙정부가 지방재정부족액을 보전해 줌으로써 지방정부의 도덕적 해이를 야기하여 효율적인 재정운영을 위한 노력을 감소시킬 수 있다.

② 비현실적인 산정기준: 유동적인 행정환경으로 기준재정수입액과 기준재정수요액을 산정하기 어려워 사회나 행정수요의 변화를 반영하지 못하고 있다.

**O·X 문제**

1. 특별교부세는 보통교부세의 기능을 보완하는 것으로 보통교부세를 교부받지 못하는 지방자치단체는 특별교부세를 교부받을 수 없다. ( )

**O·X 문제**

2. 부동산교부세는 종합부동산세를 재원으로 하며 전액을 지방자치단체에 교부한다. ( )
3. 부동산교부세는 수입이 낮은 지방자치단체에 교부한다. ( )
4. 부동산교부세는 일반재원이다. ( )

**O·X 문제**

5. 소방안전교부세는 지방자치단체의 소방 및 안전시설 확충, 안전관리 강화 등을 위해 교부하는 특정재원이다. ( )
6. 소방안전교부세 중 「개별소비세법」에 따라 담배에 부과하는 개별소비세 총액의 20%를 초과하는 부분은 소방 인력의 인건비로 우선 충당하여야 한다. ( )

O·X 정답 1. × 2. ○ 3. × 4. ○ 5. ○ 6. ○

PART · 07

③ **목적과 제도 운영의 괴리**: 지방교부세는 지방재정의 형평화를 목적으로 하는 제도이나 소방안전교부세는 명칭만 교부세일 뿐 이러한 목적과 관련 없이 운영되고 있다.

④ **낮은 법정 교부세율**: 우리나라 지방교부세의 법정교부세율은 다른 나라에 비해 낮은 편이다.

⑤ **경상경비로 활용**: 지방교부세의 대부분이 자본지출(투자성 지출)로 활용되기보다는 소모적인 경상지출(낭비성 지출)로 활용되고 있다.

⑥ **명칭의 부적절성**: 지방교부세는 지방재정조정제도임에도 불구하고 지방교부세라는 명칭으로 인해 조세로 오인될 소지가 있다.

(2) 발전방향

지방교부세제도가 지방정부의 도덕적 해이를 야기하지 않도록 교부세 배분의 효율화 및 합리화를 통해 유인지향적 배분을 강화할 필요가 있다. 이를 위해서는 현재 도입・활용되고 있는 지방재정인센티브제도를 보다 강화해 나가야 한다.

심화학습

**지방재정인센티브제도**

| | |
|---|---|
| 의의 | 건전한 지방자치와 재원 배분의 효율성을 제고하기 위해 건전재정 운영을 위하여 노력하는 자치단체에 지방교부세 배분 시 인센티브를 부여하는 제도 |
| 기준재정 수요액 반영사항 | ① 지방공무원 정원 감축<br>② 비정규직 공무원 감축<br>③ 경상경비 절감<br>④ 읍・면・동 통합 유도 |
| 기준재정 수입액 반영사항 | ① 지방세 징수율 제고<br>② 주민세 개인균등할 인상<br>③ 과표 현실화<br>④ 탄력세율 적용<br>⑤ 경상세외수입 확충 |

## 03 국고보조금

### 1. 의 의

(1) 개 념

국가시책상 또는 자치단체의 재정사정상 필요하다고 인정될 때 국가가 자치단체의 행정수행에 소요되는 경비의 일부 또는 전부를 용도 지정하여 교부하는 자금을 말한다. 우리나라의 경우 복지보조금의 비중이 50% 정도를 차지하고 있다.

(2) 성 격

① **의존재원**: 국가로부터 교부되는 의존재원이다.

② **특정재원**: 용도가 정해져 있는 특정재원이다.

③ **무상재원**: 반대급부가 수반되지 않는 일방적인 무상급부이다.

④ **재량지원**: 대부분 각 부처에서 재량적으로 운영하는 재원이다.

⑤ **대응지원금(정률지원)**: 정률지원으로 인해 정부의 지원금에 대한 지방비 분담금을 지방재정에서 우선적으로 충당해야 하는 대응지원금이다. 이로 인해 자치단체의 자율성이 약화된다.

⑥ **경상재원**: 우리나라는 국고보조금을 경상재원으로 분류하고 있다. 그러나 국가의 재정형편에 따라 국고보조금의 교부가 중단될 수 있다는 점에서 경상재원으로 분류하는 것은 이론상 문제가 있다.

(3) 종 류

① **협의의 보조금(장려적 보조금)**: 자치사무에 대하여 국가시책상 또는 지방자치 재정상 필요하다고 인정될 때 국가적 차원에서 이를 장려할 목적으로 교부하는 자금을 말한다.

② **부담금(위탁금)**: 국가와 자치단체 상호 간에 이해관계가 있는 사무를 자치단체에 위임(단체위임사무)하는 경우, 원활한 사무처리를 위해 국가가 그 경비의 일부를 교부하는 자금을 말한다.

③ **교부금(위탁금)**: 국가가 원래 직접 수행해야 할 사무를 자치단체의 장에게 위임(기관위임사무)하여 수행하는 경우, 그 소요경비 전부를 국가가 교부하는 자금을 말한다.

O·X 문제

1. 지방행정의 국고보조금은 국가목적사업을 위한 지원금이다. ( )
2. 국고보조금은 사용의 용도나 조건이 정해져 있으며 지방정부는 보조금을 주는 중앙부처가 지정한 용도와 조건에 맞게 지출해야 한다. ( )
3. 재산매각대금, 기부금, 이월금 등이 예외적으로 국고보조금에 속한다. ( )
4. 국고보조금은 내국세 총액의 일정비율과 「종합부동산세법」에 따른 종합부동산세 총액을 재원으로 한다. ( )
5. 국고보조금은 지방재정운영의 자율성을 제고한다. ( )
6. 국가는 정책상 필요하다고 인정할 때 또는 지방자치단체의 재정사정상 특히 필요하다고 인정할 때에는 예산의 범위에서 지방자치단체에 교부금을 지급할 수 있다. ( )

O·X 정답 1. ○ 2. ○ 3. × 4. × 5. × 6. ×

## 2. 보조금 예산의 운영(「보조금 관리에 관한 법률」)

### (1) 보조금 예산의 편성

① **예산 계상 신청 등**: 보조사업을 수행하려는 자는 매년 중앙관서의 장에게 보조금의 예산 계상을 신청해야 한다. 다만, 국가는 보조금의 예산 계상 신청이 없는 보조사업의 경우에도 국가시책 수행상 부득이하여 대통령령으로 정하는 경우에는 필요한 보조금을 예산에 계상할 수 있다.

② **보조금 예산 요구**: 중앙관서의 장은 보조사업을 수행하려는 자로부터 신청받은 보조금의 명세 및 금액을 조정하여 기획재정부장관에게 보조금 예산을 요구해야 한다.

③ **지방비 부담 경비의 협의 등**: 중앙관서의 장은 자치단체의 부담을 수반하는 보조금 예산을 요구하려는 경우에는 행정안전부장관과 보조사업계획에 대하여 협의해야 한다.

④ **보조금의 대상 사업 및 기준보조율**✢

㉠ 보조금이 지급되는 대상사업, 경비의 종목, 국고 보조율 및 금액은 매년 예산으로 정한다.

㉡ 자치단체에 대한 보조금의 경우 보조금이 지급되는 대상사업의 범위, 기준보조율에 해당하는 사항은 대통령령으로 정한다.

㉢ 기준보조율은 각 대상사업별로 상이하다(일반여권발급 100%, 119구조장비 확충 50%, 민방위 교육훈련 및 시설장비 확충 30% 등).

⑤ **차등보조율**✢**의 적용**

㉠ 기획재정부장관은 매년 자치단체에 대한 보조금 예산을 편성할 때에 필요하다고 인정되는 보조사업에 대하여는 해당 자치단체의 재정사정을 고려하여 기준보조율에서 일정비율을 더하거나 빼는 차등보조율을 적용할 수 있다.

㉡ 차등보조율의 적용기준은 그 적용대상이 되는 지방자치단체의 재정자주도, 분야별 재정지출지수, 그 밖에 대통령령으로 정하는 사항으로 하며, 각 적용기준의 구체적인 산식은 대통령령으로 정한다.

⑥ **지방비 부담 의무**: 자치단체의 장은 보조사업에 대한 자치단체의 지방비 부담액을 다른 사업에 우선하여 해당 연도 자치단체의 예산에 계상하여야 한다.

### (2) 보조금의 교부 및 반환 및 제재

① **보조금의 교부조건**: 중앙관서의 장은 보조금의 교부를 결정할 때 법령과 예산에서 정하는 보조금의 교부 목적을 달성하는 데에 필요한 조건을 붙일 수 있다.

② **용도 외 사용 금지**: 보조사업자는 법령, 보조금 교부 결정의 내용 또는 법령에 따른 중앙관서의 장의 처분에 따라야 하며 그 보조금을 다른 용도에 사용해서는 아니 된다.

③ **보조금의 반환 및 제재**: 중앙관서의 장은 보조사업자가 보조금을 다른 용도로 사용한 경우 등에는 보조금 교부 결정의 전부 또는 일부를 취소할 수 있으며, 이미 교부된 경우에는 기한을 정하여 그 취소한 부분에 해당하는 보조금과 이로 인해 발생한 이자의 반환을 명하여야 한다.

**O·X 문제**

1. 중앙관서의 장은 보조사업을 수행하려는 자로부터 신청받은 보조금의 명세 및 금액을 조정하여 행정안전부장관에게 보조금 예산을 요구하여야 한다. ( )

2. 국고보조금의 사업별 보조율은 50%로 사업비의 절반은 지방자치단체가 부담해야 한다. ( )

**✢ 기준보조율과 차등보조율**

| | |
|---|---|
| 기준 보조율 | 보조금의 예산 계상 신청 및 예산편성 시 보조사업별로 적용하는 기준이 되는 국고보조율 |
| 차등 보조율 | 해당 자치단체의 재정 사정을 고려하여 기준보조율에서 일정 비율을 더하거나 뺀 보조율 |

**O·X 문제**

3. 중앙정부는 지방자치단체가 보조금을 다른 용도로 사용한 경우, 보조금을 반환하게 할 수 있다. ( )

O·X 정답 1. × 2. × 3. ○

### 3. 효용과 한계

(1) 효 용

① 국가적 필요에 따라 국가가 지향하는 의도를 지방단위에 실현할 수 있다.
② 행정수준의 전국적 통일성을 확보할 수 있다.
③ 행정서비스의 외부효과에 대처하기 용이하다.
④ 사회간접자본(SOC) 등의 계획적 확충 및 정비를 가져올 수 있다.
⑤ 특정 행정수요에의 대응이 용이하다.

(2) 한 계

① 중앙정부의 강력한 통제로 지방정부의 자율성이 저해된다.
② 지방비 부담 가중으로 인하여 지방재정이 압박을 받는다.
③ 지방비 부담능력이 있는 자치단체만 보조금이 지원되므로 지방정부 간 재정력 격차가 심화될 위험성이 있다.
④ 지방정부의 의무적 경비부담을 초래하여 지방적 우선순위가 낮은 사업에 지방재정이 투자되는 문제를 야기한다.
⑤ 보조금 지급조건의 엄격성과 획일성으로 인하여 지역의 다양한 수요에 대응하기 곤란하다.
⑥ 교부절차의 번잡성과 교부 시기의 부적절성으로 인하여 적기 집행이 곤란하다.
⑦ 보조금의 영세성과 세분화로 인하여 재정자금의 비효율적 활용이 야기된다.

**O·X 문제**

1. 국고보조금은 외부효과를 치유하는 수단이 되기도 한다. ( )
2. 국고보조금은 보조의 불예측성과 통제 등으로 인하여 재정의 안정성과 자율성이 약하다. ( )
3. 국고보조금은 지방재정의 자율성을 약화시키지만 지방정부 간 재정력 격차를 현저하게 완화시키는 기능을 한다. ( )

## 04 조정교부금(자치단체 간 재정조정제도)

### 1. 유 형

(1) 시 · 군 조정교부금(「지방재정법」 제29조)

① 시 · 도(특별시 제외)가 소속 시 · 군에 대해 행하는 재정조정제도이다.
② 시 · 도지사(특별시장 제외)는 시 · 군에서 징수하는 광역시세 · 도세 총액의 27%와 인구를 고려한 해당 시 · 도의 지방소비세액의 27%(인구 50만 이상의 시와 자치구가 아닌 구가 설치되어 있는 시의 경우에는 47%)에 해당하는 금액을 관할 시 · 군 간의 재정력 격차를 조정하기 위한 조정교부금의 재원으로 확보하여야 한다.
③ 시 · 도지사는 조정교부금의 재원을 인구, 징수실적(지방소비세 제외), 해당 시 · 군의 재정사정, 그 밖에 대통령령으로 정하는 기준에 따라 시 · 군에 배분한다.

(2) 자치구 조정교부금(「지방재정법」 제29조의2)

① 특별시 · 광역시가 소속 자치구에 대해 행하는 재정조정제도이다.
② 특별시장 및 광역시장은 대통령령으로 정하는 보통세 수입의 일정액을 조정교부금으로 확보하여 조례로 정하는 바에 따라 해당 자치단체 관할구역의 자치구 간 재정력 격차를 조정하여야 한다.

**O·X 문제**

4. 지방재정조정제도의 종류에는 조정교부금과 국고보조금 등이 있다. ( )
5. 조정교부금이란 광역자치단체가 관할 기초자치단체 간 재정격차를 해소함으로써 균형적인 행정서비스를 제공하기 위한 재정조정제도를 말한다. ( )
6. 지방교육세는 자치구의 조정교부금이 될 수 없다. ( )

### 2. 용도 및 배분

(1) 종류와 용도

일반적 재정수요에 충당하기 위한 일반조정교부금과 특정한 재정수요에 충당하기 위한 특별조정교부금으로 구분하여 운영하되, 특별조정교부금은 민간에 지원하는 보조사업의 재원으로 사용할 수 없다.

O·X 정답 1. ○ 2. ○ 3. × 4. ○ 5. ○ 6. ○

(2) 배 분

일반조정교부금의 재원은 조정교부금 총액의 90%에 해당하는 금액으로 하고, 특별조정교부금의 재원은 조정교부금 총액의 10%에 해당하는 금액으로 한다.

지방자치단체 간 재정조정제도

| 제 도 | 의 의 | 재 원 | 법적 근거 |
|---|---|---|---|
| 시·군 조정교부금 | 시·도(특별시 제외)가 소속 시·군에 대해 재정을 보전해 주는 제도 | 징수 광역세와 인구를 고려한 지방소비세액의 27% | 「지방재정법」 |
| 자치구 조정교부금 | 특별시·광역시가 소속 자치구에 대해 재정을 보전해 주는 제도 | 보통세수입의 일정액 | |

## 05 지방재정조정제도의 정리

### 1. 지방재정조정제도

| 구 분 | 지방교부세 | | | | 국고보조금 | | |
|---|---|---|---|---|---|---|---|
| | 보통 교부세 | 특별 교부세 | 부동산 교부세 | 소방안전 교부세 | 장려적 보조금 | 부담금 | 교부금 |
| 지급 사유 | 지방정부의 재정적 결함 | 특별한 지역적 현안 등 | 종토세 폐지로 인한 세수감소분 보전 | 자치단체의 소방 및 안전시설 확충, 안전관리 강화 등 | 장려가 필요한 자치사무 | 단체위임 사무 | 기관위임 사무 |
| 교부 기준 | 기준재정수요액－기준재정 수입액× 조정률 | 특정 사유발생 시 일정기준에 의해 지급 | 재정여건이나 지방세 운영상황 등을 고려하여 지급 | 소방 및 안전시설 현황 및 투자 소요 등을 고려하여 지급 | 필요 상당액 | 사업비 일부 | 사업비 전부 |
| 용 도 | 일반재원 | 특정재원 | 일반재원 | 특정재원 | 특정재원 | 특정재원 | 특정재원 |
| 재 원 | 내국세 총액의 19.24% 중 97% | 내국세 총액의 19.24% 중 3% | 종합부동산세 전액 | 담배에 부과되는 개별소비세의 45% | 국가예산 | 국가예산 | 국가예산 |
| 통 제 | 약함. | 강함. | 약함. | 강함. | 강함. | 강함. | 강함. |

### 2. 지방교부세와 국고보조금의 비교

| 구 분 | 지방교부세 | 국고보조금 |
|---|---|---|
| 근 거 | 「지방교부세법」 | 「보조금 관리에 관한 법률」 |
| 목 적 | 재정의 형평화 | 자원배분의 효율화 |
| 배정 기준 | 재정부족액 | 국가시책 및 정책적 고려 |
| 재 원 | 내국세 총액의 19.24%＋종합부동산세 전액＋담배개별소비세의 45%(법정지원) | 중앙정부의 일반회계와 특별회계에서 지원(재량지원) |
| 성 격 | 일반재원, 비조건부 교부금, 정액보조 | 특정재원, 조건부 보조금, 정률보조 |
| 지방비 부담 | 무대응지원금(지방비 부담 없음) | 대응지원금(지방비 부담 있음) |
| 정부통제 | 약함. | 강함. |
| 지방정부 재량 | 많음. | 적음. |
| 조정의 성격 | 수직적·수평적 조정재원 | 수직적 조정재원 |

O·X 문제

1. 지방교부세는 보통교부세, 특별교부세, 부동산교부세 및 교통안전교부세로 구분된다. ( )

2. 지방교부세는 신청주의를 원칙으로 하며 각 중앙관서의 예산에 반영되어야 한다. ( )

O·X 문제

3. 지방교부세는 용도가 정해져 있지 않다는 점에서 국고보조금과 다르다. ( )

4. 국고보조금은 중앙정부와 지방자치단체 간의 수직적 재정조정제도이다. ( )

5. 지방교부세는 중앙정부가 국가 사무를 지방정부에 위임하거나 지방정부가 추진하는 사업 경비의 전부 또는 일부를 보조하거나 지원하기 위한 제도이다. ( )

6. 지방교부세 대비 국고보조금의 비중 증가는 지방재정의 자율성을 강화한다. ( )

O·X 정답 1. × 2. × 3. ○ 4. ○ 5. × 6. ×

PART · 07

# 제 4 절 지방재정평가와 지방재정관리

## 01 지방재정에 대한 평가지표와 지방재정개혁

### 1. 재정력평가 기준

(1) 지방재정력

자치단체의 총재정규모로서 자주재원(지방세 수입, 세외수입), 의존재원(지방교부세, 국고보조금), 지방채를 모두 포함한다.

(2) 지방재정자립도

① 의의: 일반회계 세입총액에서 자주재원(세수입과 세외수입의 합계액)이 차지하는 비율을 말한다. 「지방자치법 시행령」에서는 자주재원에 지방채를 제외하고 있다.

| 지방재정자립도(%) = 자주재원(지방세 + 세외수입) / 일반회계세입 총액 × 100 (지방채 제외) |
|---|

② 한 계

㉠ **총재정규모의 파악 곤란**: 일반회계만을 고려하고 특별회계와 기금을 고려하지 못하여 총재정규모를 파악하기 곤란하다.

㉡ **세출구조의 무시**: 세입 중심으로 산정되어 자치단체의 세출구조(경상지출과 자본지출의 비율 등)를 파악하지 못한다.

㉢ **지방재정력과 충돌가능성**: 자주재원과 달리 의존재원의 확대는 지방재정력을 강화시키지만 지방재정자립도는 오히려 약화시킨다.

㉣ **의존재원의 재정지원 형태 파악 곤란**: 중앙정부에 의한 재정지원을 의존재원으로 처리함으로써 재정지원의 형태(일반재원, 특정재원)를 파악하기 곤란하다.

㉤ **상대적 재정규모의 파악 곤란**: 일반회계세입 총액에서 자주재원의 '비율'만을 고려하므로 자치단체 간 상대적 재정규모 파악이 곤란하다.

③ 지방재정자립도 제고방안

㉠ 조세체제 개편을 통한 국세와 지방세의 합리적 조정

㉡ 각종 부담금의 지방세화 등 새로운 지방세원의 개발

㉢ 수익자부담주의를 활용하여 사용료, 수수료 등의 세외수입 확충

㉣ 경영수익사업의 개발을 통한 세외수입 확충

(3) 재정의존도

일반회계 세입총액에서 의존재원(지방교부세+국고보조금)이 차지하는 비율을 말한다. 재정의존도는 지방재정자립도와 반대되는 개념이다.

| 지방재정의존도(%) = 의존재원(지방교부세 + 국고보조금) / 일반회계세입 총액 × 100 |
|---|

---

**심화학습**

**지방채와 자주재원**

① **자주재원에 포함된다고 보는 견해**: 자치재정권의 당연한 내용인 기채권에 근거한 지방채수입은 자주재원에 포함된다.

② **자주재원에 포함되지 않는다고 보는 견해**: 지방채 상환이 의존재원에 의한 경우가 많기 때문에 자주재원에 포함되지 않는다.

**O·X 문제**

1. 재정자립도는 일반회계 예산규모에서 지방세와 세외수입 합계액의 비(比)를 의미하며 지방자치단체의 실제 재정력과 차이가 있다는 비판이 있다. ( )

2. 재정자립도는 지방자치단체 총예산규모 중 자주재원이 차지하는 비율로 그 산식에 있어서 분모와 분자에 모두 자주재원이 존재함으로 인해 재정자립도를 결정하는 데에 중요한 요인은 의존재원이 된다. ( )

3. 재정자립도가 높다고 지방정부의 실질적 재정이 반드시 좋다고 볼 수는 없다. ( )

4. 일반적으로 지방재정자립도가 같거나 유사하다고 해서 자치단체의 재정력이 같은 것은 아니다. ( )

5. 재정자립도는 중앙정부에 의한 재정지원을 의존재원으로 처리함으로써 재정지원의 형태를 제대로 파악할 수 없다. ( )

6. 지방재정자립도를 제고하기 위해서는 사용료·수수료 등의 요율을 인상하는 등 수익자부담 원칙을 강화해야 한다. ( )

7. 지방자치단체들은 재정자립도 향상 차원에서 지방교부세의 증액을 위해 노력하고 있다. ( )

8. 지방재정자립도를 제고하기 위해서는 국고보조금의 교부방법을 포괄보조금방식으로 해야 한다. ( )

O·X 정답 1. ○ 2. ○ 3. ○ 4. ○ 5. ○ 6. ○ 7. × 8. ×

⑷ 재정자주도

일반회계 세입총액에서 자주재원(세수입+세외수입)과 일반재원(지방교부세)이 차지하는 비율을 말한다. 재정자주도는 생계급여 등 사회복지 분야에서 차등보조율을 적용할 자치단체를 선정할 때 사용된다(복지재정수요와 재정자주도를 기준으로 재정력이 취약한 자치단체에 10% 증액 보조).

| 재정자주도 = 지방세 수입 + 세외수입 + 지방교부세 / 일반회계예산 × 100 |
|---|

⑸ 재정력지수

기준재정수요액 대비 기준재정수입액의 비율을 말한다. 재정력지수는 기본 행정수행을 위한 재정수입의 실질적 확보능력을 나타내는 세입분석지표로 보통교부세 교부의 기준이 된다.

| 재정력지수 = 기준재정수입액 / 기준재정수요액 × 100(%) |
|---|

⑹ 재정건전도

지방재정자립도나 지방재정력은 지방재정의 건전성을 정확히 반영하지 못하므로 재정건전도는 지방재정의 다양한 측면을 반영한다. ① 주민 1인당 지방세 부담능력이 클수록, ② 자치단체의 재정규모가 클수록, ③ 자주재원의 비율이 높을수록, ④ 세출규모 중 투자비 비중이 클수록, ⑤ 자치단체의 잠재적 재원개발능력이 클수록, ⑥ 개발재정수요가 낮을수록, ⑦ 국가와 자치단체 간 기능배분과 재원배분이 일치할수록 재정건전도는 높아진다.

### 2. 지방재정개혁에 대한 시각

⑴ 자주재원주의

① **의의**: 지방정부의 재정력 확보를 위해 지방세나 세외수입 중심의 자주재원을 확대하고자 하는 입장이다.

② **개혁방안**: 국세의 지방세로의 전환, 중앙정부의 세입원인 각종 부담금의 지방세화 등 지방세입 구조의 개편을 중시한다(재정자립도 강조).

③ **평가**: 지방정부의 재정책임성을 강화하는 장점이 있는 반면, 지방정부 간 재정력 격차를 더욱 심화시킬 위험성이 있다.

⑵ 일반재원주의

① **의의**: 지방정부의 재정력 확보를 위해 의존재원 중 일반재원으로 사용할 수 있는 재원을 확대하고자 하는 입장이다.

② **개혁방안**: 지방교부세 및 포괄보조금의 확대 등 지방정부가 자율적으로 사용할 수 있는 재정규모의 순증을 강조한다(재정자주도 강조).

③ **평가**: 지방정부 간의 재정력 격차를 완화할 수 있다는 장점이 있는 반면, 지방정부의 재정책임성을 저하시킬 위험성이 있다.

⑶ 비 교

| 자주재원주의 | 세입분권 | 구조 중시 | 자주재원 확충 강조 | 재정책임성 확보 |
|---|---|---|---|---|
| 일반재원주의 | 세출분권 | 규모 중시 | 일반재원 확충 강조 | 지역 간 재정력 격차 시정 |

**O·X 문제**

1. 재정자주도는 일반회계 예산규모에서 자체수입과 자주재원 합계액의 비를 의미하며 보통교부세 교부여부의 적용기준으로 활용된다. ( )

2. 지방교부세제도에 규정되어 있는 '기준재정수요액' 대비 '기준재정수입액'의 비율로 측정되는 것은 재정력지수이다. ( )

**O·X 문제**

3. 주민 1인당 지방세 부담액은 지방세액을 해당 지방자치단체 주민 수로 나눈 것으로 세입구조 안정성을 판단하는 기준이 된다. ( )

**O·X 문제**

4. 지방재정자립도를 높이기 위해 국세의 일부를 지방세로 전환할 경우 지역 간 재정불균형이 심화될 수 있다. ( )

O·X 정답 1. × 2. ○ 3. ○ 4. ○

## 02 지방재정관리제도

### 1. 우리나라의 지방재정관리제도

<table>
<tr><th colspan="2">주 체</th><th>사전예산관리</th><th>사후재정관리</th></tr>
<tr><td rowspan="10">중앙<br>정부</td><td rowspan="7">재정<br>·<br>예산<br>관리</td><td>자치단체 예산편성 기준(참고자료)</td><td>지방재정분석 및 재정진단</td></tr>
<tr><td>중기지방재정계획</td><td>지방재정위기 사전경보시스템</td></tr>
<tr><td>지방재정투융자심사</td><td>보통교부세 인센티브제</td></tr>
<tr><td>국고보조사업 운영지침(개별 부처)</td><td>지방교부세 감액제</td></tr>
<tr><td>지방채 총액한도액 초과 발행 통제</td><td>국고보조사업 정산 보고</td></tr>
<tr><td></td><td>발생주의·복식부기 정부회계</td></tr>
<tr><td></td><td>감사원 감사와 국회의 국정감사</td></tr>
<tr><td rowspan="3">정책<br>관리</td><td>성인지 예산제도(여성가족부)</td><td>국고보조사업 이력관리(행정안전부)</td></tr>
<tr><td>성별영향평가제도(여성가족부)</td><td>행정안전부 합동평가(국고보조사업)</td></tr>
<tr><td>참여예산제(행정안전부)</td><td>국고보조사업평가(기획재정부)</td></tr>
<tr><td colspan="2" rowspan="5">지방자치단체</td><td>프로그램 예산제도</td><td>행정사무 감사(지방의회)</td></tr>
<tr><td>지방채 발행(총액한도액 이내 발행)</td><td>재정사업 평가(자체평가)</td></tr>
<tr><td>성과계획서 및 성과보고서 작성</td><td></td></tr>
<tr><td>지방재정영향평가제도</td><td></td></tr>
<tr><td>지역통합재정통계의 작성</td><td></td></tr>
<tr><td colspan="2">지역주민</td><td>주민참여 및 감시(주민참여예산)</td><td>• 재정운영 상황 공개(재정공시)<br>• 주민소송제도</td></tr>
</table>

### 2. 주요 제도의 고찰

(1) 지방재정분석 및 진단제도(「지방재정법」 제54조~제60조의9)

① 의 의

㉠ 개념: 중앙정부가 지방재정운용의 사후적 평가를 통해 재정운용의 책임성과 효율성을 도모하기 위한 제도로 현재 「지방재정법」에 근거를 두고 있다.

㉡ 목적: 지방재정분석 및 진단제도는 자치단체의 방만한 재정운용과 그로 인한 재정위기를 사전에 예방함을 목적으로 한다.

② 과 정

㉠ 재정운용에 관한 보고 등: 단체장은 대통령령으로 정하는 바에 따라 예산, 결산, 출자, 부채 등 재정상황에 관한 재정보고서를 행정안전부장관에게 제출하여야 한다. 이 경우 시·군·구는 시·도지사를 거쳐 행정안전부장관에게 제출하여야 한다.

㉡ 재정분석 및 재정진단

ⓐ 재정분석 및 재정위험 수준 점검: 행정안전부장관은 대통령령으로 정하는 바에 따라 재정보고서의 내용을 분석하여야 한다. 또한 행정안전부장관은 자치단체의 재정 상황 중 채무 등 대통령령으로 정하는 사항에 대하여 대통령령으로 정하는 바에 따라 재정위험 수준을 점검하여야 한다.

ⓑ **재정진단**: 행정안전부장관은 재정분석 결과 다음에 해당하는 자치단체에 대하여 지방재정위기관리위원회[+]의 심의를 거쳐 대통령령으로 정하는 바에 따라 재정진단을 실시할 수 있다.

- 재정분석결과 재정의 건전성과 효율성 등이 현저히 떨어지는 자치단체
- 재정위험수준점검 결과 재정위험 수준이 대통령령으로 정하는 기준을 초과하는 자치단체

ⓒ **재정분석 및 재정진단 결과의 공개 및 보고**: 행정안전부장관은 재정분석 결과와 재정진단 결과를 공개할 수 있다. 또한 행정안전부장관은 재정분석 결과와 재정진단 결과의 중요 사항에 대해서는 매년 재정분석과 재정진단을 실시한 후 3개월 이내에 국회 소관 상임위원회 및 국무회의에 보고하여야 한다.

ⓓ **재정분석결과에 따른 조치**: 행정안전부장관은 재정분석 결과 재정의 건전성과 효율성 등이 우수한 자치단체에 대하여 특별교부세를 별도로 교부할 수 있다.

㉢ **재정위기단체 등의 지정 및 해제**: 행정안전부장관은 재정분석 결과와 재정진단 결과 등을 토대로 지방재정위기관리위원회의 심의를 거쳐 해당 자치단체를 재정위기단체[+] 또는 재정주의단체[+]로 지정하거나 그 지정을 해제할 수 있다.

㉣ 재정위기단체의 의무

ⓐ 재정위기단체로 지정된 자치단체의 장은 대통령령으로 정하는 바에 따라 재정건전화계획을 수립하여 행정안전부장관의 승인을 받아야 한다. 이 경우 시장·군수·구청장은 시·도지사를 경유하여야 한다.

ⓑ 재정위기단체의 장은 재정건전화계획에 대하여 지방의회의 의결을 얻어야 하며, 예산을 편성할 때에는 재정건전화계획을 기초로 하여야 한다.

ⓒ 행정안전부장관은 재정위기단체의 재정건전화계획 수립 및 이행상황에 대하여 필요한 사항을 권고하거나 지도할 수 있으며, 재정위기단체의 장은 특별한 사유가 없는 한 이에 따라야 한다.

ⓓ 재정위기단체의 장은 재정건전화계획의 이행상황을 지방의회 및 행정안전부장관에게 보고하여야 한다(시장·군수·구청장은 시·도지사 경유). 또한 재정건전화계획 및 이행상황을 매년 2회 이상 주민에게 공개하여야 한다.

ⓔ 행정안전부장관은 재정주의단체로 지정된 자치단체에 대하여 지방재정위기관리위원회의 심의를 거쳐 재정건전화계획의 수립 및 이행을 권고하거나 재정건전화에 필요한 사항을 지도할 수 있다.

㉤ 긴급재정관리단체의 지정

ⓐ 사 유

- 재정위기단체로 지정된 자치단체가 재정건전화계획을 3년간 이행하였음에도 불구하고 자치단체의 재정위험 수준이 재정위기단체로 지정된 때보다 대통령령으로 정하는 수준 이하로 악화된 경우
- 소속 공무원의 인건비를 30일 이상 지급하지 못한 경우
- 상환일이 도래한 채무의 원금 또는 이자에 대한 상환을 60일 이상 이행하지 못한 경우

---

[+] **지방재정위기관리위원회**

① 행정안전부장관은 지방재정위기관리위원회를 설치·운영하여야 한다.
② 지방재정위기관리위원회는 위원장 1명을 포함하여 15명 이내의 위원으로 구성하되, 성별을 고려하여야 한다.
③ 위원장은 민간위원 중에서 호선한다.

[+] **재정위기단체와 재정주의단체**

| 구분 | 내용 |
|---|---|
| 재정위기단체 | 재정위험 수준이 심각하다고 판단되는 자치단체 |
| 재정주의단체 | 재정위험 수준이 심각한 수준에 해당되지 아니하나 자치단체 재정의 건전성 또는 효율성 등이 현저하게 떨어졌다고 판단되는 자치단체 |

**O·X 문제**

1. 행정안전부장관은 지방자치단체가 소속 공무원의 인건비를 30일 이상 지급하지 못한 경우 해당 지방자치단체를 긴급재정관리단체로 지정할 수 있다. ( )

O·X 정답 1. ○

PART · 07

ⓑ **지정**: 행정안전부장관은 자치단체가 위의 사유에 해당하여 자력으로 그 재정위기상황을 극복하기 어렵다고 판단되는 경우에는 지방재정위기관리위원회의 심의를 거쳐 해당 자치단체를 긴급재정관리단체로 지정할 수 있다.

ⓒ **신청**: 자치단체의 장은 해당 자치단체가 위의 사유에 해당되거나 그에 준하는 재정위기에 직면하여 긴급재정관리가 필요하다고 판단하는 경우에는 지방의회의 의견을 들은 후 행정안전부장관에게 긴급재정관리단체의 지정을 신청할 수 있다.

ⓗ 긴급재정관리인, 긴급재정관리계획 등

ⓐ **긴급재정관리인의 선임 및 파견**: 행정안전부장관은 국가기관 소속 공무원 또는 재정관리에 관한 업무 지식과 경험이 풍부한 사람을 긴급재정관리인으로 선임하여 긴급재정관리단체에 파견하여야 한다.

ⓑ **긴급재정관리계획의 수립**: 긴급재정관리단체의 장은 긴급재정관리계획안을 작성하여 긴급재정관리인의 검토를 받아 지방의회의 의결을 거친 후 행정안전부장관의 승인을 받아야 한다. 다만, 긴급재정관리단체의 장은 직접 긴급재정관리계획안을 작성하는 것이 적절하지 아니한 경우로서 대통령령으로 정하는 경우에는 긴급재정관리인으로 하여금 긴급재정관리계획안을 작성하게 하여야 한다.

ⓒ **긴급재정관리단체에 대한 통제**: 긴급재정관리단체의 장은 예산안을 편성하는 경우에는 긴급재정관리계획에 따라야 한다. 또한 긴급재정관리단체의 장은 긴급재정관리계획에 따르지 아니하고는 지방채의 발행, 채무의 보증, 일시차입, 채무부담행위를 할 수 없다.

(2) 지방재정관리의 혁신

① **자치단체 예산편성기준**: 행정안전부장관은 지방재정의 건전한 운용과 자치단체 간 재정운용의 균형을 확보하기 위하여 필요한 회계연도별 자치단체 예산편성기준은 행정안전부령으로 정한다.

② **중기지방재정계획의 수립**: 단체장은 지방재정을 계획성 있게 운용하기 위하여 매년 다음 회계연도부터 5회계연도 이상의 기간에 대한 중기지방재정계획을 수립하여 예산안과 함께 지방의회에 제출하고, 회계연도 개시 30일 전까지 행정안전부장관에게 제출해야 한다.

③ **지방재정건전성의 관리**: 단체장은 행정안전부장관이 정하는 바에 따라 매년 재정건전성관리계획을 수립하여 시행하여야 한다.

④ **성과 중심의 지방재정운용**: 단체장은 행정안전부령으로 정하는 바에 따라 성과계획서와 성과보고서를 작성해야 하며, 단체장은 대통령령으로 정하는 바에 따라 주요 재정사업을 평가하고 그 결과를 재정운용에 반영할 수 있다.

⑤ **목적세의 특별회계 운영**: 목적세에 따른 세입・세출은 다른 법률에 특별한 규정이 있는 경우를 제외하고는 특별회계를 설치・운용해야 한다.

⑥ **특별회계의 존속기한 명시**: 자치단체가 특별회계를 설치하려면 5년 이내의 범위에서 특별회계의 존속기한을 해당 조례에 명시해야 한다. 다만, 법률에 따라 의무적으로 설치・운용되는 특별회계는 그러하지 아니하다.

⑦ **지방재정영향평가제도**: 단체장은 대규모의 재정적 부담을 수반하는 국내·국제경기대회, 축제·행사, 공모사업 등의 유치를 신청하거나 응모를 하려면 미리 해당 자치단체의 재정에 미칠 영향을 평가하고 지방재정투자심사위원회의 심사를 거쳐야 한다.

⑧ **예비비 계상**: 일반회계와 교육비특별회계는 각 예산 총액의 1/100 이내의 금액을 예비비로 예산에 계상해야 하고(의무), 그 밖의 특별회계는 각 예산 총액의 1/100 이내의 금액을 예비비로 예산에 계상할 수 있다(재량). 단체장은 지방의회의 예산안 심의 결과 폐지되거나 감액된 지출항목에 대해서는 예비비를 사용할 수 없다.

⑨ **지방재정투자심사**: 단체장은 재정투자사업에 관한 예산안 편성, 채무부담행위, 보증채무부담행위, 예산 외의 의무부담에 대해서는 미리 투자심사를 직접 하거나 행정안전부장관 또는 시·도지사에게 의뢰하여 투자심사를 받아야 한다.

⑩ **지역통합재정통계의 작성**: 단체장은 회계연도마다 예산서와 결산서를 기준으로 지역통합재정통계를 작성하여 공개해야 하며, 행정안전부장관에게 제출해야 한다.

⑪ **지방재정 운용상황 공시(재정공시) 및 통합 공시**: 단체장은 예산 또는 결산의 확정 또는 승인 후 2개월 이내에 세입·세출예산의 운용상황 등 주민 관심도가 높은 항목을 주민에게 공시해야 하며, 행정안전부장관은 그 공시를 종합하여 자치단체 전체에 대한 통합 공시를 할 수 있다.

⑫ **결산 보고**: 단체장은 지방의회에 결산 승인을 요청한 날부터 5일 이내에 결산서를 행정안전부장관에게 제출하여야 한다.

⑬ **경비부담을 수반하는 법령안**: 중앙관서의 장은 그 소관 사무로서 자치단체의 경비부담을 수반하는 사무에 관한 법령을 제정하거나 개정하려면 미리 행정안전부장관의 의견을 들어야 한다.

## 03 지방정부의 경영관리

### 1. 지방공기업

(1) 의 의

지방공기업이란 지방자치의 발전과 주민복리의 증진을 위하여 자치단체가 직접 설치·경영하거나, 법인을 설립하여 경영하는 기업을 말한다.

(2) 유형과 범위

① **직영기업(정부기업)**: 자치단체가 자신의 조직과 직원으로 경영하는 기업으로 특별회계로 운영된다.

② **간접경영(법인체기업)**: 자치단체가 조례로 법인을 설립하여 경영하는 기업으로 독립채산제로 운영된다.

㉠ **지방공단**: 지방정부가 전액 출연

㉡ **지방공사**: 지방정부가 전액 출자[다만, 자본금의 2분의 1을 넘지 않는 범위에서 자치단체 외의 자(외국인 및 외국법인 포함)로 하여금 출자하게 할 수 있음]

㉢ **주식회사 및 재단법인**: 지방정부가 50% 미만 출자 또는 출연

③ **경영위탁(민간위탁)**: 계약 등을 통해 지방정부의 사무를 민간기업 등에 위탁하여 수행(아웃소싱)

**O·X 문제**

1. 지방자치단체는 일반회계의 경우 예산총액의 100분의 1 이내의 금액을 예비비로 계상하여야 한다. ( )

2. 지방자치단체의 장은 지방의회의 예산안 심의 결과 감액된 지출항목에 대해 예비비를 사용할 수 있다. ( )

**O·X 문제**

3. 「지방공기업법」상 지방공기업의 범주에는 지방직영기업과 지방공사·지방공단이 포함된다. ( )

O·X 정답 1. ○ 2. × 3. ○

**O·X 문제**

1. 지방공기업은 수도사업(마을상수도사업은 제외한다), 공업용수도사업, 주택사업, 토지개발사업, 하수도사업, 자동차운송사업, 궤도사업(도시철도사업을 포함한다)을 할 수 있다. ( )
2. 지방직영기업은 지방자치단체가 일반회계와 구분되는 공기업특별회계를 설치해 독립적으로 회계를 운영하는 형태의 기업이다. ( )
3. 지방직영기업은 지방자치단체가 직접 사업 수행을 위해 소속 행정기관의 형태로 설립하여 경영한다. ( )
4. 지방직영기업의 관리자는 해당 지방자치단체의 공무원으로서 지방직영기업의 경영에 관하여 지식과 경험이 풍부한 사람 중에 지방자치단체의 장이 임명한다. ( )
5. 지방공사는 법인으로 한다. ( )
6. 지방공사를 설립하고자 하는 시장·군수·구청장은 설립 전에 행정안전부장관과 협의하여야 한다. ( )
7. 지방자치단체는 상호 규약을 정하여 다른 지방자치단체와 공동으로 지방공사를 설립할 수 있다. ( )
8. 지방공사의 자본금은 지방자치단체가 전액 출자한다. ( )
9. 지방공사는 지방자치단체 외의 자(법인 등)가 출자를 할 수 있지만 지방공사 자본금의 3분의 1을 넘지 못한다. ( )
10. 공사의 운영을 위하여 필요한 경우에는 자본금의 2분의 1을 넘지 아니하는 범위에서 지방자치단체 외의 자로 하여금 공사에 출자하게 할 수 있다. 단, 외국인 및 외국법인은 제외한다. ( )

O·X 정답 1. ○ 2. ○ 3. ○ 4. ○ 5. ○ 6. × 7. ○ 8. ○ 9. × 10. ×

### (3) 지방공기업의 대상사업

「지방공기업법」에 의하면 지방공기업은 ① 수도사업(마을상수도사업 제외), ② 공업용수도사업, ③ 궤도사업(도시철도사업 포함), ④ 자동차운송사업, ⑤ 지방도로사업(유료도로사업만 해당), ⑥ 하수도사업, ⑦ 주택사업, ⑧ 토지개발사업, ⑨ 주택(대통령령으로 정하는 공공복리시설 포함)·토지 또는 공용·공공용건축물의 관리 등의 수탁, ⑩ 공공재개발사업 및 공공재건축사업 등을 대상사업으로 한다.

### (4) 지방공기업의 경영원칙 – 기업성과 공공성의 조화

① 지방공기업은 항상 기업의 경제성과 공공복리를 증대하도록 운영하여야 한다.

② 자치단체는 지방공기업을 설치·설립 또는 경영할 때에 민간경제를 위축시키거나, 공정하고 자유로운 경제질서를 해치거나, 환경을 훼손시키지 아니하도록 노력하여야 한다.

### (5) 지방직영기업

① **설치**: 자치단체는 지방직영기업을 설치·경영하려는 경우에는 그 설치·운영의 기본사항을 조례로 정하여야 한다.

② **관리자 및 직원**: 자치단체는 지방직영기업의 업무를 관리·집행하게 하기 위하여 사업마다 관리자를 둔다. 관리자는 해당 자치단체의 공무원 중에서 단체장이 임명하며, 임기제로 할 수 있다. 또한 지방직영기업의 직원은 공무원으로 한다.

③ **재무**: 자치단체는 각 사업마다 특별회계를 설치하여야 한다. 지방직영기업의 특별회계에서 해당 기업의 경비는 원칙적으로 해당 기업의 수입으로 충당하여야 한다.

④ **조합의 설립**: 자치단체는 지방직영기업의 경영에 관한 사무를 광역적으로 처리하기 위하여 필요한 경우 규약을 정하여 다른 자치단체와 공동으로 지방자치단체조합을 설립할 수 있다.

### (6) 지방공사 및 지방공단

① **설립**: 자치단체는 사업을 효율적으로 수행하기 위하여 필요한 경우에는 지방공사 또는 지방공단을 설립할 수 있다. 이 경우 시·도지사는 행정안전부장관과, 시장·군수·구청장은 관할 시·도지사와 협의하여야 한다.

② **공동설립**: 자치단체는 상호 규약을 정하여 다른 자치단체와 공동으로 공사 또는 공단을 설립할 수 있다.

③ **법인격**: 공사 또는 공단은 법인으로 한다.

④ **출자**: 공사 또는 공단의 자본금은 그 전액을 자치단체가 현금 또는 현물로 출자한다. 다만, 공사는 운영을 위하여 필요한 경우 자본금의 2분의 1을 넘지 아니하는 범위에서 자치단체 외의 자(외국인 및 외국법인 포함)로 하여금 공사에 출자하게 할 수 있다.

⑤ **임원 및 직원**: 공사 또는 공단의 임원은 사장(이사장)을 포함한 이사 및 감사로 하며, 단체장이 임원추천위원회가 추천한 사람 중에서 임면한다. 공사 또는 공단의 사장, 이사 및 감사의 임기는 3년으로 한다. 단체장은 사장(이사장)을 임명하는 경우 사장(이사장)과 경영성과계약을 체결하여야 한다.

⑥ **예산**: 공사 또는 공단의 사장(이사장)은 매 사업연도의 사업계획 및 예산을 해당 사업연도가 시작되기 전까지 편성하여야 하며, 편성된 예산은 이사회의 의결로 확정된다(독립채산제).

(7) 지방공기업에 대한 감독

① **경영평가**: 행정안전부장관은 지방공기업의 경영 기본원칙을 고려하여 대통령령으로 정하는 바에 따라 지방공기업에 대한 경영평가를 하고, 그 결과에 따라 필요한 조치를 하여야 한다. 다만, 행정안전부장관이 필요하다고 인정하는 경우에는 단체장으로 하여금 경영평가를 하게 할 수 있다. 또한 행정안전부장관은 대통령령으로 정하는 바에 따라 경영평가와는 별도로 사장에 대하여 업무성과 평가를 할 수 있다.

② **경영진단 및 경영 개선 명령**: 행정안전부장관은 경영평가를 한 결과 특별한 대책이 필요하다고 인정되는 지방공기업에 대하여는 대통령령으로 정하는 바에 따라 따로 경영진단을 실시하고, 그 결과를 공개할 수 있다.

③ **부실지방공기업에 대한 해산 요구**: 행정안전부장관은 공사 또는 공단이 ㉠ 부채 상환 능력이 현저히 낮은 경우, ㉡ 사업 전망이 없어 회생이 어려운 경우, ㉢ 설립 목적의 달성이 불가능한 경우로서 대통령령으로 정하는 경우 지방공기업정책위원회의 심의를 거쳐 자치단체의 장이나 공사의 사장 또는 공단의 이사장에게 해산을 요구할 수 있다.

④ **지방공기업평가원의 설립·운영**: 지방공기업에 대한 경영평가, 관련 정책의 연구, 임직원에 대한 교육 등을 전문적으로 지원하기 위하여 지방공기업평가원을 설립한다.

⑤ **감사**: 「감사원법」에 의한 감사를 받는다.

## 2. 지방정부의 경영수익사업

(1) 의 의

① **개념**: 자치단체가 주체가 되어 자체수입의 증대와 공공의 이익을 위해 민간경제 분야를 침해하지 않는 범위 내에서 지역 부존자원을 생산적으로 활용하고 공공시설을 효율적으로 관리하는 경제활동을 말한다(예 충남 보령의 머드축제, 전남 함평의 나비축제 등).

② **공기업과 구별**: 경영수익사업은 자치단체가 재원확보를 위해 경영하는 순수민간경제적인 사업이며, 그 법적 근거도 「지방공기업법」이나 「지방자치법」이 아닌 「민법」이나 「상법」이라는 점에서 지방공기업과 구분된다.

(2) 필요성

① 경영수익사업은 조세저항이 비교적 적은 재정수입인 동시에 지역경제를 부양하여 주민복지증진에 이바지한다.

② 지역에서 필요로 하는 재화나 서비스 공급에 있어서 민간시장이 활성화되지 않을 경우 시장실패를 치유하는 수단이 된다.

③ 특정 민간기업의 개발이익 독점을 막고 지역 내 환원이 가능하도록 한다.

④ 특정 집단이나 개인들에게 제공되는 서비스를 수익자부담의 원칙에 따라 운영하여 서비스 질을 향상시키고 정부예산을 절감한다.

**O·X 문제**

1. 지방공기업평가는 「지방공기업법」에 근거를 두고 있으며 원칙적으로 지방자치단체장이 실시하되 필요 시 행정안전부장관이 실시할 수 있다. ( )

2. 지방자치단체장은 지방자치의 발전과 주민복리의 증진을 위해 지방공기업을 설립·운영할 수 있으며, 매년 경영평가 결과를 토대로 경영진단 대상 지방공기업을 선정한다. ( )

**심화학습**

지방정부의 공공서비스 공급방식

| 생산자 | 공급방식 |
|---|---|
| 정부 | • **정부의 직접공급**: 지방행정기관, 특별지방행정기관, 지방직영기업<br>• **정부의 간접공급**: 지방공사, 지방공단 |
| 공사혼합출자사업 | • **지방공사형 제3섹터**: 지방정부가 50% 이상 출자<br>• **주식회사 및 재단법인형**: 지방정부가 50% 미만 출자 |
| 정부 + 민간 | 민관광역지방공사(제3섹터), 민관광역주식회사(제3섹터) |
| 정부 + 정부 | • **정부 간 직접공급**: 조합방식, 행정협의회, 사무위탁<br>• **정부 간 간접공급**: 광역지방공사, 광역지방공단 |
| 민간 | 민간위탁(계약, 허가, 보조금 지급, 민자 유치, 바우처, 자원봉사, 자조방식) |

O·X 정답 1. × 2. ×

PART · 07

CHAPTER 04

# 지방자치와 주민

## 제 1 절 지방거버넌스와 주민참여

### 01 지방거버넌스

#### 1. 의 의

지방거버넌스란 중앙정부 · 지방정부 · 지역기업 · 지역주민 및 NGO 등 사회의 주요 행동주체들이 동반자적 관계(협력과 참여)를 통해 지역사회의 공공문제를 해결해 나가는 방식을 말한다. 거버넌스 체제에서는 정책과정에 참여하는 다양한 조직들 간의 복잡한 네트워크를 성공적으로 관리해 나가는 것이 중요하며, 이를 위해서는 각 주체들 간의 갈등관리 및 조정능력 등의 역량이 확보되어야 한다.

#### 2. 지방거버넌스의 구체적 실현 – 커뮤니티 비즈니스(CB : Community Business)

(1) 의 의

① **개념** : 지역이 지닌 문제를 그 지역에서 생활하는 주민들이 주체가 되어 지역의 자원을 이용하여 비즈니스 형태로 해결해 나가는 지속가능한 사업모델을 의미한다[커뮤니티(지역공동체)와 비즈니스(사업)의 결합].

② **기원 및 전개** : 커뮤니티 비즈니스(CB)는 1980년대 영국의 '커뮤니티 협동조합' 등에 기원을 두고 있다. 커뮤니티 비즈니스는 영국의 경우 시민사회의 육성을 통한 정부실패의 보완 측면(폐지된 공공서비스의 제공)에서 발전하였으며, 일본의 경우 관주도의 하향식 지역개발정책의 한계를 극복하기 위한 지역활성화 전략(마을만들기 운동)으로 발전하였다.

(2) 주요 요소 및 효과

① **목표 – 지역문제의 해결** : CB는 지역문제의 해결을 목표로 한다. 지역문제를 정부에 의존하지 않고 CB활동을 통해 해결하기 때문에 행정비용이 절감된다.

② **주체 – 지역주민** : CB는 지역주민의 자발적 참여를 전제로 하며, 생산자와 소비자의 역할은 모두 지역주민이 담당한다. 이를 통해 지역주민의 애향심 고취 및 지역공동체 형성 효과가 발생한다.

③ **요소 – 지역자원의 활용** : CB는 지역에 잠재되어 있는 인재나 자원의 발견과 활용을 통해 사업을 영위해 나간다. 이는 획일적인 개발에서 탈피하여 지역의 특성, 문화, 관습, 역사 등에 부합하는 개발을 가능케 한다.

④ **활동 – 비즈니스** : CB는 일반 영리사업과 같이 수익성, 영속성, 안정성을 확보해야 한다. 다만, 이윤극대화 목적이 아닌 지역 전체의 이익을 위해 사업을 수행한다. 이런 점에서 CB활동은 사회적 기업과 유사하다.

**O·X 문제**

1. 커뮤니티 비즈니스는 지역공동체 단위의 사회적 기업을 함께 공유한다는 점에서 사회적 기업과 유사점이 강하다. ( )

O·X 정답 1. ○

## 02 주민참여

### 1. 기능과 한계

| 주민참여의 기능 | | 주민참여의 한계 |
|---|---|---|
| 정치적 기능 | 행정적 기능 | |
| • 대의민주주의 한계 극복 및 절차적 민주주의 확립<br>• 지방자치의 활성화 및 풀뿌리 민주주의 실현<br>• 주민통제를 통한 행정의 독선화 방지 및 책임성 증진<br>• 행정 내부의 저항 극복을 통한 행정개혁 추진 용이<br>• 주민의 권리와 책임의식 고양<br>• 사회적 소외계층 보호 | • 주민의 지식과 정보를 활용한 정책결정의 합리성 제고<br>• 주민 요구에 적합한 서비스 제공(대응성 증진)<br>• 행정에 대한 이해와 협력<br>• 주민 상호 간의 이해증진을 통한 분쟁해결<br>• 순응확보를 통한 정책집행의 효율성 제고 | • 전문성 부족(아마추어리즘)<br>• 행정의 책임성 저하(행정의 책임 떠넘기기 현상)<br>• 주민 간의 분열과 대립 격화<br>• 참여하는 주민의 대표성 결여(특정 집단 이익의 과다반영과 침묵하는 다수의견의 묵살)<br>• 행정지체와 비능률성 야기(시간소모적 정책결정으로 결정비용 과다 발생) |

### 2. 주민참여의 유형 – 아른슈타인(Arnstein)의 분류

| 참여 형태 | 참여 단계 | 참여 내용 |
|---|---|---|
| 실질적 참여<br>(주민권력) | 주민통제<br>(citizen control) | 주민들이 스스로 입안(결정)하고 집행 및 평가단계까지 완전히 통제하는 완전한 자치가 이루어지는 단계 |
| | 권한위임<br>(delegated power) | 주민이 정책과정에 우월한 권력을 가지고 참여하며, 행정기관은 문제해결을 위해 주민을 협상의 장으로 유도하는 수준에 그치는 단계 |
| | 공동협력<br>(partnership) | 행정기관이 최종적인 결정권을 지니지만 주민이 행정기관에 맞서서 자신들의 주장을 내세울 만큼의 영향력을 갖고 있는 단계 |
| 형식적 참여<br>(명목적 참여) | 회유<br>(설득 : placation) | 주민이 정보를 제공받고 각종 위원회 등에서 의견을 제시하나 실질적으로는 의사결정에 영향을 미치지 못하는 단계 |
| | 자문<br>(상담 : consulting) | 행정기관이 주민의 의견을 청취하나 결정권은 여전히 행정기관이 소유하는 단계 |
| | 정보제공<br>(informing) | 행정기관이 일방적으로 정보를 제공하는 단계(양방향적 의사소통이나 협상 불허) |
| 비참여 | 치료<br>(교정 : therapy) | 행정기관이 주민의 욕구불만을 분출시켜 일방적인 지도를 통해 주민들의 태도나 행태를 교정하는 단계 |
| | 조작<br>(제도 : manipulation) | 주민들이 행정기관의 활동에 관심을 두지 않은 상태에서 행정기관이 일방적으로 주민에게 접촉하여 설득 · 계도 · 지시하는 단계 |

**O·X 문제**

1. 주민참여는 의사결정의 비용을 증대시킬 수 있다. ( )
2. 주민참여의 주요 기능은 행정과정상의 효율성을 증대하고 행정책임을 명확히 한다. ( )
3. 주민참여는 행정과 시민 간의 거리감을 감소시키고 행정의 전문화를 향상시킨다. ( )

**O·X 문제**

4. 주민통제와 정보제공은 형식적(명목적) 참여의 단계에 해당한다. ( )
5. 상담은 아른슈타인이 구분한 주민참여 8단계 모형에서 주민이 권력을 갖는 실질적 참여에 해당한다. ( )
6. 협동관계에서는 행정기관이 최종적으로 결정권을 가지고 있지만 주민들이 필요한 경우 그들의 주장을 협상으로 유도할 수 있다. ( )
7. 주민참여예산제도는 실질적 참여가 이루어지는 것을 전제로 하기 때문에 아른슈타인의 주민권력단계에 속한다고 할 수 있다. ( )

PART · 07

O·X 정답 1. ○ 2. × 3. × 4. × 5. × 6. ○ 7. ○

### 3. 우리나라 주민참여의 현황 및 활성화 방안

(1) 현 황

우리나라는 지방자치제 이후 직접적이고 실질적인 참여제도가 마련되었는데, 제도들의 입법 순서는 조례제정 · 개폐청구제도(1999) ⇨ 주민감사청구제도(1999) ⇨ 주민투표제도(2004) ⇨ 주민소송제도(2005. 1. 27.에 근거규정을 두고 2006. 1. 1.부터 시행) ⇨ 주민소환제도(2007)의 순이다. 이 제도들은 모두 「지방자치법」에 법적 근거를 두고 있다. 다만, 주민참여예산(2005. 8. 4.에 근거규정을 두고 2006. 1. 1.부터 시행)은 「지방재정법」에 법적 근거를 두고 있다.

(2) 문제점

① **낮은 투표율과 지역주의 투표 성향**: 낮은 투표율은 대표의 정당성 문제를 야기하며, 지역주의에 의한 특정 정당의 독과점 현상은 지방자치에서 견제와 균형의 원리가 작동하지 못하게 하고 있다.

② **주민홍보 부족 및 낮은 정보공개**: 주민들이 자치단체의 정보에 대한 유의미한 정보를 적시에 충분히 제공받지 못해 실질적 참여가 곤란하다.

③ **낮은 참여효능감**: 주민참여에 대한 환류기능이 부족하고 참여효능감이 낮아 주민들의 참여에 대한 무관심이 야기되고 있다.

④ **민원해결지향적 주민참여**: 지역사회의 공동문제에 대한 참여가 아니라 개인의 민원해결에 초점을 둔 참여가 주를 이루고 있다.

⑤ **소수집단의 참여 독점**: 이해관계를 가진 소수의 영향력 있는 집단이 중첩적으로 참여하는 현상이 발생하고 있으며, 이는 다시 일반 주민의 참여 무관심을 조장하는 악순환으로 연결되고 있다.

⑥ **지역사회 커뮤니티의 약화**: 산업화와 도시화의 과정에서 전통적인 공동체는 해체되었지만 이를 대체할 새로운 근린공동체의 형성은 이루어지지 못하고 있다.

(3) 활성화 방안 – 새로운 참여방식

① **직접적 · 실질적 참여 강조**: 과거에는 자문위원회 · 협의회 · 공청회 등을 통한 간접적인 참여제도가 주류였지만 최근에는 주민과의 공개 대화, 주민감사청구제도, 주민투표제도, 주민소환제도 등 직접적 · 실질적 참여제도가 강조되고 있다.

② **사회소외계층의 참여 기회 확대**: 과거에는 정치적 시민권에 입각한 일반 주민들의 전체적인 참여가 강조되었지만 최근에는 신시민권에 입각한 여성 · 노약자 등의 소외된 계층에 대한 참여 기회가 확대되고 있다.

③ **공동생산과 파트너십 강조**: 최근에는 주민들이 행정의 객체로 참여하는 데 그치지 않고 적극적으로 행정과 주민이 함께 정책을 생산하는 공동생산 또는 공공 – 민간 파트너십이 강조되고 있다.

④ **개별 자치단체 내 커뮤니티 활용 강조**: 최근의 주민참여는 대면적인 상호작용이 가능한 규모의 커뮤니티를 구성하여 공동체의식과 자치능력을 강화하고 있다.

⑤ **텔레참여 강조**: 최근의 주민참여는 인터넷, 스마트폰 등 정보통신수단에 의한 전자결제, 전자사서함, 화상회의, 전자투표, 전자정보 제공, 텔레 의견조사 등이 강조되고 있다.

**O·X 문제**

1. 현행 「지방자치법」에 규정된 주민참여제도로 주민참여예산제도가 있다. ( )

2. 현행 「지방자치법」에 규정된 주민참여제도로 주민소환제도, 주민의 감사청구제도가 있다. ( )

3. 우리나라 주민참여제도의 법제화 순서는 주민투표제도 ⇨ 주민감사청구제도 ⇨ 주민소송제도 ⇨ 주민소환제도 순이다. ( )

**O·X 문제**

4. 오늘날 지방자치에 있어서 주민들의 참여제도는 자문위원회, 도시계획위원회, 환경연합회, 협의회 등을 통한 직접적인 참여제도가 주류를 이루고 있다. ( )

O·X 정답 1. × 2. ○ 3. × 4. ×

# 제 2 절 우리나라의 주민참여제도

## 01 주 민

### 1. 주민의 의의

지방자치단체의 구역 안에 주소를 가진 자는 그 지방자치단체의 주민이 된다. 주민은 지방의 주권자, 지방의 최고 의사결정기관, 지방행정서비스의 수혜자로서의 지위를 갖는다.

### 2. 「지방자치법」상 주민의 권리와 의무

(1) 주민의 권리(「지방자치법」 제17조)

① 주민은 법령으로 정하는 바에 따라 주민생활에 영향을 미치는 자치단체의 정책결정 및 집행과정에 참여할 권리를 가진다.

② 주민은 법령으로 정하는 바에 따라 소속 자치단체의 재산과 공공시설을 이용할 권리와 그 자치단체로부터 균등하게 행정의 혜택을 받을 권리를 가진다.

③ 주민은 법령으로 정하는 바에 따라 그 자치단체에서 실시하는 지방의회의원과 자치단체의 장의 선거에 참여할 권리를 가진다.

(2) 주민의 의무(「지방자치법」 제17조)

주민은 법령으로 정하는 바에 따라 소속 자치단체의 비용을 분담하여야 하는 의무를 진다.

## 02 주민참여제도의 구체적 고찰

### 1. 주민선거(간접참여)

(1) 의 의

지역주민이 자치단체의 대표인 단체장과 지방의회의원을 선출하는 제도이다.

(2) 선거권자 : 18세 이상으로서 선거인명부작성기준일 현재 다음 어느 하나에 해당하는 사람은 그 구역에서 선거하는 자치단체의 의회의원 및 장의 선거권이 있다.

① 거주자 또는 거주불명자에 해당하는 사람으로서 해당 자치단체의 관할 구역에 주민등록이 되어 있는 사람

② 재외국민에 해당하는 사람으로서 주민등록표에 3개월 이상 계속하여 올라 있고 해당 자치단체의 관할구역에 주민등록이 되어 있는 사람

③ 영주의 체류자격 취득일 후 3년이 경과한 외국인으로서 해당 자치단체의 외국인등록대장에 올라 있는 사람

(3) 피선거권자

선거일 현재 계속하여 60일 이상 해당 자치단체의 관할구역 안에 주민등록이 되어 있는 주민으로서 25세 이상의 국민은 피선거권을 갖는다.

### 2. 조례제정 및 개폐청구제도(주민발안)

(1) 의 의

주민들이 해당 지방의회에 조례의 제정·개정·폐지할 것을 청구할 수 있는 제도이다.

(2) 법적 근거

① 「지방자치법」 제19조

㉠ 주민은 자치단체의 조례를 제정하거나 개정하거나 폐지할 것을 청구할 수 있다.

㉡ 조례의 제정·개정 또는 폐지 청구의 청구권자·청구대상·청구요건 및 절차 등에 관한 사항은 따로 법률로 정한다.

② 「주민조례발안에 관한 법률」(2021년 제정): 이 법은 주민의 조례 제정과 개정·폐지 청구에 필요한 사항을 규정함으로써 주민의 직접참여를 보장하고 지방자치행정의 민주성과 책임성을 제고함을 목적으로 한다.

(3) 주민조례청구권의 보장 – 전자주민조례청구

① 국가 및 자치단체는 청구권자가 지방의회에 주민조례청구를 할 수 있도록 필요한 조치를 하여야 한다.

② 자치단체는 청구권자가 전자적 방식을 통하여 주민조례청구를 할 수 있도록 행정안전부장관이 정하는 바에 따라 정보시스템을 구축·운영하여야 한다.

(4) 주민조례청구권자

18세 이상의 주민으로서 ① 해당 자치단체의 관할 구역에 주민등록이 되어 있는 사람과, ② 영주할 수 있는 체류자격 취득일 후 3년이 지난 외국인으로서 해당 자치단체의 외국인등록대장에 올라 있는 사람(「공직선거법」에 따른 선거권이 없는 사람은 제외)은 해당 지방의회에 조례를 제정하거나 개정 또는 폐지할 것을 청구할 수 있다.

(5) 주민조례청구제외사항

① 법령을 위반하는 사항

② 지방세·사용료·수수료·부담금을 부과·징수 또는 감면하는 사항

③ 행정기구를 설치하거나 변경하는 사항

④ 공공시설의 설치를 반대하는 사항

(6) 청구의 수리 및 각하

① 지방의회의 의장은 요건에 적합한 경우에는 주민조례청구를 수리하고, 요건에 적합하지 아니한 경우에는 주민조례청구를 각하하여야 한다.

② 지방의회의 의장은 주민조례청구를 각하하려면 대표자에게 의견을 제출할 기회를 주어야 한다.

③ 지방의회의 의장은 주민조례청구를 수리한 날부터 30일 이내에 지방의회의 의장 명의로 주민청구조례안을 발의하여야 한다.

④ 주민조례청구의 수리 절차에 관하여 필요한 사항은 지방의회의 회의규칙으로 정한다.

**O·X 문제**

1. 조례 제·개폐청구제도는 일정 수 이상의 연서로 지방자치단체의 조례 제정 및 개폐에 대해 주민들이 직접 발안할 수 있도록 하는 것이다. ( )

2. 주민은 행정기구를 설치하거나 변경하는 것에 관한 사항이나 공공시설의 설치를 반대하는 사항의 조례를 제정하거나 개정하거나 폐지할 것을 청구할 수 있다. ( )

3. 수수료 감면을 위한 주민의 조례 개정 청구도 가능하다. ( )

**심화학습**

**주민조례청구요건**

청구권자가 주민조례청구를 하려는 경우에는 다음 각 호의 구분에 따른 기준 이내에서 해당 자치단체의 조례로 정하는 청구권자 수 이상이 연대 서명하여야 한다.

① 특별시 및 인구 800만 이상의 광역시·도: 청구권자 총수의 1/200

② 인구 800만 미만의 광역시·도, 특별자치시, 특별자치도 및 인구 100만 이상의 시: 청구권자 총수의 1/150

③ 인구 50만 이상 100만 미만의 시·군 및 자치구: 청구권자 총수의 1/100

④ 인구 10만 이상 50만 미만의 시·군 및 자치구: 청구권자 총수의 1/70

⑤ 인구 5만 이상 10만 미만의 시·군 및 자치구: 청구권자 총수의 1/50

⑥ 인구 5만 미만의 시·군 및 자치구: 청구권자 총수의 1/20

O·X 정답 1. ○ 2. × 3. ×

### (7) 주민청구조례안의 심사절차

① 지방의회는 주민청구조례안이 수리된 날부터 1년 이내에 주민청구조례안을 의결하여야 한다. 다만, 필요한 경우에는 본회의 의결로 1년 이내의 범위에서 한 차례만 그 기간을 연장할 수 있다.

② 지방의회는 심사 안건으로 부쳐진 주민청구조례안을 의결하기 전에 대표자를 회의에 참석시켜 그 청구의 취지를 들을 수 있다.

③ 주민청구조례안은 주민청구조례안을 수리한 당시의 지방의회의원의 임기가 끝나더라도 다음 지방의회의원의 임기까지는 의결되지 못한 것 때문에 폐기되지 아니한다.

④ 주민청구조례안의 심사 절차에 관하여 필요한 사항은 지방의회의 회의규칙으로 정한다.

### (8) 관련제도 – 규칙의 제·개폐 의견제출(「지방자치법」 제20조)

① 주민은 규칙(권리·의무와 직접 관련되는 사항으로 한정)의 제정, 개정 또는 폐지와 관련된 의견을 해당 자치단체의 장에게 제출할 수 있다(중요개정사항).

② 법령이나 조례를 위반하거나 법령이나 조례에서 위임한 범위를 벗어나는 사항은 의견제출 대상에서 제외한다.

③ 자치단체의 장은 제출된 의견에 대하여 의견이 제출된 날부터 30일 이내에 검토 결과를 그 의견을 제출한 주민에게 통보하여야 한다.

④ 의견 제출, 의견의 검토와 결과 통보의 방법 및 절차는 해당 지방자치단체의 조례로 정한다.

## 3. 주민감사청구제도

### (1) 의 의

주민이 단체장 또는 자치단체의 권한에 속하는 사무의 처리에 대하여 상급자치단체장이나 주무부장관에게 감사를 청구할 수 있도록 하는 제도이다.

### (2) 청구주체

① 자치단체의 18세 이상의 주민으로서 시·도는 300명, 인구 50만 이상 대도시는 200명, 그 밖의 시·군 및 자치구는 150명 이내에서 그 자치단체의 조례로 정하는 수 이상의 18세 이상의 주민이 연대 서명하여 감사를 청구할 수 있다.

② '18세 이상의 주민'에는 해당 자치단체의 관할 구역에 주민등록이 되어 있는 사람뿐만 아니라 영주할 수 있는 체류자격 취득일 후 3년이 경과한 외국인으로서 해당 자치단체의 외국인등록대장에 올라 있는 사람을 포함한다.

### (3) 청구객체

시·도의 경우에는 주무부장관에게, 시·군 및 자치구의 경우에는 시·도지사에게 청구하여야 한다. 다만, 시·도의 경우 그 청구 내용이 둘 이상의 부처와 관련되거나 주무부장관이 불분명한 경우에는 행정안전부장관에게 감사를 청구할 수 있다.

**O·X 문제**

1. 지방의회는 주민청구조례안이 수리된 날부터 1개월 이내에 주민청구조례안을 의결하여야 한다. ( )

**O·X 문제**

2. 주민은 지방자치단체의 장이 제정할 수 있는 자치법규로서의 규칙(권리·의무와 직접 관련되는 사항으로 한정)의 폐지와 관련된 의견을 해당 지방자치단체의 장에게 제출할 수 있다. ( )

**O·X 문제**

3. 주민감사청구제도는 주민이 지방자치단체의 권한에 속하는 사무의 처리가 법령에 위반되거나 공익을 현저히 해친다고 판단될 때 지방의회에 감사를 청구하는 제도이다. ( )

4. 지방자치단체의 19세 이상의 주민은 시·도는 500명, 인구 50만명 이상 대도시는 200명, 그밖의 시·군 및 자치구는 100명을 넘지 아니하는 범위에서 그 지방자치단체의 조례로 정하는 19세 이상의 주민수 이상의 연서로 감사를 청구할 수 있다. ( )

O·X 정답 1. × 2. ○ 3. × 4. ×

(4) 청구사안

지방자치단체와 그 장의 권한에 속하는 사무의 처리가 법령에 위반되거나 공익을 현저히 해한다고 인정되면 감사를 청구할 수 있다.

(5) 청구제외사항

① 수사나 재판에 관여하게 되는 사항
② 개인의 사생활을 침해할 우려가 있는 사항
③ 다른 기관에서 감사하였거나 감사 중인 사항(다만, 다른 기관에서 감사한 사항이라도 새로운 사항이 발견되거나 중요 사항이 감사에서 누락된 경우와 주민소송의 대상이 되는 경우에는 감사청구할 수 있음)
④ 동일한 사항에 대해 주민소송이 진행 중이거나 그 판결이 확정된 사항
⑤ 주민감사청구는 사무처리가 있었던 날이나 끝난 날부터 3년이 지나면 제기할 수 없다.

(6) 처 리

주무부장관이나 시 · 도지사는 주민감사청구를 수리한 날부터 60일 이내에 감사청구된 사항에 대하여 감사를 끝내야 하며, 감사결과를 청구인의 대표자와 해당 단체장에게 서면으로 알리고, 공표하여야 한다.

(7) 처리절차

주무부장관이나 시 · 도지사는 주민감사청구를 처리(각하 포함)할 때 청구인의 대표자에게 반드시 증거 제출 및 의견 진술의 기회를 주어야 한다.

(8) 조 치

① 주무부장관이나 시 · 도지사는 감사결과에 따라 기간을 정하여 해당 단체장에게 필요한 조치를 요구할 수 있다. 이 경우 그 단체장은 이를 성실히 이행하여야 하고 그 조치결과를 지방의회와 주무부장관 또는 시 · 도지사에게 보고하여야 한다.
② 주무부장관이나 시 · 도지사는 조치요구내용과 단체장의 조치결과를 청구인의 대표자에게 서면으로 알리고, 공표하여야 한다.

## 4. 주민소송

(1) 의 의

자치단체의 재무행위와 관련하여 감사청구한 주민이 감사결과에 불복이 있는 경우에 감사청구한 사항과 관련이 있는 위법한 행위나 업무를 게을리한 사실에 대하여 해당 단체장을 상대방으로 하여 관할 행정법원에 소송을 제기하는 제도이다(일종의 납세자 소송제도).

(2) 원고적격

감사청구를 한 주민에 한하며(감사청구전치주의), 자치단체의 위법행위로 인하여 피해를 입지 않은 지역주민도 소송제기가 가능하고, 다수뿐만 아니라 1인에 의한 청구도 가능하다.

(3) 피고적격

해당 자치단체의 장을 대상으로 한다.

**O·X 문제**

1. 개인의 사생활을 침해할 우려가 있는 사항이라도, 사무의 처리가 법령에 위반되거나 공익을 현저히 해친다고 인정되면 주민감사청구를 할 수 있다. ( )

2. 수사에 관여하게 되는 사항에 대한 주민감사청구도 가능하다. ( )

3. 다른 기관에서 감사한 사항이라도 새로운 사항이 발견되거나 중요 사항이 감사에서 누락된 경우는 감사청구의 대상이 될 수 있다. ( )

4. 주민의 감사청구는 사무처리가 있었던 날이나 끝난 날부터 2년이 지나면 제기할 수 없다. ( )

5. 주무부장관 또는 시 · 도지사는 감사청구를 수리한 날로부터 60일 이내에 감사청구된 사항에 대하여 감사를 종료하여야 한다. ( )

O·X 정답 1. × 2. × 3. ○ 4. × 5. ○

### (4) 주민소송의 대상

① 공금의 지출에 관한 사항
② 재산의 취득 · 관리 · 처분에 관한 사항
③ 해당 자치단체를 당사자로 하는 매매 · 임차 · 도급 계약이나 그 밖의 계약의 체결 · 이행에 관한 사항
④ 지방세 · 사용료 · 수수료 · 과태료 등 공금의 부과 · 징수를 게을리한 사항

### (5) 주민소송의 청구유형

① 해당 행위를 계속하면 회복하기 어려운 손해를 발생시킬 우려가 있는 경우에는 그 행위의 전부나 일부를 중지할 것을 요구하는 소송
② 행정처분인 해당 행위의 취소 또는 변경을 요구하거나 그 행위의 효력 유무 또는 존재 여부의 확인을 요구하는 소송
③ 게을리한 사실의 위법 확인을 요구하는 소송
④ 해당 자치단체의 장 및 직원, 지방의회의원, 해당 행위와 관련이 있는 상대방에게 손해배상청구 또는 부당이득반환청구를 할 것을 요구하는 소송

### (6) 제소기간

감사청구를 수리한 날로부터 60일이 끝난 날(감사청구를 수리한 날로부터 60일이 지나도 감사를 끝내지 않은 경우)이나 감사결과 등의 통지 등을 받은 날부터 90일 이내에 제기할 수 있다.

### (7) 관 할

해당 자치단체의 사무소 소재지를 관할하는 행정법원을 관할로 한다.

### (8) 소송의 남발 방지

① 주민소송이 진행 중이면 다른 주민은 같은 사항에 대하여 별도의 소송을 제기할 수 없다.
② 소송을 제기한 주민이 사망하거나 주민의 자격을 잃으면 소송절차는 중단된다.
③ 감사청구에 연대 서명한 다른 주민은 소송절차 중단 사유가 발생한 사실을 안 날로부터 6개월 이내에 소송절차를 수계할 수 있다. 이 기간 내에 수계절차가 이루어지지 아니할 경우 그 소송절차는 종료된다.

### (9) 소송포기의 금지

소송에서 당사자는 법원의 허가를 받지 아니하고는 소의 취하, 소송의 화해 또는 청구의 포기를 할 수 없다.

### (10) 비용청구

소송을 제기한 주민은 승소한 경우 그 자치단체에 대하여 변호사 보수 등의 소송비용, 감사청구절차의 진행 등을 위하여 사용된 여비, 그 밖에 실제로 든 비용을 보상할 것을 청구할 수 있다.

### (11) 준 용

주민소송에 관하여 「지방자치법」에 규정된 것 외에는 「행정소송법」에 따른다.

**심화학습**

**주민소송의 사유**

① 주무부장관이나 시 · 도지사가 감사청구를 수리한 날부터 60일이 지나도 감사를 끝내지 아니한 경우
② 주무부장관이나 시 · 도지사의 감사결과 또는 감사조치요구에 불복하는 경우
③ 주무부장관이나 시 · 도지사의 조치요구를 단체장이 이행하지 아니한 경우
④ 단체장의 이행 조치에 불복하는 경우

**O·X 문제**

1. 「지방자치법」에서는 주민소송에 관한 사항을 명시하고 있다. ( )
2. 주민감사청구 사항이 주민소송 사항보다 그 범위가 넓다. ( )
3. 주민소송의 소송 대상은 주민감사를 청구한 사항 중 공금지출에 관한 사항, 해당 지방자치단체를 당사자로 하는 매매 · 임차 · 도급 계약에 관한 사항 등 재무 · 회계에 관한 사항이다. ( )
4. 주민감사청구를 먼저 한 후에 주민소송을 제기하여야 한다. ( )
5. 지방자치단체의 재무행위가 위법하다고 인정되는 경우에 주민들은 자신의 권익에 침해가 없는 경우에도 주민소송을 청구할 수 있다. ( )
6. 주민소송은 해당 지방자치단체의 사무소 소재지를 관할하는 행정법원의 관할로 한다. ( )

O·X 정답 1. ○ 2. ○ 3. ○ 4. ○ 5. ○ 6. ○

PART · 07

## 5. 주민투표제도

### (1) 의 의

자치단체의 중요한 사안에 대하여 주민들이 직접 결정하도록 하는 제도이다. 주민투표제도는 대의민주주의를 대체하려는 것이 아니라 보완하기 위한 것이다.

### (2) 법적 근거

① 「지방자치법」 제18조

㉠ 단체장은 주민에게 과도한 부담을 주거나 중대한 영향을 미치는 자치단체의 주요결정사항 등에 대하여 주민투표에 부칠 수 있다(임의사항).

㉡ 주민투표의 대상 · 발의자 · 발의요건, 그 밖에 투표절차 등에 관한 사항은 따로 법률로 정한다.

② 「주민투표법」(2004년 제정) : 자치단체의 주요결정사항에 관한 주민의 직접참여를 보장하기 위하여 주민투표의 대상 · 발의자 · 발의요건 · 투표절차 등에 관한 사항을 규정함으로써 지방자치행정의 민주성과 책임성을 제고하고 주민복리를 증진함을 목적으로 한다.

### (3) 주민투표사무의 관리

주민투표사무는 시 · 도는 시 · 도선거관리위원회가, 시 · 군 · 구는 구 · 시 · 군 선거관리위원회가 관리한다.

### (4) 주민투표권자

18세 이상의 주민 중 투표인명부 작성기준일 현재 ① 그 자치단체의 관할 구역에 주민등록이 되어 있는 사람, ② 출입국관리 관계 법령에 따라 대한민국에 계속 거주할 수 있는 자격을 갖춘 외국인으로서 자치단체의 조례로 정한 사람(「공직선거법」에 따른 선거권이 없는 사람은 제외)은 주민투표권이 있다.

### (5) 주민투표대상

① 대상 : 주민에게 과도한 부담을 주거나 중대한 영향을 미치는 자치단체의 주요 결정사항은 전부 주민투표에 부칠 수 있다('조례로 정하는 사항'이라는 규정 삭제).

② 주민투표에 부칠 수 없는 사항

㉠ 법령에 위반되거나 재판 중인 사항

㉡ 국가 또는 다른 자치단체의 권한 또는 사무에 속하는 사항

㉢ 자치단체가 수행하는 예산편성 · 의결 및 집행, 회계 · 계약 및 재산관리에 해당하는 사무의 처리에 관한 사항

㉣ 지방세 · 사용료 · 수수료 · 분담금 등 각종 공과금의 부과 또는 감면에 관한 사항

㉤ 행정기구의 설치 · 변경에 관한 사항과 공무원의 인사 · 정원 등 신분과 보수에 관한 사항

㉥ 다른 법률에 의하여 주민대표가 직접 의사결정주체로서 참여할 수 있는 공공시설의 설치에 관한 사항

㉦ 동일한 사항에 대하여 주민투표가 실시된 후 2년이 경과되지 아니한 사항

**O·X 문제**

1. 「지방자치법」은 주민투표의 대상 · 발의자 · 발의요건, 그 밖의 투표 절차 등에 관한 사항은 따로 법률로 정하도록 규정하고 있다. ( )

**심화학습**

**주민투표에 대한 정보제공 등**

① 단체장은 주민투표와 관련하여 주민이 정확하고 객관적인 판단과 합리적인 결정을 할 수 있도록 자치단체의 공보, 일간신문, 인터넷 등 다양한 수단을 통하여 주민투표에 관한 각종 정보와 자료를 제공하여야 한다.

② 관할선거관리위원회는 주민투표에 관한 정보를 제공하기 위하여 설명회 · 토론회 등을 개최하여야 한다.

**O·X 문제**

2. 주민에게 과도한 부담을 주거나 중대한 영향을 미치는 지방자치단체의 주요 결정사항은 모두 주민투표에 부칠 수 있다. ( )
3. 주민투표에 부치는 사항은 해당 지방자치단체의 주요 결정사항에 한한다. ( )
4. 대한민국의 국적을 취득할 때까지 외국인은 주민투표권자가 될 수 없다. ( )
5. 행정기구의 설치 · 변경에 관한 사항과 공무원의 인사 · 정원 등 신분과 보수에 관한 사항은 주민투표에 부칠 수 없다. ( )
6. 지방자치단체의 예산이나 지방세에 관한 사항은 주민투표의 대상에서 제외된다. ( )

O·X 정답 1. × 2. ○ 3. × 4. × 5. ○ 6. ○

### (6) 국가정책에 관한 주민투표

① 중앙행정기관의 장은 자치단체를 폐지하거나 설치하거나 나누거나 합치는 경우 또는 자치단체의 구역을 변경하거나 주요시설을 설치하는 등 국가정책의 수립에 관하여 주민의 의견을 듣기 위하여 필요하다고 인정하는 때에는 주민투표의 실시구역을 정하여 관계 단체장에게 주민투표의 실시를 요구할 수 있다. 이 경우 중앙행정기관의 장은 미리 행정안전부장관과 협의하여야 한다.

② 단체장은 주민투표의 실시를 요구받은 때에는 지체 없이 이를 공표하여야 하며, 공표일로부터 30일 이내에 그 지방의회의 의견을 들어야 한다.

③ 이 경우 단체장은 반드시 투표에 부쳐야 하는 것이 아니다. 또한 투표를 실시한 경우 관계 중앙행정기관의 장에게 주민투표결과를 통지하여야 할 뿐 투표결과에 대한 구속력도 없다.

### (7) 주민투표의 실시요건(청구권자 및 실시권자)

① 단체장은 주민이나 지방의회가 주민투표의 실시를 청구하는 경우 주민투표를 실시하여야 하며(강제사항), 단체장은 주민의 의견을 듣기 위하여 필요하다고 판단하는 경우 주민투표를 실시할 수 있다(임의사항).

② 18세 이상의 주민 중 주민투표청구권자 총수의 20분의 1 이상 5분의 1 이하의 범위에서 자치단체의 조례로 정하는 수 이상의 서명으로 단체장에게 주민투표의 실시를 청구할 수 있다.

③ 지방의회는 재적의원 과반수의 출석과 출석의원 3분의 2 이상의 찬성으로 단체장에게 주민투표의 실시를 청구할 수 있다.

④ 단체장은 직권에 의하여 주민투표를 실시하고자 하는 때에는 그 지방의회 재적의원 과반수의 출석과 출석의원 과반수의 동의를 얻어야 한다.

### (8) 주민투표의 발의

① 단체장은 일정한 경우 지체 없이 주민투표의 요지를 공표하고 관할 선거관리위원회에 통지하여야 한다.

② 단체장은 공표한 날부터 7일 이내에 투표일과 주민투표안을 공고함으로써 주민투표를 발의한다. 다만, 단체장 또는 지방의회가 주민투표청구의 목적을 수용하는 결정을 한 때에는 주민투표를 발의하지 아니한다.

### (9) 주민투표의 형식

주민투표는 특정한 사항에 대하여 찬성 또는 반대의 의사표시를 하거나 두 가지 사항 중 하나를 선택하는 형식으로 실시하여야 한다.

### (10) 주민투표 실시지역

주민투표는 그 자치단체의 관할구역 전체를 대상으로 실시한다. 다만, 특정한 지역 또는 주민에게만 이해관계가 있는 사항인 경우 단체장은 그 자치단체의 관할구역 중 일부를 대상으로 지방의회의 동의를 얻어 주민투표를 실시할 수 있다.

**O·X 문제**

1. 주민투표는 국가정책의 수립에 관하여 주민의 의견을 듣기 위하여 필요한 경우에도 가능하다. ( )
2. 지방의회는 주민투표의 청구권자가 될 수 없다. ( )
3. 지방자치단체의 장은 주민 또는 지방의회의 청구가 있을 때에만 주민투표를 실시할 수 있다. ( )
4. 주민투표는 주민이 직접 청구하지 않더라도 실시할 수 있다. ( )
5. 주민투표의 발의는 지방자치단체의 장에게만 인정되고 있다. ( )
6. 주민투표는 특정한 사항에 대하여 찬성 또는 반대의 의사표시를 하거나 두 가지 사항 중 하나를 선택하는 형식으로 실시하여야 한다. ( )

**심화학습**

**주민투표청구심의회**

주민투표에 관한 중요사항(청구인서명부의 서명에 대한 이의신청의 심사, 전자투표 · 전자개표의 실시 등)을 심의하기 위하여 단체장 소속으로 주민투표청구심의회를 둔다. 심의회의 의장은 부단체장이 된다.

**심화학습**

**주민투표의 투표일**

① 주민투표의 투표일은 주민투표발의일로부터 23일 이후 첫 번째 수요일로 한다.
② 동일한 사항에 대하여 둘 이상의 자치단체에서 주민투표를 실시해야 하는 경우에는 관계 단체장이 협의하여 동시에 주민투표를 실시해야 한다.
③ 자치단체의 관할구역의 전부 또는 일부에 대하여 「공직선거법」의 규정에 의한 선거가 실시되는 때에는 그 선거의 선거일 전 60일부터 선거일까지의 기간 동안에는 주민투표를 발의할 수 없고, 투표일로 정할 수도 없다(주민투표운동 명목으로 선거운동을 하는 경우를 방지하기 위함).

O·X 정답 1. ○ 2. × 3. × 4. ○ 5. ○ 6. ○

O·X 문제

1. 주민투표에 부쳐진 사항은 주민투표권자 4분의 1 이상의 투표와 유효투표수 과반수의 득표로 확정된다. ( )
2. 지방자치단체의 장 및 지방의회는 주민투표 결과 확정된 내용대로 행정·재정상의 필요한 조치를 하여야 한다. ( )
3. 지방자치단체장 및 지방의회는 주민투표 결과 확정된 사항에 대해 원칙적으로 2년 이내에는 이를 변경하거나 새로운 결정을 할 수 없다. ( )

(11) 주민투표결과의 확정

① 주민투표에 부쳐진 사항은 주민투표권자 4분의 1 이상의 투표와 유효투표수 과반수의 득표로 확정된다.

② 전체 투표수가 주민투표권자 총수의 4분의 1에 미달되는 경우와 주민투표에 부쳐진 사항에 관한 유효득표수가 동수인 경우에는 찬성과 반대 양자를 모두 수용하지 아니하거나, 양자택일의 대상이 되는 사항 모두를 선택하지 아니하기로 확정된 것으로 본다.

(12) 전자적 방법에 의한 투표·개표

단체장은 ① 청구인대표자가 요구하는 경우, ② 지방의회가 요구하는 경우, ③ 단체장이 필요하다고 판단하는 경우의 어느 하나에 해당하는 경우에는 중앙선거관리위원회규칙으로 정하는 정보시스템을 사용하는 방법에 따른 투표(전자투표) 및 개표(전자개표)를 실시할 수 있다.

(13) 주민투표결과의 처리

① 단체장 및 지방의회는 주민투표결과 확정된 내용대로 행정·재정상의 필요한 조치를 하여야 한다.

② 단체장 및 지방의회는 주민투표결과 확정된 사항에 대하여 2년 이내에는 이를 변경하거나 새로운 결정을 할 수 없다.

(14) 주민투표소송 등

① 주민투표의 효력에 관하여 이의가 있는 주민투표권자는 주민투표권자 총수의 100분의 1 이상의 서명으로 주민투표결과가 공표된 날부터 14일 이내에 관할선거관리위원회 위원장을 피소청인으로 하여 시·군·구의 경우는 시·도선거관리위원회에, 시·도의 경우에는 중앙선거관리위원회에 소청할 수 있다.

② 소청인은 소청에 대한 결정에 불복하려는 경우 관할선거관리위원회위원장을 피고로 하여 그 결정서를 받은 날부터 10일 이내에 시·도의 경우에는 대법원에, 시·군·구의 경우에는 관할 고등법원에 소를 제기할 수 있다.

O·X 문제

4. 지방자치단체의 장은 주민투표의 전부 또는 일부무효의 판결이 확정된 때에는 그 날부터 60일 이내에 무효로 된 투표구의 재투표를 실시하여야 한다. ( )

(15) 재투표 및 투표연기

① 단체장은 주민투표의 전부 또는 일부무효의 판결이 확정된 때에는 그 날부터 20일 이내에 무효로 된 투표구의 재투표를 실시하여야 한다.

② 단체장은 천재·지변 및 그 밖에 부득이한 사유로 인하여 투표를 실시할 수 없거나 실시하지 못한 때에는 관할선거관리위원회와 협의하여 투표를 연기하거나 다시 투표일을 지정하여야 한다. 투표를 연기한 경우에는 처음부터 투표절차를 다시 진행해야 하며, 다시 투표일을 지정한 경우에는 이미 진행된 투표절차에 이어 계속해야 한다.

O·X 정답 1. ○ 2. ○ 3. ○ 4. ×

## 6. 주민소환제도

### (1) 의 의

단체장, 지방의회의원, 기타 주요 공직자의 해직 등을 임기만료 전에 청구하여 주민투표로 결정하는 제도이다. 우리나라는 2007년 입법화된 이후 경기도 하남시에서 최초로 주민소환투표가 실시되었다.

### (2) 탄핵제도와 비교

탄핵제도는 「헌법」이나 법률위반의 경우에 활용되나, 주민소환은 위법행위 외에 정치적 무능력, 공약불이행, 독단이나 횡포 등 다양한 이유로부터 공직자의 책임성을 확보하려는 제도이다.

### (3) 법적 근거

① 「지방자치법」 제25조

㉠ 주민은 그 단체장 및 지방의회의원(비례대표 지방의회의원은 제외)을 소환할 권리를 가진다.

㉡ 주민소환의 투표 청구권자 · 청구요건 · 절차 및 효력 등에 관하여는 따로 법률로 정한다.

② 「주민소환에 관한 법률」(2007년 제정) : 주민소환의 투표 청구권자 · 청구요건 · 절차 및 효력 등에 관한 사항을 규정하고 있다.

### (4) 주민소환투표의 사무관리

주민소환투표사무는 해당 단체장 선거 및 지방의회의원선거의 선거구선거사무를 행하는 관할선거관리위원회가 관리한다.

### (5) 주민소환투표권

① 주민소환투표인명부 작성기준일 현재 ㉠ 19세 이상의 주민으로서 해당 자치단체 관할구역에 주민등록이 되어 있는 자, ㉡ 19세 이상의 외국인으로서 영주의 체류자격 취득일 후 3년이 경과한 자 중 해당 자치단체 관할구역의 외국인등록대장에 등재된 자(「공직선거법」에 따른 선거권이 없는 사람은 제외)는 주민소환투표권이 있다.

② 주민소환투표권자의 연령은 주민소환투표일 현재를 기준으로 계산한다.

### (6) 주민소환투표의 청구

주민소환투표청구권자는 해당 자치단체의 장 및 지방의회의원(비례대표 지방의회의원 제외)에 대하여 일정 수 이상의 주민의 서명으로 그 소환사유를 서면에 구체적으로 명시하여 관할선거관리위원회에 주민소환투표의 실시를 청구할 수 있다.

### (7) 주민소환투표의 청구제한기간

① 선출직 지방공직자의 임기 개시일부터 1년이 경과하지 아니한 때, ② 선출직 지방공직자의 임기만료일부터 1년 미만일 때, ③ 해당 선출직 지방공직자에 대한 주민소환투표를 실시한 날부터 1년 이내인 때에는 주민소환투표의 실시를 청구할 수 없다.

**O·X 문제**

1. 지방자치단체장 · 지방의원의 직권남용 · 직무유기 등 위법 · 부당행위뿐만 아니라 정책적 실수나 다른 정치적 이유로도 주민이 소환투표를 청구할 수 있다. ( )
2. 지방의회의원 중 비례대표 지방의회의원은 주민소환 대상이 아니다. ( )
3. 주민소환 청구요건이 엄격해 실제로 주민소환제를 통해 주민소환이 확정된 지방자치단체장이나 지방의회의원은 없다. ( )
4. 외국인의 경우에는 주민소환투표권이 없다. ( )
5. 선출직 지방공직자의 임기개시일부터 1년이 경과하지 아니한 때 그를 대상으로 한 주민소환투표 실시를 청구할 수 없다. ( )
6. 군수를 소환하려고 할 경우에는 해당 군의 주민소환투표청구권자 총수의 100분의 10 이상의 서명을 받아 청구해야 한다. ( )

PART · 07

**심화학습**

**「주민소환에 관한 법률」상 주민소환투표청구 연서 인원**

① **시 · 도지사 · 교육감**: 주민소환투표청구권자 총수의 10/100
② **시장 · 군수 · 구청장**: 주민소환투표청구권자 총수의 15/100
③ **지방의회의원**: 주민소환투표청구권자 총수의 20/100

O·X 정답 1. ○ 2. ○ 3. × 4. × 5. ○ 6. ×

### (8) 주민소환투표의 발의

① 관할선거관리위원회는 주민소환투표청구가 적법하다고 인정하는 경우에는 지체 없이 그 요지를 공표하고, 소환청구인대표자 및 해당선출직 지방공직자에게 그 사실을 통지하여야 한다.

② 관할선거관리위원회는 주민소환투표대상자에 대한 주민소환투표를 발의하고자 하는 때에는 주민소환투표대상자의 소명요지 또는 소명서 제출기간이 경과한 날부터 7일 이내에 주민소환투표일과 주민소환투표안을 공고하여 주민소환투표를 발의하여야 한다.

### (9) 주민소환투표의 실시

주민소환투표일은 공고일부터 20일 이상 30일 이하의 범위 안에서 관할선거관리위원회가 정한다.

### (10) 주민소환투표의 형식

주민소환투표는 찬성 또는 반대를 선택하는 형식으로 실시한다.

### (11) 주민소환투표의 실시구역

① 단체장에 대한 주민소환투표는 해당 지방자치단체 관할구역 전체를 대상으로 한다.

② 지역구지방의회의원에 대한 주민소환투표는 해당 지방의회의원의 지역선거구를 대상으로 한다.

### (12) 권한행사의 정지 및 권한대행

① 주민소환투표대상자는 관할선거관리위원회가 주민소환투표안을 공고한 때부터 주민소환투표결과를 공표할 때까지 그 권한행사가 정지된다.

② 단체장의 권한이 정지된 경우에는 부단체장이 그 권한을 대행한다.

### (13) 주민소환투표 결과의 확정

① 주민소환은 주민소환투표권자 총수의 3분의 1 이상의 투표와 유효투표 총수 과반수의 찬성으로 확정된다.

② 전체 주민소환투표자의 수가 주민소환투표권자 총수의 3분의 1에 미달하는 때에는 개표를 하지 아니한다.

### (14) 주민소환투표의 효력

주민소환이 확정된 때에는 주민소환투표대상자는 그 결과가 공표된 시점부터 그 직을 상실한다.

### (15) 주민소환투표소송 등

① 주민소환투표의 효력에 관하여 이의가 있는 해당 주민소환투표대상자 또는 주민소환투표권자는 주민소환투표결과가 공표된 날부터 14일 이내에 관할선거관리위원회 위원장을 피소청인으로 하여 지역구시·도의원, 지역구자치구·시·군의원 또는 시장·군수·자치구의 구청장을 대상으로 한 주민소환투표에 있어서는 특별시·광역시·도선거관리위원회에, 시·도지사를 대상으로 한 주민소환투표에 있어서는 중앙선거관리위원회에 소청할 수 있다.

**O·X 문제**

1. 주민소환의 방식은 해당 관할구역의 주민들이 자율적으로 정한다. ( )
2. 지역구지방의회의원에 대한 주민소환투표는 해당 지방의회의원의 지역선거구를 대상으로 한다. ( )

**O·X 문제**

3. 주민소환은 주민소환투표권자 총수의 과반수 투표와 유효투표 총수의 과반수 찬성으로 확정된다. ( )
4. 전체 주민소환투표자의 수가 주민소환투표권자 총수의 3분의 1에 미달하는 때에는 개표하지 아니한다. ( )
5. 주민소환이 확정되어 그 결과가 공표된 시점부터 주민소환투표대상자는 그 직을 상실한다. ( )
6. 주민투표는 자치단체장에게, 주민감사청구는 감사원에, 주민소송은 관할 행정법원에, 주민소환은 관할 선거관리위원회에 청구한다. ( )

O·X 정답 1. × 2. ○ 3. × 4. ○ 5. ○ 6. ×

② 소청에 대한 결정에 관하여 불복이 있는 소청인은 관할선거관리위원회 위원장을 피고로 하여 그 결정서를 받은 날부터 10일 이내에 지역구시·도의원, 지역구자치구·시·군의원 또는 시장·군수·자치구의 구청장을 대상으로 한 주민소환투표에 있어서는 그 선거구를 관할하는 고등법원에, 시·도지사를 대상으로 한 주민소환투표에 있어서는 대법원에 소를 제기할 수 있다.

### 7. 주민에 대한 정보공개(「지방자치법」 제26조)

#### (1) 정보공개

자치단체는 사무처리의 투명성을 높이기 위하여 「공공기관의 정보공개에 관한 법률」에서 정하는 바에 따라 지방의회의 의정활동, 집행기관의 조직, 재무 등 지방자치에 관한 정보를 주민에게 공개하여야 한다.

#### (2) 정보공개시스템 구축

행정안전부장관은 주민의 지방자치정보에 대한 접근성을 높이기 위하여 「지방자치법」 또는 다른 법령에 따라 공개된 지방자치정보를 체계적으로 수집하고 주민에게 제공하기 위한 정보공개시스템을 구축·운영할 수 있다.

# CHAPTER 05 정부 간 관계 및 광역행정

## 제 1 절 정부 간 관계론(IGR : Inter-Government Relationship)

### 01 정부 간 관계 일반론

#### 1. 의 의

(1) 개 념

정부 간 관계는 중앙정부와 지방정부 간 관계뿐만 아니라 지방정부 간 관계(광역과 기초 간 관계)까지도 고찰의 대상이 되는 한 국가 내의 모든 계층의 정부단위 간에 일어나는 활동 또는 상호작용의 총체이다. 정부 간 관계는 최선의 합리성이 작용하거나 개별 지방정부의 이익을 우선적으로 고려하기보다는 상호협력적 관계를 구축하는 것이 바람직하다.

(2) 특징 – 정치적 전통과 관련

정부 간 관계는 각국의 정치적 전통에 따라 다양하다. 민주주의와 지방자치의 전통이 강한 나라일수록 상호대등한 동반자적 관계를 유지하고, 그렇지 않을수록 수직적 상하관계를 유지한다.

#### 2. 정부 간 관계에 대한 이론

정부 간 관계에 대한 이론은 정부 간에 어느 정도의 권한배분관계와 통제관계가 적절한지에 대해 알려주는 규범적 이론이다. 중요한 '정부 간 관계론'을 살펴보면 다음과 같다.

(1) 로즈(R. A. W. Rhodes)의 IGR이론

① 의의 : 로즈는 영국의 단방제를 중심으로 정부 간 관계를 설명하면서 기존의 전통적 모형으로 대리자모형과 동반자모형을, 현대적 모형으로 대리자모형과 동반자모형의 중간적 성격을 지닌 상호의존모형을 제시하였다. 로즈는 이 중 상호의존모형을 가장 이상적이고 규범적인 모형으로 보았다.

② 모 형

㉠ 대리자모형(agent model) : 지방정부가 중앙정부에 종속되어 있어 지방정부는 중앙정부의 대리자에 불과하다고 보는 모형이다.

㉡ 동반자모형(partership model) : 중앙정부와 지방정부 모두 고유한 권능을 가진 주체로 대등한 위치에서 사무를 처리하는 수평적 정부 간 관계모형이다. 주민자치의 전통이 강한 국가에서 주로 나타난다.

**O·X 문제**

1. 정부 간 관계는 중앙정부와 지방정부 간 및 지방정부 간의 관계를 다룬다. ( )

**O·X 문제**

2. 로즈(Rhodes)의 대리인모형에서는 지방은 중앙의 대리인으로 중앙의 감독하에 국가정책을 집행한다고 본다. ( )

3. 로즈는 지방정부는 법적 자원, 재정적 자원에서 우위를 점하며, 중앙정부는 정보자원과 조직자원의 측면에서 우위를 점한다고 주장한다. ( )

4. 로즈 모형에서 지방정부는 중앙정부에 완전히 예속되는 것도 아니고 완전히 동등한 관계가 되는 것도 아닌 상태에서 상호의존한다. ( )

O·X 정답 1. ○ 2. ○ 3. × 4. ○

㉢ **상호의존모형(interdependent model : 전략적 협상관계)** : 중앙정부는 법적 자원(입법권한)과 재정적 자원(재원확보)에서, 지방정부는 정보자원(정보의 수집·처리능력)과 행정서비스 집행을 위한 조직 자원에서 우위를 점하고 있기 때문에 상호자원의 교환과정으로 인해 상호의존성을 지니고 있다고 보는 모형이다. 이 모형은 중앙과 지방 간 관계를 상호배타적 관계(zero-sum)로 파악하는 전통적 모형과 달리 상호의존적이고 협력적인 관계(positive-sum)로 인식한다(가장 이상적·규범적 모형).

③ **평가** : 로즈의 모형은 정부 간 관계를 제도적 측면이 아닌 기능적·현상적 측면에서만 이해하고 있다는 평가를 받는다.

(2) 라이트(Wright)의 IGR이론

① **의의** : 라이트는 미국의 연방제를 중심으로 정부 간 관계를 선임, 관계, 권위라는 세 가지 변수에 근거하여 포괄모형(포괄권위형), 분리모형(분리권위형), 중첩모형(중첩권위형)으로 제시하였다.

② 모 형

㉠ **포괄권위형(내포형, inclusive authority model)** : 주정부는 연방정부에 포획되고, 지방정부는 주정부에 포획되어 있다고 보는 모형이다. 이 모형에서 정부 간 관계는 수직적 지배·복종관계를 형성한다. 따라서 중앙정부에 대한 지방정부의 위상은 매우 종속적이며, 연방정부는 주정부와 지방정부를 마치 연방정부의 단순한 집행기관으로 인식한다.

㉡ **분리권위형(대등형, 조정형, separated authority model)** : 연방정부와 주정부의 관계는 각기 독자적인 주권을 가진 존재(분리모형)로 보고, 주정부와 지방정부의 관계는 지방정부가 주정부에 종속되어 있는 관계(종속모형)로 보아 양자를 결합한 모형이다. 다만, 이 모형을 우리나라와 같은 단방제 국가에 적용할 경우에는 중앙정부와 지방정부 간 분리관계로 이해된다.

㉢ **중첩권위형(중복형, overlapping authority model)** : 포괄모형과 분리모형의 중간적 형태로 연방정부·주정부·지방정부 상호 독립적인 실체로 존재하면서도 권한과 책임이 중첩되면서 정치적 타협과 협상에 의한 상호의존관계가 형성된다고 보는 모형이다. 즉, 연방정부는 정책을 수립하고 주정부와 지방정부가 이를 집행하면서 상급정부와 하급정부 간 기능중첩 및 상호 간의 긴밀한 협력과 상호의존이 이루어진다고 본다(가장 이상적·규범적 모형).

③ **한계** : 라이트(Wright)의 모형은 가장 이상적이고 규범적인 정부 간 관계를 제시하고 있지만, 정부 간 역동적인 관계를 포착하는 데에는 한계가 있다.

**O·X 문제**

1. 라이트(Wright)의 정부 간 관계이론은 중앙정부와 지방정부 간의 권한배분 및 통제관계에 대한 규범이론이다. ( )

2. 라이트는 정부 간 관계를 분쟁형, 창조형, 교환형으로 분류하고, 연방정부와 주정부 간 사회적·문화적 측면의 동태적 관계를 기술하였다. ( )

3. 정부 간 관계에 대한 라이트의 모형 중에서 연방정부, 주정부, 지방정부가 상호독립적인 실체로서 존재하며, 서로 협력적인 관계라고 보는 모형은 동반자 모형이다. ( )

4. 라이트의 대등권위모형(조정권위모형)은 연방정부, 주정부, 지방정부가 모두 동등한 권한을 가지고 있다고 설명한다. ( )

5. 라이트의 중첩권위모형은 연방정부, 주정부, 지방정부가 상호독립적인 실체로 존재하며 협력적 관계라고 본다. ( )

6. 라이트 모형 중 포괄형에서는 정부의 권위가 독립적인 데 비하여, 분리형에서는 계층적이다. ( )

7. 라이트의 정부 간 관계모형 중 가장 이상적 모형으로 제시된 것은 분리권위형이다. ( )

O·X 정답 1. ○ 2. × 3. × 4. × 5. ○ 6. × 7. ×

심화학습

미국의 연방주의(Wright)

| | |
|---|---|
| 분리형 연방제 | 미국 건국 초기 연방과 주의 권한을 명확히 구분하고 외교, 국방, 주 간 교역 규제 등 몇몇 연방정부 권한 외에 「헌법」상 금지되지 않은 권한을 주정부에게 포괄적으로 부여한 연방제 |
| 협력형 연방제 | 1930년대 대공황과 세계대전으로 연방정부의 권한이 확대되고 보조금 지급, 의무사무 등을 통해 연방과 주가 협력하여 처리하는 사무가 증가된 시기의 연방제 |
| 창조형 연방제 | 1960년대 인종문제, 빈곤문제 등에 대처하기 위하여 거의 모든 업무를 연방, 주, 지방이 동시에 다루던 시기의 연방제 |
| 신 연방제 | 1970년대 주정부와 지방정부의 자율성을 확대하기 위해 용도제한을 완화한 포괄보조금과 재원을 공유하는 세입공유제도가 도입된 시기의 연방제 |
| 신연방제의 확장 | 1980년대 이후 세입공유제도 폐지 등 연방정부의 주정부에 대한 재정지원을 축소하는 대신 주정부의 권한을 확대한 현재의 연방제 |

O·X 문제

1. 엘코크의 이론 중 동반자모형은 지방정부가 중앙정부의 감독 및 지원하에 국가정책을 집행하는 유형을 말한다. ( )

2. 엘코크가 제시한 대리인모형은 지방정부의 자율성이 제약되는 상황을 특징으로 한다. ( )

O·X 정답 1. × 2. ○

라이트(Wright)의 IGR이론

| 구 분 | 포괄형(내포형) | 분리형(대등형) | 중첩형 |
|---|---|---|---|
| 정부 간 관계 | 연방정부 ⊃ 주정부 ⊃ 지방정부 | 연방정부 ↔ 주정부(지방정부) | 연방정부, 주정부, 지방정부 중첩 |
| Rhodes의 모형 | 대리자모형 | 동반자모형 | 상호의존모형 |
| 특 징 | • 포괄·종속적 정부관계<br>• 계층제적 권위<br>• 기관위임사무 중심<br>• 완전 종속적 재정·인사 | • 분리·독립적 정부관계<br>• 독립적 권위<br>• 고유사무 중심<br>• 완전 분리된 재정·인사 | • 상호의존적 정부관계<br>• 협상적 권위<br>• 고유사무와 위임사무의 혼합<br>• 상호의존적 재정·인사 |
| 행동패턴 | 계층제적 통제 | 자율과 정부 간 경쟁 | 타협과 협상 |

(3) 무라마츠(Muramatsu)의 모형

① **수직적 행정통제모형**: 중앙정부의 지방정부에 대한 강력한 통제를 전제로 하는 모형이다(로즈의 대리자모형, 라이트의 포괄형과 유사).

② **수평적 정치경쟁모형**: 중앙정부와 지방정부가 수평적 관계에서 상호협력하면서 경쟁하는 상호의존적 관계로 보는 모형이다(로즈의 상호의존모형, 라이트의 중첩형과 유사).

(4) 엘코크(Elcock)의 모형

① **대리자모형**: 지방정부가 중앙정부에 종속되어 있는 모형이다.

② **동반자모형**: 지방정부와 중앙정부가 상호독립적인 모형이다.

③ **교환모형(절충모형)**: 지방정부와 중앙정부가 상호의존적인 모형이다.

(5) 나이스(Nice)의 모형

① **경쟁형**: 정부 간 경쟁관계를 유지하는 체제이다.

② **상호의존형**: 정부 간 상호협력관계를 유지하는 체제이다.

(6) 절충모형

① **의의**: 대리인모형과 동반자모형의 절충적 성격을 띠면서 중앙정부와 지방정부 간에 상호의존성을 강조하는 모형을 말한다. 로즈(Rhodes)의 상호의존모형(전략적 협상관계), 라이트(Wright)의 중첩권위형, 엘코크(Elcock)의 교환모형, 무라마츠(Muramatsu)의 수평적 정치경쟁모형, 나이스(Nice)의 상호의존형, 킹던(Kingdon)의 소작인(지배인)모형 등이 이에 속한다.

② **킹던(J. Kingdon)의 소작인(지배인)모형**: 지방정부가 중앙정부의 통제하에 놓여 있긴 하지만 어느 정도 상대적 자율성을 지니고 있다고 보는 모형이다. 이 모형에 의하면 소작인인 지방정부는 주인인 중앙정부로부터 일정한 권한을 위임받아 그 권한 내에서 자율권을 행사한다.

**핵심정리 | 지방정부의 권리와 관련된 법칙**

1. **지방정부의 권리와 관련된 법칙**
   (1) **딜런의 법칙**(Dillon's rule) : 이 법칙은 재판관 딜런이 주정부와 지방정부와의 관계를 주정부의 절대적 우위로 판시한 것에서 유래한다. 딜런의 법칙은 주정부와 지방정부의 관계를 계층제적 관계로 인식한다(중앙집권적 인식).
   ① 지방정부의 일반법적 권한(관습법적 권리)은 존재하지 않는다.
   ② 지방정부는 주정부의 창조물로서 주정부의 자유재량에 따라 창조될 수도 있고 폐지될 수도 있다.
   ③ 지방정부는 명시적으로 허용된 권한만을 행사할 수 있다.
   ④ 지방정부는 주정부의 의지에 좌우되는 임차인(대리인)에 불과하다.
   (2) **쿨리의 법칙**(Cooley doctrine) : 이 법칙은 재판관 쿨리의 판례에서 유래한 것으로 딜런의 법칙과 달리 지방정부의 권리를 고유권으로 인식한다(지방분권적 인식).
2. **미국의 도시헌장제도와 홈룰운동**
   (1) **의의** : 도시헌장은 미국의 자치단체에 대한 권한부여방식으로 도시정부의 주요사항을 규정한 도시의 「헌법」이다. 도시헌장은 자치단체가 되고자 하는 도시가 주의회에 청원하여 얻을 수 있다. 따라서 도시헌장제도에 의하면 도시정부는 주의회가 제정해 주는 헌장에 의해 조직된 법인체로서 주정부의 창조물에 불과하다(중앙집권적 인식).
   (2) **홈룰운동**(자치헌장제정운동) : 홈룰운동(자치헌장제정운동)은 주의회로부터 도시 자신의 자치 발전을 획득하려는 것으로 주의회의 입법적 통제에 대한 항거 운동이다(지방분권적 인식).
   (3) **홈룰의 원칙** : 지방정부에게 정책을 스스로 결정할 수 있는 권한을 부여하는 것으로 자치권이 비교적 광범위하게 인정되는 것을 의미한다. 즉, 지방정부의 권한이 아니라고 명백하게 부정되지 않으면 지방정부가 그 권한을 보유한다고 관대하게 해석하는 방법이 홈룰의 법칙이다(지방분권적 인식).

## 02 중앙통제(central control)

### 1. 의 의

(1) 개념과 목적

① 개념 : 중앙정부의 지방정부에 대한 권력적인 강제작용뿐만 아니라 지방정부에 대한 중앙정부의 지도 · 지원 · 협조 · 조정 등 모든 관여와 관계를 말한다.

② 목적 – 집권과 분권의 조화 : 지방정부는 국가로부터 완전히 독립적인 존재가 아니라 국가 전체의 네트워크 속에서 작동하는 하나의 부분이므로 중앙통제가 필요하다. 그러나 중앙통제는 자치단체의 자치권과 독자성을 가능한 존중하면서 국가의 균형을 확보해 나갈 수 있도록 집권과 분권의 조화를 추구해야 한다.

(2) 필요성과 한계

| | |
|---|---|
| 필요성 | • 행정기능의 양적 · 질적 고도화에 대처할 지방정부의 행 · 재정적 능력 부족<br>• 교통 · 통신 수단의 발달로 인한 행정의 광역화<br>• 지방적 사무의 전국적 이해관계 증대<br>• 신속 · 능률적 행정업무 수행의 필요성<br>• 국민적 최저실현(복지수준에서의 국가적 통일성 유지)<br>• 지방정부 간 분쟁 및 지역이기주의의 극복<br>• 지역 간 불균형 해소 |
| 한 계 | • 지방정부의 자치권 훼손 가능성<br>• 지방정부의 개별성과 특수성 저해 가능성<br>• 지방행정기능의 자기결정성과 자기책임성 저해 가능성 |

**O·X 문제**

1. 딜런의 법칙은 지방분권보다는 집권을 강조하는 원칙이다. ( )

2. 딜런의 규칙(Dillon's rule)에 의하면 지방정부는 '주정부의 피조물'로서 명시적으로 위임된 사항 외에도 포괄적인 권한을 지닌다. ( )

3. 쿨리 독트린(Cooley doctrine)은 지방정부의 자치권은 절대적인 것이며, 주(州)는 이를 앗아갈 수 없다는 원칙이다. ( )

**심화학습**

도시헌장의 유형

| | |
|---|---|
| 자치헌장제도 | 시민들에 의해 구성된 헌장제정위원회가 도시정부의 구조와 구성방식을 결정한 후 주의회의 승인을 받는 제도 |
| 개별헌장제도 | 주정부가 각 도시에 대해 개별적인 헌장을 제정하여 도시정부의 조직과 활동을 규제하는 제도 |
| 일반헌장제도 | 주의회가 일반적으로 적용되는 단일의 헌장에 의해 동일한 권한과 기능을 각 도시정부에 부여하는 제도 |
| 분류헌장제도 | 주의회가 도시를 인구규모, 지역규모, 행정수요, 산업적 특성 등 지역적 특성에 따라 몇 개의 유형으로 분류하고 이에 따라 헌장을 제정해 주는 제도 |
| 선택헌장제도 | 주의회가 제정해 둔 복수의 표준헌장 중 도시정부가 원하는 것을 선택하게 하는 제도 |

**O·X 문제**

4. 중앙통제로 인하여 자치단체 간의 행정수준 차이가 커져 국민생활의 균형을 유지하기 어렵다. ( )

O·X 정답 1. ○ 2. × 3. ○ 4. ×

**O·X 문제**

1. 오늘날 입법적 통제나 사법적 통제에 비하여 행정적 통제가 보다 일반적으로 활용되고 있다. ( )

**심화학습**

중앙통제의 기타 분류

| | | |
|---|---|---|
| 통제 성질별 분류 | 권력적 통제 | 임면, 승인, 처분, 감사 등 |
| | 비권력적 통제 | 계도, 지원, 정보제공, 조정 등 |
| 통제 시기별 분류 | 사전적 통제 | 행위나 처분이 있기 전 통제(지침 시달 등) |
| | 사후적 통제 | 행위나 처분이 있은 후 통제(감사, 재정진단 등) |

## 2. 중앙통제의 일반적 방식

(1) 의 의

중앙통제의 방식으로는 입법통제, 사법통제, 행정통제가 있다. 전통적으로 주민자치가 강한 영·미법계에서는 입법·사법통제가 주가 되었으나, 단체자치가 강한 대륙법계에서는 행정통제가 주가 되어 왔다. 그러나 최근에는 양자가 수렴되는 추세에 있으며 대부분 국가에서 행정통제가 보다 일반적으로 활용되고 있다.

(2) 방식 – 통제기관별 분류

① **입법통제**: 의회가 자치단체에 대해 입법절차 등을 통해 행하는 통제를 말한다.

㉠ **지방자치법정주의**: 자치단체의 조직과 운영에 관한 사항은 법률로 정한다.

㉡ **조세법정주의**: 모든 조세의 종목과 세율은 법률로 정한다.

㉢ **법치주의**: 지방자치는 법령의 범위 내에서 실시되며, 조례와 규칙도 법령의 범위 안에서 제정할 수 있다.

㉣ **국정감사 및 조사**: 국회는 광역자치단체의 국가위임사무 및 국가보조사업에 대하여 국정감사를 실시할 수 있다.

② **사법통제**: 사법기관이 소송절차 등을 통해 자치단체에 대해 행하는 소극적·사후적 통제를 말한다.

③ **행정통제**: 행정부가 행정절차 등을 통해 자치단체에 대해 행하는 통제를 말한다.

## 3. 우리나라의 중앙통제방식 – 행정통제 중심으로

(1) 행정상 통제

① 지방자치단체의 사무에 대한 지도 및 지원

㉠ 중앙행정기관의 장이나 시·도지사는 자치단체의 사무에 관하여 조언 또는 권고하거나 지도할 수 있으며, 이를 위하여 필요하면 자치단체에 자료의 제출을 요구할 수 있다.

㉡ 국가나 시·도는 자치단체가 그 자치단체의 사무를 처리하는 데에 필요하다고 인정하면 재정지원이나 기술지원을 할 수 있다.

② 국가사무나 시·도사무 처리의 지도·감독

㉠ 자치단체나 그 장이 위임받아 처리하는 국가사무에 관하여 시·도에서는 주무부장관, 시·군 및 자치구에서는 1차로 시·도지사, 2차로 주무부장관의 지도·감독을 받는다.

㉡ 시·군 및 자치구나 그 장이 위임받아 처리하는 시·도의 사무에 관하여는 시·도지사의 지도·감독을 받는다.

③ 단체장의 위법·부당한 명령·처분의 시정명령 및 취소·정지

㉠ 자치단체의 사무에 관한 단체장의 명령이나 처분이 법령에 위반되거나 현저히 부당하여 공익을 해친다고 인정되면 시·도에 대하여는 주무부장관이, 시·군 및 자치구에 대하여는 시·도지사가 기간을 정하여 서면으로 시정할 것을 명하고, 그 기간에 이행하지 아니하면 이를 취소하거나 정지할 수 있다.

O·X 정답 1. ○

㉡ 주무부장관은 자치단체의 사무에 관한 시장·군수 및 자치구의 구청장의 명령이나 처분이 법령에 위반되거나 현저히 부당하여 공익을 해침에도 불구하고 시·도지사가 시정명령을 하지 아니하면 시·도지사에게 기간을 정하여 시정명령을 하도록 명할 수 있다.

㉢ 주무부장관은 시·도지사가 제2항(㉡)에 따른 기간에 시정명령을 하지 아니하면 그 기간이 지난 날부터 7일 이내에 직접 시장·군수 및 자치구의 구청장에게 기간을 정하여 서면으로 시정할 것을 명하고, 그 기간에 이행하지 아니하면 주무부장관이 시장·군수 및 자치구의 구청장의 명령이나 처분을 취소하거나 정지할 수 있다.

㉣ 주무부장관은 시·도지사가 시장·군수 및 자치구의 구청장에게 시정명령을 하였으나 이를 이행하지 아니한 데 따른 취소·정지를 하지 아니하는 경우에는 시·도지사에게 기간을 정하여 시장·군수 및 자치구의 구청장의 명령이나 처분을 취소하거나 정지할 것을 명하고, 그 기간에 이행하지 아니하면 주무부장관이 이를 직접 취소하거나 정지할 수 있다.

㉤ 자치사무에 관한 명령이나 처분에 대한 주무부장관 또는 시·도지사의 시정명령, 취소 또는 정지는 법령을 위반한 것에 한정한다.

㉥ 단체장은 자치사무에 관한 명령이나 처분의 취소 또는 정지에 대하여 이의가 있으면 그 취소처분 또는 정지처분을 통보받은 날부터 15일 이내에 대법원에 소(訴)를 제기할 수 있다.

④ 단체장의 위임사무에 대한 직무이행명령 및 대집행

㉠ 단체장이 법령에 따라 그 의무에 속하는 국가위임사무나 시·도위임사무의 관리와 집행을 명백히 게을리하고 있다고 인정되면 시·도에 대하여는 주무부장관이, 시·군 및 자치구에 대하여는 시·도지사가 기간을 정하여 서면으로 이행할 사항을 명령할 수 있다.

㉡ 주무부장관이나 시·도지사는 해당 단체장이 제1항(㉠)의 기간에 이행명령을 이행하지 아니하면 그 자치단체의 비용부담으로 대집행하거나 행정상·재정상 필요한 조치를 할 수 있다.

㉢ 주무부장관은 시장·군수 및 자치구의 구청장이 법령에 따라 그 의무에 속하는 국가위임사무의 관리와 집행을 명백히 게을리하고 있다고 인정됨에도 불구하고 시·도지사가 이행명령을 하지 아니하는 경우 시·도지사에게 기간을 정하여 이행명령을 하도록 명할 수 있다.

㉣ 주무부장관은 시·도지사가 제3항(㉢)에 따른 기간에 이행명령을 하지 아니하면 그 기간이 지난 날부터 7일 이내에 직접 시장·군수 및 자치구의 구청장에게 기간을 정하여 이행명령을 하고, 그 기간에 이행하지 아니하면 주무부장관이 직접 대집행 등을 할 수 있다.

㉤ 주무부장관은 시·도지사가 시장·군수 및 자치구의 구청장에게 이행명령을 하였으나 이를 이행하지 아니한 데 따른 대집행 등을 하지 아니하는 경우에는 시·도지사에게 기간을 정하여 대집행 등을 하도록 명하고, 그 기간에 대집행 등을 하지 아니하면 주무부장관이 직접 대집행 등을 할 수 있다.

**O·X 문제**

1. 지방자치단체의 사무에 관한 그 장의 명령이나 처분이 법령에 위반되거나 현저히 부당하여 공익을 해친다고 인정되면 시·도에 대하여는 주무부장관이, 시·군 및 자치구에 대하여는 시·도지사가 즉시 이를 취소하거나 정지할 수 있다. ( )
2. 지방자치단체의 자치사무에 관한 그 장의 명령이나 처분이 법령에 위반되거나 현저히 부당하여 공익을 해친다고 인정되면 시·도에 대하여는 주무부장관이, 시·군 및 자치구에 대하여는 시·도지사가 기간을 정하여 서면으로 시정할 것을 명하고, 그 기간에 이행하지 아니하면 이를 취소하거나 정지할 수 있다. ( )
3. 중앙정부는 위법·부당한 명령·처분의 시정명령 및 취소·정지를 할 수 있고, 지방자치단체의 장이 이에 이의가 있을 때에는 행정법원에 소를 제기할 수 있다. ( )

**O·X 문제**

4. 주무부장관이나 시·도지사는 해당 지방자치단체의 장이 정해진 기간 내에 이행명령을 이행하지 아니하면 그 지방자치단체의 비용부담으로 대집행하거나 행정상·재정상 필요한 조치를 할 수 있다. ( )

O·X 정답 1. × 2. × 3. × 4. ○

**O·X 문제**

1. 단체장은 주무부장관의 이행명령에 이의가 있으면 이행명령서를 접수한 날부터 20일 이내에 대법원에 소를 제기할 수 있다. ( )

2. 행정안전부장관이나 시·도지사는 지방자치단체의 자치사무가 공익을 현저히 해친다고 판단되면 지방자치단체의 서류·장부 또는 회계를 감사할 수 있다. ( )

**O·X 문제**

3. 지방의회가 재의결한 사항이 공익을 현저히 해친다고 인정되는 경우 해당 지방자치단체장은 대법원에 제소할 수 있다. ( )

4. 법령에 위반된다고 판단되어 재의요구지시를 받은 지방자치단체의 장이 재의를 요구하지 아니하는 경우 주무부장관이나 시·도지사는 대법원에 제소할 수 있다. ( )

O·X 정답 1. × 2. × 3. × 4. ○

ⓑ 단체장은 이행명령에 이의가 있으면 이행명령서를 접수한 날부터 15일 이내에 대법원에 소를 제기할 수 있다. 이 경우 단체장은 이행명령의 집행을 정지하게 하는 집행정지결정을 신청할 수 있다.

⑤ 자치사무에 대한 감사

㉠ 행정안전부장관이나 시·도지사는 자치단체의 자치사무에 관하여 보고를 받거나 서류·장부 또는 회계를 감사할 수 있다. 이 경우 감사는 법령위반사항에 대하여만 한다.

㉡ 행정안전부장관 또는 시·도지사는 감사를 실시하기 전에 해당 사무의 처리가 법령에 위반되는지 여부 등을 확인하여야 한다.

⑥ 지방의회 의결의 재의요구 지시와 제소

㉠ 지방의회의 의결이 법령에 위반되거나 공익을 현저히 해친다고 판단되면 시·도에 대해서는 주무부장관이, 시·군 및 자치구에 대해서는 시·도지사가 해당 단체장에게 재의를 요구하게 할 수 있고, 재의요구 지시를 받은 단체장은 의결사항을 이송받은 날부터 20일 이내에 지방의회에 이유를 붙여 재의를 요구하여야 한다.

㉡ 시·군 및 자치구의회의 의결이 법령에 위반된다고 판단됨에도 불구하고 시·도지사가 재의를 요구하게 하지 아니한 경우 주무부장관이 직접 시장·군수 및 자치구의 구청장에게 재의를 요구하게 할 수 있고, 재의 요구 지시를 받은 시장·군수 및 자치구의 구청장은 의결사항을 이송받은 날부터 20일 이내에 지방의회에 이유를 붙여 재의를 요구하여야 한다.

㉢ 재의 요구에 대하여 재의한 결과 재적의원 과반수의 출석과 출석의원 3분의 2 이상의 찬성으로 전과 같은 의결을 하면 그 의결사항은 확정된다.

㉣ 단체장은 재의결된 사항이 법령에 위반된다고 판단되면 재의결된 날부터 20일 이내에 대법원에 소를 제기할 수 있다. 이 경우 필요하다고 인정되면 그 의결의 집행을 정지하게 하는 집행정지결정을 신청할 수 있다.

㉤ 주무부장관이나 시·도지사는 재의결된 사항이 법령에 위반된다고 판단됨에도 불구하고 해당 단체장이 소를 제기하지 아니하면 시·도에 대해서는 주무부장관이, 시·군 및 자치구에 대해서는 시·도지사가 그 단체장에게 제소를 지시하거나 직접 제소 및 집행정지결정을 신청할 수 있다.

ⓑ 제소의 지시는 제4항(㉣)의 기간이 지난 날부터 7일 이내에 하고, 해당 단체장은 제소 지시를 받은 날부터 7일 이내에 제소하여야 한다.

㉦ 주무부장관이나 시·도지사는 제6항(ⓑ)의 기간이 지난 날부터 7일 이내에 직접 제소 및 집행정지결정을 신청할 수 있다.

㉧ 지방의회의 의결이 법령에 위반된다고 판단되어 주무부장관이나 시·도지사로부터 재의 요구 지시를 받은 해당 단체장이 재의를 요구하지 아니하는 경우에는 주무부장관이나 시·도지사는 그 기간이 지난 날부터 7일 이내에 대법원에 직접 제소 및 집행정지 결정을 신청할 수 있다.

㉨ 지방의회의 의결이나 재의결된 사항이 둘 이상의 부처와 관련되거나 주무부장관이 불분명하면 행정안전부장관이 재의 요구 또는 제소를 지시하거나 직접 제소 및 집행정지 결정을 신청할 수 있다.

⑦ **감사원의 회계검사와 직무감찰**: 자치단체는 감사원의 필수적 회계검사 대상기관일 뿐만 아니라 감사원은 자치단체 소속 공무원에 대해 직무감찰할 수 있다.

(2) 인사상 통제

① **기준인건비제도에 의한 통제**: 자치단체의 행정기구의 설치와 지방공무원의 정원은 대통령령이 정하는 기준에 따라 해당 자치단체의 조례로 정한다.

② **자치단체에 두는 국가공무원의 임용 및 감독**: 자치단체는 법률이 정하는 바에 의하여 국가공무원을 둘 수 있는데 5급 이상은 해당 단체장의 제청으로 대통령이, 6급 이하는 해당 단체장의 제청으로 소속 장관이 임명한다.

(3) 재정상 통제

① 중기지방재정계획의 수립 · 제출, 지역통합재정통계의 작성 · 제출

② 자치단체 재정운용 업무편람에 의한 통제

③ 지방재정 건전성의 관리계획 수립 · 시행, 보조금 사용에 관한 감독, 투자 심사, 지방재정진단 및 분석제도, 지방채의 발행 한도 통제, 결산 보고

④ 주민참여예산제도의 운영에 대한 평가

## 03 특별지방행정기관(일선기관)

### 1. 의 의

(1) 개 념

특정 국가사무의 처리에 있어 전국적 통일성과 전문성의 요구 등을 충족하기 위해 국가가 지방에 설치한 일선집행기관을 말한다. 특별지방행정기관은 출입국관리, 공정거래, 노동조건 등 주로 국가적 통일성이 요구되는 특정 업무를 처리한다.

(2) 특 징

① 일반적 특징

㉠ 특별지방행정기관은 국가업무의 효율적이고 광역적인 추진이라는 긍정적인 목적과 관리와 감독의 용이성이라는 부처이기주의적 목적이 결합되어 설치된다.

㉡ 중앙정부와 특별지방행정기관 간의 관계는 정치상 집 · 분권이 아니라 행정상 집 · 분권과 관련된다.

㉢ 특별지방행정기관은 중앙정부의 부처 및 기관의 지역담당자로서 정치적 의미보다는 관료적인 의미가 강하며, 그 구성도 중앙부처인 감독기관에 의하여 공식적으로 정의된 구조와 계층의 일부분으로 형성된다.

㉣ 특별지방행정기관은 지방자치단체의 관할 경계와 반드시 일치하게 설치되는 것은 아니다.

**O·X 문제**

1. 감사원은 지방공무원에 대해 직무감찰을 실시할 수 있다. ( )

**O·X 문제**

2. 지방자치단체는 법률이 정하는 바에 의하여 국가공무원을 둘 수 있다. ( )

**O·X 문제**

3. 특별지방행정기관은 소속기관의 관할 내에서 지방자치단체의 행정사무를 관장하는 기관이다. ( )

4. 특별지방행정기관은 출입국관리, 공정거래, 근로조건 등 국가적 통일성이 요구되는 업무를 수행한다. ( )

5. 모든 특별지방행정기관은 지방자치단체의 관할 경계와 일치하여 설치된다. ( )

6. 현재 우리나라에서 둘 이상의 지방자치단체가 그 사무를 공동으로 처리하는 광역행정의 방식이거나 이에 기여할 수 있는 것으로 특별지방행정기관이 있다. ( )

PART · 07

O·X 정답 1. ○ 2. ○ 3. × 4. ○ 5. × 6. ×

**O·X 문제**

1. 특별지방행정기관은 국가의 사무를 집행하기 위해 설치한 일선집행기관으로 고유의 법인격을 가지고 있다. ( )

② 지방자치단체와의 비교

| 구 분 | 지방자치단체 | 특별지방행정기관 |
|---|---|---|
| 중앙정부의 통제 | 간접통제 | 직접통제 |
| 집권과 분권의 성격 | 정치상의 집·분권 | 행정상의 집·분권 |
| 법인격 | 법인격 있음(피고: 단체장). | 법인격 없음(피고: 대한민국). |
| 처리사무 | 고유사무, 위임사무 | 국가의 사무 |
| 자치권 | 있음. | 없음. |
| 특 성 | 종합행정 | 전문행정 |
| 성 질 | 자치행정 | 관치행정 |

**심화학습**

**특별지방행정기관의 관할구역 설정 기준**

| | |
|---|---|
| 휘슬러 (Fesler) | • 업무량<br>• 통솔범위<br>• 업무의 성질<br>• 행정상의 편의<br>• 정치적 요인<br>• 타 기관과의 관계 |
| 밀스포우 (Millspaugh) | • 공동사회적 요소<br>• 적절한 서비스 단위<br>• 재정적 자립성<br>• 주민의 행정적 편의 |

## 2. 유 형

(1) 영미형과 대륙형

① **영미형**: 자치단체가 위임사무를 수행하지 않기 때문에 국가의 지역별 소관사무를 처리하기 위해 별도의 지방일선기관을 설치·운영해야 한다.

② **대륙형**: 자치단체가 자치사무뿐만 아니라 국가의 위임사무를 처리하기 때문에 별도의 지방일선기관을 설치해야 할 필요성이 적다.

(2) 보통지방행정기관과 특별지방행정기관

① **보통지방행정기관**: 하나의 기관이 통합적으로 중앙의 여러 부처의 사무를 위임받아 처리하는 기관을 말한다. 우리나라의 지방자치단체가 이에 해당한다.

② **특별지방행정기관**: 특정한 국가의 사무를 처리하기 위하여 설치된 일선집행기관을 말한다(예 지방노동청, 지방병무청, 지방세무서, 출입국관리소, 교도소, 우체국 등).

## 3. 필요성과 한계

(1) 필요성

① 여러 지역을 통합하는 특별지방행정기관을 설치할 경우 규모의 경제를 실현하여 광역적 행정에 대응하기 용이하다.

② 신속한 업무처리 및 통일적인 기술·절차·장비의 전국적 활용이 가능하다.

③ 현장의 정보를 중앙정부에게 전달하거나 중앙정부와 지방정부 간 매개역할을 수행한다.

④ 지역별 특성에 따른 구체적이고 타당성 있는 정책집행이 가능하다.

⑤ 중앙행정기관의 업무부담을 경감시킬 뿐만 아니라 중앙통제와 감독이 용이하다.

(2) 한 계

① **단체자치와의 충돌**: 단체자치의 경우 자치단체가 국가의 위임사무를 처리하므로 다수의 분리형 일선기관을 설치하는 것은 단체자치와 모순된다.

② **책임행정의 결여**: 주민의 직접적인 참여와 통제가 용이하지 않아 주민에 대한 책임행정을 저해할 수 있다.

③ **지역의 종합행정 저해**: 특별지방행정기관이 분야별로 설치되어 있어 지역의 종합행정을 저해할 수 있다.

**O·X 문제**

2. 전국적 통일성을 요구하는 기능은 특별지방행정기관이 맡는 것이 바람직하다. ( )

3. 특별지방행정기관은 현장의 정보를 중앙정부에 전달하거나 중앙정부와 지방자치단체 사이의 매개 역할을 수행하기도 한다. ( )

4. 행정서비스의 특성에 따른 적정수준의 광역행정을 실현하기 위하여 특별지방행정기관의 설치가 필요하다. ( )

5. 특별지방행정기관은 관할지역 주민들의 직접적인 통제와 참여가 용이하기 때문에 책임행정을 실현할 수 있다. ( )

O·X 정답 1. × 2. ○ 3. ○ 4. ○ 5. ×

④ 이중행정 · 이중감독(기능중복)으로 인한 비효율: 일정한 사무와 관련하여 지방자치단체도 권한을 갖고 지방일선기관도 권한을 갖는 이중의 관계가 성립되어 낭비와 비효율을 야기할 수 있다.

⑤ 중앙통제 강화: 특별지방행정기관은 주민에 의한 통제보다는 중앙정부에 의한 통제를 강조하므로 지방자치를 저해할 수 있다.

⑥ 고객의 혼란과 불편: 특별지방행정기관과 자치단체 간 이원적 업무수행으로 주민불편 및 혼란을 초래할 수 있다.

### 4. 과 제

우리나라는 현재 자치단체보다 훨씬 많은 40여 종 5,100여 개의 특별지방행정기관이 설치되어 있다. 이로 인해 지방행정의 민주성과 능률성 측면에서 많은 한계를 노정하고 있는 바, 1990년대 이후 이를 정비하고 통합하기 위한 지속적인 노력이 진행되고 있다.

**O·X 문제**

1. 특별지방행정기관은 지역종합행정을 저해한다. ( )
2. 특별지방행정기관 증가로 이원적 업무수행이 가능하여 주민들의 행정만족도가 높아지고 혼란을 방지할 수 있다. ( )
3. 특별지방행정기관의 관할 범위가 넓을수록 이용자인 국민의 편의가 증진된다. ( )
4. 특별지방행정기관의 확대는 국가사무의 통일적이고 효율적인 추진을 저해한다. ( )
5. 특별지방행정기관은 지방행정의 전문성을 제고하여 지방분권 강화에 긍정적인 영향을 미친다. ( )

## 제 2 절 광역행정(regional administration)

### 01 광역행정 일반론

### 1. 의 의

(1) 개념과 영역

① 개념: 광역행정은 기존 자치단체의 법정 행정구역을 초월하여 도시권 전체에서 발생하는 광역적 행정수요를 종합적이고 현지성에 맞게 계획적으로 처리함으로써 행정의 능률성 · 경제성 · 합목적성을 확보하기 위한 현대행정국가의 지방행정방식을 말한다.

② 영역: 도시 및 지역계획, 대중교통, 공해, 보건 · 위생 등과 같이 기존의 지방행정구역 내에서 처리하기 곤란한 경우나 2개 이상의 자치단체 사이에 걸쳐 있어서 구역을 엄격히 분리할 경우 행정의 효율성을 달성할 수 없는 경우에 광역행정이 필요하다.

(2) 특 징

① 광역행정은 지방자치의 불신에 기인한 것이 아니라 중앙집권(효율성)과 지방분권(민주성)의 조화를 추구하는 것이다.

② 광역행정은 계획성, 합리성, 종합성, 협력성, 현지성, 개발성 등을 특징으로 한다.

③ 광역행정은 기존 지방자치의 구역 · 계층 · 기능의 재편성을 수반한다.

### 2. 필요성과 한계

(1) 필요성(촉진요인)

① 규모의 경제 실현: 지방정부 간 중복투자로 인한 예산낭비를 방지하여 규모의 경제를 실현할 수 있다.

② 광역적 문제 해결: 수자원 개발, 도로교통 등 광역적 문제를 해결할 수 있다.

**O·X 문제**

6. 광역행정은 기존의 행정구역을 초월해 더 넓은 지역을 대상으로 행정을 수행한다. ( )
7. 광역행정은 지역행정의 자치성에 대한 불신에 기인한 것이다. ( )
8. 광역행정은 지방조직이 재구성됨으로써 행정의 민주화에 기여할 수 있게 한다. ( )
9. 광역행정은 지방자치단체 간의 재정 및 행정서비스의 형평적 배분을 도모한다. ( )
10. 광역행정은 규모의 경제를 실현할 수 있다. ( )
11. 광역행정은 행정권과 주민의 생활권을 일치시켜 행정 효율성을 증진시킬 수 있다. ( )

O·X 정답 1. ○ 2. × 3. × 4. × 5. × 6. ○ 7. × 8. × 9. ○ 10. ○ 11. ○

PART · 07

심화학습

**광역행정 대상사무(Perloff)**

| | |
|---|---|
| 골격 기준과 세포기준 | 상하수도, 교통·통신 등 도시기반시설(골격기준)은 광역행정으로, 경찰, 소방, 병원 등 지방주민의 관심과 이해가 직결된 사무(세포기준)는 자치단체가 독자적으로 처리 |
| 환경체계 기준 | 수질, 대기오염, 상하수도 사무 등 자연자원이나 환경요소 등은 광역행정으로 처리 |
| 전문 서비스 기준 | 박물관, 연구소 등의 고도의 전문성을 요하는 시설은 광역행정으로 처리 |
| 협력체계 기준 | 쓰레기처리시설, 화장장 등 자치단체 간 협력하면 효율적 처리가 가능한 사무는 광역행정으로 처리 |
| 형평성 기준 | 균질적인 서비스 제공이 필요한 사무는 광역행정으로 처리 |
| 지역개발 기준 | 광역적 지역개발이 이루어져야 할 경우 광역행정으로 처리 |

O·X 문제

1. 협의회는 둘 이상의 지방자치단체가 광역적 지역개발사업을 수행하기 위하여 규칙에 의해 법인격을 갖는 기관을 운영하는 방식이다. ( )
2. 행정협의회에 의한 광역행정은 지방자치단체 간의 동등한 지위를 기초로 상호협조에 의하여 광역행정 사무를 처리하는 방식이다. ( )
3. 사무위탁은 둘 이상의 지방자치단체가 계약에 의하여 자기 사무의 일부를 상대방에게 위탁하여 처리하는 방식이다. ( )
4. 공동기관은 둘 이상의 지방자치단체가 광역사무를 처리하기 위하여 조례에 의해 공동으로 법인격을 갖는 기관을 운영하는 방식이다. ( )

O·X 정답 1. × 2. ○ 3. ○ 4. ×

③ **사회·경제적 권역확대에 대응**: 교통·통신의 발달로 인한 국민의 생활권역 확대에 대응할 수 있다.

④ **행정능력 향상에 대한 요구**: 소규모 자치단체의 행정능력 부족의 문제를 극복할 수 있다.

⑤ **균형발전과 행정서비스의 균질화**: 지방정부 간 균형발전 및 주민복지의 국민적 평준화에 대한 요구에 대응할 수 있다.

⑥ **외부효과의 해결**: 공공서비스의 외부효과로 인한 지역 간 갈등을 해소할 수 있다.

(2) 한 계

① **개발의 공간적 형평성 저해**: 광역행정으로 편의시설은 중심으로, 혐오시설은 외곽의 배후지로 입지되어 공간적 형평성이 저해될 수 있다.

② **토지이용의 비효율과 도시문제의 광역화**: 광역도시권의 개발로 방만한 토지이용 및 교통혼잡 등의 도시문제를 야기할 수 있다.

③ **지방자치 위협(관치행정 만연)**: 중앙정부의 관여를 촉진하여 중앙집권화를 초래할 위험성이 있다.

④ **자치지역의 특수성 경시**: 각 자치단체의 행정수요나 특성을 경시할 위험성이 있다.

### 3. 광역행정방식 – 처리사업별 방식

(1) 공동처리방식

① **의의**: 둘 이상의 자치단체가 법인격을 그대로 유지하면서 상호협력을 통해 한두 개의 사무를 광역적으로 처리하는 방식을 말한다(우리나라의 대표적인 방식).

② 구체적 유형

㉠ **일부사무조합방식**: 둘 이상의 자치단체가 공동의 이해관계가 걸려 있는 한두 개의 특정 사무를 협력적으로 수행하기 위해 계약에 의해 새로운 법인을 설치하는 방식이다(특별지방자치단체 방식).

㉡ **협의회방식**: 둘 이상의 자치단체가 공동의 이해관계가 걸려 있는 사무를 처리하기 위해 협의기관을 설치하는 방식이다.

㉢ **사무위탁방식**: 둘 이상의 자치단체가 계약에 의해 특정 사무를 상대방에 위탁처리하는 방식이다.

㉣ **공동기관방식**: 둘 이상의 자치단체가 재정의 절약 등을 목적으로 공동의 사무를 처리하기 위해 계약을 체결하고 기관장, 위원, 직원, 부속기관 등을 공동으로 두는 방식이다(예 의료기관, 도서관, 화장장의 공동이용 등).

㉤ **연락회의방식**: 둘 이상의 자치단체가 관심사무에 관한 정보를 공유하기 위해 각 자치단체에서 파견된 대표자들로 구성되는 회의체를 두는 방식이다.

㉥ **직원파견방식**: 특정 자치단체의 직원을 다른 자치단체에 파견하여 특정 사무를 지원하거나 지원받는 협력방식이다.

③ **장점**: 합병하지 않고도 자치단체가 단독으로 설치할 수 없는 시설의 설치가 가능하며, 광역행정의 대상 선정에서 융통성을 확보할 수 있다.

④ **단점**: 자치단체 간 이해 대립 시 해결이 곤란하다.

(2) 연합방식

① 의의: 둘 이상의 자치단체가 법인격을 그대로 유지하면서 여러 개의 광역적 사무를 공동으로 처리하기 위해 새로운 광역정부를 창설하는 방식이다.

② 공동처리방식과 비교

㉠ 유사점: 자치단체 간에 자발적 협약에 의해 성립되며, 기존 자치단체의 법인격이 그대로 유지된다는 점에서 유사하다.

㉡ 차이점: 공동처리방식은 한두 개의 특정 업무를 전문적으로 처리하는 반면, 연합방식은 다수의 광역적 사무를 주도적으로 처리할 뿐만 아니라 조합이 상급정부로의 위상과 기능을 수행한다는 점에서 차이가 있다.

③ 구체적 유형

㉠ 복합사무조합방식: 둘 이상의 자치단체가 계약에 의해 다수의 사무를 처리하는 조합을 설립하여 광역행정을 수행하는 방식이다.

㉡ 도시공동체방식: 대도시에 있는 기초자치단체들이 광역적 도시계획 등을 체계적으로 추진하기 위해 광역적 행정단위로 구성된 도시단체연합을 형성하는 방식이다.

㉢ 자치단체연합방식: 일정한 광역권 안에 있는 여러 자치단체가 특별자치단체의 성격을 지닌 연합체를 구성하여 일정한 사무를 그 연합체에서 처리하도록 하고 나머지 사무는 각 자치단체가 처리하도록 하는 방식이다.

(3) 통합방식

① 의의: 일정한 광역권 안에 여러 자치단체를 포괄하는 단일의 정부를 설립하여 그 정부의 주도로 모든 사무를 공동처리하는 방식이다.

② 연합방식과 비교: 연합방식은 기존 지방정부의 법인격이 유지된 상태에서 광역정부를 설치하나, 통합방식은 기존 지방정부의 법인격의 변화를 초래하는 통합된 단일의 정부가 설치된다는 점에서 차이가 있다.

③ 구체적 유형

㉠ 전부사무조합방식: 둘 이상의 자치단체가 계약에 의해 그 자치단체들의 모든 사무를 종합적으로 처리할 조합을 설치하고, 그 조합의 구성과 동시에 기존의 각 자치단체는 사실상 소멸되는 방식이다.

㉡ 흡수통합(권한·지위 흡수)방식: 하급자치단체가 가지고 있는 권능 또는 지위를 상급자치단체가 수직적으로 흡수통합하는 방식이다(권능에 대한 흡수통합 – 상급정부로의 사무이관, 지위에 대한 흡수통합 – 하급정부의 폐지).

㉢ 합병방식: 수평적 관계에 있는 몇 개의 자치단체를 통·폐합하여 하나의 법인격을 갖는 새로운 자치단체를 신설하는 방식이다(예 시·군 통합).

㉣ 광역자치단체방식: 자치단체 간의 광역사무를 처리하기 위해 해당 자치단체를 초월하는 광역자치단체를 새로이 설립하는 방식이다.

㉤ 특별구역방식: 특수한 광역사무를 수행하기 위해 일반 행정구역 또는 자치구역이 아닌 별도의 특별자치단체 구역을 설정하는 방식이다(예 미국의 교육구·소방구·항만관리구, 우리나라의 교육구 등).

㉥ 구역확장(편입)방식: 도시권의 지방정부가 도시구역의 확장을 통해 주변지역을 도시권에 편입시킴으로써 광역행정의 요구에 대응하는 방식이다.

**O·X 문제**

1. 연합은 기존의 자치단체가 각각 독립적인 법인격을 유지하면서 그 위에 광역행정을 전담하는 새로운 자치단체를 신설하는 방식이다. ( )

2. 여러 자치단체를 포괄하는 단일 정부를 설립하여 그 정부의 주도로 사무를 광역적으로 처리하는 광역행정방식을 통합방식이라 한다. ( )

3. 통합방식은 각 자치단체의 개별적 특수성을 반영함으로써 지방분권화를 촉진하고 주민참여를 용이하게 하는 장점이 있어 발전도상국보다 선진 민주국가에서 많이 채택하고 있다. ( )

4. 광역행정의 방식 중 통합방식에는 합병, 일부사무조합, 도시공동체가 있다. ( )

**심화학습**

기타 광역행정방식에 대한 구분

| | | |
|---|---|---|
| 처리 주체별 방식 | 국가적 차원 | 국가가 일선기관을 통해 직접 처리하는 방식 |
| | 자치 단체 차원 | 사무위탁, 협의회, 공동처리, 연합 등 |
| 처리 사업별 방식 | 특별 사업별 방식 | 한두 가지의 특정 사무에 대한 광역행정방식(일부사무조합) |
| | 종합 사업별 방식 | 여러 가지 사무에 대한 광역행정방식(전부사무조합) |
| 접근 방법별 분류 | 종합적 접근 | 자치단체의 체제에 구조적 변화를 가져오는 방식(통합 등) |
| | 점진적 접근 | 자치단체의 체제에 구조적 변화가 없는 방식(지방자치단체조합 등) |

O·X 정답 1. ○ 2. ○ 3. × 4. ×

PART · 07

④ **장점**: 가장 강력한 광역행정방식으로 광역행정 문제를 능률적으로 처리할 수 있다.

⑤ **단점**: 기존 자치단체의 자치권이 훼손되며, 지리적 제한으로 인해 주민참여가 곤란하여 민주성이 저해될 수 있다.

## 02 우리나라의 광역행정제도

### 1. 의 의

우리나라의 광역행정제도는 「지방자치법」에 근거를 두고 있으며 가장 일반적인 광역행정방식은 행정협의회 방식이다. 그 외에도 지방자치단체조합, 사무위탁 등 공동처리방식을 규정하고 있다.

### 2. 우리나라 광역행정방식

(1) 행정협의회(「지방자치법」 제169조~제175조)

① 구 성

㉠ 자치단체는 2개 이상의 자치단체에 관련된 사무의 일부를 공동으로 처리하기 위하여 관계 자치단체 간의 행정협의회를 구성할 수 있다. 이 경우 단체장은 시・도가 구성원이면 행정안전부장관과 관계 중앙행정기관의 장에게, 시・군 또는 자치구가 구성원이면 시・도지사에게 이를 보고하여야 한다.

㉡ 자치단체는 협의회를 구성하려면 관계 자치단체 간의 협의에 따라 규약을 정하여 관계 지방의회에 각각 보고한 다음 고시하여야 한다.

㉢ 행정안전부장관이나 시・도지사는 공익상 필요하면 관계 자치단체에 대하여 협의회를 구성하도록 권고할 수 있다. 그러나 행정안전부장관이나 시・도지사가 강제적으로 행정협의회를 설치할 수는 없다.

② **협의 및 사무처리의 효력(구속력)**: 협의회를 구성한 관계 자치단체는 협의회가 결정한 사항이 있으면 그 결정에 따라 사무를 처리하여야 한다. 그러나 관계 자치단체가 결정을 따르지 않더라도 강제할 수 있는 방법이 없어 실질적인 구속력은 없다.

③ **협의사항의 조정**: 협의회에서 합의가 이루어지지 아니한 사항에 대하여 관계 자치단체의 장이 조정을 요청하면 시・도 간의 협의사항에 대해서는 행정안전부장관이, 시・군 및 자치구 간의 협의사항에 대해서는 시・도지사가 조정할 수 있다. 행정안전부장관이나 시・도지사는 관계 중앙행정기관의 장과의 협의를 거쳐 분쟁조정위원회의 의결에 따라 조정해야 하며, 조정된 사안은 해당 자치단체가 조정된 바에 따라 처리해야 할 법적 구속력을 갖는다.

④ **운영현황**: 현재 시・도가 구성원인 광역행정협의회는 수도권 행정협의회 등 6개, 시・군・구가 구성원인 기초행정협의회는 중부권 협의회 등 54개가 있다.

⑤ 문제점

㉠ 협의회는 법인체가 아니므로 과세권이나 집행권이 없다.

㉡ 단체장만으로 구성되어 있어 지방의회의 참여가 배제되어 있다.

㉢ 협의사항이 불이행되었을 때 강제수단이 없어 구속력이 결여되어 있다.

㉣ 집행기관이 없는 단순한 협의체에 불과하다.

㉤ 협의회는 비상설기관으로 사무국 기능이 미약하다.

**O·X 문제**

1. 우리나라는 광역행정방식으로 지방행정협의회, 지방자치단체조합, 사무위탁에 대한 규정이 있다. ( )
2. 광역행정의 수요가 증대되고 있는 현실에서 우리나라가 채택한 지방정부 간 협력방식으로 광역연합과 행정협의회가 있다. ( )
3. 지방자치단체는 2개 이상의 지방자치단체에 관련된 사무의 일부를 공동으로 처리하기 위하여 행정협의회를 구성할 수 있다. ( )
4. 행정협의회를 구성한 관계 지방자치단체는 반드시 협의회의 결정에 따라 사무를 처리할 필요는 없다. ( )
5. 광역행정을 처리하기 위한 기구인 협의회는 집행에서 실질적인 강제력이 결여되어 있기 때문에 당사자 간에 심각한 의견 불일치를 보이는 광역사무를 해결하기 어렵다. ( )

**O·X 정답** 1. ○ 2. × 3. ○ 4. × 5. ○

(2) 지방자치단체조합

① **의의**: 2개 이상의 자치단체가 하나 또는 둘 이상의 사무를 공동처리하기 위하여 지방자치단체 간의 합의로써 설립된 법인을 말한다.

② 설 립

㉠ **설립원칙**: 조합의 설립은 관계 자치단체의 합의에 의한 임의설립이 원칙이다. 다만, 행정안전부장관은 공익상 필요하면 조합의 설립이나 해산 또는 규약의 변경을 명할 수 있다(「지방자치법」 제180조 제2항).

㉡ **설립목적**: 2개 이상의 자치단체가 사무를 공동으로 처리할 필요가 있을 때 설립되며 공동처리대상이 되는 사무의 범위에는 아무런 제한이 없다(고유사무, 단체위임사무, 기관위임사무 모두 가능).

㉢ **설립절차**: 2개 이상의 자치단체가 하나 또는 둘 이상의 사무를 공동으로 처리할 필요가 있을 때에는 규약을 정하여 지방의회의 의결을 거쳐 시·도는 행정안전부장관의 승인, 시·군 및 자치구는 시·도지사의 승인을 받아 지방자치단체조합을 설립할 수 있다.

㉣ **설립효과**: 조합이 설립되면 규약으로 정한 공동처리사무의 처리권능은 관계 자치단체로부터 조합으로 이전된다.

③ **조직**: 조합에는 조합회의와 조합장 및 사무직원을 둔다. 관계 지방의회의원과 관계 자치단체의 장은 조합회의의 위원이나 조합장을 겸할 수 있다.

④ **지도·감독**: 시·도가 구성원인 조합은 행정안전부장관, 시·군 및 자치구가 구성원인 조합은 1차로 시·도지사, 2차로 행정안전부장관의 지도·감독을 받는다. 다만, 조합의 구성원인 시·군 및 자치구가 2개 이상의 시·도에 걸쳐 있는 지방자치단체조합은 행정안전부장관의 지도·감독을 받는다.

⑤ 권 한

㉠ 조합은 법인이므로 관련 자치단체와는 별개의 권리주체로서 권리·의무의 귀속주체가 된다. 따라서 조합의 명의로 공동사무를 처리할 수 있으며, 행정안전부장관의 승인하에 지방채 발행 및 독자적으로 재산을 보유하며(재정권), 자체직원을 둘 수 있으며(인사권), 소송의 당사자적격도 지닌다.

㉡ 다만, 조합의 구성원은 주민이 아니고 자치단체이므로 소속 자치단체에 대하여 직원파견 및 비용부담을 요구할 수는 있으나 주민에 대한 과세권은 없다.

⑥ **규약변경 및 해산**: 조합의 규약을 변경하거나 해산하는 경우에는 각 관계 자치단체의 지방의회의 의결을 요하고 감독기관의 승인을 필요로 한다. 또한 조합해산으로 인한 재산의 처분은 관계 자치단체 간의 협의에 따른다.

⑦ **운영현황**: 과거의 수도권쓰레기매립조합 및 최근의 정보화자치조합, 부산·거제 간 연결도로 건설조합, 부산·진해 경제자유구역청, 광양만권 경제자유구역청, 부산·김해 경량전철조합, 수도권광역교통조합 등이 있으며, 최근 증가추세에 있다.

**O·X 문제**

1. 2개 이상의 지방자치단체가 그 사무 중 일부를 공동처리할 필요가 있을 때에는 규약을 정하고 일정한 절차를 거쳐 지방자치단체조합을 설립할 수 있다. ( )

2. 지방자치단체조합의 규약에 따라 조합의 주요 사무는 지방의회가 의결한다. ( )

3. 2개 이상의 시·도에 걸치는 지방자치단체조합은 행정안전부장관의 지도·감독을 받는다. ( )

4. 광역행정을 처리하기 위한 기구인 지방자치단체조합의 구성원은 관련 지방자치단체의 주민이다. ( )

5. 사무를 공동처리하기 위해 조합을 설립하는 자치단체조합방식은 행정협의회보다 협약에 관한 효과가 일반적으로 작다고 할 수 있다. ( )

6. 지방자치단체조합을 해산한 경우 그 재산의 처분은 관계 지방자치단체의 협의에 따른다. ( )

O·X 정답 1. ○ 2. × 3. ○ 4. × 5. × 6. ○

PART · 07

⑧ 필요성과 한계

| 필요성 | 한 계 |
|---|---|
| • 주민의 편의 및 효율성을 고려한 구역 설정<br>• 자치단체의 지역 및 인구 규모의 영세성 극복(규모의 경제 실현)<br>• 특정 기능의 기술적 · 전문적 한계 및 인적 · 물적 자원의 부족 극복<br>• 법령에 의해 가해진 재정적 · 법적 제약 및 채무 한계 극복 | • 자치단체의 난립으로 인한 복잡과 혼란<br>• 행정기능 간 조정 곤란으로 인한 할거주의 초래<br>• 구성원이 자치단체이므로 주민통제 약화 야기<br>• 책임소재 불명확<br>• 지방행정이 특수기능 전문가나 이해당사자의 이해관계에 좌우될 우려 |

(3) 사무위탁

① 의의: 자치단체나 그 장은 소관사무의 일부를 다른 자치단체나 그 장에게 위탁하여 처리하게 할 수 있다(법적 성질: 공법상 계약).

② 종 류

㉠ 위임의 방식: 해당 업무의 수행에 관한 권리와 의무는 수임자치단체로 이전되고, 수임자치단체는 자신의 명의로 업무를 수행한다. 이때 위임자는 스스로 그 업무를 수행할 수 있는 권한을 상실하며, 그에 대한 행정적 책임은 수임자가 진다.

㉡ 대리의 방식: 업무수행의 주체는 여전히 위탁한 자치단체이며, 수탁자치단체는 위탁자치단체의 대리인으로서 위탁자의 명의로 그 업무를 수행한다. 이 경우 수탁자치단체가 수행한 행위의 결과는 위탁자치단체에 귀속되며 행정책임도 위탁자치단체가 진다.

③ 운용: 자치단체가 사무를 위탁하고자 하는 경우에는 관계 자치단체 간의 협의에 의해 규약을 정하여 이를 고시하여야 한다.

④ 장점: 사무처리비용 절감, 공동사무처리에 따른 규모의 경제효과, 서비스의 성과제고 등의 효과가 있다.

⑤ 단점: 위탁처리비용의 산정 문제, 사무위탁에 따른 정치적 비난, 위탁문화의 부재 등으로 인한 활용저하 등이 문제로 지적되고 있다.

(4) 지방자치단체장 등의 협의체와 연합체

① 협의체: 단체장 또는 지방의회 의장은 상호 간의 교류와 협력을 증진하고 공동의 문제를 협의하기 위해 시 · 도지사, 시 · 도의회의 의장, 시장 · 군수 · 자치구의 구청장, 시 · 군 · 자치구의회의 의장의 구분에 따라 각각 전국적 협의체를 설립할 수 있다.

② 연합체: 단체장 또는 지방의회의장은 시 · 도지사, 시 · 도의회의 의장, 시장 · 군수 · 자치구의 구청장, 시 · 군 · 자치구의회의 의장의 전국적 협의체가 모두 참가하는 자치단체 연합체를 설립할 수 있다.

③ 수립절차: 협의체나 연합체를 설립하였을 때에는 그 협의체 · 연합체의 대표자는 지체 없이 행정안전부장관에게 신고하여야 한다.

④ 의견제출: 협의체나 연합체는 지방자치에 직접적인 영향을 미치는 법령 등에 관한 의견을 행정안전부장관에게 제출할 수 있으며, 지방자치와 관련된 법률의 제정 · 개정 또는 폐지가 필요하다고 인정하는 경우에는 국회에 서면으로 의견을 제출할 수 있다.

## 03 정부 간 갈등 · 분쟁 및 조정

### 1. 지역이기주의

(1) 의 의

국가이익보다는 자기지역의 이익만을 추구하고 우선시하는 지역주민 또는 자치단체의 태도를 말하며, 비제도화된 집단행동을 보이는 것이 일반적이다.

(2) 종 류

① **기피갈등(NIMBY)과 유치갈등(PIMFY)**: 지역이기주의는 외부효과에 따른 비용과 편익의 불일치에서 발생하게 된다. 수혜자집단이 직접 비용을 부담하지 않으면서도 이익을 얻을 수 있는 외부경제효과가 발생하는 경우 핌피(PIMFY)가 나타나고, 비용부담집단이 직접 이익을 얻지 못하면서도 일정 비용을 부담해야 하는 외부불경제의 효과가 발생하는 경우 님비(NIMBY)가 나타난다.

㉠ NIMBY(Not In My BackYard): 위험시설이나 혐오시설 등을 기피하는 현상을 말한다(예 쓰레기 소각장, 핵폐기물 시설의 설치 기피현상 등).

㉡ PIMFY(Put In My Front Yard): 선호시설을 적극 유치하려는 현상을 말한다. 우리 지역에 지어달라는 YIMFY(Yes In My Front Yard)와 동일한 의미이다(예 행정수도나 대학 등의 유치 등).

② 단체장의 이기적 행태에 따른 구분

㉠ PIMTOO(Please In My Term Of Office): 단체장이 자신의 임기 동안에 업적을 남기기 위해서 선호시설 등을 유치하고자 하는 행태를 말한다.

㉡ NIMTOO(Not In My Term Of Office): 단체장이 혐오시설이나 위험시설의 입지를 자신의 임기 동안에 거부하는 행태를 말한다.

(3) 지역이기주의의 극복방안

① **규범적 · 사회적 전략**: 결정과정에 주민이나 이해집단의 참여를 보장하는 전략이다(예 주민투표 등).

② **공리적 · 기술적 전략**: 반대보상 등을 통하여 저항을 최소화하려는 전략이다(예 재산권 침해 폭의 최소화, 기피시설 설치 시 지역발전기금 등과 같은 적절한 대체보상 실시, 예기치 못한 위험 발생시 그 피해를 보상하기 위한 우발위험준비금 예치 등).

③ **강제적 전략**: 지역주민의 의사를 무시하고 강제적으로 추진하는 전략이다.

**심화학습**

NIMBY와 관련된 개념

| | |
|---|---|
| BANANA | 어느 누가 살든 사람 사는 곳이면 어디든 짓지 마라(Build Absolutely Nothing Anywhere Near Anybody). |
| NOOS | 우리 동네의 거리에는 짓지 말라(Not On Our Street). |
| LULU | 지역적으로 원하지 않는 토지이용(Locally Unwanted Land Uses) |
| NIABY | 어떤 사람의 뒤뜰에도 지어서는 안 된다(Not In Anybody's Back Yard). |

**심화학습**

지역이기주의에 대한 시각

| 구분 | 부정론 (전통적 입장) | 긍정론 (현대적 입장) |
|---|---|---|
| 의의 | 지역이기주의는 바람직하지 못하다고 보는 입장 | 지역이기주의는 필수적으로 거쳐야 할 과정으로 보는 입장 |
| 근거 | 최대 다수의 최대 행복을 추구하는 공리주의 | 다수에 의해 희생될 수 있는 소수의 보호를 강조하는 정의론 |
| 해결책 | 강제적 추진 | 의사결정에의 주민참여 통로 마련, 피해의 최소화, 적절한 보상책 마련 등 |

## 2. 지방정부 간 갈등관리방안

(1) 갈등관리방식의 유형

① 적극적 방식 – 당사자 간의 자율적 조정(협상)

㉠ 의의: 분쟁당사자 간에 전략적 협력에 초점을 두고 협력적으로 문제를 해결하고자 하는 방식이다.

㉡ 예: 지방자치단체조합, 사무위탁, 사전예방장치로서 협의·협약, 전국적 협의체, 연합체 등

② 소극적 방식 – 제3자에 의한 분쟁해결(대안적 분쟁 해결)

㉠ 의의: 분쟁당사자 간의 자율적 조정이 어려운 경우 제3자에 의해 행해지는 조정방식을 말한다.

㉡ 방식: 제3자의 개입정도에 따라 알선(당사자 간의 합의를 돕는 활동), 조정(권고 등 법적 구속력이 없는 조정 활동), 중재(재정 등 법적 구속력이 있는 조정 활동) 등이 있다.

㉢ 예: 상급기관에 의한 조정, 지방자치단체분쟁조정위원회의 조정, 헌법재판소의 권한쟁의 심판 등

③ 절충방식: 전략적 협력(적극적 방식)과 분쟁조정(소극적 방식) 모두와 관련된 방식으로 행정협의회 방식(행정협의회 구성자치단체 간 합의가 이루어지지 않은 사항은 시·도에 대하여는 행정안전부장관이, 시·군 및 자치구에 대하여는 시·도지사가 조정)이 이에 속한다.

(2) 지방자치단체 간 협력과 분쟁조정

① 자치단체 상호 간의 협력: 자치단체는 다른 자치단체로부터 사무의 공동처리에 관한 요청이나 사무처리에 관한 협의·조정·승인 또는 지원의 요청을 받으면 법령의 범위에서 협력하여야 한다. 관계 중앙행정기관의 장은 자치단체 간의 협력 활성화를 위하여 필요한 지원을 할 수 있다.

② 분쟁조정위원회의 조정

㉠ 조정신청

ⓐ 신청에 의한 조정: 자치단체 상호 간 또는 단체장 상호 간에 사무를 처리할 때 의견이 달라 다툼이 생기면 행정안전부장관이나 시·도지사가 당사자의 신청(쌍방 또는 일방의 서면신청)에 따라 조정할 수 있다.

ⓑ 직권에 의한 조정: 분쟁이 공익을 현저히 저해하여 조속한 조정이 필요하다고 인정되면 행정안전부장관이나 시·도지사는 당사자의 신청 없이 직권으로 조정할 수 있다(직권조정권이 부여되었다는 점에 많은 비판이 있음).

㉡ 조정: 행정안전부장관이나 시·도지사가 분쟁을 조정하고자 할 때에는 관계 중앙행정기관의 장과의 협의를 거쳐 지방자치단체중앙분쟁조정위원회나 지방자치단체지방분쟁조정위원회의 의결에 따라 조정을 결정하여야 한다.

**O·X 문제**

1. 지방자치단체 상호 간 사무를 처리할 때 의견이 달라 생긴 분쟁이 공익을 현저히 해쳐 조속한 조정이 필요하다고 인정되면 당사자의 신청이 없어도 행정안전부장관이나 시·도지사가 직권으로 조정할 수 있다. ( )
2. 우리나라에서 채택하고 있는 지방자치단체 간 분쟁조정제도에 지방자치단체분쟁조정위원회와 헌법재판소가 있다. ( )
3. 자치단체 상호 간 분쟁이 발생하였을 시 분쟁조정위원회의 의결을 필수적으로 거쳐야 한다. ( )
4. 자치단체 상호 간 분쟁이 발생하였을 시 분쟁조정은 이행명령 및 대집행 등 구속력이 있는 것이 장점이다. ( )

O·X 정답 1. ○ 2. ○ 3. ○ 4. ○

㉢ 조정의 이행

ⓐ 행정안전부장관이나 시·도지사는 조정을 결정하면 서면으로 지체 없이 관계 단체장에게 통보해야 하며, 통보받은 단체장은 그 조정결정사항을 이행해야 한다.

ⓑ 조정결정사항 중 예산이 필요한 사항에 대해서는 관계 자치단체는 필요한 예산을 우선적으로 편성하여야 한다.

ⓒ 행정안전부장관이나 시·도지사는 조정결정사항이 성실히 이행되지 아니하면 그 자치단체에 대하여 이행을 명령하고 이행명령을 이행하지 아니하면 그 자치단체의 비용부담으로 대집행하거나 행정상·재정상 필요한 조치를 할 수 있다.

㉣ **분쟁조정위원회의 설치**: 분쟁의 조정과 협의회의 협의사항의 조정에 필요한 사항을 심의·의결하기 위하여 행정안전부에 지방자치단체중앙분쟁조정위원회를, 시·도에 지방자치단체지방분쟁조정위원회를 둔다.

㉤ **분쟁조정위원회의 역할**: 중앙분쟁조정위원회는 ⓐ 시·도 간 또는 그 장 간의 분쟁, ⓑ 시·도를 달리하는 시·군 및 자치구 간 또는 그 장 간의 분쟁, ⓒ 시·도와 시·군 및 자치구 간 또는 그 장 간의 분쟁, ⓓ 시·도와 지방자치단체조합 간 또는 그 장 간의 분쟁, ⓔ 시·도를 달리하는 시·군 및 자치구와 지방자치단체조합 간 또는 그 장 간의 분쟁, ⓕ 시·도를 달리하는 지방자치단체조합 간 또는 그 장 간의 분쟁 등을 담당하며, 지방분쟁조정위원회는 그 외의 지방자치단체·지방자치단체조합 간 또는 그 장 간의 분쟁을 심의·의결한다.

③ **헌법재판소의 권한쟁의 심판**: 자치단체 상호 간에 권한의 존부나 그 범위에 관해 갈등이 야기되었을 때 헌법재판소의 권한쟁의 심판에 의해 분쟁이 해결될 수 있다.

(3) 중앙정부와 지방자치단체 간 협력과 분쟁조정

① **국가와 자치단체의 협력의무**: 국가와 자치단체는 주민에 대한 균형적인 공공서비스 제공과 지역 간 균형발전을 위하여 협력하여야 한다.

② **중앙지방협력회의의 설치**: 국가와 자치단체 간의 협력을 도모하고 지방자치 발전과 지역 간 균형발전에 관련되는 중요 정책을 심의하기 위하여 중앙지방협력회의를 둔다.

③ 갈등의 원인

㉠ **국책사업과 관련된 갈등**: 혐오시설의 입지와 관련하여 갈등이 발생할 수 있으며, 이 경우 지역주민, 관련 시민단체들이 갈등의 당사자로 참여하는 경우가 많다.

㉡ **사무권한의 귀속과 관련된 갈등**: 인사와 재정 권한 등 사무권한에 대하여 갈등이 발생할 수 있으며, 이 경우 대부분 헌법재판소의 권한쟁의 심판으로 해결된다.

㉢ **재원 및 재정부담과 관련된 갈등**: 중앙정부의 재정정책이 지방정부의 재정에 영향을 미쳐 갈등이 발생할 수 있다. 예컨대, 중앙정부의 취득세 감면조치는 지방세수를 급감하게 하며, 복지사업의 확대는 지방비부담비율을 높여 지방재정에 부담을 준다.

④ **행정적 분쟁조정제도**: 주무부장관의 지도·감독, 위법·부당한 명령처분에 대한 주무부장관의 시정명령 및 취소·정지제도, 위임사무에 대한 주무부장관의 직무이행명령, 행정안전부장관의 자치사무에 대한 감사, 지방의회의 의결에 대한 재의요구지시 및 제소지시와 직접 제소 등이 있다.

**O·X 문제**

1. 행정안전부장관이나 시·도지사는 조정결정사항이 성실히 이행되지 아니할 경우 그 지방자치단체에 대하여 직무이행명령을 통해 이행하게 할 수 있다. ( )

2. 중앙분쟁조정위원회는 행정안전부에 설치하며 시·도 간 또는 그 장 간의 분쟁을 심의·의결한다. ( )

3. 지방분쟁조정위원회는 시·도에 설치하며 시·도와 시·군 및 자치구 간 또는 그 장 간의 분쟁을 심의·의결한다. ( )

**심화학습**

「중앙지방협력회의의 구성 및 운영에 관한 법률」

| | |
|---|---|
| 협력회의의 심의사항 | • 국가와 지방자치단체 간 협력에 관한 사항<br>• 국가와 지방자치단체의 권한, 사무 및 재원의 배분에 관한 사항<br>• 지역 간 균형발전에 관한 사항<br>• 지방자치단체의 재정 및 세제에 영향을 미치는 국가 정책에 관한 사항<br>• 그 밖에 지방자치 발전에 관한 사항 |
| 협력회의의 구성 | • 협력회의는 대통령, 국무총리, 기재부장관, 교육부장관, 행안부장관, 국무조정실장, 법제처장, 특별시장·광역시장·특별자치시장·도지사·특별자치도지사, 전국적 협의체의 대표자 및 그 밖에 대통령령으로 정하는 사람으로 구성함.<br>• 협력회의의 의장은 대통령이 됨.<br>• 협력회의의 부의장은 국무총리와 시·도지사 협의체의 대표자가 공동으로 됨. |

O·X 정답 1. ○ 2. ○ 3. ×

PART · 07

⑤ 사법적 분쟁조정제도

㉠ 헌법재판소: 중앙정부와 자치단체 상호 간에 권한의 존부나 그 범위에 관해 갈등이 야기되었을 때 헌법재판소의 심판에 의해 분쟁이 해결될 수 있다.

㉡ 대법원: 자치단체는 중앙정부의 취소·정지처분이나 직무이행명령에 이의가 있는 경우 대법원에 제소할 수 있다.

⑥ 국무총리 소속하의 협의조정기구

㉠ 설치: 중앙행정기관의 장과 자치단체의 장이 사무를 처리할 때 의견을 달리하는 경우 이를 협의·조정하기 위하여 국무총리 소속으로 행정협의조정위원회를 둔다.

㉡ 업무: 행정협의조정위원회는 중앙행정기관의 장이나 단체장의 신청에 의하여 당사자 간에 사무를 처리할 때에 의견을 달리하는 사항에 대하여 협의·조정한다.

㉢ 효력: 조정통보를 받은 관계 중앙행정기관의 장과 단체장은 그 협의·조정의 결정사항을 이행하여야 한다. 다만, 협의·조정사항을 이행하지 않는 경우 이를 강제하는 직무상 이행명령이나 대집행에 관한 규정이 없다는 점에서 실질적인 구속력은 없다.

⑦ 인사교류: 중앙과 지방 간 소모적 갈등을 막기 위한 방안으로 중앙정부와 지방정부 간의 인사교류 활성화도 중요하다. 중앙과 지방 간 인사교류는 업무수행의 전문성 향상, 조직 간 이해와 협조 증진, 중앙과 지방 간 네트워크 형성 등에 기여할 수 있다.

**O·X 문제**

1. 중앙정부와 지방정부는 사무권한과 관련한 갈등의 경우 헌법재판소에 권한쟁의 심판을 청구할 수 있다. ( )

**O·X 문제**

2. 중앙정부와 지방정부 간 공식적인 갈등조정 기구는 대통령 소속의 행정협의조정위원회이다. ( )
3. 자치단체와 중앙행정의 사무권한 분쟁은 행정협의조정위원회에서 한다. ( )
4. 중앙정부와 지방정부 간 갈등을 해결하기 위하여 설치된 행정협의조정위원회의 결정은 강제력을 가진다. ( )

O·X 정답 1. ○ 2. × 3. ○ 4. ×

## 04 「지방자치법」 전면 개정사항 정리(22. 1. 13.)

### 1. 획기적인 주민주권 구현

| 분 야 | 현 행 | 개 정 |
|---|---|---|
| 목적규정(제1조) | 목적규정에 주민참여에 관한 규정 없음. | 목적규정에 '주민의 지방자치행정 참여에 관한 사항' 추가 |
| 주민참여권 강화(제17조) | 주민 권리 제한적: ① 자치단체 재산과 공공시설 이용권, ② 균등한 행정의 혜택을 받을 권리, ③ 참정권 | 주민 권리 확대: 주민생활에 영향을 미치는 정책결정 및 집행과정에 참여할 권리 신설 |
| 주민조례발안제(제19조) | 단체장에게 조례안 제·개폐 청구 | 의회에 조례안 제·개폐 청구 가능(별도법 제정 예정) |
| 주민감사 청구인 수 하향조정(제21조) | 서명인 수 상한: 시·도 500명, 50만 이상 대도시 300명, 시·군·구 200명 | 상한 하향조정: 시·도 300명, 50만 이상 대도시 200명, 시·군·구 150명 |
| 청구권 기준연령 완화(제21조) | 조례발안, 주민감사, 주민소송: 19세 이상 주민 청구 가능 | 조례발안, 주민감사, 주민소송: 18세 이상 주민 청구 가능 |
| 규칙의 제·개폐 의견제출(제20조) | 규정 없음. | 주민의 권리·의무와 직접 관련된 규칙의 제·개폐에 관련된 의견제출 가능 |
| 자치단체 기관구성 다양화(제4조) | 기관 분리형(단체장-지방의회) | 주민투표 거쳐 지방의회와 집행기관의 구성 변경 가능(별도법 제정 예정) |

## 2. 역량강화와 자치권 확대

| 분 야 | 현 행 | 개 정 |
|---|---|---|
| 사무배분 명확화(제11조) | 「지방자치법」에 국가·지방간 사무배분 원칙 및 준수의무 등 미규정(「지방분권법」에서 규정) | • 보충성, 중복배제, 포괄적 배분 등 사무배분 원칙 규정<br>• 사무배분 기준에 대한 국가와 자치단체의 준수의무 부과 |
| 국제교류·협력 근거 신설(제10장) | 규정 없음. | 국제교류 협력 및 국제기구 지원, 해외사무소 운영근거 마련 |
| 자치입법권 보장 강화(제28조) | 조례의 제정범위 침해 관련 미규정 | 법령에서 조례로 정하도록 위임한 사항에 대해 법령의 하위법령에서 위임내용·범위를 제한하거나 직접 규정하지 못하도록 규정 |
| 특례시 및 자치단체 특례 부여(제198조) | 규정 없음. | • 100만 이상은 특례시로 함.<br>• 행정수요·균형발전 등을 고려하여 대통령령에 따라 행정안전부장관이 정하는 시·군·구에 특례 부여 가능 |
| 지방의회 인사권 독립(제103조) | 의회 사무처 소속 사무직원임용권은 단체장 권한(「지방공무원법」에 따라 임용권의 일부를 지방의회의 사무처장 등에 위임 가능) | 지방의회 소속 사무직원 임용권을 지방의회 의장에게 부여 |
| 정책지원 전문인력 도입(제41조) | 규정 없음(「제주특별법」에 따라 제주도만 의원정수 1/2 범위에서 정책연구위원 운영). | 모든 지방의회에서 의원정수 1/2 범위에서 정책지원전문인력 운영 가능(단, 2023년까지 단계적 도입) |
| 지방의회 운영 자율화(제5장) | 회의 운영 방식 등 지방의회 관련 사항이 법률에 상세 규정 | 조례에 위임하여 지역 특성에 맞게 정하도록 자율화 |

## 3. 책임성과 투명성 제고

| 분 야 | 현 행 | 개 정 |
|---|---|---|
| 정보공개 확대(제26조) | 자치단체 정보공개 의무·방법 등 미규정 | 의회 의정활동, 집행부 조직·재무 등 정보공개 의무·방법 등에 관한 일반규정 신설 및 정보플랫폼 마련 규정 |
| 의정활동 투명성 강화(제74조) | 지방의회 표결방법의 원칙 관련 근거 미비 | 기록표결제도 원칙 도입 |
| 지방의원 겸직금지 명확화(제43조) | • 겸직금지 대상 개념이 불명확<br>• 겸직신고 내역 외부 미공개 | • 겸직금지 대상 구체화<br>• 겸직신고 내역 공개 의무화 |
| 지방의회 책임성 확보(제65조) | • 윤리특위 설치 임의규정<br>• 윤리심사자문위 설치 미규정 | • 윤리특위 설치 의무화<br>• 민간위원으로 구성된 윤리심사자문위 설치(의견청취 의무화) |
| 시·군·구 사무수행 책임성 강화(제189조) | 시·군·구의 위법 처분·부작위에 대해 국가가 시정·이행명령 불가 | 국가가 보충적으로(시·도가 조치를 취하지 않을 경우) 시·군·구의 위법한 처분·부작위에 시정·이행명령 가능 |

### 4. 중앙－지방 간 협력관계 정립 및 행정능률성 제고

| 분 야 | 현 행 | 개 정 |
|---|---|---|
| 중앙지방 협력회의(제186조) | 규정 없음(대통령 – 시 · 도지사 간담회 운영). | '중앙지방협력회의' 신설(별도법 제정) |
| 국가 – 지방 간 협력(제164조) | 규정 없음. | 국가와 자치단체, 자치단체 간 협력의무 신설 |
| 자치단체 사무에 대한 지도 · 지원 (제184조) | 중앙행정기관의 장이나 시 · 도지사는 관할 지방자치단체의 사무에 대한 조언 · 권고 · 지도 가능 | 중앙행정기관의 장이나 시 · 도지사의 조언 · 권고 · 지도에 대한 단체장의 의견제출권 신설 |
| 매립지 관할 결정 절차 개선(제5조) | 매립지 관할 관련 이견이 없는 경우에도 중분위 절차를 거쳐 결정 | 분쟁 없는 경우 별도 심의의결 절차 생략 등 결정 가능 |
| 경계조정 절차 신설(제6조) | 규정 없음. | • 자치단체 간 자율협의체를 통해 경계조정 협의 추진<br>• 미해결시 중분위 심의를 거쳐 조정 가능 |
| 단체장 인수위원회 (제105조) | 규정 없음. | 시 · 도 20명, 시 · 군 · 구 15명 이내에서 임기 시작 후 20일 범위 내로 단체장 인수위 자율 구성 |
| 행정협의회 활성화 (제169조) | • 설립시 지방의회의 의결 필요<br>• 자치단체 간 협력에 대한 지원근거 없음. | 설립시 지방의회에 보고로 간소화 – 관계 중앙행정기관의 장은 협력활성화를 위해 필요한 지원 가능 |
| 특별지방자치단체 (제12장) | 세부사항 미규정(과거 「지방자치법」에서 필요한 사항은 대통령령으로 정하도록 규정하고 있으나 규정하지 않음) | 2개 이상의 자치단체가 공동으로 광역사무 처리를 위해 필요시 특별지방자치단체 설치 · 운영 근거 규정 |

심화학습

**도시의 유형**

| | | |
|---|---|---|
| 구조적 분류 | 단핵 도시 | 도시중추기능을 하나의 중심부에 집중시키고 있는 도시 |
| | 다핵 도시 | 도시의 집중적 활동을 여러 곳에 분산배치한 도시 |
| | 대상 (선상) 도시 | 도시의 집중된 활동이 하나의 선상을 따라 허리띠처럼 길게 형성되어 있는 도시 |
| 기능적 분류 | 침실 도시 | 중심도시 통근자들의 거주를 위해 개발된 도시 |
| | 위성 도시 | 대도시를 모도시로 하여 그 기능의 일부를 분담하는 도시 |
| 형태적 분류 | 과대 경계 도시 | 법률적 시의 경계가 시가화지역보다 밖인 도시 |
| | 과소 경계 도시 | 법률적 시의 경계가 시가화지역보다 안인 도시 |

## 05 도시행정

### 1. 의 의

(1) 도시의 개념

도시(都市)는 인간의 정치 · 경제 · 사회적인 활동 무대가 되는 장소이며, 인구 집중으로 인해 비교적 인구밀도가 높은 지역을 말한다.

(2) 도시행정의 개념

도시행정이란 도시정부가 도시의 건전한 발전을 도모하고 공공복지의 증진을 위해 행하는 일체의 정치 · 행정적 작용을 의미한다.

(3) 도시행정의 특징

① 종합성: 주택, 교통, 범죄 등 포괄적이고 종합적인 국가행정의 축소판이다.
② 지역성: 도시지역에 거주하는 지역주민에 한정하여 영향을 미친다.
③ 일상성: 주민들의 일상생활과 직결된 생활행정이다.
④ 자치성: 주민들의 의사와 책임하에 처리되는 자치행정이다.

## 2. 도시적정규모의 경제이론과 도시화에 관한 이론

### (1) 도시적정규모의 경제이론

① **규모제한이론(Harword)**: 산업혁명에 따른 대도시화의 폐해를 방지하기 위하여 인구 및 도시면적을 제한하고자 하는 이론

② **사회학적 접근이론**: 도시인구규모와 면적, 시장, 소득 등 사회학적 요인들을 기준으로 하여 도시규모와 이들 요인들 간의 함수관계를 제시한 이론

③ **비용편익분석이론**: 도시민이 지불하는 세금과 개인이 얻는 금전적 이득을 비교해 볼 때 편익/비용 비가 가장 큰 지역을 최적도시규모로 보는 이론

④ **최소비용접근이론**: 지방정부의 1인당 공공서비스 공급비용이 가장 적게 드는 인구수를 최적 규모로 보는 이론

⑤ **도시규모등급이론**: 파레토가 제시한 이론으로 지리학적 측면에서 도시의 크기에 따라 일정지역에 순위가 형성된다고 보는 이론

⑥ **규모의 경제이론**: 도시의 인구나 면적이 일정수준까지는 유지되어야 1인당 공공비용이 적정규모에 도달하여 도시경제가 효율성을 지닌다고 보는 이론

⑦ **대도시 집적이론**: 도시규모가 커지고 인구가 집중될수록 비용보다는 편익을 더 많이 산출하며 국가 전체의 생산성도 제고된다고 보는 이론

⑧ **조화의 원칙(Oates)**: 지방정부의 적정규모는 누출효과(spillover effect)를 최소화할 수 있을 정도로 커야 하고, 주민들의 선호를 충족시킬 수 있을 만큼 작아야 한다는 상충된 목표를 조화시키는 점에서 결정되어야 한다는 원칙

### (2) 도시화에 관한 이론

① **도시화의 개념**: 도시화란 특정 지역(도시)이 공업화되어 그 지역으로 인구가 집중되는 현상 및 이에 부수하여 나타나는 여러 가지 변화를 의미한다.

② **도시화의 요인**

| 직접요인(도시의 흡인력) | 간접요인(농촌의 압출력) |
|---|---|
| • 도시산업의 발달: 노동수요 증가, 임금향상<br>• 과학기술의 발달과 교통·통신의 발달<br>• 보다 많은 선택의 기회와 자유<br>• 학문과 문화의 도시집중<br>• 도시의 집적 이익(규모의 경제, 클러스터) | • 농촌의 상대적 빈곤<br>• 영농의 기계화·과학화<br>• 가치관의 변화<br>• 도시와 농촌의 개발 격차<br>• 도시생활에의 동경 |

③ **도시화의 단계**

㉠ **집중적 도시화**: 중심도시의 교외지역은 정체된 가운데 중심도시에 인구와 산업이 집중되어 중심도시가 급격히 팽창하는 현상을 말한다.

㉡ **분산적 도시화(교외화·준도시화)**: 도시가 평면적으로 확대되는 것으로 중심도시로부터 주변지역으로 인구와 산업이 분산되는 현상을 말한다.

㉢ **역도시화(탈도시화)**: 도시권 전체(중심부와 교외 포함)의 인구와 고용이 감소되어 도시가 황폐화되는 현상을 말한다(도심부 슬럼 또는 인구유턴 현상).

㉣ **재도시화**: 준도시화·역도시화를 거친 고소득층이 최상의 서비스를 받기 위해 다시 도심으로 이전하여 들어오는 현상을 말한다.

**심화학습**

**클러스터 현상**

| | |
|---|---|
| 의의 | 네트워크를 통한 시너지 효과 발휘를 목표로 특정 분야의 관련기업(경쟁기업, 보완기업, 협력기업 등), 기관(대학, 연구소, 공인기관, 기업연합회 등), 지원 서비스 기업(금융, 회계, 법률 등)들이 지리적으로 인접한 곳에 모여 있는 결집체 |
| 평가 | 거래비용을 줄이고 대면접촉을 통한 정보교류와 지식창출의 흐름이 원활하며 동종업체 간 경쟁압력을 통해 상호이익 추구(예 미국의 실리콘벨리, 한국의 테헤란로 등) |

④ 발전도상국의 도시화 유형

㉠ **종주도시화**(primate city) : 하나의 거대한 도시성장으로 인해 다른 도시들은 그 도시에 기인하지 않고서 자체적인 성장핵을 이룰 수 없는 현상을 말한다(예 제1도시로 인구가 집중된 현상, 우리나라의 서울).

㉡ **가도시화**(pseudo urbanization) : 도시의 흡인요인이 부재한 상태에서 일방적으로 농촌의 추출요인이 먼저 작용하여 생긴 도시화로서 실업, 범죄, 주택난 등 악성 도시행정수요가 발생하는 도시화를 말한다.

㉢ **과잉도시화**(over urbanization) : 도시화 수준이 산업화 수준보다 더 높은 상태의 도시화를 말한다.

㉣ **과소도시화**(under urbanization) : 도시화 수준이 산업화 수준보다 더 낮은 상태의 도시화를 말한다.

㉤ **간접도시화** : 행정구역 확장을 통해 주변의 농촌지역까지도 도시지역에 포함시키는 도시화를 말한다. 간접도시화는 도시지역 내에 농촌인구비율이 높고 그들이 도시인구로 간주되는 도시화이다.

㉥ **불법건물지구**(squatter) : 급속한 도시화로 도시에 인구가 집중되면서 도시 변두리지역에 불법적으로 불량주거지역이 형성되는 현상을 말한다.

⑤ 도시화 지표

㉠ 도시화율 $= \frac{\text{대도시 인구}}{\text{국가 전체 인구}} \times 100$ : 대도시로의 인구집중도

㉡ 종주지수 $= \frac{\text{제1도시 인구}}{\text{제2도시 인구} + \text{제3도시 인구} + \text{제4도시 인구}}$

MEMO

# Index

ㄱ

ㅅ

ㅊ



ㅋ

기타

MEMO

이명훈

**주요 약력**

성균관대 박사 과정
박문각 공무원 행정학 온라인, 오프라인 전임교수
(전) 연세대, 서강대, 중앙대 대학특강 강사
(전) EBS 행정학 강사
(전) 윌비스고시학원 7, 9급 행정학 강사
(전) 이그잼고시학원 7, 9급 행정학 강사
(전) 베리타스 법학원 5급 행정학 강사
(전) 윌비스한림법학원 5급 행정학, 정보체계론 강사

**주요 저서**

하이패스 행정학(박문각출판)
하이패스 행정학 기출문제집(아람출판사)
행정학의 핵(아람출판사)
이명훈 행정학 단원별 적중예상문제집 1000제(아람출판사)
행정학 파이널 모의고사(박문각출판)
최신행정법령 특강(아람출판사)
하이패스 지방자치론(아람출판사)
행정학의 맵과 틀(미래가치)
살아있는 행정학(헤르메스)

**카페** http://cafe.daum.net/Hi-Pass
동영상강의 www.pmg.co.kr

# 이명훈 하이패스 행정학 #2

**초판 인쇄** | 2024. 7. 10. **초판 발행** | 2024. 7. 15. **편저** | 이명훈
**발행인** | 박 용 **발행처** | (주)박문각출판 **등록** | 2015년 4월 29일 제2019-000137호
**주소** | 06654 서울시 서초구 효령로 283 서경 B/D 4층 **팩스** | (02)584-2927
**전화** | 교재 문의 (02)6466-7202

저자와의 협의하에 인지생략

이 책의 무단 전재 또는 복제 행위를 금합니다.

정가 55,000원
ISBN 979-11-7262-111-7 | ISBN 979-11-7262-109-4(세트)